यशदेव शल्य समग्र

मानवीय सर्जना की तत्त्वमीमांसा

यशदेव शल्य

यशदेव शल्य समग्र

मानवीय सर्जना की तत्त्वमीमांसा

खण्ड चार

दार्शनिक इतिहास दृष्टि

सम्पादक

अम्बिकादत्त शर्मा

प्रस्तावना

मुकुन्द लाठ

DK PRINTWORLD
Publishers of Indian Traditions

Cataloging in Publication Data — DK
[Courtesy: D.K. Agencies (P) Ltd. <docinfo@dkagencies.com>]

Śalya, Yaśadeva, 1928- **author.**
[Works]
Yaśadeva Śalya samagra : mānavīya sarjanā kī tattva-mīmāṁsā / sampādaka, Ambikādatta Śarmā ; prastāvanā, Mukunda Lāṭha.
volumes cm.
In Hindi.
On Indic philosophy.
ISBN: 9788124608791
Contents: khaṇḍa eka – Jñāna aura sat, khaṇḍa do – Cit aura mūlya, khaṇḍa tīna – Samāja aura saṁskṛti, khaṇḍa cāra – Dārśanika itihāsa dṛṣṭi.

1. Philosophy, Indic. I. Śarmā, Ambikādatta, editor. II. Title

B5131.S25 2016 DDC 181.4 23

ISBN: 978-81-246-0879-1 (set); 978-81-246-0883-8 (vol. 4)
प्रथम संस्करण 2017

मुद्रक एवं प्रकाशक
डी॰के॰ प्रिण्टवर्ल्ड (प्रा॰) लि॰
पंजीकृत कार्यालय : *वेदश्री*, एफ-395, सुदर्शन पार्क
(मेट्रो स्टेशन : रमेश नगर) नई दिल्ली - 110 015
फोन : (011) 2545 3975, 2546 6019
ई-मेल : indology@dkprintworld.com
वेब : www.dkprintworld.com

समर्पण

डॉ. अम्बिकादत्त जी शर्मा के प्रति,
अत्यन्त आदर और स्नेहपूर्वक।

विषय–सूची

आमुख

अम्बिकादत्त शर्मा

'दर्शन' पद के साथ 'भारतीय' विशेषण भौगोलिकता का वाचक न होकर विचार की एक विशिष्ट गोत्र और परम्परा का द्योतक है। इस दृष्टि से श्रीअरविन्द के बाद इस देश में दार्शनिक गतिविधियों से सरोकार रखने वाले बहुतेरे महत्त्वपूर्ण व्यक्तियों को 'भारत का दार्शनिक' तो कहा जा सकता है, लेकिन एक 'संस्थापक भारतीय दार्शनिक' की पदवी से केवल यशदेव शल्य (जन्म 1928) ही अभिहित किये जा सकते हैं। भारत के वैचारिक स्वराज और राष्ट्रभाषा हिन्दी के राजपथ पर अपने चिन्तन को पुरोगामी रूप से अग्रसारित करते हुए उन्होंने जो दार्शनिक स्थापनाएँ प्रस्तुत की हैं, वह स्वातंत्र्योत्तर भारत की एक महत्त्वपूर्ण दार्शनिक उपलब्धि है। यह एक ऐसी दार्शनिक उपलब्धि है जो 'समकालीन भारतीय दर्शन' को सार्थक बनाने वाले सभी दार्शनिक प्रयासों को पीछे छोड़ते हुए अकेले दम पर उसे सार्थकता प्रदान करने का सामर्थ्य रखता है। इसलिए उनके दार्शनिक सृजन परिवेश को पाश्चात्य विचारों के अंतराय से सींचीं हुई समसामयिक औपनिवेशिक भारतीयता का अपवाद कहना सर्वथा उचित होगा। उनके लिए 'दर्शन' तमाम ज्ञान-विधाओं की तरह कोई विषयमूलक-व्यवस्था नहीं बल्कि ज्ञान का एक आत्मोन्मुख व्यापार है जो निरन्तर अपने आरम्भ बिन्दु से प्रारम्भ कर उसी पर लौटता है। दर्शन के स्वरूप विषयक इस व्यावर्त्तक अन्तर्दृष्टि को आत्मसात् करते हुए मानवी स्तर पर आत्मचेतन हुई चेतना को अपने दार्शनिक अध्यवसाय का प्रस्थान-बिन्दु बनाकर उन्होंने 'मनुष्य के जगद्भाव' की जैसी तत्त्वमीमांसा प्रस्तुत की है, उससे मानवीय सर्जना के सभी पक्षों की व्याख्या एक चकित कर देने वाली मौलिकता के साथ सम्भव हुई है। यदि उनकी तुलना भारतीय परम्परा के किसी दर्शन से की जाये तो उनका चिंतन अद्वैत वेदान्त के गोत्र का प्रतीत होता है। यद्यपि वह भी एक अपूर्व मौलिकता के साथ कायाकल्प करते हुए आकार ग्रहण किया है। पुनः उनकी तुलना किसी पाश्चात्य दार्शनिक से की जाये तो वे हुस्सर्ल और हायडेगर के समकक्ष ही ठहरते हैं। यह बात अलग है कि भारत का दार्शनिक जगत् उनके दार्शनिक अध्यवसाय से पूरे तौर से परिचित नहीं हो सका है। इसका एक मात्र कारण भाषा है, क्योंकि भीष्म संकल्प के साथ उन्होंने बहुत लिखा लेकिन सब कुछ हिन्दी में लिखा है। यद्यपि अंग्रेजी जानते हुए सब कुछ हिन्दी में लिखने के पीछे भी शल्यजी की एक मूलगामी दृष्टि रही है। वह यह कि भाषा मानवीय सर्जना का एक रूप ही नहीं बल्कि आधारभूत आयाम भी है। अतः आत्मचेतन चेतना से परिभाषित 'मनुष्य' होने का अर्थ भाषा में होना है और निज भाषा में होने का औचित्य अपने को अपने सांस्कृतिक विश्व में पाना है। वह जो अपनी भाषा में नहीं, अपने ही घर से बेघर है। इस दृष्टि से शल्यजी की दर्शन-साधना वैचारिक स्वराज के भाषायी राजपथ को उद्घाटित और प्रशस्त करने की साधना भी कही जा सकती है।

यशदेव शल्य के अकादमिक जीवन-वृत्त पर दृष्टिपात करने से विदित होता है कि दार्शनिक अध्ययन और लेखन उनके लिए कभी विद्वता लाभ और पाण्डित्य प्रदर्शन का साधन नहीं होकर आत्मचरितार्थन और आत्मसर्जन का कर्म रहा है। वस्तुतः यह उनकी एक दार्शनिक स्थापना भी है कि मनुष्य के कर्म मात्र का औचित्य भी यही है कि वह आत्मचेतन पूर्वक किये गये अपने समस्त कर्मों के द्वारा अपना आत्मक्रियान्वयन ही करता है। यही आत्मक्रियान्वयन क्रिया और कर्म का भेदक और मानवी-प्रस्थिति की व्यावर्त्तक विशेषता है। अन्यथा मनुष्य न तो अर्थलोक की सृष्टि कर सकता है और न ही उसका अवगाहन। ऐसे यशदेव शल्य का जन्म 26 जून, 1928 को फरीदकोट (पंजाब) में हुआ। अपनी प्रारम्भिक शिक्षा की शुरुआत उन्होंने फरीदकोट के ही एक

प्राइमरी स्कूल से की और तत्पश्चात् रायकोट (लुधियाना) में स्थित एक गुरुकुल में सातवीं कक्षा तक पढ़ाई की। वहीं रहकर उन्होंने संस्कृत कॉलेज, जयपुर की 'साहित्योपाध्याय' और पंजाब विश्वविद्यालय की 'प्रभाकर' परीक्षाएँ किसी तरह से उत्तीर्ण कीं। इसके अनन्तर अपने घर पर ही रहकर उन्होंने अंग्रेजी की मैट्रिक और इण्टरमीडिएट की परीक्षाओं को उत्तीर्ण कर संस्थागत पठन-पाठन से अपने को मुक्त कर लिया और स्वतन्त्र अध्ययन की ओर प्रवृत्त हो गये। स्वतन्त्र अध्ययन के मार्ग पर चलते हुए प्रथमतया वे साहित्य की आलोचनात्मक विधा तथा कविता लेखन की ओर उन्मुख हुए और 1951 में किताब महल, इलाहाबाद से 'पन्त का काव्य और युग' शीर्षक से अपनी पहली पुस्तक को प्रकाशित किया। साहित्य के क्षेत्र में उनकी दूसरी पुस्तक 'काव्य-विमर्श' शीर्षक से 2003 में प्रकाशित हुई है। एक साहित्यकार के मानस में दर्शन का बीज कैसे अंकुरित हुआ, यह कहना तो कठिन है लेकिन 1952 में 'प्रतीक' पत्रिका के एक अंक में उन्होंने 'व्यष्टि और समष्टि' शीर्षक से एक लेख प्रकाशित किया। पुनः अचानक दर्शन के लिए इतना बड़ा कृत्यानुष्ठान कि 1954 में उन्होंने 'अखिल भारतीय दर्शन परिषद्' की स्थापना की और साथ ही साथ 'दार्शनिक त्रैमासिक' पत्रिका का प्रकाशन भी आरंभ किया। इस प्रकार 1954 से अद्यतन उनका जीवन भारत में दार्शनिक उन्नयन और अपने दार्शनिक चिन्तन को आकार देने में समर्पित रहा है। अनवरत् चिन्तन-मनन में निरत रहते हुए उन्होंने लगभग डेढ़ दर्जन मौलिक पुस्तकों का प्रणयन और आधे दर्जन से अधिक पुस्तकों का संपादन किया है। शल्यजी की मौलिक कृतियों के विचार-वितान और भाषा की संरचना बहुत ही नवोन्मेषी है। संपादित कृतियाँ अधिकांशतः समकालीन पाश्चात्य दर्शन और उसकी आलोचना से संबंधित हैं। इसके पीछे उनकी दृष्टि पाश्चात्य दर्शन के प्रति अन्ध श्रद्धा की गतानुगतिक रूप से पुनरावृत्ति करना नहीं, बल्कि उसके प्रति अविचारित मोह का भंजन कर भारतीय दर्शन के प्रति निष्ठा को बढ़ाना रहा है। उनकी रचनाओं को सर्वत्र सम्मान भी मिला और अपने समय के मूर्धन्य विद्वानों ने उन पर समीक्षाएँ लिखीं। उन्हें हिन्दी समिति उत्तर-प्रदेश द्वारा डॉ. भगवानदास पुरस्कार (1962), अखिल भारतीय दर्शन परिषद् द्वारा स्वामी प्रणवानन्द दर्शन पुरस्कार (1988), बिड़ला फाउण्डेशन द्वारा शंकर पुरस्कार (1995), हिन्दी साहित्य सम्मेलन, प्रयाग द्वारा मंगला प्रसाद पुरस्कार (2002), भारतीय ज्ञानपीठ द्वारा मूर्तिदेवी पुरस्कार (2004) और मध्य-प्रदेश राष्ट्रभाषा प्रचार समिति द्वारा नरेश मेहता स्मृति वाङ्मय पुरस्कार (2002) से सम्मानित भी किया गया है। वे दार्शनिक त्रैमासिक, दर्शन समीक्षा, तत्त्वचिन्तन और उन्मीलन जैसी पत्रिकाओं के संस्थापक सम्पादक भी रहे। विश्वविद्यालयीय व्यवस्था से किसी प्रकार की उच्च उपाधि से विमुक्त रहने के बावजूद भारतीय दार्शनिक अनुसन्धा''न परिषद् एवं भारतीय समाज विज्ञान अनुसन्धान परिषद् उन्हें अपना वरिष्ठ फैलो बनाकर अपने को सम्मानित किया है। इस प्रकार राष्ट्रभाषा 'हिन्दी' के माध्यम से इन्होंने दार्शनिक चिन्तन को जैसा उत्कर्ष प्रदान किया है वह विचार को उसका पुरुषार्थ प्रदान करने जैसा है। एक दार्शनिक के रूप में यशदेव शल्य भारत की उस गौरवशाली परम्परा के अंगभूत माने जा सकते हैं जिसके लिए 'मुनिनां उत्तरोत्तर प्रामाण्यम्' कहा जाता है।

यशदेव शल्य का अर्द्धशताब्दी से अधिक का अविचल चिन्तन ने अपने आप में एक सम्पूर्ण दार्शनिक तंत्र का रूप ले लिया है। यद्यपि उनका चिन्तन सर्वथा मौलिक है तथापि एक प्रकार से वे अद्वैत वेदान्त की परम्परा में आते हैं, किन्तु यह परम्परा उनके चिन्तन में आधारभूत रूप से नवीनीकृत हुई है। यशदेव शल्य ने स्वयं ही अपने दार्शनिक प्रस्थान को 'चिद्द्वैतवाद' (चेतनामूलक अद्वैतवाद) कह कर अपना आत्म-प्रकाशन किया है। ('सत् की चिन्मयता' नामक आलेख, उन्मीलन, वर्ष-15, अंक-1, 2001) सत्ता की चिद्द्वैतवादी अनुसंधित्सा में यशदेव शल्य की दार्शनिक यात्रा का आरम्भ आधुनिक पाश्चात्य अनुभववादी-तार्किक प्रत्यक्षवादी परम्परा के अन्तर्गत-चिन्तन के साथ हुआ और उन्होंने इसमें 'दार्शनिक विश्लेषण' (1961) नामक पुस्तक लिखी। किन्तु उन्हें अनुभववादियों की अनुभव की अवधारणा में कोई युक्तियुक्तता नहीं दिखाई दी। अनुभववाद में सबसे बड़ा दोष यह है कि यह परम्परा विषय को मात्र संवेदन प्रदत्त के रूप में स्वीकार करती है। इससे एक ओर प्रत्येक चैतसिक स्तर के समानान्तर विषय की परिकल्पना करने से अनावश्यक विषयों को मानना

पड़ता है तो दूसरी ओर उन्हें एक सूत्र में बाँधने की समस्या खड़ी होती है ताकि योजनाबद्ध क्रिया की व्याख्या की जा सके। इस प्रकार अनुभववाद अपने विकसित प्रारूप में भी संवेदन-प्रदत्त और वस्तु के बीच की खाई को नहीं पाट पाता है। अतः यशदेव शल्य एक प्रकार से 'सावधान अनुभववाद' को ध्यान में रखते हुए 'अवधारणा-सापेक्षतावाद' (वस्तु का स्वरूप अवधारणामूलक मानना) की ओर उन्मुख होते हैं, और इसका प्रतिपादन उन्होंने 'ज्ञान और सत्' (1967) नामक पुस्तक में किया है। परन्तु यह दृष्टि भी उनके लिए अधिक समय तक सन्तोषप्रद नहीं बनी रह सकी। स्वयं उन्होंने यह स्वीकार किया है कि बाह्य विषय के सम्बन्ध में अवधारणा-सापेक्षता की बात फिर भी किसी तरह चल सकती है किन्तु कर्त्तव्य, आत्मा आदि विषयों के सन्दर्भ में कैसे चल सकती है। अपनी इस दृष्टि का पल्लवन उन्होंने 'संस्कृति : मानव कर्तृत्व की व्याख्या' (1969) नामक पुस्तक में किया है। इस तरह यशदेव शल्य अपने ही अवधारणा-सापेक्षतावाद से उत्तीर्ण होकर अपने चिन्तन के दूसरे महत्त्वपूर्ण सोपान पर पहुँचते हैं जिसे चैत्त-सापेक्षतावाद (वस्तु को चित्-सापेक्ष मानना) से निरपेक्ष चैतन्य में उत्क्रमण के रूप में समझा जा सकता है। इन दोनों ही विचार-ध्रुवों के मध्य दोलायमान उनके चिन्तन को 'विषय एवं आत्म' (1972) नामक पुस्तक में देखा जा सकता है। इस पुस्तक में उन्होंने एक ओर बाह्य विषय को सापेक्षता से मुक्त कर उसे उसका वस्तुगत आधार लौटाने का प्रयास किया तो दूसरी ओर आत्मा को सापेक्ष विषयिता से मुक्त कर आत्मसत्ता में प्रतिष्ठित करने का एक विलक्षण प्रत्ययवादी प्रयत्न किया है। अपने दार्शनिक अध्यवसाय में लगभग डेढ़ दशक तक इस सोपान पर स्थित यशदेव शल्य को बाद में यह भान होता हुआ प्रतीत होता है कि वे अपने प्रयत्न में पूर्णतः सफल नहीं हो सके थे। उन्होंने स्वयं स्वीकार किया है कि मैं विषय की बाह्यता के चिद्गत स्रोतों एवं आत्मा की ऐसी तात्त्विकता की खोज में था जो वस्तुरूप न होकर भाव्यात्मक हो। उनके ही शब्दों में "अब 'विषय और आत्म' में जबकि मैं विषय के चिद्गत स्रोतों को देख पाया, स्वयं चेतना अथवा आत्मा के उस स्वरूप को नहीं देख पाया जिससे ये स्रोत उद्गत होते हैं।" (चिद्-विमर्श, प्राक्कथन, पृ. 2) इस प्रकार चेतना अथवा आत्मा के उस स्वरूप का सन्धान जिससे अनन्त विषयों के स्रोत उद्गत होते हैं, यशदेव शल्य के दार्शनिक चिन्तन का तृतीय और अन्तिम प्रस्थान है। उनकी इस गम्भीर दृष्टि का विकास 'चिद्-विमर्श' (1978) नामक ग्रन्थ में हुआ है। यहाँ वे विषय-जगत् और अर्थ-लोक की चिद्गत संरचनाओं की प्रतिष्ठा चेतना की आत्मगत प्राकृतिकता से आत्मोन्मुख निवर्तन में देखते हैं। चेतना का आत्मोन्मुख निवर्तन उसका प्रत्यङ्मुख अभिसरण है और इसी प्रत्यङ्मुख चेतना (चेतना की अन्तरोन्मुखता) का महाभाष्य करते हुए उन्होंने आत्मचेतन चेतना के ज्ञानात्मक, संकल्पात्मक और भावनात्मक तीनों ही अभिवृत्तियों एवं मानव पर्येषणा के समस्त पक्षों, यथा समाज, संस्कृति, सौन्दर्य, कला, साहित्य, भाषा, विज्ञान और इतिहास-दर्शन तथा मनुष्य के समस्त मूल्यात्मक अभिनिवेशों की मौलिक व्याख्या की है। यही यशदेव शल्य के दर्शन का चरम चिद्द्वैती प्रस्थान है जिसका बहुआयामी पल्लवन उनके परवर्ती ग्रन्थों, जैसे – सत्ताविषयक अन्वीक्षा (1987), समाज : दार्शनिक परिशीलन (1992), मूल्यतत्त्व मीमांसा (1994), तत्त्व चिन्तन (2003) और 'चित् की आत्मगवेषणा' (2009) में हुआ है।

यहाँ अवधेय है कि शल्यजी के चिन्तन के विभिन्न सोपानों में उन्हें 'पहले' और 'बाद' के शल्यजी में विभाजित नहीं किया जा सकता। उनके चिन्तन के विभिन्न सोपान एक-दूसरे से अनन्वित नहीं बल्कि पूर्णतया अन्वित हैं। यहाँ तक कि ये सोपान एक ही मूल के विभिन्न कल्प और उसी से अनुप्राणित भी कहे जा सकते हैं। वह मूल एक ऐसी चेतना है जो अपने में जगद्भाव का आक्षेप करती है और पुनः आत्मोन्मुख निवर्तन में अपने भाव्य स्वरूप का साक्षात्कार करती है। शल्यजी इस मूल चैतन्य को सर्वथा अपरिभाषेय बताते हैं। अपरिभाषेय इसलिए कि यह सब कुछ का पूर्ववर्ती है। यह पूर्ववर्तिता वास्तव में सब कुछ होने की पूर्वापेक्षा है। यदि चैतन्य को कम से कम 'पूर्वापेक्षा' के रूप में ही परिभाषित किया जाय तो यहाँ पूर्वापेक्षा भी अवधारणात्मक रूप से गृहीत हो सकेगी और तब परिभाषा स्वयं में एक प्रकार से 'व्यत्ययदोष' से ग्रसित हो जायेगी। इसलिए यह सदैव अनिधार्य, निरुपाधिक और अतलान्त गहन ही बनी रहती है।

इस तरह देखा जाय तो यशदेव शल्य के दार्शनिक चिन्तन की विकासात्मक यात्रा में सोपान क्रम से 'चित्सत्तावाद' (सत्ता को चिन्मय मानना) का ही बहुविध रूप से प्रतिपादन हुआ है। इनके चित्सत्तावाद में पारम्परिक दृष्टि से बुद्धिवाद और अध्यात्मवाद का समन्वय देखने के बजाय चेतना की विमर्शात्मकता के वाचक बुद्धिवाद और इस विमर्श के आत्मस्रोतान्वेषण के वाचक अध्यात्मवाद का यौगपद्य देखा जाना अधिक उपयुक्त है। यही कारण है कि यशदेव शल्य के दर्शन में तार्किक अनुभववाद और तर्कीय प्रत्यक्षवाद के तत्त्वमीमांसा प्रत्याख्यानवादी अभियान को एक जबरदस्त भारतीय प्रत्युत्तर प्राप्त हुआ है। यह उनके दर्शन की अति महत्त्वपूर्ण दार्शनिक पुनर्रचना है जिसे उनके चिन्तन में 1970 के बाद प्रकट रूप से देखा जा सकता है। यह किसी को प्रतीत हो सकता है कि यशदेव शल्य की दर्शन-साधना का प्रारम्भ तत्त्वदर्शन-विरोधी बौद्धिक परम्परा के अन्दर हुआ, परन्तु वास्तविकता यह है कि उनके चिन्तन का प्रौढ़ पक्ष तत्त्वमीमांसा के औचित्य प्रतिपादन में ही चरितार्थ हुआ है। यशदेव शल्य के अनुसार यूरोप में जन्मे ज्ञान की अधिकांश विधाओं का अगुआ, यहाँ तक कि उनका सांस्कृतिक नेता विज्ञान ही रहा है। विज्ञान के लिए जगत् की यथातथ्य प्रदत्तता ही उसका अन्तिम सत्य है। इस दृष्टि से सत् उनके लिए जगत्पर्यन्त ही है लेकिन ध्यातव्य यह है कि मनुष्य की कल्पना जगत्पर्यवसायी (जगत् तक ही सीमित होना) नहीं है। अतः सत् को जगत्पर्यन्त मानने वाली दार्शनिक प्रवृत्ति क्या इस प्रश्न पर कभी विचार कर सकती है कि जब मानवीय कल्पना जगत्पर्यवसायी नहीं तो उसका सत् किस प्रकार केवल जगत्पर्यन्त ही हो सकता है? ऐसा पूर्वाग्रह न तो सम्पूर्ण मानवीय पर्येषणाओं के साथ न्याय कर सकता है और न ही इस मर्म की समुचित व्याख्या कर सकता है कि मानवीय कल्पना क्यों जगत्पर्यवसायिता का अतिक्रमण करती है। वस्तुतः इसी अतिक्रमणशीलता में मनुष्य की विशिष्टता और सत्ता का मानो रहस्य छिपा हुआ है। मनुष्य के क्रिया-कलापों में प्राप्त स्थिति से उबरने और उससे आगे अपने को प्रतिष्ठित करने की प्रवृत्ति इसी बात का संकेत करती है, मानो उसका कोई गन्तव्य है जिसके सापेक्ष वह अपने को न्यून पाता है। यदि इस बात को स्वीकार किया जाय तो तत्त्वमीमांसा के गहरे पानी में गोता लगाना ही होगा और सत्ता की अन्वीक्षा उस रूप में करनी होगी ताकि मानवीय पर्येषणा की उत्तरोत्तरगामिता की समुचित व्याख्या की जा सके। यशदेव शल्य की सत्ताविषयक अन्वीक्षा में तत्त्वमीमांसा का जैसा प्रस्ताव हुआ है वह 'तत्त्वमीमांसा क्यों' और फिर 'तत्त्वमीमांसा कैसी' दोनों का समुचित उत्तर प्रदान करता है। इन दोनों को अपने में समाविष्ट करता हुआ उनका 'चिद्द्वैतवाद' सृजनशीलता का दर्शन और दर्शन की सृजनशीलता के रूप में सामने आता है।

शल्यजी अपने 'चिद्द्वैतवाद' में सत्ताविषयक एक व्यापक अवधारणा को सामने लाने का वरेण्य प्रयास करते हैं। उनका चिन्तन एक ऐसे अखण्ड सत्य का अन्वेषण है जो समस्त खण्ड सत्यों को अन्तर्निहित करता हुआ उनका अपनी भूमा में अतिक्रमण करता है। इसीलिए उन्होंने 'सत्ता' को 'अस्तित्व' और 'वस्तुतता' की कोटियों से हटाकर 'भाव्य-भाव' की कोटि में अवधारित किया है। उनके अनुसार अकेला 'भाव्य' कहने में यह दोष है कि तब सत् स्वरूपतः अपूर्ण हो जायेगा और केवल 'भाव' कहने से न अनिष्ट, अव्यवस्था और न्यूनता का कोई अर्थ रहेगा और न मूल्यपर्येषणा का। एक ओर सत्ता की गरिमा के लिए यह आवश्यक है कि वह भाव्य हो और दूसरी ओर भाव्य के सत् होने के लिए यह आवश्यक है कि वह निरपेक्ष पूर्ण भाव हो। यह अन्तर्विरोध ही सत्ता की विपुल पूर्णता का रहस्य है।

इस प्रकार सत्ता को उसकी विपुलता एवं पूर्णता में अवधारित करते हुए शल्यजी अस्तित्व एवं वस्तुता की कोटियों से उसे सर्वथा बहिष्कृत नहीं कर देते हैं बल्कि सत्ता को अस्तित्व और वस्तुता के आदिम स्रोत के रूप में ही देखते हैं। उनके ही शब्दों में "अस्तित्व को मैंने सत्ता के जीवन में एक आगन्तुक आविर्भाव के रूप में देखा है, उसे एक आयाम या घटक के रूप में नहीं।" पुनः 'अस्तित्व' मेरी विचार-व्यवस्था में सांवृतिक चेतना, वेदना, अन्नमय-प्राणमय-मनोमय कोश, ऐन्द्रिक-दैहिक-आविर्भाव है। सत्ता के संदर्भ में अस्तित्व को 'आगन्तुक आविर्भाव' कहने का तात्पर्य यह है कि अस्तित्व सत्ता की पूर्णता के लिए अनिवार्य नहीं है। यह सत्ता के इतिहास में एक अनादि व्यवधान है। यही व्यवधान चैतन्य के जगद्विवर्त का निमित्त भी है। इसलिए अस्तित्व के सत्य होने

के लिए यह अनिवार्य है कि वह सत्ता में अधिष्ठित हो, किन्तु सत्ता की पूर्णता के लिए यह आवश्यक नहीं है कि वह अस्तित्व की कोटियों में अभिव्यक्त भी हो। प्रपंच विषयक श्रुतियों की व्याख्या में शंकराचार्य भी "न हि सृष्ट्यादि प्रपञ्चो विवक्षितः" कहते हुए ब्रह्म के लिए सृष्टि-प्रपंच को आवश्यक नहीं पाते हैं। शल्यजी की व्याख्या भी कुछ इसी प्रकार की है जब वे कहते हैं कि 'ईश्वर का अस्तित्व है' का अर्थ यह नहीं है कि "जगत् की वस्तुओं और जीवों का अस्तित्व है" बल्कि यह ईश्वर के अपने अस्तित्व का ही कथन है, जिस प्रकार किसी कलाकार के अस्तित्व के सम्बन्ध में कथन का यह अर्थ नहीं है कि उसकी कृतियों का भी अस्तित्व है।

इसलिए अस्तित्व मात्र की आगन्तुकता अथवा अपर्याप्तता, जिसे शल्यजी सत्ता में आक्षिप्त एक व्यवधान के रूप में देखते हैं, उनकी सम्पूर्ण विचार-व्यवस्था में नाभिक जैसा है। अपनी रचनाओं में उन्होंने इसकी व्याख्या तत्त्वमीमांसीय, ज्ञानमीमांसीय, मूल्यमीमांसीय एवं प्रयोजनात्मक दृष्टि से बड़े विस्तारपूर्वक की है। यह उनके चिन्तन का सर्वाधिक अर्थ-गर्भ पक्ष है। इसके गूढ़ार्थ को उनके ही शब्दों में प्रस्तुत करते हुए कहा जा सकता है कि "वह सब कुछ जो है, आगन्तुक स्वभाव है और यह एक ही बात इसे सत्ता के लिए अपर्याप्त बना देती है। उदाहरण के लिए 'यह घट' देश, काल एवं अन्य वस्तु आदि-आदि सब में असत् से परिवेष्ठित है। किन्तु यह केवल इसी कारण से आगन्तुक नहीं है बल्कि इसलिए भी आगन्तुक है क्योंकि यह अपने प्रत्यय में ही आगुन्तक है। उदाहरणतः यदि जगत् न केवल देश और काल में ही सर्वत्र आपूरित हो बल्कि अपने अस्तित्व मात्र का भी समावेश करता हो, तो भी यह अनिवार्य नहीं होगा, क्योंकि इसका अन्यथात्व कल्पनीय है, अर्थात् यह अपने प्रत्यय के लिए पर्याप्त नहीं है। इसी प्रकार आहंकारिक चैतन्य, जो 'मैं' पद का वाच्य है, वह भी अनिवार्य नहीं है। यह केवल देश और काल में ही परिसीमित और व्यक्ति के रूप में अन्य व्यक्तियों से व्यावृत्त नहीं है बल्कि अपने प्रत्यय में भी घट और जगत् के समान ही आत्म-अपर्याप्त है।"

यशदेव शल्य के अनुसार मनुष्य, पशु और भौतिक वस्तुओं को अस्तित्व के इतिहास में क्रमशः जगद्भावापन्न चैतन्य, चित् और अचित् कहा जा सकता है। इसमें भौतिक अस्तित्व भीतर-बाहर उभयतः बंद है और पाशव अस्तित्व भीतर से बंद और बाहर से इतरोन्मुख रहता है। यह केवल मानवीय अस्तित्व ही है जो भीतर और बाहर दोनों ओर खुला रहता है। इस प्रकार खुले होने से उसमें अपर्याप्तता वास्तव में आत्म-अपर्याप्तता का रूप ले लेती है। इस आत्म-अपर्याप्तता के बोध में उस पर्याप्तता की स्मृति या आभास भी अन्तर्निहित होता है जिससे वह वियुक्त है। मानवीय चेतना में एक मूलगामी आत्म-अतिक्रामिता में, उसके आत्म-संशोधनात्मक सभी प्रयत्नों में यह सब कुछ भली-भाँति देखा जा सकता है। शल्यजी के अनुसार आहंकारिक चैतन्य की आत्म-अपर्याप्तता दूसरे अस्तित्वों से इस अर्थ में गम्भीर एवं तीव्र है कि इसका प्रत्यय आत्म-बाह्य नहीं हो कर आत्मप्रकाशित होता है। अर्थात् यह केवल अन्य-व्यावृत्त नहीं हो कर आत्म-व्यावृत्त या आत्मनिर्वासित भी होता है। यह अपने भीतर अपने अभाव से, अपने वैपरीत्य से, अनात्म से दंशित है। यह परिस्थिति इसे एक-दूसरा ही आयाम प्रदान करती है। अर्थात् इसे अपने से अतिक्रामी सत्त्व दे देती है। यही वह अतिक्रमण है जो प्लेटो द्वारा श्रेयस् को ज्ञान और सत् से ऊपर अतिसत् के रूप में रखने में अभिप्रेत है और जो 'तत्त्वमसि श्वेतकेतो!' में श्वेतकेतु का सत्त्व श्वेतकेतु से ऊपर ब्रह्म में स्थापित करने को सार्थकता देता है। इसलिए मानवीय चैतन्य की विशिष्टता उसकी आत्मप्रकाशित आत्म-अपर्याप्तता का बोध है जो स्वयं व्यक्ति में अपने भाव से ऊपर उठने के अतिक्रान्त संकल्प के रूप में दृष्टिगत होता है। मानो अस्तित्व के इतिहास में मानव इसी संकल्प के साथ अपनी आँखें खोलता है।

मनुष्य का एक अतिक्रामी संकल्प को लिए हुए अपनी आँखें खोलने का तात्पर्य यह है कि चेतना मनुष्य के माध्यम से पहली बार आत्मचेतन होती है और सत् के अन्वेषण में प्रवृत्त होती है। मनुष्य की यह अनुसन्धित्सा अपने होने के अर्थ, उसके आधार और गन्तव्य की जिज्ञासा के रूप में होती है। इस सृष्टि में मनुष्य के अतिरिक्त किसी अन्य सत्त्व में यह जिज्ञासा प्रकट नहीं होती, मानो मनुष्य के माध्यम से सत्ता स्वयं ही प्रश्न उठाती है कि सत्ता क्या है? शल्यजी के अनुसार इसका उत्स जगद्भाव में चेतना का अपने आप को आत्म-

अभावापन्न, आत्म-अपर्याप्त अथवा आत्मनिर्वासित पाना है। तत्त्वमीमांसीय गति और प्रवृत्ति इसी मूल अभाव और अपर्याप्तता के स्रोत की खोज है। इस स्रोत की खोज में जगद्भावापन्न चैतन्य (मनुष्य) अपार अर्थ-राशि का सृजन, अवगाहन और उसका अतिक्रमण करते हुए अपने मूल स्वरूप की ओर द्वितीयावर्तन करता है। यह द्वितीयावर्तन वास्तव में सत्कार्यात्मक नहीं बल्कि असत्कार्यात्मक अर्थ में आत्मोन्मुख निवर्तन है, जो चेतना के प्रत्यङ्मुख व्यापार में घटित होता है। सृष्टि के इतिहास में चेतना की प्रत्यङ्मुखता, जो मानवीय स्थिति की विलक्षण विशिष्टता है, एक मौलिक रूप से नव्य परिच्छेद है।

इस नव्य परिच्छेद की सर्वाधिक महत्त्वपूर्ण विशेषता 'अतिक्रमणशीलता', अर्थात् अपने प्राप्त रूप का निषेध और आदर्श-पर्येष्य रूप का आक्षेप है। इसी के चलते मनुष्य सदैव अपने आदर्श से परिभाषित अस्तित्व बना रहता है। शल्यजी के अनुसार 'मैं हूँ' यह अस्तित्व की ही आद्य और अधिष्ठानभूत घोषणा नहीं है बल्कि अधिक मौलिक रूप से यह अपनी भाव्यता की भी घोषणा है। यहाँ से ही सृजन की, आरोहण की, अनात्म से मुक्ति की, आत्मव्यवधान के निवारण की और अपने मूल स्वरूप की सिद्धि की यात्रा आरम्भ होती है। वस्तुतः शल्यजी के चिन्तन में प्रत्यङ्मुख चेतना की जैसी गम्भीर और गहन विवेचना हुई है वैसी अन्यत्र दुर्लभ है। ऐसा प्रतीत होता है कि उनका सम्पूर्ण दर्शन प्रत्यङ्मुख चेतना के भाष्य, वार्त्तिक और अलंकार रूप विवेचना में ही फलित और प्रमाणित होता है। चैतन्य की मानुषी स्थिति में पराङ्मुख और प्रत्यङ्मुख नामक दो विपरीत दिशाओं में गति देखी जाती है। विषयोन्मुख इन्द्रिय-वृत्ति में चेतना का अपने विषयों में निःशेष हो जाना, उसको समर्पित हो जाना, यह पराङ्मुखता की पराकाष्ठा है। इसके विपरीत प्रत्यङ्मुखता आत्मोन्मुख अतिक्रमण के रूप में एक पूर्णतः मूलगामी घटना है। शल्यजी की सत्ताविषयक अन्वीक्षा में यह मूलगामी आत्मोन्मुख अतिक्रमण विषय से उसकी मूलाग्र अवधारणाओं में, अवधारणाओं से उनकी मूलाग्र चिद्वृत्तियों में और इन चिद्वृत्तियों से निरूपाधिक चैतन्य में अपनी पर्यन्तता को अधिगत करता है।

इस प्रकार यशदेव शल्य के लिए अपनी दर्शन-व्यवस्था में यह देख पाना सुकर हो जाता है कि यह चित् ही है जो दैहिक, ऐन्द्रिक, मानसिक, बौद्धिक और यहाँ तक कि अतिबौद्धिक प्रज्ञात्मक चेतना-वृत्तियों के रूप में प्रवर्तित होकर अपने लिए अर्थों (विषयों) को प्रस्तुत करता है, और जो अर्थ उसे परतया प्राप्त होते हैं। अर्थों की यह परता वास्तव में चित् की स्वकीय परता ही होती है। यह ज्ञान में उनकी अपूर्ण या सदोष ग्राह्यता तथा इष्टता-अनिष्टता से सिद्ध होता है। यह और भी स्पष्ट चेतना के आत्मचेतन रूप से होता है, जिसमें यह स्वयं आत्म को विषय रूप में असम्यक्तः ज्ञेय और अवांछित चित्तवृत्तियों के रूप में दुस्साध्य पाता है। आत्मा को 'जानने' और चित्तवृत्तियों का निरोध करने के यावत् परामर्श इसके प्रमाण हैं। अतएव हमारी सम्पूर्ण ज्ञान-साधना और पुरुषार्थ-साधना चित् के इस आत्मव्यवधान के निराकरण के, चित् की आत्मगवेषणा के प्रयत्न ही कहे जा सकते हैं। चित् का यह आत्म-व्यवहितत्व, उसका यह आत्मगत-आत्मेतरत्व कितना इतर, कितना मलों-कर्दमों से आलिप्त और भ्रान्तियों-भटकाओं का हेतु होता है, यह हम अपने सुदीर्घ पाशव इतिहास से लेकर मानव-सभ्यताओं के इतिहास तक देख सकते हैं। इसी के अन्तराल में चेतना क्रमशः जड़ से वानस्पतिक, वानस्पतिक से पाशव और पाशव से मानव के सोपान तक उठती और मनुष्य में सांस्कृतिक, नैतिक, आध्यात्मिक और सृजनात्मक तथा अनुसन्धानात्मक शिखरों की ओर पुरुषार्थ-साधना में प्रवृत्त दिखाई पड़ती है। चेतना का यह विकास वास्तव में उसका अपना ही आत्मविस्तार और सृजन है जो चेतना के इतिहास में स्वकीय आत्मव्यवधान के निवारण की दुस्साध्य और अन्तहीन साधना है। इस साधना की दुस्साध्यता और अन्तहीन होना ही चेतना के इतिहास का प्रकट रहस्य है। यशदेव शल्य के दर्शन में चेतना द्वारा इस साधना की दुस्साध्यता की आत्मचेतन आत्मगवेषणा ही उनके 'चिद्द्वैतवाद' का पार्यन्तिक स्वरूप है।

यशदेव शल्य के चिद्द्वैतवाद में चित् की वैश्वयोजना अथवा उसके विश्वोन्मुखी प्रर्वतन की न केवल तत्त्वमीमांसा प्रस्तुत की गई है बल्कि साथ ही साथ मानवीय सर्जना के सभी प्रारूपों और आयामों की चिद्द्वैतवादी व्याख्या भी हुई है। शल्यजी चित् के आत्मव्यवधान की निवारक साधना के रूप में जब धर्म, दर्शन, नीति,

आमुख

साहित्य, संस्कृति, इतिहास, कला और यहाँ तक कि वैज्ञानिक प्रवृत्तियों की व्याख्या करते हैं तो मनुष्य के ऐसे सभी साभ्यतिक-सांस्कृतिक उपक्रम आत्मचेतन चित् की पुरुषार्थ-साधना के विभिन्न कल्प बन जाते हैं। इस पुरुषार्थ-साधना के अवधारणात्मक इतिवृत्त को उन्होंने 'संस्कृति : मानव कर्तृत्व की व्याख्या,' 'समाज : दार्शनिक परिशीलन,' 'काव्य-विमर्श' और 'चित् की आत्मगवेषणा' नामक कृतियों में विशेष रूप से उद्घाटित किया है।

समाज और संस्कृति विषयक शल्यजी के विचार-वितान प्रचलित नृतत्त्वविद्या और समाज-विज्ञान के वैज्ञानिकतावाद और उस पर आधारित संस्कृति की समझ से नितान्त भिन्न प्रकार की है। उनके अनुसार समाज और संस्कृति के सम्बन्ध में तीन प्रकार से विचार किया जा सकता है। प्रथमतः उसे बाह्यतः देखकर विवरणात्मक रूप से, द्वितीयतः उसे बाह्यतः देखकर उसके तात्त्विक-सैद्धान्तिक रूप में, और तृतीयतः चेतना की उन वृत्तियों के अवलोकन-परिशीलन द्वारा जो व्यक्तियों को समाज के रूप में धारण करती है। इसमें पहले के दोनों प्रकारों में समाज और संस्कृति विषयक नृतत्त्वशास्त्रीय और समाजवैज्ञानिक दृष्टिकोणों का समावेश हो जाता है। परन्तु चेतना की वृत्तियों के रूप में मनुष्य की सामाजिकता और सांस्कृतिक निर्मितियों को समझना एक मूलगामी विचार है। इस दृष्टि से समाज और संस्कृति के सामान्य-लक्षण और विशेष-लक्षण को निर्धारित करने का प्रयास किया जाये तो कहा जा सकता है कि संस्कृति अपने सारभूत अर्थ में चैत स्तर का अस्तित्व है और उसका व्यक्तित्व जातीय किस्म का होता है। इसका अधिष्ठान, वास्तव में, भौगोलिक क्षेत्र न होकर लोकमानस होता है। ऐसा होने से ही संस्कृति को मनोमयसत्ता के रूप में समाज की अन्तरात्मा से अभिहित किया जा सकता है। यही संस्कृतात्मा जब देहधारी व्यक्ति-समूह को अपने में अधिष्ठित कर उसके द्वारा एक भौतिक आयाम में अपने को प्रकट करती है तो संस्कृति के विशिष्ट-विशिष्ट रूप अस्तित्व में आते हैं।

आश्चर्य है कि विचारों के इतने मूलगामी और व्यापक आयामों को समेटे हुए उनके चिन्तन में मूलभूत दृष्टि से भटकाव और स्खलन नहीं देखने को मिलता। उनके चिन्तन में व्याप्त सघन और गहन अन्विति से उस मूलभूत दृष्टि की विदग्धता और व्यापकता का सहज ही अनुमान लगाया जा सकता है। अन्यथा, अर्द्ध शताब्दी से भी अधिक की अनवरत अनुसन्धान यात्रा में अद्यतन अन्विति को बनाए रखना सम्भव नहीं होता। 'चिद्-विमर्श' पुस्तक के 'मनुष्य, इतिहास तथा समाज विषयक वेदान्तिक अवधारणा' नामक अध्याय में शल्यजी ने किसी भी दर्शन-प्रणाली के संतोषप्रद हो सकने के लिए तीन कसौटियाँ बताई हैं। सर्वप्रथम तो यही कि वह अनुभव के निकट हो, दूसरे, वह अनुभव के विविध आयामों को किसी एक आयाम में अपचयित किये बिना व्याख्यायित कर सके और तीसरे यह कि ऐसा करने के लिए उसे तदर्थ अवधारणाओं का सहारा लेने की जरूरत न हो। देखा जाय तो शल्यजी स्वयं अपने चिन्तन, मनन और लेखन में इन तीनों कसौटियों के प्रति बहुत ही सजग रहे हैं। इसीलिए यह तीनों कसौटियाँ उनकी दर्शन-साधना में पूरे तौर से चरितार्थ हुई हैं। उनके चिन्तन में इसी कारण एक अप्रतिहत अन्विति, संगति और संसक्तता दिखाई पड़ती है। 'यशदेव शल्य समग्र' शीर्षक से उनकी सभी मौलिक कृतियों को एक साथ प्रकाशित करने का हेतु और औचित्य यही है। शल्यजी अनवरत लिखते रहे और निरन्तर उनका यत्र-तत्र प्रकाशन भी होता रहा। परन्तु इस प्रक्रिया में उनके चिन्तन को लेकर एक ठोस समझ के बदले आधी-अधूरी समझ की सम्भावना से इनकार नहीं किया जा सकता। न्यूनाधिक रूप से शल्यजी के साथ वस्तुतः हुआ भी ऐसा ही है। स्वातंत्र्योत्तर भारत में जबकि दर्शन के नाम पर हमारे पास कुछ दिखाने लायक है और जिस पर कोई भी बौद्धिक परम्परा गर्व कर सकती है तो वह यशदेव शल्य का ही दार्शनिक चिन्तन है। अतः समकालीन दार्शनिक परिदृश्य में यशदेव शल्य के सम्पूर्ण दार्शनिक चिन्तन को एक साथ प्रस्तुत और प्रकाशित करने का एक दार्शनिक औचित्य भी है। वास्तव में इसी उद्देश्य को आत्मसात् कर हमने उनकी समस्त मौलिक रचनाओं को चार खण्डों में सम्पादित कर प्रकाशित करने का प्रयास किया है। इस सम्पादन में उनकी रचनाओं को रचना-काल-क्रम में सम्पादित नहीं किया गया है बल्कि वैचारिक और सम्प्रत्ययात्मक संगति को ध्यान में रखते हुए उन्हें चार खण्डों (ज्ञान और सत्, चित् और मूल्य, समाज और संस्कृति, और दार्शनिक इतिहास-दृष्टि) में इस

तरह संकलित किया गया है ताकि उनके चिन्तन के विकासक्रम और सोपान अधिक से अधिक स्पष्ट हो सकें। साथ ही साथ मानवीय सर्जना की तत्त्वमीमांसा के रूप में उनके चिद्द्वैतवाद को एक स्वतंत्र और सम्पूर्ण दर्शन-व्यवस्था के रूप में प्रस्तुत किया जा सके।

शल्यजी ने मेरी ओर से प्रस्तावित इस कार्ययोजना को अपनी स्वीकृति प्रदान कर मुझ पर बड़ा उपकार किया है। मुकुन्द लाठ जी ने मेरे अनुरोध पर इसकी विस्तृत प्रस्तावना लिखकर मानों इस सम्पादन कार्य को अलंकृत ही कर दिया है। मुकुन्द जी की लेखनी जब कभी शल्यजी के दार्शनिक अध्यवसाय को उजागर करने के लिए प्रवृत्त होती है तो वह सहसा अलंकार भाष्य के स्वरूप को अख्तियार कर लेती है। डी.के. प्रिन्टवर्ल्ड के प्रोपराइटर श्री सुशील मित्तल जी इतने बड़े कार्य को प्रकाशित करने के लिए सहर्ष तैयार हुए, इसके लिए वे मेरी ओर से कोटिशः धन्यवाद के पात्र हैं। मित्तल जी एक पारखी प्रकाशक हैं। वे मूल्यवान ज्ञान को केवल समझते ही नहीं, बल्कि प्रकाशित करते हुए उसका यथोचित शृंगार करना भी अपना प्रकाशकीय स्वधर्म मानते हैं। विशाल कम्प्यूटर्स (जयपुर) मनोयोग के साथ निष्ठापूर्वक टंकण कार्य के लिए भूरिशः सराहना और साधुवाद के पात्र हैं। आशा है कि 'यशदेव शल्य समग्र' के प्रकाशन से शल्यजी की चिद्द्वैतवादी विचार-साधना को लेकर एक समग्र समझ विकसित हो सकेगी। यशदेव शल्य के दर्शन की समग्र समझ अपने आप में एक ओर सृजनात्मकता का दर्शन है तो दूसरी ओर दर्शन की सृजनात्मकता का आह्वान भी है। अतः उसे दीर्घायुष्य और उत्तरजीविता प्रदान करना हम सभी का कर्त्तव्य है।

प्रस्तावना

मुकुन्द लाठ

संस्कृति स्वातंत्र्य चाहती है, और इसके लिये वह निरंतर जागरूक आत्मचेतन आत्मविमर्श की अपेक्षा रखती है। स्वतंत्र विचार इसी का लक्षण होता है। विचार के स्वप्रतिष्ठ स्वातंत्र्य के बिना संस्कृति के अपनेपन की नींव दृढ नहीं होती। उसकी विभिन्न प्रवृत्तियां, परंपराएं, व्यवस्थाएं, अन्य संस्कृतियों से संबंध, उन्हें अपना पाना – ये जिस सिसृक्षा में रूप लेते हैं, वह आत्मस्थ आत्मदृष्टि का फल होता है, विचार में अपने को प्रकट करता है।

आज हममें, पराक्रांति के बाद भी, सिसृक्षा का स्वातंत्र्य है। प्रकट दिखता है। हम अपनी गहरी प्रवृत्तियों में : साहित्य में, कलाओं में, धर्म में, अध्यात्म में, अपने को स्वतंत्र और आत्मस्थित पाते हैं। पर एक विचित्र वैषम्य के साथ। क्योंकि हम अपने को उतने ही गहरे में परमुखापेक्षी भी पाते हैं। जिस विचार में हम आत्मावलोकन करते हैं, अपनी सिसृक्षा को आत्ममंथन का विमर्श और दृष्टि देते हैं, वह परापेक्षी है। यह बात विचित्र और विषम इसलिये भी है कि विचार की – स्वतंत्र, समृद्ध बहुमुखी विचार की – हमारी परंपरा पुरानी है। पर वह मानो हमारे लिये प्रासंगिक ही नहीं रही है। अपनी सिसृक्षा खो बैठी है। इतिहास की–सी बात हो गई है।

विचार कला या साहित्य की तरह ही – संस्कृति के किसी भी सार्थक अंग की तरह – सार्वभौमिक होता हुआ भी संस्कृति–विशेष का प्रतीक और वाहन भी होता है। विचार में आत्मविमर्श स्वभाव–निहित होता है। उसमें आत्मालोचन के साथ सिसृक्षा की गति भी स्वभाव–निष्ठ होती है – अगर हम उसे जगाये रखें। पर विचार की अपनी परंपराएँ भी होती हैं। विचार भाषा में होता है। भाषा संस्कृति–विशेष को सहज कुक्षिगत रखती है। विचार इसके प्रति आत्मचेतन रहता है; वह सार्वभौम होता है, भाषा–सीमित नहीं होता, पर भाषा विशेष के प्रवाह के भीतर रहता हुआ ही सार्वभौम होता है। हम आज अपने प्रवाह से च्युत–से हैं। हमने आज मान–सा लिया है कि विचार के लिये तो पश्चिम ही शरण है; और इससे भी बढ़ कर यह कि विचार अंग्रेज़ी में ही हो सकता है। बल्कि यों कहना चाहिये कि हमारी यह अनकही, निर्विचार निष्ठा बन गई है कि आज का सार्थक, प्रासंगिक, 'युगानुकूल', 'आधुनिक', विचार बाहर ही होता है, वहीं से आ ही नहीं सकता, वहीं की भाषा में हो सकता है। इसलिये हम अपनी भाषा में भी विचार करते हैं तो अनुवाद की एक ऐसी बोली अपनाते हुए करते हैं जहां विचार के प्रत्ययों और उनके संदर्भ को समझने के लिये पश्चिम का विचार–संभार ही नहीं, पश्चिम की भाषा (हमारे लिये अंग्रेज़ी) ऊह्य (पूर्वगृहीत) रहती है। हमारा अपना स्वतंत्र अधुनातन विचार–संस्कार रूप नहीं ले पाया है, या क्षीण है। इससे हम अवगत भी हैं। श्री कृष्णचंद्र भट्टाचार्य ने बरसों पहले विचार के स्वराज की बात की थी, जो हमें चुभती है। पर अब यह भी लगने लगा है कि बात बात–सी ही रह गई है।

पर इसका अर्थ यह नहीं कि हम अपनी परंपरा में ही आरूढ़ हो लें। पिष्टपेषण करें। गतानुगतिक बने रहें। सिसृक्षा का यह मार्ग नहीं। सिसृक्षा रूढ़ि–मुक्त होती है। परंपरा में रूप लेती हो, पर उससे बँधती नहीं है; बल्कि उसे रूप देती है, बनाती है, नया उन्मेष दे कर उसे स्फूर्त, जीवंत रखती है। परंपरा बनती ही सिसृक्षा की नई प्रतिभा से है। सृजन का यह विरोधाभास विदित ही है, वह परंपरा में जन्म लेता हुआ भी परंपरा से ऊपर उठ कर, निर्बंध होकर ही स्फुरित होता है। विचार में यह तत्त्व आत्मप्रकट रहता है। विचार स्वभाव से अपने ही आगे बढ़ने की ओर उन्मुख रहता है : अपने आग्रहों पर, अपने मूल पर प्रश्न उठाते चलना उसका स्वधर्म है। वह स्वभाव से

प्रश्नमय ही नहीं, प्रत्यङ्मुख होता है : अपने पीछे हट कर अपने को देखता-परखता चलता है। अपने परे से प्रेरणा भी पाता है।

विचार की यह प्रवृत्ति दर्शन में पूरा जागरूक रूप लेती है – कह सकते हैं कि यही प्रवृत्ति दर्शन का मूल भी है। और यह प्रवृत्ति मूलगत, तात्त्विक, प्रश्नों की ओर सहज ही मुड़ती है : सत् क्या, जगत् क्या, मनुष्य क्या, मनुष्य का श्रेय, उसका सत्य क्या, मनुष्य होने का अर्थ क्या? इन बातों का ज्ञान क्या, ज्ञान की प्रमाणिकता क्या? ये प्रश्न मनुष्य में सहज हैं, मनुष्य की जिज्ञासा को, अर्थ-संधान को ही नहीं, उसकी सिसाधयिषा को केन्द्र में रखते हैं। दर्शन में ये आत्मचेतना की अगाध प्रत्यङ्मुखता पा लेते हैं। विचार के अथाह में उतरता, प्रमाण का सतत संधान करता, अपने को अपने ही ईक्षण के माध्यम से जानता-परखता मनुष्य यहां सत्य-जिज्ञासु होता हुआ आत्मजिज्ञासु होता है। सत्य की जिज्ञासा उसे सहज ही आत्मतत्त्व के गभीरतम अवगाहन की ओर ले जाती है; तभी जो मूलग्राही प्रश्न हमें सदा सताता है, वह है : हमारा स्वरूप क्या? साध्य क्या? श्रेय क्या? उसका हमारे सत्य से संबंध क्या? जगत् से संबंध क्या?, दर्शन में ये प्रश्न स्फुटतम आत्म-बोध, आत्मपरीक्षा के साथ जागते हैं, जगत् और आत्म विषयक दृष्टियों में रूप लेते हैं; इन दृष्टियों को प्रौढ़, परीक्षित – प्रामाणिक – रूप देने की गहनतम ललक पालते हैं। दर्शन जगत्-विषयक और उससे संश्लिष्ट मनुष्य-विषयक दृष्टियों का आकलन करता है, उनको उभारता है, उनकी सम्भावनाओं को युक्त विस्तार देता है। आज दर्शन की गरिमा क्षीण है, दर्शन का प्रत्याख्यान, उसके सत्य और श्रेय से किसी सार्थक सबंध का निषेध 'दार्शनिकों' में आम है। तत्व क्या? वस्तु क्या? सत्य क्या? श्रेय क्या? ऐसे प्रश्नों को आज बड़े बड़े दार्शनिक असमाधेय ही नहीं, अप्रश्न मानते हैं, बुद्धि के मोह की उपज मानते हैं। सत्य का संबंध विज्ञान से जोड़ा जाता है आज। विज्ञान जड़-भौतिक को ही सत्य मानता है। अचंभा नहीं कि श्रेय फिर संस्कार या इच्छा की बात ठहर जाता है। पर सत्य और श्रेय की जिज्ञासा ऐसी सामयिक श्रद्धा से, विचार की प्रथा विशेष से क्षणप्रलुब्ध, क्षणभ्रांत या विचलित भले ही हो जाये, चुप नहीं हो जाती। आज की परिस्थिति को एक आगंतुक-से चलन की, आये-गये प्रवाह की बात ही समझना चाहिये। यों भी, दर्शन का प्रत्याख्यान कोई नई बात नहीं। आज से भी गहरे प्रत्याख्यान किये गये हैं दर्शन के; धर्म के और अध्यात्म के नाम पर ऐसा किया ही जाता रहा है। सत्य की उपलब्धि 'खटदर्शन में नाहीं', यह चली हुई उक्ति है ही अपने यहां। पर सच यह है कि विचार का प्रत्याख्यान किया नहीं जा सकता : यह हमारे अपने स्वरूप का ही प्रत्याख्यान होगा। और विचार में दर्शन की ओर उन्मुखता स्वरूपेण बनी रहती है। दर्शन में हमारी गभीरतम तत्त्व-जिज्ञासा आत्मचेतन रूप लेती है। हमारी आत्मचेतना स्वभावेन इस जिज्ञासा की ओर मुड़ती है। जिज्ञासा हममें सहज है और सहज ही एक विश्वदृष्टि, आत्मदृष्टि की ओर ले जाती है। दर्शन में यह युक्त, उदार, व्यापक, आत्म-स्वच्छ, पारदर्शी हो जाती है। हमारी सारी जिज्ञासाओं, सारे संधानों के अर्थ को एक सर्वतोग्राही, सर्वतोभद्र सूत्र में पिरो सकता है दर्शन।

हम थोड़ा भी आत्मद्रष्टा भाव रखें तो पाते हैं कि हमारे सारे प्रश्न, हमारी खोज, हमारी सत्य का संधान करती आत्मसाध्यता में, हमारी स्वरूप-निहित सिसाधयिषा में, जड़ करते हैं। हम अपनी सारी वृत्तियों-प्रवृत्तियों में अपने को साधते चलते हैं। तत्त्व-जिज्ञासा हमारी गहरी से गहरी प्रवृत्तियों में है। विचार में रूप लेती है। हां, विचार युक्ति का मार्ग है। खंडन-मंडन से चलता है। विप्रतिपत्ति, आत्मप्रत्याख्यान उसकी सहज प्रवृत्ति है। पर इससे विचार का ही प्रत्याख्यान नहीं हो जाता। यह संभव ही नहीं, क्योंकि विचार ही यह प्रत्याख्यान करता है। दर्शन खंडन-मंडन का ही नहीं, दृष्टि का माध्यम होता है। आत्मसाक्षात्कार का माध्यम होता है। हमारी तत्त्व-दृष्टि या तत्त्व-साक्षात्कार हमारे आत्मसाक्षात्कार के अभिन्न अंग हैं। खंडन-मंडन इसी व्यापार के अंग होकर सार्थक होते हैं। आवश्यक यह है कि दर्शन की सार्थक साधना बनाये रखी जाये।

पर सार्थकता सिसृक्षा की मांग करती है। स्वतंत्र सिसृक्षा की।

जो शल्य जी में है। शल्य जी एक सर्वतोग्राही व्यापक तत्त्व-दृष्टि की ओर आगे बढ़ते हैं, उसे समर्थ रूप देते हैं। कहना न होगा कि वे तत्त्व-दर्शन के निषेध की प्रवृत्ति का तीखा प्रत्याख्यान करते हैं।

प्रस्तावना

हम पाते हैं कि 'क्या है', और इसी से युगनद्ध, 'क्या होना चाहिये' की जिज्ञासा हमारे भीतर अपने आप दृष्टियों में रूप लेती है। अनिवार्यतः लेती है। हमारे भाषा-प्रयोग में, हमारे व्यवहार में ऊह्य रहती है - कितनी ही अस्पष्ट, अविचारित क्यों न हो। हर संस्कृति की भाषा – या भाषाओं में – इस ऊह्य जगत्-बोध और मनुष्य-बोध की पहचान देखी जा सकती है। यों, सत्य का, तत्त्व का ऊह हममें सहज है। दर्शन में यह ऊह अपने प्रति प्रबुद्ध हो जाता है। प्रमाण और युक्ति का मार्ग अपनाता है; आत्मपरीक्षण के प्रकाश में आगे बढ़ने की लौ पालता है। नये मार्ग, नई गंभीरतर, व्यापकतर दृष्टियों की ओर आत्मचेतन विमर्श के साथ बढ़ सकता है।

युक्ति का मार्ग स्वरूपेण विचार के स्वातंत्र्य की और तन्निहित सिसृक्षा की मांग करता है। हमने अपने यहां विचार में स्वतंत्र सिसृक्षा के अभाव की बात की। आज इस सिसृक्षा में हमारे यहां पश्चिम ही नहीं, परंपरा भी बाधक दिखती है। परंपरा कहती है कि नया हो ही नहीं सकता। पुराने का ही पिष्टपेषण चाहती है, करती है। पर बड़ा चेष्टा-साध्य होता है यह पिष्टपेषण भी। लकीरें बनाई रखनी पड़ती हैं। क्योंकि सच यह है कि हम सचमुच विचार करें, होते आये विचार के प्रतिपादन, प्रस्तुति, निरूपण, या उसके ईक्षण या सर्वेक्षण या इतिहास मात्र से उबर कर अपनी प्रेरणा से, ललक से, सहज स्वातंत्र्य से, विचार कर्म में अभिनिविष्ट हों तो नूतन का द्वार स्वतः खुल जाता है – आगे विचार-दृष्टि का उन्मेष जितनी दूर ले जाये। हो-चुके, होते-आ-रहे विचार की ईक्षा और पुनःप्रस्तुति कितनी ही विमर्शमयी क्यों न हो, होती रूढ़िगृष्ट ही है। प्रज्ञा का नवोन्मेष रूढ़ि से निकल कर ही लौ लेता है। बात वैसी ही है जैसे कविता में होती है। कविता का इतिहास या काव्यालोचन, अपने आप में कितने ही महिम क्यों न हों, कविता नहीं हैं। काव्य-सृजन की प्रेरणा और ही होती है। एक भाव-दृष्टि की मांग करती है, जिसे बिंबों में, रूपक-उत्प्रेक्षा में, भाषा की शतवर्ण ध्वनियों में अभिव्यंजित करती है। राग-संगीत में यह बात और भी प्रकट है – राग स्वतंत्र आलाप के बिना बनता ही नहीं, अपने स्वरूप में ही स्वतंत्र रागदृष्टि की मांग करता है। दर्शन भी विचार का उन्मुक्त आलाप चाहता है, पर इसके मूल में रूढ़िमुक्त स्वतंत्र अंतर्दृष्टि की अपेक्षा होती है। दृष्टि जितनी विराट हो, दर्शन उतना ही महत् होता है। दर्शन दृष्टि को प्रत्ययों में, युक्ति के रास्ते रूप देता है; इसके लिये समुचित भाषा भी साधता है, पर यह भाषा ध्वनि या व्यंजना के वक्र मार्ग से हट कर प्रत्यय की आत्मप्रकट स्पष्टता स्वच्छता-पारदर्शिता की ओर उन्मुख रहती है। समुचित भाषा की साधना कवि भी करता ही है। दार्शनिक अपनी तरह से, एक भिन्न मार्ग से करता है। यहां लक्ष्य है कि शल्यजी हिंदी में स्वतंत्र चिंतन करने लगे तो उन्हें अपने अनुकूल भाषा भी साधनी पड़ी।

शल्यजी हिंदी में ही नहीं, दर्शन परंपरा में ही रूढ़ि-मुक्त स्वातंत्र्य के विलक्षण उदाहरण हैं। उनका दर्शन भारतीय भी है और अपनी सिसृक्षा में अभिनव भी – आधुनिक भी। वे लिखने बैठे तो अनायास ही अपनी भाषा हिंदी को अपनाया। उन्हें सूझा तक नहीं, उनके मन में खटका तक न हुआ कि हिंदी तो दर्शन की भाषा ही नहीं है! दर्शन में उनकी रुचि पश्चिम के विचारों से ही जागी। इसके लिये उन्हें अंग्रेज़ी का अभ्यास करना पड़ा। बर्गसाँ और रसेल (एवं अन्य पश्चिमी वैज्ञानिक और दार्शनिक ग्रंथों को) पढ़ने के लिये उन्होंने अंग्रेज़ी में प्रवेश किया, कोशों की सहायता से उसमें समझ और पकड़ के साथ उतरे। पर स्वयं लिखने बैठे तो अंग्रेज़ी में लिखने की कभी न सोची। जैसे पश्चिम के विद्वान संस्कृत या यहां की दूसरी भाषाएँ गहराई से सीखते समझते रहे हैं (और अब भी ऐसा करते हैं), पर सोचते-लिखते स्वभावतः ही अपनी भाषा में ही हैं – अपने विचार अपनी ही भाषा में प्रस्तुत करते हैं, अपने प्रत्ययों में करते हैं, और अपने लोगों के लिये करते हैं – यहां के लोगों के लिये नहीं (यह बात और है कि हम भी अपने को उन्हीं की पंगत में रखने लगे हों)। हमारे यहां आधुनिक साहित्य में भी यही प्रवृत्ति रही है। बाहर का असर आया, गहरा आया, पर उसे हमने अपनी भाषा में ग्रहण करते हुए अपना बना कर आत्मभाव के साथ अपनाया। कहना न होगा कि हम आत्मस्थ हों तो यही सहज भी है। पर दर्शन में ऐसा नहीं हुआ। वहां हम अपना आपा पर को दे बैठे हैं।

कहना न होगा कि आज हमारे यहां जो पश्चिमी विचार की ईक्षा और प्रस्तुति का साम्राज्य है, उसे हम चाहे आधुनिकता का नाम दे लें उसे नया नहीं कहा जा सकता है। वह रूढ़ि-ग्रस्त ही है। हां, रूढ़ि हमारी नहीं

पश्चिम की है। पर रूढ़ि की गडार अंग्रेज़ी में ही नहीं, हिंदी में (और अपनी दूसरी भाषाओं में) भी देखी जा सकती है, जहां दर्शन अपने ही यहां के पुराने की पुनःप्रस्तुति को अपना धर्म समझता है। नये से उसे विराग है। उसे देखें तो उभरता यह है कि 'भारतीय' – या हमारा अपना विचार – हमारे लिये विगत-में-हो-चुका विचार ही है और वही हो सकता है। उसे हम आज के संदर्भ में आज के अनुकूल रूप देते हुए नये मुहावरों में सामने तो रख सकते हैं, पर उसमें सचमुच नये का कोई अवकाश नहीं है।

नई तरह से इस पुराने को सामने रखने का काम अंग्रेज़ी में भी प्रचुर होता रहा है। वहां यह देखने-दिखाने का प्रयास भी गहराई से जड़ करता है कि, देखो, पश्चिम में जो सोचा गया है हमारे यहां वह और पहले सोचा जा चुका है! अंग्रेज़ी में लिखनेवाले या तो यहां के पुराने विचार का इतिहास लिखते हैं, या पश्चिम के दार्शनिक मुहावरों में पुराने का निरूपण, मीमांसा, अपनी तरह से पुनर्विमर्श... करते हैं। तुलनात्मक विमर्श करते भी दिखते हैं, पर यहां भी पश्चिम को प्रदत्त प्रतिमान मान कर भारत के दर्शन को उसी के आदर्श पर समझने-समझाने का मार्ग लेते देखे जा सकते हैं। लेखन के पीछे आशय यह झलकता है कि हम आज अपने से ऐसे अपरिचित हो गये हैं कि पराये परिचित (पश्चिम) के घेर में आकर ही अपना परिचय पा सकते हैं : उनकी पंगत में बैठ कर ही अपने को पहचान सकते हैं।

संस्कृत में भी हमारे यहां दर्शन की परंपरा बची है। हालांकि बिलकुल ही हाशिये पर डाल दी गई है : शक्ति, प्रतिपत्ति, प्रचार, साधन, सामग्री, ये अंग्रेज़ी के हाथों में है – राज ही अंग्रेज़ीवालों का है और अंग्रेज़ी की महिमा बढ़ती जा रही है। पर यहां देखने-सोचने की बात यह है कि संस्कृत में विचार करनेवालों की जो परंपरा बची है वह चाहे उपेक्षित हो, नितांत अवहेलना की शिकार हो, पर निष्प्राण नहीं हुई है। यह ठीक है कि वह परंपरा पर चले-आते दर्शन की विचार-शैली, विचार-यात्रा, संप्रदायों के पिष्टपेषित रास्तों में ही बहुत कुछ अटकी रहती है, उन रास्तों पर चलना ही अपना मार्ग समझती है, पर उसमें विचार का स्वातंत्र्य हमारे यहां होते अंग्रेज़ी-लेखन से कहीं अधिक है और सहज-स्फूर्त है। उनके अपने चले-आते प्रश्न और वाद-विवाद हैं जिनके भीतर उनकी चिंतन-धारा आगे बढ़ती रही है। आज भी उसी रास्ते चलती है। पर चलती है। आज परिस्थितिवश ठिठक गई हो, रुकी नहीं है। यह बात मैं अपने अनुभव से कह रहा हूं। कुछ साल हुए, पूना के प्रोफ़ेसर रेगे और जयपुर के प्रोफ़ेसर दयाकृष्ण ने पारंपरिक संस्कृत में लिखने-सोचनेवाले दार्शनिकों का और अंग्रेज़ीवालों का संवाद करवाया था, जहां दर्शन के एक आधुनिक रसेल-प्रचारित भाषा और वस्तु संबंधी अभ्युगम – प्रोपोज़िशन – को लेकर लंबी चर्चा-गोष्ठी रखी गई थी।[1] मुझे भी वहां होने का अवसर मिला था। चर्चा के विस्तार में जाने का यहां प्रयोजन नहीं, पर स्पष्ट था, सभी उपस्थित विचारकों के मन में यह बोध था कि संस्कृत के दार्शनिक किसी अर्थ में कम नहीं, अधिक ही ठहरते हैं। अभ्युपगम उनके लिये पराया था, पर भाषा पर और उसके वस्तु-संबंध पर हमारे यहां विचार पुराना है। गहरा है। संस्कृत के विचारकों को नये अभ्युपगम में प्रवेश करते देर नहीं लगी। उसको उन्होंने अपनी तरह से समझा ही नहीं, उनकी दार्शनिक सूझ, उनकी अग्रया बुद्धि, विचार-प्रज्ञा, अंग्रेज़ीवालों से कहीं खुली थी, कहीं सक्षम उन्मेषवती थी। यों, आज हमारी यह परंपरा किसी तरह जी तो रही है, पर हम इसे सचमुच जीवन देना नहीं चाहते, दूर ही रखना चाहते हैं, और दूरतर करते जा रहे हैं; यहां तक कि हम इसे जीवित तक नहीं मानना चाहते! इसमें सचमुच प्राण तभी प्रतिष्ठित हो सकता है जब यह हमारे सजीव विचार का सार्थक अंग बने। दया जी की चेष्टा के बाद इस के प्रति जागरूक जिज्ञासा के कुछ अंकुर जागे थे, पर अब बात कुतूहल-भर की रह गई लगती है। पर दया जी की चेष्टा के पीछे भाव यह भी था कि *अंग्रेज़ी में सोचने-समझनेवाले इधर ध्यान दें*, विचार की इस उपेक्षित पर प्रवहमान परंपरा में उतर कर इसे अपने अंग्रेज़ी-निष्ठ विचार में स्फोट दें। दया जी के मन में यह गहरा विश्वास था कि अब हमारे विचार की 'मुख्यधारा' तो अंग्रेज़ी में ही प्रवाहित है, और उसी प्रवाह को हमें उन्मेष देना है; हममें आज अंग्रेज़ी के प्रभुत्व का जो भी कारण हो – चाहे वह आगन्तुक और

1. आप चर्चा के विस्तार में जाना चाहें तो देखें, *संवाद : ए डॉयलौग बिट्वीन टू फ़िलसॉफ़िकल ट्रैडिशन्स,* प्रकाशक : भारतीय दार्शनिक अनुसंधान परिषद् और मौतीलाल बनारसीदास पब्लिशर्स प्राइवेट लिमिटेड, दिल्ली, 1991

अयुक्त ही क्यों न हो, पर उससे हम इनकार नहीं कर सकते, इनकार करना भी नहीं चाहिये : अंग्रेज़ी ही अब हमारी विचार की भाषा है, और रहनी चाहिये, हमें अपने पुराने चिंतन को आज के संदर्भ में जगाना हो तो उसी में जगाना होगा। अपनी चली-आती गहरी परंपरा को आज के संदर्भ में हम गतिशील रखना चाहें तो उसमें वैसे ही उतरना होगा जैसे हम राग-संगीत की परंपरा में गुरुमुखी शिक्षा के माध्यम से उतरते हैं और फिर अपने अनुभव से, अपनी परख और दृष्टि से, अपनी गायकी उभारते हैं। पर यह काम होना अंग्रेज़ी में चाहिये। यह विश्वास अकेले दया जी का ही नहीं है। फैला हुआ है।

हां, यह भी कह सकते हैं कि गहरा दार्शनिक चिंतन, स्वतंत्र चिंतन, अंग्रेज़ी में भी हुआ है। श्री अरविंद इसके महिम उदाहरण हैं। पर उन्हें अपवाद ही समझना चाहिये। उनसे यह नहीं निकलता कि हम अंग्रेज़ी को समर्पित हो जाएँ। यह भी युक्ति इस संदर्भ में दी जाती है कि हमारी अपनी भाषाएँ चिंतन-क्षम नहीं हैं। उनमें चिंतन की कोई समर्थ परंपरा नहीं। पर इस युक्ति में कोई सार नहीं। परंपराएँ बनती हैं। बनाई जाती हैं। अंग्रेज़ी में भी यही हुआ है। अपने यहां के आज के साहित्य को ही देख लें, जहां हमने नई परंपरा को आत्मस्थ रूप दिया है। सच पूछिये तो हमारे लिये हमारी अपनी भाषाएँ ही अधुनातम और व्यापकतम विचार का समीचीन माध्यम हो सकती हैं, क्योंकि ये बाहर-भीतर दोनों ओर खुली हैं। दोनों ओर उन्मुख हैं : हमारी भाषाएँ एक ओर जहां संस्कृत की समृद्ध दार्शनिक परंपरा में जड़ रखती हैं, वहीं बाहर को आत्मसात् करने में भी सशक्त हैं। साहित्य में हम यह देखते ही हैं।

और फिर ऐसा भी नहीं है कि हिंदी में (और हमारी अन्य भाषाओं में) दार्शनिक लेखन का अभाव हो। भाषाओं में लिखनेवाले ऐसे विद्वान कम नहीं हैं जो संस्कृत की परंपरा से घनिष्ठ हैं – भीतर से इसे जानते हैं – और इसे अपनी तरह से प्रस्तुत करते हैं। यह बात और है कि उनमें विद्वत्ता ही अधिक दिखती है, विचार का स्वतंत्र उन्मेष नहीं। पर यह बात तो अंग्रेज़ी के साथ भी उतनी ही सच है। बस प्रभुत्व का पलड़ा उधर झुकता है आज। पर प्रभुत्व का पलड़ा यादृच्छिक होता है। उसे प्रमाण नहीं माना जा सकता। काल किधर ले जायेगा हम जानते ही कितना हैं! पर उसी में हम अपनी स्वतंत्र यात्रा भी साधते ही हैं। कहना न होगा कि इस यात्रा का आधार युक्ति और विवेक होना चाहिये, इतिहास की यदृच्छा-जन्य परिस्थिति के आगे अवनति नहीं। कृष्णचन्द्र भट्टाचार्य ने जो विचार के स्वराज की बात की है, उसमें स्पष्ट ही अपनी भाषा की ओर इंगित है : स्वराज स्वभाव और स्वधर्म के अनुकूल ही हो सकता है; अंग्रेज़ी को अपनाना – और वह भी विचार में, जहां हम अपनी गहरी से गहरी आत्मनिष्ठ प्रेरणा को रूप देते हैं – यह परधर्म ही है।

अपनी भाषा में लिखनेवाले विद्वानों के कारण ही हिंदी में पुराना संस्कृत में किया हुआ विचार प्रचुर उपलब्ध है। रस-अलंकार परंपरा का पठन-पाठन तो जम कर होता रहा है। अलंकार और रस-परंपरा के कई ग्रंथों के अनुवाद और व्याख्याएँ की गई हैं। यहां तक कह सकते हैं कि इस परंपरा के ग्रंथों के अनुवाद और इनकी परंपरा-निष्ठ मीमांसा-व्याख्या ही विशेष प्रचार में है। पर अलंकार-दर्शन के ही नहीं, अन्य दर्शनों के – जिसे दर्शन का राजमार्ग कह सकते हैं – उसके भी बहुसंख्यक ग्रंथ हिंदी-लेखन की इस आधुनिक परंपरा में उपलब्ध हैं। पर यह परंपरा अपनी तरह की विद्वत्ता की ही परंपरा है, वैसे ही जैसे अंग्रेज़ी की भी सदृश और अपनी तरह से परंपरा को प्रस्तुत करती समतुल्य प्रथा है। यहां स्वतंत्र विचार की चेष्टा नहीं। विचार का कोई स्वतंत्र उभार यहां नहीं दिखता, जो संस्कृत की अवशिष्ट परंपरा में फिर भी प्रवाहित है। पर इस परंपरा की संभावना पर दृष्टि रखें। इसे अपनी भाषा में स्वच्छंद विचार के द्वार के रूप में भी देखा जा सकता है। इस उपलब्ध संभावना को हम उन्मीलित कर सकते हैं, उसे स्वातंत्र्य के साथ नये रूपों में ढाल सकते हैं। हिंदी की यह प्रतिष्ठित परंपरा नई सिसृक्षा को सहज ही सहारा दे सकती है।

मूल अवरोध यह है कि हमारा मानस ही मानो बन गया है कि हमारे यहां तो विचार जो होना था हो चुका है। वह विशद है, गंभीर है, व्यापक है, पर साथ ही परिपूर्ण और परिसिद्ध है, उसमें नया कुछ नहीं जुड़ सकता; नया उसको विकृत ही कर सकता है, उन्मिषित नहीं। वह बहुमूल्य है, पर है विगत की ही बात। आज उसे हम समझने-समझाने की ही बुद्धि पाल सकते हैं – उसे *आगे बढ़ाने* का कोई अर्थ नहीं बनता। उसमें नये का

अवकाश नहीं। आज का सार्थक 'साम्प्रतिक' 'आधुनिक' विचार हमें चाहिये तो वह पश्चिम से ही आ सकता है – वही *आज* 'विश्वजनीन' ही नहीं है, 'प्रासंगिक' है। प्रकट ही यह आत्महीनता का लक्षण है। विचार सब समय, सर्वत्र, विश्वजनीन ही होता है, जैसे कला, साहित्य... विश्वजनीन होते हैं। कला, साहित्य की तरह ही विचार भी देश-काल-पात्र के अपनेपन से उपरंजित होता है, पर यह विश्वजनीनता का भूषण ही होता है, दूषण नहीं। इसके बिना विश्वजनीनता रूप ही नहीं ले सकती। पर हम किसी संस्कृति विशेष को ही विश्वजनीन मान बैठें, जैसा हमारा पश्चिम के प्रति भाव है, तो अपनी विश्वजनीनता तो हमने मूल में ही अन्य-समर्पित कर दी! लेकिन भूलना न चाहिये कि हम अपनी ओर कभी भी मुड़ सकते हैं। इसका अर्थ अन्य की उपेक्षा, अनदेखी नहीं होती। आत्मोन्मेष की लौ होती है।

हमारी किसी भी प्रवृत्ति की तरह चिंतन सिसृक्षा और नूतन की एषणा पालता है। पर इस एषणा में एक विरोध जैसा भी है, जिसे हम जानते ही हैं : यह परिस्थिति से, परंपरा की गतानुगतिकता से, ऊपर उठ कर ही फलवती होती है। परिस्थिति अनुकूल हो तो इसे प्रश्रय मिल सकता है; पर होती यह कारण-मुक्त ही है। परिस्थिति, परंपरा में रहते हुए हम इसके लिये एक चेष्टा पालते हैं – पर जानते हैं कि इसका अपना स्फोट है, अपना अद्भुत स्वातंत्र्य है, जो हमारी चेष्टाओं से अछूता रहता है। स्वातंत्र्य की *बात* और स्वातंत्र्य का *होना* दोनों में तात्त्विक भेद है। शल्य जी के आत्मनिष्ठ स्वातंत्र्य की विलक्षणता इसी *होने* में है। यह भी ध्येय है कि शल्य जी के तत्त्वदर्शन का मर्म भी सृजन की धारणा में है (जैसा हम अभी आगे देखेंगे)।

शल्यजी की दर्शन के प्रति प्रेरणा पश्चिम के विचार से ही जागी। उन्होंने बर्गसाँ का *क्रिएटिव इवोल्यूशन* पढ़ा। और दर्शन की ओर मुड़ गये। एक ग्रंथ भी लिखा, *मनस्तत्त्व*, जिसे शल्यजी अपनी 'तुतलाहट' की रचना बताते हैं। फिर रसेल के अनुभववाद में रुचि हुई। इस दर्शन को अपनी तरह से प्रतिपादित करते हुए आप ने 1959-60 में *दार्शनिक विश्लेषण* की रचना की। अब तुतलाहट नहीं रही थी। भाषा पर अच्छा अधिकार हो गया था। ग्रंथ की दार्शनिकों में अच्छी सराहना भी हुई। पुरस्कार भी मिला।

बर्गसाँ और रसेल (एवं अन्य पश्चिमी वैज्ञानिक और दार्शनिक ग्रंथों को) पढ़ने के लिये शल्य जी ने अंग्रेज़ी में प्रवेश किया, कोशों की सहायता से उसमें समझ और पकड़ के साथ उतरे, पर उसमें लिखने की कभी न सोची। वैसे ही जैसे पश्चिम के विद्वान संस्कृत या यहां की दूसरी भाषाएँ गहराई से सीखते समझते रहे हैं (और अब भी ऐसा करते हैं), पर लिखते अपनी भाषा में ही हैं – अपने विचार की अभिव्यक्ति अपनी ही भाषा में, अपने प्रत्ययों में करते हैं, और अपने लोगों के लिये करते हैं – यहां के लोगों के लिये नहीं (यह बात और है कि हम भी अपने को उन्हीं की पंगत में रखने लगे हों)। कहना न होगा कि हम आत्मस्थ हों तो वही सहज है जो शल्य जी ने किया (हमारे साहित्य में यही हुआ ही है), पर हम अपना आपा ही किसी और को दे बैठें तो बात और हो जाती है।

पर अनुभववाद से शल्यजी की तत्त्व-जिज्ञासा को, उनकी दार्शनिक मनीषा को तुष्टि नहीं मिली। कुछ गहरे प्रश्न तो *दार्शनिक विश्लेषण* लिखते समय ही जाग उठे थे (और पुस्तक के अंत में उठाये गये हैं), पर आगे चल कर आत्म और जगत् को समझने में इस दृष्टि की 'विपन्नता' का बोध बढ़ता गया (मनुष्य की साध्यता, उसके श्रेय बोध के प्रति तो यह दृष्टि अंधवत् है)। शल्यजी आदर्शवाद – या कहिये, प्रत्ययवाद – की ओर झुके और उनका प्रौढ दर्शन वेदान्त से उभरी एक स्वतंत्र दृष्टि में बसा है जहां प्रत्ययवाद एक अभिनव सृजनात्मक रूप लेता है। 'प्रत्यय' शल्यजी में प्लेटो की तरह जगत् से विच्छिन्न, अछूता, विचार के अपने किसी ऊर्ध्व-लोक में – व्योम में – बसता हुआ पदार्थ नहीं है, जगत् जिसकी मिथ्या छायामात्र है। प्रत्यय जगत् में – प्रत्यक्ष जगत् में – रूप लेता है। यह हम अपने सृजन के अनुभव में देख सकते हैं। घट को ही लीजिये जो जगत् में स्वतः प्राप्त-प्रदत्त वस्तुओं के लिये दार्शनिकों का मूर्धन्य-सा उदाहरण है। थोड़ा भी सोचें तो यह तत्त्व जाग उठता है कि घट प्रदत्त नहीं, सृष्ट है। मनुष्य-सृष्ट। और इस सृष्टि के मूल में प्रत्यय है – ऊह है, या कल्पना कहिये, ऐसी कल्पना जिसे

'घटत्व' का नाम दिया जा सकता है, जो भौतिक उपादान के माध्यम से घट का रूप लेती है। स्पष्ट ही, घट-कल्पना के बिना घट संभव नहीं। यह कल्पना किसी घट विशेष की नहीं होती है, घटत्व का सामान्य प्रत्ययमय अरूप बोध ही जागता है इसमें। संभावना के रूप में एक आदर्शबोध के साथ जागता है। घटत्व प्रत्यय के साथ जागता आदर्श-बोध एक निरवद्य-भाव पालता उभरता है, जिसे प्लेटो से जोड़ा जा सकता है : प्लेटो के प्रत्यय में सत् से ही नहीं, शिव से अनुप्राणित एक निरवद्य, निर्दोषता का भाव है जो *वस्तु*-सृष्टि का रूप नहीं लेता पर रूप का उत्स कहा जा सकता है। शल्यजी के लिये प्रत्यय सृष्टि का बीज है। वह सृजन के आरंभ में ही निर्दोष आदर्श का भाव पालता हुआ असीम संभावनामय होता हुआ जागता है। हम अपने सृजन-व्यापार में इसका अनुभव करते ही हैं। हम पाते ही हैं कि सृजन-कल्पना-जन्य रूपों में एक ओर जहां उत्कर्ष-अपकर्ष का बोध सहज होता है, वहीं संभावना के असंख्य द्वार भी खुले दिखते हैं। अनुभव को आगे रखें तो सहज ही देख सकते हैं कि हमारी सृजन-कल्पना में एक नहीं अनेक रूपों की उन्मुखता सहज होती है। हर रूप में सृजन निरवद्य की ओर बढ़ने की ललक पालता दिखता है, जिसे हमारी प्रत्ययमयी सृजन-कल्पना की आदर्शमयता का प्रकट लक्षण कह सकते हैं। पर प्रत्यय में रूप लेती कल्पना अपने आप में कोई रूप नहीं रखती, सर्वथा अरूप होती है। रूप की जनक होती है पर स्वयं इसका कोई रूप नहीं होता। इसे निराकार चिन्मय प्रतिमान कहा जा सकता है। तभी संभावना का आनन्त्य पाल सकती है। निरवद्यता का आदर्श पाल सकती है। घट को ही लीजिये। उसकी संभावनाएँ सहज कल्पनीय हैं, और दिखता ही है कि कुछ ही भौतिक रूप ले पाती हैं – इन रूपों के नेपथ्य में ही नहीं, इन रूपों के भीतर ही, संभावना का निस्सीम भी बसा रहता है। और हर संभावना को रूप देनें में हम दोष-हीनता सहज ही साधते हैं : यह भी बोध में जागता रहता है। प्रकट ही घट-प्रत्यय की अपनी सत्ता है जो देश-काल से परे है, जिसका सत्, जिसका अपना 'होना' हमारी सृजन-कल्पना को प्रेरित करता हुआ साक्षात् रूप लेता है; तभी इसके बिना देशकालगत 'भौतिक' घट अकल्पनीय है। अपने ही सृजन-व्यापार पर थोड़ा भी मनन करें तो दिख जाता है कि जिस कल्पना को हम रूप देना चाहते हैं, उसका कोई रूप नहीं होता, पर वही रूप का उत्स होती है, यों मानो कि वह *है*, संभावनामयी, आदर्शमयी *है*, पर सिद्ध नहीं, साध्य स्वरूप है।

एक मूलगत प्रश्न यहां सहज ही उठता देखा जा सकता है जिसे शल्य जी के चिंतन, उनकी तत्त्व-दृष्टि के मर्म में रखा जा सकता है : घट का – किसी निर्मित या सृष्ट वस्तु का – अगर कोई निरवद्य रूप होता है तो होता कहां है, उसके *होने* का अर्थ ही क्या? स्पष्ट ही वह किसी प्रदत्त मान-चित्र जैसा कुछ नहीं हो सकता, अपने सृजन में हम जिसकी प्रतिकृति साधते हों। हम अपने सृजन-कर्म के प्रति थोड़े भी आत्मचेतन हों तो देख सकते हैं कि ऐसा कुछ नहीं होता। घट की संभावनाएं, उसका निरवद्य रूप, हमारी कल्पना को अनुप्राणित करता है, पर सिद्ध-प्रदत्त कुछ नहीं होता, वह स्वरूपेण निराकार ही नहीं, स्वरूपेण साध्य बना रहता है। सच यह है कि उसके बारे में 'होने' की बात ही अटपटी है। किसी भी अर्थ में उसे 'है' कहना बनता नहीं है : यों उसे किसी भी तरह 'वस्तु' की संज्ञा दी ही नहीं जा सकती। वह अवस्तु ही होता है। पर एक अद्भुत विरोधाभास के साथ वस्तु-गर्भ भी होता है। वस्तु की अनंत संभावनाओं का उत्स होता है। उनके निरवद्य रूप का प्रतिमान होता है।

लक्ष्य है कि यह बात शल्यजी को प्लेटो से बहुत दूर कर देती है : प्लेटो में प्रत्यय निरवद्य होता हुआ एक अतिभौतिक प्रत्यय-लोक में 'रहता' है। वह अवस्तु नहीं होता, उलटे वही वस्तु होता है; प्राप्त रूप जो उसकी छाया है, प्रतीति के रूप में उपलब्ध है, उसे अवस्तु कहा जा सकता है पर प्रत्यय को नहीं। प्लेटो का पश्चिम के दर्शन पर गहनतम प्रभाव विदित ही है। यह भी विदित है कि भौतिक-लोक के प्रतिमान पर प्रतिपादित प्रत्यय-लोक जैसी अनहोनी 'कल्पनाओं' ने आज प्रत्यय-वाद को ही नहीं, दर्शन मात्र को खामखयाल की कोटि में रखने की दिशा ली है। शल्यजी तत्त्वैषणा की इन्द्रिय-गम्यता से ऊपर उठी विचार-गम्य की अगाधता को पूरा स्वीकार करते हैं, पर प्रत्यय-लोक जैसे किसी भौतिक-सदृश अतिभौतिक लोक के अस्तित्व से सर्वथा इनकार करते हैं। उनका प्रत्ययवाद उनके अपने स्वतंत्र वेदान्त-चिन्तन में निष्ठ चित्-सत्वाद से घनिष्ठ है, सत् जहां चित् का आत्मसर्जन है।

आगे की चर्चा में हम इस बात का कुछ विस्तार करेंगे।

पर यहां यह भी देखते चलिये। घट के विषय में पुरानी और बड़ी मान्य-सी उक्ति है कि सत् घट नहीं मिट्टी सत् है, घट तो मिट्टी का विकार मात्र है, कल्पना है, नाम-रूप है ('कल्पना' यहां मिथ्या का पर्याय है)। पर फिर यह सोचिये कि मिट्टी तो घट के लिये उपादान मात्र है; उपादान दूसरा भी हो सकता है – लोहा, पीतल, पत्थर, काँच...। घट घटत्व प्रत्यय के बिना संभव नहीं : उसका *घट*-रूप होना, घटत्व प्रत्यय की अनिवार्य अपेक्षा रखता है। उसके होने का मर्म उसके प्रत्यय में ही है। और घटत्व-प्रत्यय आदर्शमयता के साथ बहु-संभावनामयता भी पालता दिखता ही है : हमारा अनुभव साक्षी है कि घट कई रूप लेता है, और हर रूप में हमारा रूपायण-कर्म निरवद्यता की ओर उन्मुख रहता है।

प्रत्यय के सत्य से इनकार दर्शन में साधारण सी बात है; नई बात भी नहीं। दार्शनिक इन्द्रिय-प्रदत्त, देशकाल-गत भौतिक, स्थूल, दृश्य-स्पृश्य जगत् को ही वास्तव मानने की ओर झुकते रहे हैं। शल्यजी कांट से एक पते का उदाहरण देते हैं। कांट कहता है कि कौन नहीं जानता कि जेब में रखा रुपया ही सच है, विचार में, कल्पना में आया रुपया जो रुपये का प्रत्यय मात्र होता है, वह सच नहीं! पर सोचिये। रुपये के प्रत्यय बिना जेब का रुपया रुपया ही नहीं हो सकता! और रुपया ही क्यों, हमारे बैंक, हमारी सरकारें, हमारी सारी रहनी – हमारा व्यवहार, हमारे संबंध, हमारा जीवन ही – प्रत्यय के बिना अकल्पनीय है। (इससे यह भी उभर आता है कि प्रत्यय – सृजन-कल्पना-मूल प्रत्यय - सामान्य तो होता है, पर सामान्य-मात्र नहीं होता, क्योंकि सामान्य तो प्रदत्त के सादृश्य को आधार बना कर बुद्धि का उद्ग्रहण (ऐब्स्ट्रैक्ट) भी हो सकता है, जैसे कीचड़-त्व)। हम रहते ही प्रत्यय-निर्मित जगत् में हैं पर यह नहीं देख पाते कि निर्मित-वस्तु और प्रकृति-प्रदत्त वस्तु में तात्त्विक भेद होता है। प्रत्यय के बिना निर्मित वस्तु की कल्पना नहीं की जा सकती। इस *तत्त्व* की ओर दार्शनिकों ने ध्यान नहीं दिया है : निर्मिति और प्रदत्त को एक ही कोटि में रख देने की प्रवृत्ति विचार-परंपरा में प्रकट है। शल्य जी ने इस भेद को बड़ी सूझ और गहराई के साथ उभारा है।

पर विचार यह दिशा ले तो उसके व्यापकतर आशय की ओर भी लक्ष्य किया जा सकता है। हम प्रकृति में भी प्रत्यय-सृष्टि को उपलब्ध करने की दिशा में सहज ही बढ़ सकते हैं। जीव-जातियां को तो सहज ही प्रत्यय-सृष्ट देखा जा सकता है : हर जाति की संभावनाओं को, उनमें होते उत्कर्ष-अपकर्ष के भाव को ही देखें! हमारी अपनी प्रत्यय-प्रसूत सृष्टि की तरह ही हर जाति में ही उत्कर्ष-अपकर्ष का बोध अनायास है। जीव-जातियों के विकास-क्रम में यह बोध स्फुटतर है। क्रम की धुरी पर मनुष्य है, जिसमें आत्मचेतना सृजन के एक नये, सर्वथा अपूर्व स्फोट की तरह रूप लेती उभरती है। जगत् हमारी सृष्टि नहीं, पर हम अपने भीतर उभरते सृष्टि-तत्त्व के प्रति आत्मचेतन हों तो अपने भीतर सृष्टि के स्वरूप की व्यंजना पा सकते हैं, अपने सृजन व्यापार को उसके प्रतीक के रूप में देख सकते हैं।

यह भी देखिये कि अपनी निर्मितियों को, सृष्टियों को, हम आत्मसृष्ट होते हुए रूप देते हैं। सर्जक आत्मसृष्ट होता हुआ सृष्टि करता है। तभी हम अपनी निर्मितियों में रहते ही नहीं, बड़े मर्म-गत अर्थ में हम *वही होते* हैं। अपने को बनाते हुए अपनी निर्मितियों को बनाते हैं हम। हम संस्कृति में रहते हैं : अपने आत्मनिर्मित जगत् में। संस्कृति को हम ही रूप देते हैं। यह 'दिया-जाता रूप' हमारे भीतर ही उभरता हुआ बाहर प्रकट होता है, बल्कि, यह 'भीतर-बाहर' एक ही व्यापार का अभिन्न युगनद्ध अंग होता है – जहां हम अपने को बनाते हुए, अपना संसार बनाते हैं। तभी हम पाते हैं कि हम ही संस्कृति को रूप नहीं देते, संस्कृति भी हमें रूप देती है। पर इससे यह भी व्यंजित है कि हमारा आत्मसर्जन हमारे स्वरूप पर व्याप्त है, तलस्पर्शी है; उसे हमारे होने का मर्म कहा जा सकता है। ज्ञान, कर्म, भाव, हमारी सभी वृत्तियों में आत्मसर्जन देखा जा सकता है। इन्हीं का व्यापार हमें रूप देता है, अर्थ देता है (संस्कृति इसका प्रतीक है)। हमारा ज्ञान, हमारा भावन, हमारा संकल्प, इन्हीं में हम होते हैं, इन्हें रूप देते हुए इनमें होते हैं। प्रत्यय की धारणा को सहज ही व्यापक करते हुए देखा सकता है कि यह सारा व्यापार प्रत्यय-मूलक व्यापार है। हमारी प्रत्यय-चेतना व्यापक है। हमारे सम्पूर्ण पर, ज्ञान, भाव, कर्म, सब पर व्याप्त है।

प्रस्तावना

ज्ञान को लीजिये, जहां हम विषय को सिद्ध-प्रदत्त, 'यथातथ' – जैसा वह अपने आप में है वैसा ही उसे 'जानने' की ओर मुड़ते हैं। पर ज्ञान की बात विचार के बिना बेमानी है। यह कथन अयुक्त लग सकता है; इसमें यह वैषम्य तो अनायास ही देखा जा सकता है कि विचार विषयिनिष्ठ होता है, जबकि विषय का याथातथ्य विषय-निष्ठ होता है। उस याथातथ्य का निर्विकार ग्रहण ही उसका सम्यक् ज्ञान कहला सकता है; विचार ऐसा करने में समर्थ नहीं, वह सामान्य विकल्पों में – प्रत्ययों में – होता है, उसका प्रदत्त से कोई प्रत्यक्ष सन्निकर्ष नहीं होता। वह गृहीत पर सहज ही संशय कर सकता है। स्वरूप से ही संशय-प्राण है विचार, अपने पर भी संशय कर सकता है, करता रहता है। अपना ही अलग संसार गढ़ता है। एक नहीं, अनेक संसार गढ़ता है – उसका व्यापार स्वभाव से ही विप्रतिपत्ति-ग्रस्त होता है। उसे यथातथ ज्ञान का साधन कहा ही नहीं जा सकता। पर फिर यह सोचिये। ऐसी बात हम इन्द्रिय-ज्ञान को ज्ञान का प्रमाण मान कर करते हैं। इस मानने के पीछे यह ऊह्य रहता है कि विषय विषयी से सर्वथा अस्पृष्ट, सर्वथा पृथक् कुछ होता है और इन्द्रिय ही स्वभावेन विषयोन्मुख रहती हुई उसका यथातथ ग्रहण कर सकती है : उसके ग्रहण का स्वरूप ही ऐसा है कि विषय उस पर स्वतः, स्वरूपेण उभर आता है। विचार के लिये यह बिलकुल संभव नहीं। स्पष्ट ही, उसका विषय से कोई संस्पर्श नहीं होता। उलटे, विचार का व्यापार जितना आगे बढ़ता है, विषय से दूरतर होता चला जाता है, अपने ही भीतर व्यस्त होता जाता है।

पर विचार कीजिये। हम पाते यह हैं कि इन्द्रिय-सन्निकर्ष विषय का *संकेत* करता है, उसका *ज्ञान* नहीं देता – ज्ञान इन्द्रियों को नहीं होता। ज्ञान विषय के अध्यवसाय की अपेक्षा रखता है। अध्यवसाय के बिना वह 'जानने' की कोटि में ही नहीं आ सकता। अब, अध्यवसाय, स्पष्ट ही, विचार-चेतना का अंग होता है। जो चेतना विचार-क्षम नहीं होती, जैसे पशु-चेतना, उस चेतना में विषय-*ज्ञान* की बात ही नहीं की जा सकती, विषय वहां स्वतंत्र विषयत्वेन जागता ही नहीं है, क्योंकि इसके लिये विषयी का विषय से तटस्थ हो पाना आवश्यक है, और यह ताटस्थ्य विचार-चेतना की अपेक्षा रखता है, उसी चेतना में बनता है। पशु-चेतना का विषयी विषय-सात् होता है। विषयी से भिन्न विषय की अपनी स्वतंत्र सत्ता वहां रूप नहीं लेती। वहां 'ज्ञान' की बात ही कोई अर्थ नहीं रखती। सच यह है कि विषयी विषय से अपने को अलग न कर पाये तो 'ज्ञान' की कोटि ही नहीं बनती। यह कोटि बनती ही उस आत्मचेतना में है जो विचार-क्षम होती है, प्रत्ययों के माध्यम से देखती है। ज्ञान के लिये जो ताटस्थ्य अनिवार्य है, वह उभरता ही *नाम* में, प्रत्यय में, और यों विचार-चेतन चेतना में है। नाम को – और यों अध्यवसाय को – विचार की पहली सीढ़ी भी कह सकते हैं। नाम सामान्य होता है : प्रत्यय होता है, या विकल्प कहिये। उसके साथ ही प्रश्न, संशय, विमर्श, मीमांसा... प्रत्यय-चेतना का यह विचार-संसार खुल जाता है। यह ज्ञान का ही अंग है। प्रत्यय-व्यापार को ज्ञान से निकाल दीजिये, तो फिर बचता ही क्या है! ज्ञान होता ही विकल्पों में है और प्रत्यय-दृष्टि – या जिसे विकल्प-दृष्टि कहा गया है – उस दृष्टि के बिना इन्द्रिय-लब्ध 'ज्ञान' की भी बात नहीं हो सकती। हां, यह ठीक है कि बाह्य-जगत् के लिये इन्द्रिय का 'प्रमाण' आवश्यक है। पर दुहराना न होगा कि इन्द्रिय-प्रदत्त *वस्तु* क्या है इस ज्ञान रूपी अध्यवसाय के लिये इन्द्रिय संकेत-मात्र ही होती है। ज्ञान में हम रूप को नाम देते हैं, जो विचार-चेतना का – या कहिये, विकल्प-चेतना का – काम है। विकल्प-ज्ञान ही *प्रमाण* का अपेक्षी हो सकता है। इन्द्रिय को हम 'प्रमाण' कहते हैं। पर उसका प्रमाणत्व विकल्प-चेतना के लिये ही होता है। प्रमाण स्वप्रमाण का अपेक्षी रहता है, और यों प्रमाण की कोटि बनती ही इन्द्रिय से ऊपर उठ कर है : विषयी के उस स्वातंत्र्य की अपेक्षा रखती है जो विचार-चेतना में विषय-ताटस्थ्य के साथ जागता है। प्रमाण विमर्श का विषय होता है, और विमर्श विषयी में स्वातंत्र्य के साथ उस आत्मचेतन प्रत्यङ्मुखता की अपेक्षा रखता है जो विषय से तटस्थ हो, 'क्या है, है या नहीं है' इसे जाँचने-परखने में आत्मतंत्र हो। आत्मपरीक्षा में समर्थ हो। प्रत्ययों में जागती विचार-चेतना के बिना यह संभव नहीं। यह विचार-चेतना हममें आत्मचेतना के साथ जागती है। आत्मचेतन विषयी स्वरूपेण प्रत्यङ्मुख होता है; वह अपने आप को भी – अपने विषयी-भाव को भी – विषय बनाता हुआ अपने द्रष्टृ-भाव में अपने पीछे हटता चला जाता है। उसकी यही वृत्ति विचार में प्रकट होती है। इस वृत्ति में ही चेतना की उस तटस्थता का, उसके प्रमाण-उन्मुख स्वातंत्र्य का मर्म है जो ज्ञान में ऊह्य है। विचार-चेतना में आत्मचेतन विषयी ही विषयिता के विषय-सात् भाव से ऊपर उठ कर विषय को स्वतंत्र विषय-रूपेण

देख-जान सकता है; विषयों के संबंधों को देख-परख सकता है, जो ज्ञान का अभिन्न अंग होते हैं। विषयसात् चेतना हम पशु में ही नहीं, अपने राग-द्वेष में, भोग-चेतना में भी पाते ही हैं । हम यह जानते भी हैं ही कि विषय के विषयत्व को जानने के लिये इस विषयसात् चेतना से हटना अनिवार्य है। इन्द्रिय में यह सामर्थ्य नहीं। मनुष्य की पशु-भिन्न आत्मचेतना ही विषयी को इसके लिये समर्थ बनाती है। आत्मचेतना स्वरूपेण भाषा और तन्नद्ध विचार से युगनद्ध होती है। विषय को विषय-रूपेण *जानने* की यह आधारगत अपेक्षा है।

'जानना' – ज्ञान – विषय के *अर्थ* का जानना होता है। विचार-चेतना विषय को – इन्द्रिय-दत्त विषय को भी – प्रत्ययार्थ के रूप में सृष्ट करती है। प्रत्ययों में होता 'ज्ञान' सहज ही एक प्रत्यय-तंत्र बुनता चलता है, उसे बढ़ाता है, विराट से विराटतर बनाता है। विविक्त विषय का ज्ञान भी ऐसे तंत्र के भीतर ही उभरता है, और जितना प्रत्यय-सात् होता जाता है, उतना ही स्फुटतर, सार्थकतर होता चलता है। संबंधों को आधार बनाकर एक बुनावट बुनता चलता है ज्ञान, जो बुनावट स्वरूपेण एक विचार-तंत्र का रूप लेती है। यह तंत्र अपना स्वतंत्र अवयवित्व पालता है, एक बहुस्यूत अवयवी खड़ा करने की ओर स्वरूपेण उन्मुख रहता है। यह अवयवी संभावनामय होता है, कई रूप ले सकता है (लेता ही है) और सत्य का निरवद्य आदर्श पालता है। इस व्यापार को सृजन के रूप में देखना सहज ही सार्थक ठहरता है। कल्पना की भूमा, उसकी प्रसृत दृष्टि इस व्यापार में ऊह्य है।

इसे विषय के विषयि-सात् होने का व्यापार भी कह सकते हैं। पर इसे किसी भी हेय अर्थ में विषयि*तंत्र* - या पुरुष*तंत्र* - व्यापार का नाम देना सर्वथा अनुचित, अयुक्त होगा। क्योंकि यह सारा व्यापार प्रमाण-तंत्र होता है। तभी हम इसे *ज्ञान* व्यापार कहते हैं। और तभी इसमें भ्रम की संभावना बनी रहती है। फिर हम यह भी पाते हैं कि विषय जितना विषयी की प्रत्यङ्मुख विचार-चेतना में समाता चलता है, उसका 'अपना' होता चलता है, विषय का अपना स्वतंत्र रूप उतना ही उज्ज्वलतर होता चलता है। या यों कहिये कि विषय जितना बुद्धि का – विचार-चेतना का – और यों विषयी की अपनी पकड़ का विषय बनता है उतना ही उसका स्वरूप प्रकट होता उभरता है।

यों इस सृजन-व्यापार को विषयी के उस परत्व की ओर बढ़ता भी देखा जा सकता है, जहां चेतना के परम सामान्य का, चित् का, संकेत मिलता है। इसमें हम चित् से सत् के उत्सृष्ट होने की व्यंजना भी पा सकते हैं।

पर, हां, पूर्वपक्ष लेते हुए हम कह सकते हैं, कि यह व्यापार, इसे जितने भी वितत रूप में क्यों न देखें, यह सृजन का नहीं, अव्यक्त के व्यक्त होने का व्यापार है – अन्यथा सत्य की बात नहीं की जा सकती। सत्य सृष्ट नहीं होता। हमारे जानने पर निर्भर नहीं करता, अपने आप में होता है, स्वप्रतिष्ठ होता है। नहीं तो सत्य नहीं होगा। तभी सत्य के 'आविष्कार' की बात की जाती है। उसके अनावृत से आवृत होने की बात की जाती है। यही उचित है। लेकिन सोचिये। अव्यक्त - या आवृत - क्या है, यह व्यक्त होने पर ही उभरता है। उसका अपने आप में होना क्या है, यह चेतना के जिस व्यापार के भीतर से उभरता है, उसमें हमने देखा कि हम सृजन-धर्म का साक्षात् कर सकते हैं। ज्ञान का व्यापार है ही अर्थ के साक्षात्कार का व्यापार है। इस व्यापार में अर्थ – या कहिये, सत्य – का साक्षात्कार और उसका उन्मिषित-उन्मीलित होना, ये दोनों एक ही प्रक्रिया के अविनाभूत, अन्योन्य-संश्लिष्ट पक्ष के रूप में उभरते हैं।

अर्थ के सृजन-गर्भ साक्षात्कार का व्यापार 'ज्ञान' तक सीमित नहीं। भावन और कर्म भी इसके अंग होते हैं। घट को ही फिर से लीजिये। घट का अर्थ उसके ज्ञान-विषय होने तक सीमित नहीं रहता। घटार्थ के स्पष्ट ही दूसरे आयाम होते हैं जो अर्थ की अभिधा को सहज ही व्यंजना की ओर मोड़ देते हैं, भावन के क्षेत्र में ले जाते हैं : 'घट घट में है राम समाना, कटुक वचन मत बोल रे'। इस विख्यात और गभीर उक्ति में अर्थ का भाव और कर्म दोनों ओर प्रकट इंगित है। यहां हम सहज ही विचार-चेतना को – या कहिये बुद्धि को – व्यापक अर्थ में ले सकते हैं, उसे आत्मचेतन प्रवृत्ति मात्र पर प्रसृत देख सकते हैं। हम भाव और कर्म के भी सत्य की बात कर सकते हैं। विचार-चेतना का इन्द्रियार्थ की बाह्यता से मुक्त अपना अंतः स्वातंत्र्य भी यहां प्रकटतर देखा जा सकता है। फिर यह भी है कि यहां, ऐसे उदाहरणों में, अर्थ के साक्षात्कार और उसके सृजन का युगनद्ध होना भी अधिक स्फुट उभर कर आगे आता है : व्यंजना-व्यापार में अर्थ का सृजन उसके साक्षात्कार का अनुषंगी होता ही है।

सृजन और साक्षात्कार के अन्योन्य-भाव को यहां *भावित, अनुभूत* किया जा सकता है। आपत्ति हो सकती है कि यह सारा व्यापार नितांत स्पष्ट भाव से विषयिनिष्ठ है, विषयि *तंत्र* है, विषयतंत्रता से कोसों दूर है, यहां सत्य की बात करना उचित नहीं; सत्य विषयनिष्ठ होता है। पर ऐसा कहते हुए हम विषय को इन्द्रियार्थ में अपचित कर लेना चाहते हैं। लेकिन भाव और कर्म के अपने विषय होते हैं। इनके सत्य की जिज्ञासा हममें बाह्य-विषयों के सत्य से गहरी और तीखी भी होती। और फिर स्पष्ट ही जिस विचार-चेतना की हम बात कर रहे हैं वह किसी विषयी की स्वगत, स्वसीमित चेतना नहीं, सामान्य-चेतना होती है। नहीं तो अर्थ-चेतना ही नहीं होगी। अर्थ-चेतना का व्यापार, किसी भी क्षेत्र में हो, प्रमाण-बोध को साथ रखता है। इसमें भ्रम की संभावना बनी रहती है। यों बात यहां किसी विषयी-विशेष-सीमित विषयिनिष्ठता की कदापि नहीं है, जैसा कि किसी अविचारित-से प्रतिपक्ष की दृष्टि से सोचा जा सकता है। बात यहां उसी सामान्य-चेतना की है जो ज्ञान में होती है।

हां, ज्ञान में हम विषयनिष्ठता की बात का सहज स्वीकार कर लेते है, नहीं तो उसे 'ज्ञान' की संज्ञा ही नहीं देंगे। पर विषयनिष्ठता वहां भी होती विषयी की ही है। कहना न होगा कि ज्ञान होता तो विषयी को ही है, विषय को नहीं। विषयनिष्ठता, स्पष्ट ही, विषयिता का ही धर्म है – पर, हां, यह विषयिता जिस चेतना में घर करती है उसमें द्रष्टृत्व का ताटस्थ्य आवश्यक होता है, सामान्यता आवश्यक होती है, वह 'मेरी' या 'आपकी' नहीं होती। तभी हम उसका संबंध सत्य से जोड़ते हैं। यहां विज्ञान को ही लें, जिस ज्ञान को आज विषयनिष्ठता में मूर्धन्य ज्ञान माना जाता है; बल्कि, विषयनिष्ठता का प्रतिमान ही माना जाता है आज उसे। अब, विज्ञान के 'ज्ञान' को थोड़ा भीतर उतर कर देखें। हमारी बात आगे उभर कर आती दिखेगी। प्रतिपक्ष के आशय का यहां सहज ही अनुमान किया जा सकता है : 'इन्द्रिय-लब्ध ज्ञान ही विषय-निष्ठ होता है और विज्ञान ऐसी विषयनिष्ठता का परम दृष्टांत है क्योंकि विज्ञान में ज्ञान का आधार ही नहीं, प्रमाण की परीक्षक भी (प्रयोगशाला में) इन्द्रियां ही होती हैं। अब, यह तो कहना ही न होगा कि विज्ञान जिस जगत् को – भौतिक-जगत् को – जानना चाहता है उसे मानता ही इन्द्रिय-लब्ध है। पर उसकी जिज्ञासा इन्द्रिय-लब्ध जगत् के *स्वरूप* की होती है। संबंधों में बुना गया यह स्वरूप, इन्द्रिय-लब्ध नहीं होता, हो ही नहीं सकता है। विज्ञान का जिज्ञास्य, 'भौतिक क्या है', यह संधान भौतिक के स्वरूप का संधान होता हुआ उस स्वरूप के अर्थ का ही संधान हो सकता है। पर भौतिकार्थ इन्द्रिय-गम्य नहीं, प्रत्यय-गम्य होता है। अचंभा नहीं कि हम पाते ही हैं कि विज्ञान का 'ज्ञान' विचार-चेतना के भीतर ही जागता है, और उस चेतना की अपनी बुनावट का अंग बन कर सिद्धांतों में रूप लेता है। अपनी अर्थ जिज्ञासा में यह जितना गहराता है, फैलता है, उतना ही इन्द्रिय से दूर होता जाता है। यह स्वभाविक भी है, क्योंकि विषय का *ज्ञान* – किसी भी वस्तु का *विषय-रूपेण ज्ञान* ही कह लीजिये – चाहे वह इन्द्रियग्राह्य हो या न हो, वह एक ज्ञान-तंत्र के अंतर्गत ही अर्थग्राह्य होता है, उसी संदर्भ में 'ज्ञान' का रूप लेता है। विज्ञान में तो यह बात बहुत ही उभर कर आगे आती दिखती है। विज्ञान के ज्ञान में विषय का इन्द्रिय-विषयत्व आद्य आधार हो, पर जितना विषय के स्वरूप-ग्रहण में वह ज्ञान अग्रसर होता है, उतना ही इन्द्रिय को पीछे छोड़ता हुआ विचार के अपने लोक में समाता चला जाता है। यहां तक कह सकते हैं कि विज्ञान के भूत-जगत् का इन्द्रिय-विषयत्व तो सिद्धांत-चेतना के भीतर एक ऊह्य सी – पर साथ ही अपेक्षया गौण सी – मांग रह जाती है (और अब तो प्रयोग द्वारा परीक्षा की बात भी गौण से गौणतर हो गई है)। यों भी, साधारण प्रत्यक्ष में भी (जैसा हम कह ही चुके हैं) इन्द्रिय की *लब्धि* अध्यवसाय की अपेक्षी होती है। हम इन्द्रिय से संकेत ग्रहण कर, 'इन्द्रिय-प्रत्यक्ष क्या है' का अध्यवसाय करते हैं। यों यह आद्य 'ज्ञान' भी इन्द्रिय के *अर्थ* का ही ज्ञान होता है। और जब इन्द्रिय-विषय का *अर्थ* साधारण व्यवहार के अध्यवसाय मात्र से ऊपर उठ कर एक पूरे विचार-तंत्र के अंतर्गत आ समाये, तो स्पष्ट ही 'इन्द्रिय क्या संकेत दे रही है', यह निर्णय भी अधिकाधिक इन्द्रियेण अप्रत्यक्ष विचार-निर्भर होता चला जाता है।

यह भी स्पष्ट है कि ज्ञान यहां किसी त्याज्य अर्थ में 'विषयि-निष्ठ' और यों ज्ञान की कोटि के बाहर नहीं हो जाता। हम जिस 'ज्ञान' को विषयि-निष्ठ कह कर उसका प्रत्याख्यान करते हैं, वहां विषयी स्व-सीमित होता है। पर यहां ऐसा बिलकुल नहीं है। विषयी यहां किसी स्व द्वारा परिभाषित नहीं होता, वह व्यक्ति-निष्ठता के वलय से उठा हुआ, विश्वजनीन होता है। बल्कि जितना स्व के संकोच से मुक्त हो पाता है उतना ही अर्थ-ग्रहण में समर्थ

हो पाता है। पर अर्थ को अब विषयी की परमता की – या कहिये चित् की – उत्सृष्टि के रूप में भी अनायास देखा जा सकता है। अर्थ के साक्षात्कार को अर्थ-सृष्टि के पर्याय के रूप में उपलब्ध किया जा सकता है।

यह बात भाव और कर्म के बारे में भी कही जा सकती है। हमारी संवेदना, हमारा संकल्प, ये भी सामान्य-शायी होते हैं। इनका सत्य भी स्व से ऊपर उठ कर ही बनता है। यहां अर्थ की सृष्टि और साक्षात्कार के सहकार को और स्पष्ट प्रतीत किया जा सकता है।

संकल्प को लीजिये। यह श्रेय-बोध की अपेक्षा रखता है और 'श्रेय क्या' यह प्रश्न हमारे लिये गहरे से गहरा प्रश्न होता है। बड़ा 'आत्मनिष्ठ' भी होता है। *आत्म*निष्ठ इस अर्थ में कि श्रेय स्व की या स्वार्थ की बात नहीं होती; ऐसा ही होता तो धर्म-संकट का बोध ही बेमानी होता। श्रेय का सत्य जिस आत्मचेतना का जिज्ञास्य होता है, वह उतनी ही विषय-निष्ठ – या कहिये *वस्तु*-निष्ठ होती है, जितनी कि ज्ञान-चेतना। उतनी ही, बल्कि उससे अधिक व्याकुल-भाव से, प्रमाण-कामी भी होती है। प्रमाण यहां आत्म होता है। वही आत्म जो ज्ञान में प्रवृत्त होता है, उसीमें श्रेयबोध जागता है और श्रेय-प्रेरित हो वही अपने सत्य की तलाश करता है। स्पष्ट ही वह आत्म 'मेरा' नहीं, सामान्य होता है। हां, यह ज़रूर कहा जा सकता है कि बाह्य-विषय के ज्ञान में, जिसे हम सहज ही ज्ञान का प्रतिमान मानते हैं, वहां इन्द्रिय जैसा एक ऐसा आधार होता है जो स्वभावेन सामान्य होता है, जहां विषयी का स्व, उसका व्यक्ति-निष्ठ संकीर्ण विषयित्व, सहज ही सर्वजनीन होता है; तभी यह ज्ञान व्यवहार का आश्रय बनता है। श्रेय-बोध में ऐसा नहीं होता। वहां तो 'व्यवहार क्या हो' यह भी प्रश्न ही बना रहता है – निरंतर जागता प्रश्न। श्रेय और ज्ञान के बीच का यह अंतर हम पर प्रकट ही रहता है : हम श्रेय-बोध की सामान्यता का अनुभव करते हुए भी यह जानते रहते हैं कि श्रेय का इन्द्रिय जैसा कोई सहज-सिद्ध सा सामान्य आधार नहीं। सुव्यक्त ही है कि इन्द्रिय के 'क्या है' के ज्ञान में, 'क्या होना चाहिये' का कोई इंगित नहीं होता।

पर यह भी व्यक्त ही है कि आत्मचेतन विषयी (मनुष्य) के श्रेयबोध की सार्वजनीनता ही उसके विशिष्ट मनुष्य-सुलभ व्यवहार को आधार देती है। हममें श्रेयबोध के साथ विवेक जागता है, परार्थ भाव जागता है, जो हमारे जीवन को ही पशु के जीवन से सर्वथा अलग कर देता है पर जिसके बिना हमारी रहनी अकल्पनीय है। श्रेयबोध ही मनुष्य के *समाज* को संभव करता है। कहना न होगा कि समाज अन्य में – पर में – आत्म-बोध की उपलब्धि का सापेक्ष होता है। पर में आत्मबोध हमारी भाषा-चेतना में, जिस चेतना के साथ ही हम *मनुष्य* होते हैं, वहीं स्वरूपेण निहित रहता है। भाषा इस बोध की सदा साक्षी है। शल्य जी भाषा के इस साक्ष्य को उभारते हुए यह तथ्य सामने लाते हैं कि अस्मिता के लिये प्रयुक्त 'मैं' शब्द ही एक सामान्य प्रत्यय है : *मैं* अन्य या पर को भी 'मैं' के रूप पाता हूं। वह मेरे लिये विषय ही नहीं विषयी होता है, उसे मैं बाह्य-वस्तु के रूप में नहीं, आत्मसम आंतर वस्तु के रूप में पाता हूं, सहज ही पाता हूं। उसमें अपना ही जैसा अंतः ही नहीं पाता, उसके अंतः में मैं उतर भी सकता हूं : तभी उसका अभिनय कर सकता हूं। उसके मैं से तादात्म्य होता हुआ उसकी कहानी कह सकता हूं : उसकी कहानी को 'रामकहानी' – 'आत्मकथा' – का रूप दे सकता हूं।

श्रेय-बोध की सामान्यता में 'पर' – या कहिये 'अन्य' – हमारे लिये आत्मसम ही नहीं, आत्मवत् होता है। तभी परार्थ-भाव रूप लेता है। और हमारे कर्म में उचित-अनुचित की कोटि आ बसती है। धर्म-बोध जाग उठता है। हमारी प्रवृत्ति संकल्प-प्राण हो जाती है, उसमें विवेक घर कर लेता है। संकल्प ही हमें व्यक्ति बनाता है, पर वह आत्मचेतना की सामान्यता और स्वातंत्र्य की अपेक्षा रखता है। हम समाज के भीतर ही व्यक्ति होते हैं। पर होते *व्यक्ति* हैं : अपने में अपना स्वातंत्र्य पालते हैं। हमारा स्वतंत्र व्यक्तित्व रूप ही ऐसे स्वतंत्र संकल्प के साथ लेता है जो समाज-निमज्जित नहीं होता। पर 'मेरे' संकल्प का स्वातंत्र्य उभरता उस चेतना में है जो मेरे अहं से उठकर रूप लेती है, जहां मैं अपने अहं का द्रष्टा, शास्ता हो पाने की क्षमता पालता हूं। आत्मचेतना की ज्ञान और संकल्प, इन दो वृत्तियों में यहां हम एक समान्तर-भाव देख सकते हैं। आत्मचेतना के साथ जहां हममें ज्ञान की स्वतंत्र जिज्ञासा जागती है जो कि प्रामाण्य को और अपनी तरह के विवेक को आधार बनाती है, वहीं हममें और भी गहराई से, एक दूसरा, संकल्प का विवेक जाग उठता है। बड़े अपूर्व-भाव से जागता है हममें श्रेय-प्राण,

श्रेय-काम संकल्प-बोध। हममें जागता हुआ यह अभूतपूर्व बोध प्राणि-जीवन में ही, चेतना में ही, एक नई क्रांति का लक्षण प्रकट करता है। उचित-अनुचित की कोटियां उभरती हैं, और पशु की करनी में जो प्रकृति-तंत्र क्रिया मात्र थी, वह 'कर्म' का रूप ले लेती है। उसमें स्वातंत्र्य आ समाता है। कारण यह है कि पशु के अनात्मचेतन अहं में श्रेय जैसा कोई बोध ही नहीं होता। इस बोध का आविर्भाव अहं-चेतन आत्मचेतना का अपेक्षी होता है। यह अहं में अस्मिताबोध के साथ रूप लेता है और अहं को पर और अवर – या कहिये, प्रत्यक् और अर्वाक् – के द्वित्व में पिरोता हुआ, मनुष्य को अपने अहं के सीमित वलय से निकल पाने में समर्थ बनाता है। तभी उसमें ज्ञान, भाव, कर्म की स्वतंत्र, प्रमाण-तंत्र वृत्तियां जाग पाती हैं। ये उस सामान्यता के साथ हैं जागती हैं, जहां अन्य आत्म-स्थानीय हो जाता है (तभी बाह्यज्ञान में भी अन्य प्रमाण होता है : मुझे कुछ प्रत्यक्ष हो पर अन्य को न हो तो मेरा प्रत्यक्ष मेरे लिये ही संदिग्ध बन जाता है)। यह अन्य-सामान्यता श्रेय-बोध में निविड़तम, आत्मीयतम होती है और इसके साथ ही हममें 'उचित क्या – धर्म क्या', यह प्रश्न – दूसरे शब्दों में 'क्या होना चाहिये' का प्रश्न – चुभता हुआ सर उठाता है। यहां यह भी लक्ष्य है कि आत्मचेतन बुद्धि में 'क्या *है*' का प्रश्न भी यथातथ सत्य की जिज्ञासा के रूप में आत्म-परीक्ष्य प्रमाण-बोध की अपेक्षा के साथ ही जागता है। पर प्रमाण-बुद्धि को – इस बुद्धि में निष्ठ अनुमान-बोध को – पशु में भी देखा ही जा सकता है। लेकिन पशु में जिसका अभाव ही सामने आता है वह है धर्म-बोध। तभी मनु ने (अरस्तू की तरह) युक्तिबुद्धि को नहीं, धर्म को ही मनुष्य का व्यावर्तक लक्षण कहा है – *धर्मो हि तेषां (मनुष्याणां) अधिको विशेषः*। शल्य जी मनु की इस उक्ति का बहुधा उल्लेख करते हैं। व्यवस्था और योजना-बुद्धि तो हम चींटियों, मधुमक्खियों जैसे पशु समाजों में बड़ी प्रखरता के साथ पाते हैं, पर ये काम और अर्थ को ही लक्ष्य रखते हैं। कह सकते हैं कि जिजीविषा ही – प्राणिमात्र की जिजीविषा ही – स्वरूपेण काम और अर्थ सापेक्ष होती है। पर मनुष्य जीवन ऐसी जिजीविषा से ऊपर उठ कर ही बनता है। मनुष्य धर्म के बिना अकल्पनीय है। मनुष्य का समाज धर्म से ही *मनुष्य*-समाज बनता है। धर्म मनुष्य की जिजीविषा को ही नई दिशा देता उभरता है। कह सकते हैं कि धर्म इस उदात्ततर जिजीविषा का लक्षण है, या, कहिये कि वह मनुष्य की नितांत अहं-सीमित प्रवृत्ति के श्रेयार्थोन्मुख हो जाने का प्रतीक है। श्रेयबोध मनुष्य चेतना पर ऐसा व्यापक होता है कि मनुष्य-समाज को ही आधार नहीं देता, हमारी सारी प्रवृत्तियों को अपने वलय में समेट लेता है। ज्ञान के लिये, भाव के लिये, हम पूछ सकते हैं, पूछते ही हैं कि क्या ज्ञान की, या भाव की, यह दिशा उचित है, धर्म्य है, क्या इसमें हमारा श्रेय है? कहना न होगा कि यहां यह संकेत भी स्फुट उभरता है कि श्रेय क्या, यह वस्तु-निष्ठ प्रश्न है – हां, यह वस्तु बाह्य-वस्तु नहीं है; पर विषयीगत आवेग-संवेग मात्र भी नहीं है, भावगत नहीं है, क्योंकि किसी भी भाव के बारे में हम पूछ सकते हैं कि क्या है उचित है, श्रेय है। शल्य जी कहते नहीं थकते कि हमारी सामान्य-चेतना में अनथक जागता यह प्रश्न कि 'श्रेय क्या', यह *तात्त्विक* प्रश्न है। श्रेय *वस्तु* है, कितनी ही दुरवगाह क्यों न हो। श्रेय को विषयी के स्व में अपचित कर देने का या संस्कृति-समाज-सापेक्ष कह देने का मार्ग उसके वस्तुसत्य से इनकार का मार्ग है – भूलना न चाहिये कि समाज क्या रूप ले, संस्कृति किधर प्रवृत्त हो, ये भी श्रेय के प्रश्न हैं। शल्य जी श्रेय के इन प्रश्नों की गहरी चर्चा करते हैं।

श्रेय क्या, इसका उत्तर हमें आत्म की ओर ही ले जाता है, और आत्म क्या, यह हमारे लिये निगूढ़तम प्रश्न है। पर यह आत्म की साध्यता का भी इंगित है। श्रेयबोध के साथ हम पाते हैं कि हमारा उपलब्ध आत्म वस्तु आत्म नहीं है। वह आत्म प्राप्त नहीं प्राप्य है। नितांत हमारा, 'अपने से अपना' होते हुए भी नितांत 'पर' है। पराया ही नहीं, अनजान, बेगाना है। निकटतम होते हुए भी सुदूरतम है। पर श्रेय का वही उत्स भी है। श्रेय का ठिकाना कहीं बाहर नहीं मिलता (*धर्मस्य तत्त्वं निहितं गुहायाम्*), पर परेशानी यह होती है कि यह उस 'भीतर' भी नहीं मिलता, जिस 'भीतर' को हम अपने अंतः के रूप में जानते हैं! हमारे परिचित विषयित्व से, जिसे हम अपना प्रस्तुत-प्रदत्त आत्म पाते हैं, उससे वह परे ही खड़ा प्रतीत होता रहता है। पर श्रेय का प्रश्न सहज ही आत्म क्या, इस निगूढ़ पर कचोटते हुए प्रश्न की लौ हमारे समूचे आपे में जगा देता है; आत्म के अपने तत्त्व की जिज्ञासा की ओर बरबस खींच ले जाता है।

आत्म क्या, यह प्रश्न हमारा प्रस्तुत आत्म, व्यवहार-लब्ध आत्म ही करता है। पर अपनी गहराई में, अपने अनुभूत मर्म में, प्रश्न उठता इसलिये है कि वह अपने को अनात्म पाता है। अपने प्रस्तुत आत्म के बारे में यह बोध हममें बार बार उभरता है कि 'यह मैं नहीं हूं'। हमारी श्रेयवृत्ति को साक्षी रखते हुए उभरता है यह प्रश्न, तभी अपने को श्रेय-च्युत पाने की अवस्था में प्रश्न की अनी तीक्ष्णतम होती है, और हम अपने को बड़े निबिड़ भाव से अनात्म पाते हैं। बड़े तीखे आत्मद्वैध के साथ ऐसा पाते हैं कि हम जिस आत्म में हैं वह हमारा वस्तु-आत्म नहीं है, हमारा स्वरूप, हमारा सत्य नहीं है। अचंभा नहीं कि 'आत्मानं विद्धि', यह जिज्ञासा हमारी गहरी से गहरी जिज्ञासा होती है। हम क्या हैं? यह जिज्ञासा एक अद्भुत वैषम्य जगाती हुई हमारे अपनेपन को ही अपने से परे किसी अगाध अज्ञात की ओर ले जाती है, क्योंकि अपने होने को, अपनी प्रस्तुत अस्मिता के सत्य को हम नितांत साध्य पाते हैं। आत्म क्या, यह प्रश्न हमारे लिये ऐसा प्रश्न होता है जो हमारे समूचे होने पर व्याप्त होता है; हमारे लिये घनिष्ठतम, आत्मीयतम प्रश्न होता है यह। दर्शन के मर्म में भी यह प्रश्न जागता देखा जा सकता है। सुकरात की विचार-प्रेरणा का यह उत्स था ही। शल्य जी के दर्शन के मर्म में भी बड़े आत्मचेतन भाव से जागता है यह प्रश्न।

यह प्रश्न हम करते ही इसलिये हैं कि हम आत्मचेतन हैं। मनुष्य में प्रत्यय-चेतना ही आत्मचेतन चेतना के साथ जागती है। पशु में नहीं जागता यह प्रश्न। क्योंकि पशुओं में आत्मचेतना हो भी तो अत्यंत क्षीण है। नहीं जैसी है। प्रत्यय-चेतना का अभाव इसका प्रकट इंगित है। शल्यजी का दर्शन आत्मचेतना को केन्द्र में रखता है – और यों मनुष्य को, उसके आत्मसृष्ट जगत् को, उसके आत्मसंधान को केन्द्र में रखता है।

हमारी आत्मचेतना एक गहरे आत्म-द्वैत के साथ आत्मचेतन होती है। हममें अस्मिता के साथ ही आत्मबोध रूप लेता उभरता है : हम अपने को कर्ता और ज्ञाता के रूप में पाते हैं। हम अपनी अस्मिता को संकल्प के स्वातंत्र्यबोध के साथ पाते हैं। पर यह भी पाते हैं कि हमारी अस्मिता अहं के द्वैत में प्रतिष्ठित है। यही हमारी अस्मिता का आधार है। अहं का द्वैत, या कहिये हमारे आत्म के भीतर उभरता अहं का दोहरापन, हमारी आत्मचेतना का प्रकट लक्षण है। *आत्म*चेतन हो पाने के लिये यह अनिवार्य भी है (अहं/अहं यह आत्मगत द्वित्व न हो तो आत्म*चेतन* कैसे होंगे हम?)। इस आत्मगत द्वित्व का स्वरूप यह है कि हमारा विषयी अपने को विषय बना सकता है। पर यह कोई इकहरा व्यापार नहीं, एक अनंत प्रत्यङ्मुख व्यापार है : या कहिये वृत्ति है। इस अथाह आनंत्य के बिना यह हो भी नहीं सकता – एक चरण में, एक ही कक्षा में सीमित, एक परत का व्यापार हो तो जिसे हम आत्मचेतना कहते हैं, जहां अपने वस्तु आत्म को अपने से परे ही पाते रहते हैं, यह होता नहीं। पर आत्मचेतना उभरती ही इस असीम, अथाह प्रत्यङ्मुखता के भीतर है। अंतहीन होती है हमारी प्रत्यङ्मुखता। अपने परे ही जाती रहती है। हमारा विषयिभाव स्वभावेन प्रत्यङ्मुख हो कर ही अपने को देखने की ओर उन्मुख होता है। एक निस्सीम-सा सोपान चढ़ती चली जा सकती है प्रत्यङ्मुखता : अपने को अपना विषय बनाती हुई, अपने ही ऊपर उठने में समर्थ होती है। इस प्रत्यङ्मुखता के साथ, जिसमें हम अपने को अपने से परे पाते हैं, इसके साथ ही हममें श्रेयबोध आविर्भूत होता है। हमारा आत्म अपने स्वरूपगत आत्मसंश्लिष्ट द्वित्व में अपने को अवर और पर आत्म के रूप में पाता है। हम अपने को अपना द्रष्टा पाते हैं तो साथ ही अपना शास्ता-नियंता भी पाते हैं। अपने स्रष्टा हो पाते हैं।

विषयित्व की निरंत प्रत्यङ्मुखता का, स्पष्ट ही, आत्म के परम परत्व की ओर भी इंगित है। यह बात नई नहीं; दर्शन में चर्चा का विषय रही ही है। इसका अर्थ क्या, तत्त्व क्या, इसको लेकर विमर्श, विप्रतिपत्तियां भी रही ही हैं। शल्य जी यहां एक बड़ी सूझ की, गहरी पते की बात उभारते हैं, जो नई है। जिस पर हम आगे आएँगे।

पर यहां शल्य जी की एक और गहरी सूझ की चर्चा करना चाहता हूं। आत्मचेतना का द्वित्व विषयि-विषय का ही द्वैत नहीं होता, विषयि-विषयी का भी द्वैत होता है। यह बात भावन के क्षेत्र में देखी जा सकती है। कला की निर्मिति में, साधना में, बड़ी स्पष्ट उभर कर आती है। कला विषयित्व में रहते हुए विषयी-स्वरूप के अर्थ का अवगाहन करती है, उसकी अभिव्यक्ति साधती है। कला की निर्मितियों को ऐसे प्रत्ययों के रूप में देखना

चाहिये जो विषयिभाव के स्वरूप को, उसकी संभावनाओं को – या कहिये उसके अर्थ को, सत्य को – सामान्य रूप देते हैं। प्रत्ययों को हम आम तौर पर भाषागत ही समझते हैं। संगीत चित्र वास्तु जैसी कलाओं में शब्दमयी भाषा माध्यम नहीं होती। वहां प्रत्यय की बात असमंजस-सी लग सकती है। पर कला का प्रेषकत्व, उसका सामान्य कल्पनागर्भ होना स्फुट है। तो, यहां युक्त निष्कर्ष यही उपपन्न होता है कि भाषा शब्दगत ही नहीं होती, उसके और भी माध्यम हैं : संगीत में स्वर; चित्र में वर्ण, रेखा; वास्तु और भास्कर्य में सघन द्रव्य – ये शब्दों की तरह ही प्रतीक-व्यवस्था बनाते हैं, उसमें बसे होते हैं। इन्हें 'भाषा' के रूप में ही देखना उचित है। इनके 'व्याकरण' की भी बात की जा सकती है, की ही जाती है। ये शब्दभिन्न कलाएँ, (संगीत में) काल का और (वास्तु, भास्कर्य में) देश का विन्यास करते हुए जो रूप साधती हैं, वे हमारी सामान्य अर्थग्राही प्रत्यङ्मुख चेतना को उद्दिष्ट होते हैं। यों, इनकी निर्मितियों को सामान्य प्रत्ययों के रूप में ही समझना चाहिये। पर प्रत्यय का उद्देश्य और अर्थ यहां – चाहे वह काव्य की तरह भाषा में ही क्यों न हो – अभिधा का नहीं, व्यंजना का सहारा लेता है। यहां विषयी विषयित्व में रहते हुए ही अपने विषयिभाव के अर्थ का ग्रहण करता है, विषयित्व के सत्य का साक्षात् करता है। या यों कहिये कि कला में हम अपने अनुभव के भोक्ता रहते हुए ही उसके द्रष्टा हो पाने में समर्थ होते हैं। विषयित्व के स्वरूप को, अर्थ को, विषय-रूप में भी हम देखते-आँकते-परखते ही हैं (जैसा कि मनोविज्ञान आदि में होता है)। पर वहां अर्थ *अभिहित* होता है। लेकिन कला में विषयित्व के अर्थ की प्रस्तुति विषय-रूप में नहीं होती। इसलिये वहां अध्यवसाय का (कुछ अपने आप में है, ऐसे ज्ञान का) भी अभाव होता है। वहां विषयित्व का सत्य, उसका स्वभाव, विषयित्व पर ही खुलता है। विषयभाव का अभाव वहां अर्थ-प्रस्तुति के प्रकार को नया रूप देता है – अभिधा नहीं, व्यंजना साधता है, जहां भाव भाव-चित्त पर ही प्रकट होता है, बुद्धि पर नहीं। तभी हम वहां अर्थ के ग्रहण को 'संवेदना' का अलग नाम भी देते हैं। वहां विषयित्व के भीतर ही हम एक विषय-विषयि-भाव से भिन्न आत्मचेतन द्वैत उभरता पाते हैं, प्रत्यङ्मुख हो कर विषयित्व में रहते हुए ही विषयित्व का स्वतंत्र अवगाहन करने में सक्षम हो पाते है, विषयित्व के स्वरूप को ही नहीं, उसकी संभावनाओं को, कल्पनाओं को प्रत्यय-चेतन रूप दे पाते हैं।

कला को यों देखना उसके तत्त्व की बड़ी गहरी पकड़ है। हमारे यहां काव्य (साहित्य) के संदर्भ में व्यंजना की बात की गई है। रस को व्यंजित कहा गया है, अभिहित नहीं। यह भी कहा गया है कि व्यंजित अर्थ ही होता है। सामान्य होता है। उसे साधारणीकृत कहा ही गया है। पर शल्य जी कहते हैं कि साधारणीकृत कह देने मात्र से यहां बात नहीं बनती, क्योंकि साधारणीकृत तो अर्थ मात्र होता है। व्यंजित ही नहीं अभिहित अर्थ भी साधारणीकृत ही होता है। पर कला का साधारणीकरण उसका अपना होता है, जिसे विषयित्व के भीतर ही विषयि-विषयी के आत्मचेतन, आत्मावगाही, आत्मार्थसंधानी द्वंद्व के रूप में समझना अधिक सार्थक है।

पर कला के संदर्भ में यह भी ध्येय है कि यहां हम सहज ही, और मानो अनुभव के भीतर से ही, देख पाते पाते हैं कि अर्थ का साक्षात्कार और अर्थ का सृजन, ये एक ही तत्त्व के दो युगनद्ध, अयुतसिद्ध पक्ष हैं।

ऊपर की चर्चा में यह भी ध्वनित है कि आत्मचेतना का प्रत्यङ्मुख व्यापार चेतना के प्रसार का व्यापार है। चेतना का यह प्रत्यङ्मुख व्यापार आत्मचेतना में ही संभव है। हम आत्मचेतना का अनुभव स्वसंवेद के रूप में करते हैं, और इस अनुभव के आधार पर आत्मचेतना को अपनी स्व चेतना का धर्म मानते हैं। यह भी मान लेते हैं कि यह अन्य में भी होती है (अन्य *मनुष्य* में तो होती ही है), पर उसे मनुष्यमात्र में मानते हुए भी हम उसे व्यक्तिगत धर्म मानने की ओर ही प्रवण रहते हैं : 'वह सबमें होती है, पर हरेक की अपनी होती है'। व्यक्ति (या कहिये, मनुष्य-व्यक्ति) न हो तो उसके होने की कल्पना नहीं की जा सकती; वह अपने आप में कुछ नहीं होती। इसके पीछे यह भी भाव रहता है कि मनुष्य में वह जीव-विकास की उपज है, और इस विकास को प्राकृतिक कारणों का फल कहा जा सकता है, या इसे यादृच्छिक कहा जा सकता है (सच पूछिये तो यादृच्छिकता का सिद्धांत विज्ञान में ऊह्य-सा उभरता है, क्योंकि विज्ञान 'प्रयोजन' या 'लक्ष्य' के प्रत्यय को अपने विचार-तंत्र से बहिष्कृत ही रखता है)। पर, ऊपर की चर्चा से स्फुट है कि आत्मचेतना चेतना का अपना धर्म है, यह चेतना परम

सामान्य होती है, व्यक्ति में इसका आविर्भाव होता है, या अवतरण कहिये, लेकिन इसे व्यक्तिनिष्ठ धर्म के रूप में देखना भ्रांति है। हां, यह पशुओं में अनुपलब्ध है। इसके मनुष्य में आ उतरने में विकास-व्यापार का इंगित है। पर इस विकास को जड़ का नहीं चेतना का – या कहिये चित् का – व्यापार ही समझना चाहिये (शल्य जी इसे कैसे देखते हैं, इस पर हम अभी आयेंगे)। अन्यथा यह निष्प्रयोजन ही नहीं, निरर्थक ठहरता है। फिर, अगर यह जड़ का व्यापार है तो किसी भी कुछ को किसी भी तरह 'समझने' का ही कोई अर्थ नहीं बनता : क्योंकि चेतना के स्वातंत्र्य के बिना प्रमाण-व्यापार ही संभव नहीं। ज्ञान ही नहीं, भावन और कर्म, ये सभी फिर बेमानी हैं, इनमें जो अर्थ-संधान का संसार रूप लेता है वह फिर यादृच्छिक है, मिथ्या है, भ्रांति है, किसी अर्थ में हो भी तो निरर्थक है।

आत्मचेतना की प्रत्यङ्मुखता को एक बड़े सीधे-सपाट अपने ही पीछे हटती जाती रेखा के रूप में भी देखा-समझा गया है। जैसे बात इतनी सी ही हो कि द्रष्टा अपनी ओर देखते हुए एक सीढ़ी से दूसरी सीढ़ी चढ़ते चला जाता है। बात कुछ वैसी ही सी है जैसी हम तब पाते हैं जब हम दो आमने-सामने रखे दर्पणों के बीच खड़े हों और हमारा बिंब एक-के-पीछे-दूसरा उभरता चला जाता हो, और इस क्रम का कहीं अंत न दिखता हो। पर बात इतनी सी नहीं हैं। बात चेतना के विस्तार की है। हम अपनी ही आत्मचेतना के भीतर थोड़ा भी झाँक कर देखें तो पाते हैं कि चेतना जितनी प्रत्यङ्मुख होती है, स्व के अहंभाव से मुक्त हो कर सामान्यता को विस्तार देती भूमा की ओर बढ़ती जाती है। उसमें अपना और अपने फैलते विषयलोक का साक्षात् गहराता जाता है। वह अपने दृश्य के अर्थ में, उसकी संभावनाओं में, साध्यता में और पैठ बना पाती है। इस व्यापार का संकेत हम बाह्य विषयबोध के स्तर पर ही अनायास पाते हैं। विषय को हम सामान्यता की सीढ़ी चढ़ता पाते ही हैं। वह एक आरोह के साथ संकुचित सामान्य से प्रसृततर सामान्य में खुलता चला जाता है – प्याला-त्व बरतन-त्व में, बरतनत्व निर्मित-वस्तु-त्व में, निर्मितत्व वस्तुत्व मात्र में ... और अंततः यह आरोह-व्यापार सत्ता के अव्याकृत असीम की ओर ले जाता है, जहां से हम विशेष सामान्यों को उभरता देख सकते हैं, इस अवरोह की संभावनामयता, और यों इसके समझने-आंकने-परखने की साध्यता को भी भाँप सकते हैं, क्योंकि इस व्यापार में यह उभरता रहता है कि व्याकृति भिन्न मार्ग ले सकती है, लेती ही है। कौन सा मार्ग 'सत्य' के साक्षात्कार के लिये सार्थकतर है, यह भी साध्य रहता है।

प्रत्यङ्मुखता के व्यापार में यह भी साक्षात् किया जा सकता है कि यह विषयी-उन्मुख ही नहीं, मानो विषयी का ही व्यापार होता है। विषयी-परक होता उभरता है यह। इसमें विषय को विषयी के कुक्षिगत ही नहीं देखा जा सकता, उसे विषयी से उत्कीर्ण होता भाँपा जा सकता है। यह बात प्रत्यङ्मुखता का स्वभाव ही प्रतीत होती है। पर इसे विचार की प्रत्यङ्मुखता में स्फुटतम देखा जा सकता है। विचार जितना अपने को विषय बनाता अपनी ओर बढ़ता है, उतना ही विचार-विषय और विचार-विषयी का भेद क्षीण होता अनुभूत होता है। विचार्य (विषय) और विचार के बीच एक भेदाभेद उभर आता है, जहां एक दूसरे के बीच की दरार सिकुड़ती चली जाती अनुभूत होती है। विषय को अपने भीतर समोये विषयी अपने पीछे, अपने परे, जाता हुआ चेतना की उस परम सामान्यता की ओर बढ़ता लगता है जहां दोनों एक अद्वय चेतना के – चित् के – दो पक्षों की तरह उभरते जान पड़ते हैं। ज्ञान, भाव, कर्म, सबमें हम विषय-विषयी के इस भेदाभेदमय 'अद्वय' का, विषयकी विषयी से उत्कीर्ण सी होती आत्मोद्भूति का अनुभव कर सकते हैं। इस व्यापार को आत्म या (चित्) के आत्मसृजन के रूप में देखने की दृष्टि इस व्यापार के भीतर से ही सहज व्यंजित होती है : यहां सत् को हम मानो चित् से उत्सृष्ट होता देख पाते हैं।

कहना न होगा कि सृष्टि एक परम गुह्य, अगाध रहस्यमय व्यापार है। विचार से – विचार की किसी अनुमानमयी उत्प्लुति से – उस तक पहुँचना संभव नहीं। पर विचार अपने से परे की ललक छोड़ता नहीं है। दृष्टियां रूप लेती हैं। बड़ी गहन, बड़ी अर्थमयी दृष्टियां रूप लेती हैं, (शल्य जी की दृष्टि का संकेत हम ऊपर की चर्चा में पा सकते हैं)। यह भी यहां अनुध्येय है कि शल्य जी का चिंतन सृजन को ही मूल में रखता है। फिर, ऊपर की चर्चा में यह भी उभरा है कि सृजन आत्मसृजन का स्वरूपतः अपेक्षी होता है।

प्रस्तावना

हमारे प्रस्तुत, अनुभूत आत्म में शल्य जी परम चित् का प्रतीक पाते हैं और आत्म के प्रत्यङ्मुख सृर्जन-मर्म में चित् के स्वरूप की व्यंजना। चित् उनके लिये आत्मसृष्ट है और यह आत्मसर्जन सृष्टि का मूल है।

हम आत्मचेतना में चेतना को प्रत्यङ्मुख होता पाते हैं। यह भी पाते हैं कि आत्मचेतना अहं/अहं के द्वैध में रूप लेती है। इसी द्वैध के साथ हममें आत्मसृजन रूप लेता है। आत्मसृजन के लिये यह द्वैध आवश्यक भी है : अपने से अलग हो कर ही मैं अपने को बना सकता हूं। शल्य जी आत्मचेतना में चित् के स्वरूप का प्रतीक देखते हुए उसके सृजन-व्यापार को समझने-आँकने में इस द्वैधभाव को आधारगत रखते हैं।

शल्य जी का चिंतन वेदांत-प्रभावित है, पर उनकी दृष्टि एक गहरी पैठ के साथ अपनी है, स्वतंत्र ही नहीं, नितांत अभिनव है, चले आते वेदांत के प्रसिद्ध दर्शनों से तत्त्वतः पृथक् है। वे चित्-सत् के वेदान्ती अद्वैत को मानते हैं, पर उनका यह अद्वैत एक सर्वथा नये, और साथ ही सर्वथा मूलगत द्वैतबोध में बसा है जिसका इंगित वे अनुभूत आत्मचेतना और उसके आत्मसंधान में पाते हैं। यों उनकी तत्त्व-दृष्टि वेदान्त-प्रभावित होते हुए भी नितांत उनकी अपनी है, नितांत आधुनिक है। सत् उनके लिये माया या मिथ्या या चिद्भिन्न नहीं है, पर चित् उनके लिये आत्मसृजन-व्यापार के भीतर ही सत् का उत्स बनता है, और इसी व्यापार में अनिवार्यतः आत्मभिन्न – आत्मविच्छिन्न – हो जाता है। यों वह स्वरूपेण भाव से भाव्य हो जाता है : अपने से अलग हो कर अपना ही साध्य, गवेष्य हो जाता है। सिद्ध वह कभी होता ही नहीं, साध्य – आत्मसाध्य – ही रहता है। सृजन के साथ ही उसका गवेष्य आत्मस्वरूप सृजन के साध्य निरवद्य प्रतिमान की तरह अवस्तु रूप हो जाता है। यों उसके आत्मस्वरूप के *होने* की बात ही नहीं की जा सकती। उसका स्वरूप, जो उसका निरवद्य *होना* है, साध्य ही रहता है। आत्मसाध्य।

बात विस्तार चाहती है।

शल्य जी के वेदान्त को उपनिषद्गर्भ कह सकते हैं। शल्य जी *उपनिषद्* के प्रातिभ अर्थगर्भ मार्मिक कथनों को अपनी तरह से समझते हुए और अपने विचार-तंत्र में समोते हुए, उन्हें अपनी सृजन-मीमांसा का आधार बनाते हैं। *तैत्तिरीय उपनिषद्* की एक उक्ति है : *असत् वै इदम् अग्र आसीत्। ततः वै सत् अजायत। तद् आत्मानं स्वयमकरुत।* (*तैत्तिरीय, ब्रह्मानन्दवल्ली, सप्तम अनुवाक*)। शल्य जी का अनुवाद है : 'आरंभ में असत् ही था। उससे सत् की उत्पत्ति हुई। और उसने अपने को स्वयं रचा'।

उक्ति में पैनी अंतर्दृष्टि है। सृजन आत्मसृजन ही हो सकता है, तभी आत्मतंत्र हो सकता है, किसी भी पर से अछूता, नहीं तो *सृजन* नहीं होगा, कार्य-कारण-शृंखला-भुक्त होगा। यों सृजन असत् को, सर्वथा न-होने को, ऊह्य रखता है। और तभी सृजन की संभावनाएँ अनंत होती हैं : कुछ नहीं अगर कुछ होने को प्रवृत्त हो तो कुछ भी हो सकता है – कुछ भी होने को स्वतंत्र, निर्बंध होता है। असत् के भीतर सत् की संभावनाओं को सीमित नहीं किया जा सकता : किस बिना पर सीमा उकेरेंगे हम! हमारी सृजनशील चेतना की ओर झांके तो सहज ही इस बात को ताड़ सकते हैं : हम अपनी सृजन-प्रवृत्ति में संभावना के निस्सीम की जीवंत, स्फूर्त झलक पाते ही हैं। और यह संभावनामयता सृज्य कृति के रूप लेने में भी बनी रहती है। कृति स्वरूपेण साध्य हो तो यह अनिवार्य है (कृति सचमुच सृज्य हो तो किसी सिद्ध-प्रदत्त प्रतिमान की अनुकृति नहीं हो सकती, ऐसी अनुकृति में कोई सृजन नहीं होता, तो संभावनामयता भी नहीं होती; पर प्रतिमान अरूप हो – अवस्तु हो – तो संभावना का आकाश खुला रहता है – हम ऐसा पाते ही हैं)। पर कृति रूप ले तो अनंत संभावनाओं में से एक को ही रूप दे सकती है, उसका रूप रूप-विशेष ही हो सकता है : एक विशेष अंतःसंगत आकृति के साथ एक विशेष विधान में ढला, एक विशेष ऋत में निष्ठ, जो सृजन के आद्य क्षण में ही उभर आता है; पर साध्य भी रहता है। सृजन के संभावनामय होने के कारण इस विशेष में भी 'हो सकने' का आनंत्य निगूढ़ रहता है। इसे सृजन मे निहित गहरा विरोध – या विरोधाभास – भी कह सकते हैं। या असत् से सत् के होने का अनिर्वाच्य रहस्य कहिये।

पर यह भी देखिये। जैसा हम कह आये हैं, आत्मसृजन एक अगाध आत्मद्वैध को ऊह्य रखता है। हम अपने से हट कर, अपने से अलग होकर, और यों आत्मभिन्न हो कर ही – या शल्य जी के शब्दों में कहिये, अपने से व्यवहित हो कर ही – अपना सृजन कर सकते हैं। इसे रहस्य ही कह लीजिये, पर यह *है* – तभी सृष्टि है। यों सृजन में जहां एक और चित् अपने को सृष्ट करता है, वहीं, उसी व्यापार में, अपने आप से अलग, विच्छिन्न ही नहीं हो जाता, विच्छिन्न रहने को बाध्य हो जाता है। नहीं तो सृष्टि का नैरंतर्य नहीं बना रह सकता। चित् अपने स्वरूप का सर्जन चाहता है, पर उसका आत्मसर्जन-व्यापार उसे स्वरूपेण अपने लिये ही सदा साध्य, गवेषणीय बना देता है (हम पाते हैं कि हममें भी आत्मसृजन का बीज अस्मि/अस्मि के आत्मविच्छेद को ऊह्य रखता है, जहां साध्य आत्म 'पर' ही नहीं, परे ही बना रहता है)। अपने से व्यवहित, विच्छिन्न चित् अपने स्वरूप को साकार करने की ओर उन्मुख होता है, अपने ही साध्य स्वरूप को सिद्ध करने की साधना करता है। यही सृष्टि है। पर चित् का आत्म-व्यवधान व्यवधान बना रहता है। चित् जब अपना इतर हो जाता है तो इतर ही रहने को बाध्य भी हो जाता है। वह अपने अवस्तुभूत व्यवहित आत्म की प्रतिकृति ही साध सकता है, साधता चला जा सकता है, उसे पा नहीं सकता, क्योंकि उसके व्यवहित अवस्तु स्वरूप की कोई प्रतिकृति वस्तुतः संभव नहीं। पर इसीलिये उसकी प्रतिकृति-साधना अब अरूप प्रतिमान की प्रतिकृतियों की तरह अनंत रूपों का उत्स हो जाती है।

चित् का आत्म-इतरत्व अमिट रहता है। आत्मेतर हुआ चित् अपने किसी सृष्ट रूप को इतर जान कर अपने 'सच्चे' आपे की ओर मुड़ना चाहे तो इस गति में वह इतर का इतर ही हो सकता है – उसका इतरत्व मिट नहीं सकता। पर उसकी यह आत्मप्रतिकृति-साधना की गति ही जगत् को अर्थ-विस्तार देती चलती है, अर्थ की नई नई संभावनाओं में फलवती होती है। और क्योंकि यह चित् की गति है, गति एक अपना अंतःविधान बनाये रखती है (इसके बिना अर्थ को *रूप* देना उसकी सार्थक *सृष्टि* संभव नहीं)। पर यह सब हो इसलिये पाता है क्योंकि आत्मव्यवहित चित् स्वरूपेण साध्य ही रहता है। चित् का आत्मस्वरूप, जो सृष्टि के साथ ही आत्मव्यहित हो गया है, वह अब आप्तव्य नहीं हो सकता, पर वही सारी आप्तियों का उत्स होता है। उसका न होना ही होने की योनि होता है। उसकी आत्मप्राप्ति की साधना ही जगत् को रूप देती है। गति देती है : क्योंकि चित् का आत्मसर्जन एक निरंतर व्यापार है, यह न हो तो 'जगत्' ही न रहे।

सृष्टि के अर्थ-विस्तार को चित् के आत्मज्ञान का व्यापार भी कह सकते हैं। इसे लक्ष्य में रखते हुए शल्य जी एक और उपनिषद् वाक्य आगे रखते हैं : *आत्मा वा इदमेव अग्र आसीत् नान्यत् किञ्चन मिषत्। स ऐक्षत लोकान्नु सृजा इति* – 'एक आत्मा ही आरंभ में था, ऐसा और कुछ नहीं था, जो देख रहा हो। उसने ईक्षण किया, 'लोकों की सृष्टि करूं'। (*ऐतरेय उपनिषद्*, 1,1)। आत्म-व्यवहित हो कर ही चित् आत्म-वीक्षण कर सकता है, अन्यथा यह संभव नहीं। पर आत्मवीक्षण का निमित्त आत्मज्ञान होता है। अपने को देखता चित् अपने को जानना चाहता है, अन्यथा देखने का अर्थ क्या? यों चित् का अर्थसृजनमय लोकावतरण उसका अपने को जानने का भी प्रयास कहा जा सकता है। अर्थ का ज्ञान या साक्षात्कार और उसका सृजन एक ही चेष्टा के दो अभिन्न पक्ष हैं। और यों सृष्टि ज्ञानोन्मुख व्यापार है तो प्रमाण-व्यापार भी है। यह निरी मिथ्या कल्पना नहीं। इसे स्वप्न से नहीं मिलाया जा सकता जो कि परतंत्र होता है। न इसे माया या वासना-दिग्ध विकल्प-सृष्टि कह सकते हैं, जो अनात्म होती है। और यह भी है कि सृष्टि-व्यापार के प्रमाणधर्मी होने के कारण भ्रांति की, दोष की संभावना भी इसमें घर करती है। चित् की आत्मगवेष्यता इसका लक्षण है। हम देखते हैं कि श्रेयबोध के साथ वह अपने ही पूर्ववर्ती रूप को त्याज्य पाता है।

उपनिषद् की उक्ति को ध्यान में रखते हुए चित् के लोकावतरण को लोक-विस्तार की एषणा के रूप में भी समझा जा सकता है (*लोकान्नु सृजा*)। कहा जा सकता कि सृष्टि मूल में आत्मा (चित्) की एषणा एक से अनेक होने की अभीप्सा है। लेकिन तो भी, इस चेष्टा में भी, चित् आत्मव्यवहित हो कर ही प्रवृत्त हो सकता है। सृष्टि का मर्म वही आत्मगवेष्य आत्मसाध्यता रहता है।

प्रस्तावना

आपत्ति की जा सकती है कि ज्ञान और सृजन परस्पर विरोधी धरणाएँ हैं : सृजन कल्पना-मूलक होता है, और ज्ञान याथातथ्य का ग्रहण। पर सोचिये। अपने ही ज्ञान-व्यापार की थाह लेकर देखिये। ज्ञान-व्यापार भी सृजन-कल्पना के बिना संभव नहीं। हम अपने को अर्थ की सृष्टि करते हुए ज्ञानोन्मुख पाते हैं। और ज्ञान-व्यापार को हम सृजन-कल्पना में निष्ठ पाते हैं। विज्ञान इन्द्रिय-लब्ध रूपों को भूत-जगत् के रूप में *कल्पित* कर एक प्रत्यय-जगत् का विस्तार करता है। भौतिक क्या है? इस आत्म-उपस्थापित *तत्त्व* को *जानने* के लिये विज्ञान के सिद्धांत-तंत्र का विस्तार होता है। इसमें ज्ञान-व्यापार कल्पनापेक्षी होता हुआ सिद्धांत-तंत्रों की रचना करता है। पर यह कल्पना-व्यापार निरी कपोल-कल्पना का मिथ्या-व्यापार नहीं होता, क्योंकि प्रमाण-बोध में निष्ठ होता है, और इसमें भ्रम की संभावना बीजभूत रहती है। पर विज्ञान को ही क्यों (जिसे हम ज्ञान मानते ही हैं), कला को लीजिये। वहां सृजन-कर्म में कल्पना की उपलब्धि अनायास होती है। कला हमारे अनुभूत विषयित्व का, या कहिये भाव-जगत् का, व्यंजना की अनंत संभावनाओं के माध्यम से अपनी तरह सृजन-प्रसार करती है। पर यहां भी कल्पना थोथी कपोल कल्पना नहीं होती। संगति की, प्रमाण की अपनी मांग यहां भी बनी रहती है – नहीं तो किसी कलाकृति की सदोषता की, साध्यता की, त्याज्यता की बात ही नहीं की जा सकती। दर्शन को देखें तो वहां भी हम यही देख पाते हैं – वहां तो उभरती दृष्टियां अपना विषय और अपनी प्रत्यय-निष्ठ विषयिता – या कहिये ज्ञान और ज्ञेय – दोनों को स्वातंत्र्येण सृष्ट करती देखी जा सकती हैं; पर प्रमाण-व्यापार वहां युक्ति-उपपत्ति की कठिन मांग करता भी देखा जा सकता है। श्रेयबोध जो आत्मचेतना के और तद्गत ज्ञान-व्यापार के साथ ही उभरता है वह तो एक स्वतंत्र ही नहीं अभूतपूर्व जगत् की सृष्टि करता उभरता है। इसे चित् की आत्मगवेषणा के ही एक नये पर्व के रूप में देखा जा सकता है। शल्य जी मनुष्य में ही नहीं, चित् में भी इसे आत्मचेतना के साथ ही एक उत्क्रांत स्फोट के रूप में देखते हैं। मनुष्य में इसे *प्रतिफलित* पाते हैं। इस प्रतिफलन को हम नये प्रत्ययों के रूप में भी देख सकते हैं : जैसे मानव-समाज का, तन्नद्ध संस्कृतियों का उदय, जो श्रेयबोध के बिना संभव नहीं। व्यक्तिभाव का भी उदय इस उत्क्रांति का फल है। व्यक्तिभाव संकल्प का अपेक्षी होता है जो श्रेयबोध की अपेक्षा रखता है। व्यक्ति और समाज में नई संभावनाएँ, साध्यताएँ रूप लेती हैं, जो अब तक अनहोनी थीं। संस्कृति के साथ चेतना ही एक प्रकृति से ऊर्ध्व स्वतंत्र धरातल पर आ जाती है। व्यक्ति में उतरती है, जहां श्रेयबोध बड़े नये उन्मुक्त रूप लेता दिखता है। व्यक्ति संस्कारों से उठ कर संस्कृति को नये रूप देने की प्रेरणा, व्रत, भी पालता है। ऐसी प्रधानतः व्यक्तिनिष्ठ प्रेरणा अध्यात्म में, विचार में, दर्शन में विशेष फलवती होती देखी जा सकती है।

अब तक चेतना पराङ्मुख थी, अपने अर्थ को अपने बाहर देख और पा रही थी, पर अब अपनी ओर मुड़ती है, प्रत्यङ्मुख होती है तो अर्थ का एक नया आयाम, नया संसार प्रकट होता है। सच पूछिये तो उसकी आत्मार्थ गवेषणा का आरंभ ही अब होता है। श्रेयबोध के जागने को इस नये आयाम का हृदय कह सकते हैं, पर इसमें यह भी व्यंजित है कि चेतना अब अपने पूर्ववर्ती रूप को हेय, सदोष समझती है।

श्रेय की कोटि रूप लेती है तो नये प्रत्ययों में रूप लेती दिखती है। इसका मार्मिक लक्षण अहिंसा के प्रत्यय में देखा जा सकता है। प्रकृति में हम 'जीवो जीवस्य भोजनम्' को जीवन का तत्त्व पाते हैं, अहिंसा का प्रकृति में कोई अर्थ ही नहीं। पर मनुष्य की अहिंसाबोध के बिना कल्पना नहीं की जा सकती। अहिंसा परार्थ भाव की सूचना है जो मनुष्य के व्यवहार का ही मूल है। अहिंसा में 'आत्मवत् सर्वभूतेषु' का स्फुट इंगित है। परार्थ-बोध के साथ ही सर उठाता अहिंसा का श्रेयत्व मनुष्य में (भाषा ही की तरह) आत्मचेतना के आविर्भाव के साथ ही रूप लेता दिखता है। मैत्री, प्रेम, करुणा, परदुःखदुःखित्व... ही नहीं, न्यायबोध, गृध्नुता की त्याज्यता, अस्तेय... इसी भाव की अभिव्यक्ति हैं। ये प्रत्यय हैं, अभूतपूर्व प्रत्यय : इनमें साध्यता, संभावनामयता प्रकट है।

मनुष्य में परार्थ-तत्त्व को रूप देने की साधना कई रूप लेती दिखती है। यह तत्त्व समाज-चेतना के धर्म-शासित होने के मूल में ही निहित है। इसमें नृशंस्यता की हेयता का बोध भी स्वरूप-निहित है। तभी सतयुग जैसी कल्पनाएँ रूप लेती हैं। व्यक्तियों में अहिंसा की साधना व्यापक से व्यापकतर रूप लेती दिखती है (और इस

माध्यम से कुछ अध्यात्मपंथों, समुदायों में)। तीर्थंकरों को देखें, या उन वायुभुक् मुनियों को जो साधना के पाक से साथ पेड़ों से गिरे सूखे पत्ते भी नहीं खाते थे। पर अहिंसा साध्य ही बनी रहती भी दिखती है। समाजों में क्षीण ही रहती है। समाज, राज्य, समूह-समुदाय, इस स्तर पर युद्ध जैसा परस्पर-संघर्ष तो मनुष्य का स्वभाव ही प्रतीत होता है। हां, कभी अहिंसा-बोध हमें इससे कदाचित् विमुख करता भी दिख जाता है, जैसे अशोक में, पर यह विरल अपवाद ही कहला सकता है। पर इसकी साध्य संभावना का भव्य समाजगत रूप भी हो सकता, यह गाँधी के जीवन में, उनकी साधना में देखिये। गाँधी ने अहिंसा को सत्य (मनुष्य का वास्तव स्वरूप) कहते हुए उसे समाज के, राज्य के, मनुष्यमात्र के सार्वजनीन स्तर पर साकार करने का महत् प्रयत्न किया। प्रयत्न क्षणिक-सीमित ही रूप ले पाया हो, पर रूप लेने की अद्भुत अविशिस्य शक्ति थी उसमें।

श्रेय का स्रोत और प्रमाण आत्मा ही होती है। तभी श्रेयबोध में हम चित् को अपनी ओर उन्मुख हो कर अपने स्वरूप को पाने के लिये व्यग्र देख पाते हैं। पर अपने पूर्वरूप को इतर पाकर वह अब जिधर बढ़ता है, वह नये अर्थों का विस्तार तो होता है, पर चित् की आत्मेतरत्व से मुक्ति नहीं!

तो सृष्टि का प्रश्न फिर सता सकता है : चित् सृजन-प्रवृत्त होता ही क्यों है? अपने को अपने से खोने के लिए! नहीं भी तो हो सकता था! सच यह है कि सृष्टि का होना एक उलटबाँसी ही बना रह सकता है। अनबूझ पहेली ही है सृष्टि, चाहे उसका स्रोत और स्वरूप (विज्ञान की तरह) जड़ में देखें या (वेदान्त की तरह) चित् में। हां, जड़ को आधारभूत रखें तो सृष्टि का कोई अर्थ नहीं रहता। हम, हमारी समझ, सब जड़ हो जाते हैं। समझ स्वातंत्र्य की मांग करती है, जड़ में स्वातंत्र्य की बात ही बेमानी है। और समझ जड़ हो तो वह प्रमाण-बुद्धि जो जड़ को ही सर्वस्व ठहराती है, वह भी फिर जड़ ही ठहरती है।

सांख्य जो सृष्टि को – विषय मात्र को – जड़ ठहराता है, वह भी विषयी को स्वतंत्र रखता है। उसे सृष्टि के मूल में रखता है : उसके सन्निकर्ष के बिना जड़ प्रकृति अव्यक्त ही रहती है, सृजन-प्रवृत्त नहीं होती। और प्रवृत्त होती है तो उसकी प्रवृत्ति का प्रयोजन ही चिन्मय पुरुष होता है। वह पुरुष-लक्षी ही नहीं होती, पुरुष-गर्भ होती हुई पुरुष-लक्षी होती है। सांख्य में बुद्धि का विशेष स्थान है, बोध या ज्ञान उसीको होता है। इन्द्रिय, मन, अहंकार, ये सभी वृत्तियां बुद्धि के करण हैं – ये 'द्वार' हैं, बुद्धि 'द्वारी' है। विषय का अवगाहन करती बुद्धि ही पुरुष के लिये भोग और मोक्ष, ये दोनों पुरुषार्थ साधती है (*सर्वं प्रत्युपभोगं यस्मात् पुरुषस्य साधयति बुद्धिः / सैव च विशिनष्टि पुनः प्रधानपुरुषान्तरं सूक्ष्मम् // सांख्यकारिका,* 37)। पर यह पुरुषार्थ व्यापार प्रवृत्त ही इसलिये होता क्योंकि पुरुष बुद्धिगत होता है; अन्यथा न यह संभव है, और न इसका कोई अर्थ है। लेकिन पुरुषार्थ साधना के केन्द्र में होते हुए भी बुद्धि सांख्य में तत्त्वतः जड़ है, स्वतंत्र नहीं है। और पुरुष (चित्) स्वतंत्र होते हुए भी तत्त्वतः अव्यापृत रहता है। सृष्टि उसके कारण होती है, पर सृजन उसका किया नहीं होता, हो नहीं सकता। जगत् को माया या प्रतीत्यसमुत्पन्न या विकल्पमात्र कहते दर्शनों में भी बुद्धि, या कहिये मनुष्य की आत्मचेतना, किसी भी रूप में स्वातंत्र्य का – और यों प्रमाण-व्यापार का – अधिष्ठान बनती नहीं दीखती, यों सत्य-साधना का आधार नहीं हो सकती। पर प्राचीन वेदान्त में (उपनिषद् वेदान्त में, जो कि सभी परवर्ती वेदान्त दर्शनों का मूल है), वहां ऐसा नहीं है – जैसा कि ऊपर के उन उद्धरणों से स्फुट है, जिनसे शल्य जी का सृष्टि-चिंतन प्रेरित है।

सृष्टि हो ही क्यों, इस निगूढ़ प्रश्न पर विचार हमारे यहां उपनिषद् से भी पुराना है। *ऋग्वेद* का विख्यात 'नासदीय' सूक्त सृष्टि को ऐसी कूटतम प्रहेलिका के रूप में आँकता जिसका कोई उत्तर संभव नहीं : क्योंकि जो उत्तर दे सकते हैं, देते हैं, वे भी सृष्ट ही हैं। पर एक और बात भी इस सूक्त में लक्ष्य है। सूक्त सृष्टि की मूल प्रेरणा की भी बात करता है। नासदीय सूक्त का ऋषि सृष्टि को असत् से विसृष्ट देखता है। सृष्टि की प्रेरणा *काम* में देखता है। कहता है : '(सृष्टि के पूर्व) तम में निगूढ तम ही था; यह सब कुछ निश्चिह्न, अप्रतर्क्य सलिल था, तुच्छता से आवृत। तब तपस् की महिमा से (उस) *एक* ने जन्म लिया। *काम* प्रवृत्त हुआ जो कि मन का प्रथम रेतस् (आदि वीर्य) था। अपनी मनीषा से अपने हृदय में (क्रांतदर्शी) कवि इसे (काम को) असत् में (जागती) सत् की ग्रंथि के

रूप में जानते हैं।'[1] स्पष्ट ही, काम को यहां व्यापकतम अर्थ में लिया गया है। सृजन–प्रवृत्ति ही काम है। या कहिये सृजन–व्यापार ही काम है।

पर जिस व्यापार की हम बात कर रहे हैं, वह काल में नहीं होता, काल तो उसके होने पर रूप लेता है (इसके देश में होने का तो प्रश्न ही नहीं)। व्यापार तात्त्विक है। यह गणित या विचार की तरह भी नहीं, जो अदेशकालिक होते हुए भी देशकाल में संवेद्य होते हैं। विचार में यह व्यापार संकेत्य ही हो सकता है – अध्यात्मानुभव में भी ऐसे संकेत की बात की जा सकती है। लेकिन भूलना न चाहिये कि यह व्यापार है, होता है, इसीलिये जगत् व्यापार है, और होता रहता है।

ऊपर हमने जीवसृष्टि और आत्मचेतना के उदय की बात की। पर सृष्टि की ओर देखते हैं तो चित् को नहीं हम अचित्, जड़ – भौतिक – को ही सर्वत्र प्रसृत पाते हैं। जीव का होना तो क्षुद्र सी घटना दिखती है। यह ठीक है, लेकिन परिमाण को युक्ति के रूप में नहीं लिया जा सकता। प्रश्न यह है कि भौतिक को हम तत्त्वरूपेण समझें कैसे? उसका चित् के आत्मसृजन व्यापार में क्या स्थान?

हम भौतिक का आकलन विज्ञान से करने के आदी हैं आज, और भौतिक में साध्यता का निषेध विज्ञान की स्वनियत दृष्टि है। पर यह पूर्वग्रह ही है, या जानबूझ कर अपनाया हुआ पूर्वाग्रह कहिये। भौतिक को प्रसुप्त चित् के रूप में सहज ही देखा जा सकता है, जैसा कि शल्य जी देखते हैं : चित् के जगद्भाव की गर्भावस्था के रूप में। अगर भौतिक को यों न देखें तो फिर भौतिक विशुद्ध इन्द्रय–विषय रह जाता है। और विशुद्ध इन्द्रियविषय क्या है, इसका ग्रहण इन्द्रिय नहीं कर सकती, यह विचार में ही संभव है। विचार इसे बौद्धों की तरह स्वलक्षण के रूप में उपपादित कर सकता है, या कांट की तरह स्वरूपतः अविज्ञेय कह दे सकता है। पर स्वलक्षण अनिर्वाच्य है, उसके बुद्धलक्षण होने में क्या उज्र हो सकता है, और जो अविज्ञेय है वह स्वरूपेण शिवमय भी हो ही सकता है। भौतिक को विशुद्ध उपादान के रूप में भी देखा जा सकता है – हमारा व्यवहार, और उस व्यवहार के विस्तार के रूप में विज्ञान भी, इसका इसी रूप में ग्रहण करता है। प्रयोग करता है।

भौतिक से हम वानस्पतिक का विकास देखते हैं – इसे जीवत्व और भौतिकत्व के बीच की कोटि कहा जा सकता है : यहां प्राण है, पर इन्द्रियां नहीं हैं – पर उस ओर उन्मुख प्रवणता इसमें पाई जा सकती है। चेतना इससे ऊपर उठ कर ही स्फुट रूप लेती है। चित् के जगद्भाव का चेतन प्रसार मनुष्य से पहले पाशव सृष्टि में ही पाते हैं हम। पशु में इन्द्रियाँ रूप लेती हैं, विकसित होती हैं, एक भोगमय विषयित्व उभरता–बढ़ता देखा जा सकता है। शल्य जी इसे चेतना के वासनात्मक प्रवर्तन के रूप में देखते हैं। विषय यहां भोग्यार्थ ही होता है, और विषयी तत्तसात् या तन्निमज्जित। उसके लिये विषय की अपनी सत्ता कुछ नहीं होती। यहां भी विषय ज्ञानेन्द्रियगम्य और कर्मेन्द्रियसाध्य ही होते हैं, पर विषयी के लिये उनकी सत्ता की कोई स्वतंत्र बाह्यजगत्–स्थित अवगति नहीं होती। हां, विषय की स्वगत सत्ता का इतना सा परिचय यहां पाया जा सकता है कि पशु के लिये विषय भोग्य ही नहीं, भोग–बाधक भी होता है।

विषयी के (मनुष्य में) आत्मचेतन होने पर (विषयी के अपने आप को विषय बना पाने पर ही), बाह्य जगत् की स्वस्थित बाह्यता, विषय का स्वस्थित विषयत्व और उसकी भौतिकता, ये गृहीत होते हैं। पर प्रत्यङ्मुखता में घर करती हुई आत्मचेतना बाह्योन्मुखता से, विषयोन्मुखता से निवृत्त हो कर ही, या कहिये आत्मोन्मुख हो कर ही, विषय–चेतन होती है। विषय से निवृत्त हो कर ही विषय को विषय की स्थिति देती है चेतना। इससे जिस अर्थ–सृष्टि का विस्तार होता है, उसकी चर्चा हम कर आये हैं। पर आत्मोन्मुख हो कर चेतना इस विषय–संसार

---

1. तम आसीत्तमसा गूळ्हमग्रेऽप्रकेतं सलिलं सर्वमा इदम्।
तुच्छ्येनाभ्वपिहितं यदासीत्तपसस्तन्महिनाजायतैकम्।।
कामस्तदग्रे समवर्तताधि मनसो रेत: प्रथमं यदासीत्।
सतो बन्धुमसति निरविन्दन् हृदि प्रतीष्या कवयो मनीषा।। — *ऋग्वेद*, 10, 129,3-4

को अनात्म भी पाती है। जगत्गत अर्थ-संसार को वितत से विततर करते हुए भी इस संसार में अपने को 'परदेशिनी' पाती है। यहीं श्रेयबोध के जन्म का बीज भी देखा जा सकता है। और इस बोध के साथ चेतना अपनी ही पूर्व वासनार्थ या भोगार्थ प्रवृत्ति को ही हेय नहीं पाती, अपनी आत्मचेतन अर्थ-सृष्टि से भी विमुख होती दिखती है।

तभी श्रेयबोध का तीव्रतम संवेग आध्यात्म में देखा जा सकता है, जहां परदेशिनी को घर लौटने के लिये उत्कंठ पाते हैं हम। शल्य जी ने *छांदोग्य उपनिषद्* में आये नारद-सनत्कुमार वार्ता का एकाधिक बार उल्लेख करते हैं। वार्ता में नारद सनत्कुमार से आत्मज्ञान की प्रार्थना करते हैं। नारद *ज्ञान*-कहलाते ज्ञान के सभी उपलब्ध रूपों में प्रवीण थे – इतिहास, पुराण, व्याकरण, कल्प, गणित, तर्क, नीति, नृत्य-संगीत...। पर इन्हें वे अनात्म पाते हैं। इनसे उस आत्म का ज्ञान नहीं मिलता जो अमृत है, सुख है, भूमा है, हमारा सत्य-स्वरूप है। ये ज्ञान अल्प हैं, इनमें भूमा नहीं, अमृत नहीं। ये आत्म से इतर हैं। उसकी ओर नहीं ले जा सकते।

पर शल्य जी के लिये अध्यात्म भी अर्थों का विस्तार ही है। अध्यात्म में अर्थ के नये शिखर खुलते देखते हैं। अर्थों का पूरा एक तुंगतम विभु-लोक खुल जाता है यहां। इस लोक की बड़ी उदात्त, बड़ी अपार-अगाध संभावनाएँ हैं, पर आत्म का आत्मेतरत्व यहां भी बना रहता है। अपने से तत्त्वतः आत्मव्यवहित चित्, अपने से एकात्म हो नहीं सकता, अपने को स्वरूपतः *पा* नहीं सकता। इस पाने की खोज में अर्थ का विस्तार ही करता चला जा सकता है। हम कल्पना कर सकते हैं – युक्तितः कर सकते हैं – कि उसकी आत्मोन्मुख यात्रा के और भी पर्व उभरेंगे – मनुष्य में और मनुष्य के आगे। पर यह यात्रा यात्रा ही बनी रह सकती है।

यहां शल्य जी की दृष्टि में एक अनाप्ति की, अकृतार्थता की – या कहिये नित्य विरह की – वेदना देखी जा सकती है, जिसे वे अपनी तरह से ध्वनित भी करते हैं : अपने अंतिम लेखन में।

ऊपर मैंने यथासंक्षेप शल्य जी और उनकी तत्त्व-दृष्टि का एक अपना-सा चित्र उकेरने की चेष्टा की है। पर कविता की तरह ही दार्शनिक विचार का अंतःस्पंद किसी निरूपण में नहीं समा सकता। मेरा आशय यह रहा है कि आप के भीतर उनके लेखन में उतरने की जिज्ञासा को कुछ लौ दे सकूं।

किसी भी गहरी और व्यापक तत्त्व दृष्टि में मनुष्य के विभिन्न पक्षों को अपनी तरह से आँकने-समझने की आँख होती है, शक्ति होती है। शल्य जी ने स्वयं ही अपनी दृष्टि को यह फैलाव दिया है। मनुष्य के सर्वस्व को विस्तार से समझा-आँका है उन्होंने। संस्कृति, समाज पर उनकी स्वतंत्र पुस्तकें हैं; धर्मनीति, इतिहास, विज्ञान, काव्य... पर प्रसृत लेखन है। अन्य दार्शनिकों और दर्शनों पर भी शल्य जी ने बड़ी सूक्ष्म पैठ और पैनी सूझ के साथ लिखा है। तुलनात्मक दर्शन पर उनका लेखन मननीय है।

हर्ष का विषय है कि यह सारा कुछ यहां उनके इस दार्शनिक-रचना-संग्रह में संकलित है।

मेरा ध्यान शल्य जी के प्रौढ़ चिंतन पर रहा है। पर उनकी विचार-यात्रा लंबी है और उसमें स्फुट सोपान उभरते देखे जा सकते हैं। उनकी यात्रा के पड़ावों को देखने-जानने के लिये और उनके जीवन और लेखन-समग्र के समर्थ सांगोपांग और घनिष्ठतर परिचय के लिये प्रो. अम्बिकादत्त शर्मा का आमुख देखें।

1

प्रमुख भारतीय एवं पाश्चात्य चिन्तन धाराएँ

प्राक्कथन

इस संग्रह में कुछ प्रमुख भारतीय और पाश्चात्य दार्शनिकों और मतवादों का अन्त:सार इतिहासकार की भूमिका से भिन्न विचारक की भूमिका पर से प्रस्तुत किया गया है। इसी कारण इसमें लेखों का अनुक्रम भी काल-क्रमानुसारी नहीं होकर विचारानुसारी है। उदाहरणत: उपनिषदों के बाद सांख्यकारिका और शंकर को रखा गया है वसुबन्धु तथा अपोहवाद को नहीं। इसी प्रकार उपनिषदों, सांख्य या वेदान्त पर, अथवा बौद्ध, जैन आदि पर साधारण लेख नहीं होकर दो विशिष्ट उपनिषदों, ईश्वरकृष्ण की सांख्यकारिका और शंकराचार्य के ब्रह्मसूत्रभाष्य आदि पर ही लिखा गया है। समकालीन पाश्चात्य अनुभववाद पर अवश्य एक मतवाद विषयक लेख है किन्तु उसमें भी दृष्टि इतिहासकार की नहीं है। यही बात जैन अनेकान्तवाद और स्याद्वाद लेख में भी है।

इस संग्रह के प्रथम लेख के अतिरिक्त सभी लेख पत्रिकाओं या पुस्तकों में प्रकाशित हो चुके हैं। लेख सं. 7 और 10 के अतिरिक्त शेष सभी लेख मेरी लड़की के लिखे हुए हैं, सातवाँ और दसवाँ मेरे लिखे हैं। भगवती के लेख 1970-75 के बीच लिखे गए थे, लेख सं. 10 भी 1970 में ही लेखा गया था, केवल स्याद्वाद-अनेकान्तवाद विषयक लेख दो-तीन वर्ष पहले का लिखा हुआ है। भगवती के लेख पीएच.डी. के शोध-कार्य और विश्वविद्यालय अनुदान आयोग के लिए किये गए उच्चतर शोध कार्य के क्रम में लिखे गए थे। किन्तु उस समय तक यह लड़की अपना विचार करने से डरती थी और मेरा विचार जो वह लिखती उसे मैं इतना बदल देता कि भाषा भी उसकी नहीं रह जाती थी। इसलिए इन लेखों के गुण-दोष के लिए इसने मुझे भी उत्तरदायी बनाना आवश्यक समझा। उसकी यह स्थिति अब नहीं है। अब वह, मेरे से विशेष मतभेद नहीं रखते हुए भी, थकाने की सीमा तक बहस करती है।

इस संग्रह में संकलित लेखों के क्रम में मेरी पुस्तक **नागार्जुनकृत मध्यमशास्त्र तथा विग्रहव्यावर्तनी : युक्ति-परीक्षा और सिद्धान्तविमर्श**[1] और प्रोफेसर दयाकृष्ण द्वारा सम्पादित पुस्क **पाश्चात्य दर्शन का इतिहास**[2] में संकलित मेरे तीन लेख—'कांट', 'फ़िख़्ते' और 'शल्लिंग' भी द्रष्टव्य हैं।

इस संग्रह के प्रकाशन का विचार मुकुन्द जी के मन में उपजा जब वेदान्त और सांख्य के सम्बन्ध में एक बार चर्चा करते हुए मैंने उन्हें भगवती के शोध-प्रबन्ध जी के मन में उपजा जब वेदान्त और सांख्य के सम्बन्ध में एक बार चर्चा करते हुए मैंने उन्हें भगवती के शोध-प्रबन्ध **प्रत्यक् और पराक्** के सांख्य और वेदान्त विषयक अध्याय पढ़ने को दिये। उन्हें ये बहुत अच्छे लगे और उन्होंने यह प्रबन्ध दर्शन-प्रतिष्ठान से प्रकाशित करने का परामर्श दिया। किन्तु इसका क्रियान्वयन मेरी व्यस्तता और अस्वस्थता के कारण दो-अढ़ाई वर्ष तक टलता रहा। अन्त में मैंने इस प्रबन्ध को यथावत् प्रकाशित करने के बजाय भगवती के ही चार और लेख मिलाकर इस प्रबन्ध के चार अध्यायों—सं. 3, 4 तथा 8, 9 के साथ प्रकाशित करने का विचार बनाया। तब भगवती और मुकुन्द जी ने इस पुस्तक में मेरा नाम जोड़ना भी उपर्युक्त कारण से उचित समझा। इस पर मैंने अपने दो ऐसे लेख भी सम्मिलित कर दिये जो इस पुस्तक की योजना से संगत बैठते थे और इसके क्षेत्र का विस्तार बढ़ाते थे। मैं समझता

1. प्रकाशक — भारतीय दार्शनिक अनुसन्धान परिषद्, नई दिल्ली।
2. प्रकाशक — राजस्थान हिन्दी ग्रन्थ अकादमी।

हूँ कि यह पुस्तक इस रूप में भारतीय और पाश्चात्य दार्शनिक विचार की मुख्य धाराओं का अन्तर्गत अर्थ और इन संस्कृतियों के अभनिवेश की एक झलक प्रस्तुत कर पाती है।

अब रही मुकुन्द जी को इसके प्रकाशन की प्रेरणा देने के लिए धन्यवाद देने की बात। वे इतने आत्मीय हैं कि उन्हें धन्यवाद देने का कोई अर्थ नहीं बनता। इसलिए इस औपचारिकता को यहाँ छोड़ता हूँ।

— यशदेव शल्य

पी–51, मधुवन पश्चिम,
किसान मार्ग, जयपुर 302015

ऐतरेय उपनिषद् — रूपक का दार्शनिक तात्पर्य

इस उपनिषद् में जगत् के तत्त्व का, सत्, अस्तित्व, ज्ञान, विषय, ज्ञाता और इनके अधिष्ठान या आधार का, निरूपण है। संक्षेप में, इस उपनिषद् का प्रतिपादन यह है कि सत् अतिक्रामी, एक और अखण्ड है, वह अस्तित्व और ज्ञान दोनों से पहले,—काल में पहले नहीं, स्वरूप में पहले है और यही एक आद्य सत् ज्ञाता, ज्ञान और विषय के रूप में विभक्त हो जाता है। यही त्रिपुटी जगत् है। इस रूप में विभक्त सत् के चार स्तर हैं—अन्तिम से पहला स्तर व्यष्टि चेतना का है, जो चेतना विषयी और विषय के द्वैत में और विभिन्न रूपों में प्रकट होती है, इसके ऊपर का स्तर समष्टि चेतना का है, जिसे निरहंकार चेतना भी कह सकते हैं। यह चेतना इस प्रकार विषयि-विषय-भाव में विभक्त नहीं है, बल्कि इस भाव का आधार है। इन्हें उपनिषद् ने देवता कहा है, जो एक-साथ चक्षु और वर्ण के अधिष्ठाता के रूप में अग्नि देवता आदि हैं। इससे ऊपर का स्तर इसका भी अधिष्ठानभूत संसार-भाव-मात्रता का है, जिसे विषयि पक्ष में हिरण्यगर्भ और विषय-पक्ष में लोक कहा गया है, किन्तु जो विषयि-विषय-भाव से रहित है। विषयि-विषय-भाव से नीचे का स्तर भोक्ता-भोग्य-भाव का है, जिस पर स्थूल भौतिक जगत् की स्थिति है। हिरण्यगर्भ या संसारभाव की उत्पत्ति आदि-रत् में संकल्प के रूप में हुई—"उसने इच्छा की, लोकों की सृष्टि करूँ।"[1] इस संकल्प से पहले केवल सत् था, निर्निमेष सत् मात्र, जिसे उपनिषद् में आत्मा कहा गया है। दूसरे शब्दों में, आदि-सत् चेतना नहीं है, जो अनिवार्य रूप से विषयि-विषय-भाव में विभक्त होती है और व्यष्टि-अहंकार-मूलक होती है, यद्यपि वह आदि-सत् चिद्-रूप ही है। इसका आशय समझने के लिए सार्त्र के 'आदि-सत्' को देखा जा सकता है, जो अचित् है, और जिसमें से चेतना का आविर्भाव होता है। इसका अर्थ यह नहीं है कि उपनिषद् के आदि-सत् से सार्त्र के आदि-सत् का कोई साम्य है, यहाँ सार्त्र का उल्लेख केवल संकेत मात्र के लिए है। यहाँ यह बात ध्यान रखने की है कि उपनिषद् में क्रम का यह निरूपण कालपरक नहीं है (अर्थात् ऐसा नहीं है कि कभी केवल आत्म-तत्त्व ही था, और उसमें कालान्तर में संकल्प का आविर्भाव हुआ, तब ऐसा हुआ और तब वैसा हुआ) यह केवल तार्किक क्रम है। उपनिषद् इस सत् के शुद्ध तत्त्व को प्रकट करने के लिए उसे 'असत्' भी कहता है। तैत्तिरीय उपनिषद् में कहा है—"आरम्भ में असत् ही था, उससे सत् की उत्पत्ति हुई।"[2] इस प्रकार विषय-विषयी, जड़-चेतन उपनिषद् के अनुसार स्वरूपत:, या कहें तर्कत:, पूर्ण अतिक्रान्तता को पूर्वकल्पित करते हैं।

सत् से विषयि-विषय-भाव-युक्त मानव-चेतना के, या कहें जगत् के, आविर्भाव का इस तरह निरूपण करने के बाद उपनिषद् फिर अतिक्रान्त की ओर लौटती है। वह कहती है—"इस प्रकार मनुष्य और जगत् की सृष्टि करने के बाद ईश्वर ने सोचा कि यह मेरे बिना कैसे रहेगा? मेरे बिना विषयि-विषय-भाव में विभक्त चेतना के दो पक्षों को मिलायेगा कौन?"[3] अर्थात् जगत् का कारणभूत संकल्प ही जगत्परक व्यष्टि-संकल्प में व्यक्त होता है। तब प्रश्न किया जा सकता है कि इसके पीछे युक्ति क्या है? युक्ति यह है कि चक्षु-इन्द्रिय रूप के दर्शकत्व को और रूप चक्षु-इन्द्रिय के दृश्यत्व को व्यक्तिगत संकल्प से नहीं प्राप्त करते बल्कि इन दोनों का आविर्भाव और व्यापार व्यक्ति से परे के संकल्प को पूर्वकल्पित करता है—उसी अर्थ में जिस अर्थ में कांट का ट्रांसेडेंटल यूनिटी ऑफ अप्पर्सेप्शन व्यक्ति-संकल्प का अतिक्रमण करता है।

---

1. स ईक्षत लोकान्नु सृजा इति।। अ.1, खण्ड 1, मन्त्र 1.
2. असद्वा इदमग्र आसीत्। सप्तम अनुवाक.
3. अ. 1, खण्ड 3, मन्त्र 11.

क्योंकि ऋषि रूपक की भाषा में बात कर रहा है इसलिए वह कहता है कि—"तब इस परमात्मा ने इस मनुष्य में प्रवेश करने का विचार किया और सोचा कि किस मार्ग से प्रवेश करूँ—पैर के मार्ग से या कि सिर के मार्ग से? किन्तु तब उसने ये दोनों मार्ग सीमित पाकर इस व्यक्ति की ही सीमा को चीर दिया और आनन्द मार्ग से प्रवेश किया।"[1] इस प्रकार ऋषि यहाँ रूपक को छोड़े बिना भी मूर्त्त रूपक को छोड़ देता है और देशवाचक 'मार्ग' शब्द को रखते हुए भी उसे 'आनन्द का मार्ग' कहता है जो शुद्ध चिद्-भाव का वाचक है। इस मार्ग को वह ब्रह्म-रंध्र भी कहता है। आगे, इस अध्याय के अन्त में ऋषि कहता है कि—"ब्रह्म के इस प्रवेश के बाद मनुष्य ने जब चारों ओर भौतिक जगत् को देखा तब पाया कि वास्तव में वह ब्रह्म ही सब ओर व्याप्त है।" यहाँ एक दूसरी बात ध्यान देने की है जो बहुत महत्त्वपूर्ण है, और वह यह कि ब्रह्म ने व्यक्ति में प्रवेश के लिए उसकी सीमा को ही चीरा—अर्थात् उसने व्यक्ति में उसके व्यष्टि-भाव के अतिक्रमण की, अखण्ड-भाव की, प्रतिष्ठा की।

इस प्रकार उपनिषद् ने पहले वैयक्तिक चेतना और उससे विषय-जगत् के आविर्भाव के क्रम का निरूपण किया और तब इस क्रम को (विषयोन्मुखता के क्रम को) आत्मोन्मुखता की दिशा में उलट दिया।

इसके बाद यह वर्णन है कि इस जगद्भाव में रहते हुए मनुष्य किस प्रकार जन्म-मृत्यु का क्रम भोगता है, और कैसे इसी क्रम से वह इसके स्वरूप को जानकर इसका अतिक्रमण करता है।

1. अ. 1, खण्ड 3, मन्त्र 12.

तैत्तिरीय उपनिषद् की तत्त्व-दृष्टि

प्रायः सभी मुख्य उपनिषदों का विषय और दृष्टि एक ही है। पीछे हमने ऐतरय उपनिषद् की तत्त्व-दृष्टि पर विचार किया। वह दृष्टि थी कि जगत् एक चित्-तत्त्व की ही अभिव्यक्ति है, इसे किसी दूसरे प्रकार से देखना अविद्या है, इस रूप में देखना ही विद्या है। किन्तु यह द्रष्टव्य है कि उपनिषदों में जगत् को अविद्या या माया के रूप में नहीं देखा गया है, इसीसे इसे दुःख के रूप में भी नहीं देखा गया है, जगद्भाव को भी दुःख का कारण नहीं कहा गया है, जैसाकि शंकर और उत्तरवर्ती वेदान्तियों में हम पाते हैं। **तैत्तिरीय उपनिषद्** में जगत् के प्रति स्वीकारात्मकता की दृष्टि अन्य उपनिषदों से अधिक प्रगल्भ है। जगत् ब्रह्म के आनन्द तत्त्व की अभिव्यक्ति है, यह इसी उपनिषद् में कहा गया है। **ऐतरेय उपनिषद्** में हमने देखा था कि उसमें भी जगत् के विभिन्न पक्षों को एक ही ब्रह्म-तत्त्व में प्रतिष्ठित देखा गया है और उस एक ही तत्त्व को विषय-विषयी, आत्मा और जगत् के रूप में विभक्त देखा गया है। इस उपनिषद् में वही बात और विस्तार से कही गई है। किन्तु **तैत्तिरीय** में **ऐतरेय** और दूसरी उपनिषदों में एक भेद है, इसमें दार्शनिक तत्त्व के साथ-साथ विधि-निषेध वाक्य और फल-व्यवस्था का भी विस्तार से निदेश है। पहली वल्ली में इस प्रकार से बहुत से विधि और फल-निर्देश तथा बहुत-सी प्रार्थनाएँ हैं, इसी प्रकार तीसरी वल्ली में भी हैं। इस सब को दार्शनिक अर्थ को प्रकट करने वाले रूपक नहीं कहा जा सकता जिस प्रकार ऐतरेय में हमने पाया था। पहली वल्ली के चौथे अनुवाक में लौकिक सुख-सफलता के लिए हवन मन्त्र दिये गए हैं, इसी प्रकार तीसरी वल्ली में बहुत-से विधि-वाक्य हैं जिनके अनुसार उपासना करने के विभिन्न फल बताये गये हैं। तीसरी वल्ली के दसवें अनुवाक में ब्रह्म की उपासना परिमर (मारने वाली शक्ति) के रूप में करने का फल शत्रुओं की और अप्रिय भतीजों की मृत्यु बताया गया है। इस प्रकार इस उपनिषद् में वैदान्तिक के साथ-साथ वैदिक तत्त्व भी हैं। यद्यपि तीसरी वल्ली की लौकिक उपासनाओं और उनके फलों का समाहार निर्गुण ब्रह्म की उपासना की सबसे अधिक श्रेष्ठता में और उसकी तुलना में इन उपासनाओं की त्याज्यता के रूप में किया जा सकता है, जैसा **गीता** में हम देखते हैं, जिसमें कहा गया है कि 'जो मेरी जिस रूप में उपासना करता है मैं उसे उसी रूप में प्राप्त होता हूँ।' किन्तु **गीता** में जबकि उन सब उपासनाओं को निकृष्ट कहा गया है, इस उपनिषद् में वह भाव वैसा स्पष्ट नहीं है। पहली वल्ली के साथ रखकर देखने पर तो ऐसा और लगता है कि इसमें इन सब उपासनाओं के साथ निर्गुण उपासना का विधान और इन फलों के साथ ब्रह्मानन्द-प्राप्ति के फल की व्यवस्था की गई है। इस दृष्टि से यह उपनिषद् लौकिक और पारमार्थिक, जगत् और ब्रह्म सबका एक-साथ समावेश करती है।

इसके सबसे पहले मन्त्र की प्रार्थना में ही **ऐतरेय** की प्रार्थना से अन्तर है। **ऐतरेय** में वाणी और मन की एकता के लिए और सत्य बोलने की शक्ति के लिए प्रार्थना की गई है, इसके विपरीत **तैत्तिरीय** में विभिन्न देवताओं की अनुकूलता के लिए प्रार्थना है और फिर वायु को ब्रह्म कहकर उसकी स्तुति की गई है। उसके बाद वैदिक शिक्षा का स्वरूप बताकर पाँच संहिताओं का वर्णन है। ये संहिताएँ हैं—लोक, ज्योति, विद्या, प्रजा और अध्यात्म। इन संहिताओं के ज्ञान का फल ब्रह्म-तेज, सांसारिक सुख और स्वर्ग की प्राप्ति बताया गया है। इस सबसे इस उपनिषद् की दृष्टि की लोक-परकता स्पष्ट है।

संहिता क्या है? संहिता का अर्थ है जिसमें अनेक एक में संहित हैं। **तैत्तिरीय** ने लोक, ज्योति, विद्या, प्रजा और अध्यात्म (अर्थात् देहगत), इनके अपने-अपने विभिन्न पक्षों, अंगों या सदस्यों के अलग-अलग नाम बताकर इन्हें संहित—सयुंक्त—किया है और इन्हें संहिताएँ या सन्धियाँ कहा है। उदाहरण के लिए पृथ्वी, द्यौ, आकाश और वायु ये लोक के अन्तर्गत हैं, उसके सदस्य या घटक हैं। अब, यह लोक एक संहिता के रूप में देखा गया है जिसमें पृथ्वी पहला वर्ण या अक्षर है, द्यौ या स्वर्गलोक दूसरा वर्ण है, आकाश इनके संयोग का फल है और वायु इन्हें संयुक्त करने वाला है। जैसे अ और इ पहला और दूसरा अक्षर हैं, ए इनके संयोग का रूप है

और गुण वह संयोजक नियम है जो अ और इ को ए के रूप में संयुक्त करता है। इसी प्रकार बाकी चार संहिताएँ हैं। यहाँ अभिप्राय यह है कि जो मनुष्य अनेक को एक के भीतर देखता है वही ज्ञानी है। किन्तु इसमें लोक, ज्योति और विद्या आदि में कोई एकता नहीं कही गई है, इनमें इस रूप में एकता अवश्य देखी जा सकती है कि ये सब संख्या में समान हैं और एक ही प्रकार से संहित होते हैं। किन्तु आगे पाँचवें से सातवें अनुवाकों में यह एकता स्पष्ट रूप से कह दी गई है।

पाँचवें अनुवाक में भूः, भुवः, स्वः और महः इन चार को व्याहृतियाँ (मन्त्र विशेष) कहा गया है, अथवा इन्हें मन्त्र-शक्ति से युक्त चार नाम भी कहा जा सकता है। ये चार नाम क्रमशः पृथ्वी, अन्तरिक्ष और स्वर्गलोकों के और इन्हें प्रकाशित करने वाले आत्मतत्त्व के हैं, इसी प्रकार ये क्रमशः अग्नि, वायु, सूर्य और मनस् के भी नाम हैं, इसी प्रकार ये प्राण, अपान, व्यान और अन्न के भी नाम हैं। इनमें चतुर्थ—अर्थात् आत्मतत्त्व, मनस् और अन्न प्रथम तीन का धारण करते हैं। इस प्रकार तीन लोक आत्मतत्त्व या ब्रह्म से; अग्नि, वायु, सूर्य आदि देवता : जो इन्द्रियों और इन्द्रिय-विषयों के अधिष्ठाता हैं : मनस् से; और प्राण, अपान, व्यान आदि अन्न से शासित या इनमें अधिष्ठित हैं। दूसरे शब्दों में लोक, अर्थात् ज्ञानात्मक विषय-विषयी रूप जगत्, और देहतत्त्व और इनके अधिष्ठानभूत ब्रह्म, मनस् और अन्न सब एक ही तत्त्व के विभिन्न प्रसंग हैं। इस अनुवाक में इन्हें वस्तु-रूप में कहा गया है, छठे अनुवाक में इन्हीं को भाव के रूप में कहा गया है—अर्थात् ब्रह्म-तत्व ही व्यक्ति तत्त्व है, और इस ज्ञान के द्वारा व्यक्ति (मनुष्य) देह और मनस् का योग-साधना के द्वारा नियमन करके स्वाराज्य, अर्थात् मोक्ष को, प्राप्त करता है। सातवें अनुवाक में फिर पृथ्वी, अन्तरिक्ष, द्यौ, दिशाएँ, अग्नि, वायु, आदित्य, चन्द्रमा, नक्षत्र, जल, ओषधियाँ, वनस्पतियाँ, आकाश, आत्मा इन सबको अधिभूत, अर्थात् बाह्य सत्, और प्राण, अपान, व्यान, उदान, समान ज्ञानेन्द्रियाँ, कर्मेन्द्रियाँ, त्वक्, मांस, मज्जा आदि को आन्तर सत् या विषयी कहकर इनको परस्पर पूरक रूप में देखने का उपदेश है। इस दृष्टि का सांस्कृतिक महत्त्व सामी (सेमेटिक) दृष्टि से तुलना करने पर समझा जा सकता है जिसमें मनुष्य और प्रकृति परस्पर विरुद्ध हैं और व्यक्ति अन्य व्यक्तियों से तत्त्वतः परिच्छिन्न है और इस प्रकार उन्हें सहयोगी और विरोधी दोनों प्रकार से देखा गया है। आगे आठवें अनुवाक में ओऽम के जाप का और नौवें से ग्यारहवें अनुवाकों में आचरण सम्बन्धी उपदेश हैं, जिन पर हम यहाँ कुछ नहीं कहेंगे।

दूसरी वल्ली का नाम ब्रह्म-वल्ली है। इसी वल्ली से ब्रह्म-विषयक चर्चा का आरम्भ होता है। इस तरह कहा जा सकता है कि उपनिषद् का आरम्भ इसी वल्ली से होता है, किन्तु जैसा कि हम अभी देखेंगे, वास्तव में पहली वल्ली से यह वल्ली घनिष्ठ रूप से सम्बन्धित है और पहली वल्ली इसकी भूमिका कही जा सकती है। पहली वल्ली का नाम शिक्षा वल्ली है और इसका अन्त स्वाध्याय और प्रवचन के उपदेश के साथ होता है। स्वाध्याय का अर्थ अक्षर-ज्ञान नहीं होकर स्वयं का शिक्षण है जिसका साधन मनन और ध्यान है। इस स्वाध्याय से उस समग्र भाव को धारण करना अपेक्षित है जिसकी चर्चा हम पीछे कर आये हैं। इस आत्म-शिक्षण के बाद वह ब्रह्म-ज्ञान सहज ग्राह्य हो जाता है जिसकी चर्चा इस वल्ली में की गई है।

यहाँ प्रश्न किया जा सकता है कि जिसके लिए इस प्रकार का अध्ययन अपेक्षित हो उसे दर्शन तो नहीं कहा जा सकता, क्योंकि दर्शन तो बौद्धिक ज्ञान है और वह तर्क-वितर्क से ही प्राप्त हो सकता है। किन्तु यदि पूछा जाए कि 'तर्क' में 'कुतर्क' भी सम्मिलित है या नहीं, तो क्या उत्तर होगा? यदि 'तर्क' में 'कुतर्क' सम्मिलित नहीं है, उसका निवारण अपेक्षित है, तब कुछ और अपेक्षाएँ भी रहेंगी, क्योंकि नहीं तो तर्क अपने-आप से सुतर्क और कुतर्क में भेद नहीं कर सकता। दूसरे शब्दों में, आधार-प्रतिज्ञा तर्क से प्राप्त नहीं हो सकती, यह उस तर्क से ही प्राप्त हो सकती है जो स्वाध्याय दृष्टि ये परिशोधित है। उपनिषद् की आधार-प्रतिज्ञा है—'सत्यंज्ञानमनंतं ब्रह्म। यो वेद निहितं गुहायां परमेव्योमन् सोऽश्नुते सर्वान कामान् सह ब्रह्मणः विपश्चितः।' अर्थात् ब्रह्म वह सत् है जो ज्ञानात्मक और अनन्त है। यही निरपेक्ष चित्सत् (परम व्योमव्यापी) सापेक्ष रूप में भी व्यक्त होता है।

यहाँ 'ब्रह्म' शब्द हटाया जा सकता है और इस प्रकार कहा जा सकता है कि सत् और चित् अभिन्न हैं, अथवा चित् ही सत् है और वह निरपेक्ष है, सापेक्ष चित् भी निरपेक्ष सत् में अधिष्ठित है। वही सापेक्ष सत् के रूप में प्रकट होता है।

अब, आधार-प्रतिज्ञाएँ दूसरी भी हो सकती हैं, जैसा कि विभिन्न दर्शन-सम्प्रदायों में हम देखते हैं। इनमें सबसे अधिक विपन्न आधार-प्रतिज्ञा वह होगी जो सत् को अचित् मानती है और चित् को सत् पर निर्भर मानती है। अथवा जो चित् को केवल ऐन्द्रिक और सत् को इन्द्रिय-ग्राह्य तक सीमित करती है। ऐसा क्यों, इस पर यहाँ विचार नहीं किया जा सकता, यहाँ केवल हम इतना ही कहेंगे कि उपनिषद् ने आधार-प्रतिज्ञा के रूप में ब्रह्म को स्वीकार किया है। इस आधार-प्रतिज्ञा पर तर्क के सहारे भी पहुँचा जा सकता है, कुछ आदर्शवादी दार्शनिक इस पर पहुँचे भी हैं, किन्तु वह केवल इसके आकार का निगमन होगा, इसकी वस्तु का साक्षात्कार नहीं, जिसके बिना दार्शनिक इस पर दृढ़ नहीं रह सकता और न इस प्रतिज्ञा से दूसरे निगमनों के सम्बन्धों और सम्बन्धित अवयवों का साक्षात्कार कर सकता है। इस प्रतिज्ञा का शेष अंश है कि, इस सत् से, पहले आकाश से वायु आदि क्रम से अन्न की और अन्न से मनोदैहिक मनुष्य की उत्पत्ति हुई।

इस आधार-प्रतिज्ञा के बाद उपनिषद् उन प्रतिज्ञाओं पर आती है जो हमारी साधारण चेतना के निकट हैं और जो इस मूल प्रतिज्ञा तक पहूँचाती हैं। किन्तु उपनिषद् की विधि तार्किक-निगमनात्मक नहीं होकर साक्षात्कारात्क होने से इसका प्रतिपादन भी वैसा ही है। अगले मन्त्रों में अन्नमय के भीतर प्राणमय, प्राणमय के भीतर मनोमय, मनोमन के भीतर विज्ञानमय और विज्ञानमय के भीतर आनन्दमय अर्थात् ब्रह्म की स्थिति बतायी गई है। इस प्रकार यह अवरोहण और आरोहण का क्रम पूरा होता है। इस दूसरे क्रम से स्पष्ट है कि पहला क्रम भी काल में नहीं है, भाव में ही है।

छठे अनुवाक में इस निरपेक्ष चित्-सत् से सापेक्ष चित्-सत् के आविर्भाव का हेतु बताया गया है। वह हेतु कामना है—"उसने कामना की कि अनेक हो जाऊँ, उत्पन्न करूँ।" तब वह अनेक कैसे हुआ? "तब उसने तप किया और उस सबकी सृष्टि की जो भी कुछ है और उसका सर्जन करके उसमें अनुप्रविष्ट हो गया।" इस अनुप्रवेश के साथ वह सत् और असत्, भाव और अभाव दोनों हो गया। यह प्लेटो के **फीड्रस** संवाद की याद दिलाता है जिसमें परम सत् को सत् और सत् को व्याप्त करने वाली या अपने में समाविष्ट करने वाली तीसरी कोटि कहा गया है। यह व्यष्टिभाव की अनिवार्यता है कि वह असत् से बाधित होकर ही सत् होता है। 'मैं' तब तक 'मैं' की चेतना से युक्त नहीं हो सकता जब तक 'तू' या 'वह' से बाधित नहीं होता, इसी प्रकार घट देश में अन्य व्यष्टियों से और प्रत्यय में अघट से बाधित हुए बिना घट नहीं हो सकता। पर ये सब व्यष्टि समष्टि में स्थित हैं, जो इनमें विभक्त है और इनका व्यापक है।

यहां 'कामना करना' और 'अनुप्रविष्ट होना' भी व्याख्या की अपेक्षा करते हैं। 'कामना' में कामना करने वाले में अभाव का होना और इस प्रकार अपने से इतर का होना अन्तर्निहित हैं। ये दोनों बातें पूर्ण में नहीं हो सकतीं। तब कामना करने की बात कैसे कही गई? हम समझते हैं कि यह रूपक नहीं है, सिवाय इसके कि सब शब्द अन्ततः रूपकात्मक होते हैं। यहाँ जगत् के आविर्भाव को संकल्प के रूप में, क्रियात्मक चैतन्य के रूप में देखा गया है। इसी को आगे चल कर वैष्णव दर्शन में लीला कहा गया है।

यदि यह कहा जाय कि कामना और क्रिया अभाव के बिना नहीं हो सकतीं तब भी कोई कठिनाई नहीं है, क्योंकि उपनिषद् ने स्वयं जगत् को अभाव से व्यवहित भाव कहा है। इस तरह जगत् अपने मूल में ही भावाभाव मय है—जहाँ तक इसके आविर्भाव का सम्बन्ध है। किन्तु कामना, अथवा कहें भावाभाव, स्वयं में स्थित है, यह द्वन्द्व मौलिक नहीं है, मूल निर्द्वन्द्व ही है। इसीसे कहा है, 'उसने कामना की', अर्थात् काम कामातीत में स्थित नहीं है।

'सृष्टि करके उसमें अनुप्रविष्ट हो गया' का अर्थ है कि कृति और कलाकार भिन्न नहीं हैं, ऐसा नहीं है कि सत् और जगत्, पूर्ण भाव और भावाभाव परस्पर भिन्न हैं, भावाभाव भाव में ही भावाभाव है। अथवा यों भी कहा जा सकता है कि जैसे कृति रचना-क्रिया के बाद कलाकार से स्वतन्त्र हो जाती है, विषय हो जाती है और इस प्रकार स्थिर हो जाती है, उस प्रकार जगत् नहीं होता। जगत् अपने कर्त्ता से और क्रिया से अभिन्न है, यह विषय

नहीं है, यह क्रिया और संकल्प ही है। तब कहा जा सकता है कि तब तो जगत् सम्भावानात्मक, आगन्तुक या अभाव-व्यवहित नहीं रहा, तब तो वह अनिवार्य ही हो गया। किन्तु ऐसा नहीं है। जगत् उसके कर्त्ता के लिए सारी सम्भावनाओं के सहित है—अर्थात् जगत् अपने भाव में तो अभाव से व्यवहित ही है, किन्तु उसके कर्त्ता के लिए यह भाव और अभाव दोनों एक-साथ है, उसके लिए जगत् असंख्य सम्भावनाओं में से एक की क्रियान्विति नहीं है, बल्कि क्रियान्विति और सम्भावना दोनों एक-साथ है जो वह स्वयं है। रचना में उसके अनुप्रवेश का यही अर्थ है। जैसाकि कहा है, वह सत् और असत् हो गया, भाव और अभाव हो गया। इस प्रकार वह स्वयं अभाव-व्यवहित नहीं है। न अभाव अभाव है न भाव भाव है, बल्कि दोनों एक संहति हैं जो वह (ब्रह्म) है। यह बात सातवें अनुवाक में और स्पष्ट हो जाती है—"आरम्भ में यह असत् था, उसमें से सत् उत्पन्न हुआ; उसने, अर्थात् जो दोनों से पहले था उसने, अपनी आकृति की रचना की, इसीसे उसे सुकृत कहा जाता है।"

इससे अगला मन्त्र जितना दार्शनिक प्रतिपादन है उतना ही काव्यात्मक भी है। मन्त्र है—"वह आत्म-रचनाकार रस-स्वरूप है। इस रस से ही वह आनन्दमय है। यदि वह आनन्द पूर्ण नहीं होता तब जीवन और प्राण कैसे हो सकते थे?"

इसका दार्शनिक अर्थ बहुत महत्त्वपूर्ण है। हमें मालूम है कि ग्रीक और आधुनिक पाश्चात्य परम्परा में जहाँ पर तत्त्व या सत् का स्वरूप चिन्मय माना गया है वहाँ वह 'थॉट' या 'थॉट और विल' के रूप में देखा गया है। थॉट में द्वन्द्व अनिवार्य है और द्वन्द्व का समाहार द्वन्द्व-प्रक्रिया की निष्पत्ति के रूप में प्राप्त होता है। जहाँ वह विल है वहाँ शुभ और अशुभ का द्वन्द्व है और विल (संकल्प) शुभ संकल्प है। अवश्य थॉट या विल के रूप में वह पूर्ण ही है, यद्यपि अरस्तू और कांट में वैसा भी नहीं है, किन्तु तब भी द्वन्द्व उसमें उतना ही वास्तविक है जितनी पूर्णता। रस या आनन्द में वह बात नहीं है, इसमें द्वन्द्व भी रस के लिए है—रस का कार्य है। आठवें अनुवाक में यह निरूपण है कि यह आनन्द मनुष्य के किस भाव में सर्वोत्कृष्ट रूप में प्रकट होता है। उपनिषत् के अनुसार वह श्रोत्रिय भाव में सर्वोत्कृष्ट रूप में प्रकट होता है। वह श्रोत्रिय, अर्थात् वेद का ज्ञाता, कैसा होता है? वह ऐसा होता है जो अन्नमय अस्तित्व से लेकर विज्ञानमय अस्तित्व सबको जानकर उनका उत्क्रमण कर जाता है और आनन्दमय स्वरूप में स्थित हो जाता है।

नौवें अनुवाक के मन्त्र के दो भाग हैं। पहले में सत् को विचार और कल्पना से अतीत कहा गया है और दूसरे में कहा गया है कि जो मनुष्य इस स्थिति को प्राप्त कर लेता है उसके लिए पाप-पुण्य का भेद समाप्त हो जाता है।

कुछ लोग इससे यह अर्थ लगाते हैं कि वेदान्ती नीति को नहीं मानता क्योंकि वह चैतन्य को निरपेक्ष मानता है। यह सही है, किन्तु केवल उसीके लिए जिसने यह स्थिति प्राप्त कर ली है, जिसने यह प्राप्त नहीं की है उसके लिए ऐसा नहीं है। इसके अतिरिक्त, जैसे आनन्दमय कोश में स्थित व्यक्ति के लिए भी खाना आवश्यक है और एक से दूसरे स्थान पर जाने के लिए चलना आवश्यक है, उसी प्रकार कर्म करते होने पर उसके नियमों का ध्यान रखना भी आवश्यक है। किन्तु ये नियम या परम्पराएँ उसके लिए पारमार्थिक नहीं हो सकतीं, ये व्यावहारिक ही हो सकती हैं। ये पारमार्थिक तो तभी हैं जब चेतना का स्तर ही अन्नमय से मनोमय तक की अवस्था का हो। जब वह इस स्तर का है तब ये कर्म चेतना को भी प्रभावित करेंगे और इस प्रकार उस स्तर पर पारमार्थिक भी होंगे। **गीता** में निष्काम-भाव की यही तत्त्वमीमांसा है।

तीसरी वल्ली का नाम भृगुवल्ली है जिसमें भृगु अपने पिता वारुणी से ब्रह्म का ज्ञान देने को कहता है। वारुणी भृगु को केवल इतना ही बताता है कि 'ब्रह्म वह है जिससे सब उत्पन्न होते हैं, जिसमें जीवित रहते हैं और जिसमें विलीन होते हैं।' किन्तु वह तत्त्व है क्या? यह वारुणी नहीं बताता, क्योंकि बता भी नहीं सकता। क्या नहीं बता सकता, यह आगे स्पष्ट होता है। इस तत्त्व को जानने के लिए वारुणी भृगु को तप करने के लिए कहता है। अर्थात्, ज्ञान भृगु को पहले से उपलब्ध है क्योंकि वह स्वरूपतः ज्ञानवान् है, किन्तु वह ज्ञान उपहित है। इस

आवरण के निवारण के लिए तप अपेक्षित है। सो भृगु तप करता है और इस निष्कर्ष पर पहुँचता है कि अन्न ही परमार्थ है, क्योंकि उसमें वे सब लक्षण हैं जो वारुणी ने ब्रह्म के बताये हैं। भृगु की चेतना जिस स्तर की है उस पर वह इससे आगे नहीं देख सकता, इसलिए वारुणी उसे बता भी नहीं सकता। इसलिए वह उसे पुन: तप करने को कहता है और तब भृगु प्राण को, उसके बाद मन को, उसके बाद विज्ञान को ब्रह्म–रूप देखता है। इस पर पहुँचकर वह पुन: तप करता है और तब आनन्द–ब्रह्म का साक्षात्कार करता है।

इसके दो स्पष्ट निष्कर्ष हैं—**प्रथम यह कि तर्क केवल उस दृष्टि को ही प्रकाश दे सकता है जो हमें उपलब्ध है। दूसरे शब्दों में, दर्शन यदि अपना कार्य–क्षेत्र केवल तर्क को मानता है तो वह कहीं नहीं पहुँच सकता। दूसरा निष्कर्ष यह है कि ज्ञान आत्मा में सहज है, वह सीखने का विषय नहीं है। शिक्षक का कार्य आवरण के निवारण में सहायक होना मात्र है, जो वह स्वयं उदाहरण बनकर जिज्ञासा को प्रेरित करने के द्वारा कर सकता है।**

इसके आगे के मन्त्र विधि और फलपरक हैं। ये अन्त में पुन: क्यों दिये गये हैं यह हम नहीं समझ पाये। इनमें भी वही भौतिक और सापेक्ष दृष्टि तथा आध्यात्मिक और निरपेक्ष दृष्टि का आख्यान है। पहले मन्त्र में अन्न के अर्थ का विस्तार कर पृथ्वी, द्यावा और स्वर्ग लोकों को अन्नरूप कहा गया है और इन लोकों के ज्ञान का फल विभिन्न ऐश्वर्यों की उपलब्धि बताया गया है, और दूसरे मन्त्र में इन लोकों के अतिक्रमण को उत्तम ज्ञान बताया गया है और उसका फल आनन्द बताया गया है। इस स्तर पर पहुँचकर व्यक्ति आश्चर्य से अभिभूत होकर देखता है कि वही अन्न है और वही अन्न खाने वाला है, और इस प्रकार वही लोकों का भोक्ता और स्वयं वही सम्पूर्ण भोग्यलोक है। इस प्रकार उपनिषद् की दृष्टि सर्वसमावेशी और अद्वैत दृष्टि है।

सांख्य

डेकार्ट-दर्शन और साँख्य-दर्शन द्वैतवादी हैं। यद्यपि इन दर्शनों में कुछ अनुरूपताएँ देखी जा सकती हैं, किन्तु ये नितान्त ऊपरी हैं, अन्यथा ये अत्यन्त भिन्न प्रकार के दर्शन हैं। ये ऊपरी अनुरूपताएँ दो हैं—एक यह कि ये दोनों दर्शन आध्यात्मिक द्वैतवादी हैं और दूसरी यह कि ये पुरुषबहुत्ववादी हैं। किन्तु वास्तव में डेकार्ट के लिए 'आध्यात्मिक' पद का प्रयोग केवल सीमित रूप में ही किया जा सकता है और दूसरी ओर, उसमें पुरुष-बहुत्व एक दार्शनिक प्रश्न या समस्या नहीं है, क्योंकि उसमें पुरुष (आत्म) का स्वरूप ही इस प्रकार कल्पित है कि उसमें वह एक आनुषंगिक आपादन है। इसके विपरीत साँख्य अध्यात्मवादी दर्शन है और पुरुष-बहुत्व उसके मूल प्रश्नों में से एक है। वास्तव में इन दर्शनों में असमानताएँ या विपरीतताएँ मूलगामी हैं और इनकी दृष्टि से ही इनमें तुलना रोचक हो सकती है।

डेकार्ट के विपरीत साँख्यीय चैतन्य स्वरूपविश्रान्त, निष्क्रिय सत्ता है,[1] प्रकृति डेकार्ट के अनुरूप जड़ तो है किन्तु उसके विपरीत निष्क्रिय नहीं होकर सक्रिय है। वास्तव में साँख्य की जड़ता की अवधारणा भी डेकार्ट से मूलत: भिन्न और अत्यधिक सूक्ष्म और गम्भीर है। डेकार्टीय चैतन्य अथवा आत्मा का समावेश यहाँ प्रकृति के ही अन्तर्गत है और वह उचित ही है। डेकार्टीय चैतन्य मानवीय है और इस प्रकार ईश्वराश्रित है, किन्तु साँख्यीय चैतन्य निरवच्छिन्न और निरुपाधिक है और स्वरूप-विश्रान्त सत्ता है। इसी प्रकार डेकार्टीय प्रकृति पराक्, चेतनान्तर्गत प्रत्यय के अनुरूप और उसकी समानान्तर सत्ता है और प्रत्यय चेतना-धर्मी है, इसके विपरीत साँख्यीय प्रकृति प्रत्यक् और पराक् उभयविध, पुरुष से पूर्णत: भिन्न,[2] स्वरूप-स्थित किन्तु पुरुष के अर्थ[3] सत्ता है और प्रत्यय प्रकृति-धर्मी है। किन्तु डेकार्ट और साँख्य में आधारभूत दार्शनिक पदावली में निरूपणीय अन्तर यह है कि डेकार्ट का चित् आत्मप्रकाशक क्रिया है और उसका स्वरूप बौद्धिक है। इसका विषय भी इसी के भीतर स्थित प्रत्यय है और इसलिए उसका आत्म अपने से बाहर कुछ नहीं जानता। प्रकृति केवल इस प्रत्यय के सत्य होने के लिए आवश्यक है और इस प्रकार यह आनुषंगिक और आनीत कल्पना है तथा दार्शनिक दृष्टि से अत्यधिक बालिशतापूर्ण है। इसके विपरीत साँख्यीय चित् प्रकाश-स्वरूप है, बुद्धि और अहंकार (कोजिटो-सम) आदि इसके स्वरूपगत नहीं होकर विषय हैं, विषयभाव प्रकृति और इस प्रकार जड़ है और अतएव आत्म-प्रकाशकत्व, एक प्रकार का विषय होने से, आत्मोपाधि है, आत्म या पुरुष नहीं।

साँख्यीय प्रकृति की कल्पना बहुत सूक्ष्म और जटिल है। चैतन्य स्वरूपत: निरपेक्ष और शुद्ध प्रकाशस्वरूप है और विषयी रूप में शुद्ध द्रष्टृभाव है। प्रकृति स्वरूपत: विषयभाव है। ये विषयिभाव और विषयभाव परस्पर सापेक्ष सत्ताएँ नहीं हैं, ये निरपेक्ष हैं, यद्यपि विषयभाव की निरपेक्षता स्वत: नहीं है, यह उसकी व्याकृत स्थिति है।[4] ज्ञानमीमांसात्मक पदावली में ये दो निरपेक्ष अवधारणाएँ हैं। इस निरपेक्षता में चैतन्य शुद्ध प्रकाशस्वरूप है, यह न आत्म-प्रकाशक है और न विषय-प्रकाशक, और प्रकृति अव्यक्त, अनिर्वच, नितान्त सामान्यात्मक जड़त्व है।[5] किन्तु यह प्राप्तवस्तुस्थिति नहीं है, प्राप्तवस्तुस्थिति में विषय-विषयिभाव संश्लिष्ट और सापेक्ष है। इस संश्लिष्ट या प्राप्त रूप को साँख्य ने व्यक्त-प्रकृति भी कहा है। व्यक्त प्रकृति आत्म (पुरुष) और अनात्म (प्रकृत) के बीच

1. प्रेक्षकवत्स्थित: स्वस्थ:, का. 65
2. त्रिगुणादि विपर्ययात्, का. 17
3. संघातपरार्थत्वात्, वही।
4. का 56-65
5. का. 16

अविवेक का परिणाम है किन्तु इस अविवेक का अधिष्ठान पुरुष में नहीं होकर प्रकृति में ही है।[1] इस अविवेक के कारण अव्यक्त प्रकृति, जोकि अनात्म है, आत्म उपाधि के साथ व्यक्त होती है। किन्तु क्योंकि यह वास्तव में विषय है इसलिए यह विषयात्म रूप है, अर्थात् यह अपने को ज्ञाता और ज्ञेय, विषयी और विषय उभयविध रूप में प्रकट करती है। दूसरे शब्दों में, प्रकृति आत्मोपाधि धारण कर अपने को अपने लिए व्यक्त करती है, अथवा कहें, यह ऐसा विषयी है जो अपना विषय भी है, ऐसा द्रष्टा है जो अपने को दृश्य भी है। साँख्य के अनुसार प्रकृति की यह अभिव्यक्ति विभिन्न स्तरीय है और इन विभिन्न स्तरों को साँख्य ने कारण–कार्य रूप में और इस प्रकार वास्तव–सत् माना है। किन्तु साँख्य के सत्कार्यवादी होने से ये भेद नव्योत्पत्ति नहीं होकर स्तर–भेद मात्र हैं, यद्यपि साँख्य ने इसके लिए 'लिंग' (जननात्मक) शब्द का प्रयोग किया है।

अभिव्यक्ति का एक दूसरा पक्ष भी है जो आत्मोपाधि–रूप नहीं होकर शुद्ध प्रस्तुत रूप है। यह प्रकृति विकार नहीं होकर प्रतिभास (फिनोमिना) मात्र है, जिसके लिए साँख्य ने 'भाव' शब्द का प्रयोग किया है। इस भाव या प्रतिभास की प्रकृति में तात्त्विक सत्ता नहीं है, यह आत्मोपाधिभूत प्रकृति में अन्तर्वस्तु (कांटेंट) होकर प्रस्तुत–विषय–रूप में आभासित होता है। अथवा कहें, आत्मोपाधिभूत विकृतियाँ अपने–अपने लक्षणों के अनुरूप विषय–प्रस्ताव, विषयाक्षेप करती हैं। उदाहरणत: बुद्धि के अन्तर्वस्तुभूत विषय सामान्य हैं और ऊर्ध्वोन्मुख अथवा आत्मोन्मुख वृत्ति में विषय विवेक है, मनस् के विषय राग–द्वेषात्मक प्रत्यय हैं और आत्मरूप में कल्पित सेन्द्रिय शरीर का विषय देश–कालात्मक वस्तुजगत् है। इस प्रकार साँख्य के अनुसार बुद्धि, अहंकार, मनस, इन्द्रियाँ, तन्मात्र और पंचमहाभूत प्रकृति के आत्मोपाधिभूत परिणाम हैं। इस उपाधि से वियुक्त होने पर ये बुद्धि के परम सामान्य विषय (अहंकार सामान्य, ऐन्द्रिकता सामान्य आदि) हैं।[2] इस प्रकार आकाशादि की शब्द–लक्षणता आदि देहात्म में संवेद और देश–काल में संवेद्य का रूप लेते हैं। इसी प्रकार, आस्वाद्य वस्तु रस–तन्मात्र की विकृति नहीं होकर आत्मौपाधिक जल महाभूत की प्रातिभासिक अभिव्यक्ति है।

साँख्य की हमारी इस व्याख्या पर सन्देह हो सकता है, क्योंकि तन्मात्र और महाभूत भौतिक विश्व की उत्पत्ति के कारण हो सकते हैं, और वास्तव में के.सी. भट्टाचार्य[3] को छोड़कर साँख्य के अन्य सभी व्याख्याकारों ने भौतिक विश्व को महाभूतों से निर्मित विशिष्ट वस्तुओं के समवाय के रूप में ही देखा है। किन्तु साँख्य की यह साधारण व्याख्या भ्रामक प्रतीत होती है। इसकी भ्रामकता के लिए दो तर्क दिये जा सकते हैं—प्रथम तो यह कि साँख्य के अनुसार प्रकृति में विक्षोभ और परिणामत: विकार इस मूल अविद्या से उत्पन्न होता है कि यह (प्रकृति) आत्म से अभिन्न है। इसलिए महत् (बुद्धि) से महाभूतपर्यन्त विकास इस अभेद के रूप में, आत्मोपाधि के रूप में, ही होता है, जिसका अर्थ है कि महाभूत आत्मोपाधिभूत देह के उपादान हैं, बाह्य विषय के नहीं, यद्यपि प्रातिभासिक जगत् का स्वलक्षण तत्त्व (थिंग इन इट्सेल्फ) पंचमहाभूत ही हैं। दूसरे, पंचतन्मात्र, जोकि पंचमहाभूतों के कारण हैं, सूक्ष्म शरीर के उपादान हैं, भौतिक वस्तुओं के सूक्ष्म उपादान नहीं हैं। तब इसका अर्थ होगा कि प्रस्तुत विषय–रूप शरीर—मेरा शरीर, उसका शरीर—प्रकृति–विकार नहीं होकर प्रातिभासिक है, केवल आत्मौपाधिक शरीर महाभूतोत्पन्न है और इस उपाधि का निराकरण इसे पंचमहाभूतों की प्रातिभासिक अभिव्यक्ति के रूप में बदल देता है। अर्थात् आत्मौपाधिक पंचमहाभूत शरीराधिष्ठान में प्रातिभासिक विश्व के लिए विषयी है, साँख्य के शब्दों में, वह भोगायतन है, और विवेकी बुद्धि के लिए यह प्रकृति–विकार (पंचमहाभूत) मात्र है।

प्रातिभासिक विश्व देश–कालात्मक है और देश–काल स्वयं प्रातिभासिक हैं, प्रकृति–विकार नहीं हैं। देश–कालात्मक विश्व के प्रातिभासिक होने से देश–कालात्मक शरीर को भी प्रातिभासिक ही मानना होगा,

1. का. 37
2. का. 52
3. द्रष्टव्य — **स्टडीज़ इन फिलोसोफी।**

जिसका अर्थ है कि शरीर की दो सत्ताएँ हैं—विकृतिमूलक और प्रातिभासिक। मांस-मज्जानिर्मित शरीर प्रातिभासिक है और आत्मौपाधिक शरीर विकृतिमूलक। प्रकृति में इस विषयि-विषय-रूप द्विविधता को साँख्य ने लिंग और भाव कहा है।[1]

यहाँ कुछ स्पष्टीकरण अपेक्षित है। यद्यपि साँख्य ने महत् आदि विकारों को आनुक्रमिक परिणाम के रूप में देखा है और इसे कारण-कार्यात्मक भी कहा है, किन्तु इस क्रम को काल-क्रम के रूप में देखना अनुचित होगा। इसके लिए दो तर्क दिये जा सकते हैं—एक तो यह कि इस परिणाम को काल-क्रमात्मक मानने का अर्थ होगा काल को इस परिणाम से स्वतन्त्र और अधिक मौलिक सत्ता मानना, अथवा प्रकृति के समकक्ष मानना। किन्तु यह प्रथम विकल्प भी वास्तव में विकल्प नहीं है, क्योंकि काल से कुछ 'पूर्व' या 'उत्तर' नहीं हो सकता। इस प्रकार, विकार-क्रम को कालात्मक मान लेने पर काल को तृतीय मूल तत्त्व मानना होगा। इसके समर्थन में एक और तर्क यह दिया जा सकता है कि साँख्य ने अविद्या और इस प्रकार संसार को, अनादि माना है। अनादि होने से कोई विकास-क्रम आरम्भ नहीं हुआ हो सकता, इसलिए इस क्रम को कालात्मक नहीं मानकर तार्किक मानना अधिक उचित है। क्रम को तार्किक मानने से यह मानना उचित होगा कि सम्पूर्ण परिणाम का आविर्भाव युगपत् होता है। इस आविर्भाव को संसार के बीच व्यक्ति का अवतरण भी कह सकते हैं। बुद्धि से पंचमहाभूत पर्यन्त विकृति वैयक्तिकता से अवच्छिन्न होकर प्रातिभासिक विश्व और उसके विषयी जीव का एक-साथ कारण बनती है। यह विषयी अनिवार्यत: सापेक्ष विषयी है क्योंकि यह प्रतिभास का प्रतिपक्ष मात्र है। इसी से यह प्रकृति है। किन्तु यह पुरुष अथवा निरपेक्ष आत्म से भी संयुक्त है जिसका आभास यह मननात्मक वृत्ति में पाता है। वास्तव में प्रकृति में आत्मोपाधि की उत्पत्ति का यही रहस्य है, यह द्विविधाकर्षण है, अन्यथा प्रकृति महाभूतों के अतिरिक्त कोई परिणाम उत्पन्न नहीं कर सकती थी।

यह विषयि-भाव अथवा आत्म-भाव भौतिक देह तक व्याप्त है। साँख्य की इस दृष्टि को उचित महत्त्व नहीं दिया गया है और भौतिक देह को विषय ही मान लिया गया है। किन्तु भौतिक देह आत्मौपाधिक देह भी है और इस रूप में यह संवेदलक्षण तथा दैशिक विषयों की विनियोजक है। यह देह वास्तव में देहाभिमान या विषयि-देह है, दृश्य, स्पृश्य लक्षणों वाली देह नहीं है। यह साधनभूत देह भी नहीं है, अर्थात् "मैंने अपने हाथ से खाना खाया" अथवा "चेचक से मेरी आँख जाती रही" वाक्य इस देह के सम्बन्ध में नहीं हैं, यद्यपि खाना खाने में हाथ-मुँह की नियुक्ति और देखने की अयोग्यता इसी देह से सम्बन्धित हैं। देह के इस स्वरूप पर श्रीकृष्णचन्द्र भट्टाचार्य तथा मैंने पर्याप्त विस्तार से लिखा है। मेरे उस प्रतिपादन के अनुसार—"हमारे सब दैशिक प्रत्यक्षों और विनियोजनों में आत्म शरीराधिष्ठित होकर वस्तु-ग्रहण करता है। किन्तु यह शरीराधिष्ठान स्वयं शरीर को वस्तु-रूप में प्राप्त नहीं करता—अर्थात् शरीर यहाँ वस्तुओं में एक वस्तु नहीं होता। यह केवल वस्तु से, उसके देश में अधिग्रहण के लिए अनुमापित दूरी पर ली गयी एक स्थिति होता है, यह एक क्रिया-बिन्दु होता है जो स्वयं दैशिक हुए बिना सम्पूर्ण दैशिक विश्व का विनियोजन करता है।"[2] किन्तु शरीर का एक दैशिक रूप भी है—"शरीर यद्यपि वस्त्वभिमुखता के अधिष्ठान के रूप में विस्ताररहित केन्द्र मात्र होता है और इस प्रकार वस्तु-रूप होता है, किन्तु शरीर का दैशिक पक्ष भी है जो इसे अन्य वस्तुओं में से एक वस्तु के रूप में स्थापित करता है। जब मैं वस्तु को हाथ में लेने के लिए आगे बढ़ता हूँ और उपयुक्त स्थान पर रुक कर हाथ बढ़ाता हूँ, जब मैं अपने मित्र के घर जाने के लिए चल कर पहुँचने के समय का अनुमान करता हूँ, तब शरीर अभिमुखता का अविस्तृत बिन्दु होने के अतिरिक्त स्वयं दैशिक विषय भी होता है। किन्तु इसकी यह दैशिकता अन्य वस्तुओं की दैशिकता से प्रकारत: भिन्न होती है—इसके परिप्रेक्ष्य का केन्द्र गोचर पक्ष से निर्धारित नहीं होकर विनियोजन की वासना से निर्धारित होता है...।"[3]

1. न विना भावेन लिंगम्, न विना लिंगेन भावनिर्वृति:।
   लिंगाख्यो भावाख्य: तस्मात्, द्विविध: प्रवर्तते सर्ग:। साँ.का. 52
2. **विषय और आत्म,** दर्शन प्रतिष्ठान, जयपुर 1972, पृ. 17
3. वही, पृ. 18

इस प्रकार परम अनात्मसत्ता-रूप साँख्यीय प्रकृति अविद्यावश आत्मोपाधि से उपहित होकर 'मनुष्य के लिए संसार' रूप में परिणत होती है।[1] वेदान्त के समान यह पुरुष या चैतन्य-कल्पित नहीं है। यह अविद्या और 'मनुष्य के लिए संसार-रचना' किसी समय शून्य से आरम्भ नहीं होती, यह अनादि है। अविद्या-जन्य होने से यह दुःखात्मक और इस प्रकार मूल्य चेतना-प्रविष्ट है, यद्यपि यह स्वयं मूल्य-विपर्यय है, अनादि होने से यह आत्म-सम्बद्ध भी है। अर्थात् यद्यपि साँख्यीय पुरुष नितान्त अलिप्त और निष्क्रय चैतन्य है[2] जो सृष्टि-क्रिया (मनुष्य के लिए संसार) में प्रकृति के साथ सम्मिलित नहीं होता, किन्तु प्रकृति की पीड़ा, दुःख और मोक्षाकांक्षा उसी को लेकर है।[3] अन्यथा भी, 'आत्मोपाधि' और 'अनात्म' शब्दों का कुछ अर्थ नहीं रहता यदि मानव-संसार मानव में आत्म-सम्बद्ध नहीं होता। यह निष्कर्ष इस बात से और पुष्ट होता है कि साँख्य ने पुरुष की सत्ता 'मोक्ष प्रवृत्ति होने से' निगमित की है। साँख्य के अनुसार, यद्यपि मोक्ष-प्रवृत्ति बुद्धिमूलक ही है, क्योंकि पुरुष आविल हो ही नहीं सकता और इस प्रकार उसमें कोई प्रवृत्ति नहीं हो सकती, किन्तु यह प्रवृत्ति प्रकृति में अपने लिए नहीं हो सकती, यह पुरुष के लिए ही हो सकती है। दूसरे शब्दों में, परम मूल्य—आत्म—अनात्म-संयुक्त तथा विकाससमान या ऐतिहासिक नहीं है, यह स्वरूप-विश्रान्त, निरपेक्ष और आत्मपूर्ण सत्ता है। किन्तु तब भी अनात्म के लिए यह नितान्त बाह्य और इतर नहीं है, यद्यपि सत्ता की दृष्टि से अनात्म स्वरूपस्थित, निरपेक्ष तत्त्व ही है। अर्थात् साँख्य के अनुसार अनात्म आत्मगत दोष नहीं है, किन्तु तब भी यह उससे सम्बद्ध, उसका निरूपक, उससे अवच्छिन्न और उसका व्यंजक है और अतएव इसका कार्य आत्म-अतिक्रमण तथा आत्म-विलयन है। प्रतीक अपने अर्थ का व्यंजक भी होता है और उसका उपाहक भी, किन्तु तब भी उसकी सार्थकता अपने को अधिकाधिक अप्रकट रखने में, पारदर्शी होने में होती है। ठीक यही कार्य मानव संसार का है जो पुरुष अथवा आत्म को प्रकट करने में अपने को निष्प्रयोजन बना लेता है। किन्तु अपारदर्शी होने पर यह प्रतीक ही के समान अपने अर्थ को, अपने निरूप्य को, उपहित कर देता है।

देहाभिमान पर्यन्त विकृति और विकृति के विभिन्न स्तरों पर प्रस्तुत बाह्य विषय संयुक्त-रूप से संसार है। विकृति और प्रस्तुत विषय में एक मौलिक अन्तर है। विकृति जबकि सत्-परिणाम है, प्रस्तुत विषय केवल प्रातिभासिक है। इसे साँख्य ने क्रमशः लिंग-सृष्टि और भाव-सृष्टि कहा है। भाव-सृष्टि प्रकृति परिणामात्मक नहीं है, वह इन स्तरों पर प्राप्त प्रज्ञप्तियों की अन्तर्वस्तु है। इस प्रकार यह भौतिक विश्व देहाभिमान (संवेदन) का अन्तर्वस्तुभूत प्रतिभास, अथवा देहात्म का समानान्तर भाव है। किन्तु यह अभिमान या विषय पक्ष भी प्रकृति—विषयसत्ता—का ही कार्य होने से, हुस्सर्लीय आत्म के समान अतिक्रामी नहीं है, यह अपना विषय भी है और इस विषय का विषयी भी। विषयी रूप में यह अहं और विषयरूप में भ्रम है—मेरी देह, मेरा अहंकार, मेरी बुद्धि इत्यादि। यह मदीयत्व यद्यपि इसे आत्मबाह्य बनाता है किन्तु तब भी इसे प्रातिभासिक विषय के स्तर पर नहीं लाता, अर्थात् 'मेरी देह' और 'मेरा मेज़' पदों में वाच्य सम्बन्धों के रूप बिल्कुल भिन्न हैं। प्रथम में 'मम' अहं-विशिष्ट है, अथवा कहें अहं मदीयत्व को प्राप्त है जबकि दूसरे में अन्य-सम्बद्ध है। वास्तव में साँख्यीय प्रकृति के विषय होने के कारण इनमें पहला विकल्प ही ठीक मालूम देता है। किन्तु जैसाकि हमने पीछे संकेत किया है, प्रकृति की विषयता इस बात में है कि यह पुरुष-बाह्य और इस प्रकार अनात्म है, इस बात में नहीं कि यह बाह्य विषय-रूप में प्रतिभासित होती है। 'अनात्म' और 'प्रतिभास' में अन्तर करना आवश्यक है। अनात्म अनिवार्यतः आत्म-सम्बद्ध है, यह आत्म-विषयक दोष है, यद्यपि साँख्य के अनुसार इस का अधिष्ठान आत्म में नहीं होकर उससे स्वतन्त्र है। यह दोष उस अवस्था में आत्म में होता यदि आत्म स्वरूपतः पूर्ण, गुण-दोषातीत, नहीं होता। प्रायः सब भारतीय दर्शनों के लिए यह बात अनिवधार्य है कि आत्म अथवा चैतन्य पूर्यमान् अथवा विकाससमान्

1. यद्यपि साँख्य आत्मौपाधिक सृष्टि को तिर्यगों से देवों तक मानता है (द्रष्टव्य का. 53) किन्तु इन्हें उचित रूप में मनुष्य की ही निकृष्टतर और उत्कृष्टतर अवस्थाएँ मानना चाहिए, स्वतन्त्र आत्मोपाधियाँ नहीं।

2. अकर्तृभावश्च, का. 19

3. द्रष्टव्य कारिका 17, पूर्वोद्धृत।

सत्ता हो। आत्म के स्वरूपत: पूर्ण सत् होने से उनके लिए अनात्म की विद्यमानता और उसके अधिष्ठान का प्रश्न एक बड़ी समस्या है। वेदान्त ने इसे असत् मानकर इसका अधिष्ठान चैतन्य में माना है और साँख्य ने इसे सत् मानकर इसका अधिष्ठान स्वतन्त्र (प्रकृति में) माना है। किन्तु अनात्म, जोकि दोष है, का अधिष्ठान स्वतन्त्र नहीं मानने पर इसे आत्मगत दोष मानना अनिवार्य होगा और इस प्रकार आत्म को स्वरूपान्वेषी और ऐतिहासिक मानना होगा, जोकि वेदान्त को अस्वीकार्य है। इसलिए वेदान्त के लिए अनात्म की विद्यमानता एक समस्या है जो साँख्य के लिए उस प्रकार से नहीं है।

किन्तु इस पर वेदान्त की ओर से आपत्ति हो सकती है कि अनात्म, अथवा कहें दोष, के असत् होने से यह आत्म की पूर्णता का खण्डन नहीं कर सकता। किन्तु यह सही नहीं है। अनात्म की दोषता और इस प्रकार असत्ता वास्तव में आत्म के प्रसंग से ही है, स्वतन्त्र रूप से नहीं। उदाहरणत: भित्ति पर लटके चित्र में यदि कोई दोष है तो यह उस चित्र के प्रसंग से अनात्म है और उसी दृष्टि से वह असत् भी है, क्योंकि चित्र की आत्मा में उसके लिए कोई स्थान नहीं हो सकता। अब हमारे सामने यह विकल्प है कि हम चित्र को स्वरूपत: पूर्ण सत् मानें और दोष का अधिष्ठान केवल रंग और रेखाओं में मानें या कि दोष को रंग-रेखाओं सहित चित्रगत मानें और इस प्रकार चित्र को सम्भाव्य रूप से पूर्ण मानें। साँख्य प्रथम विकल्प स्वीकार करता है और वेदान्त दूसरा, किन्तु वेदान्त दूसरे विकल्प का यह निष्कर्ष स्वीकार नहीं करता कि तब आत्मा को स्वरूप-विश्रान्त पूर्ण सत् नहीं माना जा सकता, इसे विकासमान् पूर्णता मानना होगा। यदि वेदान्त इसका उत्तर यह दे कि निवारित दोष अपनी असत्ता प्रकट कर काल-बाह्य भी हो जाता है और इस प्रकार दोष केवल प्रातीतिक रूप से ही वास्तव (कालगत) है, वह प्रकट होने पर 'यह वस्तुत: कभी नहीं था' इस रूप से आत्म की पूर्णता प्रकट कर देता है, तो हमें वेदान्त की स्थिति स्वीकार करने में कोई बाधा नहीं होनी चाहिये, क्योंकि अब यह केवल शाब्दिक अन्तर है।

इस प्रकार साँख्य के लिए आत्मोपाधि आत्म की उपाधि रूप में ही असत् है, अन्यथा यह सत्प्रकृति में अधिष्ठित है। किन्तु साँख्य के सत्कार्यवादी होने से उसके लिए कोई विकार परिवर्तन नहीं है, वह केवल रूपान्तर मात्र है। किन्तु यहाँ स्थिति वास्तव में इससे भिन्न है और इसे साँख्य-दार्शनिकों ने देखा प्रतीत नहीं होता। वे 'दूध में दही' परिणाम के निदर्श से भ्रमित होते रहे। विकृति का मूल और आश्रय अविद्या है। अविद्या और कुछ नहीं यह प्रकृति का पुरुष से, अथवा कहें अनात्म का आत्म से, अविवेक है। यह इस बात से भी सिद्ध है कि अविवेक की समाप्ति से विकृति का भी लय हो जाता है। विभिन्न विकार वास्तव में आत्मोपाधि की ही विभिन्न वृत्तियाँ मात्र हैं। अथवा कहें, आत्मोपाधि की अभिव्यक्ति विभिन्न कोटिक है और बुद्धि, अहंकार आदि तार्किक क्रम मात्र हैं। इसी से साँख्य यह स्वीकार नहीं करता कि बुद्धि की उत्पत्ति के पश्चात् अनुगामी विकारों की उत्पत्ति रोकी जा सकती है या रुक सकती है, न वह यही मानता है कि निम्नतर स्तरों का विवेक हो जाने पर उन स्तरों की देह विलीन हो जाती है। उसके अनुसार बुद्धि-देह का लय होने तक शेष सब स्तरों के देह भी बने रहते हैं।[1] इस पर आपत्ति की जा सकती है कि यदि विकृति-क्रम विभिन्न स्तरीय आत्मोपाधि मात्र है, अथवा कहें, आत्म का किसी स्तर की उपाधि के साथ तादात्म्य मात्र है, तो बुद्धि, अहंकार आदि में कोई क्रम नहीं देखना चाहिए, क्योंकि तब यह तादात्म्य किसी भी स्तर पर हो सकता है और अन्य स्तर अनुपलब्ध या निष्क्रिय रह सकते हैं। अथवा, इस क्रम को केवल सूक्ष्मता के क्रम में देखा जा सकता है। वास्तव में साँख्य के विभिन्न आचार्यों ने इसे सूक्ष्मता के क्रम में ही देखा प्रतीत होता है। किन्तु इस क्रम को एक अन्य प्रकार से भी देखा जा सकता है जो साँख्य की दृष्टि के अधिक अनुकूल होगा, और वह है—वृत्ति-निरोध का क्रम। यह क्रम वास्तव और श्रम-साध्य है और इसमें यह सम्भव नहीं है कि ऊपर की कोटि का निरोध हो और नीचे की कोटि का निरोध नहीं हो। इस निरूपण के औचित्य की पुष्टि अविद्या या संसार को अनादि किन्तु सान्त मानने से भी होती है। अनादि होने से इसकी विकृतियों के आविर्भाव में कोई क्रम नहीं हो सकता किन्तु सान्त होने से निरोध में क्रम हो सकता है। इसे एक दूसरी तरह से भी देखा जा सकता है—बुद्धि की अहंकार से प्राथमिकता उत्पत्ति-क्रम में नहीं हो सकती, क्योंकि

1. तिष्ठति संस्कारवशात् चक्रवद् धृतशरीरः, का. 67

बुद्धि अत्यन्त सामान्यात्मक और विवेकात्मक होने से अहंकार को जन्म नहीं दे सकती। अन्यथा भी, साँख्य के सत्कार्यवादी होने से बुद्धि में अहंकारादि समस्त अनुक्रम का पूर्वनिहित होना अनिवार्य है। वास्तव में व्यक्ति की उत्पत्ति के लिए, दूसरे शब्दों में पुरुष के संसारावतरण के लिए, अहंकार को प्रथम होना चाहिए और बुद्धि को द्वितीय, क्योंकि पूर्णतः निरहंकार बुद्धि निर्वैयक्तिक बुद्धि ही हो सकती है। किन्तु अहंकार को प्रथम मानने से आत्मविघटन के प्रयत्न के क्रम में, प्रकृति के आत्म-विवेक के क्रम में, अथवा कहें, संसार के आत्मविघटन के प्रयत्न के क्रम में, अहंकार का अतिक्रमण सम्भव होगा, या फिर विवेक का अधिष्ठान पुरुष में मानना होगा। इस प्रकार साँख्य के लिए बुद्धि की प्राथमिकता वास्तव में आरोहण-क्रम में अन्तिमता है। अब, निर्वतन के क्रम में बुद्धि आत्म-अनात्म के विवेक द्वारा अहंकार का अतिक्रमण करती है और अन्ततः इसी विवेक द्वारा अपनी भी अवच्छेकताओं का अतिक्रमण करती है।

किन्तु वास्तव में निवर्तन में भी सोपान-क्रम को सोपानों के रूप में नहीं देखकर मूल्यात्मक कोटि-क्रम के रूप में ही देखना चाहिए, क्योंकि मूल्यात्मक वस्तुस्थिति में भौतिक देह अहंकार का दैशिक संसार में अनुयोग है और मनस् का संवेदात्मक व्यापार है। इस प्रकार देह से निवर्तन वास्तव में देहाभिमान का निरोध अथवा क्षय मात्र है। द्रष्टव्य है कि भौतिक देह का अस्तित्व सांवेदनिक है यद्यपि उसका स्वरूप देहाभिमान है। अब इस मूल्यात्मक आरोहण अथवा निवर्तन में देह के अस्तित्व का, संवेदन का, क्षय अभिप्रेत या वांछित नहीं है, केवल देहात्म का क्षय वांछित है, यद्यपि अहंकारमूलक अवच्छिन्नता के पूर्ण क्षय के लिए बुद्धि-पर्यन्त देहों (अवच्छिन्नताओं) के अस्तित्व का क्षय भी आवश्यक होगा। इस प्रकार सृष्टिपरक प्रवर्तन और निवर्तन वास्तव में केवल अहंकार के प्रवर्तन और निवर्तन मात्र हैं, अस्तित्व के नहीं।

साँख्य की इस व्याख्या पर सन्देह हो सकता है कि यह उसके परिणामवाद से मेल नहीं खाती, क्योंकि परिणाम जनन-क्रम का ही एक प्रकार है। दूसरे, साँख्य ने बुद्धि आदि को 'लिंग' कहा है जिससे यह धारणा और पुष्ट होती है। किन्तु इसके विरुद्ध साँख्य के सत्कार्यवाद को प्रस्तुत किया जा सकता है जिसके अनुसार कार्य केवल कारण का प्रस्फुटन या अभिव्यक्तिमात्र है। इस प्रकार कोई उत्पत्ति नवीन उत्पत्ति नहीं होती। हमारा प्रस्ताव केवल यह है कि यदि इस प्रस्फुटन को कालक्रमात्मक रूप में देखा जायगा तो यह साँख्य के अपने मूल आशय के विपरीत होगा, यद्यपि सांख्याचार्यों ने इस परिणाम को समझाने के लिए जिन उपमाओं का प्रयोग किया है वे सभी कालक्रमात्मक हैं। यह परिणाम वास्तव में अवधारणा या प्रत्यय के मूल आशय की अभिव्यक्ति जैसा है जो लोक में अपनी अभिव्यक्ति के क्रम में काल को उत्पन्न करता है, अथवा कहें काल का सहजात है, किन्तु जो अपनी अलौकिक सत्ता में कालोत्तर है। वास्तव में साँख्य के परिणामवाद को केवल वेदान्त के विवर्तवाद के प्रसंग में ही देखना चाहिए, जिसका अर्थ है कि साँख्य अवच्छेदों और उपाधियों का उपादान कारण चैतन्य-बाह्य मानता है, यद्यपि इनका अर्थ चैतन्यपरक मानता है।

साँख्य के अनुसार प्रकृति एक और परम सामान्य है तथा पुरुष अनेक और अणु हैं। पुरुष की अनेकता के लिए साँख्य ने जो प्रमाण दिये हैं वे लौकिक अनुभव और मोक्षाकांक्षा की व्यक्तिमूलकतापरक हैं। उनके अनुसार, एक के अन्धा होने पर सब अन्धे नहीं होते, एक के जन्मने-परने पर सब नहीं जन्मते-मरते, मोक्ष-मार्ग में सब अलग-अलग स्तरों पर हैं। प्राचीन सांख्याचार्यों ने इन प्रमाणों की युक्तता के पक्ष में कोई तर्क नहीं दिये हैं, केवल इन प्रमाणों का उल्लेख मात्र कर दिया है। आधुनिक चिन्तकों ने इनकी खिल्ली उड़ाई है क्योंकि प्रकटतः ये बालिशतापूर्ण और साँख्य की मूल अवधारणा से विसंगत हैं।[1] किन्तु हमारे विचार में, थोड़ा गहराई में देखने पर इन प्रमाणों की उपयुक्तता देखी जा सकती है।

यहाँ पहले हमें साँख्य के इन तर्कों का स्वरूप समझना चाहिये। लंगड़ा, अँधा आदि एक भौतिक शरीर के विकार हैं। इस रूप में ये अंशतः वैसे ही हैं जैसे टूटे मेज़, कुर्सी आदि। किन्तु इनका एक दूसरा अर्थ भी है, इस

1. द्रष्टव्य : डॉ. निकुंजविहारी बनर्जी, **दि स्पिरिट ऑफ इण्डियन फिलोसोफी,** पृ. 178, आर्नल्ड-हीनेमान पब्लिशर्स, 1974

अर्थ में ये आत्मौपाधिक देह—देहात्म की—क्रिया-शक्ति के बाधित होने के सूचक हैं। ये *मेरे अभाव, मेरी असमर्थता* को दर्शाते हैं। इस रूप में ये दोष या लक्षण व्यक्ति के अन्तरंग हैं। जैसाकि हमने पीछे कहा, साँख्य के अनुसार प्रकृति की वैयक्तिक अवच्छिन्नता सत् है, वह वेदान्त के समान इसे असत् नहीं मानता। इसलिए साँख्य के लिए यह प्रश्न स्वाभाविक है कि इन वैयक्तिक अवच्छिन्नताओं का स्रोत क्या है?

प्रकृति के नितान्त सामान्य होने के कारण प्रकृति से उत्पन्न अहंकार को भी सामान्य और वैश्व होना चाहिए। ईश्वर ऐसा अहंकार हो सकता है। किन्तु जैसा हम देखते हैं, अहंकार वैश्व नहीं होकर व्यक्तिरूप है। जब इस वैयक्तिक अहंकार का स्रोत प्रकृति नहीं हो सकती तो यह कोई दूसरा होना चाहिए। यह स्रोत चैतन्य में है। इसलिए चैतन्य को अणुरूप में कल्पित करना उचित है, क्योंकि यदि चैतन्य को भी अद्वय सत्ता के रूप में कल्पित किया जाए तो वैयक्तिक अवच्छिन्नताओं की व्याख्या करना कठिन होगा। इस प्रकार चैतन्य की आणविकता अनुभव-मूलक प्रमाणों से संकेतित होती है। किन्तु इसका अर्थ यह नहीं है कि चैतन्य स्वयं भी वैयक्तिकता की अवच्छेकताओं से निर्धारित किया जा सकता है। ये निर्धारण चैतन्य पर लागू नहीं किये जा सकते। इस प्रकार चैतन्य के लिए 'एक', 'अनेक' आदि विशेषणों का प्रयोग इस रूप में ही किया जा सकता है 'मानो वह ऐसा है'। किन्तु वैसा ही उसे अखण्ड सत्ता कहना भी है। उसका कोई भी निरूपण 'मानो ऐसा है' इस प्रकार का ही हो सकता है। इस प्रकार, चैतन्य की अणुता और अनेकता उत्प्रेक्षात्मक ही कही जा सकती है। अर्थात् पुरुष वैयक्तिक अवच्छिन्नताओं के अतिक्रामी मूल के रूप में आणविक सत्ता है। इस प्रकार साँख्य द्वारा निरूपित स्वरूपविश्रान्त, निरवच्छिन्न चित्-सत्ता को अनेक कहने में और उसके लिए आनुभविक अवच्छिन्नताओं को प्रमाण के रूप में प्रस्तुत करने में कोई बेतुकापन नहीं है, क्योंकि चित् की अणुता वैयक्तिकता की अतिक्रामी विधायक होने के रूप में ही देखनी चाहिए, वास्तव अणुता में नहीं।

किन्तु पुरुष का संसार में 'अनुयोग' केवल इतना ही नहीं है। संसार प्राकृतिक होने पर भी स्वत: नहीं है (संघातपरार्थत्वात्), क्योंकि पुरुष के बिना संसार की मानवीय उत्पत्ति नहीं होती। मानवीय संसार प्राकृतिक होने पर भी आत्मसम्बद्ध है, जो इसकी मोक्षाकांक्षा (विषय से स्वतन्त्रता की आकांक्षा) से स्पष्ट है। इस प्रकार संसार पौरुषिक नहीं होकर भी **पुरुष से है—इसे असंसक्त पुरुष का संसारावतरण भी कह सकते हैं।** वास्तव में, साँख्य जब प्रकृति को पुरुष की भोग्या कहता है और आत्मौपाधिक लिंग-सृष्टि को भोगायतन, तब इसका यही अर्थ लेना चाहिए : पुरुष अतिक्रामी भोक्ता है। अर्थात् प्रकृति में मोक्षाकांक्षा की विद्यमानता प्रकृति को विषय-रूप में प्रकट करती है और इसकी यह विषयता एक ओर अप्रस्तुत विषय को प्रकट करती है और दूसरी ओर अन्वेष्य आत्म को।

किन्तु 'पुरुष का संसारावतरण' कहने में स्पष्ट वदतोव्याघात दिखाई देता है, क्योंकि संसार अनात्म की आत्मौपाधिक सृष्टि है और परिणामत: संसार को पुरुष का संसारावतरण कहने का अर्थ होगा आत्म का अनात्म-भाव, अथवा कम-से-कम उसकी अनात्मोन्मुख वृत्ति। जिन्होंने संसार को पुरुषावतरण के रूप में देखा है वे चैतन्य को अनिवार्यत: अनात्मवृत्तिक (विषयापेक्षी) मानते हैं, उदाहरणत: फिनोमिनलोजीवादी; वेदान्त आत्म को स्वरूप-विश्रान्त मानकर भी अद्वैतवादी होने के कारण उसका संसारावतरण (विवर्त) मानने को बाध्य है, किन्तु साँख्य अनात्म को स्वरूपसत् मानकर आत्म को अनात्मवृत्ति से पूर्णत: स्वतन्त्र रख सकता है। ऐसी अवस्था में पुरुष के संसारावतरण का अर्थ केवल अनात्म का परार्थ : पुरुष के अर्थ : होना और अपने इस अर्थ को व्याकृत करना है।

आत्म और अनात्म का सम्बन्ध वास्तव में दर्शन की कठिनतम समस्या है। वेदान्त अविद्या को अनादि और चैतन्य को एकमात्र सत् मानकर अनात्म को आत्म में मानता भी है। किन्तु आत्म और अनात्म के विपरीत कोटियाँ होने से इसमें वदतोव्याघात है और परिणामत: वेदान्त इससे बचने के लिए आत्म को स्वरूपविश्रान्त और अनात्म को असत् उपाधि कहता है। किन्तु जैसाकि हमने पीछे देखा, उपाधि की असत्ता वास्तव में आत्मरूप में ही हो सकती है, अनात्मरूप में नहीं, क्योंकि यदि इसे अनात्मरूप में भी असत् कहा जाय तो आत्म को

अनात्मवृत्तिक मानना अनिवार्य होगा जैसाकि फिनोमिनलोजीवादी मानते हैं। इस अवांछनीय विकल्प से बचने के लिए अनात्म को औपाधिक रूप में असत् किन्तु स्वरूपसत् मानना अनिवार्य हो जाता है, जैसाकि साँख्य मानता है।

आत्मोपाधि और तन्मूलक संसार अविद्यारूप और असत् हैं। यह स्वरूप-भ्रान्ति अथवा अविद्या यद्यपि प्रकृतिगत ही है किन्तु यह आत्म से प्रसक्त हुए बिना अविद्या नहीं कही जा सकती। इस आत्म-प्रसंग से ही यह अनात्म है, जैसाकि हमने पीछे कहा। यद्यपि यह विकल्प वदतोव्याघात नहीं है कि आत्मोपाधि को आत्म के प्रसंग के बिना भी प्रकृतिगत अविद्या माना जाय और इसके क्षय को अविद्या का क्षय, किन्तु तब यह प्रकृतिगत विवेचन की प्रक्रिया मात्र होगी—पानी के ऑक्सीजन और हाइड्रोजन में विवेचित होने जैसी, और तब यह आत्मोपाधि दुःख और मूल्य-विपर्यय नहीं होगी और परिणामतः इसका निरास आनन्द, मूल्य और परम साध्य नहीं होगा। वास्तव में अहंकार का अनात्म के रूप में ग्रहण दोष या दुःख के रूप में ग्रहण है और इसका निवारण मूल्य है। यद्यपि यह निवारण इसलिए मूल्य है क्योंकि आत्म परम मूल्य है, किन्तु आत्म साध्य नहीं है, क्योंकि यह स्वरूप-सिद्ध है, साध्य केवल असत् का निरास है क्योंकि यह दोष है।

दोष दुःख है और इस दुःख पर मनन विवेक को उत्पन्न करता है। दुःख से प्रथम साम्मुख्य पीड़ा के रूप में देहात्म के स्तर पर होता है और इस दुःख पर मनन देह को आत्म से भिन्न और बाहर स्थापित कर महाभूतों के रूप में ग्रहण करता है। इसी प्रकार क्रमशः तन्मात्रों और इन्द्रियों का मनस् में और मनस् का अहंकार में तथा अहंकार का बुद्धि में प्रकृति को समर्पण किया जाता है। इन उपाधियों से निवृत्त बुद्धि तब आत्म का अपनी वृत्ति में गहण करती है। बुद्धि की यह आत्म-वृत्ति बुद्धि को स्वयं प्रकृति-रूप में प्रकट कर बुद्धि का विलयन घटित करती है।

आत्म का संज्ञान या अवगमन केवल बुद्धि-वृत्ति के माध्यम से ही होता है। वास्तव में बुद्धि की अहंकार से पूर्वता इसी बात में है कि यह एक ओर विशिष्ट अवधारणाओं से परे प्रकृति के शुद्ध एतत्त्व का ग्रहण कर सकती है और दूसरी ओर स्वरूप-विश्रान्त आत्म के आभास से अपनी प्राकृतिकता (विषयरूपता) का ग्रहण कर सकती है।

किन्तु आत्म का यह ग्रहण बुद्धि-वृत्ति का ही स्फुरण है जोकि अनात्म है, आत्मा से इसकी 'अनुरूपता' अथवा 'सामीप्य' केवल इसके अहंकार से अबाधित होने से ही है। इस प्रकार स्वयं आत्मा का संज्ञान या अवगमन सम्भव नहीं है, वह पूर्णतः अतिक्रामी है। यह द्रष्टव्य है कि आत्मा की यह अतिक्रामिता केवल प्रकृति के सन्दर्भ में ही है, यह आत्मातिक्रामी नहीं है। साँख्य ने आत्मा को स्वप्रकाशक तक नहीं माना है, केवल प्रकाशस्वरूप माना है, स्वप्रकाशक मानने पर यह कहा जा सकता था कि वह अपने को अपने लिए प्रस्तुत करती है और इस प्रकार वह अपना विषयकरण और अपना अतिक्रमण करती है। न ही वह डेकार्टीय ज्ञानक्रिया है जो अपने को अपने घटित होने में जानती है, अथवा कहें अपने होने और अपने को जानने के लिए अपने को घटित करती है, क्योंकि तब वह अनिवार्य, स्वरूप-सत् और स्वरूप-विश्रान्त चैतन्य नहीं होकर एक ऐसी आगन्तुक घटना होती जो एक-साथ आत्मवित् और पराङ्मुख होती। इस प्रकार साँख्य के आत्म (पुरुष) को पराक् नहीं कहा जा सकता, यद्यपि वह प्रत्यक् अथवा आत्मप्रत्यक् भी नहीं है। किन्तु यह तीन प्रकार से पराक् है। एक इस प्रकार कि यह इसकी कोटियों के लिए अगम्य और अनिर्धार्य है, दूसरे इसलिए क्योंकि यह इसकी अतिक्रामी प्रवर्तक है, और तीसरे इसलिए कि संसार इसका और अपना अतिक्रमण करता है। इस दूसरी और तीसरी प्रकार की अतिक्रामिता का प्रतिपादन ही साँख्य ने 'संघातपरार्थत्वात्' से किया है। अर्थात् प्रकृति स्वतःपूर्ण नहीं है, यह सापेक्ष है, इसका अर्थ पुरुषपरक है। किन्तु पुरुषापेक्षा प्रकृति में है, पुरुष में नहीं। अपेक्षा अनुरागात्मक-आसक्त्यात्मक होने पर आत्मोपाधियों का प्रवर्तन होता है और विसंगात्मक होने पर ये उपाधियाँ लुप्त हो जाती हैं और प्रकृति मूल्य-रहित वस्तु के रूप में उपेक्षित और निषिद्ध हो जाती है। इस प्रकार संसार का प्रवर्तन (सर्ग) और निवर्तन (लय) अतिक्रामी मूल में है।

साँख्य द्वारा संसारगत सब कोटियों का अन्तर्भाव प्रकृति में कर देने के कारण और पुरुष को निष्क्रिय मानने के कारण कुछ लोग इस भ्रम में पड़ जाते हैं कि साँख्य में पुरुष और मोक्ष आरोपित अवधारणाएँ हैं अन्यथा साँख्य वस्तुवादी दर्शन के रूप में एक पूर्ण व्यवस्था है। किन्तु जैसाकि हमारे उपर्युक्त विवेचन से स्पष्ट है, साँख्य की प्रकृति भौतिक द्रव्य नहीं है जिससे भौतिक-रासायनिक प्रक्रियाओं से मन, बुद्धि आदि की उत्पत्ति होती है। उसके अनुसार यह उत्पत्ति विषय को आत्मरूप में, एतत् को अहं रूप में ग्रहण करने से अविवेक होती है। उसके लिए मानव-संसार दुःख, अनात्म और दोष है जिसका निषेध और अतिक्रमण परम साध्य है। वास्तव में साँख्यीय प्रकृति आत्म-व्याकृत विषय है जिसकी दुःखात्मकता, निरर्थकता और रिक्तता प्रकट हो गई है और संसार आत्म-विवेचन का क्रम है जो क्रमशः अपनी निरर्थकता प्रकट कर निरस्त हो जाता है। इस प्रकार साँख्य मौलिक रूप से एक मूल्य-दर्शन है।

शांकर अद्वैतवाद

यद्यपि शंकर, साँख्य से भिन्न, चिदद्वैतवादी हैं किन्तु तब भी वे साँख्य की प्रकृति के अनुरूप माया को और साँख्य की विकृतियों के अनुरूप उपाधियों को स्वीकार करते हैं। केवल वे माया को पृथक् तत्त्व स्वीकार नहीं कर उपादान रूप से चित् या ब्रह्म ही को एकमात्र सत् मानते हैं। साँख्य में प्रकृति के एक स्वतन्त्र तत्त्व होने से उसके लिए औपाधिक सृष्टि वास्तव परिणाम है और प्रस्तुत जगत् विवर्तरूप है, किन्तु शंकर में माया के स्वतन्त्र सत् नहीं होने से औपाधिक और प्रस्तुत दोनों प्रकार की सृष्टि विवर्त-रूप ही है। साँख्य के समान ही शंकर भी मोक्ष और मोक्षाकांक्षा को स्वीकार करते हैं और उसके अनुरूप विवेक और अविवेक को भी, किन्तु साँख्य के विपरीत शंकर के लिए यह एक कठिनाई हो सकती है कि इनका अधिष्ठान कहाँ माना जाये? ब्रह्म में अविवेक असम्भव है और इसी से विवेक भी असम्भव है। तब इनका अधिष्ठान माया में माना जा सकता है। यहाँ शंकर में थोड़ी अस्पष्टता प्रतीत होती है। शंकर के अनुसार ईश्वर माया-सापेक्ष ब्रह्म है, किन्तु ईश्वर मायोपाधि को स्वतन्त्रत: धारण करता है, अविवेकवशात् नहीं। इस प्रकार ईश्वर अविवेकी (अविद्यायुक्त) नहीं हो सकता।[1] इससे 'माया' और 'अविद्या' को भिन्न-भिन्न मानना चाहिये। वास्तव में शंकर इन्हें भिन्न ही मानते हैं और इसके लिए उनमें पर्याप्त स्पष्ट कथन मिलते हैं। उदाहरण के लिए शंकर **ब्रह्मसूत्र-भाष्य** के अध्याय 2 पद1 सूत्र 14 में नामरूपात्मक बीज-शक्ति (माया) को अविद्या के लिए निमित्त कहते हैं, जिसका अर्थ है कि माया अविद्या की कारक है, उससे अभिन्न नहीं है। ऐसा मानना आवश्यक भी है क्योंकि अविद्या जीव की उपाधि है जबकि माया किसी की उपाधि नहीं है, यह उपाधि के लिए निमित्तमात्र है। कहा जा सकता है कि यह ब्रह्म की उपाधि है जिसके द्वारा ब्रह्म ईश्वरत्वोपेत होता है।[2] यह सही है, किन्तु एक मौलिक अन्तर है और वह यह कि माया जगत्-वैविध्य के आधार में एक सामान्य तत्त्व है जिससे इसे जगत् का बीज कहा गया है। यह बीज अविद्या के कारण अन्त:करणादि उपाधियों में परिणत होता है। यहाँ पुन: साँख्य और शंकर में एक साम्य देखा जा सकता है। साँख्य के अनुसार भी प्रधान जगत् का सामान्य तत्त्व है और यह सामान्य तत्त्व अविद्या के कारण जगत्-रूप में परिणत होता है। तब साँख्य और वेदान्त में मौलिक अन्तर केवल एक ही है और वह यह कि साँख्य के अनुसार जबकि प्रधान पुरुष-चैतन्य से स्वतन्त्र है शकर के अनुसार माया चैतन्य का स्वतन्त्र आत्म-सर्जन है और स्वतन्त्र आत्म-सर्जन होने से चैतन्य प्रसंगत: मायोपम (ईश्वर) है और प्रसंगान्तर से उससे निरपेक्ष (ब्रह्म)।[3]

---

1. परमेश्वर को देहादि में आत्मभाव अथवा दु:खाभिमान नहीं है। जीव को भी अविद्याकृत नामरूप से सम्पादित देह, इन्द्रिय आदि उपाधि के अविवेक से ही दु:खाभिमान है। (नैवं परमेश्वरस्य देहात्मभावो दु:खाभिमानोवाऽस्ति। जीवस्याविद्याकृत नामरूप निर्वृत्त देहेन्द्रियाद्युपाध्यविवेकभ्रमनिमित्त एव दु:खाभिमानो—अ. 2, पा. 3, सूत्र 46)

2. अविद्या के लिए निमित्त बनना जिसका स्वभाव है ऐसे नाम-रूपात्मक बीज शक्ति के जगत् के रूप में प्रकट होने पर ही ईश्वर का ईश्वरत्व, सर्वज्ञत्व आदि अवलम्बित हैं। इस बीज-शक्ति को ही माया कहते हैं और यह ईश्वर के अधीन रहती है। (सर्वज्ञस्येश्वरस्यात्मभूत इवाविद्याकल्पिते नामरूपे तत्त्वान्यत्वाभ्यामनिर्वचनीये संसार-प्रपंच-बीजभूते सर्वज्ञेश्वरम् मायाशक्ति: प्रकृतिरिति—अ. 2;, पा. 1, सूत्र 14)।

3. Ishvara has a dual form, as weilding maya-shakti and thus immanent in the world, and as dissociated from it, transcendent (trigunatita), and merging back into Brahman. As transcendent Ishvara is conceived as what is not Maya, as determined not by Maya but by freedom from maya, as other than the world that is put forth by him as an appearance, while Brahma is understood without reference to Maya and the world. K.C. Bhattacharya : The Advaita and its Spiritual Significance. **The Cultural Heritage of India. Vol. 2,** Ed. Haridas Bhattacharya (The Ramakrishna Mission Institute of Culcutta. 1937)

किन्तु साँख्य और शंकर पर विचार पुरुष और प्रकृति से तथा ब्रह्म और माया से आरम्भ करना सिर के बल चलने जैसा है। साँख्य जगत्-जन्य दुःखापघात के उपाय से और शंकर आत्म और अनात्म के अध्यास से आरम्भ करते हैं। इस प्रकार दोनों की समस्या उस बोध का स्वरूप समझने की है जो हम जगत् की सार्थकता में सन्देह के रूप में अनुभव करते हैं। इस प्रकार दोनों प्रस्तुत अनुभव से आरम्भ कर उसके अतिक्रमण की सम्भावना पर विचार करते हैं।

किन्तु यहाँ साँख्य और शंकर में एक बड़ा अन्तर है। साँख्य जबकि जगत् की निरर्थकता दिखाने के लिए जगत् के विवेचन को ही प्रमुखता देता है, शंकर इसकी निरर्थकता को सिद्ध मान कर हमारे परमार्थ स्वरूप के विवेचन को प्रमुखता देते हैं। पीछे हमने साँख्य-विवेचन के प्रसंग में शंकर पर विचार करते हुए उन्हें जगत् की समस्या के पक्ष से समझने का प्रयत्न किया था, यहाँ हम उन्हें मुख्यतः परमार्थ, या कहें परतत्त्व के पक्ष से समझने का प्रयत्न करेंगे।

शांकर अद्वैतवाद को उपयुक्तरूप से चिदद्वैतवाद की भी अपेक्षा ब्रह्माद्वैतवाद कहना अधिक उपयुक्त होगा और ब्रह्म उसके अनुसार सत्, चित् और आनन्दस्वरूप है। सत् को एक पृथक् कोटि मानना और अद्वय तत्त्व को इस कोटि से निरूपित मानना सप्रयोजन है और यह वेदान्त को एक विशिष्टता देता है। इस कोटि की प्रतिकोटि यद्यपि असत् है किन्तु शंकर तथा वेदान्त के अन्य अनेक सम्प्रदायों ने एक अन्य कोटि (अनिर्वचनीय) की कल्पना की है जो यद्यपि 'सत्' की प्रतिकोटि नहीं है किन्तु जो 'सत्' को एक अधिक अर्थ-गर्भित कोटि बना देती है। और वास्तव में 'असत्' को केवल ज्ञानमीमांसा की दृष्टि से ही 'सत्' की प्रतिकोटि कहा जा सकता है, तत्त्वमीमांसात्मक दृष्टि से नहीं। क्योंकि तत्त्वतः 'असत्' को कोई अर्थ नहीं दिया जा सकता। तत्त्वतः तो **जो है वही सब कुछ है, ऐसा कुछ नहीं है जो है नहीं।** यह कहा जा सकता है कि जो भी कुछ है वह साथ ही नहीं भी है—पुस्तक पुस्तक रूप से है किन्तु पैन रूप से नहीं है, पुस्तक क तद्रूप से है किन्तु पुस्तक ख रूप से नहीं है। सभी खण्ड-अस्तित्वों का यही स्वरूप है। इस पर दो बातें कही जा सकती हैं : पुस्तक के लिए यह कहना "कि वह पैन नहीं है" तत्त्वतः एक निरर्थक वाक्य है, केवल ज्ञानमीमांसीय दृष्टि से इसका कुछ अर्थ है और वह यह कि कोई पैन की अपेक्षा से मेज़ की ओर देखता है किन्तु वहाँ पैन को नहीं पा कर पुस्तक को पाता है। किन्तु यह भी कहा जा सकता है कि यदि वस्तुतः यह स्थिति हो कि पुस्तक भी हो और पैन भी तो यह तत्त्वतः स्थिति होगी कि पुस्तक पैन नहीं है। एक पुस्तक का अस्तित्व तदेतर से बाधिक पुस्तकत्व के प्रकट होने से है, दूसरे शब्दों में, पुस्तक का भाव उसके अभाव से परिच्छिन्न हो कर ही हो सकता है, अन्यथा नहीं। इस प्रकार अभाव को तात्त्विक कोटि भी माना जा सकता है।

किन्तु वास्तव में भाव और सत् में अन्तर है। किसी वस्तु का देश-काल-विशेष में भाव और अन्यत्र अभाव होता है किन्तु वह देश-काल-विशेष में सत् और अन्यत्र असत् नहीं होती। सत्ता देश-काल-निर्विशिष्ट होती है। सद्वस्तु का कभी अभाव नहीं हो सकता जबकि भाव-रूप वस्तु का अभाव हो सकता है। यहाँ प्रश्न हो सकता है कि क्या प्रत्येक भाव-रूप वस्तु के लिए यह अनिवार्य है कि उसका अभाव भी हो? स्पष्टतः यह अनिवार्य नहीं हो सकता, क्योंकि सद्वस्तु का भाव तो होगा ही, और क्योंकि सद्वस्तु कभी असत् नहीं होती इसलिए उसका भाव देश-काल-निरवच्छिन्न रूप से रहता है। किन्तु असद्वस्तु भावाभाव-रूप होती है, जैसे ऐन्द्रजालिक द्वारा रचित दृश्य और स्वप्नगत दृश्य आदि। किन्तु यह कथन भी पूर्णतः युक्त नहीं है, क्योंकि असद्वस्तु पूर्णतः अभावरूप भी हो सकती है, उदाहरणतः आकाश-कुसुम। इसलिए युक्त कथन यह होगा कि ऐसी सब वस्तुएँ, जो भावाभाव-रूप हैं, असत् हैं, यद्यपि असद्वस्तु के लिए भावाभाव-रूप होना आवश्यक नहीं है। जगत् की सब वस्तुएँ इसी प्रकार की हैं, यह तो स्पष्ट ही है। वे देश में भी परिसीमित हैं और काल में भी। किन्तु जगत् के लिए क्या कहा जाय? जो बात जागतिक वस्तुओं के सम्बन्ध में लागू होती है वह स्वयं जगत् के सम्बन्ध में लागू नहीं होती। यह कहा जा सकता है कि देश-काल स्वयं जगत्-मूलक हैं—जगत् देश-काल का भी समावेश करता है—इसलिए जगत् भावाभाव-रूप नहीं हो सकता। वास्तव में शंकर भी माया-बीज को अनादि

और अनन्त मानते हैं। किन्तु जगत् का अभाव कल्पनीय है और यह दो प्रकार से—1. जगत् है, किन्तु नहीं भी हो सकता था, और 2. जगत् जिस प्रकार का है उससे भिन्न प्रकार का भी हो सकता था। और एक प्रकार से जगत् का अभाव भी प्राप्त है—जगत् युष्मत् प्रत्यय है और यह अस्मत् प्रत्यय से बाधित है। किन्तु यह सही नहीं है। प्रत्यय को साधारण आनुभविक अर्थ में लेने पर तो जगत् सचमुच ही दोनों का संघात है, किन्तु जगत् के अभाव की कल्पनीयता अस्मत प्रत्यय की जगद्ग्राह्यता को सिद्ध करती है। जैसाकि हमने साँख्य और डेकार्ट विषयक लेखों में देखा है, यह कल्पनीयता मनोवैज्ञानिक नहीं है, तार्किक है और यह तात्त्विक कोटियों की ओर संकेत करती है। जगदुन्मुखता चेतना का एक सहज व्यापार है, जगन्निवृत्ति भी उसका उतना ही सहज व्यापार है, जैसाकि हम निद्रा में देखते हैं। किन्तु जगन्निवृत्ति एक प्रयत्न-साध्य व्यापार भी है जिसे हम 'जगन्निरास' कह सकते हैं। जगन्निरास जगत् की असत्यता की अवधारणा से सम्भव होता है जो अन्ततः चेतना की जगत् से पूर्ण निवृत्ति है। फिनोमिनलोजी दार्शनिकों का इपोख़े (जगत् का स्थगन) इस जगन्निरास की ही पहली सीढ़ी है। इपोख़े बौद्धिक प्रयत्न है, पूर्ण और समन्वित प्रयत्न ध्यानयोग है।

उपर्युक्त विवेचन से स्पष्ट है कि सत् केवल अद्वितीय ही हो सकता है, क्योंकि दो तत्त्व परस्पराभाव को सूचित करते हैं। इसके उत्तर में कहा जा सकता है कि, जबकि सत् के लिए यह नहीं कहा जा सकता कि वह एक देश-काल में तो सत् है और अन्यत्र असत् है, इससे यह भी आपादित नहीं होता कि वह सर्वत्र और सर्वदा सत् है। क्योंकि 'सर्व' और 'सर्वदा' देश-कालात्मक प्रत्यय हैं और देश-काल से विशेषित तत्त्वों के बारे में यह कल्पनीय है कि वे सर्वत्र और सर्वदा नहीं भी हों, उनका विभाजन भी सम्भव है और विभक्त खण्डों के बीच के स्थन में उस तत्त्व का अभाव होना सम्भव है। इसके विपरीत देश-काल से असम्बद्ध तत्त्व हैं जो अद्वितीय नहीं हैं किन्तु तब भी वे न किसी एक स्थान पर हैं, और इसी से, न सब स्थानों पर हैं। उदाहरणत: लाली और कालिमा, सौन्दर्य और सत्य द्रष्टव्य हैं। इसके विरुद्ध कहा जा सकता है कि ये तत्त्व हैं ही नहीं, ये तो मात्र कल्पनाएँ हैं। इसके उत्तर में यहाँ हम केवल यही कहेंगे कि वेदान्त के अनुसार ये उतने ही 'तत्त्व' हैं जितनी देश-कालगत वस्तुएँ, क्योंकि देश-कालगत वस्तुएँ संवेद-ग्राह्य प्रत्यय हैं और ये बुद्धि-ग्राह्य प्रत्यय। इस प्रकार दोनों समान रूप से तत्त्व हैं। बल्कि बुद्धि-ग्राह्य तत्त्वों का सत् की दृष्टि से उत्कर्ष अधिक है। वेदान्त की ओर से इसका उत्तर हो सकता है कि बुद्धि-ग्राह्य प्रत्यय भी परस्पर बाधक होते हैं और इसलिए परस्पर की सत्ता का बाध करते हैं। इसलिए 'लाली' का 'कालिमा' में और 'सत्य' में अभाव है। इस प्रकार जो बाधा देश-कालात्मक वस्तुओं को सत् कहने में है वही बौद्धिक वस्तुओं को सत् कहने में भी है।

इसका निष्कर्ष हुआ कि या तो सब खण्ड तत्त्व असत् हैं अथवा वे किसी अखण्ड तत्त्व में खण्डात्मक प्रतीतियाँ हैं। पहला विकल्प मानने पर नितान्त कल्पनामूलक और यथार्थ पदार्थों में कोई अन्तर नहीं रह जायेगा। किन्तु इसका उत्तर हो सकता है कि कल्पना-मूलक पदार्थों को सत् या असत् कहना ही ग़लत है क्योंकि वे सदसत् के प्रसंग में प्रस्तुत होते ही नहीं। शश-शृंग या तो केवल शब्द-प्रयोग मात्र है, या कल्पना। है कि यदि यह हो तो शश कैसा लगेगा? किन्तु यदि कोई भ्रमवशात् सचमुच किसी भागते शश को शृंग-सहित देखता है तब इसे क्या कहा जाय? काल्पनिक या यथार्थ? स्पष्टत: इसे काल्पनिक नहीं कहा जा सकता क्योंकि शश-शृंग स्पष्टत: देखा गया है, किन्तु इसे यथार्थ भी नहीं कह सकते, क्योंकि इस दर्शन से अपेक्षित अर्थों की सिद्धि नहीं हो सकती। उदाहरणत: इस का स्पर्श नहीं किया जा सकता। किन्तु मनोविकारमूलक विषय जब देखे जाते हैं तब उनका भी स्पर्श नहीं किया जा सकता है। स्वप्नगत विषय स्वप्नावस्था में सभी अर्थों की पूर्ति करते हैं। इसके उत्तर में कहा जा सकता है कि जागने पर उन अर्थों का बाध हो जाता है। यद्यपि शंकर इसी कारण स्वप्नमूलक विषयों को अयथार्थ मानते हैं[1] किन्तु यह उचित नहीं है, क्योंकि न केवल यही कि इसमें जागृति को मानदण्ड मान लिया गया

1. यद्यपि स्वप्नदर्शनावस्था में स्थित मनुष्य के सर्पदंशनोदकस्नानादि कार्य असत्य हैं—(यद्यपि स्वप्नदर्शनावस्थस्य सर्पदंशनोदकस्नानादि कार्यमनृतम्—अ. 2, पा. 1, सूत्र 14)।

है बल्कि यह भी कि जागृति में भी केवल वैज्ञानिक-दृष्टि को ही प्रमाण माना गया है। अन्यथा जादुई दृष्टि स्वप्न-जगत् और जागृति-जगत् में ऐसा मौलिक अन्तर नहीं देखती।

जो भी हो, इससे स्थिति में मौलिक अन्तर नहीं पड़ता, क्योंकि इससे या तो यह विकल्प माना जा सकता है कि यथार्थ का मानदण्ड केवल वैज्ञानिक दृष्टि ही है या यह कि स्वप्न का अपना स्वायत्त यथार्थ-सन्दर्भ होता है। किन्तु वास्तव में अन्यान्य प्राणियों के यथार्थ-सन्दर्भों के मूलत: भिन्न-भिन्न होने की सम्भावना मानने पर यही विकल्प युक्त प्रतीत होता है कि स्वप्न और जागृति के यथार्थ-सन्दर्भ ही पृथक्-पृथक् हैं, इनमें से एक को प्रमाण और दूसरे को अप्रमाण नहीं माना जा सकता।

अब यदि यह मान लिया जाये तो यथार्थ और कल्पना में भाव की दृष्टि से अन्तर केवल अर्थ-साधकतामूलक और अर्थों की अनपेक्षामूलक है। इससे सत् और असत् के प्रश्न पर कोई प्रकाश नहीं पड़ता, यद्यपि शंकर मानते हैं कि पड़ता है। शंकर व्यावहारिक जगत् को अनिर्वचनीय (सत्यानृत का मिथुन) मानते हैं, जिसका अर्थ है कि यह जगद्-रूप में असत् है किन्तु ब्रह्म-रूप में सत् है। रूपकात्मक पदावली में कहें तो—घट रूप में असत् है किन्तु मिट्टी रूप में सत् है।[1] इस तरह शंकर उपर्युक्त विकल्पों में से दूसरे विकल्प को स्वीकार करते हैं। विवर्तवाद का यही अर्थ है। "सर्वं खल्विदं ब्रह्म" में सर्व की सर्व के रूप में अस्वीकृति है किन्तु ब्रह्म के रूप में स्वीकृति है। उनके शब्दों में, ब्रह्म सत्तत्त्व है और सर्वत्व प्रतीति है : "फेन, तरंगें, लहरें, बुलबुले आदि, जो समुद्र के कार्य हैं वे समुद्र से भिन्न नहीं होते हुए भी भिन्न से दीखते हैं। मिट्टी के बने सभी पदार्थ मिट्टी से भिन्न नहीं हैं, किन्तु एक-दूसरे से भिन्न ही रहते हैं। अर्थात् वे एक-दूसरे की स्थिति को प्राप्त नहीं हो सकते हैं। और भिन्न होते हुए भी अपने कारणभूत ब्रह्म से वे कभी भिन्न नहीं होते।"[2] किन्तु इसमें शांकर मत थोड़ा जटिल है। शंकर सत्कार्यवादी हैं और उनके अनुसार जगत् ब्रह्म का कार्य है। इस प्रकार ब्रह्म के सत् होने पर और जगत् के ब्रह्म का कार्य होने पर और इस कार्य के पहले से ही अपने कारण में सन्निहित होने पर, जगत् भी सत् हो जाता है। वास्तव में वे अध्याय 1, पाद 4, सूत्र 26 (आत्मकृते: परिणामात्) के भाष्य में इसका जो निरूपण करते हैं उससे तो यहाँ तक प्रतीत होता है मानो वे जगत् को जगत् के रूप में, उसकी सब विविधताओं के साथ, सत् मानते हों। उनके अनुसार—"तैत्तिरीयोपनिषद् के ब्रह्म प्रकरण में यह कहा गया है कि, 'उस ब्रह्म ने स्वयं को पैदा किया।' **(तैत्तिरीय** 2/7**)** इस वचन के 'अपने को' प्रयोग में ब्रह्म या आत्मा कर्म है, अर्थात् विषय है, आधार या आश्रय है, और 'उसने स्वयं' प्रयोग में ब्रह्म या परमात्मा कर्त्ता है, ऐसा प्रतीत होता है। अर्थात् यहाँ 'पैदा' किया इस क्रिया का ब्रह्म या परमात्मा कर्त्ता है और वही कर्म है, ऐसा बताया है।" इस प्रकार ब्रह्म जगत् का निमित्त और उपादान दोनों प्रकार का कारण है। शंकर यहाँ घट का उदाहरण भी देते हैं जिसके कुम्हार और मिट्टी क्रमश: निमित्त और उपादान कारण हैं। किन्तु ब्रह्म जगद्-रूप घट का कुम्हार और मिट्टी दोनों है। किन्तु यदि ब्रह्म जगत् का निमित्त और उपादान दोनों है तब जगत् का वैविध्य उसको अभिप्रेत है और इस प्रकार जगत् सत् है। किन्तु शंकर इसे सत् नहीं मानते। वे इस प्रसंग में सत्कार्यवाद को अपने अनुसार लागू करते हुए कहते हैं—"कारण और कार्य अभिन्न हैं, इस प्रकार कार्य में ऐसा कुछ नहीं हो सकता जो कारण में नहीं हो। किन्तु कार्य के धर्म कारण को दूषित नहीं कर सकते।" इसके लिए वे घड़े और मिट्टी का दृष्टान्त देते हैं : घड़ा मिट्टी का कार्य है किन्तु घटत्व मृत्तिका को दूषित या संस्पृष्ट नहीं कर सकता। इस प्रसंग में वे बाजीगर द्वारा फैलायी माया का उदाहरण भी देते हैं। ये दो बहुत भिन्न प्रकार के उदाहरण हैं। पहले में निमित्त को भुला दिया गया है और दूसरे में या तो निमित्त और उपादान एक-

1. वास्तव में मृत्तिका रूप से ज्ञात एक मृत्तिका-पिण्ड मृत्तिकामय घट, सिकोरो, डोल आदि सभी पदार्थ मृत्तिकात्मक रूप अविशेष से विज्ञात होते हैं, क्योंकि वाचारभण विकार केवल नाम मात्र हैं, घट, सिकोरो और डोल आदि विकार केवल वाणी से कहे जाते हैं, वस्तु-वृत्ति से तो विकार कुछ भी नहीं हैं। नाम मात्र यह सब मिथ्या है, केवल मृत्तिका ही सत्य है। (एकेन मृत्पिण्डेन परमार्थतो मृदात्मना विज्ञातेन सर्वं मृन्मयं घटशरावोदञ्चनादिकं मृदात्मकत्वाविशेषाद्विज्ञातं भवेत्। यतो वाचारम्भ विकारो नामधेयं वाचैव केवलमस्तीत्यारभ्यते—विकारो घट: शराव उदञ्चनं चेति। नतु वस्तुवृत्तेन विकारो नाम कश्चिदस्ति। नामधेय मात्रं ह्येतदनृतं मृत्तिकेत्येव सत्यमिति।)
2. अ. 2, पा. 1, सूत्र 13

साथ ही हैं या दोनों नहीं हैं, केवल इनके होने की प्रतीति है। यही बात स्वप्न के लिए भी है और शंकर ने उसका उदाहरण भी दिया है। किन्तु बाजीगरी-सृष्टि में और स्वप्न-सृष्टि में यह अन्तर है कि पहली में जबकि स्रष्टा अपने सर्जन की इच्छा-मूलकता के सम्बन्ध में जानता है, दूसरी में वह यह नहीं जानता है। किन्तु तब भी, दोनों में निमित्त और उपादान एक ही होते हैं। अन्तर केवल कार्य के मूल्य का होता है। एक में कार्य का मूल्य क्रीड़ा होता है और दूसरे में स्वतन्त्र रूप से सत्ता का उपभोग।

किन्तु घड़े के उदाहरण में निमित्त और उपादान कारण भिन्न-भिन्न हैं। किन्तु जहाँ निमित्त और उपादान कारण पृथक्-पृथक् होते हैं वहाँ यह बात देखने की होती है कि उपादान कारण कार्य से केवल इस कारण अप्रभावित रहता है क्योंकि वह केवल इसका प्रसंग बनता है। उसका वास्तव अधिष्ठान निमित्त कारण में ही होता है और वह अप्रभावित नहीं रह सकता। इस पर कहा जा सकता है कि जहाँ निमित्त कारण हो ही नहीं, जैसे मिट्टी के अपने-आप से बने विभिन्न आकारों में, वहाँ क्या होगा? इसका उत्तर होगा कि वहाँ मिट्टी और आकार में कोई अन्तर ही नहीं होता। मिट्टी में आकार का आविर्भाव निमित्त कारण से ही होता है और जहाँ ऐसा होता है वहाँ मिट्टी अपने कार्य के लिए अनिवार्य उपादान नहीं है, स्वर्ण, मोम या अन्य बहुत कुछ भी इसके लिए उपादान हो सकते हैं।

किन्तु इस व्याख्या से वास्तव में कोई अन्तर नहीं पड़ता। इस व्याख्या का अर्थ यह होगा कि अन्ततः निमित्त कारण ही उपादान कारण है और इस तरह स्वप्न-सृष्टि में, जादुई सृष्टि में और जगत्-सृष्टि में कोई तात्त्विक अन्तर नहीं है। किन्तु यहाँ प्रस्तुत प्रश्न यह है कि क्या कार्य कारण को विकृत करता है? अब यदि सब कार्यों का आश्रय चैतन्य ही है, जोकि निमित्त और उपादान के अभिन्न होने से आपादित होता है, तब सब उसी की वृत्तियाँ हैं और वृत्तियाँ चैतन्य को विकृत करती ही हैं। यदि ऐसा नहीं हो तो घटादि आकार—समस्त नाम-रूप—की कोई व्याख्या देना सम्भव नहीं हो सकता। **वेदान्त परिभाषा** में वास्तव में ऐसा ही प्रतिपादन किया गया है।[1] किन्तु इस प्रश्न पर शांकर मत में कुछ कठिनाइयाँ सामने आती हैं—शंकर बाह्य सृष्टि को, अथवा कहें, ज्ञानेन्द्रिय-ग्राह्य सृष्टि को, ब्रह्म-कारण का कार्य मानते हैं किन्तु जीव (आत्मा) को उपाधि-परिच्छिन्न ब्रह्म ही मानते हैं—घटाकाश के समान। इस प्रसंग में शंकर अध्याय 2, पाद 2 के सूत्र 13 की व्याख्या में **तैत्तिरीयोपनिषद्** को उद्धृत करते हैं—"तत्सृष्ट्वा तदेवानुप्राविशत्, और कहते हैं कि यद्यपि भोग्य जगत् सागर से तरंग-फेन के समान कारण-ब्रह्म से अभिन्न है किन्तु तब भी उसका कार्य है, किन्तु भोक्ता उसका कार्य नहीं है, वह कारण रूप से ही रहता है।" तत्सृष्ट्वा तदेवानुप्राविशत् का अर्थ है—वह ब्रह्म उसका सर्जन कर उसी में प्रविष्ट हो गया। यहाँ मकड़ी और उसके जाले की उपमा का ध्यान सहज ही हो आता है। इससे अगले सूत्र के भाष्य में इस कार्य के अर्थ की व्याख्या है। यहाँ वे बताते है कि "कार्य-जगत् अविद्यामूलक है—मैं नामरूप को अभिव्यक्त करूँ (**छान्दोग्य** 6/3/2) ईश्वर सब रूपों को उत्पन्न कर उन सब के नाम रखकर उनमें प्रविष्ट हो कर वदनादि व्यवहार करता हुआ स्थित है, (तै.उ. 3/1217)—जैसे घट, करक आदि उपाधि-अनुरोधी आकाश होता है वैसे ही अविद्याकृत नाम-रूप का अनुसारी ईश्वर होता है। वह ईश्वर अविद्या से उपस्थापित नाम-रूप-कृत शरीरेन्द्रिय-संघात के अनुरोधी घटाकाश स्थानीय स्वात्म-भूत जीवाख्य विज्ञानात्माओं के ऊपर व्यवहार-विषय में शासन करता है। इस प्रकार अविद्या रूप उपाधि के परिच्छेद की अपेक्षा से ईश्वर में ईश्वरत्व, सर्वज्ञत्व और सर्वशक्तिमत्व हैं।"[2] जीव और ईश्वर ब्रह्म से अभिन्न हैं किन्तु अविद्याकृत नाम-रूपादि के अनुसारी होने से उससे भिन्नवत् हैं। किन्तु शरीरेन्द्रिय-संघात और विषय-जगत्—नाम-रूप—उसके कार्य या परिणाम हैं। किन्तु इनके अविद्याकृत होने से, अविद्या के नाश के साथ ही इनकी कार्यरूपता का भी नाश हो जाता है।

---

1. और इस हेतु से भी ब्रह्म प्रकृति है क्योंकि ब्रह्म-प्रकृति में उसने स्वयं अपने को ही नाम-रूपात्मक जगत् रूप से रचा, इस प्रकार श्रुति (तै. 2/8) आत्मा को कर्म और कर्त्तृ रूप से दिखलाती है। किन्तु पूर्वसिद्ध एवं कर्त्तारूप से व्यवस्थित पदार्थ से क्रियाविषयत्व कैसे सम्पादन किया जा सकता है? परिणाम से, ऐसा हम कह सकते हैं। पूर्वसिद्ध होते हुए भी परमात्मा ने अविद्या-बल से अपने को विशेष विकाररूप से परिणत क्रिया (अ. 1, पा. 4, सूत्र 26)।

2. अ. 2, पाद 1, सूत्र 9

यहाँ शांकर मत की साँख्य-मत से तुलना उपयोगी होगी—साँख्य भी जगत् को अविद्यामूलक और कार्यरूप मानता है और वह भी सत्कार्यवादी है। किन्तु वह कार्य को शंकर से भिन्न सत्-परिणामरूप (लिंग-सृष्टि) तथा असत्-परिणामरूप (भाव-सृष्टि) दो प्रकार का मानता है। अब, साँख्य के अनुसार जबकि आत्मौपाधिक परिणाम सत्-परिणाम हैं, विषयोपाधिक परिणाम असत् है। किन्तु यदि परिणाम को सत् (वास्तव) मान लिया जाय तब कार्य का कारण में कभी लय नहीं हो सकता और इस प्रकार प्रकृति कभी अपनी मूलावस्था को प्राप्त नहीं हो सकती। किन्तु यदि वेदान्त के समान यह माना जाय कि परिणाम वास्तव नहीं होता, वह केवल अविद्यामूलक और इस प्रकार केवल प्रातीतिक होता है, तब कठिनाई यह होगी कि यदि इस अविद्या का अधिष्ठान ब्रह्म या जीव में है तब ब्रह्म में या जीव में वास्तविक विकार मानना पड़ेगा, और यदि ब्रह्म या जीव में नहीं है तो उसे प्रातीतिक कैसे कहा जा सकता है? इसे साँख्यीय दृष्टि के समान स्वतन्त्र यथार्थ मानना पड़ेगा। इसके अतिरिक्त, शंकर जीव और जगत् में यह अन्तर करते हैं कि जीव अपरिणत ब्रह्म है जबकि जगत् परिणत ब्रह्म है, वह परिणाम चाहे असत् ही क्यों न हो। इस अन्तर का कोई अर्थ और प्रयोजन तो होना ही चाहिए।

इस परिस्थिति को दो प्रकार से समझा जा सकता है—ब्रह्म के पक्ष से और जगत् के पक्ष से। ब्रह्म के पक्ष से, ब्रह्म एक और अखण्ड सत्ता है। इसकी तीन अविकृत अवस्थाएँ हैं और दो विकृत अवस्थाएँ हैं। अविकृत अवस्थाएँ ब्रह्म, ईश्वर और जीव-रूप हैं और विकृत अवस्थाएँ अखण्ड माया और जगद्-रूप। किन्तु ब्रह्म स्वरूपत: अविकारी है इसलिए माया और जगत् का अपना कोई सत्स्वरूप नहीं है, इसका सत्स्वरूप ब्रह्म ही है, माया और जगत्-रूप से ये दोनों असत् हैं। इसी से शंकर इन्हें अनिर्वचनीय कहते हैं : अनिर्वचनीय, अर्थात् सदसद् उभयोपेत। माया जगत् का मूल बीज है, यह जगत् के विभिन्न और विविध रूपों का मूल रूप है—स्फुट शब्दों का जैसे आकाश। माया में और अविद्या में यह मौलिक अन्तर है कि माया ईश्वर की उपाधि है और अविद्या जीव की। जागतिक उपाधि अध्यासमूलक है किन्तु मायोपाधि-अध्यासमूलक नहीं है। ईश्वर और ब्रह्म में इतना ही अन्तर है कि ईश्वर मायोपाधि-सापेक्ष है, अथवा कहें, मायोपाधि-सापेक्ष ब्रह्म ईश्वर है और उससे निरपेक्ष रूप में वह शुद्ध चित्स्वरूप ब्रह्म है। माया को यदि युष्मत् प्रत्यय कहें तो कहा जायेगा कि युष्मत् प्रत्यय की अपेक्षा से ब्रह्म ईश्वर है, इससे निरपेक्ष ब्रह्म है। किन्तु ईश्वर अध्यास-भ्रान्त नहीं होता, वह युष्मत् प्रत्यय का उस रूप में ही ग्रहण करता है, अथवा कहें, वह युष्मत् प्रत्यय को होने की अनुज्ञा देता है किन्तु अस्मत् से उसे अध्यस्त नहीं होने देता। "अविद्यारूप उपाधि के परिच्छेद से ईश्वर में ईश्वरत्व, सर्वज्ञत्व और सर्वशक्तिमत्व है" का यही अर्थ है। यद्यपि सर्वज्ञत्व आदि गुणों के लिए अन्य की अपेक्षा रहती है किन्तु सर्वज्ञता में यह ज्ञान भी निहित है कि यह अन्यत् है, इसी प्रकार सर्वशक्तिमत्व में साध्य कुछ नहीं रहता, यद्यपि सिद्धि का भाव रहता है।

यहाँ प्रश्न हो सकता है कि सर्वज्ञता अज्ञान का पूर्ण अभाव है और अज्ञान का पूर्ण अभाव होने पर द्वित्व या उपाधि नहीं रह सकती। इसका उत्तर होगा कि यह उपाधि स्वतन्त्र रूप से आरोपित उपाधि है, जैसे मानिये कोई आँख मूँदकर कल्पना-चित्रों को आँखों के सम्मुख यथार्थवत् देखे और उसका आनन्द ले। उनसे मन के निवृत्त हो जाने पर वे लुप्त हो जाते हैं, जैसे वे कभी थे ही नहीं, और सचमुच में वे थे भी नहीं। किन्तु बच्चा उन चित्रों से बातें करता है, उनके साथ हँसता, खेलता, रोता है। इस प्रकार, ईश्वर सोपाधिक है किन्तु यह सोपाधिकता जीव से भिन्न प्रकार की है। यह ब्रह्म की माया : कल्पना : है।

जगत् के पक्ष से माया, ईश्वर और ब्रह्म ऐसी ही कोटियाँ हैं जो जगत् की व्याख्या के प्रयत्न में उसकी अपूर्णता से लक्षित होती हैं। जगत् में विषयी-विषय, भोक्ता-भोग्य आदि का द्वैत दिखायी देता है। भोक्ता भोग्योन्मुख और विषयोन्मुख है। बल्कि ऐसा प्रतीत होता है जैसे भोक्ता और विषयी वास्तव में भोग्य और विषय के बिना अकल्पनीय हों। किन्तु यदि यह स्थिति है तब प्रत्येक अनुभव भोग्य और प्रत्येक विषय अनुभविता अथवा विषयी को अपनी अपेक्षा से परिभाषित करता है। वास्तव में मनुष्य से निम्नतर कोटि की चेतना का यही स्वरूप दिखायी देता है। किन्तु मनुष्य में प्राप्त चेतना के स्तर पर प्रत्येक विषय एक ओर अपने से व्यापकतर सन्दर्भ में अपने को समर्पित करता है और दूसरी ओर विषयी को अपनी अपेक्षा से परिभाषित करने के बजाय अपने को

विषयी से परिभाषित पाता है। यह स्थिति उस समय पूरी तरह उलट जाती है जब भोक्ता भोग्य से असन्तुष्ट या विरक्त अनुभव करता है और विषयी विषय को निरर्थक या निस्सार पाता है। मोक्षाकांक्षा इस अनुभव की पराकाष्ठा है जिसे साँख्य ने पुरुष के होने के प्रमाण रूप में प्रस्तुत किया है। इस प्रकार जगत् की दृष्टि से माया को परम जागतिक तत्त्व, अथवा कहें जागतिक परमता, कहा जा सकता है। जगत् को यदि प्रतिभास कहें तो इसे प्रातिभासिकता-सामान्य कह सकते हैं।

इसी प्रकार जीव के लिए भी। जीव चेतना का वैयक्ति अवगुण्ठन है, इसे वैयक्तिक अहंकार भी कह सकते हैं।[1] अन्तःकरण, इन्द्रियाँ आदि इसी आहंकारिक अवगुण्ठन से निरूपित होती हैं। इन्हें उपयुक्त रूप से चेतना की जगदुन्मुख वृत्ति की विधाएँ भी कहा जा सकता है। इन विधाओं के अनुसार ही जगत् या प्रतिभास अपने को निरूपित या रूपायित करता है : जैसे प्रिज़्म में किरणें। **वेदान्त परिभाषा** में प्रत्यक्ष को इस प्रकार परिभाषित किया गया है, "एक ही आत्मा या ब्रह्म-चैतन्य जीवरूप से अन्तःकरणावच्छिन्न चैतन्य (ज्ञाता) के रूप में, घटादि रूप से विषयावच्छिन्न चैतन्य (ज्ञेय) के रूप में और अन्तःकरण की घटादि वृत्तिरूप से वृत्यवच्छिन्न चैतन्य (ज्ञान) के रूप में विद्यमान है। घटादि पदार्थों के प्रत्यक्ष-ज्ञान के अवसर पर इन तीनों चैतन्यों में तादात्म्य या अभेद हो जाता है। यही उनका प्रत्यक्ष कहलाता है।"[2]

इस आहंकारिक अवच्छेद से जीव की मुक्ति के साथ विषय की भी इन्द्रियादि के अनुसारी अवगुण्ठनों से मुक्ति हो जाती है और ये अपने परम स्वरूप को समर्पित हो जाते हैं। इस प्रकार आहंकारिक अवगुण्ठन से मुक्त जीव ईश्वर है और तदनुरूप अवगुण्ठनों से मुक्त विषय माया है। किन्तु जगत् का मूल आहंकारिक अवगुण्ठन में ही है, वह जगत् चाहे हमारा सामान्य व्यवहार-जगत् हो और चाहे अखण्ड माया हो। किन्तु जीव में और ईश्वर में यह अन्तर है कि ईश्वर अहंकार और तदनुसारी माया को अपने संकल्प से धारण करता है, वह इन से बाधित नहीं होता, और इसी संकल्प के द्वारा वह ईश्वर है, इसी संकल्प के कारण माया अनादि शक्तिरूपा है जो भुवनों की सृष्टि करती है। किन्तु ईश्वर इस संकल्प से भी मर्यादित नहीं है यद्यपि वह इससे लक्षित होता है। इससे अलक्षित ईश्वर या चैतन्य ब्रह्म है जो स्वरूपविश्रान्त अद्वय सत्ता है। उसमें सर्वशक्तिमत्व और सर्वज्ञत्व आदि लक्षण भी नहीं हैं।

यहाँ द्रष्टव्य है कि ईश्वरत्व और सर्वशक्तिमत्व आदि माया की अपेक्षा से हैं, किन्तु उतनी ही माया भी इनकी अपेक्षा से है। इनकी परस्परापेक्षा इनकी सत्ता की अपरमार्थता की द्योतक भी है क्योंकि एक का होना दूसरे पर निर्भर करता है और इनमें से किसी की भी निवृत्ति स्वयं दूसरे को निवृत्त कर देती है। इसका अर्थ यह नहीं है कि ब्रह्म अपने को जब प्रवृत्त करता है तब ईश्वरत्व और मायात्व की उत्पत्ति होती है और जब इससे निवृत्त होता है तब इनका लय हो जाता है। वेदान्त के, साँख्य के समान ही, सत्कार्यवादी होने से किसी वस्तु की नव्योत्पत्ति नहीं हो सकती। इसलिए ईश्वरत्व-मायात्व की या तो उत्पत्ति ही नहीं होती, ये शाश्वत रूप से हैं, या ये हैं ही नहीं। किन्तु यदि ये शाश्वत रूप से हैं तब वेदान्त अद्वैतवादी नहीं हो सकता, और यदि ये हैं ही नहीं तब जगत् को कैसे

---

1. शंकर पूर्व पक्ष में यह प्रश्न उठाकर कि "परमात्मा से भिन्न यह शरीर नाम वाला कौन है?" उत्तर देते हैं कि—"जैसे अपरिच्छिन्न आकाश घट, कमण्डल आदि उपाधियों की अधीनता के वश परिच्छिन्न सा भासता है, उसी प्रकार देह, इन्द्रिय, मन, बुद्धि रूपी उपाधियों से परिच्छिन्न हुए परमात्मा को ही अज्ञानी लोग जीव, ऐसा उपचार करते हैं।" (अ. 1, पा. 2, सूत्र 6) यद्यपि शंकर ने 'जीव' को अन्तःकरणादि उपाधियों से परिच्छिन्न ब्रह्म ही कहा है किन्तु यदि इसे अन्तःकरणादि उपाधियों में ब्रह्म की छाया कहें तो अधिक उपयुक्त होगा। स्वामी निश्चलदास ने **'विचार-सागर'** में वेदान्त की व्याख्या करते हुए जीवात्मा के दो भेद किये हैं—'कूटस्थ' और 'जीव'—और इनको इस प्रकार परिभाषित किया है—"बुद्धि अथवा व्यष्टि-अज्ञान का जो अधिष्ठान चेतन है सो कूटस्थ कहिये है, जो पक्ष में व्यष्टि अज्ञान-सहित चेतन है ता जीव कहिये है, यह स्थान विषे यह सिद्धान्त है : जीवपने का जो विशेषण है ताके अधिष्ठान का नाम कूटस्थ कहिये है, सो कूटस्थ अजन्य है, उत्पत्ति से रहित है या का अभिप्राय यह—ब्रह्म से न्यारा जैसे चिदाभास उत्पन्न होवे हैं, तैसे यह उत्पन्न नहीं हुआ किन्तु ब्रह्म-रूपी ही है। नाना काम्य और कर्म-सहित जो बुद्धि है ता में जो चेतन का प्रतिबिम्ब है ताकूं जीव कहे है" (पृ. 127) इस भेद की युक्तता यह है कि इसमें चैतन्य की पूर्ण अकलुषितता की रक्षा की जा सकती है और उपाधि-संवलित चैतन्य को साँख्य के समान वृत्ति-रूप माना जा सकता है।
2. **वेदान्त परिभाषा,** प्रत्यक्ष परिच्छेद।

समझा जायगा? सो, शंकर के अनुसार ये अनादि और अनन्त हैं, इनकी कभी उत्पत्ति नहीं होती। किन्तु ये हैं, इसका भी कोई अर्थ नहीं है, ये इन्द्रजाल के समान हैं। शंकर के अनुसार, इनका आश्रय अविद्या है, अविद्या का और उसके नाश का, दोनों का कारण (निमित्त) ब्रह्म है। किन्तु अविद्या, अज्ञान के समान ही, नष्ट होने पर देखी जाती है कि वह कभी थी ही नहीं।[1]

यहाँ आपत्ति हो सकती है कि अविद्या और माया को अनादि-अनन्त कहने से यह नहीं कहा जा सकता कि इनका कभी—किसी काल में—नाश नहीं होता। इसका उत्तर होगा कि यहाँ अनादि-अनन्त का अर्थ कालातीत, अथवा कहें काल की कोटि से परे होना है। काल स्वयं जगत्-मूलक कोटि है इसलिए यह उसकी अतिक्रामी कोटियों से पूर्व नहीं हो सकता। इस प्रकार परमार्थत: तो अविद्या और माया कालातीत रूप से हैं और नहीं हैं। इस युगपत् 'हैं' और 'नहीं हैं' का ज्ञानमीमांसात्मक पदावली में अर्थ होगा—'ब्रह्म-दृष्टि से नहीं है' और 'जगत्-दृष्टि से हैं', और तात्त्विक पदावली में इसका अर्थ होगा ब्रह्म पूर्णता है जो जगत् का अपने में समावेश करती है। किन्तु इस समाविष्ट को स्वतन्त्र सत् के रूप में देखना भ्रममूलक है, यह ब्रह्म की, परम आत्म की, आत्म-पराङ्मुखता है। किन्तु ये दोनों पदावलियाँ अन्त में एक ही आत्यन्तिक पहेली के सामने हमें ला खड़ा कर देती हैं—यह जगद्दृष्टि, यह आत्म में अन्यद्भाव, कहाँ से आता है? इसका अधिष्ठान कहाँ है? इसका उत्तर यही दिया जा सकता है कि चैतन्य में दोनों उन्मुखताएँ देखी जाती हैं—बाह्योन्मुखता, जो इसे जगत् के रूप में आत्मबहिष्कृत रखती है, जैसे मानो सागर से वाष्प के द्वारा सागर का वर्षा में बिखराव, और आत्मोन्मुखता, जैसे इस जल का नदियों आदि के द्वारा सागर की ओर लौटना। किन्तु यह उपमा पूरी तरह सहायता नहीं करती, क्योंकि इस आत्म-पराङ्मुखभाव का कोई प्रसंग होना चाहिए—जैसाकि हमने पीछे देखा, इसकी उत्पत्ति के हेतु की बात वेदान्त में नहीं उठायी जा सकती क्योंकि यह काल को पूर्वकल्पित करेगी, किन्तु प्रसंग की बात उठायी जा सकती है, जैसाकि शंकर द्वारा अपने भाष्य के आमुख में असमत-युष्मत् प्रत्ययों की समस्या को उठाने से स्पष्ट है।

ऊपर हमने शंकर की ब्रह्ममीमांसा का संक्षिप्त विवरण देने का प्रयत्न किया। किन्तु शंकर की मुख्य चिन्ता वैयक्तिक अहंकार की भ्रममूलकता की व्याख्या करना है। इस अहंकार को वे अध्यास-रूप कहते हैं, अथवा कहें, यह (अहंकार) अध्यास का मूल है। अध्यास का अर्थ किसी वस्तु में अन्य वस्तु को देखना है। सब भ्रम अध्यास-रूप ही होते हैं। यह भी कह सकते हैं कि अध्यास भ्रम के स्वरूप की व्याख्या है। शंकर ने जिस भ्रम का प्रश्न उठाया है, अथवा कहें जिस भ्रम के प्रश्न को लेकर अपना भाष्य लिखा है, वह साधारण ज्ञानमीमांसीय प्रश्न नहीं है, वह वैश्व भ्रम का प्रश्न है। इस भ्रम का मूल उसके लिए वैयक्तिक अहंकार, अथवा कहें, वैयक्तिकतामूलक होता है। उनके अनुसार अहंकार वह उपाधि है जो अस्मत् के रूप में भासित होती है किन्तु जो वास्तव में युष्मत् है। यह अस्मत् से इतर या बाह्य है। वास्तव में कहना चाहिये, यह अस्मत् को युष्मत् में बहिष्कृत रखती है। यह युष्मत् केवल अस्मद्-बाह्य ही नहीं है, यह परिसीमक या विभाजक भी है। इस प्रकार, इससे आत्मा प्रवासी ही नहीं बनती, बंदी भी बनती है।

किन्तु शंकर इस युष्मत् को साँख्य के समान एक पृथक् सत् के रूप में नहीं देखते, उनके अनुसार यह आत्म का अपना अन्तर्गत भाव ही है जो उसे अपने से बहिष्कृत रखता है। आत्म का यह आत्मप्रवास उन सब अवसरों पर अपने को प्रकट करता है जिनमें हम अपना निराकरण करते हैं, यह निराकरण नैतिक बोध के द्वारा हो या ज्ञानात्मक बोध के द्वारा। प्रत्येक आत्म-निराकरण में उस युष्मद्-भाव का निराकरण होता है जो अस्मत् रूप से मेरे से अभिन्न बना हुआ था। "मैंने वह किया जो मुझे नहीं करना चाहिये था" में आत्म अपने सम्मुख निन्दित रूप में प्रस्तुत है और इसी से वह आत्म से अभिन्न नहीं है। किन्तु इस निराकृत आत्म की विचित्र स्थिति है, यह निराकृत है और अतएव यह सत् नहीं है, किन्तु तब भी यह है और अपने इस अस्तित्व के द्वारा ही मेरे पश्चात्ताप का स्रोत है। यदि यह नहीं होता तो मैंने वह कार्य नहीं किया होता। इसकी विचित्रता इसका असद्भाव प्रकट होने पर

---

1. पूर्वपक्ष—श्रुति कहती है कि मैं ब्रह्म ही हूँ, उससे भिन्न नहीं हूँ, तो फिर अज्ञान किसका? सिद्धान्ती : आपको ज्ञान हो गया हो कि मैं ब्रह्म हूँ, परमात्मा से भिन्न नहीं हूँ, तो अज्ञान किसी का नहीं है। (अ. 4, पा. 1, सूत्र 4)

भी इसके बने रहने में है। यही बात ज्ञान के सन्दर्भ में भी होती है। किसी धारणा की भ्रामकता प्रकट होने पर मुझे आश्चर्य होता है कि मैं इस प्रकार सोचता या देखता था—वास्तव में कहें : कि मैं इस प्रकार सोच या देख सकता था। यह आश्चर्य मेरे असत् आत्म को मेरे सम्मुख प्रस्तुत कर देता है। इसका यह निराकरण इसकी अनात्मता को सिद्ध कर देता है और इसका आत्म-रूप में निषेध इसकी आत्म से भिन्न असत्ता को।

किन्तु निराकृत आत्म की आत्म से भिन्न असत्ता इसकी आत्म से अभिन्न सत्ता की पर्याय भी नहीं है, जैसाकि उपर्युक्त से स्पष्ट है। यह आत्म निराकृत होने से असत् तो है किन्तु प्रस्तुत होने से विषय है, किन्तु तब भी यह प्रातिभासिक विषय से भिन्न है। यह वह आत्म है जो आत्म-रूप से निराकृत और अवमानित हुआ है, और जो इस कारण पश्चात्ताप का विषय है क्योंकि यह अब भी मुझ से (आत्म से) पूर्णत: विलग नहीं है।

ज्ञानात्मक निराकरण में आत्म-निराकरण का वह रूप नहीं होता जो नैतिक निराकरण में होता है, क्योंकि नैतिक निराकरण में 'मैं यह था'—रूप बोध नहीं होता, वहाँ "मेरा ऐसा होना उचित नहीं था" ऐसा बोध रहता है। किन्तु यह भेद केवल ऊपरी है, वास्तव नहीं, क्योंकि ज्ञानात्मक निर्णयों की पदावली वस्तुपरक होती है अन्यथा। वस्तुत: तो ज्ञानात्मक बोध में उतना ही आत्म-निराकरण रहता है जितना नैतिक बोध में रहता है। वास्तव में ज्ञानात्मक बोध में आत्म की अनात्म से अवच्छिन्नता अधिक स्पष्टता के साथ प्रकट होती है। किन्तु तब भी एक अन्तर है—अवच्छेदक अनात्म अभी तक आत्म से अभिन्न प्रकट था और अब निराकृत होने पर यह अवच्छेदक के रूप में या अनात्म के रूप में ही प्रकट होता है, निराकृत आत्म के रूप में नहीं, जबकि नैतिक निराकरण में निराकृत-आत्म प्रस्तुत होता है। रज्जु में सर्प के अध्यास का निराकरण वहाँ रज्जु को प्रकट करता है, निराकृत सर्प को उसके साथ नहीं रहने देता। यह कहा जा सकता है कि आश्चर्य रज्जु में सर्प का निराकरण होने से होता है न कि रज्जु के प्रकट होने से और सर्प के निरस्त होने से। इस तरह "रज्जु में सर्प का निरास" की स्थिति कों इस प्रकार प्रकट किया जा सकता है—"यह सर्प नहीं था, अनात्म था, किन्तु तब भी आत्म रूप में प्रकट था।" इस प्रकार ज्ञानात्मक और नैतिक परिस्थितियों में वैसा मौलिक अन्तर नहीं है, एक में कर्त्तृ आत्म निरासक होता है और दूसरे में ज्ञातृ आत्म।

इस प्रकार के ज्ञान का प्रसंग अपनी चरम उत्कटता के साथ मृत्यु-विचार के प्रसंग में प्रकट होता है, यद्यपि जगत् के केवल सम्भावनात्मक रूप से अस्तित्व का बोध भी इस ज्ञान की ओर संकेत करता है। मृत्यु मेरे जागतिक अस्तित्व की नितान्त आगुन्तकता प्रकट करती है, यह एक ही झटके में मुझे और जगत् को तिरोहित कर देती है। इससे अधिक महदाश्चर्य और संत्रास और क्या हो सकता है? किन्तु तब भी यह निरस्त आत्म मेरे इस आश्चर्य और संत्रास के उद्दीपक के रूप में रहता है। यह आत्म के रूप में निराकृत है अत: अनात्म है, किन्तु आत्म से पृथक् उसका कोई अर्थ भी नहीं है। "जो मेरी अमृतत्व-प्राप्ति में कारक नहीं है उसका मुझे क्या करना?" यह प्रश्न उस सब को निरस्त कर देता है जो अनिवार्य नहीं है।

यह अनात्म-निराकरण ही शंकर के अध्यास-विचार का प्रेरक है, और वास्तव में पूरा शांकर दर्शन इस अध्यास के स्वरूप का ही विवेचन है। शंकर के शब्दों में, "अत्यन्त भिन्न धर्म और धर्मी का परस्पर भेद-ज्ञान नहीं होने के कारण एक का दूसरे में परस्पर स्वरूप तथा एक-दूसरे के धर्मों का अध्यास कर सत्य और अनृत का मिथुनीकरण कर 'यह मैं' और 'यह मेरा' इस प्रकार मिथ्या-ज्ञान निमित्तिक स्वाभाविक यह लोक-व्यवहार होता है।...अहं प्रत्यय वाले अन्त:करण का और अन्त:करण की सम्पूर्ण वृत्तियों के साक्षीभूत प्रत्यगात्मा का अन्त:करण आदि में अध्यास होता है तो इस प्रकार अनादि, अनन्त, नैसर्गिक मिथ्या ज्ञान रूप और कर्तृत्व, भोक्तृत्व आदि का प्रवर्तक अध्यास सर्वजन प्रत्यक्ष है।"[1]

यद्यपि शंकर अनात्म की समस्या का समाधान यह कह कर करते हैं कि वस्तुत: वह है ही नहीं और इस प्रकार अन्तत: अध्यास भी नहीं है, क्योंकि वस्तुत: अन्त:करण की वृत्तियाँ और इन्द्रियाँ आदि कुछ नहीं हैं, शंकर

1. अ. 1, पा. 1, सूत्र 1

के शब्दों में, केवल नाम-रूप हैं। किन्तु तब यह प्रश्न रह जाता है, जो पीछे हमने साँख्य के द्वैतवाद के सन्दर्भ में उठाया है, कि नाम-रूप का उपादान क्या है? शंकर घटादि का उपादान मृत्तिका को बता कर घटत्व को नाम-रूप-जनित और इस प्रकार असत् घोषित कर देते हैं, किन्तु वास्तव में घटादि का उपादान मिट्टी को नहीं कह कर अन्तःकरण की घटादि वृत्ति को कहना चाहिये। ऐसा नहीं है कि शंकर यह स्वीकार नहीं करते हों, माया को सब अवच्छेदों-संस्कारों का बीज कहने का यही अर्थ है। वास्तव में माया के सम्बन्ध में साँख्य की प्रकृति के अनुरूप कहा जा सकता है कि यह बुद्धि, अन्तःकरण, इन्द्रियों आदि सब अवच्छेदों की अधिष्ठानभूत है, किन्तु स्वयं इन अवच्छेदों से अतिक्रामी है। किन्तु माया इस अर्थ में प्रकृति से भिन्न है कि यह चित् का अपना ही आक्षेप है और इस प्रकार स्वतन्त्र सत् नहीं है। किन्तु कठिनाई यह है कि आक्षिप्त या अवच्छेदक आदि को, अथवा इनके अतिक्रामी अधिष्ठान को, यदि स्वतन्त्र सत् नहीं माना जाय तो इसे चित् के भीतर स्थान देना होगा जो शंकर को स्वीकार्य नहीं होगा। कठिनाई अद्वैतवाद को स्वीकार करने में नहीं है, क्योंकि चित् का स्वभाव अन्तःकरणादिपरक स्वीकार किया जा सकता है, कठिनाई शंकर के प्रकार के अद्वैतवाद को स्वीकार करने में है। बहुत-से वैदान्तिक मत, जिनमें एक श्री अरविन्द का है,[1] माया को ब्रह्म की शक्ति के रूप में सत् मान कर उसे ब्रह्म का बाह्योन्मुख प्रवर्तन मानते हैं, जिसका अर्थ होगा कि विषय-प्रवृत्ति और विषय-निवृत्ति दोनों चैतन्य के स्वभाव हैं। ब्रह्म को सृष्टि का उपादान और निमित्त दोनों प्रकार का कारण कहने से भी यह अपादित होता है। किन्तु निमित्त कारण को स्वीकार करने पर कार्य को असत् स्वीकार नहीं किया जा सकता। कुम्हार के नहीं होने पर घट को केवल विवर्त कहा जा सकता था, घट-विनाश को मिट्टी का रूपान्तरण मात्र। किन्तु कुम्हार के रहते मिट्टी घट के लिए केवल एक आगन्तुक साधन है, कुम्हार किसी अन्य उपादान को इसको चरितार्थ करने के लिए साधन बना सकता है, अथवा इसके क्रियान्वयन को स्थगित रख सकता है। और इस परिस्थिति में घट का मिट्टी में मिलना घट-विनाश नहीं है, क्योंकि घट का अधिष्ठान निमित्त में था और मिट्टी केवल अनुषंगी थी।

इस प्रकार विषय-प्रवृत्ति कौ चैतन्य का स्वभाव माने बिना अद्वैत के अन्तर्गत जगत् की व्याख्या कठिन प्रतीत होती है और उसे चैतन्य का स्वभाव मान लेने पर विषय-निवृत्ति एक स्वीकृत मूल्य तो हो सकती है किन्तु चैतन्य का स्वरूप नहीं। अथवा, चैतन्य का स्वरूप उभयविध स्वीकार किया जा सकता है और इस प्रकार जिस भी रूप में वह हो, वही उसका सहज स्वरूप माना जा सकता है।

किन्तु शंकर को यह मान्य नहीं है, और ठीक ही, क्योंकि यदि विषय-प्रवृत्ति उसमें सहज हो, जैसाकि फिनोमिनोलोजीवादी मानते हैं, तो विषय-निवृत्ति के मूल्य होने पर भी चैतन्य विषय-जगत् में अपने को प्रवासित अनुभव नहीं करेगा और जगत् दुःखरूप होगा। हुस्सर्ल की इपोख़े की अवधारणा को इस प्रसंग में देखा जाय तो उसका अर्थ होगा चैतन्य का विशिष्ट विषयों से सामान्य विषयों में प्रवर्तन, वेदान्त या साँख्य की पदावली में, इन्द्रिय-विषयों से अन्तःकरण और बुद्धि-विषयों में प्रवर्तन, और कुछ नहीं। 'स्थगन' के अर्थ में यद्यपि विषय-वृत्ति का निरोध अन्तर्निहित है किन्तु यह निरोध केवल स्थूल विषय-वृत्ति ही है। यदि इस प्रयत्न को निर्विषयता की अवस्था की प्राप्ति के लिए प्रयत्न मानें तब यह मानना अनिवार्य प्रतीत होता है कि चैतन्य का स्वभाव निर्विषयता ही है और विषय-वृत्तिकता उसकी प्रवास की स्थिति है, जिसका निवारण यद्यपि प्रयत्न-साध्य है किन्तु स्वरूपगत और इस प्रकार अनिवार्य है। और यदि ऐसा नहीं मानें तो यह प्रयत्न केवल विषय की दूसरे स्तर पर प्राप्ति का प्रयत्न ही है, विषय-निवृत्ति का नहीं है।

किन्तु 'जगत्, या कहें चैतन्य का जगद्भाव, चैतन्य की सहज अवस्था नहीं है' यह शंकर के लिए एक निस्सन्दिग्ध प्रस्थान-बिन्दु है। वे इसको सिद्ध करने का प्रयत्न नहीं करते। शंकर का ऐसा मानना तर्कोचित है, यह मनुष्य में जगत् के मूल्य में सन्देह उत्पन्न होने से लक्षित होता है।

---

1. श्री अरविन्द्र—**'दिव्य जीवन'**, अध्याय 10 : 'चित्-शक्ति'। स्वामी केशवानन्द कृत अनुवाद। श्री अरविन्द सोसायटी, पाण्डिचेरि।

किन्तु यह प्रश्न कि प्रवास का भाव किसी प्रकार के अन्यद्भाव के बिना नहीं हो सकता और इस प्रकार अन्यत् का होना आवश्यक है, पुन: आ खड़ा होता है। इसके लिए शंकर को साँख्य का यह समाधान तो स्वीकार है ही नहीं कि अन्यत् एक स्वतन्त्र सत् है, उसे यह भी स्वीकार्य नहीं है कि यह अन्यत् आत्म की ही अन्यद्-भावावस्था है। शंकर के आशय को समझने के लिए हम यहाँ अपने एक पिछले उदाहरण को दूसरे प्रकार से समझने का प्रयत्न करेंगे—"पीछे हमने साँख्य-विवेचन में अपने सदोष चित्र के दोष के अधिष्ठान पर विचार किया था और पाया था कि शांकर दृष्टि से दोष के निवारित हो जाने पर हम पाते हैं कि दोष कहीं था ही नहीं, यद्यपि उससे पूर्व वह चित्र में प्रकट था। किन्तु इस उदाहरण को चित्रकार के पक्ष से भी समझा जा सकता है जो वास्तव में चित्र और उसके दोष दोनों का अधिष्ठान है। चित्र चित्रकार के एक अवधारण की अभिव्यक्ति है। अवधारण अपने में पूर्ण और स्वायत्त है किन्तु तब भी वह अपने को एक अन्य माध्यम से फलित करता है, जैसे ऊर्णनाभ अपने को जाले के माध्यम से। यह अन्य माध्यम अवधारणा से अभिन्न है किन्तु तब भी भिन्न है और अवधारणा का आत्म-प्रवास है। इसमें प्रवासित अवधारणा, जो आत्मपूर्ण और सहज-फलित है, अपूर्णता और फलन की प्रक्रिया में प्रविष्ट होकर व्याकुल होती है और अपने स्वरूप की ओर लौटने के लिए छटपटाती है। यह अपूर्णता और प्रक्रिया वास्तव में कहीं भी नहीं है क्योंकि अवधारणा, जोकि अभिव्यक्त हो रही है, स्वत:पूर्ण है। किन्तु तब भी अभिव्यक्ति के क्रम में एक अपूर्ण की सृष्टि होती है और यह अपने सत् होने का छद्म करती है। इसका छद्मभाव इसी से सिद्ध है कि यदि पूर्णता मौलिक नहीं होती तो अपूर्णता का अनुभव सम्भव ही नहीं था। इस प्रकार उपाधियों की सृष्टि है, यह निस्सन्दिग्ध है, और यह भी निस्सन्दिग्ध है कि यह आत्मा को उपहित करती हैं, किन्तु आत्यन्तिक दृष्टि से ये उपाधियाँ और अवच्छिन्नताएँ केवल छद्मावरण हैं। इस प्रकार मोक्ष आत्मा द्वारा किसी स्थिति से अन्य स्थिति की प्राप्ति नहीं है, यह उसकी सहज और सर्वदा सिद्ध स्थिति है। इस प्रकार मोक्ष सिद्ध नहीं करना पड़ता क्योंकि यह आत्मा का स्वरूप ही है। तो क्या उपाधियों का निवारण सिद्ध करना पड़ता है? इसका उत्तर यदि 'हाँ' में दिया जाय तो यह साँख्य का-सा मत हो जायगा क्योंकि आत्मा या ब्रह्म स्वरूपविश्रान्त सत्ता है और वह सर्वथा स्वरूप-सिद्ध है। ऐसी अवस्था में सिद्धि केवल माया को अपने निवारण की करनी होती है, अथवा कहें माया को व्यष्टिमूलक अहंकार या अविद्या के स्वरूप को जानकर अपनी असत्ता को सिद्ध करना होता है। किन्तु स्पष्टत: यह शंकर को सम्मत नहीं हो सकता, क्योंकि माया स्वयं ब्रह्माश्रित है। यह प्रधान के समान स्वतन्त्र सत् नहीं है और ब्रह्म स्वरूप-विश्रान्त चित् सत्ता है।"

यहाँ शंकर से एक संकेत और लेना उपयुक्त होगा। अध्यास का निरूपण करते हुए वे अपने मत के विरूद्ध एक आपत्ति उठाते हैं—"अविषय प्रत्यगात्मा में विषय और उसके धर्मों का अध्यास कैसे होगा? जबकि सब लोग पुरोवर्ती (इन्द्रिय-संयुक्त) विषय में अन्य (इन्द्रियासंयुक्त) विषय का अध्यास करते हैं और 'आप' ऐसी प्रतीति से रहित प्रत्यागात्मा को अविषय कहते हैं।" इसका समाधान करते हुए शंकर कहते हैं—"यह आत्मा अत्यन्त अविषय नहीं है, क्योंकि यह अस्मत् प्रत्यय का विषय है, अपरोक्ष है और प्रत्यगात्म रूप से प्रसिद्ध है।"[1] सारे शांकर भाष्य में यह सम्भवत: एकमात्र प्रकरण है जहाँ ब्रह्म को स्पष्ट रूप से साँख्यीय पुरुष के समान निष्क्रिय चैतन्य के विपरीत आत्मनिरूपण में सक्रिय, प्रकाश-स्वरूप के अतिरिक्त स्वप्रकाशक चैतन्य के रूप में प्रतिपादित किया गया है। इसकी पुष्टि इस बात से और होती है कि वे अध्यास के लिए स्वविषयता को आवश्यक नहीं मानते हैं और इससे अगले ही वाक्य में वे 'आकाश में तलमलिनता' के अध्यास का उदाहरण देकर इस बात को स्पष्टत: कह देते हैं। इस प्रकार यहाँ आत्म-प्रत्ययगोचरता की बात इसलिए नहीं कही गयी है कि यह अध्यास की सम्भावना के लिए आवश्यक है, बल्कि इससे निरपेक्ष रूप में कही गयी है। किन्तु इस 'आत्मप्रत्ययगोचरता' का अर्थ फिनोमिनलोजी दर्शनिकों के अनुरूप 'विषयोन्मुखता' लेना उपयुक्त नहीं होगा और न डेकार्ट के समान इसे 'अपने को घटित करने के माध्यम से अवगमन करना' कहना उपयुक्त होगा। दूसरे शब्दों में, यह न

1. कारण से कार्य तीन कालों में अभिन्न रहता है। कार्य और उसके धर्म अज्ञान के कारण ही सत्य लगते हैं इसलिए कार्य के धर्म कारण को वास्तव में स्पर्श नहीं करते (अ. 2, पा. 1, सूत्र 9)

आत्मोन्मुख निवर्तन है और आत्मयौगपद्य, यह आत्मप्रत्यग्भाव है जो स्वरूपसिद्ध है। इस शाश्वत और अखण्ड प्रत्यग्भाव को प्रतिषेधक अर्थ में लेना भी ठीक नहीं होगा, जैसा फिनोमिनलोजिकीय स्थगन (इपोख़े) की अवधारणा में तथा डेकार्टीय तात्त्विक सन्देह की अवधारणा में कल्पित है। यह प्रत्यग्भाव जगत्समावेशी भी हो सकता है और इस प्रकार माया की ब्रह्म की शक्ति के रूप में, अथवा उससे भी अधिक, इन्द्रजाल के रूप में कल्पना सार्थक हो जाती है। किन्तु यह प्रत्यग्भाव शुद्ध उपरामता की स्थिति भी हो सकती है जोकि अखण्ड ब्रह्म-भाव है। ब्रह्म की दृष्टि से जगत्प्रत्यय के भाव और अभाव को समझने के लिए मौन को उदाहरण रूप में देखा जा सकता है—मौन को आप वचन का अवरोध भी कह सकते हैं और वचनोत्तर भाव की स्थिति भी। इन दो प्रकारों को दो अवस्थाओं के रूप में नहीं देख कर दो दृष्टि-भेदों के रूप में देखना चाहिए। और वास्तव में जब शंकर ब्रह्म को ही अविद्या के प्रवर्तन और निवर्तन का कारण मानते हैं और उपाधियों को ब्रह्म का परिणाम, तब उपाधियों (जगद्भाव) की वस्तुता और अवस्तुता केवल दृष्टिभेद मात्र ही रह जाती है।

किन्तु दृष्टि-भेद से ही सही, उपाधियों की वास्तविकता वेदान्त के लिए बहुत बड़ी समस्या है। किन्तु शंकर की ओर से इसका उत्तर होगा कि यह केवल एक कोटिभ्रम मूलक तर्क के कारण है। मानसिक और भौतिक अनुभव के तर्क को अतिक्रामी, अथवा कहें पारमार्थिक, अनुभव के स्तर पर लागू करना अनुचित है। प्रवास की खिन्नता का अनुभव मानसिक स्तर पर अतिमानसिक अनुभव का संकेत देता है। उस संकेत को पुन: मानसिक स्तर पर समझने का प्रयत्न केवल इसे पहेली ही बना सकता है। स्वयं शंकर इन दो कोटियों में कहीं व्यामिश्र नहीं करते। वे औपाधिक स्तर पर उपाधियों की उत्पत्ति और विनाश को केवल उनके प्रकट होने और अप्रकट रहने के रूप में ही देखते हैं। इस प्रकार, सुषुप्ति की अवस्था में और मृत्यु के समय शरीरादि उपाधियाँ अप्रकट रूप में (बीज रूप में) रहती हैं, नष्ट नहीं होतीं। इसी प्रकार महाप्रलय की अवस्था में भी उपाधियाँ बीज रूप में रहती हैं। किन्तु शंकर इनका पूर्ण विनाश भी देखते हैं और पूर्ण पारमार्थिक दृष्टि से इनकी असत्ता भी देखते हैं। इसे हम इस प्रकार भी कह सकते हैं कि औपाधिक ब्रह्म उन नियमों के अनुसार ही व्यवहार करता है जो इस सन्दर्भ के हैं और निरुपाधिक ब्रह्म इन नियमों से पूर्णत: अतिक्रामी है। और अनौपाधिक सन्दर्भ में औपाधिक सन्दर्भ की असत्ता प्रख्यात रहती है—इस रूप में नहीं कि उपाधियाँ निषिद्ध रहती हैं, बल्कि इस रूप में कि उपाधियाँ रहती ही नहीं। यहाँ शंकर और साँख्य में एकरूपता देखी जा सकती है और वह यह कि प्रवास के अनुभव अथवा मोक्षाकांक्षा आदि का अधिष्ठान साँख्य के समान ही शंकर भी उपाधिमूलक (प्रकृतिमूलक) ही मानेंगे, चैतन्यमूलक नहीं। और इस प्रकार उनके अनुसार भी यह अनुभव औपाधिक के आत्म-उत्क्रमण—आत्मसमर्पण—की सिद्धि के साथ ही तिरोहित हो जाता है। इसी से ब्रह्म केवल आनन्द-स्वरूप है।

हमने एक स्थान पर जगत् की व्यष्टिमूलक अहंकार में स्थिति का निरूपण इस प्रकार किया है—"अहंकार वैयक्तिक अवच्छिन्नता का, और विषय-विश्व का भी, मूल है—दृश्य विषयों का ग्रहण मैं किसी देश-बिन्दु पर स्थित होकर करता हूँ और अपना ग्रहण इतर से भेद के द्वारा। ये अवगुण्ठन व्यक्ति के रूप में मेरे आविर्भाव और अस्तित्व के भी मूल हैं। इनका निवारण व्यक्ति के रूप में मेरे अस्तित्व के निवारण द्वारा ही सम्भव है।...

"किन्तु हमारे अस्तित्व के धर्मों से हमारी कोई मुक्ति नहीं है : मैं गोचर वस्तुओं के ग्रहण के लिए अपनी इन्द्रियों से बँधा हूँ। इसके बिना न गोचर विषयों का अस्तित्व सम्भव है न वैचारिक विषयों का—ये सब विषय इन अवगुण्ठनों पर आश्रित प्रतिभास मात्र हैं। सब दृष्टि-बिन्दुओं और सब किरण-दैर्ध्यों से देखी जा रही पुस्तक का कोई आकार और वर्ण नहीं हो सकता। किन्तु हमारे अस्तित्व का यह अनिवार्य अवगुण्ठन आत्म के प्रवास-जन्य दु:ख को जन्म देता है।"[1] शंकर इस अहंकार का पूर्ण उच्छेद सम्भव मानते हैं और हमने ऊपर इसका औचित्य समझने का प्रयत्न किया है।

---

1. कथं पुन: प्रत्यगात्मन्यविषयेऽध्यासो विषयतद्धर्माणाम्? सर्वो हि पुराऽवस्थिते विषये विषयान्तरमध्यस्यति, युषमत्प्रत्ययापेतस्य च प्रत्यगात्मनो विषयत्वं ब्रवीषि 1. उच्यते—न तावदयमेकान्तेनाविषय: अस्मत्प्रत्ययविषयत्वात्, अपरोक्षत्वाच्च प्रत्यगात्म प्रसिद्धे: (अ. 1, पा. 1, सूत्र 1)

मनुष्य की प्राप्त स्थिति दो ओर उन्मुख सत्त्व की स्थिति है। एक ओर यह जगदुन्मुख या इन्द्रियाश्रित सत्त्व है और दूसरी ओर इस भाव से असन्तुष्ट हो कर अतिक्रामी भाव की खोज करने वाला। कलाएँ, शास्त्र और धर्म आदि उसकी अतिक्रामी प्रवृत्ति के ही द्योतक हैं, यद्यपि ये उसके केवल संकेतमात्र हैं। किन्तु उसमें जगत् के सत्य में सन्देह या जगत् के मूल्य में सन्देह की विद्यमानता स्पष्ट रूप से इस बात की द्योतक है कि वह जगत् में केवल एक दिग्भ्रान्त, सार्थ-भ्रष्ट सत्त्व है। यदि जगत् उसका प्रवास नहीं हो कर निवास होता तब ये सन्देह उत्पन्न ही नहीं हो सकते थे। ये सन्देह मनुष्य के स्वरूप की अतिक्रामिता के असन्दिग्ध द्योतक हैं। किन्तु यदि मनुष्य अतिक्रामी स्वरूप का है तब विषय-ज्ञान वास्तव में उसके लिए ज्ञान की नहीं ज्ञान-भ्रष्टता की स्थिति ही होगी। इसीसे साँख्य और शंकर विषय-विमुखता की स्थिति को प्रत्यङ्मुखता की स्थिति और विषयोन्मुखता को पराङ्मुखता की स्थिति कहते हैं। शंकर के अनुसार तो केवलमात्र आत्मा ही एक वस्तु है और वही ज्ञातव्य है।

यहाँ आपत्ति की जा सकती है कि सन्देह तो किसी भी स्थिति में किया जा सकता है, ब्रह्म में सन्देह सबसे अधिक किया जाता है। किन्तु यह आपत्ति इस भ्रम पर आधारित है कि ब्रह्म कोई विषय या वस्तु है। विषय या वस्तु का निषेध निश्चय ही सम्भव है, वह विषय तत्त्वमीमांसीय ही चाहे क्यों न हो (जैसे जगत् तत्त्वमीमांसीय विषय है)। किन्तु ब्रह्म विषय नहीं है, यह आत्म की ही परा सत्ता है, यह आत्म का पूर्णत: निरावृत स्वरूप है। इस दृष्टि से यह डेकार्टीय आत्म से भी अधिक असन्दिग्ध है, क्योंकि डेकार्टीय आत्म घटनात्मक होने से आगन्तुक है, उसकी सत्ता अनिवार्य नहीं है, केवल उसका ज्ञान अनिवार्य है। किन्तु यहाँ भी एक गम्भीर अन्तर है—डेकार्ट का 'आत्मयौगपद्य' कहाँ तक (शांकर) आत्मा की 'स्वप्रकाशता' के अनुरूप है, यह कहना कठिन है, क्योंकि यदि इस पक्ष को छोड़ भी दें कि यह सन्देह के द्वारा निवर्तन के चरम बिन्दु के रूप में प्राप्त होता है, तो भी उसके बौद्धिक होने से वह अपने में आन्तरत: बँटा हुआ है। इस प्रकार शंकर के आत्म की आत्मप्रत्ययगोचरता आत्मयौगपद्य रूप की नहीं है, क्योंकि शंकर की आत्मा के लिए अपना ज्ञानात्मक ग्रहण बौद्धिक स्वरूप का नहीं है, और न यह ग्रहण उसकी सत्ता के लिए पूर्वापेक्षित ही है। वह सत् पहले है। और उसकी ज्ञानस्वरूपता भी, जो कि उसका अनिवार्य धर्म है और सत्स्वरूपता से अभिन्न है, उसकी प्रत्ययगोचरता को पूर्वकल्पित नहीं करती। वास्तव में इसके उलट, शांकर आत्मप्रत्ययगोचरता आत्मा की अनिवार्य सत्स्वरूपता और अनिवार्य ज्ञानस्वरूपता को पूर्वकल्पित करती है और इनकी मात्र अनुषंगी है। यह इससे भी स्पष्ट है कि पूरे शांकर भाष्य में आत्मप्रत्ययगोचरता की और कहीं चर्चा नहीं है और न इस एकमात्र चर्चा की कहीं कोई व्याख्या ही है।

किन्तु आत्मा को 'प्रत्यगात्मा' स्थान-स्थान पर कहा गया है। उपर्युक्त उद्धरण में, जहाँ आत्मा की प्रत्ययगोचरता का उल्लेख है, वहाँ साथ ही इसे प्रत्यगात्मा भी कहा गया है। इसकी दो व्याख्याएँ हो सकती हैं—एक तो यह कि आत्मप्रत्ययगोचरता को ही प्रत्यक्ता कहा गया है और इस प्रकार इसके द्वारा प्रथम की व्याख्या और पुष्टि की गई है, दूसरी व्याख्या यह हो सकती है कि ये दो पृथक् पद हैं और प्रथम में जबकि उसके मात्र एक बाह्य धर्म का उल्लेख है, दूसरा उसके मूल धर्म का वाचक है। किन्तु दूसरी व्याख्या ठीक नहीं है। शंकर आत्म की एकान्त अविषयता का निषेध करते हुए उसके स्वरूप-धर्म को तीन पदों द्वारा कहते हैं जिन्हें एक-दूसरे के अर्थ का पूरक और विवेचक मानना चाहिये। वे कहते हैं—"न तावदयमेकान्तेनाविषय:, आत्मप्रत्ययविषयत्वात् अपरोक्षत्वाच्च प्रत्यगात्म प्रसिद्धे:।" आत्मा का यह आत्मप्रत्यय-विषयत्व अपरोक्ष अथवा प्रत्यक् प्रकार का है—युष्मत्-प्रत्यय-विषयत्व से भिन्न। तब क्या युष्मत्-प्रत्यय परोक्ष है? शंकर के अनुसार इसका उत्तर होगा कि हाँ, यह परोक्ष है और इस कारण यह प्रत्यक् विषय से मूलत: भिन्न प्रकार का है। यह विषय परत:प्रमाण-साध्य और इस प्रकार अनुमेय होता है। सब युष्मत् प्रत्यय इसी प्रकार के हैं। ये प्रत्यय व्यावहारिक हैं और व्यवहार ही इनका प्रमाण है। जब तक व्यवहार चलता है केवल तभी तक ये प्रमाण होते हैं, व्यवहार का बाध होने पर ये भी बाधित हो जाते हैं। इस प्रकार ये स्वरूपत: परोक्ष हैं। किन्तु आत्मप्रत्यय-विषय परोक्ष नहीं है, इसकी गोचरता ही इसकी प्रामाणिकता भी है, बल्कि कहना चाहिये, इसकी प्रामाणिकता स्वरूपसिद्ध है, जिसका अर्थ है कि इसमें सत्ता और प्रज्ञप्ति दोनों की एकभावता प्राप्त होती है। एक स्थल पर शंकर स्वप्न-विषयों के मिथ्यात्व-निरूपण के

प्रसंग में इन विषयों की अवगति—ज्ञप्ति—को स्वरूपत: सत्य कहते हैं : "यद्यपि स्वप्न-दर्शनावस्थस्य स्वप्नदर्शनोदकस्नानादि कार्यमृतं, तथापि तदवगति: सत्यमेव फलम्।"[1] और यह अवगति शंकर के अनुसार, आत्ममूलक है।[2]

यहाँ एक बात और देखने की है कि साँख्य के पुरुष की प्रत्यक्ता परोन्मुखता के निषेध पर प्रतिष्ठित है। वास्तव में साँख्य के पुरुष को प्रत्यगात्म केवल इसी अर्थ में कहा जा सकता है कि इसके प्रसंग में प्रकृति (विषय) का निषेध घटित होता है, अन्यथा पुरुष प्रकाशमात्र है, प्रत्यक् नहीं है। इस प्रकार साँख्य के पुरुष की प्रत्यगात्मा विषय-निषेध-पूर्वक है (यद्यपि इस निषेध को साँख्य प्रकृति में ही अधिष्ठित मानता है)। हमने एक लेख में वेदान्त को भी इसी दृष्टिकोण से देखने का प्रयत्न किया है। शंकर के अनुसार, अविद्या के अनादि होने से चेतना में विषय-प्रवृत्ति सहज है किन्तु इसके सान्त होने से उसमें विषय-निवृत्ति साध्य है। इस प्रकार शंकर इस दृष्टि से साँख्य से भिन्न नहीं हैं।[3] किन्तु यह ठीक नहीं है (और वास्तव में इस लेख में हमारा उद्देश्य शंकर के अपने अभिप्राय का उद्घाटन करना है भी नहीं)। शंकर अविद्या को अनादि मानते हुए भी आगन्तुक मानते हैं और इस प्रकार चेतना के लिए विषय-प्रवृत्ति को न केवल सहज ही नहीं मानते, इसे वस्तुत: असत् और असम्भव भी मानते हैं।

इस प्रकार शंकर के अनुसार, आत्मा की आत्म-प्रत्यक्ता की अन्तर्वस्तु विषय-निषेध नहीं है, न विषय-निषेध उसके लिए पूर्वापेक्षित ही है, इसके विपरीत प्रत्यगात्मता उसका अनिवार्य धर्म है। विषय उसके लिए परोक्ष और आगन्तुक है।

किन्तु इसका अर्थ यह नहीं है कि शंकर विषय को पराक् मानते हैं। शंकर के अनुसार विषय को दो प्रकार से देखा जा सकता है : अध्यास-रूप में और शक्ति-रूप में। अध्यास-रूप में विषय (युष्मत्) अस्मत् (आत्मा) को अपने में समीकृत रखता है और अस्मत् आत्म-विस्मृत रहता है, किन्तु शक्ति-रूप में विषय आत्मा में समीकृत रहता है और मानो इसके द्वारा आत्मा अपने को पुनरधिगत करता है। शंकर के शब्दों में—"अविद्या के लिए निमित्त बनना जिसका स्वभाव है, ऐसे नाम-रूपात्मक बीज-शक्ति के जगत् के रूप में प्रकट होने पर ही ईश्वर का सर्वज्ञत्व अवलम्बित है।"[4] इसका अर्थ यह नहीं है कि ईश्वर का सर्वज्ञत्व जगत् पर अवलम्बित है, बल्कि यह कि ईश्वर का सर्वज्ञत्व जगत् रूप में फलित होता है। इसके लिए इसी सूत्र की आगे व्याख्या में संकेत मिलता है—"माया-शक्ति में से पैदा हुआ (अविद्या-कल्पित) नाम-रूप मानो सर्वज्ञ ईश्वर का आत्म (स्वरूप) ही है। यह नाम-रूप ईश्वर के साथ बिल्कुल एक-रूप है, ऐसा भी नहीं कह सकते, और बिल्कुल भिन्न है, ऐसा भी नहीं कह सकते।...यह ज्ञानस्वरूप आत्मा सब रूपों को पैदा करके, उन्हें नाम देकर, उन-उन नामों से पुकारता रहता है।"[5] आगे पुन:—"...परमात्मा सम्पूर्ण ब्रह्माण्ड में रहता है तो देह में भी रहता है। ब्रह्माण्ड और देह की उपाधि धारण करते हुए भी ब्रह्माण्ड और देह का अभिमान परमात्मा को कभी नहीं होता। जीव को अभिमान का अनुभव अविवेक से होता है।"[6] इस प्रकार शंकर के अनुसार जगत् केवलमात्र नाम-रूप (फिनोमिना) है और इस प्रकार चैतन्य में अन्तर्भूत है, किन्तु कांट से भिन्न वे यह भी मानते हैं कि इसकी प्रातीतिक स्वतन्त्रता भी अनिवार्य नहीं है। विक्षिप्त के समान हम अपनी कल्पनाओं को यथार्थ मान कर तदनुरूप व्यवहार कर सकते हैं अथवा विवेकी के समान उन्हें मात्र कल्पना-चित्र के रूप में जानते हुए भी तात्कालिक आनन्द के लिए उनमें अपने को छोड़ सकते हैं।

---

1. यशदेव शल्य : **'मूल्य-विमर्श'**, नया प्रतीक, फरवरी, 1975, पृ. 61
2. अ. 2, पा. 1, सूत्र 14
3. यशदेव शल्य — **निर्विषय ज्ञान,** दार्शनिक त्रैमासिक, जुलाई, 1973
4. अ. 2, पा. 1, सूत्र 14
5. अ. 2, पा. 3, सूत्र 46
6. अ. 2, पा. 3, सूत्र 46

इस पर आपत्ति की जा सकती है कि शंकर व्यावहारिक जगत् को कांट के समान प्रातीतिक रूप से स्वतन्त्र अवश्य मानते हैं क्योंकि अन्यथा व्यावहारिक और स्वप्न विषयों में कुछ अन्तर ही नहीं रह जायगा। व्यावहारिक जगत् की विशेषता उसके व्यक्ति-निर्भर नहीं होकर सर्वसामान्य नियमानुसारी होने में ही है, जिसे शंकर स्वीकार करते हैं। इस आपत्ति में बहुत सार है किन्तु शंकर को कांट के प्रसंग में देखने पर हमारे कथन का औचित्य स्पष्ट हो जायगा। कांट भी जगत् को केवल प्रातिभासिक ही मानते हैं और इस प्रकार उसकी स्वतन्त्र सत्ता नहीं मानते हैं, किन्तु वे उन प्रागनुभविक आकारों (अ-प्रायराइ फोर्म्स : ट्रांसेंडेंटल इन्ट्यूशन्स् एण्ड ट्रांसेंडेंटल कांसेप्ट्स) को, जो जगत् की मूल हैं, चेतना में स्वरूपगत मानते हैं, उपाधि-रूप नहीं। इस पर कहा जा सकता है कि कांट चेतना को थिंग-इन-इट्सेल्फ के रूप में और कर्त्ता के रूप में इन आकारों से अतिक्रामी मानते हैं जिससे स्पष्ट है कि वे भी इन आकारों को अपने ढंग से औपाधिक ही मानते हैं। किन्तु यह ठीक नहीं है, क्योंकि कांट के अनुसार चेतना आकारों से इस अर्थ में ही अतिक्रामी है कि यह आकारों की विषय नहीं है, इस अर्थ में नहीं कि यह आकार-धर्मी नहीं है। यदि वे आकारों को चेतना पर आरोप मानते तो उनके सम्मुख भी इस आरोप के अधिष्ठान की समस्या उपस्थित होती, जो उनमें दिखांयी नहीं देती।

किन्तु तब भी शंकर के सम्बन्ध में कहा जा सकता है कि वे जगत् के दो अधिष्ठान मानते हैं—वैयक्तिक अहंकार को और माया को, और माया वैयक्तिक अहंकारमूलक नहीं होने से जगत् की व्यक्ति-निरपेक्ष निर्धारक है। किन्तु यह सही नहीं है, माया की यह व्यक्ति-निरपेक्षता प्रातिभासिक जगत्-विषयक नहीं है, यह व्यक्ति की आत्मोपाधियों की अधिष्ठान है, जागतिक प्रतिभास तो आत्मोपाधि-मूलक ही है।

वसुबन्धु का विज्ञानवाद

'विज्ञानवाद' का अर्थ है वह दार्शनिक सिद्धान्त जो विज्ञान अथवा चित् के अतिरिक्त अन्य किसी को सत् नहीं मानता। किन्तु वास्तव में विज्ञानवादी की पहली चिन्ता ज्ञेय विषयों की स्वतन्त्र सत्ता को, उनकी बाह्यार्थता को असिद्ध दिखाना है। इस प्रकार विज्ञानवाद ज्ञानमीमांसा से आरम्भ करता है और तत्त्वमीमांसा पर समाप्त करता है।

यों दर्शन में विज्ञानवाद का ठीक विपरीत सिद्धान्त भौतिकवाद मालूम देता है, किन्तु जैसाकि हम अभी देखेंगे, वास्तव में यह केवल पाश्चात्य दर्शन के सन्दर्भ में कहना ही ठीक है, भारतीय दर्शन के सन्दर्भ में नहीं। वैशेषिकों के अतिरिक्त भारतीय परम्परा में अन्य किसी ने पाश्चात्य परम्परा के अर्थ में भूत जैसे तत्त्व का अस्तित्व स्वीकार नहीं किया। भारतीय परम्परा में जिन्होंने चित् से पृथक् द्रव्य की सत्ता स्वीकार की उन्होंने उसे भौतिक के रूप में कल्पित नहीं कर 'प्रकृति' के रूप में कल्पित किया। भौतिक द्रव्य से भिन्न प्रकृति के दो मुख्य लक्षण कहे जा सकते हैं : प्रथम, वह चित् से स्वतन्त्र नहीं होकर तत्सापेक्ष रूप में देखी गयी है। साँख्य ने तो 'संघार्थ परार्थत्वात्' कहा ही है, अन्य किसी दर्शन-व्यवस्था में भी प्रकृति को निरपेक्ष तत्त्व के रूप में कल्पित नहीं किया गया है। दूसरे, प्रकृति को द्रव्य रूप में कल्पित नहीं कर 'जगद्भाव' के उपादान के रूप में कल्पित किया गया है और जगद्भाव में बुद्धि तथा अहंकार मूल स्थतियां हैं। इस प्रकार प्रकृति भौतिक विज्ञान की विषयभूत ठोस या तरल या ऊर्जा-रूप कुछ वस्तु नहीं है, बल्कि जगत् का तत्त्व है। इस तत्त्व की सत्ता चित् से भिन्न सबसे अधिक निश्चित और स्पष्ट रूप में साँख्य ने प्रतिपादित की है और उसने इसे 'वस्तु' नहीं कह कर तीन गुणों का संघात कहा है। 'गुण' शब्द भी यहाँ 'लक्षण' या 'आश्रित धर्म' का पर्याय नहीं है और न इनकी आश्रयभूत वस्तु का पर्याय है, यह सहकारी कारण जैसा है। किन्तु वास्तव में ये तीन गुण जगत् में सहकारी कारण हैं, प्रकृति जगत् का मूल तत्त्व है। जगत् महाभूतपर्यन्त बुद्धि है जो अहंकार के द्वारा अन्तःकरण, पंचेन्द्रिय, तन्मात्र और देह रूप में परिणत होती है। इसका क्या आशय है इसे बौद्धों के 'पुद्गल' और 'धर्म' शब्दों से देखा जा सकता है, जिनको वसुबन्धु असत् कहते हैं। पुद्गल वह सब है जिसे हम बुद्धि, मनस्, इन्द्रिय, देह-समन्वित मनुष्य या प्राणी कहते हैं और धर्म वह सब है जो इनमें प्रतिभासित होता है। साँख्य की लिंग सृष्टि और भाव सृष्टि का भी यही आशय है। अन्तर यही है कि ईश्वरकृष्ण इनका अधिष्ठान त्रैगुण्य को मानते हैं और वसुबन्धु शुद्ध चित् को। भारतीय दर्शन को समझने के लिए इस बात को समझ लेना अत्यन्त आवश्यक है कि प्रकृति भूत-द्रव्य नहीं है। क्योंकि अन्यथा हम सहज रूप में पेड़-पत्थर आदि को, और अपने देह को भी बाह्यार्थ, अथवा कहें जगत् समझते हैं और अपने तथा अन्य प्राणियों के मनस् या वेदना-शक्ति को चित् समझते हैं और इसकी पुष्टि पश्चिमी दर्शन से हो जाती है जो मन और भूत इन दो वर्गणाओं का प्रयोग करता है। उदाहरण के लिए साँख्य के समानान्तर डेकार्ट को तथा वसुबन्धु के समानान्तर बर्कले को लें। डेकार्ट मनस् (जो उसके दर्शन में संवित् और विमर्श-बुद्धि का वाचक है) और भूत (जिसका गुण विस्तार है) इन दो की सत्ता मानते हैं और इन्हें द्रव्य कहते हैं। जैसाकि स्पष्ट है, इनमें प्रथम बौद्धों के पुद्गल के अन्तर्गत एक तत्त्व है और दूसरा धर्म के अन्तर्गत (रूप धातु) है। फिर, डेकार्ट देह को भी भौतिक मानते हैं, जबकि बौद्धों के लिए यह भी पुद्गल (जैव क्रिया) है। इसी प्रकार साँख्य के लिए भी है, उसके लिए विमर्श अहंकारमूलक बुद्धि का एक पक्ष है और देह अहंकारमूलक महाभूत है। ये दोनोंसमानरूपसेप्राकृतिक हैं। ये इसी प्रकार वसुबन्धु के लिए भी हैं। दूसरे शब्दों में, डेकार्ट का भूत-द्रव्य उन भारतीय दार्शनिकों के लिए भी द्रव्य नहीं होकर प्रतिभास मात्र है जो द्वैतवादी या बहुत्ववादी हैं।

यहाँ 'देह' के इन दो सर्वथा भिन्न अर्थों का थोड़ा स्पष्टीकरण अपेक्षित है : पौद्गल देह और भौतिक देह में मौलिक अन्तर है—प्रथम उसी स्तर पर है जिस पर बुद्धि, मनस्, और इन्द्रियाँ हैं—अर्थात् देह भी विषयी है,

जबकि दूसरा उस स्तर पर जिस पर मेज़, कुर्सी आदि हैं। भारतीय दर्शन के लिए दूसरा देह 'देह' नहीं है, वह प्रतिभास है। साँख्य के शब्दों में, यह विकृति या परिणाम नहीं है, वेदान्त के शब्दों में यह अध्यस्त अस्मत् अथवा अस्मद्वदावभासित युष्मत् नहीं है, बसुबन्धु के शब्दों में यह संवृति या पुद्गल नहीं है बल्कि सांवृतिक विज्ञान का विषय है।[1] भारतीय और पाश्चात्य दृष्टियों में भेद को बर्कले और वसुबन्धु के विज्ञानवादों में तुलना से और सम्यक् रूप से समझा जा सकता है—बर्कले भी वसुबन्धु के समान बाह्यार्थ को असत् मानते हैं, उनके अनुसार घट को जो हम देखते हैं उसमें दृष्टि-विज्ञान ही सत् है, 'घट' विभिन्न इन्द्रिय-विज्ञानों से 'रचना' है। किन्तु वसुबन्धु के लिए ऐसा नहीं है, उनके लिए घट-दर्शन में एक ही संवृति चक्षु-विज्ञान और घट-प्रतिभास के रूप में प्रकट होती है। **विंशतिका** की 9वीं कारिका में वे कहते हैं—"रूप के समान आभासित होने वाली विज्ञप्ति अपने जिस परिणाम विशेष प्राप्त बीज से उत्पन्न होती है उस बीज तथा उस प्रतिभास, दोनों को उस विज्ञप्ति के चक्षु एवं रूप आयतन के रूप में भगवान् ने कहा है। उसी प्रकार, स्प्रष्टव्य के समान प्रतिभासित होने वाली विज्ञप्ति, जो परिणाम विशेष प्राप्त अपने बीज से उत्पन्न होती है, उस बीज तथा उस प्रतिभास को उस विज्ञप्ति के कायायतन एवं स्प्रष्टव्यायतन के रूप में भगवान् ने बताया है।"[2] इस प्रकार वसुबन्धु के अनुसार, चक्षु और रूप-प्रतिभास एक ही विज्ञप्ति के दो पक्ष हैं। किन्तु विज्ञप्ति भी वस्तुत: वासनामूलक ही है, जैसाकि 'परिणाम-विशेष प्राप्त बीज' पद से संकेतित है। यह 21वीं कारिका से पूर्णत: स्पष्ट हो जाता है। इस कारिका में वसुबन्धु पर-चित्तविदों के ज्ञान का प्रश्न उठाते हैं। समस्या है कि यदि बाह्यार्थ असत् है तो पर-चित्त का ज्ञान सम्भव नहीं होना चाहिए, क्योंकि पर-चित्त असत् है। यहाँ यह स्पष्टीकरण अपेक्षित है कि 'पर-चित्त-ज्ञान' का अर्थ सम्भाषण या व्यवहार के आधार पर किये गए अनुमान से नहीं है बल्कि प्रत्यक्ष ज्ञान से है। इसीलिए यहाँ 'पर-चित्तविदों के ज्ञान' की बात कही गई है। इसके उत्तर में विज्ञप्तिमात्रतासिद्धि-कार कहते हैं कि "उनका (पर-चित्तविदों का) ज्ञान उसी प्रकार अयथार्थ हो सकता है।" यह बर्कल के लिए अकल्पनीय होगा किन्तु वसुबन्धु के दर्शन के लिए यह मौलिक है। उनके अनुसार, "जिस प्रकार अनिर्वचनीय रूप में वह बुद्धों के ज्ञान का विषय है हमें उस प्रकार उसका (पर-चित्त और आत्मचित्त का) ज्ञान न होने के कारण हमारे लिए अपने तथा दूसरों के चित्त का ज्ञान दोनों अयथार्थ हैं। क्योंकि पर-चित्त-विद् ग्राह्य-ग्राहक विकल्पों के मिथ्या प्रतिभास से मुक्त नहीं होते इसलिए उनका अपने चित्त का ज्ञान भी मिथ्या प्रतिभास से उपचरित या अध्यस्त रहता है।"[3] इस प्रकार वसुबन्धु के अनुसार विषय और विषयी, दूसरे शब्दों में रूप और चक्षु, और उसके पीछे स्मृति आदि सब, आरोप या आवरण हैं। इतना ही नहीं, वसुबन्धु विशिष्ट विज्ञानों या संवृतियों के आश्रयभूत आलय-विज्ञान को ही बाह्यार्थ और इस प्रकार असत् मानते हैं। **त्रिंशिका विज्ञप्ति-भाष्य** की चतुर्थ कारिका की व्याख्या में वसुबन्धु कहते हैं—"जिस प्रकार ओघ (जल-प्रवाह) तृण, काष्ठ, गोमयादि को लेते हुए चलता है उसी प्रकार आलय विज्ञान कुशल, अकुशल तथा आनेञ्ज्य कर्म-वासना से अनुगत हो स्पर्श, मनस्कार आदि को लेते हुए स्रोत के समान संसार की स्थितिपर्यन्त प्रवृत्त होता रहता है।"[4] इस प्रकार आलय विज्ञान शंकर की 'अनादि अविद्या' का ही समानार्थक-सा पद है। यहाँ शंका हो सकती है कि 'मूलाविद्या' जबकि सार्वभौम है, आलय विज्ञान व्यक्तिगत है। किन्तु यह शंका युक्त नहीं है, क्योंकि

---

1. पश्चिमी दर्शन में 'देह' को प्रातिभासिक विषय के रूप में ही देखा गया है। इधर अवश्य कुछ जर्मन दार्शनिकों तथा कुछ अन्य फिनोमिनलोजी-दार्शनिकों ने उसे जैव-क्रिया के रूप में देखा है, जैसे स्पेंग्लर 'देह' के इस विषय-रूप तथा क्रिया-रूप में भेद करते हुए कहते हैं—

   Granted that the picture of the body, as it presents itself to the human...etc...eventualism...a system of static and opticall appreciable details, yet after all there is another...which is revealed only through...the inwardly felt relationship of ego...**Man and Techniques,** p. 20 इस पर स्पेंग्लर **Decline of the West,** Vol. 1, p.p. 99-103 भी द्रष्टव्य।

2. वसुबन्धुकृत **विज्ञप्तिमात्रतासिद्धि,** हिन्दी अनुवाद डॉ. महेश तिवारी, प्रकाशक चौखम्भा विद्याभवन, वाराणसी, 1967, पृ. 9 (आगे वि.मा.शि. से सभी उद्धरणों में इसी संस्करण से पृष्ठ संख्या दी गई है)।

3. वही, पृ. 43

4. वही, पृ. 44

एक ओर (वसुबन्धु के पक्ष से) आलय विज्ञान की व्यावृति व्यक्तित्व के विलयपूर्वक ही होती है और दूसरी ओर (शंकर के पक्ष से) यह कहना युक्त नहीं है कि व्यक्तिगत अविद्या का नाश हो जाने पर मुक्तों का आत्मा मूलाविद्या में तब तक स्थित पड़ा रहता है जब तक सार्वभौम अविद्या का नाश नहीं हो जाता। ऐसा सब विचार दर्शन की अत्यन्त स्थूल समझ के भी अभाव का द्योतक है, किन्तु लोगों ने व्यक्तिगत मुक्ति और सर्वमुक्ति की बात की है और अब भी करते हैं, इसलिए यहाँ इसका थोड़ा स्पष्टीकरण स्थाने होगा।

ऊपर आलय विज्ञान की व्यावृति के प्रसंग में कहा गया है कि यह 'संसार की स्थिति-पर्यन्त प्रवृत्त होता रहता है' और दूसरी ओर अर्हत्व की सिद्धि के साथ संसार का सार्वभौम रूप से विलय हो जाता है क्योंकि अर्हत्व सिद्धार्थ को प्राप्त नहीं होता बल्कि सिद्धार्थत्व के विलयपूर्वक सिद्ध होता है और सिद्धार्थत्व तथा अन्य व्यक्ति-भेद आदि सब संसार है। इसका और स्पष्टीकरण सर्वज्ञता की अवधारणा से हो जाता है। इसके अनुसार—"पुद्गल नैरात्म्य तथा धर्म-नैरात्म्य की सिद्धि से क्लेशावरण तथा ज्ञेयावरण का नाश हो जाता है। राग आदि क्लेश आत्म दृष्टि से उत्पन्न होते हैं—धर्म-नैरात्म्य के ज्ञान से ज्ञेयावरण नष्ट हो जाता है। क्लेशावरण (आत्मदृष्टि) तथा ज्ञेयावरण (विषय) के प्रहाण से मोक्ष एवं सर्वज्ञता की प्राप्ति होती है।...ज्ञेयावरण सभी ज्ञेय पदार्थों के ज्ञान की प्रवृत्ति में बाधक अक्लिष्ट अज्ञान है। उसके नाश से समस्त ज्ञेय पदार्थों का अपरोक्ष ज्ञान होता है जिससे सर्वज्ञता की प्राप्ति होती है।"[1] यहाँ द्रष्टव्य है कि ज्ञेय पदार्थों—घट, पट, गाय, मनुष्य आदि का भेद-ज्ञान ही वास्तव में ज्ञेयावरण है और इस भेद-बुद्धि की समाप्ति उस आवरण की समाप्ति है जो रूपादि धर्मों का नैरात्म्य दिखाकर इसका साक्षात् कराती है—इनकी बाह्यार्थता की अप्रतिष्ठा दिखलाती है और इस प्रकार एकत्व अथवा अद्वयता की सिद्धि के द्वारा : अनेकत्व के विलय द्वारा : सर्वज्ञता प्रदान करती है। इस अवस्था को व्यक्तिगत मुक्ति, गौतम की निर्वाण प्राप्ति, कहना केवल उन्हीं के लिए सार्थक है जो सिद्ध नहीं हैं और इस प्रकार आत्मदृष्टि-दोष से दूषित हैं, अर्हत के लिए नहीं।

उपर्युक्त विवेचन के अनुसार एक दूसरा निष्कर्ष यह है कि वसुबन्धु के अनुसार आलय-विज्ञान जगत् का और विशिष्ट विज्ञान विशिष्ट विषयों के आश्रय हैं और तदनुसार जगत् अपनी समग्रता में आलय विज्ञान का आलम्बन प्रत्यय है (अपरिच्छिन्नालम्बनाकारम्) तथा विशिष्ट विषय विशिष्ट विज्ञानों के आलम्बन प्रत्यय हैं।[2] किन्तु ये आलम्बन-प्रत्यय बाह्यार्थ के रूप में सत् नहीं हैं, बाह्यार्थ के रूप में इस प्रकार विशिष्ट विषय तथा अविशिष्ट विषय (जगत्) वासनामूलक हैं जबकि विज्ञान (चक्षुरादिक तथा आलय) वासनामूलक संस्कारप्रवाह है। वासना वस्तुसत् को आच्छन्न किये हुए है जिससे तदनुरूप (वासनानुरूप) विकल्प-विषय प्रतिभासित होते हैं, "वासना के प्रहाण से यह आवरण समाप्त होकर वस्तु सत्, सर्वज्ञता, निर्वाण प्रकट हो जाते हैं।" जगत् की मूल (अतिक्रामी) अहंकार में प्रतिष्ठा का निरूपण हमने अपने एक लेख 'आत्म और अनात्म' में इस प्रकार किया है—"जगत् का मूल अहंकार को कहा गया है जो ठीक ही है, क्योंकि जगद्भाव सीमित विषयों के माध्यम से अपने को सिद्ध करता है और सीमित विषयों की सृष्टि विषयी की सीमितता के बिना नहीं हो सकती। संवेद्य विषयों की सिद्धि के लिए उनका परिप्रेक्ष्यात्मक होना आवश्यक है जो हमारी देश में बिन्दु विशेष पर स्थिति हुए बिना सम्भव नहीं है। इसी प्रकार वर्ण की सम्भावना के लिए विशेष किरण-दैर्ध्य से उनका अवलोकन आवश्यक है, अन्यथा सब किरण-दैर्ध्यों से एक-साथ देखने पर वर्ण सम्भव नहीं हो सकता। इसी प्रकार विचार के लिए भी—

1. वसुबन्धुकृत **विज्ञप्तिमात्रतासिद्धि,** हिन्दी अनुवाद डॉ. महेश तिवारी, प्रकाशक चौखम्भा विद्याभवन, वाराणसी, 1967, पृ. 9 (आगे वि.मा.शि. से सभी उद्धरणों में इसी संस्करण से पृष्ठ संख्या दी गई है)। पृ. 27-28

2. वही, पृ. 43. यहाँ थोड़ा स्पष्टीकरण अपेक्षित है : वास्तव में वसुबन्धु ने आलय विज्ञान को 'जगत्-प्रत्यय का आश्रय' नहीं कहा है, वे केवल इसे 'अव्याकृत ग्रहण', 'मनोभूमि-रूप : क्लेशैरनावृतम्' तथा 'अपरिच्छिन्नावम्बनाकारम्' कहते हैं। आलय विज्ञान में अन्य विज्ञानों के समान वे 'वेदना' भी मानते हैं और इसे वे 'उपेक्षा वेदना' नाम देते हैं, जिसका अर्थ है कि इसमें सुख, दुःख, असुख-दुःख इन तीनों प्रकार की वेदनाओं से अनुपहित वेदना रहती है। इसी को हमने 'जगत्-प्रत्यय' कहा है, जो परिच्छिन्न विषयों का आधार-विषय है। यह विषय या प्रत्यय प्रत्येक विशिष्ट विषय या प्रत्यय के साथ भी उसके 'क्षितिज' के रूप में रहता है। इसे निर्विशिष्ट विषय कहा जा सकता है।

प्रत्येक विचार एक व्यवस्था का अंग होता है और यह व्यवस्था अन्य समकक्षी व्यवस्थाओं का निषेध करती है। इसीसे प्रत्येक प्रतिज्ञप्ति के साथ उसकी प्रतिषेधक प्रतिज्ञप्ति प्रतिषिद्ध से भिन्न सब प्रतिज्ञप्तियों की समावेशी होती है। यही बुद्धि का अहंकार है कि वह सब पक्षों में एक-साथ विचार नहीं कर सकती। विचार, भाव और संवेद सब चेतना के अहंकारमूलक अवगुण्ठन के प्रतिफल हैं। निरहंकार चैतन्य के लिए तन्मूलक विषयी और विषय की उपलब्धि सम्भव नहीं है।"[1]

अब हम देखेंगे कि वसुबन्धु बाह्यार्थ की असत्ता के लिए क्या तर्क देते हैं। वे इस सम्बन्ध में पूर्णत: स्पष्ट हैं और उनमें इस बात को लेकर कोई दुविधा नहीं है कि चित् के अतिरिक्त अन्य कोई पदार्थ नहीं है। यहाँ सहज में बर्कले का ध्यान हो आता है, वे पर्सिपी (ऐन्द्रिय विज्ञान) के अतिरिक्त और कोई एस्से (सत्) नहीं मानते। किन्तु बर्कले इसमें न तो पूर्णत: एकचित्त हैं और न उनमें वह सूक्ष्मता है जो वसुबन्धु में देखने को मिलती है। बर्कले केवल इन्द्रिय-विज्ञान को ही सत् कहने के पश्चात् ईश्वर के माध्यम से बाह्यार्थ को स्वीकार कर लेते हैं। वास्तव में उनमें तथा डेकार्ट में यही अन्तर है कि डेकार्ट में मन तथा भूत द्रव्यों के परस्पर पूर्णत: विलग होने से एक के दूसरे से सम्पर्क के लिए व्यर्थ की अटकलबाजियाँ लगानी पड़ती हैं। इसलिए भूत द्रव्य के मनस् द्रव्य में अन्तर्भाव से यह एक बड़ी कठिनाई दूर हो जाती है। किन्तु इस अन्तर्भाव से अनिवार्य रूप से बाह्यार्थ का निवारण नहीं होता। वास्तव में ईश्वर और आत्मा किस प्रकार के पदार्थ हैं, यह भी बर्कले के सिद्धान्त में निर्णीत नहीं है, क्योंकि वे : ईश्वर और आत्मा : इन्द्रिय विज्ञानों के आश्रय तो हैं, किन्तु यदि वे स्वयं ऐन्द्रिय विज्ञान (पर्सिपी) नहीं हैं तो उनकी सत्ता की प्रकारता बताना आवश्यक है जिसके लिए बर्कले-दर्शन में कोई व्यवस्था नहीं है। अब मान लें कि वे चित्-सत् हैं, और उसके आगे हम कोई प्रश्न नहीं उठायें, जैसे प्रश्न वसुबन्धु ने उठाकर उनका 'आलय विज्ञान' और 'अर्हत्व' या 'अनिर्वचनीय सत्' के द्वारा समाधान किया है, तो भी वे (ईश्वर और आत्मा) तथा ईश्वरमूलक प्रत्यय तथा अन्य व्यक्तियों के विज्ञान तो बाह्यार्थ हैं ही। वास्तव में बर्कले की व्यवस्था में वस्तुएँ उतनी ही बाह्यार्थ और सत् हैं जितनी डेकार्ट की व्यवस्था में, अन्तर केवल यह है कि डेकार्ट की व्यवस्था में वे मनस् के लिए पूर्णत: परोक्ष हैं और बर्कले की व्यवस्था में वे पूर्णत: प्रत्यक्षगम्य हैं। किन्तु वसुबन्धु के लिए एक ही विज्ञान-सन्तान में भी एक विज्ञान का विषयभूत अन्य विज्ञान बाह्यार्थ रूप में कल्पित है और अतएव असत् है। "यदि विज्ञान का अन्य विज्ञान विषय हो जाय तो पुन: विज्ञप्तिमात्रता की सिद्धि कैसे होगी, क्योंकि उससे तो ग्राह्य विज्ञप्ति ही ग्राहक विज्ञप्ति के लिए अर्थ, अर्थात् विषय हो जायगी। इसलिए ग्राह्य-ग्राहक रूप में विज्ञप्तियाँ भी कल्पित, अर्थात् असत् हैं।"[2]

किन्तु बाह्यार्थ ही असत् कैसे है? इसके उत्तर के लिए वसुबन्धु दृष्टिगोचर विषयों से आरम्भ करते हैं। विंशतिका के आरम्भ में वे विज्ञप्तिमात्रता के सिद्धान्त के विरुद्ध प्रतिपक्षी की आपत्ति इस प्रकार प्रस्तुत करते हैं—"यदि मात्र विज्ञप्ति ही सत् है और विषय विज्ञप्ति के ही अन्तर्गत हैं तो (1) विषय में देश-काल का नियम कैसे अनिवार्यत: उपलब्ध होता है? अर्थात् (ऐन्द्रिय विषय) एक से दूसरे स्थान में कालक्रम और देश-क्रम में ही गति करता है, एक ही विषय दो विच्छिन्न स्थानों पर (यथा दो बन्द कमरों में) एक-साथ नहीं होता। ऐसा क्यों होता है? (2) उसमें क्रियाकारित्व रहता है, भोजन से भूख की शान्ति होती है, पत्थर लगने पर घाव होता है; यह (क्रियाकारित्व) असत् विषयों में नहीं देखा जाता, और (3) उसमें सन्तति का अनियम देखा जाता है, अर्थात् दो विज्ञान-सन्तानों (व्यक्तियों) का विषय-ग्रहण जबकि यादृच्छिक और परस्पर असम्बद्ध होना चाहिए (सन्तान का नियम) वैसा होता नहीं है, बल्कि उनका विषय-दर्शन परस्पर समंजस और सम्बद्ध होता है (संतति का अनियम) और इस प्रकार उसमें विषयनिष्ठता होती है।"

1. द्रष्टव्य यशदेव शल्य — **चिद्विमर्श,** दर्शन प्रतिष्ठान, जयपुर।
2. **विज्ञप्तिमात्रतासिद्धि,** पृ. 10 'इतरथा हि विज्ञप्तेरपि विज्ञप्त्यन्तरमर्थ: स्यादिति विज्ञप्तिमात्रत्वं न सिद्ध्येतार्थवतीत्वाद्विज्ञप्तीनाम्।'

इन शंकाओं का समाधान करते हुए वे कहते हैं कि "देश-काल का नियम तथा क्रियाकारित्व स्वप्न के विषयों में भी मिलते हैं और सन्तति का अनियम (एकाधिक व्यक्तियों में समंजस विषयता) नारकीय विषयों में भी मिलता है। नारकीय विषय समान कर्म-विपाक वाले सब जीवों को उस समानता के कारण समान दिखायी देते हैं।" यदि हम इस उदाहरण को जाने भी दें तो भी यह देखा जाता है कि भय, राग आदि के अतिरेक में लोग समान रूप से भूत-प्रेत आदि विषयों को देखते हैं और समान रूप से भ्रान्त विचार और युक्तियों में विश्वास करते हैं। उपर्युक्त उदाहरण का वास्तव में यही अभिप्राय है। इस प्रकार वसुबन्धु के अनुसार, सन्तति के अनियम (विषयनिष्ठता) में बाह्यार्थ की सत्ता सिद्ध नहीं होती।

यहाँ द्रष्टव्य है कि कांट गोचर विषयों की बाह्यार्थता की रक्षा के लिए संवेद को बाह्य वस्तु-जनित मानता है और विचार की बाह्यार्थता की रक्षा के लिए उसे गोचर विषयों से निबन्धित मानता है, जिस निबन्धन के बिना विचार यादृच्छिक हो जाता है। किन्तु कांट का यह प्रतिपादन इतना अनिश्चित और अस्पष्ट है कि उससे कोई निष्कर्ष निकालना कठिन है : बाह्य वस्तुजनित संवेद न देशकाल-नियमान्तर्गत है और न अर्थक्रियाकारी है, न उसके आधार पर जागृति और स्वप्न के विषयों में अन्तर किया जा सकता है, संतति का अनियम भी संवेदमूलक नहीं होकर विषयबुद्धिमूलक ही है जो वैयक्तिक नहीं होकर मानवस्वभाव-मूलक है। इस प्रकार कांट के दर्शन में जागृति और स्वप्न के विषय समान रूप से बाह्यार्थमूलक ही हैं। किन्तु दूसरी ओर कांट-दर्शन में विषय-रूप में विज्ञप्तियाँ और अहं-ममादि सब असत् और प्रातिभासिक हैं, सत् केवल निर्विषय और मुक्त आत्मा है।[1] किन्तु यह आत्मा वसुबन्धु के अर्हत्व के समान अनिर्वचनीय नहीं है, यह नैतिक विमर्शगम्य विमर्शात्मक आकार (मारल लॉ) मय है। किन्तु कांट-दर्शन में भी यह विषय-बुद्धि के लिए अनिर्वचनीय ही है। इस प्रकार कांट-दर्शन में भी बाह्यार्थ वास्तव में सत् नहीं होकर केवल प्रातिभासिक है, सत् केवल विषय-बोधातिक्रामी स्वलक्षण वस्तु है।

किन्तु यहाँ कांट-दर्शन में बहुत अनिश्चितता है जो कांट ने जानबूझ कर रख दी प्रतीत होती है। वह यह कि ऐन्द्रिय विषय की आश्रयभूत स्वलक्षण वस्तु और अहं प्रत्यय (एंपिरिकल सेल्फ) की आश्रयभूत स्वलक्षण वस्तु क्या एक ही है या भिन्न हैं? **क्रिटीक ऑफ प्योर रीज़न** में वे एक स्थान पर यह प्रश्न उठाते हैं और कहते हैं कि "**सम्भवत:** एक ही वस्तु है", किन्तु यह कांट में सर्वथा अनिश्चित है कि वह एक है याकि दो हैं। इसी प्रकार का अनिश्चय आत्माधिष्ठानभूत (क्लिष्ट मन की अधिष्ठान) स्वलक्षण वस्तु और नैतिक नियम के सम्बन्ध को लेकर है। कहीं तो कांट उसे नैतिक नियम से अभिन्न कहते हैं और कहीं ऐसा प्रतीत होता है मानो वे उसे तत्सत् मात्र—अनभिलाप्य—मानते हों और नैतिक नियम को उसको (चित्-सत् को) अवगम्य आकार : विषय : (साँख्य की विवेक-बुद्धि के समान) मानते हों। इस अनिश्चितता का सम्बन्ध एक दूसरी अस्पष्टता से है : कांट ज्ञानमीमांसा के सन्दर्भ में 'संवेद' शब्द का प्रयोग ज्ञान-विषय (रूप-धातु) के बाह्य आधार के रूप में करते हैं और नीति-मीमांसा में पौद्गल आत्म के आधार (वासना) के रूप में। इनमें क्या सम्बन्ध है, कैसे वे बिना सेतु के एक से दूसरे प्रयोग पर पहुँच जाते हैं, यह वे कहीं स्पष्ट नहीं करते। अब, रूप धातु के मूल संवेद के हेतु या अधिष्ठान के रूप में स्वलक्षण वस्तु का उनका निरूपण स्पष्टत: 'तत्सत्' प्रकारक ही है, किन्तु आत्म के हेतु या अधिष्ठान के रूप में वे उस स्वलक्षण वस्तु को नैतिक नियम से अभिन्न कहते प्रतीत होते हैं। अब यदि वे स्वलक्षण वस्तु को एक ही, और सच्चित् रूप ही मानते हों तो वे वसुबन्धु और शंकर से बहुत दूर नहीं हैं, किन्तु यदि वे इन्हें दो भिन्न वस्तुएँ मानते हैं तो वे साँख्य जितने सूक्ष्मदर्शी नहीं होकर भी उसके निकट हैं।

किन्तु जैसाकि हमने पीछे देखा, वसुबन्धु का विज्ञानवाद गोचर विषयों की बाह्यार्थता के निषेध तक सीमित नहीं है, यह उनका अत्यन्त गौण पक्ष है, उनकी मुख्य प्रेरणा अभिधेय मात्र के नैरात्म्य की और अर्हत्व के वस्तुत्व की प्रतिष्ठा है। अर्हत्व के वस्तुत्व की प्रतिष्ठा वे ठीक उसी प्रकार करते हैं जिस प्रकार शंकर ने अनन्तर ब्रह्म के

1. आगे, 'इम्मेनुअल कांट' तथा यशदेव शल्य, 'इम्मेनुअल कांट' : दयाकृष्ण (सं.) **पाश्चात्य दर्शन का इतिहास,** भाग-2

वस्तत्व की प्रतिष्ठा की थी। वे प्रश्न उठाते हैं—"यदि सभी धर्म सर्वथा नहीं हैं तो विज्ञप्ति मात्र भी नहीं हैं। तब इसकी व्यवस्था कैसे होती है?" इसका उत्तर देते हुए वे कहते हैं—"धर्म सर्वथा नहीं हैं, इस रूप में धर्म-नैरात्म्य में प्रवेश नहीं होता, अपितु अज्ञानियों द्वारा धर्मों के स्वभाव की जो कल्पना ग्राह्य-ग्राहक रूप में की गई है, उस कल्पित रूप में उनका नैरात्म्य है, न कि अनिर्वचनीय रूप में, जो बुद्धों का विषय है।"[1] शंकर जगत् को नाम-रूप और ब्रह्म को उसका उपादान कहते हैं। यह उपादान (ब्रह्म) नामरूप (जगत्) में परिणाम से नहीं विवर्त से आभासित होता है। कांट भी वास्तव में स्वलक्षण वस्तु को प्रतिभास रूप में परिणत नहीं मानकर विकल्पित मात्र मानते हैं। कांट की इनसे भिन्नता केवल इस बात में है कि वे स्वलक्षण वस्तु के द्वैत अथवा अद्वैत के सम्बन्ध में स्पष्ट नहीं हैं और उनके चिन्तन में स्वलक्षण चित् या विज्ञान उतना स्वलक्षण नहीं है, क्योंकि वह नैतिक विमर्शगम्य है। उसकी नैतिक विमर्शगम्यता इससे भी सिद्ध है कि उनकी ईश्वर की अवधारणा नैतिक आदर्श के रूप में है।

1. **विज्ञप्तिमात्रता सिद्धिः**, पृ. 10-11 — **'यो बालैर्धर्माणां स्वभावो ग्राह्य-ग्राहकादिः परिकल्पितस्तेन कल्पितेनात्मना तेषां नैरात्म्यं न त्वनभिलाप्येनात्मना यो बुद्धानां विषय इति।'** यहाँ शंकर द्वारा विज्ञानवाद की इस आधार पर आलोचना "कि विज्ञानवादी बाह्यार्थ को नहीं मानकर अयुक्तिसंगत बात करते हैं, का अनौचित्य देखा जा सकता है। डॉ. रमाकान्त त्रिपाठी ने भी शंकर की इस आलोचना का अपने लेख **'अद्वैतवाद एवं विज्ञानवाद'** (दार्शनिक त्रैमासिक, जुलाई, 1976) में समर्थन किया है, जो युक्त नहीं है। यदि वसुबन्धु के उपर्युक्त प्रतिपादन पर गम्भीरता से विचार करें तो यह प्रकट होगा कि शंकर और वसुबन्धु में बाह्यार्थता को लेकर अन्ततः कोई अन्तर नहीं है। परमार्थतः शंकर के लिए भी एकमात्र सत् ब्रह्म ही है और जगत् (विज्ञप्ति तथा प्रतिभास दोनों पक्षों में) केवल नाम-रूप है।"

अपोहवाद

अपोहवाद सौत्रान्तिक बौद्धों का भाषार्थ-विषयक सिद्धान्त है, किन्तु इससे शून्यवादियों और विज्ञानवादियों की भी सहज सहमति होगी। हमारे विचार में यद्यपि यह सिद्धान्त भाषार्थ के स्वरूप के साथ पूर्ण न्याय नहीं करता, किन्तु तब भी इसमें एक मूल-ग्राही दृष्टि है जो भाषार्थ के स्वरूप के एक महत्त्वपूर्ण पक्ष को उद्घाटित करती है। इस सिद्धान्त का प्रवर्तन दिङ्नाग ने किया था। उसके अनुसार सत् क्षणिक, विलक्षण और अर्थक्रियाकारी है जबकि भाषा किंचित्कालस्थायी, लक्षणवान् और अर्थक्रिया-असमर्थ विषयों का ही वचन कर सकती है। किन्तु वास्तव में वह इनका भी भावात्मक रूप से वचन नहीं करती बल्कि अपोहात्मक रूप से ही वचन करती है। अपोहात्मक वचन से अभिप्राय है कि शब्द (जैसे 'गो') गो-लक्षणवान् विशिष्ट व्यष्टि का विधान नहीं करता बल्कि इन लक्षणों से रहित विकल्पित वस्तुओं के व्यावर्तन द्वारा इसका संकेत करता है। इसका अर्थ हुआ कि विकल्प के दो स्तर हैं—प्रथम, स्वलक्षण-वस्तुग्राही निर्विकल्पक प्रत्यक्ष का आश्रय लेकर उत्पन्न विकल्प-प्रतिभास : गो व्यष्टि : और दूसरा शब्द विकल्प : अतद्व्यावृत्ति-अपोह। डॉ. धर्मेन्द्रनाथ शास्त्री ने दूसरा विकल्प (संश्लेषण-साइंथीसिस) जाति को बताया है और दोनों संश्लेषों को अपोह कहा है।[1] उनके अनुसार—"प्रथम संश्लेषण प्रत्यक्षमूलक अध्यवसाय के रूप में होता है, जैसे 'यह गाय है', जिसमें कि दो सर्वथा भिन्न वस्तुओं (विकल्प-प्रतिभास और स्वलक्षण वस्तु) में असत्य तादात्म्य स्थापित किया जाता है। दूसरे संश्लेषण के द्वारा एक वर्ग के पूर्णत: भिन्न स्वलक्षणों (व्यष्टियों-सदस्यों) में असत्य समानता देखी जाती है और ये एक अवधारणा के अन्तर्गत सन्निविष्ट किये जाते हैं, मानो वे एक वर्ग से सम्बन्धित हों और एक सामान्य के अंश हों।" डॉ. शास्त्री ने दोनों को अपोह इसलिए कहा है कि दिङ्नाग और धर्मकीर्ति आदि ने दोनों को शब्द-वाच्य कहा है। यह ठीक भी है, किन्तु वास्तव में इनके अनुसार भी विशिष्ट व्यक्ति जबकि संश्लेषणमूलक और अतएव विकल्पात्मक है, यह शब्द-वाच्य नहीं है, क्योंकि शब्द-वाच्य केवल सामान्य-लक्षण ही होता है। डॉ. शास्त्री ने दूसरे संश्लेषण में जो दूसरे वर्ग के सदस्यों को भी स्वलक्षण कहा है वह ठीक ही है क्योंकि जाति या सामान्य-लक्षण की अपेक्षा से वे स्वलक्षण ही हैं। धर्मोत्तर ने इस अध्यवसाय के बारे में कहा है—"बालक ही जब तक सम्मुख दृश्यमान् स्तन को, यह 'वही है' इस प्रकार पहले देखे हुए के रूप में नहीं पहचानता तब तक रोना बन्द करके स्तन में मुख अर्पित नहीं करता। पहले देखे और पीछे देखे अर्थ को एक बनाते हुए ज्ञान का विषय अनुपस्थित होता है, क्योंकि पहले देखा हुआ स्पष्ट ही अनुपस्थित है।"[2] व्यष्टिमूलक अध्यवसाय में यह पीछे देखा अर्थ प्रतयक्षगत रहता है और पहले देखा अर्थ भी पहले प्रत्यक्ष रहा होता है। इस कारण यह संश्लेष शब्दग्राह्य नहीं है, किन्तु धर्मकीर्ति ने इन दोनों संश्लेषों को शब्द-वाच्य कहा है क्योंकि दोनों में विकल्प रहता है। धर्मोत्र के शब्दों में—"विकल्प-विषय को ही शब्द सूचित करते हैं, बाह्य वस्तु को नहीं। 'यह वही है' इस प्रकार से देश, काल और अवस्था के भेदों में एकता का निश्चय करना विकल्प है और उसका गोचर ही शब्द का गोचर है। वह कोई वास्तविक अर्थ नहीं है—न स्वलक्षण है, न सामान्य है, न ज्ञान है, न ज्ञानाकार है, अपितु वह अलीक-बाह्य है। विकल्प-भेदों का विषयभूत अलीक-बाह्य (मिथ्याप्रतीयमान बाह्य अर्थ) वास्तविक को ग्रहण नहीं करता हुआ उत्पन्न होता है। विभिन्न वास्तविक बाह्य विषयों के प्रत्यक्ष के अनन्तर विकल्प-वासना से मिथ्या बाह्य आकार प्रतीत होता है जिसमें न बाह्य अर्थों के परस्पर भेद गृहीत होते हैं न बाह्य वस्तु और आन्तर प्रतिभास का भेद पकड़ा जाता है।"[3]

---

1. डॉ. धर्मेन्द्रनाथ शास्त्री — **क्रिटीक ऑफ इण्डियन रीयलिज़्म,** भारतीय विद्याप्रकाशन, वाराणसी, द्वितीयवृत्ति, 1976, पृ. 353
2. धर्मकीर्ति विरचित **न्यायबिन्दु,** धर्मोत्तर की टिप्पणी और दुर्वेक मिश्र के प्रदीप के सारांश सहित। अनुवाद और व्याख्याकार, डॉ. गोविन्दचन्द्र पाण्डे, अखिल भारतीय दर्शन परिषद्, पृ. 24
3. रत्नकीर्ति विरचित **अपोहसिद्धि,** अनुवाद और व्याख्या — डॉ. गोविन्दचन्द्र पाण्डे, अखलि भारतीय दर्शन परिषद्, पृ. 41

किन्तु शब्दार्थ अपोहात्मक या व्यावर्तनात्मक किस प्रकार है? इसे स्पष्ट करते हुए डॉ. गोविन्दचन्द्र पाण्डे कहते हैं—"ये मिथ्या बाह्य विषय अन्य-व्यावृत्तिरूप ही हो सकते हैं। यह तीन हेतुओं से सिद्ध होता है : (1) इन विषयों पर अस्तित्व और नास्तित्व का समान रूप से विधान किया जा सकता है। (2) ये अत्यन्त विलक्षण अर्थों में सामान्य लक्षण जताते हैं। (3) ये अनुभव में इसी रूप में मिलते हैं। (1) भाव और अभाव में समानता स्वरूप की नहीं हो सकती, वह केवल अन्य की अपेक्षा समान-भेद की ही हो सकती है, इसलिए वाच्य स्वरूप न होकर अन्य व्यावृत्ति ही हो सकती है।...अतएव अस्तित्व और नास्तित्व दोनों से सम्बन्धित 'घट' शब्द 'पट' आदि के अभाव को ही सूचित कर सकता है। (2) 'घट' आदि शब्द अत्यन्त विभिन्न क्षणों में समान प्रतीति को अन्य से समान भेद के द्वारा ही जन्मा सकते हैं। अलग-अलग होते हुए भी घट-क्षण पट आदि के क्षणों से बराबर दूर हैं। (3) 'घट' आदि शब्दों के वाच्यों का ज्ञान स्पष्ट ही उनके 'पट' आदि से विभेद का ज्ञान होता है।"[1] उपर्युक्त को थोड़ा गहराई से देखें तो प्रकट होगा कि इनमें प्रथम का सम्बन्ध अपोह से नहीं है, बल्कि इसमें अपोह को सिद्ध मानकर शब्द की अवस्तुग्राहकता का प्रतिपादन है, दूसरे में वस्तु-स्वभाव की क्षणिकता और विलक्षणता पूर्वसिद्ध मानकर घटादि वस्तु-प्रतीति के विषयों को नाम-कल्पना कहा गया है और इस प्रतिज्ञा के बल पर युक्ति दी गई है कि 'घट' शब्द द्वारा परस्पर नितान्त विलक्षण क्षण-सन्तान का एकीकरण वास्तव में केवल इस आधार पर ही होता है कि यह घट-क्षण-सन्तान अश्व-क्षण-सन्तान से, और गाय-क्षण-सन्तान से, और...क्षण-सन्तानों से भिन्नता में समान है। तीसरे में दूसरे से कोई मौलिक रूप से भिन्न बात नहीं कही गई है, सिवाय इसके कि दूसरे में क्षणों की विलक्षणता के तिरस्कार का उल्लेख है और तीसरे में व्यष्टि-विषयों की विलक्षणता के तिरस्कार का।

बौद्धों के इस सिद्धान्त की मूल प्रेरणा प्रत्यक्ष और विकल्प में मौलिक भेद करना और भाषा को विकल्प के अन्तर्गत स्थापित करना कही जा सकती है। इस बात में वे साँख्य और वेदान्त से भिन्न नहीं हैं। इस दृष्टि से वैयाकरण भी इनसे भिन्न नहीं हैं क्योंकि वे सम्पूर्ण वस्तु-जगत् को प्रत्ययमूलक और प्रत्यय को भाषामूलक मानते हैं—

> न सोऽस्ति प्रत्ययो लोके यः शब्दानुगमादृते।
> अनुविद्धमिव ज्ञानं सर्वं शब्देन भासते।। — वाक्यपदीय।[2]

ऐसा भी नहीं है कि ये विचारक भाषार्थ को अपोहात्मक नहीं मानते, यदि नहीं मानते होते तो इनके अनुसार भाषा वस्तु-ग्राही होती और वस्तु निरुपाधिक होती। अन्तर यह है कि ये अपोह को शब्दार्थ का मूल धर्म नहीं मानते, बल्कि अपोह को उपपन्नतया (इंप्लीकेशन से) सम्बन्धित मानते हैं। एक अन्तर और है जो तत्त्व-मीमांसीय है और वह यह कि ये तीनों सम्प्रदाय : वैयाकरण, वेदान्त और बौद्ध : यह भी नहीं मानते कि अध्यवसेय विषय क्षण-सन्तानरूप स्वलक्षण वस्तु में प्रतिष्ठित होता है, क्योंकि वैयाकरण भाषा और जगत् दोनों की युगपद् रूप से उत्पत्ति शब्द-ब्रह्म=परावाक् से विवर्त द्वारा मानते हैं और वेदान्ती तथा साँख्य महत् (बुद्धितत्त्व) से। यहाँ आपत्ति हो सकती है कि दिङ्नाग अध्यवसेय विषय को भी अपोह-रूप मानते हैं इसलिए स्वलक्षण वस्तु में उसकी प्रतिष्ठा मानने का प्रश्न ही उत्पन्न नहीं होता। किन्तु यह ठीक नहीं है, क्योंकि दिङ्नाग नाम, जाति आदि कल्पनाओं को निर्विकल्पक पर अध्यारूढ़ मानते हैं। यही बात वसुबन्धु के लिए भी कही जा सकती है, जो निर्विकल्पक विज्ञानों को ग्राह्य-ग्राहक भेद-कल्पनाओं का आश्रय मानते हैं। डॉ. पाण्डे शान्तरक्षित द्वारा कुमारिल की आपत्तियों के निराकरण का विवरण प्रस्तुत करते हुए लिखते हैं—**"स्वलक्षणात्मक अपोह इन्द्रियगोचर है। उस पर आरोपित अर्थ-प्रतिबिम्बात्मक अपोह बुद्धिस्वरूप होने के कारण स्व-संवेदन-गोचर है।** इसलिए वे सारी आपत्तियाँ जो अपोह को नितान्त अभावात्मक, असत् अथवा अविदित मानने से उत्पन्न होती हैं, वे निराधार हैं।

---

1. रत्नकीर्ति विरचित **अपोहसिद्धि**, अनुवाद और व्याख्या — डॉ. गोविन्दचन्द्र पाण्डे, अखलि भारतीय दर्शन परिषद्, पृ. 41
2. भर्तृहरि — **ए स्टडी ऑफ वाक्यपदीय इन दि लाइट ऑफ एँश्येंट कामेंट्रीज़**, दक्षिण कॉलेज, पूना, 1979, पृ. 433 से उद्धृत। के.ए. सुब्रह्मन्य ऐयर।

वास्तविक अर्थ भिन्न हैं, किन्तु उनमें अभेद की प्रतीति होती है। यह प्रतीति विकल्पात्मक है, **किन्तु यह वस्तुओं पर आरोपित होती है। शब्द–विकल्प का व्यापार व्यवच्छेदात्मक है, किन्तु इसका लक्ष्य विधि–रूप वस्तु ही है।** इस प्रकार अपोह में प्रत्यक्ष और कल्पना, वस्तु और अवस्तु, विधि और निषेध, इनका एक जटिल मिश्रण है।"[1] एक प्रकार से भाषा और सत् के सम्बन्ध को लेकर उपर्युक्त तीनों मतों का अपोहवादियों से मत–वैपरीत्य देखा जा सकता है—वैयाकरण आदि जबकि भाषा (वैखरी) को सत् का नाम–रूपात्मक अतएव असत् विवर्त या परिणाम (साँख्य) मानते हैं[2] और इसका कोई प्रापकत्व नहीं मानते, अपोहवादी इसे निराधार नाम– रूप विकल्प (अर्थात् किसी उपादान कारण से रहित) किन्तु सत् के प्रापण में समर्थ मानते हैं। बुद्ध के आर्य मौन की व्याख्या करने के लिए प्रतिपादित इस सिद्धान्त का यह निरूपण अत्यधिक विचित्र प्रतीत होता है, किन्तु ऐन्द्रिक प्रत्यक्ष को स्वलक्षण–सत् का अवभासक बताने वाला सिद्धान्त इस निष्कर्ष पर पहुँचे, इसमें कोई आश्चर्य की बात नहीं होनी चाहिए। निश्चय ही अपोहवादियों को, विशेषत: दिङ्नाग को, अपने मत की यह उपपत्ति अभीष्ट नहीं हो सकती, क्योंकि उनका उद्देश्य सत् की अनभिलाप्यता, आर्य मौन की अर्थ–गर्भिता दिखाना और अभिलाप की, भाषा के वाच्य की अवास्तविकता दिखाना ही था, और दिङ्नाग का अपोह के निषेधात्मक पक्ष पर अधिक बल इस बात की ही पुष्टि करता है। किन्तु पूर्ण निषेधात्मकता के बावजूद यह मत इस निष्कर्ष से नहीं बच सकता कि अपोहन–व्यापार अनपोहित सत् को ही लक्षित करता है।

अपोहवाद का खण्डन मीमांसकों तथा नैयायिकों ने करने का प्रयत्न किया। अपोहवादियों ने कहा था, शब्द अतद् की व्यावृत्ति (निषेध) से अर्थ सूचित करता है, मीमांसकों तथा नैयायिकों ने सिद्ध करने का प्रयत्न किया कि वह विधिरूप ही होता है। अपोहवादियों ने कहा था कि जाति केवल नाम–कल्पना है, नैयायिकों ने कहा कि वह वस्तुओं में ही सहवास करती है, अथवा कहें, वस्तु व्यक्ति–जाति–समवेत होती है। नैयायिकों के ये दोनों मत बहुत अपरिष्कृत यथार्थवाद के उदाहरण हैं और उस सूक्ष्म दृष्टि के ग्रहण में असमर्थ हैं जो अपोहवाद में मिलती है। शब्दार्थ केवल विधिरूप नहीं होता, यह देखना कठिन नहीं होना चाहिए क्योंकि बुद्धि का कोई भी ग्रहण निषेध–परिहार के बिना नहीं होता।[3] घट–भाव में अ–घटाभाव अध्यवसित रहता ही है, अन्यथा या तो 'यह घट है' में 'यह' और 'है' व्यर्थ होंगे, अथवा 'यह' घटत्व का अनिवार्य संग्रहाक होगा, अर्थात् इसमें न तो भ्रम की सम्भावना होगी और न घट–विनाश की कल्पना। इसके आगे यह भी कहा जा सकता है कि 'यह' सर्वव्यापक भी होगा, क्योंकि अन्यथा यह 'वह' से व्यावृत्त नहींहो सकेगा। इसी प्रकार जाति के सम्बन्ध में भी नैयायिकों का मत अत्यन्त स्थूल है। यह सही है कि कोई भी व्यक्तिमूलक अध्यवसाय व्यक्तियों को जाति–कल्पना के माध्यम के बिना विषय नहीं बनाता, किन्तु इससे यह कहना कि जाति व्यक्ति में समवेत रहती है और व्यक्ति के समान बाह्यार्थ है, उपहासास्पद है। ऐसी जातियों के उदाहरण दिये जा सकते हैं जो व्यक्तियों से प्राक् होती हैं और परिणामत: उनके लिए व्यक्तियों का होना आगन्तुक है—मनुष्यकृत सभी वस्तुएँ इसी प्रकार की हैं। उदाहरणत: घट–व्यक्ति घटत्व के पश्चाद्वर्ती है और सब घट नष्ट हो जाने पर भी घटत्व रहता है। ऐसी अवस्था में वाचस्पति मिश्र का यह कहना है कि "जाति का वर्तमान व्यक्ति से सम्बन्ध ही उसका भाव और अतीत और अनागत व्यक्तियों से सम्बन्ध

---

1. रत्नकीर्ति विरचित **अपोहसिद्धि,** अनुवाद और व्याख्या — डॉ. गोविन्दचन्द्र पाण्डे, अखलि भारतीय दर्शन परिषद्, पृ. 40

2. "अनादिनिधनं ब्रह्म शब्दतत्त्वं यदक्षरम्। विवर्ततेऽर्थ भावेन प्रक्रिया जगतो यत:" (के.ए. सुब्रह्मन्य एय्यर, पूर्वोक्त, पृ. 432) यहाँ यह स्पष्टीकरण आवश्यक होगा कि वैयाकरणों में और वेदान्त–साँख्य सम्प्रदायों में भाषा–विषयक अन्य कोई मतैक्य नहीं है।

3. हमने अपने एक लेख 'आत्म और अनात्म' में दिखाया है कि वास्तव में हमारे सभी ग्रहण अनिवार्यत: व्यावर्तनात्मक ही होते हैं—"संवेद्य विषयों की सिद्धि के लिए उनका परिप्रेक्ष्यात्मक होना आवश्यक है जो हमारे देश में बिन्दु विशेष पर स्थित हुए बिना सम्भव नहीं है। इसी प्रकार वर्ण की सम्भावना के लिए विशेष किरण–दैर्ध्य से उनका अवलोकन आवश्यक है, अन्यथा सब किरण–दैर्ध्यों से एक–साथ देखने पर वर्ण सम्भव नहीं हो सकता। इसी प्रकार विचार के लिए—प्रत्येक विचार एक व्यवस्था का अंग होता है और यह व्यवस्था अन्य समकक्षी व्यवस्थाओं का निषेध करती है। इसी से प्रत्येक प्रतिज्ञप्ति के साथ उसकी प्रतिषेधक प्रतिज्ञप्ति प्रतिषिद्ध से भिन्न सब प्रतिज्ञप्तियों की समावेशी होती है। यही बुद्धि का अहंकार है कि वह सब पक्षों से एक–साथ विचार नहीं कर सकती। विचार, भाव और संवेद सब चेतना के अहंकारमूलक अवगुण्ठन के प्रतिफल हैं।" (द्रष्टव्य — **दार्शनिक** त्रैमासिक, वर्ष 21, अंक 4, अक्टूबर, 1975, यशदेव शल्य — **चिद्विमर्श,** दर्शन प्रतिष्ठान, 1995 में संकलित)।

ही अभाव है" अयुक्तिसंगत है, क्योंकि इसका अर्थ होगा कि घटत्व का नितान्त अभाव से आविर्भाव हुआ और उसे घट विशेष ने आविर्भूत किया। इसके अतिरिक्त, नैयायिक : और बौद्ध भी : इन्द्रियग्राह्य वस्तुओं में उपलक्षित समानता को ही जाति समझते हैं, तब ऐसी जाति का क्या करेंगे जो इन्द्रिय-ग्राह्य समानतामूलक नहीं है, जैसे मनुष्यत्व (जो धर्म या विवेक से उपलक्षित होता है)? फिर ऐसे सामान्य भी हैं जो व्यक्तिमूलक होते ही नहीं, उदाहरणत: विज्ञान, गणित, दर्शन आदि। यहाँ यह कहा जा सकता है कि या तो ये सामान्य नहीं हैं अथवा ये क्रियाओं में समानता के वाचक हैं। किन्तु यदि दूसरी बात मान भी लें तो भी इनकी आधारभूत क्रियाएँ व्यक्ति (व्यष्टि) नहीं हैं—न इन्द्रिय-ग्राह्य और न मनो-ग्राह्य। फिर, ऐसे व्यक्ति भी हो सकते हैं जो किसी सामान्य से समवेत नहीं कहे जा सकते, उदाहरणत: राम, लक्ष्मण, श्लोक या चित्र विशेष। इसके अतिरिक्त, सामान्य या जाति को व्यक्तियों में दृष्ट समानता से परिभाषित करने पर बौद्धों के जो आक्षेप हैं वे प्लेटो के सामान्यों पर, जो प्रत्येय वस्तुएँ (आइडियाज़) हैं, दृष्ट समानताएँ नहीं, और अरस्तू के आकारों (फोर्म्स) पर, जो वस्तुओं के धारक और नियामक धर्म हैं, किस प्रकार लागू होंगे? यहाँ बौद्ध यह उत्तर देंगे, जो कि उनका एकमात्र उत्तर हो सकता है, कि सब वस्तुएँ या आकार इन्द्रिय-ग्राह्य नहीं हैं अत: विकल्प हैं। किन्तु उनके इस उत्तर में इन्द्रि-ग्राह्यता सत् के प्रमाण के रूप में पूर्वगृहीत है, युक्ति-सिद्ध नहीं है। वास्तव में बौद्धों ने जाति या सामान्य के तत्त्व पर स्वतन्त्र विचार नहीं कर अपने को नैयायिकों के अधीन कर दिया। अवश्य सामान्य प्रत्येय वस्तु या निर्धारिक धर्म (आइडियाज़ और फोर्म) के रूप में भी बौद्धों को ग्राह्य नहीं हो सकते, क्योंकि बौद्ध क्षणिकवादी हैं, किन्तु इस क्षणिकवाद के लिए बौद्धों की क्या युक्ति है?

बौद्ध क्षणिकता को सत् का स्वरूप मानते हैं और इसे निर्विकल्पक संवेद-ग्राह्य और क्रियाकारी रूप में परिभाषित करते हैं।[1] क्षणिकता और विलक्षणता वास्तव में उनके लिए पर्यायवाची ही हैं, यद्यपि अन्यथा ये आवश्यक रूप से पर्यायवाची नहीं हैं, क्योंकि क्षणिक चाहे लक्षणवान् नहीं भी हो सके किन्तु विलक्षण शाश्वत हो सकता है, जैसे ब्रह्म।

क्षणिक को शान्तरक्षित ने त्रैलोक्य-व्यावृत्त भी कहा है। किन्तु कोई वस्तु अन्य की अपेक्षा के बिना अन्य की व्यावर्तक या अन्य से व्यावृत्त कैसे हो सकती है? गाय अगाय से व्यावृत्त है इसलिए वह अगाय द्वारा निरन्तर बाधित है और यह बाधा उसके अस्तित्व की अनिवार्य शर्त है, क्योंकि इस बाधा या व्यावर्तन के बिना वह अपनी पहचान ही खो देगी। इस आपत्ति के सम्बन्ध में कहा जा सकता है कि इसमें वास्तव में आशय की उपेक्षा कर शब्द को महत्त्व दिया गया है अन्यथा 'त्रैलोक्य व्यावृत्ति' से आशय केवल नितान्त विलक्षणता से ही है। किन्तु यह ठीक नहीं है। बौद्ध क्षण-सन्तान की बात करते हैं और प्रत्येक क्षण को पृथक् सत् और प्रत्येक विकल्प-ग्राह्य वस्तु को पृथक् सन्तान मानते हैं। इस प्रकार इनकी विलक्षणता पृथक्ता (भेद) पर आधारित है। क्षण की अवधारणा पर वे प्रत्यक्ष विषय-वस्तुओं के अनन्त विभाजन द्वारा पहुँचते हैं। इसमें वे वैशेषिकों से इसी बात में भिन्न हैं कि वे अणुओं का कुछ परिमाण मानते हैं जबकि बौद्ध नहीं मानते।[2] किन्तु देशकाल के अनन्त विभाजन द्वारा आप देश-काल से बाहर कैसे जा सकते हैं? इसके उत्तर में ज्यामितिक बिन्दु का उदाहरण दिया जा सकता है जो दैशिक विस्तार का आधार है किन्तु स्वयं विस्तार-रहित है। किन्तु यह उदाहरण ठीक नहीं है, क्योंकि बिन्दु देश-काल के अनन्त विभाजन का फल नहीं है, यह विलक्षण भी नहीं है, न वास्तविक है, बल्कि यह ज्यामिति की जटिल विकल्प-व्यवस्था का अंग है। श्चर्बात्स्की ने क्षणों को शक्तियों की क्रिया-सामर्थ्य (एफीशियेन्सीज़) कहा है,[3] जैसाकि सभी बौद्ध दार्शनिक मानते हैं। किन्तु प्रश्न यह है कि ये क्रियाएँ या क्रिया-योग्यताएँ देश-

---

1. निश्चय ही वे सम्बुद्ध चित् को भी निर्विकल्पक और सत् मानते हैं किन्तु वे उसे 'क्षणिक और अर्थ-क्रिया-समर्थ' भी कहेंगे, यह नहीं कहा जा सकता।
2. द्रष्टव्य — वसुबन्धुकृत **विज्ञप्तिमात्रतासिद्धि**, हिन्दी अनुवाद, डॉ. महेश तिवारी, चौखम्भा विद्याभवन, वाराणसी, पृ. 12, कारिका 12, सर्वास्तिवादियों के मत के लिए श्चर्बात्स्की — **बुद्धिस्टिक लॉजिक,** डोवर पेपरबैक, पृ. 19 भी द्रष्टव्य।
3. श्चर्बात्स्की, उपर्युक्त, पृ. 198-199

काल-विस्तार से नितान्त रहित कैसे हो सकती हैं जब तक ये सैद्धान्तिक कल्पनाएँ मात्र नहीं हों? अन्यथा भी, प्रतीत्यसमुत्पाद के रूप में ये काल में और संवेद-ग्राह्य के रूप में देश में कल्पित हैं।

इस पर बौद्धों में और नैयायिकों में बहुत विस्तृत विवाद हुआ है इसलिए हम यहाँ इस पर कुछ अधिक नहीं कहेंगे, किन्तु यह मान लेने पर भी कि ये क्षण देशकाल-विस्तार-रहित हैं, अनेक कठिनाइयाँ रह जाती हैं। सर्वप्रथम, क्या ये देश-कालोपाधि से अतीत हैं? यदि अतीत हैं तो ये विभक्त या व्यावृत्त किस आधार पर हैं? उदाहरणत: लाइब्नीज़ के चिदणु (मोनाड्ज़) और साँख्य के पुरुष भी अनेक हैं और परिणामत: परस्पर पृथक् हैं। किन्तु तब वे क्षणिक या अन्य-व्यावृत्त या संवेद-ग्राह्य नहीं हैं, वे स्वकल्प या स्वप्रकाश हैं। प्रत्यक्षगम्य वस्तु, चाहे वह स्वलक्षण ही हो, मात्र शक्ति या अर्थक्रिया के रूप में गम्य नहीं हो सकती। यह कहा जा सकता है कि स्वलक्षण वस्तु निर्विकल्पक प्रत्यक्ष के कारक के रूप में गम्य होती है। किन्तु यह भी सही नहीं है, क्योंकि यदि वह कारक होगी तो विषय नहीं होगी, क्योंकि वह प्रत्यक्ष-काल में, जोकि उसका कार्य होगा, बीत चुकी होगी। धर्मकीर्ति ने निर्विकल्पक प्रत्यक्ष को स्वलक्षण का निर्भासक कहा है जबकि अध्यवसायात्मक प्रत्यक्ष को प्रापक, क्योंकि दूसरा प्रत्यक्ष प्रथम से उत्पादित और दूसरे के लिए स्मृति के माध्यम से परोक्ष विषय बनता है।[1]

उपर्युक्त कारणों से ही दिङ्नाग के प्रत्यक्ष और विकल्प विषयक मत की तुलना कांट से पूरी तरह से नहीं की जा सकती जैसी डॉ. पाण्डे ने की है।[2] अवश्य कांट दिङ्नाग के समान स्वलक्षण को निर्विकल्पक प्रत्यक्ष में निर्भास्य मानते हैं किन्तु वे स्वलक्षण को न तो क्षणिक मानते हैं और न अर्थ-क्रिया-समर्थ। उनका यह निर्भासन का प्रत्यय भी कुछ संदिग्ध प्रकार का है, क्योंकि उनकी युक्ति तत्त्वमीमांसीय नहीं होकर तार्किक प्रकार की है—कि प्रतीति प्रतीत वस्तु के आधार के बिना नहीं हो सकती। अवश्य कांट की व्यवस्था की भी कुछ कठिनाइयाँ हैं, किन्तु इतनी अधिक नहीं जितनी दिङ्नाग और उनके अनुयायियों की।

किन्तु उपर्युक्त से कहीं अधिक बड़ी कठिनाइयाँ तत्त्वमीमांसीय हैं। सर्वप्रथम, यदि क्रिया-कारिता (प्रतीत्यसमुत्पाद) वस्तु का स्वगत स्वभाव है तब निर्वाण का भी यही स्वभाव होना चाहिए और इस प्रकार निर्वाण भी क्षण-सन्तान-रूप होना चाहिए। दूसरे, प्रतीत्यसमुत्पाद स्वभाव होने से संस्कार-समुत्पाद का भी कभी उच्छेद नहीं हो सकता, क्योंकि यदि कोई ऐसा संस्कार हो जो अन्य संस्कार को उत्पन्न नहीं करे तो वह समुत्पाद-समर्थ नहीं होने से वास्तव नहीं होगा। यह कहा जा सकता है कि संस्कार तो सत् नहीं है, अविद्यामूलक है, तो यह ठीक नहीं है। संस्कार-प्रवाह ग्राह्य-ग्राहक-भेद के ग्रहण के रूप में और विकल्प को सत् रूप में ग्रहण करने आदि के रूप में अविद्या है किन्तु यह न तो विज्ञान-सन्तान के रूप में असत् है और न निर्विकल्पक प्रत्यक्ष के बाद सविकल्पक प्रत्यक्ष की उत्पत्ति में असत् है, क्योंकि यदि निर्विकल्पक विज्ञान सविकल्पक का उत्पादक है तो सविकल्पक असत् नहीं हो सकता। इसके उत्तर में शायद बौद्ध कहें कि उन्हें विज्ञान-सन्तान या संस्कार-सन्तान का उच्छेद अभिप्रेत ही नहीं है, केवल असत् को सत् मानने रूप अविद्या का उच्छेद ही अभिप्रेत है, यही सम्बोधि है। किन्तु तब निर्वाण या सम्बोधि एक विचित्र स्थिति हो जायगी, क्योंकि यह स्थिति ऐन्द्रिक संवेद का संवेद-ग्राह्य क्षण के साथ समन्वित होना और इस प्रकार विज्ञान-सन्तान का भौतिक सन्तान के साथ समन्वित होना ही हो जायगी।

यहाँ 'भौतिक' पद के प्रयोग पर बौद्धों की ओर से आपत्ति हो सकती है कि 'भौतिक' लक्षणात्मक पद है जबकि वस्तु विलक्षण है। यह सही है किन्तु सौत्रान्त्रिक इस लक्षण को वास्तव में विलक्षण मानकर चल रहे हैं, अन्यथा उनके केवल ऐन्द्रिक संवेद को ही सत् का निर्भासक कहने में क्या औचित्य है? क्यों बुद्धि सत् की निर्भासक नहीं है?

1. द्रष्टव्य — **न्यायबिन्दु,** डॉ. गोविन्दचन्द्र पाण्डे कृत अनुवाद और व्याख्या, अखिल भारतीय दर्शन परिषद्, पृ. 14
2. द्रष्टव्य, **अपोहसिद्धि**, उपर्युक्त, पृ. 30

यहाँ कांट से दिङ्नाग और उसके अनुयायियों की तुलना पुन: उपयोगी होगी। कांट दिङ्नाग के समान बुद्धि को सत् के निर्भासन में असमर्थ नहीं कहते और इस प्रकार उनकी विलक्षण वस्तु भूत-लक्षण नहीं बनती, वह मात्र बुद्धि को केवल वहाँ असमर्थ कहते हैं जहाँ वस्तुग्रहण का आधार संवेद है। वहाँ भी वे संवेद को वास्तव में निर्विकल्पक मानते हैं और यह संवेद निर्विकल्पक 'ज्ञान' के लिए विकल्पों का उपादान बनता है। किन्तु परमार्थ के उस क्षेत्र में, जो संवेद में निर्भासित नहीं होता, बुद्धि ही सत् के स्वरूप की ज्ञापक बनती है। मॉरल लॉ बुद्धि द्वारा निर्भासित सत् ही है। स्वयं दिङ्नाग और वसुबन्धु अविद्या के परिहाण का और सम्बोधि के साधन का कारण किसे मानेंगे? यहाँ पर स्पष्टत: साँख्य और वेदान्त उपयुक्त मार्गदर्शक हैं, क्योंकि वे संवेद से बुद्धि तक सब करणों को औपाधिक मानते हैं और ज्ञान को स्वप्रकाशत्व मानते हैं और इन औपाधिक करणों में बुद्धि को ही विवेक-समर्थ मानते हैं। दिङ्नाग और उसके अनुयायी तो पूर्ण रूप से एक प्रकार के भौतिकवाद को आपादित करते हैं। यहाँ हम उपर्युक्त निरूपणों की पुष्टि में धर्मकीर्ति-विरचित **न्याय-बिन्दु** का सूत्र 13 और उस पर धर्मोत्तर की टीका डॉ. पाण्डे के हिन्दी अनुवाद में उद्धृत करना चाहेंगे—

सूत्र 13 — जिस अर्थ की सन्निधि और असन्निधि से ज्ञान का प्रतिभास भिन्न हो जाता है, वह स्वलक्षण है।

धर्मोत्तर

"'अर्थ' ज्ञान के विषय का पर्याय है। सन्निधि का अर्थ दूर देश में अवस्थिति है। विषय के पास या दूर होने से ज्ञान के प्रतिभास में, अर्थात् ग्राह्य आकृति में, स्फुटता और अस्फुटता के कारण भेद हो जाता है। जो ज्ञान का विषय निकट होने पर ज्ञान के आभास को स्पष्ट करता है और ग्रहण-योग्य स्थान में रहते हुए भी दूर हो जाने पर ज्ञानाभास को अस्पष्ट करता है, वह स्वलक्षण है।"[1] इससे स्पष्ट है कि विलक्षण परमार्थ केवल संवेद-ग्राह्य है और अतएव भौतिक (रूप-धातु) है। यहाँ कांट से अन्तर भी द्रष्टव्य है। कांट की व्यवस्था में सन्निधि-असन्निधि और स्फुट-अस्फुट की बात नहीं की जा सकती, क्योंकि प्रथम में देश पूर्व-गृहीत है और दूसरे में मात्रा और परिणामत: अध्यवसाय। अलबत्ता यह कहा जा सकता है कि ये दोनों बातें कांट की स्वलक्षण वस्तु के साथ भी रहती है, अन्यथा वह संवेद-सम्बद्ध नहीं हो सकती।

दिङ्नाग और अन्य सौत्रान्त्रिकों पर निहित रूप से भौतिक लक्षण मानने के उपर्युक्त आरोप के उत्तर में कहा जा सकता है कि ये प्रत्यक्ष को केवल ऐन्द्रिक प्रत्यक्ष नहीं मानते, वे यौगिक प्रत्यक्ष को भी स्वीकार करते हैं। यहाँ **न्यायबिन्दु** में प्रत्यक्ष की परिभाषा (सूत्र 4) पर डॉ. गोविन्दचन्द्र पाण्डे की टिप्पणी उद्धरणीय है। परिभाषा है—"प्रत्यक्ष को कल्पनापोढ़ और अभ्रान्त समझना चाहिए।" इस पर पाण्डेजी टिप्पणी करते हुए लिखते हैं—"न्यायसूत्रों में प्रत्यक्ष का लक्षण था : इन्द्रिय और अर्थ के सन्निकर्ष से उत्पन्न, अव्यभिचारी, अव्यपदेश्य एवं व्यवसायात्मक ज्ञान। दिङ्नाग ने इस लक्षण का खण्डन कर नया लक्षण प्रस्तुत किया। उपर्युक्त गौतमीय लक्षण में पहला विशेषण केवल ऐन्द्रिय प्रत्यक्ष तक सीमित होने के कारण अव्याप्ति से ग्रसित है।"[2] दूसरा प्रत्यक्ष बौद्ध यौगिक मानते हैं। किन्तु यौगिक प्रत्यक्ष ऐन्द्रिक प्रत्यक्ष से अपनी वस्तु में भिन्न नहीं होता, केवल इस बात में भिन्न होता है कि जबकि ऐन्द्रिक प्रत्यक्ष का विषय समकालीन क्षणमात्र होता है जो पीछे विकल्प द्वारा अध्यारूढ़ और इस प्रकार अस्फुट हो जाता है, यौगिक प्रत्यक्ष त्रिकाल के सभी क्षणों का निर्विकल्पक और इस प्रकार स्फुट ज्ञान होता है।[3] ऐसा ज्ञान सर्वज्ञ को हो सकता है या नहीं और यदि इसकी सम्भावना मानें तो प्रतीत्यसमुत्पाद का क्या अर्थ होगा, यह सब यहाँ विचार का प्रसंग नहीं है, यहाँ केवल इतना ही प्रासंगिक है कि इस ज्ञान की विषयभूत वस्तु संवेद-ग्राह्य वस्तु से भिन्न नहीं बतायी गयी है। अवश्य धर्मोत्तर ने अपनी टिप्पणी में 'वास्तविक' का अर्थ

1. द्रष्टव्य, **अपोहसिद्धि**, उपर्युक्त, पृ. 30-31
2. **न्यायबिन्दु**, पृ. 20
3. श्चर्बात्स्की, वही, पृ. 162 तथा **न्यायबिन्दु**, पृ. 28

'प्रामाणिक, जैसे कि चार आर्य सत्य'[1] किया है, किन्तु आर्य सत्यों और निर्विकल्पक संवेदगम्य वस्तुओं दोनों को एक-साथ वस्तु कहना किसी भी युक्ति से संगत नहीं है। आर्य सत्यों को न विलक्षण कहा जा सकता है और न क्षणिक और न संवेद्य। धर्मोत्तर ने ही आगे यौगिक प्रत्यक्ष के बारे में कहा है कि वह क्षणिक और घटनात्मक पर तो लागू होता है, आर्य सत्यों पर नहीं। वह कहता है—"उस सीमा (प्रकर्ष की आत्यन्तिकता) से उत्पन्न हुआ ज्ञान, जो कि भाव्यमान वस्तु के आकार को इस प्रकार ग्रहण करता है मानो वह सम्मुख उपस्थित हो, योगी का प्रत्यक्ष है।"[2] 'भाव्यमान्' अर्थात् 'भविष्य में होने वाला'। द्रष्टव्य है कि आर्य सत्य भूत, वर्तमान या भविष्यत् में नहीं होते।

किन्तु दिङ्नाग और उनके अनुयायियों के मतों पर उठायी गई अधिकांश आपत्तियाँ वसुबन्धु पर लागू नहीं होतीं।[3]

1. **न्यायबिन्दु**, पृ. 28
2. वही, पृ. 29
3. द्रष्टव्य — यहाँ संकलित 'वसुबन्धु का विज्ञानवाद' लेख।

जैन अनेकान्तवाद और स्याद्वाद

जैन दर्शन जैन धर्म का एक अंग है और 'धर्म' का अर्थ एक सम्पूर्ण जीवनदृष्टि, उपासना–पद्धति, परमार्थ, व्यवहार और पुरुषार्थ विषयक दृष्टि और आचरण–विधि है। जैन धर्म भारत के दो मुख्य अवैदिक धर्मों में से एक है और ऋग्वेद जितना ही प्राचीन है। यह एक आश्चर्य की बात है कि दूसरे अवैदिक धर्म : बौद्ध : से इसकी न पुरुषार्थ–दृष्टि और उपासना–पद्धति में कोई अनुरूपता है और न दार्शनिक सिद्धान्त और अभिनिवेश में। इन दो सम्प्रदायों में केवल अहिंसा को विशेष महत्त्व देने में ही अनुरूपता है। किन्तु यहाँ भी यह भेद है कि जबकि जैन मत अहिंसा को उसकी आत्यन्तिकता में आचरणीय मानता है, बौद्धमत इसमें उस आत्यन्तिकता तक नहीं जाता। किन्तु दूसरी ओर जैन दर्शन लोकसंज्ञान, लोकधारणा के अधिक निकट है जबकि बौद्ध दर्शन तार्किक शुद्धता के पीछे अन्त तक जाने को तैयार है और लोकसंज्ञान की इसमें वह कोई चिन्ता नहीं करता। लोकसंज्ञान की युक्तता को स्वीकार करते हुए उसे तार्किक आधार देने के क्रम में ही जैन दार्शनिकों ने अनेकान्तवाद और स्याद्वाद के सिद्धान्तों का प्रतिपादन किया। अनेकान्तवाद की युक्तता दिखाने के लिए जैन सत्ता के स्वरूप–विषयक वेदान्त और बौद्ध मतों को एकान्त दृष्टियों के उदाहरण के रूप में प्रस्तुत करते हैं। वेदान्त के अनुसार सत् को सर्वकाल और सर्वदेश में एकरूप रहना चाहिए जबकि बौद्धों के अनुसार सत् का लक्षण ही परिवर्तन या क्षणिकता है। किन्तु साधारण अनुभव–जगत् में तो हम स्थायिता–एकरूपता और परिवर्तन को एक–साथ रख ही पाते हैं। परिवर्तन किसी वस्तु को आधार बना कर होता है और कोई वस्तु नहीं जिसमें परिवर्तन नहीं होता। परिणामत: वस्तु स्थिर भी होती है और परिवर्तनशील भी। ये दो विरुद्ध प्रतीत होने वाले धर्म वस्तुओं को संयुक्त रूप से परिभाषित करते हैं। इनमें केवल एक धर्म को सत्ता का धर्म मानना और दूसरे का निषेध करना एकांगी दृष्टि का द्योतक है। यही वस्तु की अनेकान्तता है।

'स्याद्वाद' का साधारण प्रचलित अर्थ सन्देहात्मक 'सम्भव है' होता है और वास्तववाद के साथ यह अर्थ भी संगत है, क्योंकि वस्तु के ज्ञान–बाह्य और स्वतन्त्र होने पर उसके ज्ञान के प्रति सन्देहात्मक दृष्टि अधिक संगत है। किन्तु जैन इस पद का प्रयोग सापेक्षता के अर्थ में करते हैं और वह भी अनिवार्य रूप से ज्ञानात्मक सापेक्षता नहीं बल्कि कथनात्मक सापेक्षता के अर्थ में।

वस्तु, उनके अनुसार, अनेक रूपात्मक, अनेक आयामात्मक और अनेक गुण–धर्मात्मक होती है जिसका हमारा ज्ञान आंशिक भी हो सकता है और समग्र भी, किन्तु उसके सम्बन्ध में हमारे कथन सापेक्ष ही हो सकते हैं। समग्रता में वस्तु अवक्तव्य ही होती है। उदाहरणत: जैनों के अनुसार वस्तु पक्षत: ध्रुव–स्थिर होती है और पक्षत: परिवर्तमान। उसका प्रथम पक्ष द्रव्य का है और दूसरा पर्यायों का। किन्तु उनके अनुसार वेदान्त दार्शनिक केवल उसके प्रथम, ध्रुवात्मक, पक्ष को ही देखते हैं और बौद्ध केवल दूसरे, परिवर्तमान, पक्ष को ही देखते हैं। किन्तु जैनों का कहना है कि वस्तु को समग्रत: परिवर्तमान या समग्रत: ध्रुव कहने पर तो अवश्य इन दो विधेयों का एक वस्तु के साथ प्रयोग आत्मव्याघातक होगा किन्तु वस्तु समग्रत: ध्रुव या समग्रत: परिवर्तमान होती ही नहीं है। इसलिए उसके साथ इन दोनों विधेयों का एक–साथ प्रयोग युक्तियुक्त ही नहीं आवश्यक भी है। केवल इन दोनों विधेयों के साथ 'पक्षत:' या 'अपेक्षा से' या 'कथंचित्' विशेषण का प्रयोग करना अपेक्षित है। उदाहरणत: यदि किसी घट को मूलत: परिवर्तमान कहें तो दो क्षणों पर वह एक वस्तु ही नहीं होगा और तब उसकी परिवर्तमानता का भी कोई अर्थ नहीं रहेगा, और यदि उसे केवल ध्रुवता के आधार पर ही वस्तु कहें तो फिर प्रत्यक्षत: लक्षित परिवर्तन के सम्बन्ध में क्या कहेंगे? इसलिए यही कहना उचित है कि एक ध्रुव वस्तु ही होती है जिसमें परिवर्तन

घटित होते हैं। किन्तु किसी घट की ध्रुवता और परिवर्तमानता एक-साथ किस प्रकार कही जा सकती है? इसके लिए उनका उत्तर है कि यह किसी अपेक्षा से कही जा सकती है। इस प्रकार यदि किसी घट के सम्बन्ध में कहना हो कि वह ध्रुव है, अथवा कहना हो कि वह परिवर्तमान है तो उचित रूप से कहना चाहिए कि वह मिट्टी की अपेक्षा से ध्रुव है और घटाकार आदि की अपेक्षा से परिवर्तमान है। इस अपेक्षा या सापेक्षता के लिए जैन दार्शनिक 'स्यात्' शब्द का प्रयोग करते हैं। इस 'स्यात्' का अर्थ 'पक्षत:' अथवा 'किसी अपेक्षा से (किन्तु नि:सन्दिग्ध रूप से)' है। जैसे, 'घट स्थायी वस्तु है या कि निरन्तर परिवर्तमान क्षण-सन्तान? अथवा प्रवहमान?' तो जैनों का उत्तर होगा कि 'स्यात् घट स्थायी (उपादान की अपेक्षा से) और स्यात् परिवर्तमान भी (पर्यायों की अपेक्षा से)।' अथवा कहें 'मिट्टी के रूप में घट ध्रुव है, आकार, वर्ण आदि के रूप में परिवर्तमान है।' घट विषयक ये दो प्रतिज्ञप्तियाँ सन्देहात्मक नहीं हैं, ये निश्चयात्मक हैं और इस प्रकार 'स्यात्' पद का प्रयोग यहाँ निश्चयात्मकता का द्योतक भी है।

यह प्रतिपादन वस्तु की अनेकात्मकता को पूर्वगृहीत करता है। किन्तु वस्तु की यह अनेकात्मकता द्रव्य और पर्यायों के रूप में ही प्राप्त नहीं होती बल्कि अनेक रूपों में प्राप्त होती है। उदाहरणत: अस्ति और नास्ति के रूप में तथा विशेष और सामान्य के रूप में। उदाहरणत: यह घट देश $द^1$ और काल $क^1$ पर है और देश $द^2$ और काल $क^2$ पर नहीं है। इस प्रकार जैनों के अनुसार वस्तुएँ केवल अस्तित्व से ही घटित नहीं होतीं बल्कि अनस्तित्व से भी समान रूप से घटित होती हैं। इसलिए 'घट है' यह कथन जैनों के अनुसार निरपेक्ष रूप से करने पर भ्रामक होगा, यद्यपि असत्य नहीं होगा। द्रष्टव्य है कि अनस्तित्व वस्तु का घटक केवल देश तथा काल के पक्ष से ही नहीं होता, गुण, धर्म आदि के पक्ष से भी होता है। जैसे 'यह घट' घटत्व रूप से तो है किन्तु पटत्व, गोत्व आदि रूप से नहीं है।

यहाँ यह स्पष्टीकरण आवश्यक है कि जैन गुणों और धर्मों में भेद करते हैं। उनके अनुसार जो शक्तियाँ परस्पर विरुद्ध प्रतीत होती हैं या सापेक्ष होती हैं उन्हें धर्म कहते हैं। जैसे आत्मा के ज्ञान, दर्शन, सुख आदि और पुद्गल के रूप, रस, गन्ध आदि गुण हैं। अब 'एक वस्तु अनेक गुणों और अनेक धर्मों से युक्त होती है' यह वस्तु-विषयक अनेकान्त दृष्टि है। इन गुणों और धर्मों का पृथक्-पृथक् या युगपत् कथन केवल स्यात्पूर्वक ही सम्यक्-रूपेण सम्भव है, अन्यथा हम विरुद्ध प्रतीत होने वाले धर्मों में से एक वर्ग का स्वीकार कर दूसरे वर्ग का अस्वीकार कर देते हैं जिससे ऐकान्तिक दृष्टि बनती है। अब, एक वर्ग का स्यात्पूर्वक कथन करने पर यह दोष नहीं रहता क्योंकि 'स्यात्' का प्रयोग ही इसलिए किया जाता है कि इस कथन का कथ्य विरुद्ध प्रतीत होने वाले अन्य धर्मों का भी आश्रय है।

जैन वास्तववाद केवल इतने तक ही सीमित नहीं है कि यह द्रव्य और पर्याय तथा विशेष और सामान्य दोनों को स्वीकार करता है और उन्हें एक ही वस्तु के पक्ष स्वीकार करता है, बल्कि यह विषयभूत वस्तुओं को उनकी व्यष्टिता में और निर्धारणों को उनकी निर्धारकता में भी वस्तुगत स्वीकार करता है। यह पक्ष-बहुत्व की स्वीकृति ही वास्तव में अनेकान्तवाद है। जैनों का यह वास्तववाद बहुत स्थूल भी है। इसकी दृष्टि की स्थूलता विशेष रूप से इसके आत्मा के सिद्धान्त में परिलक्षित होती है। यह सम्प्रदाय जबकि आत्मा के लिए देह-धारण को आवश्यक नहीं मानता किन्तु यह उसे सपरिमाण और देशावस्थित मानता है और इस प्रकार आत्मा के लिए जैन 'जीव' शब्द का प्रयोग करते हैं जो बद्धावस्था में अजीव देहों के साथ संयुक्त रहता है और मुक्तावस्था में अजीव देह के सम्पर्क के बिना रहता है। देह से सम्पर्क होने पर यह देह-परिमाण होता है और मुक्तावस्था में इसका परिमाण उस देह के 2 / 3 परिमाण में होता है जिसका यह मुक्त होने के समय परित्याग करता है।[1]

जैन जीव और अजीव ये दो मूल तत्त्व मानते हैं और इनकी अनेकान्तरूपता के प्रदर्शन के द्वारा ही वे अपने अनेकान्तवाद का प्रतिपादन करते हैं। वास्तव में वे इन दोनों तत्त्वों की अनेकान्तरूपता एक ही प्रकार से स्वीकार

---

1. द्रष्टव्य आचार्य महाप्रज्ञ — 'इज़ मोक्ष सान्त ऑर अनन्त?' **जे.आई.सी.पी.आर.,** मई-अगस्त, 1993

करते हैं—इन्हें द्रव्यपर्यायात्मक दिखाकर। अब, जीव के गुण या पर्याय क्या हैं? जैनों के अनुसार ये ज्ञान, दर्शन, सुख आदि हैं। तब धर्म क्या है? ये दो कहे जा सकते हैं : अस्ति–नास्ति एक, चेतन–अचेतन दूसरा। एक तीसरा धर्म परिमाण कहा जा सकता है। यहाँ एक कठिनाई तो यह है कि यदि ज्ञान आत्मा का गुण है तो आत्मा चेतन–अचेतन धर्मात्मक नहीं हो सकता, क्योंकि ज्ञान उसमें अनिवार्य है। दूसरे, जीव में ज्ञान, दर्शन, और सुख अनन्त और अपरिमित हैं और यह अनन्तता स्वयं में बाधित नहीं होती, केवल संसारावस्था में उपहित होती है और मुक्त जीव में वह अनन्त काल के लिए अनुपहित रहती है। किन्तु पर्यायों के लिए यह अनिवार्य है कि वे निरन्तर उत्पत्ति–क्षयात्मक हों। अब, बद्धावस्था में दुःख, अज्ञान आदि जीव के पर्याय कहे जायेंगे या नहीं? वेदान्त और साँख्य में आत्मा के गुण या धर्म, जैसे चित् और द्रष्टृत्व, उसके स्वरूप माने जाते हैं और बद्धावस्था में यह स्परूप उपहित माना जाता है। किन्तु जैनों में पर्याय अनिवार्यतः परिवर्तनशील होते हैं। परिणामतः इनके सिद्धान्त में परिमाण के सम्बन्ध में भी एक मूलभूत समस्या है : जीव के परिमाण की उपमा प्रकाश के परिमाण से दी जाती है और यह परिमाण उसे घेरने वाली भौतिक वस्तु के अनुसार होता है। इसका अर्थ हुआ कि आत्मा का अपना कोई परिमाण नहीं होता। किन्तु मुक्तावस्था (दूसरे शब्दों में अदेहावस्था) में उसका परिमाण अन्तिम त्यक्त देह के 2 / 3 अनुपात में रहने का अर्थ है कि आत्मा के लिए किसी परिमाण में रहना आवश्यक है। किन्तु थोड़ा गहराई में जाएँ तो प्रश्न उठेगा कि परिमाण देह में भी स्वगत कैसे हो सकता है? क्योंकि देह अन्ततः परमाणु–संघात है और इस प्रकार परमाणुओं के देह के रूप में संहत होने के लिए कोई अन्य नियामक होना चाहिए। इस प्रकार चींटी, सरीसृप, मछली, हस्ती और मनुष्य के देहों के आकार और परिमाण उनमें संहत परमाणुओं से तय होते हैं और ये संहतियाँ या तो किसी नियम के बिना आविर्भूत होनी चाहिएँ अथवा किसी नियम से। जैन–सिद्धान्त में इसका उत्तर स्पष्ट होना चाहिए कि इन संहतियों का आविर्भाव एक नियम से होता है और इसका नियामक कर्म है। किन्तु जैनों ने इस स्पष्ट आपादन को नहीं देखा। हमारे इस आक्षेप का औचित्य यह है कि जैन दार्शनिक देहों का वर्गीकरण इन्द्रियों की संख्या से करते हैं और इन्द्रियाँ कर्मों के द्वारा आवृत ज्ञान–स्वरूप आत्मा का गवाक्ष होती हैं जो पुनः कर्मों से ही नियत हो सकती हैं। अब, यद्यपि कर्मों के ये आवरण अनादि होने से यह आपादित होता है कि परमाणुओं के देह–रूप से संहत होने का नियम जीव में नहीं हो सकता, किन्तु उस आवरण से मुक्ति सम्भव होने और इस सम्भावना का हेतु जीव का प्रयत्न होने से यही आपादित होता है कि इन कर्मों के आवरणों के जीव से संयोग का हेतु जीव में ही होना चाहिए। ऐसा नहीं मानने पर यह मानना होगा कि कर्म जीव के अधीन नहीं हैं, उनकी सत्ता स्वतन्त्र होती है और वे नितान्त अतर्कित रूप से जीव के सम्पर्क में आते और उसे विभिन्न प्रकार से आवृत्त करते और विभिन्न देहों से संयुक्त करते हैं। किन्तु यह युक्तिसंगत प्रतीत नहीं होता। और दूसरे, ऐसा होने पर जीव की देह से मुक्ति जीव के अपने प्रयत्न के अधीन नहीं रहती। यहाँ स्पष्टतः एक आधारभूत अन्तर्विरोध है : एक ओर जीव का परिमाण अपना नहीं होकर देह का होता है जो जीव को भी परिमित करता है और जीव किस देह में रहता है यह उसके अपने कर्मों के अधीन होता है, किन्तु दूसरी ओर ये कर्म जीव के अपने अधीन होते हैं और इस प्रकार देह के आकार और परिमाण का नियमन अन्ततः जीव के अधीन ठहरता है। यह अन्तर्विरोध तब और अधिक गहरा जाता है जब जैन मुक्त जीव को भी सपरिमाण कहते हैं, चाहे वह परिमाण त्यक्त देहाश्रित ही क्यों नहीं हो। इस अन्तर्गत विसंगति के अतिरिक्त इसमें यह समस्या और है कि परिमाण अजीव वर्गणा का ही एक पर्याय हो सकता है जबकि जैन इसे जीव के लिए भी अनिवार्य बना देते हैं।

जैन इसके लिए उत्तर दे सकते हैं कि उनके लिए जीव या अजीव का शुद्ध स्वरूप होना अनिवार्य नहीं है, उनके अनेकान्तवाद में यह भी अपेक्षित है कि जीव अजीवता के गुणों–पर्यायों से भी युक्त हो। परिमाण के सम्बन्ध में किसी जैन दार्शनिक ने उपर्युक्त प्रकार से विचार किया है या नहीं यह हम नहीं कह सकते किन्तु कम–से–कम कुछ जैन दार्शनिकों ने जीव की अनेकान्तरूपता इस पक्ष में भी देखी है कि जीव अजीवता से सर्वथा भिन्न या वियुक्त नहीं है। उदाहरणतः एक समकालीन जैनाचार्य महाप्रज्ञ आचार्य अकलंक के आधार पर कहते हैं कि—

"जैन दर्शन के अनुसार मूल द्रव्य दो हैं—जीव और अजीव, किन्तु उनमें सर्वथा भेद या सर्वथा अभेद नहीं है। यह भेदाभेदात्मक दृष्टिकोण अनेकान्तवाद का प्राण तत्त्व है। स्याद्वाद के द्वारा इस सत्य का प्रतिपादन इस प्रकार होगा—

1. स्यात् कथंचित् किसी अपेक्षा से जीव अजीव से भिन्न है।

2. स्यात् कथंचित् किसी अपेक्षा से जीव अजीव से अभिन्न है।

महान् दार्शनिक आचार्य अकलंक ने जीव को चेतनाचेतनात्मक कहा। उनके अनुसार प्रमेयत्व आदि धर्मों से जीव अचिदात्मक है और चैतन्य धर्म से वह चिदात्मक है—

प्रमेयत्वादिभिर्धर्मैरचिदात्मा चिदात्मकः।
ज्ञान-दर्शनतस्तस्माद् चेतनाचेतनात्मकः।।"[1]

अब यह एक नितान्त व्यामिश्रजनक परिस्थिति है। इस श्लोक का पूर्ण अर्थ आचार्य महाप्रज्ञ ने यहाँ नहीं दिया है। प्रथम पंक्ति का अर्थ है कि 'चिदात्मक : जीव : प्रमेयत्वादि धर्मों से युक्त होने के कारण अचिदात्मक भी है, अथवा कहें प्रमेयत्वादि के पक्ष में वह अचिदात्मक है।' और दूसरी पंक्ति का अर्थ है कि 'अचिदात्मक : अजीव : ज्ञान तथा दर्शन आदि धर्मों के कारण, अथवा कहें उनके पक्ष से, चिदात्मक भी है।' अब चिदात्मक : जीव : प्रमेय कब होता है? यह आत्म-विमर्श अथवा आत्मचेतना के अवसरों पर आत्म-प्रमेय होता है, जैसे 'मैं जानता हूँ मैं दुःखी हूँ' अथवा 'मैं जानता हूँ मैं सुखी हूँ' इन अध्यवसायों में चेतन आत्म-प्रमेय है। ऐसा भी कह सकते हैं कि सब चित्तवृत्तियाँ प्रमेयरूप होती हैं, वे किसी प्रमातृ की विषय हों चाहे नहीं हों। इस प्रकार पशु की अनध्यवसायात्मक चेतना की वृत्तियाँ प्रमातृत्वविहीन होने पर भी प्रमेय रूप कही जा सकती हैं। किन्तु यह प्रतिपादन जैन दर्शन के अनुरूप प्रतीत नहीं होता, क्योंकि इसका यह अर्थ लेने पर इसमें यह कठिनाई होगी कि केवली और मुक्त जीव में आत्म-व्यवधान, आत्म-भिन्नता का स्वीकार होगा। इसके उत्तर में कहा जा सकता है कि आत्म-व्यवहितत्व का यह विचार जैन दृष्टि पर वेदान्त, साँख्य या योगाचार दृष्टियों का आरोप है। जैन इनके विपरीत कैवल्य में जीव की सर्वज्ञता स्वीकार करते हैं और सर्वज्ञ का यह ज्ञान बद्ध जीवों के ज्ञान के समान ही विषयात्मक होता है। बद्ध और मुक्त जीव के ज्ञान में केवल मात्रा-भेद ही होता है। उपर्युक्त श्लोक की पहली पंक्ति का यह अर्थ करने पर यह कठिनाई होगी कि तब आत्म-अचेतन जीवों में या तो अचिदंश का अभाव स्वीकार करना होगा, क्योंकि उनमें आत्म-प्रमेयत्व नहीं होता, अथवा चित् का अभाव स्वीकार करना होगा, क्योंकि उनमें आत्म-प्रमेयात्मक चिद्वृत्तियाँ ही होती हैं, प्रमातृत्व नहीं होता। दूसरी पंक्ति का अर्थ है कि "ज्ञान और दर्शन गुणों के होने से अचिदात्मक : अजीव द्रव्य : चेतना के गुणों से युक्त होता है (अथवा चेतना के गुणों को प्रदर्शित करता है, अथवा उनसे उपरंजित होता है)।" अब, इस श्लोक की दूसरी पंक्ति के हमने तीन वैकल्पिक अर्थ दिये हैं। श्लोक में इनमें से कौन-सा अर्थ अभिप्रेत है यह कहना कठिन है किन्तु प्रथम पंक्ति के साथ इसका केवल प्रथम अर्थ : अचिदात्मक द्रव्य चेतना के गुणों से युक्त होता है : ही संगत बैठता है। किन्तु यह अर्थ अपने-आपमें संगत प्रतीत नहीं होता, क्योंकि देह में ज्ञानादि गुण जीव के ही होते हैं, ये देह के अपने नहीं होते। इसके अतिरिक्त यहाँ यह प्रश्न भी उपस्थित होता है कि प्रमेयत्व धर्म अजीव का गुण है किन्तु वह इस गुण से युक्त केवल जीव का विषय होने पर ही होता है, स्वयं से नहीं। किन्तु उसमें अचेतनत्व तो तब भी रहता ही है, उसका यह धर्म प्रमेयत्व पर निर्भर नहीं करता। दूसरे, यह प्रश्न उत्पन्न होता है कि क्या प्रमा का विषय होने पर अजीव में किसी वास्तविक गुण का आविर्भाव या योग होता है या कि उसमें अन्तर्निहित अव्यक्त योग्यता की ही अभिव्यक्ति होती है? या कि इनमें से कुछ भी नहीं होता और विषयता उससे केवल बाह्यत: सम्बन्धित होती है? किन्तु जैन दार्शनिक इस सम्बन्ध को भी नितान्त बाह्य नहीं मानते। यहाँ एक और समस्या भी उत्पन्न होती है जिसकी ओर हमारी जानकारी

1. आचार्य महाप्रज्ञ — **उन्मीलन**, जुलाई 1992

में किसी दार्शनिक ने ध्यान नहीं दिया और वह यह कि घट-पटादि वस्तुएँ अजीव उपादान में प्रयोजन, कल्पना, विचार आदि के निमित्त से आविर्भूत होती हैं और परमाणतः ये अपने उपादान से आधारभूत रूप से भिन्न होती है।[1] द्रष्टव्य है कि जैन अन्य सब दार्शनिकों के समान ही घट, पट आदि के इस पक्ष पर कोई ध्यान नहीं देते और परिणामतः उपादान-भेद से इन कृतियों को उपादानों के कार्य मान कर भिन्न मान लेते हैं। इस प्रकार जैनों के अनुसार स्वर्ण-घट और मृद्-घट दो नितान्त रूप से भिन्न वस्तुएँ हैं। किन्तु यह बात युक्त नहीं है। निश्चय ही यहाँ यह प्रश्न विचारणीय है कि क्या घटादि का उपादान कारण वही है जो निमित्त कारण है और मृदादि केवल सहयोगी कारण हैं याकि उपादान और निमित्त कारण भिन्न-भिन्न हैं और इस प्रकार उपादान-भेद से उपादेय भी भिन्न हो जाते हैं निमित्त चाहे एक ही हो? हम घट बनाने के लिए स्वर्ण, पीतल, लोहे और मृद् किसी को भी उपादान बना लेते हैं, इससे घट-रूप में ये परस्पर भिन्न नहीं हो जाते। इसे यों कहें कि घटत्व रूप से स्वर्णघट और मृद्-घट अघटों से भिन्न-भिन्न प्रकार से व्याहृत नहीं होते। दूसरे, बहुत बार एक ही कृति के विभिन्न अवयव विभिन्न उपदानों से बनते हैं, जैसे मेज़ केवल काष्ठ से, काष्ठ और सनमाइका से, अथवा काष्ठ, सनमाइका और काँच से बनाया जा सकता है। चिड़िया तक घोंसला बनाने में उपलब्धता के अनुसार किसी भी वस्तु का उपयोग कर लेती है और उसके लिए घोंसले की अपेक्षा में इस उपादान-भेद का कोई अर्थ नहीं होता। इस प्रकार कृतियों को अकृत वस्तुओं के अनुरूप अजैव प्रमेय नहीं कहा जा सकता, और जैसाकि हमने पीछे देखा, देह भी जीव की कृति ही ठहरता है। इन्द्रियों को जैनों द्वारा ज्ञान-गवाक्ष कहना उनके लिए देहों को अजीव द्रव्य मात्र से भिन्न बना देता है। इस पर जैन कह सकते हैं कि इससे तो उन्हीं की बात का समर्थन होता है कि जीव और अजीव नितान्त भिन्न नहीं हैं, किसी अपेक्षा से जीव अजीव से भिन्न होता है और किसी अपेक्षा से अभिन्न। किन्तु यहाँ प्रश्न यह नहीं है, यहाँ प्रश्न यह है कि क्या प्रमेयत्व जीव में अजीवत्व है या कि अजीव में जीवत्व? और दूसरे, घट उपादान-भेद से भिन्न होता है तो घटत्व का अपना कोई वाच्य नहीं रहता और यदि वह अभिन्न रहता है तो उपादान घट का कारण नहीं रहता, केवल उसका उपयोगी, अथवा उसके अस्तित्व का बाह्य माध्यम मात्र ठहरता है और उनमें द्रव्य-पर्याय सम्बन्ध नहीं रहता।।

प्रमेय को अजीव मानने पर जैन दर्शन के अन्तर्गत एक और कठिनाई होगी, कि इसका अजीव की कोटियों : देश, काल, धर्म और पुद्गल : में से कम-से-कम एक के अन्तर्गत वर्गीकरण अनिवार्य होगा (वास्तव में तो इसमें सभी कोटियों का संयोग आवश्यक होगा)। किन्तु ऐसा हो नहीं सकता। यह कठिनाई साँख्य, वेदान्त और योगाचार दर्शन-सम्प्रदायों में नहीं आती क्योंकि उनमें प्रकृति, माया या संसार पंचभूतात्मक नहीं हैं, पंचभूत या महाभूत साँख्य में एक विकार और शेष दो में चिद्-वृत्ति है। परिणामतः उनके लिए प्रमेय प्रकृति या विकृति होने पर भी उसका भौतिक होना आवश्यक नहीं है।

अब, जीव के शुद्धतः जीव और अजीव के शुद्धतः अजीव होने के इस निषेध के पीछे जैनों की प्रेरणा अनेकान्तवाद को मूल मन्त्र के रूप में स्वीकार करना ही है अन्यथा जैन जीव और अजीव को दो पृथक् द्रव्य मानते हैं और इस कारण उनके लिए सापेक्षिकता मानना न केवल आवश्यक ही नहीं है बल्कि उपर्युक्त समस्याओं में पड़ना भी है। यों इन्हें नितान्त शुद्ध मानने के विरुद्ध उनकी एक युक्ति यह भी है कि वैसा होने पर उनमें सम्पर्क कैसे होगा? किन्तु तब भी सब जैन दार्शनिक जीव में अचिदंश और अजीव में चिदंश नहीं मानते हैं। उदाहरणतः **धवला**[2] में जीव को शुद्ध चिद्धर्मात्मक और अजीव को शुद्ध अचिद्धर्मात्मक ही कहा गया है, ऐसा ही अधिकांश अन्य आचार्य भी मानते हैं। जैसे, **षड्दर्शन-समुच्चय** में हरिभद्र सूरि लिखते हैं—चैतन्यलक्षणो जीवो, यच्चैतद्वैपरीत्यवान् अजीवः सः समाख्यातः।

1. द्रष्टव्य यशदेव शल्य — **चिद् विमर्श,** अध्याय 2, दर्शन प्रतिष्ठान, जयपुर 1994
2. **धवला,** पृ. 1, खण्ड I, सूत्र 11, पृ. 167 (यहाँ डॉ. हुकुमचन्द भरिल्लकृत **अनेकान्त और स्याद्वाद,** पृ. 12 से उद्धृत)

आचार्य महाप्रज्ञ ने अनेकान्त के सम्बन्ध में एक और जैन प्रतिपादन का भी उल्लेख किया है जिस पर यहाँ विचार महत्त्वपूर्ण होगा। आचार्य महाप्रज्ञ कहते हैं—"अनेकान्त का क्षेत्र केवल द्वैतवाद नहीं है, अद्वैत भी है। वेदान्त का अन्तिम सत्य ब्रह्म है। संग्रह नय का अन्तिम सत्य अस्तित्व है। उसमें चैतन्य और अचैतन्य का विभाग भी नहीं है। भूताद्वैतवाद अथवा चैतन्याद्वैतवाद इन दोनों में क्रमश: अचैतन्य और चैतन्य की स्वीकृति है किन्तु पर-संग्रह नय में ये दोनों गौण हैं, केवल सत्ता की स्वीकृति है। इसलिए अनेकान्त को एक, दो, तीन आदि की संख्या से जोड़ना अर्थवान् नहीं है।"[1]

अब, यह प्रतिपादन और अधिक व्यामिश्रजनक है। सर्वातीत शुद्ध अस्तित्व का, ऐसे अस्तित्व का जो जीव, अजीव, द्रव्य, पर्याय सबसे अतीत और प्राक् है, क्या अर्थ है? इसका इसके अतिरिक्त और कोई अर्थ नहीं हो सकता कि यह सब चिदचिदादि भेद एक अविभक्त-अव्यक्त आद्य अवस्था का व्यक्त और स्फुट रूप है और यह भी कि वस्तुएँ अपने आधार में निर्धार्य नहीं हैं। यह **ऋग्वेद** के नासदीय सूक्त का स्मरण कराता है जो आद्य अवस्था को सत् और असत् से अतीत बताता है। इस अवस्था को **तैत्तिरीय उपनिषद्** असत् ही कहती है, जिससे उसके अनुसार सत् की उत्पत्ति हुई, और **छान्दोग्य उपनिषद्** इसे सत् कहती है। ये चारों कथन एक ही प्रकार के हैं। किन्तु जैन ऐसा नहीं कह सकते, क्योंकि एक तो जैन जीव और अजीव को दो मूल द्रव्य मानते हैं, जिसका अर्थ है कि अस्तित्व इनसे परे या इनके आधार के रूप में न तो कोई तीसरा तत्त्व हो सकता है और न ऐसा तत्त्व जो चिदचिद् विशिष्ट अथवा चिदचिद् से अविशिष्ट है। इस पर यदि कहा जाय कि अस्तित्व द्रव्य नहीं है, वह द्रव्यों से परे, उनका संग्राहक आधार है, तो यह भी सम्भव नहीं होगा क्योंकि वे अस्तित्वगत सब वस्तुओं को द्रव्य-पर्यायात्मक मानते हैं, वस्तु मात्र को निर्धारित मानते हैं और इन्हें अपने निर्धारित रूप में केवली द्वारा पृथक्-पृथक्, परित: और सकलत: ज्ञेय मानते हैं। और जैसाकि हमने पीछे देखा, इन निर्धारित वस्तुओं को ये अस्तित्व और अनस्तित्व दोनों से युगपद् रूप में घटित मानते हैं। ऐसे में अस्तित्व न केवल आद्य और सर्वसंग्राहक नहीं हो सकता, यह सर्वव्यापक भी नहीं हो सकता, क्योंकि सब व्याप्त अस्तित्व-अनस्तित्व-युगल का व्याप्त ही हो सकता है। अन्यथा सब वस्तुएँ, मूल द्रव्यों सहित, अपने मूल में अनिर्धार्य हो जाएंगी और यह जैन सिद्धान्त में स्वीकार्य नहीं हो सकता। अस्तित्व को आद्य या अन्तिम सत्य मानने पर यह नहीं कहा जा सकता कि घट घट रूप से अस्तित्ववान् और अघट रूप से अनस्तित्ववान् है। तब यही कहना होगा कि घट घटत्व रूप से और गो गोत्व रूप से और पट पटत्व रूप से अस्तित्ववान् है और ये तीनों अपने-अपने अस्तित्व में निरपेक्ष हैं, अथवा एक निरपेक्ष अस्तित्व इनके आधार में है और ये उसकी अभिव्यक्तियाँ हैं।

अब, यहाँ वस्तुओं की अस्तित्व-अनस्तित्व से उभयत: घटितता के प्रश्न पर विचार स्थाने होगा। इस उभयत: घटितता का अर्थ है कि वस्तुएँ स्वरूपत: निर्धारित होती हैं और इस प्रकार सत् केवल निर्धारित वस्तु-सत् ही होता है। यहाँ दो प्रश्न विचारणीय हैं—प्रथम यह कि निर्धारितता वस्तुमूलक है या कि ज्ञानमूलक? दूसरे शब्दों में, घट में अघटत्वापोह घट-वस्तुमूलक है याकि घट-ज्ञानमूलक? दूसरे, निर्धारितता अनस्तित्व से परिभाषित होती है याकि व्यावृत्ति से? और कि क्या अनस्तित्व और व्यावृत्ति भिन्न हैं? इसके लिए किसी वस्तु, यथा घट, को उदाहरणार्थ लें। अब, घट एक विशिष्ट अस्तित्व है और इस प्रकार यह किसी अन्य घट में उतना ही अनस्तित्ववान् है जितना किसी गाय, किसी पट-खण्ड आदि में अनस्तित्ववान् है। किन्तु घटत्व में सभी घट समान रूप से अस्तित्ववान् होते हैं। ऐसे में एक ही घट दो भिन्न प्रकारों से अस्तित्ववान् और अनस्तित्ववान् होता है—एक विशिष्ट घट-रूप में और दूसरे घटत्व-रूप में। इस विवेचन से जैन विशेष प्रसन्न होंगे और कहेंगे कि यह अनेकान्तवाद का ही समर्थन है : एक अपेक्षा से घट एक प्रकार से और दूसरी अपेक्षा से दूसरे प्रकार से अस्तित्ववान् और अनस्तित्ववान् होता है। किन्तु यह सापेक्षता वास्तव में ज्ञानात्मक है न कि वस्त्वात्मक, क्योंकि घट के दो पक्ष उसमें विभाज्य नहीं हैं। विभाज्य होने पर तो घट और गाय तथा घट^1 और घट^2 व्यष्टित्व की

---

1. आचार्य महाप्रज्ञ — **प्रतिपादन शैली का अभिनव विकास : स्याद्वाद,** उन्मीलन, जुलाई, 1992

अपेक्षा से एक प्रकारक ही होंगे। इस पक्ष को यहाँ छोड़ते हुए, यहाँ द्रष्टव्य है कि सभी घट घटत्व में समान रूप से अस्तित्ववान् होते हैं किन्तु परस्पर में अस्तित्ववान् नहीं होते। इसी प्रकार घटत्व-पटत्व आदि धर्म अजीव धर्मता में परस्परत: अनस्तित्ववान् हुए बिना परस्परत: अनस्तित्ववान् होते हैं। ऐसे में वस्तुओं में अनस्तित्व की घटकता केवल ज्ञानमूलक निर्धारण-सापेक्ष ही रह जाती है वस्तुमूलक नहीं रहती। अब, यदि अनस्तित्व को वस्तुगत मानें तो प्रश्न होगा कि घटत्व गोत्व में गोत्व रूप से अनस्तित्वान होता है याकि घटत्व रूप से? यदि यह प्रथम प्रकारक रूप से अनस्तित्वान होता है तो हमें प्रत्येक सामान्य में इसका अनस्तित्व पृथक्-पृथक् खोजना होगा जो कि हम नहीं खोजते और वास्तव में पृथक्-पृथक् रूप से भी गोत्व आदि में घटत्व का अनस्तित्व घटत्व रूप से ही होगा, गोत्व आदि रूप से नहीं। किन्तु अघटत्व न विशेष होता है और न सामान्य, परिणामत: उसमें घटत्व का अनस्तित्व भी नहीं हो सकता, क्योंकि अनस्तित्व वस्तुगत ही हो सकता है, अवस्तुगत नहीं। अब, अघटत्व विशेष या सामान्य दोनों नहीं है इसके लिए क्या युक्ति है?

इसका उत्तर होगा कि प्रत्येक सामान्य विशेषों पर व्यापक होता है किन्तु अघट संज्ञक कोई विशेष नहीं हो सकता। 'अघट' और 'अघटत्व' दोनों सामान्यात्मक पद हैं और निषेधात्मक सामान्य होने से ये वस्तुवाचक नहीं हैं। किन्तु अघट 'घट' के समान वस्तुवाचक नहीं होने पर भी 'घट' से व्यावृत्त होता है और इस प्रकार यह 'घट' से निर्धारित होता है। 'अघट' के वस्तुवाचक नहीं होने पर भी यह कैसे सम्भव है? यहाँ कहा जा सकता है कि 'अघट' घट-भिन्न सभी विशेषों और सामान्यों पर व्यापक है और परिणामत: यह भी एक सामान्य है जो गोत्व आदि से व्यापकतर है। किन्तु तब सामान्यों में व्यापकता का एक सोपान-क्रम हो जाता है। अब, ऐसा सामान्य भी हो सकता है जो घट और अघट दोनों का समावेश करे और इस प्रकार घट और अघट के परस्पर में अनस्तित्व को समाप्त कर दे। वस्तु को ऐसा सामान्य कहा जा सकता है। यहाँ सन्देह हो सकता है कि 'अघट' जैसे पद को जैन वस्तु-वाचक पद नहीं कह सकते क्योंकि इस पद का वाच्य केवल घट का अभाव ही है और ऐसा कोई सामान्य जो गाय आदि जीवों और पट आदि अजीवों पर समान रूप से व्यापक हो जैनों को, या किसी भी वास्तववादी चिन्तक को, मान्य नहीं हो सकता। तो इसका उत्तर होगा कि तब अनस्तित्व को वस्तुओं का घटक नहीं कहा जा सकेगा, क्योंकि घट अन्य घटों में और घटत्व गोत्व में अनस्तित्वान नहीं होता, केवल अघटत्व में अनस्तित्ववान् होता है। यहाँ आचार्य महाप्रज्ञ द्वारा अस्तित्व को आद्य और सर्वाधार अद्वय तत्त्व प्रतिपादित करने का पुन: स्मरण करना अस्थाने नहीं होगा। यहाँ 'अस्तित्व' ऐसा ही सामान्य है जो घट और अघट दोनों का, और इस प्रकार अस्तित्व-अनस्तित्व मात्र का समावेशक है, किन्तु इसी से यह वास्तववादी दृष्टि के साथ संगत भी नहीं है, न यह अनेकान्तवादी दृष्टि के साथ ही संगत है, यद्यपि आचार्य महाप्रज्ञ कहते हैं कि अनेकान्तवाद का सम्बन्ध एक या अनेक संख्या से नहीं है।

जैन दार्शनिकों ने प्राय: अनेकान्तवाद का प्रतिपादन वेदान्त और बौद्ध मतों के खण्डन के साथ किया है और इस खण्डन के माध्यम से द्रव्य और पर्याय की उभयता का प्रतिपादन किया है। इसके लिए ये दार्शनिक कारणता को अपनी युक्ति का आधार बनाते हैं। अब, कोई वस्तु अन्य की कारण न तो तब हो सकती है यदि वह नितान्त स्थिर हो और न तब यदि वह केवल परिवर्तन-धर्मी हो, क्योंकि नितान्त अपरिवर्तमान-स्थितिशील वस्तु में क्रिया ही नहीं हो सकती, ऐसी अवस्था में वह कार्य का उत्पादन कैसे करेगी, और नितान्त परिवर्तनशीलता में कोई वस्तुता ही नहीं होगी, तब उत्पादक-उत्पाद्यता सम्बन्ध किनमें होगा? इसलिए वेदान्ती और बौद्ध दोनों कारण-कार्य सम्बन्ध का निषेध करने को बाध्य हैं। वेदान्त के अनुसार परमार्थ तत्त्व में कोई परिवर्तन सम्भव नहीं है क्योंकि परिवर्तन होने का अर्थ है उसका अपने से भिन्न होना। किन्तु जगत् तो है और यदि ब्रह्म उसका कारण नहीं है तो फिर उसका कोई अन्य कारण होगा। किन्तु वेदान्त यह भी स्वीकार नहीं कर सकता, क्योंकि अन्य कुछ भी यदि वस्तु होगा तभी कारण होगा, किन्तु वह कारण होगा तो परिवर्तनशील भी होगा और परिणामत: अवस्तु होगा। इसलिए वेदान्त के अनुसार कारण-कार्य कोई सम्बन्ध है ही नहीं, परिवर्तन केवल प्रातिभासिक है। बौद्ध

वस्तु को नितान्त परिवर्तनशील मानते हैं और इस प्रकार वास्तव में वे वस्तु को स्वीकार ही नहीं करते। किन्तु वे परिवर्तन को भी प्रवाहरूप नहीं मानकर क्षण-सन्तान रूप मानते हैं। इस प्रकार वे एक क्षण को अनुगामी क्षण का कारण और पूर्व क्षण का कार्य मान सकते हैं। किन्तु तब क्षण अपरिवर्तमान वस्तु हो जायेंगे और एक क्षण दूसरे का कारण या कार्य नहीं रहेगा। इसलिए बौद्धों के लिए उत्पत्ति, स्थिति और नाश को युगपद् मानना आवश्यक हो जाता है। किन्तु ऐसा क्षण वास्तविक नहीं होकर काल्पनिक ही ठहरता है। दूसरे, यदि इसे वास्तविक मान भी लिया जाय तो प्रत्येक क्षण के पृथक् होने से एक दूसरे को घटित कैसे करेगा? परिणामतः बौद्ध कारणता को जनक-जन्य-सम्बन्ध रूप नहीं मानकर प्रतीत्य-सम्बन्ध रूप, अर्थात् एक क्षण के होने पर दूसरे क्षण की उत्पत्ति-रूप : तत् सति तद्भवति रूप : मानते हैं। किन्तु क के होने पर ख का होना अनिवार्य कैसे हो सकता है, वह केवल आगन्तुक ही हो सकता है। दूसरे, क और ख के विशिष्ट होने पर यह कैसे कहा जा सकता है कि अमुक क के होने पर अमुक ख ही घटित होगा अथवा इस ख का होना अमुक क को आश्रित करके हुआ? इसके लिए बौद्ध 'कुर्वद्रूपत्व' संज्ञक एक शक्ति का आक्षेप करते हैं जिसके क में होने पर ख की उत्पत्ति होती है। इस प्रकार उनके अनुसार क्षेत्रस्थ बीज अंकुर का उत्पादक होता है और कुसूलस्थ बीज अंकुर का कारक या उत्पादक नहीं होता क्योंकि प्रथम में कुर्वद्रूप शक्ति होती है और दूसरे में वह नहीं होती। यहाँ इस मत के गुण-दोषों में नहीं जाकर यह देखना ही प्रासंगिक है कि नितान्त विशिष्ट और स्थिति-रहित क्षण को कारण या कार्य मानने को असम्भव मानकर जैन ऐसे सामान्यों को कारण और कार्य मानते हैं जिनमें अपरिवर्तमानता और परिवर्तमानता दोनों होती हैं। उनके अनुसार वस्तु में दो धर्म रहते हैं—द्रव्य और पर्याय। द्रव्य इसमें ध्रुव और पर्याय परिवर्तमान रहते हैं। इस प्रकार घट का अब एक रंग और अनन्तर दूसरा रंग होता है, और यह घट होता है जिसके रंग बदलते हैं। बीज अंकुर को उत्पन्न करता है, इस प्रकार वह बीज होता है जिसमें परिवर्तन घटित होता है और तब अंकुर की उत्पत्ति होती है।

इस प्रतिपादन में अनेक कठिनाइयाँ हैं। वास्तव में इसमें वे दोनों प्रकार की कठिनाइयाँ हैं जो जैन दार्शनिक वेदान्त और बौद्ध मतों में देख रहे हैं। जैसे, वस्तु के द्रव्य और पर्यायात्मक होने पर प्रश्न होगा कि कारकत्व उसके द्रव्य-पक्ष में है याकि पर्याय-पक्ष में? यह दोनों ही पक्षों में नहीं हो सकता क्योंकि द्रव्य-पक्ष में ध्रुवता होने से उसमें जनक-जन्यत्व नहीं हो सकता और पर्यायों में नितान्त परिवर्तनशीलता रहने से उनमें यह नहीं हो सकता। कुछ जैन पर्यायों में मात्र परिवर्तनशीलता नहीं मान कर उत्पत्ति-स्थिति-क्षयात्मकता तीनों देखते हैं और इस उत्पत्ति और क्षय को युगपद् नहीं मानते। किन्तु इससे कठिनाई और बढ़ जाती है, क्योंकि मध्य में ध्रुवता होने से उत्पत्ति से क्षय की ओर अभिसरण कैसे होगा? जहाँ तक वस्तु के द्रव्य और पर्याय दो पक्ष होने का सम्बन्ध है, ये भी कारण-कार्यता में सर्वत्र देखने में नहीं आते। उदाहरणतः बीज के अंकुर होने में द्रव्य क्या है और पर्याय क्या? बीज की अंकुर-कारकता में बीज के पर्याय अंकुर के कारण नहीं होते बल्कि बीज ही अंकुरायत होता है। दूसरे शब्दों में, बीजांकुर सम्बन्ध में ऐसा नहीं होता कि बीज-द्रव्य के पर्यायों के जनक या कारक होते हैं बल्कि बीज अंकुर में परिणत हो जाता है। इसमें साँख्यीय परिणामवाद परिलक्षित होता है, जैन कारणवाद नहीं। जैन यहाँ बीजांकुर की कारण-कार्यता में बीज-जातिक द्रव्य देखते हैं जो कुसूल और क्षेत्र में समान रूप से रहते हुए अंकुर जातिक द्रव्य का कारण होता है। किन्तु इस बीज-जातिक द्रव्य के पर्याय क्या होंगे? वे पर्याय विशेष बीज होंगे याकि विशेष बीजों की क्रमिक दशाएँ? किन्तु ये दशाएँ तो क्षेत्रस्थ बीज में ही होंगी कुसूलस्थ बीज में नहीं जबकि बीजत्व में दोनों समान हैं। बौद्ध दार्शनिक कारण के रूप में कुर्वद्रूपत्व संज्ञक कारित्र मानकर प्रतिविशिष्ट बीज को प्रतिविशिष्ट अंकुर का कारण सिद्ध करते हैं, इस प्रकार उनके अनुसार बीज का अंकुर में प्रतिफलित क्रियाकारित्व ही बीज है, बीज जातिक कोई द्रव्य नहीं। इस बौद्ध मत का खण्डन करते हुए जैन दार्शनिक यशोविजय सूरि कहते हैं कि—"बीज-सामान्य को अंकुर-सामान्य का कारण नहीं मानकर कल्पित अंकुर-कुर्वद्रूपत्व से युक्त बीजों को अंकुर का कारण मानने में यह एक दुर्वार दोष होगा कि बीज जैसे अंकुर के प्रति बीजत्व रूप से कारण नहीं है उसी प्रकार अन्य किसी कार्य के प्रति भी कारण नहीं होगा। उस दशा में बीजत्व रूप से बीज की सत्ता का ही लोप

हो जायगा, क्योंकि बौद्ध मत में अर्थ-क्रिया-कारित्व ही सत्ता का लक्षण है।"[1] किन्तु इस युक्ति से कठिनाइयों का समाधान होने के बजाय उनकी वृद्धि ही होती है। प्रथम, कारकता और कार्यता सामान्यों में कैसे हो सकती है? क्योंकि क्रिया का सम्पादन विशेष ही करता है न कि सामान्य—विशेष बीज ही विशेष अंकुर का कारक होता है न कि बीज जाति कारक होती है। यदि मान भी लें कि विशेष सामान्य के (धर्मी धर्म के) बिना क्रिया विशेष का कारक नहीं होता तो भी इससे इस समस्या के समाधान में कोई लाभ नहीं होता, क्योंकि तब कोई बीज-विशेष बीज ही है या नहीं यह अंकुर की उत्पत्ति के बाद ही जाना जा सकेगा और परिणामत: यह कुसूलस्थ बीज के सम्बन्ध में नहीं जाना जा सकता केवल क्षेत्रस्थ बीज के सम्बन्ध में ही जाना जा सकता है। इसके अतिरिक्त, बीजत्व जाति की सत्ता का क्या अर्थ है, इसे द्रव्य कहना कहाँ तक उपयुक्त है, इस पर जैन दार्शनिकों ने कोई युक्त सिद्धान्त प्रतिपादित किया हो, ऐसा हमें ज्ञात नहीं है। यशोविजय सूरि का उपर्युक्त प्रतिपादन युक्त नहीं है यह स्पष्ट है।[2]

द्रव्य और पर्याय पर विचार के क्रम में जैन दार्शनिक उद्देश्य पद-वाच्यों को द्रव्य और विधेय पद-वाच्यों को पर्याय के रूप में निर्देशित करते हैं, जैसे घट द्रव्य और वर्ण तथा आकार आदि उसके पर्याय हैं। किन्तु अन्य प्रसंगों में वे घट के उपादान को द्रव्य और घट को पर्याय रूप में निर्देशित करते हैं। इसके लिए एक औचित्य यह हो सकता है कि घटादि एक अपेक्षा से द्रव्य और अन्य अपेक्षा से पर्याय होते हैं और इस अपेक्षा की 'स्यात्' पद के द्वारा रक्षा की जा सकती है। किन्तु द्रव्य इस प्रकार की अपेक्षा से द्रव्य नहीं हो सकता, क्योंकि यदि कुछ किसी अपेक्षा से द्रव्य होगा तो जीव और अजीव को दो मूल द्रव्य कहने का कोई औचित्य नहीं रहेगा, क्योंकि तब इन दोनों को भी किसी अपेक्षा से द्रव्य और किसी अपेक्षा से पर्याय कहना होगा। जीव और अजीव को मूल द्रव्य मानने पर घटादि और बीजादि में वही द्रव्य रह जाता है जो या तो परमाणुमूलक है या चेतनामूलक। किन्तु 'द्रव्य' और 'पर्याय' इस विभाग के पीछे जैनों का एक प्रयोजन सभी वस्तुओं में स्थैर्य और परिवर्तन दोनों की रक्षा करना है। इस प्रकार 'बीज अंकुर का कारण है' इसमें यदि बीज आमूलत: अंकुरायत होता कहा जायगा तो कुछ अपरिवर्तनशील नहीं रहेगा और वैसा नहीं होने पर क्षणवाद या प्रवाहवाद का प्रसंग उपस्थित होगा।

वास्तव में वस्तु को द्रव्य-पर्यायात्मक कहने के पीछे युक्ति लोक-धारणा से निकटता की ही है, यद्यपि जैन इसे अनुभव-प्रमाण कहते हैं। अब लोक-धारणा परिवर्तन को किसी वस्तु (स्थितिशील) में ही देख सकती है जो वस्तु उस परिवर्तन को धारण करती है। किन्तु ऐसा कहने में लोक-धारणा से कोई वैपरीत्य नहीं होगा कि 'वस्तु-जगत् मूलत: परिवर्तनशील है।' 'कपड़ा फट गया' इस कथन में कपड़ा संज्ञक द्रव्य के किन्हीं पर्यायों में परिवर्तन विवक्षित नहीं होता, कपड़े में ही परिवर्तन विवक्षित होता है। यदि कहें कि कपड़ा या घट द्रव्य नहीं हैं, द्रव्य तो कपास और मिट्टी हैं, तो इसका उत्तर होगा कि वास्तव में ये पर्याय भी नहीं हैं, क्योंकि इनका अस्तित्व द्रव्यगत नहीं होता जो कि पर्यायों का होता है, ये द्रव्य को उपादान कर आविर्भूत आकार होते हैं जिन आकारों का मूल प्रत्ययगत होता है। अवश्य एक वस्त्र-खण्ड फटता है, घड़ा टूटता है, कुण्डल क्रमश: जीर्ण होता है अथवा आग में तपा कर विलीन कर दिया जाता है, किन्तु वास्तव में वह घट आदि का घट आदि के रूप में क्षरण नहीं होता—उदाहरणत: घट बनने से टूटने तक की अवधि में अपरिवर्तित रूप से घट ही बना रहता है, उसके वर्ण आदि के परिवर्तन घट-गत परिवर्तन नहीं होते, उपादानगत होते हैं। यही बात कुण्डल आदि के सम्बन्ध में भी है। यदि कहें कि 'घट के रंग, भार आदि में परिवर्तन घट में होता ही कहा जाना चाहिए, क्योंकि वह परिवर्तन घट बनी मिट्टी में होता है' तो यह उपयुक्त नहीं होगा। यहाँ वास्तव में एक बहुत गहरा व्यामिश्र है जिस पर विचार अपेक्षित है : मिट्टी घट का उपादान है और उपादान को उपादेय का कारण कहा जाता है। अब, उपादान के कारण होने पर

---

1. यशोविजय सूरि — **जैन न्याय खण्डखाद्यम्,** आचार्य बद्रीनाथ शुक्ल कृत हिन्दी टीका, चौहान संस्कृत सीरीज कार्यालय, वाराणसी, 1966, पृ. 20
2. जाति या सामान्य की सत्ता के स्वरूप पर हमारे सिद्धान्त के लिए द्रष्टव्य **सत्ताविषयक अन्वीक्षा,** भारतीय दार्शनिक अनुसन्धान परिषद्, 1987, पृ. 65-66

कार्य के जन्मने में उपादान में कोई परिवर्तन भी घटित होना चाहिए। किन्तु घट का आकार लेने पर मिट्टी में कोई परिवर्तन नहीं घटित होता। इसी से यह भी कहना युक्त होगा कि मिट्टी में परिवर्तन होने पर घट में कोई परिवर्तन नहीं होता। अब, 'बीज अंकुर का कारण है' इसमें बीज अपने द्रव्य-पर्यायों सहित अंकुर हो जाता है जबकि 'मिट्टी घट की कारण है' इसमें मिट्टी घट के आविर्भाव से पूर्णतः अप्रभावित रहती है। ऐसे में इन दो कारण-कार्य-सम्बन्धों को एक कोटि में रखना भ्रामक है और दूसरी ओर कारण-कार्य-सम्बन्ध के आधार पर वस्तु में द्रव्य-गुण-सम्बन्ध की युगलता या उभयता सिद्ध करने में कोई युक्ति नहीं है।

अनेकान्तवाद की उपर्युक्त परीक्षा के बाद हम इसके ज्ञानमीमांसात्मक पक्ष स्याद्वाद पर विचार करेंगे। जैसाकि हमने इस लेख के आरम्भ में देखा, 'स्यात्' शब्द इस सिद्धान्त में वस्तु-विषयक कथनों की सापेक्षता का वाचक है। अब, यदि यह सिद्धान्त कथन-विषयक है तो यह वास्तव में ज्ञान-विषयक नहीं हो सकता, क्योंकि कथन करने वाला अपने कथन की सापेक्षता केवल वस्तु की समग्रात्मकता का ज्ञान होने पर ही जान सकता है, वस्तु को उसके सब पक्षों से वह जानता हो या नहीं जानता हो। उदाहरणतः 'यह दाईं भुजा है' यह हम बाईं भुजा के होने का ज्ञान होने पर ही कह सकते हैं, बाईं भुजा हमें दृष्टिगत हो चाहे नहीं हो। इसी प्रकार 'स्यात् घट अस्त्येव' (घट का अस्तित्व है, यह सापेक्षतः निश्चित रूप से सत्य है) यह तभी कहा जा सकता है यदि कोई यह निश्चित रूप से जानता हो कि घट अस्ति-नास्ति उभयात्मक है। इस समग्रता के ज्ञान के बिना कोई 'स्यात् घट है' अथवा 'स्यात् घट नहीं है' ऐसा नहीं कह सकता। ऐसा होने पर वास्तव में 'घट है' अथवा 'घट नहीं है' ये कथन भी पर्याप्त होंगे, क्योंकि वस्तुओं के स्वरूप को निर्धारणात्मक जानने वाला ये कथन केवल सापेक्ष रूप से ही कर सकता है। वास्तव में यह स्याद्वाद हमारे वस्तु-ज्ञान और वस्तुविषयक कथनों में पूर्वगृहीत ही रहता है क्योंकि वस्तुओं की निर्धारणात्मकता और सावयविकता उन विषयक हमारी अवधारणा में पूर्वगृहीत रहती है। उदाहरणतः यदि कोई किसी से कहता है : 'घट है' तो श्रोता इस कथन को या तो किसी प्रसंग में कहा होने पर समझेगा नहीं तो पूछेगा 'घट कहाँ है?' इस प्रश्न में यह भी पूर्वगृहीत रहता है कि कथन का विषय घट-विशेष है। अब, बताये स्थान पर घट नहीं होने पर वक्ता और श्रोता दोनों यह मानेंगे कि इस समय वह घट या तो अन्यत्र ले जाया गया है अथवा वह टूट गया और फेंक दिया गया है। इस सब में देश विशेष में और काल विशेष में घट का अस्तित्व और अन्य देश विशेष और काल विशेष में घट का अनस्तित्व पूर्वगृहीत है। इस प्रकार भौतिक वस्तुओं विषयक हमारे कथन वस्तुओं की भौतिक नियमाधीनता को और उन विषयक हमारे कथनों की सापेक्षता को पूर्वकल्पित करते हैं। ऐसे में हाथी और उसके सूँड-पैर आदि का उदाहरण स्याद्वाद के लिए युक्तिसंगत नहीं है, क्योंकि यह उदाहरण ज्ञान-विषयक है जबकि स्याद्वाद कथन-विषयक है। इस सिद्धान्त की कथन-विषयकता इसमें अवक्तव्यता की स्वीकृति से पूर्णतः स्पष्ट हो जाती है। किन्तु इस बात को लेकर जैनों में सहमति या स्पष्टता नहीं है। उदाहरणतः आचार्य महाप्रज्ञ ने स्याद्वाद को जबकि 'प्रतिपादन शैली' कहा है आचार्य समंतभद्र इसे 'क्रमभावि ज्ञान' कहते हैं।

द्रष्टव्य—

तत्त्वज्ञानं प्रमाणं ते युगपत्सर्व भासनम्।
क्रमभावि च यज्ज्ञानं स्याद्वाद नय संस्कृतिम्।।101।।
अपेक्षाफलमाद्यस्य शेषस्यादानहानधीः।
पूर्वं वाऽज्ञाननाशो वा सर्वस्यास्यगोचरे।।105।। — आप्तमीमांसा

अब इस सरल साधारण रूप में स्याद्वावाद को स्वीकार करने में न केवल किसी को कोई आपत्ति ही नहीं होगी बल्कि 'स्यात्' के हमारे कथनों में पूर्वगृहीत होने से इसमें कोई विशेषता भी नहीं रहेगी। किन्तु इसकी विशेषता इसको जैनों द्वारा सप्तपदात्मक रूप से प्रतिपादित करने में है। यह सप्तपदी निम्न प्रकार से है—1. स्यादस्ति, 2. स्यान्नास्ति, 3. स्यादस्ति स्यान्नास्ति च, 4. स्यादवक्तव्यः, 5. स्यादस्ति च अवक्तव्यः, 6.

स्यान्नास्ति च अवक्तव्यः, 7. स्यादस्ति च, नास्ति च अवक्तव्यः। अब इस सप्तपदी में प्रथम तीन पद तो समझ में आते हैं, चौथे पद से इनका औचित्य समझने में कठिनाई आती है। जैनों का कहना है कि किसी वस्तु के अस्तित्व और अनस्तित्व का युगपद् कथन नहीं किया जा सकता इसलिए तीसरे पद के बाद चतुर्थ पद वस्तु के अस्तित्व और अनस्तित्व के युगपद् विधान को प्रकट करता है, जिस विधान का भाषण करने में भाषा असमर्थ है। इसी से 'अवक्तव्यता' की बात है। किन्तु 'वस्तुएँ स्वरूपतः निर्धारित हैं' यह कहने में ही यह कथन निहित है कि 'वस्तु' में अस्ति और नास्ति का यौगपद्य भी वाच्य है। इसी से वस्तुओं-विषयक कथनों में देश, काल और उद्देश्य तथा विधेय का प्रयोग करना अनिवार्य होता है और यह प्रयोग 'अस्ति-नास्ति' के युगपद् प्रयोग का ही रूपान्तर है। यदि तब भी कहें कि कथन तो तब भी एक पक्ष का ही हो रहा है, दूसरे का कथन तो अनन्तर ही किया जा सकता है—कथनों की यह क्रम-भाविता अनिवार्य है—तो इसका उत्तर होगा कि एक कथन भी एक-साथ नहीं किया जा सकता, उसके शब्द भी अनुक्रमशः ही उच्चरित होते हैं और शब्दों के वर्ण भी अनुक्रमशः उच्चरित होते हैं। इसी समस्या के समाधान के लिए स्फोटवाद सिद्धान्त का प्रस्ताव किया गया था। अब, जिस प्रकार अनुक्रमशः उच्चरित वर्णों से शब्द और अनुक्रमशः उच्चरित शब्दों से वाक्यार्थ का एकत्वेन ग्रहण सम्भव होता है उसी प्रकार एकत्व के अभिप्राय से अनुक्रमशः उच्चरित अस्ति-नास्ति का अर्थ-ग्रहण सम्भव होता है। यदि ऐसा नहीं हो तो वस्तु 'उत्पाद-ध्रौव्य-व्ययात्मक है' यह भी नहीं कहा जा सकता है। वास्तव में वाक्य में 'अस्ति' या 'नास्ति' के प्रयोगों के साथ 'सयात्स्यात्' के प्रयोग में भी इनके एकत्वेन कथन की अभिप्रेतता निहित है क्योंकि 'स्यादस्ति' का अर्थ है 'इस अपेक्षा से है', और इस वाक्य में 'अन्य अपेक्षा से नहीं है' अन्तर्निहित है। अब, मान लें कि यह कथन युगपद्रूप से नहीं किया जा सकता। 'अस्ति-नास्ति' का एक विधेय के रूप में कथन नहीं किया जा सकता, और इस प्रकार इस रूप में वस्तु अवक्तव्य है। तो चतुर्थ पद के बाद के पदों का क्या अर्थ होगा? 'यह घट इस अपेक्षा से तो है किन्तु उस अपेक्षा से अवक्तव्य है' यह आकारिक रूप से तो एक पद हो सकता है किन्तु कथन के वास्तविक प्रयोग की दृष्टि से एक नहीं हो सकता—"निर्धारित वस्तुएँ अपनी समग्रता में तो अवक्तव्य ही हो सकती हैं किन्तु आपेक्षिक कथन के रूप में ये 'अस्ति' के द्वारा अथवा 'नास्ति' के द्वारा ही वक्तव्य हो सकती हैं" यह बात समझ में नहीं आयी। इसे वास्तव में वाक्य-प्रयोग में देखने से इसकी कठिनाई, अथवा कहें निराधारता, समझना सरल होगा। इस (पाँचवें पद) का वाक्य-प्रयुक्त रूप होगा : 'देश काल $द^1$ पर घट घटत्व-रूपेण है और देश-काल $द^2$ पर घट अवक्तव्य (अस्ति-नास्ति-रूपेण) है।' अब इसका कुछ अर्थ नहीं बनता, आकारिक रूप से भी नहीं, क्योंकि अपेक्षया घट का निज-रूपेण निर्धारण अपेक्षया उभयतः निर्धारण के लिए अवकाश नहीं रहने देता। डॉ. सत्कारी मुकर्जी इसके पक्ष में युक्ति देते हैं कि 'अवक्तव्य' अस्ति-नास्ति का योग मात्र नहीं है, यह उसी प्रकार एक स्वतन्त्र विधेय है जिस प्रकार विभिन्न रसों के घोल से बना पेय एक सर्वथा भिन्न पेय होता है।[1] निश्चय ही 'अस्ति-नास्ति' के आनुक्रमिक प्रयोग से इनके युगपद् प्रयोग में अन्तर है, यद्यपि जैसाकि हमने ऊपर देखा, यह अन्तर केवल शुद्ध संख्यात्मक दृष्टि से ही है वास्तव में नहीं, किन्तु इससे 'अस्ति' से शेष अपेक्षा के लिए अवकाश में कोई अन्तर नहीं पड़ता। जैसाकि हमने ऊपर देखा, घट का घटत्वेन होना उसके अघटत्वेन नहीं होने के लिए अवकाश बनाता है, यही 'स्यात्' का अर्थ है। किन्तु ये दोनों अवकाश घट की निर्धारित स्वरूपता के कारण ही हैं जो युगपद् अस्ति-नास्ति के द्वारा रचित होता है और इस प्रकार उसके स्वरूप को समग्रतः परिभाषित करता है।

अब, यहाँ स्याद्वाद को और सम्यक् रूपेण समझने के लिए इस पर केवली की सर्वज्ञता को दृष्टिगत रखकर विचार करना उपयोगी होगा। जैसाकि हमने समंतभद्र के पूर्वोद्धृत उद्धरण में देखा, जैन सर्वज्ञ के ज्ञान को सापेक्ष नहीं मानते। किन्तु तब इसका अर्थ हो जाता है कि जैन आधारभूत रूप से सापेक्षतावादी नहीं हैं, केवल अविद्यावशवर्ती संसारी जीवों के ज्ञान को ही सापेक्ष मानते हैं। आधारभूत सापेक्षता का अर्थ होगा कि वस्तुओं का

1. द्रष्टव्य — **दि जैन फिलोसोफी ऑफ नॉन एब्सोल्यूटिज़्म,** प्रकाशक, भारतीय महाविद्यालय, कलकत्ता, 1944, पृ. 143-144

स्वरूप ही ऐसा है कि वे अपनी रचना में ही निर्धारित हैं और परिणामत: वे सर्वज्ञ के लिए भी निर्धारित स्वरूप वाली ही हैं और इस प्रकार उनके सम्बन्ध में उनके कथन भी स्यादात्मक ही हो सकते हैं। किन्तु वस्तुओं की निर्धारितस्वरूपता और सर्वज्ञता में परस्पर संगति दिखायी नहीं देती। सर्वप्रथम कठिनाई तो देश और काल को लेकर ही होगी। जैन देश और काल को भी सत् मानते हैं और वस्तुओं की निर्धारितस्वरूपता में ये उनके घटक होते हैं। किन्तु यदि काल सत् है तो केवली के लिए भी अनागत अनागत ही होगा और इस प्रकार अज्ञात होगा। किन्तु जैन सर्वज्ञ को त्रिकालज्ञ भी मानते हैं। इसी प्रकार भौतिक वस्तुएँ विभिन्न दृष्टिकोणों से विभिन्न प्रकार की दिखायी देती हैं, सर्वज्ञ के लिए भी उनके वे सभी दृश्य रूप वास्तविक होंगे और अपनी असंख्य प्रकारता में और असंख्य वास्तव-सम्भाव्य व्यावृत्तियों के साथ वास्तविक होंगे। किन्तु वस्तु को सर्वत: देखने वाले के लिए वे असंख्य कोण और रूप वास्तविक कैसे होंगे? यदि कहें असर्वज्ञ दर्शकों के पक्ष से वास्तविक होंगे—असर्वज्ञ दर्शकों को वे जैसे दिखायी देंगे उस रूप में वास्तविक होंगे—तब इसका अर्थ होगा कि सर्वज्ञ वस्तुओं के स्वरूप और इन्द्रियगम्य रूप दोनों को पृथक्-पृथक् जानता है। यदि वह इन्द्रियगम्य रूपों को भी जानता है तो इसका अर्थ होगा कि वह सब दृष्टिकोणगत समग्र यथार्थ ग्रहणों को ही नहीं बल्कि भ्रान्त ग्रहणों को भी जानता है। अब, भौतिक वस्तुओं के अतिरिक्त विचार, भावना, आवेग और संवेद आदि भी होते हैं। इनकी निर्धारित-स्वरूपता का क्या अर्थ होगा? उदाहरणत: विचार को लें। हम प्राय: विचार के ज्ञान पक्ष को विचार कहते हैं, ज्ञेय या विषय-पक्ष को नहीं। किन्तु निर्धारण का सम्बन्ध विषय या वस्तु से होता है न कि ज्ञान से। ज्ञान का निर्धारण भी ज्ञान की वस्तुता में ही होगा अवस्तुता : विषयिता : में नहीं। किन्तु विषयभूत ज्ञान की निर्धारितता का क्या अर्थ है यह हमें ज्ञात नहीं है। यह निर्धारण वास्तव में केवल विचार के ज्ञान-पक्ष : विषयि-पक्ष : की अपेक्षा से ही होता है विषय-पक्ष की अपेक्षा से नहीं। उदाहरणत: 'अमुक कार्य उचित है या अनुचित' यह निर्धारण 'उचित के मानदण्ड' में प्रतिष्ठित है। किन्तु यह मानदण्ड भी आत्म-पार्यन्तिक नहीं है, यह अपनी पर्यन्तता में अस्तित्व और सत् की समग्रता को व्याप्त करता है। विचार का यह स्वरूप सर्वज्ञ की दृष्टि से ही नहीं है, आत्मालोचक विचार मात्र की दृष्टि से है। अब, विचार यथार्थ ही नहीं भ्रान्त भी होता है और विचार-व्यामिश्र भी होता है। इनकी वस्तुता भी होती है। अब, इस व्यामिश्र की निर्धारितता का क्या अर्थ होगा? क्या यथार्थ विचार से व्यावृत्त इसका अर्थ होगा? किन्तु क्या इस व्यावृत्ति का घट और अघट के समान कोई निश्चित अर्थ और रूप हो सकता है?

किन्तु सप्तभंगी की उपर्युक्त कठिनाइयाँ स्याद्वाद को अपने-आप में निरर्थक नहीं बनातीं, यद्यपि इसके सात भंगों की सार्थकता दिखाना सम्भव नहीं प्रतीत होता। किन्तु यह सिद्धान्त दार्शनिक रूप में कोई महत्त्वपूर्ण सिद्धान्त नहीं कहा जा सकता। वस्तुओं की अनेकात्मकता और निर्धारित-स्वरूपता स्वीकार कर लेने पर यह कथन-प्रकार, अथवा कहें प्रतिपादन शैली, उससे स्वत: अनुगत होती है। इस प्रकार वस्तुत: महत्त्वपूर्ण सिद्धान्त अनेकात्मकता और निर्धारितता का है, जो कहाँ तक युक्तिसंगत है इस प्रश्न का इससे कोई समाधान नहीं होता। किन्तु यह सिद्धान्त एक और दृष्टि से भी दार्शनिक रूप से विशेष रोचक नहीं है और वह है इसके सन्दर्भ की संकुचितता। सब वस्तुओं का स्वरूप 'अस्ति' और 'नास्ति' के रूप में या एकान्तता-अनेकान्तता के रूप में निर्धार्य नहीं होता और न वस्तुओं या तत्त्वों की प्रामाणिकता का सन्दर्भ इस रूप में निर्धाय होता है। किन्तु ये ही सन्दर्भ वास्तव में दर्शन के लिए अधिक महत्त्वपूर्ण होते हैं। उदाहरणत: 'सब दु:खस्वरूप है', अथवा 'जगत् का मूल अविद्या है' ये दृष्टियाँ 'अस्ति-नास्ति' के रूप में निर्धार्य नहीं हैं और न इस रूप में ही निर्धार्य हैं कि संसार एक अपेक्षा से सुखात्मक है और दूसरी से दु:खात्मक। ऐसे समाधान केवल हल्केपन के ही द्योतक माने जा सकते हैं। इसी प्रकार 'प्रत्यक्षगत वस्तुलोक का तत्त्व विज्ञप्ति मात्र है' जैसे प्रतिपादन भी इसी प्रकार के हैं, जिनके विरोध में 'पक्षत: ऐसा है' और 'पक्षत: ऐसा नहीं है' कहना कोई अर्थ नहीं रखता। इतना ही नहीं, 'क्या पाप है और क्या पुण्य' ऐसे प्रश्न भी स्याद्वाद और अनेकान्तवाद की परिधि में नहीं आते। 'घट मिट्टी की अपेक्षा से तो है किन्तु जल की अपेक्षा से नहीं है' यह सापेक्षता भी तो तभी होगी यदि 'मिट्टी और जल है' यह स्वत: सिद्ध हो! 'मूल द्रव्य दो

हैं' यह बात तय होने पर जीव और अजीव परस्पर निर्धाय हो जायेंगे किन्तु यह प्रश्न पहले तय तो हो कि मूल द्रव्य दो हैं? दार्शनिक रूप से यह तय होना ही महत्त्वपूर्ण है न कि जीव और अजीव की परस्पर निर्धारकता।

ऊपर हमने जैन दर्शन की दो मूल प्रतिपत्तियों की, जो इस दर्शन–सम्प्रदाय की अवच्छेदक प्रतिपत्तियाँ कही जा सकती हैं, समीक्षा की और प्रसंगोपात्त रूप से उनके जीव विषयक सिद्धान्त की समीक्षा भी की और इन्हें तार्किक दृष्टि से असुष्ठु और अनुपयोगी और दार्शनिक दृष्टि से स्थूल और असन्तोषजनक पाया। किन्तु किसी दर्शन का महत्त्व केवल तार्किक सुष्ठुता या दार्शनिक सूक्ष्मता से नहीं होता। सूक्ष्मता और सौष्ठव की दृष्टि से नागार्जुन का शून्यवाद और वसुबन्धु का विज्ञानवाद शायद सबसे उत्कृष्ट ठहरते हैं। तीसरा वेदान्त इसमें परिगणित किया जा सकता है। किन्तु तब भी अन्यान्य दर्शन–सम्प्रदाय हैं और उनके अनुयायी भी बड़ी संख्या में हैं। ऐसा इस कारण होता है कि कोई भी दर्शन–सम्प्रदाय एक से अधिक सम्भव दृष्टि का आकलन नहीं करता और इस प्रकार अन्यान्य दृष्टियों से आकलन के लिए अवकाश छोड़ देता है। प्रत्येक दृष्टि चेतना के सब स्तरों को आवेष्टित करती है और जीवन की अभीप्साओं को लक्ष्य देती है। इस दृष्टि से जैन दर्शन का भारतीय दर्शन के विभिन्न सम्प्रदायों में अपना एक विशिष्ट स्थान है।

डेकार्ट

डेकार्ट का दर्शन मुख्यत: दो बातों के लिए प्रसिद्ध है—(1) दर्शन की एक ऐसी विधि निश्चित करने के प्रयत्न के लिए, जिससे इसे विज्ञान के समकक्ष और एक समग्र विज्ञान के रूप में प्रतिपादित किया जा सके, और (2) एक मौलिक असन्दिग्धता की खोज के लिए, जिसका मूल सार्वभौमिक सन्देह में है। किन्तु इस दर्शन में दो अन्य बातों का स्थान भी उतना ही महत्त्वपूर्ण है, और वे हैं—(1) सन्देह के द्वारा निरस्त विश्व की पुन: प्रतिष्ठा और (2) आत्म की अपूर्णता के द्वारा पूर्ण ईश्वर का निगमन तथा इस पूर्ण ईश्वर के द्वारा विश्व के ज्ञान का प्रमाणीकरण।

डेकार्ट एक महान् और मौलिक प्रतिभावान गणितज्ञ थे और इसमें उन्होंने महत्त्वपूर्ण सफलता प्राप्त की थी। इससे उन्हें गणित की निगमनात्मक विधि को प्रत्येक ज्ञान-विधा के लिए उपयुक्त विधि मानने की प्रेरणा मिली। उनकी इस विधि का उनके मूलगामी ज्ञान-व्यापार (रैडीकल नोलेज फंक्शन) तथा आत्म-अस्तित्व की सिद्धि से तथा ईश्वर की सत्ताविषयक प्रमाणों से घनिष्ठ सम्बन्ध है। इस प्रकार डेकार्ट की दर्शन-व्यवस्था सुघड़ और सरल है और पूर्वप्रतिज्ञाओं से निष्कर्ष निगमनात्मक रूप से सम्बन्धित हैं। किन्तु इसके लिए पूर्वप्रतिज्ञाओं (प्रेमेसिस) का अत्यन्त सरल तथा न्यूनतम होना आवश्यक है। जिल्सों के शब्दों में—"दार्शनिक ज्ञान के विषयों को गणित के विषयों के अधिक-से-अधिक अनुरूप बनाने के लिए उसने इन्हें तीन मूल विषयों—विचार, विस्तार तथा ईश्वर—में घटा दिया और इनकी अवधारणाओं को यथासम्भव देश और संख्या की अवधारणाओं के समान सरल बनाने के लिए उसने निर्णय किया कि इनमें प्रत्येक की अन्तर्वस्तु ऐसी है कि इसका एक ही प्रातिभ (इन्ट्यूशन) के द्वारा पूरी तरह ग्रहण किया जा सकता है।"[1] किन्तु ये प्रत्यय या अन्तर्वस्तुएँ वास्तव में न केवल सरल ही नहीं हैं बल्कि अत्यन्त जटिल हैं, जैसाकि जिल्सों ने भी आक्षेप किया है।

किन्तु सम्भवत: डेकार्ट पर जिल्सों का यह आरोप पूर्णत: उचित नहीं है। सर्वप्रथम, डेकार्ट इन प्रत्ययों या अवधारणाओं की जटिलता के सम्बन्ध में नहीं जानते रहे हों, यह सही नहीं लगता, क्योंकि उनके युग में ये अवधारणाएँ विचार के मुख्य विषय थीं; और दूसरे, उनकी आत्म और ईश्वर की अवधारणाएँ बहुत अर्थपूर्ण और अत्यन्त महत्त्वपूर्ण दार्शनिक प्रयोजन की सिद्धि के लिए उपकरणभूत थीं। यह प्रयोजन था चेतना की संसार के बीच उपस्थिति का समाधान करना। यहाँ यह भी द्रष्टव्य है कि डेकार्ट के पीछे एक ओर ईसाई दर्शन का उत्तराधिकर था और दूसरी ओर सन्देहवाद का। उन्होंने स्वयं सार्वभौम सन्देह के साथ, अथवा कहें, सर्वशक्तिमान मायावी की तत्त्वमीमांसीय कल्पना के साथ, आरम्भ किया और तब जिस सन्देहातीत तत्त्व की प्राण-प्रतिष्ठा की वह ईसाई-दर्शन की दृष्टि नहीं हो सकती थी, उसका उससे मूलत: भिन्न होना अनिवार्य था। सन्देहवाद के आघातों से सब कुछ को नहीं बचाया जा सकता था, न्यूनतम को ही रखा जा सकता था। वह जटिल आत्म नहीं हो सकता था, ऐसा आत्म ही हो सकता था जिसके अस्तित्व को सर्वशक्तिमान् मायावी भी सन्देह में नहीं डाल सकता। डेकार्ट ने यह सन्देहातीत तत्त्व उस आत्म में देखा जो बोध-स्वरूप (रेस् कोजिटांस्) है और बोध-क्रिया (कोजिटो) द्वारा अपने अस्तित्व को प्रतिष्ठित करता है। इस तरह आत्म के द्वारा अपने स्वरूप की उपलब्धि शुद्ध विज्ञप्ति की कैवल्य में स्थिति नहीं है बल्कि यह मूलगामी सन्देह के माध्यम से आत्म का अपने को घटित करना है।[2] इसी से डेकार्ट की मूल प्रतिज्ञप्ति—विचारता हूँ, इसलिए मेरा अस्तित्व है—का रूप निगमनात्मक है, यद्यपि

---

1. एटीने जिल्सों, **दि यूनिटी ऑफ फिलोसोफीकल एक्सपीरियेंस,** पृ. 146, शीड एण्ड वार्ड, 1938
2. जाको हिंटिक्का का लेख : **कोजिटो, एर्गो सम : इन्फेरेंस ऑर पर्फोमेंस?**
   द्रष्टव्य विलिस डोने द्वारा सम्पादित **डेकार्ट,** पृ. 110, मैक्मिलन, लंदन, मैलबोर्न, 1968

इसमें निगमन नहीं है। इसमें आत्म अपने अस्तित्व का विचार-क्रिया के माध्यम से, जोकि उसका स्वरूप है, अवगमन करता है। यहाँ यह विषयभूत विषयी है, अथवा कहें ज्ञाता है जो अपने को जानने के लिए आत्मोन्मुख होता है। कार्ल जास्पर्स के शब्दों में—"क्योंकि यहाँ असन्दिग्ध विषय साथ ही इसका विषयी भी है, इसलिए इसमें विषय और विषयी का युगपद्-भाव घटित होता है : यह एक और अद्वय है और इस प्रकार न विषयी है, न विषय, किन्तु तब भी यह विषयी और विषय दोनों है।"[1] उसके अनुसार—"डेकार्ट जब 'विचारता हूँ इसलिए मेरा अस्तित्व है' की असन्दिग्धता को विषय-विश्व के सत् के आधार के रूप में देखता है तब उसका कुछ ऐसा ही अभिप्राय प्रतीत होता है।"[2] कोजिटो (जानता हूँ) प्रतिज्ञप्ति के सम्बन्ध में यह एक अत्यन्त महत्त्वपूर्ण बात है कि यह न केवल आत्म के अपने अस्तित्व के असन्दिग्ध ज्ञान की वाचक है बल्कि ईश्वर और विश्व के ज्ञान की भी आधार है। यद्यपि ईश्वर तथा संसार अस्तित्वात्मक दृष्टि से स्वतन्त्र सत्ताएँ हैं—और वास्तव में, ईश्वर के मेरा तथा विश्व का स्रष्टा होने से उसकी सत्ता आदिम तथा मौलिक है जबकि आत्म और विश्व की सत्ता सापेक्ष और निर्भर है, किन्तु ज्ञान की दृष्टि से सत्ता आत्म की मौलिक और अन्य सत्ताओं को प्राप्त कराने वाली है।

यहाँ तीन कठिन समस्याएँ सामने आती हैं जो डेकार्ट-दर्शन से समाधान की अपेक्षा करती हैं। ये हैं—(1) आत्मज्ञान की अन्तर्वस्तु क्या है? (2) विश्व और ईश्वर की सत्ताओं की आत्म से स्वतन्त्रता कैसे सिद्ध होती है? और (3) आत्म का इनसे क्या सम्बन्ध है? डेकार्ट ने इनके समाधान का प्रयत्न किया है, किन्तु ये समस्याएँ इतनी जटिल हैं कि कोई दार्शनिक इनकी गहराई की पूरी थाह नहीं पा सकता, और इसीसे इनका कोई एक समाधान भी नहीं है। डेकार्ट की महत्ता इन समस्याओं को उस प्रकार देखने में है जिस प्रकार उसने इन्हें देखा, और उस तरह का समाधान देने में है जैसा समाधान उसने दिया। यहाँ हम इन समस्याओं पर डेकार्ट-दर्शन के सन्दर्भ में क्रमशः विचार करेंगे।

आत्म क्या है? डेकार्ट का उत्तर है—एक विचार करती हुई वस्तु—(रेस कोजिटांस), विचार करती हुई वस्तु क्या है? यह वह वस्तु है जो सन्देह करती है, समझती है, निषेध करती है, संकल्प (विल) करती है, संकल्प करने से अपने को रोकती है, और जिसे कल्पना-बिम्ब और संवेद-विषय विज्ञापित होते हैं।[3] यहाँ दो बातें द्रष्टव्य हैं—आत्म विचार-समर्थ द्रव्य (सब्स्टांस) नहीं है, यह विचार-क्रिया ही है और इस क्रिया में ही इसका सत्त्व (बींग) और धर्म (एसेंस) निश्शेष हो जाते हैं। यहाँ एक प्रश्न किया जा सकता है कि यदि केवल एक ही विचार-क्रिया घटित हो तब क्या इसे आत्म के अस्तित्व का घटित होना कहा जायगा? डेकार्ट ने सम्भवतः यह प्रश्न नहीं उठाया और सम्भवतः न किसी और ने ही डेकार्ट के सन्दर्भ में यह प्रश्न किया। किन्तु डेकार्ट के अनुसार इसका उत्तर केवल 'हाँ' में ही होना चाहिए। उदाहरणतः डेकार्ट की व्याख्या करते हुए स्पिनोज़ा ने लिखा है—"वर्तमान में हम विचार कर रहे हैं इस तथ्य से यह किसी भी तरह आपन्न नहीं होता कि हमारी विचार-क्रिया जारी रहेगी।"[4] इसका अर्थ है कि काल मेरे अस्तित्व का अनिवार्य घटक नहीं है और कि मैं केवल एक विचार-क्रिया हो सकता हूँ। किन्तु तब इससे विभिन्न विचार-क्रियाओं के परस्पर सम्बन्ध और आत्म की विभिन्न विचार-क्रियाओं में स्थिति सम्बन्धी कठिन समस्याएँ उत्पन्न होती हैं। किन्तु यहाँ हम इन प्रश्नों पर विचार नहीं करेंगे। यहाँ जो बात स्पष्ट रूप से द्रष्टव्य है और जो अत्यन्त महत्त्वपूर्ण है वह यह कि आत्म घटना-स्वरूप है और यह घटना विचारात्मक है और इस घटना के घटित होने के साथ आत्म का अपने अस्तित्व का बोध भी घटित होता है।

किन्तु विचार अनिवार्यतः किसी विषय के सम्बन्ध में होता है, और कम-से-कम इस रूप में इस विषय का अस्तित्व भी होता ही है, किसी दूसरी विधा में चाहे नहीं भी हो। इस तरह जब मैं अपने अस्तित्व का कथन

---

1. कार्ल जास्पर्स, **लिओनार्डो, डेकार्ट, मेक्सवेबर;** थ्री ऐसेज़, पृ. 68, रुटलज एण्ड केगन पॉल, लंडन, 1965
2. कार्ल जास्पर्स, वही, पृ. 68-69
3. नार्मन कैंपस्मिथ द्वारा अनूदित तथा सम्पादित **डेकार्ट : फिलोसोफिकल राइटिंग्स,** पृ. 186 (मैडीटेशन 2) दि माडर्न लाइब्रेरी, न्यूयार्क; 1958, अनुगामी उद्धरणों में केवल **'डेकार्ट'** द्वारा संकेतित।
4. बेरुच स्पिनोज़ा — **दि प्रिंसिपल्स ऑफ डेकार्ट्स फिलोसोफी,** पृ. 29, ओपन कोर्ट क्लैसिक्स, 1095

करता हूँ तो यह कथन अनिवार्य रूप से कुछ समझने के माध्यम से (कहें, त्रिकोण के सम्बन्ध में), अथवा सन्देह के माध्यम से (कहें, भौतिक विषयों में), होता है और इस प्रकार मेरे अस्तित्व का कथन अनिवार्य रूप से विषय के अस्तित्व का भी युगपत् कथन होता है। वास्तव में दूसरे ध्यान (मेडीटेशन) में डेकार्ट कहते प्रतीत होते हैं कि आत्म का ज्ञान विषयों के माध्यम से होता है—"यदि मैं निर्णय करता हूँ कि मोम का अस्तित्व मेरे देखने से है तो इससे और भी स्पष्ट रूप से आपादित होता है कि जब मैं इसे देखता हूँ तब मेरा अस्तित्व है।"[1] किन्तु वास्तव में डेकार्ट को यह अभिप्रेत नहीं है, यदि होता तो वे प्राय: वही बात कह रहे होते जो कांट, हुस्सर्ल तथा सार्त्र ने कही है। वे वास्तव में इस 'ध्यान' में आत्म की उन विषयों से भी अधिक असन्दिग्धता का प्रतिपादन कर रहे हैं जिनका तत्त्व (बींग) किसी विचार की अन्तर्वस्तु होना मात्र है। इस तरह उपर्युक्त आपादन का आशय यह है कि सब विषय-अवधारण आत्म को पूर्वकल्पित करता है, इसलिए तर्कत: भी आत्म विषय-अवधारण से प्रथम है। उनके लिए आत्म निर्विषय-अवगम्य है। डेकार्ट का प्राविधिक सन्देह विश्व का चैतन्य से तात्त्विक निरास भी है और इस तरह विश्व से निवर्तित आत्म मूल ज्ञान-क्रिया में आत्म-अवस्थित होता है। तेवनाज़ के शब्दों में—"डेकार्ट में विश्वाभिमुखता चैतन्य की अविवेक की स्थिति है जिसका निरास चैतन्य की अपने में प्रतिष्ठा द्वारा होता है। इस प्रकार हम देखते हैं कि डेकार्ट का मूलगामी आरम्भ-बिन्दु आत्मस्थ एवं आत्मोन्मुख चैतन्य के केन्द्र में स्थित है...डेकार्ट के लिए एक प्रत्यक्ष केवल अपने विषय की चेतना ही नहीं है बल्कि वह साथ ही अपनी चेतना भी है। इस आत्म-चेतना में ही ज्ञातृत्वाभिमान का अपने साथ सहभाव—सहावस्थान—घटित होता है, यद्यपि यह सहावस्थान सदैव आत्मभाव की उपेक्षा कर देता है। किन्तु जब अवधान आत्म-बोध की प्रखरता (इंटेंसीफिकेशन) के लिए अपनी ओर उन्मुख होता है तब यह अत्यन्त ठोस किन्तु अस्फुट सहावस्थान अत्यन्त स्फुट हो जाता है। अवधानमय चैतन्य के लिए 'मुझे ऐसा प्रतीत होता है कि मैं हूँ' 'मैं हूँ' हो जाता है, यह स्वत:सिद्ध अनिवार्यता का रूप ले लेता है।"[2] वे आगे कहते हैं—"डेकार्ट जब प्राविधिक सन्देह द्वारा विश्व का निराकरण कर देता है तब वह अपने को भी विषय के रूप में देखने से इन्कार कर देता है। उसका लक्ष्य मन की अभिक्रिया को स्वयं अपने घटित होने में आत्मचेतन करना और इस प्रकार एक उत्कृष्टतर अव्यवहितत्व प्राप्त करना है।"[3]

यहाँ दो बातें देखने की हैं—एक तो यह कि आत्म का अव्यवहित ज्ञान अन्य किसी ज्ञान का प्रापक कैसे हो सकता है? यदि तात्त्विक सन्देह द्वारा केवल विश्व का निरास ही अभिप्रेत है तब सन्देहवाद में और डेकार्टीय स्थापना में क्या अन्तर होगा? क्योंकि सन्देहवाद भी सन्देह-क्रिया की असन्दिग्धता को तो स्वीकार करता ही है। यदि तेवनाज़ की उपर्युक्त व्याख्या को स्वीकार किया जाय तो इसका समाधान केवल दो प्रकार से ही सम्भव है : एक यह कि सब विषय-जगत् को आत्म में निहित देखा जाय, और दूसरा यह कि सब असन्दिग्धता को आत्म-असन्दिग्धता—स्वत: प्रामाण्य—के स्तर पर उठाया जाय। किन्तु सम्भवत: तेवनाज़ को दोनों स्थितियाँ मान्य नहीं होंगी, क्योंकि उसके अनुसार विश्वाभिमुखता चैतन्य की अविवेक की स्थिति है। इसलिए उसका यह कथन कि—"एक प्रत्यक्ष केवल अपने विषय की चेतना ही नहीं है बल्कि वह साथ ही अपनी चेतना भी है" विषय की आत्म-असन्दिग्धता का प्रतिपादक नहीं है, क्योंकि यह स्थिति अवधान के विषयोन्मुख होने पर ही होगी। इसके अतिरिक्त, डेकार्ट के आत्म-विषयक प्रतिपादन में सबसे बड़ी कठिनाई यह है कि यह दो अन्य सत्ताओं के साथ एक सत्ता है—यह विस्तारवान द्रव्य के विपरीत विचारवान द्रव्य है और असीम द्रव्य के विपरीत ससीम द्रव्य है। किन्तु मेरे विस्तारवान द्रव्य के विपरीत विचारवान द्रव्य होने पर मेरा आत्मज्ञान विश्व-ज्ञान का आधार कैसे हो सकता है? और इसी प्रकार, मेरे ससीम और आश्रित सत्त होने पर मेरा आत्म का ज्ञान भी असन्दिग्ध कैसे हो सकता है? एक विचार-क्रिया का घटित होना उसके अस्तित्व को असन्दिग्ध रूप दे देता है, किन्तु तब यह केवल

1. **डेकार्ट,** पृ. 191
2. पिअरे तेवनाज़ — **ह्वाट इज़ फिनोमिनलोजी** में 'क्वश्चन ऑफ दि रैडिकल प्लाइंट ऑफ डिपाचरि इन हुस्सर्ल एण्ड डेकार्ट'।
3. वही, पृ. 138

एक पुनरुक्ति है। अन्यथा, इसका घटित होना आश्रित और आकस्मिक होने से, यह केवल संयोग ही होगा कि इसका अस्तित्व है। इसके अतिरिक्त, यह आकस्मिक घटना के रूप में आत्मचेतन होने पर भी उस आत्म की समतुल्य नहीं हो सकती जो अपने, विश्व के और ईश्वर के स्पष्ट और विविक्त प्रत्यय का अधिष्ठान है। यहाँ आत्म की ससीमता के प्रसंग में स्वयं डेकार्ट को उद्धृत करना समीचीन होगा—"स्पष्टत: असीम द्रव्य में ससीम द्रव्य की अपेक्षा अधिक सत्त्व (बींग) होगा और इसलिए एक प्रकार से मेरा असीम का ज्ञान मेरे ससीम के ज्ञान से पूर्वगामी होगा।"[1] इतना ही नहीं, मैं स्वयंभू-वस्तु भी नहीं हूँ, मैं ईश्वर द्वारा सृष्ट हूँ और इस प्रकार अपने ज्ञान और अस्तित्व दोनों के लिए उस पर आश्रित हूँ और उसके द्वारा सृष्ट अनेक वस्तुओं में से एक हूँ—"इस प्रकार ईश्वर की असीम शक्ति को जान लेने पर मैं यह नहीं कह सकता कि उसने अन्य भी अनेक वस्तुओं की सृष्टि नहीं की हो सकती, अथवा कम-से-कम, उसमें यह सामर्थ्य तो है ही कि वह उनकी सृष्टि कर सकता है। इस प्रकार सम्भवत: उसने मुझे केवल वस्तु-समग्र के एक भाग के रूप में ही सत्त्व प्रदान किया है।"[2] अब यदि मैं न केवल अन्य के द्वारा सृष्ट हूँ बल्कि अनन्त वास्तव और सम्भाव्य सृष्टि का एक भाग भी हूँ, तब किस प्रकार अपने सत्त्व के सम्बन्ध में मेरा ज्ञान अव्यवहित और असन्दिग्ध हो सकता है? शिलर इस पर टिप्पणी करते हुए लिखते हैं—"दूसरी ओर, मेरे लिए अपने सत्त्व पर सन्देह करना भी आवश्यक होगा। क्योंकि जो मेरा सत्त्व अव्यवहित रूप से निश्चित है वह मेरे लिए अनवगाग्य है। मेरा अपने सत्त्व पर सन्देह करना इस कारण आवश्यक है क्योंकि मेरा सत्त्व, अन्य सब सन्दिग्ध सत्त्वों के समान, आत्म-अधिष्ठित नहीं है, बल्कि केवल एक प्रकार का सत्त्व है, ऐसा सत्त्व, जो आश्रित और अतएव सन्दिग्ध है। सम्पूर्ण अनुभवमूलक आगन्तुक अस्तित्व के समान मेरा अस्तित्व भी सत् और असत् के मध्य स्थित सत्त्व की एक विधा मात्र है, क्योंकि विचार भी अस्तित्व की केवल एक अवस्था, एक विधा है।"[3] इस प्रकार शिलर के अनुसार—"'विचारता हूँ' में समाविष्ट 'मैं हूँ' का अर्थ एक निरपेक्ष 'मैं हूँ' परक नहीं है बल्कि केवल एक अस्तित्व विषयक है : मैं एक प्रकार से हूँ, एक विचारवान सत्त्व के रूप में।"[4]

यदि यह मान भी लिया जाय कि डेकार्ट में विस्तारवान द्रव्य का स्थान गौण है और अतएव इससे आत्म के ज्ञान की निरपेक्षता को कोई क्षति नहीं होती, तो भी ज्ञान और सत्ता दोनों दृष्टियों से ईश्वर की आत्म से प्राथमिकता आत्म की स्थिति को सन्दिग्ध बना देती है। यह सही है कि मैं अपने अस्तित्व में सन्देह नहीं कर सकता, किन्तु यदि मैं सन्देह करने में प्रवृत्त ही नहीं होऊँ तो डेकार्ट कहेंगे कि इससे कोई अन्तर नहीं पड़ता, क्योंकि सन्देह केवल एक प्रकार का विचार है, मेरे अस्तित्व का विधान किसी भी विचार से होता है। किन्तु यदि मैं सब समय बाह्योन्मुख ही रहता हूँ, सब समय कल्पना और संवेद में ही तल्लीन रहता हूँ और कभी विचारता ही नहीं, तब? ईश्वर के सर्वशक्तिमान और पूर्णत: स्वतन्त्र होने से, और मेरे पूर्णत: उस पर आश्रित होने से, ईश्वर ऐसा विधान करने में स्वतन्त्र है कि मैं बाह्योन्मुख ही रहूँ, और इस प्रकार वह सदैव मुझे आत्मबहिष्कृत रख सकता है। सम्भवत: इसका उत्तर दिया जा सकता है कि मुझे मेरे धर्म से वंचित रखने का अर्थ है मेरी सृष्टि नहीं करना, किन्तु एक बार मेरी सृष्टि कर देने पर ईश्वर भी मुझे अपने धर्म से वंचित नहीं कर सकता। किन्तु तब मेरी सृष्टि करने का क्या अर्थ है? मेरी विचार-क्रिया मेरा अस्तित्व है। क्या यह विचार-क्रिया किसी बाह्य कारण द्वारा सृष्ट हो सकती है? डेकार्ट का स्पष्ट उत्तर है कि यह न केवल हो सकती है बल्कि होती है। उनका तर्क है कि, यदि मैं स्वयं अपना स्रष्टा होता तो मैं इसमें भी समर्थ होता कि मैं अपने को चाहे जो भी स्वरूप दूँ और चाहे जितनी भी पूर्णता दूँ। और तब मैं अपने को अपूर्ण नहीं रहने दे सकता था। किन्तु मैं स्पष्टत: अपूर्ण हूँ, अत: मैं अपना सर्जक नहीं हो सकता।[5] दूसरा तर्क मेरे अस्तित्व की आगन्तुकता से है। जैसाकि स्पिनोज़ा ने डेकार्ट के दर्शन की व्याख्या

1. **डेकार्ट,** पृ. 138
2. वही, पृ. 215
3. द्रष्टव्य, कार्ल जास्पर्स, **थ्री एस्सेज़,** पृ. 72
4. वही, पृ. 72
5. **डेकार्ट,** पृ.

करते हुए लिखा है—'वर्तमान समय में हम विचार कर रहे हैं' इस तथ्य से यह किसी भी तरह अनुगत नहीं होता कि हम आगे भी विचार करते रहेंगे। हमारी विचार की अवधारणा में उसके अस्तित्व की अनिवार्यता निहित नहीं है। क्योंकि यह मानते हुए भी कि विचार का अस्तित्व नहीं है, मैं उसका स्पष्ट अवधारण कर सकता हूँ। (यह बात प्रत्येक व्यक्ति, जहाँ तक वह विचारवान है, अपने अनुभव से जानता है)। किन्तु क्योंकि किसी कारण के स्वरूप में उसके कार्य का पूर्णतः निहित होना आवश्यक है, इससे यह अनुगत होता है कि हममें अथवा हमारे से बाहर कुछ है...जिसमें अस्तित्व अनिवार्यतः निहित है। यह कुछ हमारे विचार के आरम्भ होने और अस्तित्व में बने रहने का आदि कारण है : क्योंकि, यद्यपि हमारा विचार अस्तित्व में आया किन्तु इसका स्वरूप और धर्म इसके अनिवार्य अस्तित्व को आपादित नहीं करता, जिस प्रकार उस समय तक नहीं करता था जब वह अभी अस्तित्व में नहीं आया था।[1]

यहाँ भिन्न वस्तुओं में भेद करना आवश्यक है, जिन्हें शायद डेकार्ट ने व्यामिश्रित कर दिया है। मनुष्य के आत्म को उसकी अपूर्णता के कारण भी ईश्वर पर निर्भर कहा गया है और उसके अस्तित्व की आगन्तुकता के कारण भी। किन्तु इनमें स्पष्ट भेद नहीं किया गया है। अन्य कारणापेक्षा-सम्बन्धी इन दोनों प्रतिपादनों में कुछ आधारभूत कठिनाइयाँ हैं। सर्वप्रथम यह द्रष्टव्य है कि विचार की अन्तर्वस्तु के साथ मेरा अभेद नहीं किया जा सकता, क्योंकि जैसाकि हम आगे देखेंगे, अन्तर्वस्तु आत्म से बाहर है, अनात्म है। इसलिए मैं केवल विचार-क्रिया की आत्म-चेतना हूँ। 'क्रिया', 'घटना' और 'अस्तित्व' शब्द 'काल' को पूर्वापेक्षित करते हैं। ऊपर हमने स्पिनोज़ा से जो मनुष्य के आत्म की आगन्तुकता विषयक उद्धरण दिया है उससे भी स्पष्ट है कि विचार-क्रिया काल में घटित होती है और यह कालापेक्षा ही उसके अस्तित्व की आगन्तुकता है। किन्तु क्या काल विचार-क्रिया का धर्म है और यह विचार-क्रिया आत्म-चेतन होने में अपनी कालिकता के सम्बन्ध में भी चेतन होती है? इस तरह, क्या कालापेक्षिकता की दृष्टि से यह घटना उसी प्रकार की है जिस प्रकार की कोई भी अन्य घटना, जैसे पत्थर गिरने की, है? स्पिनोज़ा की टिप्पणी में कुछ इसी प्रकार का आशय प्रतीत होता है। किन्तु यह डेकार्ट का आशय नहीं हो सकता, क्योंकि डेकार्ट की चैतन्य-क्रिया अपना विषयकरण नहीं कर सकती, दूसरे शब्दों में, वह अपना अतिक्रमण नहीं कर सकती। डेकार्टीय चैतन्य-क्रिया काल को बर्गसोनीय 'ड्यूरेशन' के रूप में, अपनी प्रवहमानता के रूप में, अनुभव कर सकती है। किन्तु अपनी प्रवहमानता का अनुभव अपने अस्तित्व की आगन्तुकता का अनुभव नहीं है। अपनी आगन्तुकता का ग्रहण अपने विषयकरण अथवा प्रत्ययीकरण द्वारा सम्भव होता है, किन्तु तब यह पूरी तरह डेकार्टीय नहीं होगा।

किन्तु मेरी ईश्वर पर निर्भरता सिद्ध करने के लिए डेकार्ट का मेरी अपूर्णता और ईश्वर की पूर्णता पर आधारित तर्क इस बात की ओर संकेत करता है कि मैं विचार-क्रिया ही नहीं विचार की अन्तर्वस्तु भी हूँ। क्योंकि मेरी अपूर्णता मेरे विचार की अन्तर्वस्तु की अपूर्णता है और ईश्वर की पूर्णता विचार की अन्तर्वस्तु की विपुलता है। यह डेकार्ट के ईश्वर के अस्तित्वविषयक तर्क से पूरी तरह स्पष्ट है। इस प्रसंग में वह एक पूर्वप्रतिज्ञा का भी सहारा लेता है और वह यह कि कार्य-कारण से अधिक विपुल नहीं हो सकता। इस पूर्वप्रतिज्ञा को स्वीकार कर लेने पर डेकार्ट तर्क करता है कि मेरे में पूर्णता का प्रत्यय है किन्तु मैं अपूर्ण हूँ, इसलिए मैं इस प्रत्यय के होने का कारण नहीं हो सकता। तब कहा जा सकता है कि इसका कोई कारण हो ही, यह कैसे आवश्यक है, जिस प्रकार वस्तु-विश्व का प्रत्यय होने के लिए यह आवश्यक नहीं है कि वस्तु-विश्व भी हो। इसका समाधान वह करता है कि क्योंकि पूर्णता का प्रत्यय है, और क्योंकि इसका कारण होना आवश्यक है, और क्योंकि मैं अपने से विपुलतर कार्य का कारण नहीं हो सकता, इसलिए ईश्वर है। किन्तु तब मैं ईश्वर का, जोकि मेरे से विपुलतर है, अवधारण कैसे कर सकता हूँ? वह कहता है कि, मैं अपूर्ण हूँ इसलिए मैं पूर्णता का अवधारण (कंप्रीहेंड) नहीं कर सकता, किन्तु तब भी मैं इसका स्पष्ट और विविक्त प्रत्ययन कर सकता हूँ। वह कैसे? इसका वह उत्तर देता है कि "अन्यथा मैं यह कैसे जान सकता हूँ कि मैं सन्देह करता हूँ और इच्छा करता हूँ? अर्थात् कि मेरे में कोई न्यूनता है

1. स्पिनोज़ा — **दि प्रिंसिपल्स ऑफ डेकार्ट्स फिलोसोफी,** पृ. 30

और मैं पूर्ण नहीं हूँ? यह मैं केवल अपने से अधिक पूर्ण के प्रत्यय के द्वारा ही जान सकता हूँ, जिसके साथ तुलना के द्वारा मैं अपनी अपूर्णता को जानता हूँ।"[1] किन्तु इसका अर्थ है कि मेरा पूर्णता का प्रत्यय मेरे अपूर्णता के प्रत्यय का सापेक्ष है, चाहे यह सापेक्षता के निगमनात्मक प्रातिभ (डिडक्टिव इन्ट्यूशन) के रूप में ही क्यों न हो। किन्तु, जिल्सों इसे 'मैं विचारता हूँ इसलिए मैं हूँ' के बराबर रखता है। उसके अनुसार "क्योंकि सन्देह-क्रिया ही पूर्णता के प्रत्यय को आपादित करती है इसलिए हम जितना उचित रूप से यह कह सकते हैं कि 'मैं सन्देह करता हूँ इसलिए मैं हूँ' उतना ही उचित रूप से यह भी कह सकते हैं, 'मैं सन्देह करता हूँ, इसलिए ईश्वर है।'"[2] किन्तु सम्भवत: यह उचित नहीं है, क्योंकि 'मैं हूँ' कथन (अफर्मेशन) 'मैं विचारता हूँ' से आपादित नहीं होता, यह कथन विचार-क्रिया के अपने साथ यौगपद्य घटित होने का कथन है,[3] अथवा कहें, यह आत्म का अपनी ओर लौटना है (अटेंटिवली टर्निंग इन अपोन इट्सेल्फ)।[4] इसके विपरीत ईश्वर मेरे विचार की अन्तर्वस्तु की अपूर्णता से आक्षिप्त है। यद्यपि यह सही है कि आक्षेप उतना ही युक्त है जितना गणित का और इसकी सत्यता उससे भी अधिक प्रामाणिक है जितनी गणित की, क्योंकि गणित की सत्यता इस बात पर निर्भर करती है कि मेरे विचारों का नियामक मायावी नहीं, ईश्वर है। किन्तु तब भी 'मैं सन्देह करता हूँ' और 'ईश्वर है' के बीच अव्यवहितत्व का सम्बन्ध नहीं हो सकता, क्योंकि यदि अपनी अपूर्णता का ग्रहण सन्देह-क्रिया में स्वरूपगत भी हो, जो हो नहीं सकता क्योंकि इसका कोई अर्थ नहीं है, तो भी पूर्णता का ग्रहण उसके अन्तर्गत नहीं हो सकता। इसे दो भिन्न प्रकार के उदाहरणों द्वारा देखा जा सकता है : कृतिकार अपनी कृति से सन्तुष्ट नहीं होता, वह उसमें निरन्तर सुधार करता है। इसका अर्थ है कि उसे उस कृति की अपूर्णता का बोध है। यह बोध इस कृति के पूर्णत: निर्दोष रूप का आक्षेप करता है।[5] किन्तु इसका अर्थ यह नहीं है कि कृतिकार को पूर्णता का भी अव्यवहित बोध है। निगमन के दूसरे प्रकार के उदाहरण के रूप में यह प्रतिज्ञप्ति लें : 'सब ज्ञात संख्याएँ सीमित हैं और हम इनकी सीमितता के सम्बन्ध में निश्चित हैं', किन्तु इससे हम 'सबसे बड़ी संख्या' का ग्रहण उसीके अन्तर्गत नहीं कर सकते, क्योंकि वह सीमित और अतएव ज्ञात नहीं हो सकती। इनमें प्रथम उदाहरण को डेकार्ट स्वीकार नहीं करेंगे किन्तु दूसरा उदाहरण उनके ईश्वर की असीमता के प्रतिपादन के पूरी तरह अनुरूप है, क्योंकि सब ज्ञात संख्याएँ अपूर्ण हैं किन्तु 'सबसे बड़ी संख्या' सम्भाव्य पूर्णतारूप नहीं है, क्योंकि 'सबसे बड़ी संख्या' इनके क्षेत्र से बाहर और अतएव वास्तव होनी चाहिए। यहाँ आपत्ति की जा सकती है कि ज्ञात-ज्ञेय संख्याओं की अपूर्णता किसी सबसे बड़ी संख्या के होने को सिद्ध नहीं करेगी। वास्तव में एक प्रकार से डकार्ट स्वयं भी यह स्वीकार करते प्रतीत होते हैं जब वे कहते हैं कि हम असीम का अवधारण (कंप्रीहेंड) नहीं कर सकते, केवल प्रत्ययन (एप्रीहेंड) कर सकते हैं। इतना ही नहीं, वे यह भी कहते हैं कि मैं पूर्णता की ओर किसी भी सीमा तक बढ़ सकता हूँ, किन्तु पूर्ण नहीं हो सकता। इस प्रकार, यदि यह सही भी हो कि मेरे द्वारा पूर्णता का ग्रहण भी उसी प्रकार होता है तब भी। दूसरे, क्रिया-रूप 'मैं सन्देह करता हूँ' 'मैं हूँ' को अपने में समाहित करता है और यह समाहितता अन्तर्वस्तु के रूप में नहीं है, यह क्रिया द्वारा अपने मूल में निवर्तित होने में है। यदि 'मैं हूँ' अन्तर्वस्तु हो तो इसकी सत्यता उसी प्रकार सन्दिग्ध हो जायगी जिस प्रकार भौतिक विश्व या गणित की।

यहाँ यह द्रष्टव्य है कि डेकार्ट ने ईश्वर के अस्तित्व को सिद्ध करने के लिए दो भिन्न प्रकार की युक्तियों का प्रयोग किया है। एक युक्ति के अनुसार, जिसकी ओर जिल्सों के उपर्युक्त उद्धरण में संकेत है, एक ही मूल क्रिया युगपद् रूप से मुझे और ईश्वर को उद्‌घाटित करती है और दूसरी ईश्वर को एक प्रत्यय (अन्तर्वस्तु) के कारण के

---

1. **डेकार्ट,** पृ. 205
2. जिल्सों — **दि यूनिटी ऑफ फिलोसोफीकल एक्स्पीरीएंस,** पृ. 181
3. 'यौगपद्य' के अर्थ के स्पष्टीकरण के लिए द्रष्टव्य हमारा लेख 'प्रत्यक् और पराक्' दार्शनिक, 1972 तथा यशदेव शल्य, **विषय और आत्म,** अ. 9
4. **डेकार्ट,** पृ. 299 तथा 232
5. इस सम्बन्ध में द्रष्टव्य यशदेव शल्य **संस्कृति : मानव-कर्त्तृत्व की व्याख्या,** अध्याय 2 तथा 8, तथा हमारा पूर्वोद्धृत लेख।

रूप में सिद्ध करती है। प्रथम युक्ति की कठिनाइयों की ओर हमने ऊपर संकेत किया है, किन्तु उस युक्ति का वास्तव आशय क्या है, यह हम आगे देखेंगे। जहाँ तक उसके प्रत्ययात्मक स्वरूप का प्रश्न है, उसका अस्तित्व तर्कत: अनिवार्य है किन्तु आत्म-अव्यवहित नहीं, क्योंकि पूर्णता और अनस्तित्व का एक-साथ कथन वदतोव्याघात होगा। किन्तु तब ईश्वर की पूर्णता और अस्तित्वयुक्तता तर्क की सत्यता को पूर्वकल्पित करते हैं क्योंकि यथा-कारण तथा-कार्य की प्राक्कल्पना एक तार्किक व्यवस्थापरक प्राक्कल्पना है। ईश्वर की पूर्णता यह भी पूर्वकल्पिक करती है कि मेरे स्पष्ट और विविक्त प्रत्यय सत्य हों, नहीं तो ईश्वर श्रेयोमय और अतएव पूर्ण नहीं होगा। इस प्रकार डेकार्ट ने एक प्रकार से तर्क को सत्य और ईश्वर से भी ऊपर प्रतिष्ठित कर दिया है। क्योंकि सर्वप्रथम, यदि मेरे स्पष्ट और विविक्त प्रत्यय सत्य नहीं हों तो ईश्वर नहीं होगा, दूसरे, और उससे भी अधिक, पूर्णात्मक प्रत्ययों के कारण के रूप में स्वयं ईश्वर का अस्तित्व भी निश्चित नहीं रहेगा।[1] इस प्रकार ईश्वर का अस्तित्व स्पष्ट और विविक्त प्रत्ययों की सत्यता के संधारक के रूप में आवश्यक होने के बजाय स्वयं इन प्रत्ययों की सत्यता के पूर्वग्रह पर आधारित हो जाता है।

किन्तु स्पष्टत: डेकार्ट को यह अभिप्रेत नहीं था। उनके लिए ईश्वर का प्रत्यय आदिम प्रत्यय है। यहाँ हमें समझने का प्रयत्न करना चाहिए कि कैसे। डेकार्ट के अनुसार, पूर्णता का प्रत्यय स्पष्ट और विविक्त प्रत्यय है और परिणामत: उसकी तथ्यता प्रदत्त है, जिस प्रकार अन्य सब स्पष्ट और विविक्त प्रत्ययों की है। किन्तु क्योंकि इस प्रत्यय की अन्तर्वस्तु पूर्ण है इसलिए इसका अस्तित्व भी निश्चित है, क्योंकि पूर्ण का अस्तित्व-रहित होना वदतोव्याघात है। 'वदतोव्याघात' से यहाँ 'तार्किक वदतोव्याघात' अभिप्रेत नहीं है, यह पद यहाँ केवल उपमात्मक रूप से प्रयुक्त है। पूर्णता में अस्तित्व उसी प्रकार है जिस प्रकार मेज़ में एक दैशिक आकार का प्रत्यक्ष है। इनमें दूसरा प्रथम से आपादित नहीं है, यह अवधारणात्मक रूप से भी अन्तर्निहित नहीं है, परिणामत: 'ईश्वर का अस्तित्व है' विश्लेषणात्मक (एनेलिटिकल) प्रतिज्ञप्ति भी नहीं है, जिस प्रकार 'यह मेज़ विस्तारवान है' विश्लेषणात्मक नहीं है। यह प्रत्ययात्मक प्रातिभ (इन्टलेक्चुअल इन्ट्यूशन) है।

ईश्वर-प्रत्यय के सम्बन्ध में दूसरी महत्त्वपूर्ण बात यह है कि यह एक अन्तर्वस्तु होने पर भी अन्य अन्तर्वस्तुओं के समकक्ष नहीं है, क्योंकि इसका न केवल अन्य वस्तुओं से भिन्न अस्तित्व स्वत:सिद्ध है, यह ऐसा सत्त्व भी है जिसकी ओर मेरा आत्म अपना अतिक्रमण करता है—इसकी असीमता मेरी ससीमता के साथ युगपद् रूप से प्रदत्त है। अब, मेरा आत्म प्रत्येक प्रत्ययन (थिंकिंग ए थॉट) में अपने को घटित करता है और इस प्रकार यह सब अन्तर्वस्तुओं के साथ घटित होता है। किन्तु वह अपनी अपूर्णता का इन अन्तर्वस्तुओं के द्वारा ग्रहण नहीं कर सकता, इसका ग्रहण वह स्वयं इन क्रियाओं के मूल में प्रतिष्ठित होकर ही कर सकता है। इस तरह, क्रिया को स्वयं अपनी अन्तर्वस्तु भी होना होता है और केवल इस आत्म-अवस्थान में ही वह ईश्वर के सम्मुख प्रस्तुत हो सकता है। स्पष्टत: यह प्रस्तुति बौद्धिक नहीं हो सकती, जैसाकि डेकार्ट के प्रतिपादन से प्रथमत: प्रतीत होता है, वह अस्तित्वात्मक प्रस्तुति है, इसमें आत्म अपने को ऐसे सत्त्व के सम्मुख पाता है जो उत्कर्ष की पराकाष्ठा के रूप में स्थित है, जिस ओर उसका क्षुद्र सत्त्व अपना अतिक्रमण करता है। इस तरह ईश्वर के अस्तित्व विषयक उपर्युक्त दो प्रकार की युक्तियों में सामंजस्य देखा जा सकता है। किन्तु डेकार्ट के प्रतिपादन में ईश्वर का यह रूप नहीं मिलता, उसका सत्त्व केवल प्रत्ययात्मक है, और दो प्रकार की युक्तियों में असामंजस्य का निरास केवल यह है कि दोनों में उसका स्वरूप प्रत्ययात्मक है। इसका अपवाद केवल तीसरी मैडीटेशन का अन्तिम अनुच्छेद है।[2]

---

1. प्रो. दयाकृष्ण ने अपनी पुस्तक **ज्ञान-मीमांसा,** पृ. 56 (राजस्थान हिन्दी ग्रन्थ अकादमी, जयपुर, 1973) में इस प्रसंग में आपत्ति की है कि ईश्वर द्वारा असत् संसार का आभास देना उसे अनिवार्यत: अशिव नहीं बनाता, क्योंकि सम्भव है हमारे लिए यही स्थिति श्रेयस्कर हो। किन्तु यह आपत्ति डेकार्ट की दार्शनिक व्यवस्था के बाहर से है।

2. **डेकार्ट,** पृ. 211

जगत्

डेकार्ट द्वैतवादी के रूप में प्रसिद्ध हैं, यद्यपि वे आत्म और भूत द्रव्यों के अतिरिक्त ईश्वर को भी एक पृथक् सत्त्व मानते हैं। यह बात अपने आप से इस बात की द्योतक होनी चाहिए कि आत्म और ईश्वर पृथक् द्रव्य नहीं हैं। किन्तु तब भी ये पृथक् द्रव्य ही हैं, क्योंकि ईश्वर केवल मेरा स्रष्टा ही नहीं है, विस्तारात्मक द्रव्य का भी स्रष्टा है। और क्योंकि डेकार्ट के अनुसार कार्य में कारण से अधिक कुछ नहीं हो सकता इसलिए या तो ईश्वर में विस्तार-धर्म भी होना चाहिए अथवा विस्तार-धर्म को भी ईश्वर में को मानना उसके लिए आवश्यक हो जायेगा। किन्तु किसी में विचार-धर्म और विस्तार-धर्म दोनों एक-साथ किस प्रकार रह सकते हैं, डेकार्ट ने इस पर विचार नहीं किया, न सम्भवत: किसी अन्य ने ही यह प्रश्न उठाया है। किन्तु डेकार्ट ईश्वर को विस्तारवान द्रव्य का स्रष्टा मानता है और इसी आधार पर वह हमारे विस्तार-विषयक प्रत्ययों को सत्य मानता है, यह छठे ध्यान के आरम्भ में उसके प्रतिपादन से स्पष्ट देखा जा सकता है। उसके शब्दों में—"निस्सन्देह, ईश्वर में वह सब सर्जित करने की शक्ति है जिसका मैं विविक्त रूप से अवधारण कर सकता हूँ।"[1] यहाँ 'शक्ति' शब्द के प्रयोग से किसी को भ्रम नहीं होना चाहिए, क्योंकि पूर्ण में कुछ सम्भावनात्मक रूप से नहीं रह सकता, उसमें सब घटित-वास्तव रूप में ही रह सकता है। अब, यदि यह स्वीकार किया जाय तब इससे एक अत्यन्त महत्त्वपूर्ण निष्पत्ति यह निकलती है कि विचार विस्तारवान का भी धारक हो सकता है। वास्तव में डेकार्ट ने यह तो स्वीकार किया है कि विस्तार का स्पष्ट और विविक्त प्रत्यय होता है, समस्या केवल उसके सत्य होने की है। उसके सत्य होने के लिए विस्तारवान द्रव्य का अस्तित्व होना आवश्यक है। किन्तु तब वही समस्या ईश्वर के लिए भी होगी, यदि वह स्वयं विस्तारवान नहीं है तो भी। वास्तव में, यदि विस्तारवान द्रव्य है और यदि ईश्वर पूर्ण है, तो उसके लिए यह अनिवार्य होगा कि वह विस्तारवान भी हो। किन्तु यदि वह विचारवान और विस्तारवान दोनों है तब विचारवान और विस्तारवान द्रव्यों की उससे पृथक् आवश्यकता नहीं है, वह एक अकेला ही पर्याप्त होगा। यदि यह माना जाय तो एक प्रकार से डेकार्ट वही कह रहा था जो बाद में स्पिनोज़ा ने कहा।

सीमित चेतना के पक्ष से देखने पर भी जगत् की स्थिति कम अनिश्चित नहीं है। सर्वप्रथम, जगत् का सन्देह के द्वारा निरास किया जा सकता है, और यह न तो ईश्वर के समान अपनी आन्तर संरचना के द्वारा पुन: स्थापित किया जा सकता है और न यह आत्म के समान सहज बोधगम्य है, इसलिए इसकी पुन: स्थापना डेकार्ट ने परोक्ष रूप से ही की है। किन्तु द्रष्टव्य है कि डेकार्ट में पहले सब चीज़ का आत्म के अव्यवहित आन्तर बोध में अन्तर्भाव होना चाहिए और तब वह एक निगमनात्मक प्रक्रिया द्वारा स्थापनीय होना चाहिये। यह हम ईश्वर के सन्दर्भ में देख चुके हैं, यद्यपि ईश्वर का विपुलतर अर्थ इस सीमा का अतिक्रमण कर जाता है। भौतिक द्रव्य सबसे पहले प्रत्यय की अन्तर्वस्तु के रूप में अव्यवहित प्रातिभ का विषय बनता है और तब ईश्वर की पूर्णता के द्वारा अपनी स्वतन्त्र सत्ता में प्रतिष्ठापित होता है। अब, यहाँ यह देखना महत्त्वपूर्ण है कि डेकार्ट के अनुसार किसी वस्तु के सत् होने के लिए उसका स्पष्ट और विविक्त रूप से प्रत्येय होना आवश्यक है। ईश्वर भी इस व्यवस्था का उल्लंघन नहीं कर सकता।[2] संवेद्य स्पष्ट और विविक्त रूप से ग्राह्य नहीं है इसलिए केवल शुद्ध असंवेद्य विस्तार ही सत् है, क्योंकि वह स्पष्ट और विविक्त रूप से ग्राह्य है। इसे डेकार्ट ने मोम के उदाहरण द्वारा स्पष्ट किया है—मोम अनेक रूप और आकार ग्रहण कर सकती है, इसलिए कोई रूप और आकार मोम का रूप और आकार नहीं है, शुद्ध प्रत्येय धर्म : विस्तार : ही उसका स्वरूप है। यदि यह सही है तो विस्तार-प्रत्यय के होने के लिए भौतिक द्रव्य का होना आवश्यक नहीं है, किन्तु भौतिक द्रव्य के होने के लिए विस्तार-प्रत्यय का होना आवश्यक है। इस प्रकार, आत्म के लिए शरीर तथा जगत् चैतन्य की शरीर-वृत्ति तथा जगत्-वृत्ति ही हैं। किन्तु डेकार्ट शरीर तथा जगत् को वृत्तियों में निश्शेष नहीं मानता, उसके लिए इनका अतिक्रान्त सत्त्व (ट्रांसेंडेंट बींग) भी है जो अनुभव का, आत्म द्वारा ग्रहण का, अतिक्रमण करता है। आत्म इसकी ओर कल्पना और संवेद के माध्यम से

1. **डेकार्ट**, पृ. 230
2. वही, पृ. 230

अतिक्रमण करता है। हेनरी गौहीर के शब्दों में—"यह कहना ठीक नहीं है कि डेकार्ट ने आत्म को एक ओर रखा और शरीर को दूसरी ओर, बल्कि उसके लिए एक ओर शरीर की चेतना से युक्त मन है और दूसरी ओर शरीर का वह सत् है जो अपने सम्बन्ध में अवगति का अतिक्रमण करता है। यह पार्थक्य वास्तव में केवल उस व्यापकतर पार्थक्य का अंग है जो भौतिक विश्व के अनुभव से संयुत आत्म के तथा मेरे अनुभव का अतिक्रमण करने वाले विश्व के बीच का है।"[1]

यहाँ डेकार्ट में आत्म और जगत् के सम्बन्ध को लेकर दो विरोधी अभिवृत्तियों का तनाव देखा जा सकता है : जैसाकि हम पीछे देख चुके हैं, डेकार्ट का आत्म आत्मावस्थित होकर आन्तर बोध के माध्यम से विश्व को जानता है। उसके लिए ज्ञान का केवल एक मार्ग है—आत्मस्थ होकर प्रत्ययों का स्फुट ग्रहण। किन्तु दूसरी ओर डेकार्ट यह भी कहता है कि "कल्पना करते हुए यह वस्तुपिण्ड की ओर उन्मुख होता है और इसमें अपने में निर्मित प्रत्यय के अनुरूप वस्तु का अव्यवहित ग्रहण करता है अथवा इन्द्रियों द्वारा संवेदन किये गए प्रदत्तों का ग्रहण करता है। अब, यदि वस्तुपिण्ड का अस्तित्व हो तो मैं सहज रूप से समझ सकता हूँ कि कल्पना (इमेजीनेशन) इस प्रकार व्यापार कर सकती है।"[2] छठे ध्यान में चेतना की इस भौतिक पिण्डोन्मुखता का विवेचन होने पर भी यह कहना उपयुक्त होगा कि डेकार्ट सब ज्ञन का अधिष्ठान आत्म को ही मानता है—"डेकार्ट में जबकि आत्म आत्मावस्थित है और आत्म का आन्तर बोध विश्व के ज्ञान का आधार है...।"[3] इसी प्रकार जिल्सों के शब्दों में—"डेकार्ट की दर्शन की अवधारणा यह थी : एक मूल प्रातिभग्रहण (एन इनिश्यल इन्ट्यूशन), तब निगमन-प्रक्रिया द्वारा इस प्रथम प्रातिभ से अनुगत होते हुए अन्य प्रातिभ; और तब अन्त में मन द्वारा (निगमन के) इन अनुगामी चरणों का इस प्रथम प्रातिभ में पुन: समाहार करने के मार्ग से स्वयं निगमन के निरास का ही उत्कट प्रयत्न।"[4]

किन्तु डेकार्ट ने जबकि सब ज्ञान का अन्तर्भाव आत्म में कर दिया, सत्त्व की दृष्टि से वह सबका समाहार आत्म में नहीं कर सका। वह यह बात ईश्वर की सामर्थ्य में मानता है कि वह मुझे भौतिक पिण्डपरक प्रत्ययों का बिना भौतिक पिण्डों की सत्ता के सीधे भी सम्प्रेषण कर सके। अथवा, मैं स्वयं भी इन प्रत्ययों का सर्जन कर सकता हूँ। किन्तु तब भी वह भौतिक वस्तुओं की, अथवा कहें प्रकृति की, सत्ता मानता है। यह सत्ता प्रत्ययों से पूर्णत: स्वतन्त्र है, इसका न अवगमन सम्भव है और न सम्प्रेषण, यह पूर्णत: असंप्रत्ययात्मक और अतिक्रामी है, यद्यपि यह पूरी तरह प्रत्ययों के अनुरूप है।

जैसाकि उपर्युक्त विवेचन से स्पष्ट है, डेकार्ट में अद्वैतवादी और द्वैतवादी प्रवृत्तियों के बीच खींचातानी है। डेकार्ट जबकि उद्घोषित रूप से द्वैतवादी है, उसका यह द्वैतवाद एक आरोपित, बाहर से जोड़ा गया प्रतीत होता है, क्योंकि भौतिक सत्ता को डेकार्ट ने दो प्राक्कल्पनाओं के द्वारा प्रतिष्ठित किया है। एक प्राक्कल्पना प्रत्ययों की सत्यता के लिए तदनुरूप वस्तु का होना है और दूसरी ईश्वर की शिवमयता के लिए शिवमयताइन प्रत्ययों का होना है। ये दोनों प्राक्कल्पनाएँ उनकी दर्शन-व्यवस्था में अन्तरंग नहीं कही जा सकतीं। जैसाकि हमने पीछे देखा, ईश्वर की शिवमयता उसकी पूर्णता से निगमित होती है, किन्तु हमारे प्रत्ययों की सत्यता के लिए वस्तुओं की सत्ता-विषयक प्राक्कल्पना उससे आपादित नहीं होती। उदाहरणत: प्रत्ययवादी भौतिक वस्तुओं की सत्ता स्वीकार नहीं करते किन्तु तब भी वे प्रत्ययों को असत्य नहीं मानते। कांट स्वलक्षण प्रकृति की सत्ता स्वीकार करते हुए भी हमारे प्रत्ययों की सत्यता के लिए उसे आवश्यक नहीं मानता। इसी से कांट स्वलक्षण आत्म और स्वलक्षण प्रकृति की सत्ताओं को स्वीकार करते हुए होने पर भी द्वैतवादी नहीं कहा जाता।

---

1. जेम्स एम. एडी — 'डेकार्ट एण्ड एंबोडीमेंट ऑफ कांश्यसनेस' (लेख) **कार्टेशियान एस्सेज़** सम्पा. बर्नार्ड मेग्नस तथा बी. विल्बर, मार्टिनस निझोफ, दि हेग, 1969 में संकलित।
2. **डेकार्ट,** पृ. 232
3. एडी, वही, पृ. 237
4. जिल्सों, पूर्ववत्, पृ. 181

इस तरह स्पष्ट है कि डेकार्ट की ये प्राक्कल्पनाएँ किसी तार्किक व्यवस्था में अनुस्यूत नहीं हैं, उनकी तार्किक व्यवस्था आत्म में निवर्तन के साथ पूर्ण हो जाती है। सर्वग्रासी सन्देह से निरस्त जगत् को किसी और मार्ग से प्रतिष्ठा देना उसके लिए आवश्यक नहीं था। वह (विश्व) शांकर दर्शन के समान यहाँ भी निरस्त रह सकता था, अथवा ब्रैड्ले-दर्शन के समान प्रातिभासिक रह सकता था। किन्तु डेकार्ट ने विश्व की विद्यमानता की समस्या को अधिक गम्भीरता से लिया। वह विषय को प्रत्यय में अन्तर्भूत नहीं कर सका। उसके अनुसार, विश्व मेरी इच्छाओं का अनुसरण नहीं करता; दूसरे, उसके अन्य लक्षण, जैसे विस्तार, आत्म के लक्षणों में अन्तर्भूत नहीं हो सकते। यहाँ तक कि, इन विषयों की ग्राहक इन्द्रियाँ और मनस् (कल्पनाएँ, वासनाएँ आदि) भी आत्म के अन्तर्गत नहीं हैं, ये भी प्रकृति के अंग हैं। विषय से इनका वैशिष्ट्य इस बात में है कि ये आत्म के लिए विषय की ज्ञापक हैं। इतना ही नहीं, विषय आत्म से स्वरूपत: बहिष्कृत है—वह विस्तार-स्वरूप है जबकि आत्म विचार-स्वरूप। विचार विस्तार का ग्रहण नहीं कर सकता, वह केवल अपना ही ग्रहण कर सकता है। प्रश्न किया जा सकता है कि तब गणित और तर्क का क्या होगा? ये आत्म-लक्षण हैं या भूत-लक्षण? डेकार्ट में इसका उत्तर सहज नहीं है, क्योंकि शुद्ध संख्याएं और उनके परस्पर सम्बन्ध, डेकार्ट के अनुसार, विस्तारात्मक नहीं हैं, वे स्पष्ट और विविक्त प्रत्यय हैं। किन्तु उनके सम्बन्ध में हमें भ्रम हो सकता है, इसलिए वे आत्म के अन्तर्गत भी नहीं हो सकते। स्टेन्ले रोज़न के अनुसार—"डेकार्ट में विचार (थिंकिंग) को प्राय: विविक्त और स्वत:स्पष्ट प्रातिभ (इन्ट्यूशन) के रूप में, अथवा अचल एवं शाश्वत के अव्यवहित प्रत्यय के रूप में, परिभाषित किया गया है।" अब प्रश्न है कि ये प्रत्यय मानव-निर्मित व्यवस्था को प्रकट करते हैं या कि स्वतन्त्र व्यवस्था को? प्रत्यय को डेकार्ट इस प्रकार परिभाषित करता है—"प्रत्यय किसी भी विचार (थॉट) का वह आकार (फोर्म) होता है जिसके अव्यवहित प्रत्यक्ष के द्वारा हम उस विचार का चेतन रूप से ग्रहण करते हैं। 'किसी विचार' से डेकार्ट का अभिप्राय संवेद, कल्पना, शुद्ध बोध-विषय (इन्टेलिजिबल्स) तथा संकल्प की अन्तर्वस्तु से है। दूसरे शब्दों में, प्रत्यय सब प्रकार की मनस्क्रियाओं की अन्तर्वस्तु है। यह डेकार्ट की संख्या की अवधरणा है जो मानसिक अथवा भौतिक किसी भी विषय पर लागू की जा सकती है। अब यद्यपि इस सार्वभौमिक गणित के विषय अनिर्धारित (इंडिटर्मिनेट) होते हैं किन्तु यह गणित क्रम, मान, अभवृत्ति (डिस्पोज़ीशन) तथा अनुपात को ऐसे एकक के द्वारा निर्धारित करता है जो मन के द्वारा अपने विषयों से विश्लिष्ट कर पृथक् ग्रहण किया जाता है। इसे डेकार्ट 'शुद्ध तथा सरल विषय' कहता है।...**रेगुली** में किये गए प्रतिपादन के अनुसार, कल्पना में विस्तारात्मक मुद्राओं अथवा आकृतियों की प्रतिकृतियाँ उत्पन्न होती हैं और इस 'चित्र' से संख्या का प्रतीकात्मक प्रत्यय विश्लिष्ट किया जाता है।"[1] यहाँ दो बातें देखने की है—(1) संख्याए 'प्रतीक' और 'शुद्ध तथा सरल विषय' हैं, किन्तु तब भी ये भौतिक विषय अथवा उनके कल्पना-चित्र नहीं हैं, ये प्रत्यय हैं। इनका **भौतिक वस्तुओं सम्बन्धी प्रत्यय** होना छठे ध्यान के आरम्भ में भी प्रतिपादित किया गया है।[2] (2) दूसरी बात है प्रत्यय का विचार की अन्तर्वस्तु के रूप में गम्य होना और इस अन्तर्वस्तु के द्वारा विचार का ग्रहण होना।

यहाँ विचार और अन्तर्वस्तु का भेद स्पष्ट है। स्पिनोज़ा ने इन्हें इस प्रकार परिभाषित किया है—"विचार (कोजीटेश्यो) पद के भीतर मैं उन सब मानसिक स्थितियों का समावेश करता हूँ जिनके सम्बन्ध में हम अव्यवहित रूप से चेतन होते हैं।" "प्रत्यय (आइडिया) से मेरा अर्थ विचार के ऐसे किसी भी आकार से है जिसके सम्बन्ध में हम अव्यवहित प्रत्यक्ष के माध्यम से चेतन होते हैं।"[3] डेकार्ट ने 'आइडिया' शब्द का प्रयोग 'विचार की अन्तर्वस्तु' के अर्थ में ही किया है और उसी के अनुसार स्पिनोज़ा से उसे परिभाषित किया है। अब, विचार जबकि असन्दिग्ध है, उसकी अन्तर्वस्तु असन्दिग्ध नहीं है। किन्तु यदि अन्तर्वस्तु सन्दिग्ध है तब यह आत्म से

1. स्टेन्ले रोज़न, 'ए सेंट्रल एंबिग्विटी इन डेकार्ट्स फिलोसोफी', द्रष्टव्य यशदेव शल्य — **डेकार्ट, दर्शन समीक्षा,** वर्ष 2, अंक 2, पृ. 222-223
2. **डेकार्ट,** पृ. 238 भी द्रष्टव्य
3. स्पिनोज़ा, उपर्युक्त, पृ. 20

बहिष्कार्य हो जाती है और तब यह नहीं कहा जा सकता कि विचार के आत्म-अवगमन के लिए प्रत्यय अनिवार्य है, क्योंकि यह कहें तो आत्म अनात्म पर, आगन्तुक पर, आश्रित हो जायगा। दूसरे, अनात्म की दो कोटियाँ हो जायेंगी—एक प्रत्ययात्मक और दूसरी विस्तारात्मक। यद्यपि तब भी डेकार्ट का आत्म न तो फिनोमिनलाजी दार्शनिकों के समान रचनात्मक अतिक्रामी (कांस्टीट्यूटिव ट्रांसेंडेंटल) होगा और न कांट के समान अतिक्रामी (ट्रांसडेंट) अथवा अनुभव विषय, क्योंकि डेकार्ट के दर्शन में यह अपने अतिक्रामी मूल में प्रत्यक् है। किन्तु तब इसे प्रत्यय (आइडिया) के माध्यम से अपने को प्राप्त करने वाला नहीं कहा जा सकता। दूसरी ओर प्रत्यय की स्थिति का 'स्पष्टीकरण' भी आवश्यक होगा। डेकार्ट और रोज़न से ऊपर दिये गये उद्धरणों के अनुसार, प्रत्यय और विषय परस्पर सम्बन्धित हैं—किसी विषय की सत्ता नहीं हो सकती जब तक वह स्पष्ट और विविक्त रूप से प्रत्येय नहीं हो। सर्वशक्तिमान ईश्वर भी इस नियम का उल्लंघन नहीं कर सकता। और दूसरी ओर, विचार में उसी का बौद्धिक (प्रत्यय) रूप से ग्रहण होता है जिसका कल्पना में मूर्त्त रूप से, और जो देश में भौतिक रूप से अवस्थित है। किन्तु तब विचार और कल्पना में भेद केवल करणों का भेद होगा, मौलिक नहीं, और इस प्रकार डेकार्ट के दर्शन में मन और भूत का सम्बन्ध दर्पण-बिम्बपरक होगा। यह अन्तर्वस्तु-विहीन, रिक्त चेतना का अस्तित्व-विधान मात्र रह जायेगा, क्योंकि अन्तर्वस्तु विषय और अतएव अनात्म है जो इसको आपूरित नहीं कर सकता।

इस तरह डेकार्ट के दर्शन को इस प्रकार समझने में अनेक कठिनाइयाँ हैं। यद्यपि इसकी उपर्युक्त व्याख्या उचित प्रतीत होती है किन्तु डेकार्ट को यह व्याख्या स्वीकार्य नहीं होगी। इस व्याख्या के विरुद्ध डेकार्ट का स्पष्टीकरण होगा कि उसने आत्म का स्वरूप शुद्ध चैतन्य नहीं विचार स्वीकार किया है और यह विचार चेतना और अन्तर्वस्तु में विभाज्य नहीं है, यह अविभाज्य विचार-क्रिया है, इसमें क्रिया और अन्तर्वस्तु का भेद नहीं है, यह प्रत्यय का प्रत्ययन ही है जो अपने को इस घटना में पुन: प्राप्त करता है। 'पुन:' शब्द यहाँ आत्म द्वारा अपने को इस क्रिया में पाने का—अपना अवगमन करने का—द्योतक है। अर्थात् आत्म विचार में केवल 'है' नहीं बल्कि 'आत्म-अवगमन-पूर्वक है।' किन्तु प्रश्न किया जा सकता है कि क्या आत्म इस अवगमन में अपने को विषयकृत नहीं करता? यह विषय चाहे कांट-दर्शन के समान 'आनुभविक' नहीं भी हो, हुस्सर्ल के समान 'अर्थित' (इंटेंडिड) ही चाहे हो। किन्तु डेकार्ट को यह भी स्वीकार्य नहीं होगा, क्योंकि उस अवस्था में उसका प्रत्ययों की सत्यता के लिए भौतिक द्रव्य की सत्ता प्रतिपादित करना अस्थाने होगा। इस प्रकार डेकार्ट का आत्म-अवगमन आत्म का निर्विषय अवगमन है।

किन्तु उपर्युक्त व्याख्या डेकार्ट के अभिप्राय के निकटतम होने पर भी उससे पूर्णत: समंजस नहीं है, क्योंकि आत्म-अवगमन प्रत्यय-अवगमन का सहगामी है : मैं जानता हूँ कि 2+2=4 होता है, इसी प्रकार त्रिकोण के दो समकोणों के बराबर होने के प्रत्यय को जानता हूँ जिसमें कि मैं भ्रान्त हो सकता हूँ—यदि मेरा सर्जक मायावी हो तो—और इस प्रत्यय-अवगमन में अपने को घटित और उपलब्ध करता हूँ। यह डेकार्ट द्वारा मोम के स्वरूप के प्रत्ययात्मक प्रातिभ की व्याख्या से स्पष्ट देखा जा सकता है। इस प्रकार डेकार्ट का आत्म अनात्मगर्भ है और अपने अवगमन में उस पर निर्भर है। डेकार्ट की इस व्याख्या के साथ उसका यह प्रतिपादन और मिला दें कि 'जो स्पष्ट और विविक्त रूप से प्रत्येय नहीं है उसका अस्तित्व नहीं हो सकता' तो डेकार्ट एक प्रत्ययवादी के रूप में दिखाई देगा। किन्तु उसके सिद्धान्त के दो अन्य पक्ष—आत्म का अनात्म के निरास के माध्यम से आत्म-अवगमन अथवा आत्मयौगपद्य की प्राप्ति तथा प्रत्ययों की सत्यता के लिए उनका वस्तु से आनुरूप्य आवश्यक होना, उसे एक ओर रहस्यवाद के निकट ला देता है और दूसरी ओर वस्तुवाद के। इसके अतिरिक्त, उसके ईश्वर के द्वारा सृष्ट होने और उसके सम्मुख प्रस्तुति का तथ्य भी है जो उसके सिद्धान्त में रहस्यवाद के तत्त्वों को प्रकट करता है।

एम्मेनुएल कांट

कांट-दर्शन एक ओर विज्ञान को सुदृढ़ आधारों पर प्रतिष्ठित करने का प्रयत्न करता है और दूसरी ओर मानवीय अनुभव का मानचित्र प्रस्तुत करने का प्रयत्न करता है। इस प्रयत्न में वह मानवीय अनुभव को ज्ञान, कर्म और कल्पना के क्षेत्रों में बाँट देता है, जो क्षेत्र परस्पर पूर्णत: विलग हैं। क्षेत्रों का इतना निश्चित और इतनी अभेद्य दीवारों से विभाजन हमें और कहीं नहीं मिलता, न कांट के पूर्ववर्ती दर्शनों में न उत्तरवर्ती दर्शनों में। किन्तु तब भी कांट इस भेद को एक ही सिद्धान्त के भीतर प्रतिष्ठित करने का प्रयत्न करता है। ज्ञेय, उसके अनुसार, मन की मुद्राओं (फोर्म्स) के संवेद (सेंसेशन) पर अंकन से प्रतिफलित विषय-जगत् या प्रतिभास (फिनोमिना) है किन्तु संवेद का हेतु (कण्डीशन) संवेद और मुद्राओं से अगम्य है, जिसे वह स्वलक्षण वस्तु (थिंग इन इट्सेल्फ) कहता है। जैसाकि हम आगे देखेंगे, यह स्वलक्षण वस्तु उसकी प्रतिभास की व्याख्या का अनिवार्य अंग है यद्यपि यह स्वयं अप्रातिभासिक है। किन्तु यही वस्तु उसके कर्म के सिद्धान्त का आरम्भ-बिन्दु है। यहाँ यह नैतिक-चेतना द्वारा अवगम्य है यद्यपि ज्ञेय नहीं है, 'ज्ञान' के उस विशिष्ट अर्थ में जिसमें वह इस शब्द का प्रयोग करता है। इसके विपरीत सौन्दर्य-चेतना संवेद से ही सम्बन्धित है किन्तु इसमें हम संवेद को विषय-बोधात्मक व्यापार (अण्डर्स्टैंडिंग) द्वारा ज्ञान के लिए दु:ख-सुख की अनुभूति में प्रतिष्ठित करते हैं। किन्तु यह अनुभूति सुखद वेदना से और नैतिक सुख से नितान्त भिन्न है। "इस प्रकार सुखद वेदना, सुन्दर तथा शुभ प्रसंग से हम इनके विषयों को, अथवा कहें इनके अवगमन की विधाओं को, परस्पर पृथक् करते हैं।"[1] इस प्रकार संवेद वस्तु-सम्बद्ध अथवा वस्तुमूलक होने पर भी ज्ञान-विषय का तभी घटक बनता है जब वह विषय-बुद्धि का उपकरण बनता है। विषय-बुद्धि विकल्पात्मक है और संवेद के विषयकरण में मन का योगदान है। संवेद को मन का एक दूसरा योगदान देश और काल-रूप आकार हैं। ये आकार विकल्पात्मक नहीं होकर सांवेदिक ही हैं किन्तु वस्तु-सम्बद्ध नहीं हैं, बल्कि मनोमूलक हैं।

जैसा कि हमने कहा, संवेद वस्तु-प्रदायक है, किन्तु वस्तु, जिसको यह प्रदान करता है, इससे नितान्त बाह्य और पराक् है। किन्तु बाह्य होने पर भी वस्तु से संवेद अव्यवहित रूप से सम्बद्ध होता है। संवेद और वस्तु के सम्बन्ध को कांट कारण-कार्यात्मक भी कहता है, किन्तु यह कारणता बुद्ध्याकारों (केटेगरीज़) से अतीत प्रकार की, अबुद्धिगम्य है, क्योंकि यह कारक वस्तु स्वलक्षण और इस प्रकार निरपेक्ष है जबकि 'कारणता' बुद्धिमूलक विकल्पमात्र है। इसी से कांट अधिकांश में स्वलक्षण वस्तु को 'कारण' कहने के बजाय 'कण्डीशन' (हेतु) कहता है।[2]

स्वलक्षण वस्तु केवल संवेद की ही हेतु नहीं होती, संवेदाकारों की भी हेतु होती है। कहना चाहिये, वस्तु से युगपद्रूप से संवेदन और संवेदाकारों का उद्दीपन होता है। इस प्रकार वर्ण और संस्थान दोनों अनिवार्य रूप से संयुक्त रहते हैं।[3] यद्यपि कांट केवल संवेदाकारों का ही 'मानसिक' कहता है और उन्हें संवेदों से इस दृष्टि से

---

1. "In order to decide whether anything is beautiful or not, we refer the representation not by the understanding to the object for cognition but the Imagination (perhapse in conjunction with the understanding) to the subject and its feeling of pleasure and pain." "The Plesant, the Beautiful and the Good designate then three different relaions of representataions to the feeling of pleasure and pain, in reference to which we distingush from each-other objects or methods of representing them." **क्रिटीक ऑफ जजमेंट,** हैफ़ज़र पब्लिशिंग कं., न्यूयार्क, लंडन, 1966, पृ. 37

2. **क्रिटीक् ऑफ प्योर रीज़न,** बी. 459

3. वही, बी. 34.

मौलिक रूप से भिन्न मानता है कि केवल प्रथम ही उसके अनुसार प्रागनुभविक हैं जबकि दूसरे आनुभविक हैं, किन्तु 'आनुभविक' नाम से ही स्पष्ट है कि संवेद भी उसके अनुसार चेतना का ही उद्दीपन है। केवल यह उद्दीपन मनोपाधिपरक नहीं है। संवेदाकार मनौपाधिक होने पर भी चेतना के बाह्य वस्तु द्वारा उद्दीपन हैं, ये मनस्क्रियात्मक नहीं हैं, जबकि बुद्धि अथवा बुद्ध्याकार मनस्क्रियात्मक हैं।[1]

संवेदाकार प्रागनुभविक आकार होने के अतिरिक्त प्रागनुभविक संज्ञाएँ (इन्ट्यूशंस्) भी हैं। संज्ञा के लक्षण अखण्डता और विशिष्टता हैं। कांट के अनुसार ये दोनों लक्षण देश और काल में भी पाये जाते हैं। देश अपने विस्तार में और काल आद्यन्त के छोरों में असीम और अखण्ड विशिष्टों के रूप में ही ग्राह्य होते हैं यद्यपि वे इन्द्रिय-ग्राह्य विषय नहीं होते।[2] इसी से वे संवेदनाएँ तो हैं किन्तु विषयों के समान 'आनुभविक' नहीं होकर प्रागनुभविक हैं।[3]

यहाँ सन्देह हो सकता है कि देश और काल आनुभविक विषयों के माध्यम से और इस प्रकार खण्डश: ही प्रकट होते हैं, इस प्रकार देश और काल का हमारा ज्ञान अनिवार्यत: विषयाश्रित ही होता है। इसके विषयाश्रित होने से यह विशिष्ट और निरपेक्ष भी नहीं कहा जा सकता। इसके विरुद्ध कांट का उत्तर है कि हमारे लिए देश विषयों के माध्यम से प्रकट होने के बजाय विषय देश के अन्तर्गत, उसमें सहभाग लेते हुए, प्रकट होते हैं। देश सब विषयों का समावेश कर उनके अतिरिक्त व्याप्त होता है। हम विषयों को देश में देखते हैं, देश को विषयों में नहीं। देश का आकार यूक्लीडीय है, अर्थात् विषयों के आकार उन कुछ निश्चित नियमों का अनुसरण करते हैं जो यूक्लिड ने खोजे हैं और जो देश के प्रागनुभविक और निरपेक्ष आकार के निरूपक हैं। किन्तु ये प्रागनुभविक होने पर भी विश्लेषणात्मक नहीं हैं, क्योंकि देश और काल संज्ञाएँ हैं और संज्ञाएँ होने से संश्लेषणात्मक हैं। कांट के अनुसार, सब संज्ञाओं में संवृत्ति-बहुत्व (मेनीफोल्ड ऑफ इन्ट्यूशंस्) का संश्लेष रहता है जो संवृति का अपना गुण नहीं होता बल्कि अतिक्रामी आरोप होता है।

देश बाह्य संवेदाकार है और काल आन्तर संवेदाकार, अर्थात् कांट के अनुसार संवेदन (सेंसीबिलिटी) दो प्रकार के हैं—बाह्य और आन्तर। बाह्य संवेद मन की देशाकारात्मक वृत्ति का उद्दीपन कर उसमें गृहीत होता है और आन्तर संवेद मन की कालाकारात्मक वृत्ति का उद्दीपन कर तन्निष्ठ रूप में। यहाँ आपत्ति हो सकती है कि 'आन्तर' और 'बाह्य' पद स्वयं देशात्मक हैं, इस प्रकार आन्तर संवेद अदैशिक नहीं हो सकते। किन्तु यह ठीक नहीं है, क्योंकि यहाँ ये पद दैशिक अर्थ में प्रयुक्त नहीं हैं। कांट के अनुसार वे सब संवेद बाह्य कहे जायेंगे जो देशाकारक विषयों के प्रदायक हैं और वे सब आन्तर कहे जायेंगे जो कालाकारक विषयों के प्रदायक हैं। इस प्रकार वर्ण, काठिन्य आदि पंचेन्द्रिय-विषय देशाकारक हैं। किन्तु कालाकारक या आन्तर विषय कौन-से हैं? कहा जा सकता है, इच्छा, खेद आदि। किन्तु ऐसा नहीं है। कांट के अनुसार वह सब, जो पूर्वापरात्मक या गत्यात्मक है, आन्तर है। इस प्रकार उसके अनुसार, चलती हुई गाड़ी अपने वर्ण और संस्थान में बाह्य संवेद को और गत्यात्मकता एक अपेक्षा का और व्यतीयमानता का भाव उत्पन्न करता है, जो कांट के अनुसार काल और

---

1. "The understanding has thus far been explained merely negatively, as a non-sensible faculty of knowledge, Now since whithout sensibility we cannot have any intuition, understanding not be a faculty of intuition. But beside intution there is no another mode of knowledge except by means of concepts. The knowledge yielded by understanding, or at least by the human understanding, must therefore be by means of concepts, and so is not intuitive, but discursive. Whereas all intuitions, as sensible, rest on affections, concepts rest on functions, By function I mean the unity of the act of bringing various representations under one common representation, Concepts are based on the spontaniety of thought, sensible intuitions on the receptivity of impressions." (B. 92-93)
2. **क्रिटीक् ऑफ प्योर रीज़न,** A-25, B-40.
3. वही, B-38-39 and Paton, **Kant's Metaphysics of Experience,** pp 153-154.

इस प्रकार आन्तर संवेदन का लक्षण कहा जायेगा, यद्यपि कांट ने यह स्पष्ट कहा है कि आन्तर संवेदन अनिवार्यत: बाह्य संवेदन पर निर्भर करता है।[1] इसके लिए उसका तर्क है कि विषय-ग्रहण के लिए संवेदों के संश्लेषण के अतिरिक्त उनका संयोजन (कंबीनेशन) भी आवश्यक होता है जो पुनरुत्पादक कल्पना (रीप्रोडक्टिव इमेजीनेशन) पर निर्भर करता है और पुनरुत्पादक कल्पना किसी स्थायी विषय के आश्रय से व्यापारित होती है।[2] यद्यपि विषय का स्थायित्व देश पर निर्भर नहीं कर पुनरुत्पादक कल्पना पर ही निर्भर करता है किन्तु यह कल्पना देश में ही संयोजन कर सकती है, काल में नहीं। स्वयं काल को भी हम देश में रेखा खींच कर ही निरूपित कर सकते हैं[3] क्योंकि अन्यथा कालगत पौर्वापर्य का पुनरुत्पादक कल्पनामूलक संयोजन सम्भव नहीं हो सकता, जो विषयकरण के लिए अनिवार्य है।

संवेद (संवेद-प्रदत्त और संवेदाकार) प्रभाव-ग्रहणात्मक और इस प्रकार निष्क्रिय है। दूसरे शब्दों में, संवेद उद्दीपनजनित होते हैं। किन्तु **विषयकरण** के लिए मन की एक और वृत्ति अपेक्षित है जिसे कांट विषय-बुद्धि (अण्डरस्टैंडिंग) कहता है। विषय-बुद्धि मन की संवेदन से सर्वथा स्वतन्त्र वृत्ति है। यह शुद्ध आकारात्मक और सक्रिय है। आकारात्मकता की शुद्धता से अभिप्राय है कि यह सहज संज्ञानात्मक (इंट्यूटिव) नहीं है, यह संयोजन, पुनरुत्पादन, विमर्श और निर्णय के व्यापारों द्वारा संवेदों या संज्ञानों को नियत विषयता प्रदान करती है।[4] मन की ये दो वृत्तियाँ यद्यपि पूर्णत: स्वतन्त्र और परस्पर विपरीत गुण की हैं, किन्तु तब भी मानव-ज्ञान में ये संयुक्त और परस्पर पूरक हैं। दूसरे शब्दों में, कांट यह स्वीकार करता है कि केवल संवेदात्मक और केवल बोधात्मक ज्ञान भी सम्भव है।[5] किन्तु वास्तव में वह यह स्वीकार नहीं कर सकता कि केवल संवेद के स्तर पर 'ज्ञान' सम्भव है, वह केवल यह स्वीकार कर सकता है कि ज्ञान के निम्नतर स्तर सम्भव हैं जो पशुओं में वास्तव में विद्यमान हैं। इसी प्रकार मात्र बुद्धि भी ज्ञान नहीं दे सकती, यह केवल विषय का सामान्य आकार है जोकि सब संवेद-सयोजन और संश्लेषण का अतिक्रामी आधार है, अपने आप से एक रिक्त व्यापार, विषय का मात्र विचार, अथवा कहें विषयता सामान्य का प्रत्यय मात्र है, वास्तव विषय के घटित होने के लिए इसका संवेद से संयुक्त होना अनिवार्य है। कांट बोधात्मक संज्ञा (इंटलेक्चुअल इन्ट्यूशन) की सम्भावना पर भी विचार करता है और कहता है कि वह ईश्वर में ही सम्भव है, जहाँ विचार विषय का उत्पादक भी है।

इस प्रकार, मानव-ज्ञान में संवेद वस्तु-प्रदायक है किन्तु यह भी वस्तुजनक नहीं है। इसके निष्क्रिय होने से यह केवल एक चित्रप्रवाह है, जो वस्तु के सम्पर्क से उसके अनुरूप वृत्ति में परिणत हो जाता है। वस्तु स्वयं मन से अतीत स्वलक्षण तत्त्व है। संवेद-प्रदत्त देश, काल और विषय-विधान इन सबके मानसिक रचनाएँ होने से विषय और विषय-जगत् स्वरूपत: प्रातिभासिक (फिनोमिनल) हैं। यह जितना सही बाह्य जगत् के लिए उतना ही सही अन्तर्जगत् के लिए भी है। किन्तु यह मनोजगत् आत्मपूर्ण या आत्मनिर्भर नहीं है; विचार ज्ञानात्मक होने के लिए

---

1. In the representations of space and time we have a *priori* forms of outer and inner sinsible intuitions; and to these the synthesis of apprehension of the manifold of apperance must always conform, because in no other way can the synthesis take place at all. But space and time are represented a *priori* not merely as *forms* of sensible intuition, but as themselves *intuitions* which contain a manifold (of their own), and therefore are represented with the determination of the *unity* of this manifold. Thus *unity of the synthesis* of the manifold, without or within us, and consequenty also a *combination* to which everything that is to be represented as determined in space or in time must conform, is given a *priori* as the condition of the synthises of all apprehension—not indeed *in but with these intuitions.*" Cr. Pr. R. B-160, Also see (A 90-100).
2. वही, ए 201-202=बी 244-246.
3. वही, बी 50.
4. वही, ए 109 तथा बी 135.
5. वही

जबकि संवेदाश्रित है, यह ज्ञान की सीमाओं का उल्लेखी भी है।[1] देश-काल के संवेदन के आकार होने का अर्थ यह है कि संवेद स्वयं देश-कालात्मक नहीं हैं। किन्तु संवेद संवेदाकार के बिना केवल कल्पनीय है वास्तविक नहीं, क्योंकि संवेद संवेदाकार के साथ ही घटित हो सकता है। किन्तु संवेदाकार के संवेद नहीं होने से संवेदाकार अतिक्रामी कोटिक हो जाता है जो संवेद से सिद्धान्तत: भिन्न है। अतिक्रामी आकार, वे चाहे संवेदना (सेंसीबिलिटी) के हों चाहे बुद्धि के, संवेद के जनक नहीं हो सकते; इस प्रकार संवेद का उत्पादक मनोबाह्य होना अनिवार्य हो जाता है जो सब आकारों से परे और इस प्रकार असंवेद्य और अविज्ञेय है, अबोधगम्य यद्यपि नहीं है। कांट में 'ज्ञेय' और 'बोधगम्य' (इन्टेल्लिजिबल) नितान्त भिन्न कोटियाँ हैं। **ज्ञेय** (नोएबल) उसके लिए केवल वे ही विषय हैं जो संवेद-समष्टि के बुद्धि द्वारा संयोजन से रचित होते हैं जबकि **बोधगम्य** वे विषय हैं जो शुद्ध प्रत्ययगम्य (ऑब्जेक्ट्स ऑफ रीज़न) हैं। किन्तु स्वलक्षण वस्तु की बोधगम्यता या प्रत्येयता का यह अर्थ नहीं है कि वह अपनी आन्तर संरचना में बोधगम्य या विमृश्य है, वह केवल ज्ञान की सीमाओं से अतिक्रामी के रूप में ही विमृश्य है। अपनी आन्तर संरचना में विमृश्य केवल युक्ति, विकल्प और प्रत्यय हैं। विषय-बुद्धि (अंडरस्टेंडिंग) के नियम और विमर्श अपने-आप में पूर्ण नहीं हैं क्योंकि वे विशिष्ट संवेदों के विशिष्ट संयोजनों को केवल एक सीमित सन्दर्भ में ही व्यवस्था देते हैं, जो सन्दर्भ संवेद और संवेदाकार से निर्धारित होता है। किन्तु बुद्धि का यह एक नियम है कि प्रत्येक घटना का कोई कारण होना चाहिये, किन्तु यह नियम एक पूर्ण व्यवस्था नहीं दे सकता, क्योंकि यदि प्रत्येक घटना का कोई कारण रहेगा तो घटनाओं की अनन्त शृंखला माननी होगी और इस प्रकार व्यवस्था पूर्ण नहीं होगी। इसलिए इस शृंखला से बाहर किसी ऐसी सत्ता की अवधारणा करना आवश्यक है जो घटना हुए बिना कारण हो सके। "यह कारण विषय-बुद्धिमूलक नहीं हो सकता, क्योंकि विषय-बुद्धि कारण-शृंखला के बाहर नहीं जा सकती। विषय-बुद्धि केवल व्यवस्थात्मक है और यह संवेदों को संयोजित और व्यवस्थित करती है और संवेदन केवल विशिष्ट विषयों को ही प्रदान कर सकता है। संवेद बाहर से उद्दीपित होते हैं परिणामत: मन इनके आन्तर स्वरूप के सम्बन्ध में कुछ निर्धारण नहीं कर सकता। विषय-बुद्धि अथवा ज्ञानात्मक अवधारणाएँ केवल प्रदत्त विशिष्ट संवेदों को व्यवस्थित करती होने से उनका उनके तत्त्व में निर्धारण नहीं करतीं। इसलिए हम यह स्वत:सिद्ध मान कर चल सकते हैं कि निरपेक्ष प्रत्यय अथवा सिद्धान्त (प्रिंसिपल) से पूर्णत: निर्धार्य विशिष्ट विषय संवेदात्मक नहीं हो सकते, क्योंकि वे इस प्रकार निर्धार्य ही नहीं हैं। निरपेक्ष अथवा पूर्णत: सामान्य प्रत्यय से इस प्रकार निर्धार्य और सीधे निगमन द्वारा ज्ञेय केवल विषय-बोधात्मक प्रत्यय ही हो सकते हैं। क्योंकि वर्गणाएँ (केटेगरीज़), जोकि विषय-बोधात्मक प्रत्यय हैं और सिद्धान्त, जोकि बुद्धि के प्रत्यय हैं, एक ही क्षेत्र के अन्तर्गत हैं, इसलिए यह सोचना अयुक्तिसंगत नहीं होगा कि विषय-बुद्धिपरक प्रत्यय पूर्णत: बुद्धि के प्रत्ययों पर निर्भर करते हैं। बुद्धि की यह अनिवार्य अपेक्षा है कि विषय-बुद्धि द्वारा उपलब्ध ज्ञान अन्तत: कुछ परमतम सिद्धान्तों पर प्रतिष्ठित होना चाहिए, क्योंकि केवल ऐसा होने पर ही बुद्धि का मूल प्रत्यय, ज्ञान की एक पूर्ण व्यवस्था का प्रत्यय, चरितार्थ हो सकता है।"[2] "यदि हम विषय-बुद्धि द्वारा प्राप्त ज्ञान के सम्पूर्ण क्षेत्र पर विचार करते हैं तो पाते हैं कि इसके प्रति बुद्धि की अभिवृत्ति की विलक्षणता इस बात में है कि यह इसे व्यवस्था देना चाहती है, अर्थात् कि यह इसके अंशों में किसी एक सिद्धान्त के अनुसार सम्बन्ध देखना चाहती है। बुद्धि का यह एकत्व सदैव एक प्रत्यय (आइडिया) को, अर्थात् ज्ञान के एक पूर्ण समग्र को, पूर्वकल्पित करता है; ऐसा समग्र जो अंशों के निर्धारित ज्ञान से पूर्वगामी है और जिसमें इस समग्र के अन्तर्गत प्रत्येक अंश का स्थान और अन्यों से सम्बन्ध निश्चित रहता है। इस प्रकार यह प्रत्यय विषय-बुद्धि (अंडरस्टेंडिंग) द्वारा उपलब्ध ज्ञान में एक पूर्ण एकत्व को अभ्युपगमित करता है जिससे यह ज्ञान केवल विभिन्न अणुओं का आगन्तुक समवाय मात्र नहीं

1. **क्रिटीक् ऑफ प्योर रीज़न**, बी 135.
2. वही, बी 34-35; ए.सी. इविंग — **ए शार्ट कमेंट्री ऑन काण्ट्स क्रिटीक् ऑफ प्योर रीज़न,** पृ. 76 तथा पैटन, वही जिल्द 1, पृ. 358-359 भी द्रष्टव्य

रहता बल्कि अनिवार्य नियमों द्वारा सुगठित एक व्यवस्था हो जाता है।"[1] "इस प्रकार बुद्धि की अतिक्रामी अवधारणा किसी भी प्रस्तुत निर्धारित (डिटर्मिंड) वस्तुस्थिति के निर्धारण की सब अवस्थाओं का योग है। अब क्योंकि केवल अनिर्धार्य (इन्डिटर्मिनेबल) ही निर्धारकों के कुल योग को सम्भव कर सकता है, अथवा दूसरे शब्दों में, निर्धारकों का समग्र स्वयं अनिर्धार्य रहता है, इसलिए बुद्धि की किसी भी शुद्ध अवधारणा (कांसेप्ट) की व्याख्या अनिर्धारित पर-तत्त्व की अवधारणा द्वारा ही सम्भव हो सकती है और इसका अवधारण निर्धारित वस्तुमूलक संश्लेषणों के आधार के रूप में करना आवश्यक हो जाता है।"[2]

बुद्धि की अवधारणा के तीन मुख्य वर्ग हैं जोकि इसी सिद्धान्त पर आधारित हैं। प्रत्येक वर्ग में बुद्धि यह कल्पना करती है कि क्योंकि निर्धारित वस्तु प्रदत्त है इसलिए निर्धारकों का समग्र, अर्थात् अनिर्धारित, भी प्रदत्त होना चाहिए। परिणामस्वरूप तीन प्रत्यय (आइडियाज़) उत्पन्न होते हैं—(1) ज्ञाता विषयी की निरपेक्ष निर्धारकता का प्रत्यय, अर्थात् विचार की सब क्रियाओं के निरपेक्ष निर्धारक के रूप में आत्मा का प्रत्यय; (2) विषय (जगत्) के निरपेक्ष निर्धारक का प्रत्यय; ब्रह्माण्डीय प्रत्यय (कोस्मोलोजीकल आइडियाज़); तथा (3) सत्ता मात्र के निरपेक्ष निर्धारक का प्रत्यय, अर्थात् ईश्वर का प्रत्यय। कांट के अनुसार बुद्धि का यह व्यापार अव्यापारेषु है, क्योंकि निर्धारण की सीमाओं के बाहर स्थित निर्धारक का निर्धारण वदतोव्याघात है। किन्तु बुद्धि की यह एक स्वाभाविक अभिवृत्ति है कि वह असम्भव होने पर भी सब क्षेत्रों का निर्धारण करना चाहती है। इसी से कांट के अनुसार, तत्त्वमीमांसा असम्भव है, किन्तु मनुष्य तब भी उससे विरत नहीं होता। कांट के अनुसार, हमारे ज्ञान का क्षेत्र अनिवार्यत: विषय-बुद्धिमूलक संयोजनों-संश्लेषणों तक परिसीमित है और इस बुद्धिमूलक संयोजना-संश्लेषणों की विषय-वस्तु (मैटर) केवल संवेदनों से ही उपलब्ध हो सकती है। दूसरे शब्दों में, संवेद विषय-बुद्धि द्वारा संयोजित होकर ज्ञान-ग्राह्य विषयों के रूप में परिणत होते हैं और विषय-बुद्धि के व्यापार का एकमात्र उचित क्षेत्र संवेद ही है। शुद्ध बुद्धि (रीज़न) का उपयुक्त क्षेत्र इन विषय-बुद्धिमूलक संयोजनों के स्वरूप का निरूपण है और अविज्ञेय की अविज्ञेयता को प्रकट कर यह देखना है कि क्या अविज्ञेयता के इस क्षेत्र में किसी अन्य प्रकार से प्रवेश सम्भव है? कांट के अनुसार यह सम्भव है और वह सम्भावना नैतिक कर्म के स्वरूप-निरूपण के द्वारा है।

नैतिक कर्म संकल्प की स्वतन्त्रता को पूर्वापेक्षित करता है। नैतिक कर्म एक स्वायत्त और निरपेक्ष नैतिक नियम (मॉरल लॉ) को सत् स्वीकार कर प्रवृत्त होता है। कांट के अनुसार नैतिक नियम की सत्ता एक असन्दिग्ध तथ्य है। इसी प्रकार नैतिक कर्म और नैतिक निर्णय की साधारता और युक्तता भी तथ्य है। ये दोनों तथ्य परस्पर की पूर्वापेक्षा करते हैं। "नैतिक नियम शुद्ध बुद्धि के एक तथ्य के रूप में प्रदत्त है जिसके सम्बन्ध में हम

---

1. "If we consider in its whole range the knowledge obtained for us by the understanding, we find that what is peculierly distinctive of Reason in its attitude to this body of knowledge is that it prescribes and seeks to achieve its *Systemantization,* that is to exhibit the connection of its parts in accordance with a single principle. This unity of Reason alway presupposes an idea, namely, that of the form of a whole of knowledge—a whole which if prior to the determinate knowledge of the parts and which contains the condion that determines a *priori* for every part its position and relation to other parts. This idea accordingly postulates a complete unity in the knowledge obtained by the understanding, by which this knowledge is to be not mere contingent aggregate but a system according to necessary laws." (Cr. Pr. R., B-673).

2. "The transcendental concept of reason is therefore none other than the concept of the *totality* of the *conditions* for any given conditioned. Now since it is the *unconditioned* alone which makes possible the totality of conditions, and conversely, the totality of conditions is always itself unconditioned, a pure concept of reason can in general be explained by the concept of the unconditioned, conceived as conditioning a ground of the synthesis of the conditioned." Op.cit., B-379.

प्रागनुभविक रूप से चेतन होते हैं और जो अनिवार्यत: सत्य है।"[1] "इस आधारभूत सिद्धान्त को हम शुद्ध बुद्धि (रीज़न) का तथ्य कह सकते हैं।"[2] "यह नैतिक नियम, जिसकी प्रामाणिकता स्वत:सिद्ध है, न केवल स्वतन्त्रता की सम्भावना को सिद्ध करता है बल्कि यह भी कि यह स्वतन्त्रता उन जीवों को वस्तुत: उपलब्ध है जो इस नियम से अपने को प्रतिबद्ध मानते हैं।"[3] किन्तु संकल्प-स्वातन्त्र्य की तथ्यता के लिए इसकी तार्किक सम्भावना होना आवश्यक है और इसके लिए कांट ने अपने ज्ञान के सिद्धान्त द्वारा पथ प्रशस्त किया है। ज्ञान संवेदन और संवेद्यों की व्यवस्थापक बुद्धि(अतिप्रत्यक्ष=अप्पर्सेप्शन तथा वर्गणाओं=केटेगरीज़) का व्यापार है और यहीं तक सीमित है। कारणता इस व्यवस्था का ही एक अनिवार्य अंग है। इस प्रकार कारणता प्रातिभासिक (फिनोमिनल) है, यह स्वरूप सत् (नाउमेना) का लक्षण या स्वरूप सत् में मूलित नहीं है। इस प्रकार स्वरूप-सत् के स्तर पर मनुष्य कारणता से निबद्ध नहीं है यद्यपि प्रतिभास के स्तर पर है। इस प्रकार वस्तु-सत् के रूप में उसकी कारण-शृंखला से अतीतता उसमें संकल्प के स्वातन्त्र्य की सम्भावना को सिद्ध करती है। किन्तु एक तार्किक सम्भावना स्वातन्त्र्य को विषय-वस्तु (कांटेंट) नहीं दे सकती, "क्योंकि जब तक हम नैतिकता और स्वातन्त्र्य की निश्चित अवधारणा नहीं बना पाते तब तक एक ओर हम इसका आभास भी नहीं पा सकते कि स्वरूप-सत् (नाउमेना) का, जोकि प्रतिभास का आधार है, क्या अर्थ है, दूसरी ओर यह सन्देहास्पद प्रतीत होता है कि इसकी कोई भी अवधारणा बनाना सम्भव हो सकता है। क्योंकि हम देख चुके हैं कि शुद्ध विषय-बुद्धि की सब अवधारणाएँ प्रतिभास को लक्षित करती हैं।"[4] इस प्रकार ज्ञान जिस ओर मात्र संकेत करता है कर्म उसे विज्ञापित और प्रकाशित करता है।

यहाँ द्रष्टव्य है कि कर्म का सम्पादन प्रातिभासिक जगत् में ही हो सकता है और इस प्रकार यह कारण-कार्य नियमाधीन है। उदाहरण के लिए, यदि मैं पड़ोसी की सहायता करना चाहता हूँ तो उस प्रसंग में मेरी इच्छा आन्तर संवेदना (इनर सेंसिबिलिटी) के जगत् में घटित होगी और कार्य मेरे शरीर की क्रिया और उससे जनित प्रभावों के रूप में घटित होंगे। इसी प्रकार इसके फल : सुख-दु:ख आदि : आन्तरिक कारण-कार्यों के रूप में फलित होंगे। इस प्रकार संकल्प का कार्यान्वियन पूरा-का-पूरा कारण-कार्यात्मक जगत् में ही होता है। किन्तु इसका स्वरूप, इसका तत्त्व, नैतिक नियम के प्रति प्रतिबद्धता में है और केवल यह प्रतिबद्धता ही इस कार्य को नैतिक और उचित का आयाम देती है। यहाँ यह द्रष्टव्य है कि यह प्रतिबद्धता इच्छा की प्रतिबद्धता नहीं है, इसमें मेरी रुचि-अरुचि, सुख-दु:ख और इच्छा-अनिच्छा (जोकि सब संवेदनमूलक और अतएव कारण-कार्यात्मक

1. "The moral law is given as a fact of pure Reason of which we are a *priori* conscious, and which is apodiectically certain." **(Cr. Practical Reason 47; 136)**

2. "We may call the conciousness of this fundamental law a fact of Reason." **(Cr. Pr. R. 31; 120)**

3. "The moral law, which itself does not require a justification proves not merely the possiblity of freedom, but that it really belongs to beings who recognise this law as binding on themselves." **(Cr. Pr. R. 47; 137)**

4. "That this is the true subordination of our concepts, and that it is morality that first discovers to us the notion of freedom, hence that it is practical Reason which, with this concept, first proposes to speculative Reason the most insoluble probelm, thereby placing it in the greatest perplexity, is evident from the following consideration, since nothin in phenomena can be explained by the concept of freedom but the mechanism of nature must consitute the only clue, moreever, when pure Reason tries to ascend in the series of causes to the unconditioned, it falls into an antinomy which is entangled in incomprehensibilitites on the one side as much as the other; whilst the latter, namely, mechanism, it is at least useful in the explanation of phenomena, therefore no one would ever have been so rash as to introduce freedon into science, had not the moral law, and with it practical reason, come in and forced this notion upon us." **(Cr. Pr. R., 30; 118)** "For as long as one has formed no definite notion of morality and freedom, one could not conjecture on the one side what was intended to be the noumenon, the basis of the alleged phenomenon, and on the other side it seemed doubtful whether it was at all possible to form any notion of it seeing that we had previously all the notions of the pure understanding in its theoetical use exclusively to phenomena." **(Cr. Pr. R. 6; 91)**

अथवा प्रातिभासिक है) का प्रश्न नहीं है क्योंकि ये सब संस्कारमूलक हैं और संस्कार कारण–कार्यात्मक हैं। कांट यहाँ तक स्वीकार करता है कि यदि हमें किसी व्यक्ति के प्रयोजनों के सम्बन्ध में सब प्रासंगिक तथ्यों का ज्ञान है तो हम किसी भी काल में और इस प्रकार सदा के लिए उसके कार्यों को उसी प्रकार निश्चित रूप से निगमित कर सकते हैं जिस प्रकार किसी वस्तु के भार, गति और बाह्य अवरोध के परिमाण के ज्ञान से उसकी किसी भी काल–क्षण पर गति को निगमित कर सकते हैं।[1] किन्तु तब भी कांट संकल्प को स्वतन्त्र मानता है। कांट का यह प्रतिपादन विचित्र और समस्यात्मक प्रतीत हो सकता है, क्योंकि यदि संकल्प स्वतन्त्र है तो वह अपने निष्पाद्य कार्यों को भी स्वतन्त्रतया ही निर्धारित करेगा। किन्तु इस पर कांट का उत्तर है कि यह आपत्ति दो सर्वथा स्वतन्त्र क्षेत्रों के व्यामिश्रण के कारण है। सब प्राकृतिक विषय—बाह्य या आन्तर—निरपवाद रूप से अपरिवर्तनीय नियमों के अधीन हैं किन्तु अप्राकृतिक : संवेदेतर : क्षेत्र में इन नियमों के लिए कोई स्थान नहीं है। नैतिक नियम हमारी सत्ता के इस परम अतिक्रामी तत्त्व से ही सम्बन्धित हैं। इस पक्ष के सम्बन्ध में यह प्रश्न उठाना कि यह कैसे सम्भव है? किस प्रकार नैतिक नियम (मॉरल लॉ) संकल्प का नियोजन कर सकता है? या बुद्धिगम्य कारण (इंटेल्लिजिबल कॉज़) किस प्रकार बंधक कारण हुए बिना संकल्प का कारण हो सकता है, अवैध प्रश्न हैं, क्योंकि ये प्रश्न विषय–बुद्धि के क्षेत्र के हैं जिसका उचित व्यापार केवल संवेद के विषयकरण के नियम प्रस्तुत करना है, स्वलक्षण वस्तु, या कहें निरपेक्ष सत् के क्षेत्र में संचरण नहीं है। कांट के इस तर्क को एक उदाहरण से समझा जा सकता है : हम गाय को चारा देते हैं और दुहते हैं, आवश्यकता होने पर पीटते भी हैं। किन्तु उसी गाय को अपने भोजन का प्रथम ग्रास पूजा के रूप में अर्पित करते हैं, उसकी माला–अक्षत से पूजा करते हैं। गाय की इन दो प्रसंगों में दो सर्वथा भिन्न सत्ताएँ हैं और एक का दूसरे से कोई सम्बन्ध नहीं है। इनमें गाय की केवल प्रथम सत्ता ही प्रातिभासिक है।[2] इसी प्रकार, एक चित्र दो सर्वथा भिन्न देशों में स्थित होता है—एक देश का केन्द्र द्रष्टा होता है और चित्र के दैशिक सम्बन्ध देखने वाले के दृक्केन्द्र से निर्धारित होते हैं और दूसरे देश का केन्द्र चित्र की अपनी अन्तर्गत लय या सामरस्य में होता है जो चित्र की प्रत्येक रेखा के आकार और भंग का निर्धारण करता है। इनमें चित्र की प्रथम सत्ता प्रातिभासिक है, जबकि दूसरी कलात्मक है।[3]

किन्तु इन उदाहरणों के बावजूद कांट के सिद्धान्त को समझने में कुछ गम्भीर कठिनाइयाँ हैं—विषय के निर्माण में संवेद और बुद्धि दो सर्वथा भिन्न और विपरीत तत्त्व परस्पर संयुक्त होते हैं। संवेद, असंवेद्य और मनोबाह्य स्वलक्षण वस्तु, तथा मन के बीच किसी अलक्ष्य सम्पर्क का फल है और इस सम्पर्क से उत्पन्न होकर बुद्धि के आकारों का विषय बनता है। किन्तु इनमें समन्वय किस प्रकार स्थापित होता है? क्यों ऐसा है कि संवेद कभी इन आकारों से असमंजस नहीं होता और एक रहस्य ही बना रहता है? मन या स्वलक्षण वस्तु? यदि मन है तो ऐसा क्यों है कि मन अपनी एक विधा (विषय–बोध) में पूर्णत: निष्क्रिय दर्पण मात्र है और दूसरी विधा (नैतिक संकल्प) में कर्मात्मक है? यदि यह उपादान मानसिक नहीं है तो क्या यह स्वलक्षण वस्तुगत है? और क्या यह स्वलक्षण वस्तु जड़ है? बुद्धि के उपादान के सम्बन्ध में कांट बिल्कुल मौन है, किन्तु उसकी व्यवस्था में इसका उपादान स्वलक्षण वस्तु को मानना ही अधिक उपयुक्त प्रतीत होता है, क्योंकि बुद्धि जबकि विषय–जगत् के संयोजन में संवेद की अपेक्षी है अपने शुद्ध व्यापार में उसकी अपेक्षी नहीं होकर स्वलक्षण वस्तु का भावन (एप्रीहेंड) करती है। इस भाव में यह स्वलक्षण वस्तु के उस पक्ष की नियोजक बनती है जो नैतिक कर्म का मूल है। यहाँ आपत्ति हो सकती है कि बुद्धि अपने शुद्ध व्यापार में स्वलक्षण वस्तु को विज्ञापित करती है, क्योंकि कांट ने स्वलक्षण वस्तु को अपने इस पक्ष में बोधगम्य कारण कहा है, और यदि बुद्धि उसकी ज्ञापक है तो यह उसकी कार्य नहीं हो सकती। किन्तु ऐसा नहीं है। कांट इस स्वलक्षण वस्तु को जबकि बोधगम्य (इन्टेल्लिजिबल) कहता है, वह उसे ज्ञेय नहीं मानता है। बुद्धि के लिए यह विषय नहीं है, उसके लिए यह केवल ज्ञान का उपादान कारण है जिसका बोध स्वतन्त्र संकल्प के रूप में होता है। किन्तु यह बोध 'विषय' के रूप में नैतिक नियम का भावन करता है, इसे अविषय का बोध भी कह सकते हैं। यहाँ यह स्पष्ट नहीं है कि स्वलक्षण वस्तु नैतिक नियम का उपादान है

1. कासीरर, उपर्युक्त, पृ. 64
2. द्रष्टव्य — शल्य, यशदेव : **ज्ञान और सत्,** अ. 3 तथा **संस्कृति : मानव–कर्तृत्व की व्याख्या,** अ. 4।
3. शल्य, यशदेव — **विषय और आत्म,** पृ. 20–21

या कि नैतिक नियम स्वतन्त्र संकल्प का आक्षेप हैज्ञ सम्भवत: यह कहना अधिक उपयुक्त होगा कि यह संकल्प का, जोकि स्वलक्षण वस्तु का ही दूसरा नाम है, आकार है और इस प्रकार वस्तुगत है।[1]

किन्तु इसका अर्थ होगा कि मनुष्य अपने स्वरूप में द्विधा विभक्त है—एक ओर वह अनिवार्यत: स्वतन्त्र है और दूसरी ओर अनिवार्यत: संस्कार-प्रवाह के रूप में कारण-कार्य-शृंखलाबद्ध; और यद्यपि यह शृंखला उसकी अपनी विकल्प बुद्धि से जनित है किन्तु उसके पास इससे मुक्ति का कोई उपाय नहीं है, बल्कि, जहाँ तक वह जानता और जान सकता है, वह अनिवार्यत: शृंखलाबद्ध है, यह केवल उसका विश्वास और आस्था है कि अपने निगूढ़ स्वरूप में, या अपने मूल तत्त्व में, वह स्वतन्त्र है।

यहाँ दूसरा समाधान यह दिया जा सकता है कि क्योंकि मनुष्य अपने मूल तत्त्व में स्वतन्त्र है इसलिए अपनी शृंखलता का, अपने प्रातिभासिक स्वरूप का, भी वह स्वतन्त्रत: ही विधान करता है। बुद्धि स्वरूपत: कारण-निबद्ध नहीं है, बल्कि अपने जिस व्यापार में वह कारणता को जन्म देती है उसी में उसका अतिक्रमण भी करती है, क्योंकि इसकी ज्ञानात्मक विधा (अंडरस्टेंडिंग) इसकी स्वाभाविक विधा नहीं है, केवल इसकी संवेद से परिसीमित या निर्धारित विधा है। अपने मूल व्यापार में यह इस परिसीमन को निरूपित कर इसका अतिक्रमण करती है और इसे उस कर्म से नियुक्त और प्रवर्तित देखती है जिसका स्वरूप स्वातन्त्र्य है। उदाहरणत: कांट के अनुसार शुद्ध बोधात्मकता में बुद्धि काल के आकार के अधीन नहीं है और परिणामत: न ही वह काल-क्रम में घटित होती है।[2] वह आगे आनुभविक-विषयात्मक विधा (एंपिरिकल केरेक्टर) को बोधात्मक विधा (इंटेल्लिजिबल केरेकटर) की योजना या संस्थान (स्कीम) कहता है और तब कहता है कि इस बोधात्मक विधा में कोई पहले-पीछे नहीं हो सकता।[3]

इस प्रकार कांट के अनुसार विषयात्मक विधा बोधात्मक विधा का केवल एक पक्ष हो जाती है। इसकी पुष्टि इससे और होती है कि उसके अनुसार—"स्वतन्त्र संकल्प में प्रातिभासिक जगत् में घटनाओं की कारण-कार्यात्मक शृंखला आरम्भ करने की शक्ति है। स्वयं बोध में किसी घटना का आरम्भ नहीं होता; बोध प्रत्येक प्रयोजनात्मक (वालंटरी) कर्म का अनिर्धारित निर्धारक है इसलिए काल में इससे पूर्व कोई निर्धारक कारण नहीं हो सकता। निश्चय ही इसके कार्य का प्रतिभासिक घटना-शृंखला के रूप में आरम्भ काल में होता है, किन्तु इस प्रातिभासिक शृंखला में कभी भी प्रथम घटना नहीं हो सकती,"[4] शुद्ध बुद्धि में ही हो सकती है।

इस प्रकार कांट में चिन्तन की इस दिशा का स्पष्ट आभास मिलता है कि मनुष्य विषयात्मक रूप से निबद्ध होने पर भी स्वरूपत: स्वतन्त्र और दिव्य है। दूसरे शब्दों में, वह स्वरूपत: अनिबद्ध है और बन्धन केवल प्रातिभासिक है।

---

1. "For as to the question how a law can be directly and of itself a determining principle of the will (which is the essence of morality), this is, for hauman Reason, an insoluble problem and identical with the question : how a free will is possible." (**Cr. Pr. R.** 72; 165). "But Reaon would overstep all its bounds if it would be exatly the same Problem as to explain how freedom is possible. For we can explain nothing but that which we can reduce to laws, the object of which can be given in some possible expeirence. But freedom is a mere Idea, the objective reality of which can in no wise shown according to laws of nature, and consequently not in any possible experience; and for this reason it can never be comprehended or understood, because we cannot support it by any sort of example or analogy." (**Groundwork,** 458, 459; 479). "And thus while we do not comprehend the practical undonditional necessity of the moral imperative, we yet comprehend its imcomprehensibility, and this is all that can be fairly demanded of a philosophy which strives to caryy its principles up to the very limit of human Reason." (**Groundwork,** 463; 484).
2. **क्रिटीक् ऑफ प्योर रीज़न,** बी. 579
3. वही, बी. 582
4. **क्रिटीक् ऑफ प्योर रीज़न,** बी. 582

कांट पर आरोप लगाया जाता है कि उसने मानव के इस परम स्वरूप को अविज्ञेय और इस प्रकार विश्वास या आस्था का विषय कह कर उस सम्मान से वंचित कर दिया है जो उसने विज्ञान को दिया है। किन्तु वास्तव में यह सही नहीं है। इस क्षेत्र को वह 'ज्ञान' से बाहर केवल इसलिए रखता है क्योंकि 'ज्ञान' शब्द का उसने एक सीमित अर्थ में ही प्रयोग किया है। जैसा कि ऊपर के विवेचन से स्पष्ट है, ज्ञान उसके अनुसार केवल विषयात्मक है और विषय संवेदमूलक है। किन्तु संवेद के विषयकरण के लिए बुद्धि भी अनिवार्य है जो शुद्ध-बुद्धि, या कहें बोधसामान्य, का विषयाभिमुख व्यापार है। इसीसे शुद्ध-बुद्धि का अपना निर्बन्ध क्षेत्र, जिसे उसने नैतिक कर्म का क्षेत्र कहा है, 'ज्ञान' के उपर्युक्त सीमित अर्थ में ज्ञान का क्षेत्र नहीं है, किन्तु वह 'ज्ञान' के व्यापकतर अर्थ में ज्ञान का क्षेत्र ही है। इसे प्रज्ञा का क्षेत्र कहा जा सकता है। यद्यपि उसका यह अभिमत उसकी 'शुद्ध-बुद्धि की मीमांसा' में उतना स्पष्ट नहीं है किन्तु 'कर्म-बुद्धि की मीमांसा' में यह स्पष्ट है। उसके अनुसार—"**स्वातन्त्र्य की ये वर्गणाएँ** (केटेगरीज़)—जिन्हें यहाँ हम यह नाम उन विषय-बोधात्मक (थ्योरैटिकल) वर्गणाओं को ध्यान में रख कर दे रहे हैं जोकि भौतिक प्रकृति की वर्गणाएँ हैं—इन दूसरी वर्गणाओं से इस दृष्टि से स्पष्ट लाभ में हैं कि दूसरी केवल विचार के वे आकार हैं जो विषयों का निरूपण प्रत्येक सम्भव संवेदन (इंट्यूशन) सम्बन्धी सामान्य प्रत्ययों के द्वारा अनिश्चित रूप से करती हैं; इसके विपरीत प्रथम वर्गणाएँ **स्वतन्त्र वरणात्मक संकल्प** से (जिसके ठीक अनुरूप संवेद प्रस्तुत नहीं किये जा सकते किन्तु जिसका आधार एक शुद्ध कर्मात्मक नियम है, जोकि उन प्रत्ययों को उपलब्ध नहीं है जो हमारी विज्ञप्त्यात्मक वृत्तियों (कोग्नीटिव फकल्टीज़) के विषय-बोधात्मक प्रयोग से सम्बन्धित हैं) निर्धारित होती हैं; इसलिए ये संवेदन के आकार (देश और काल), जोकि स्वयं बोध के अन्तर्गत नहीं हो कर अन्य स्रोत, संवेद-वृत्ति, से उपलब्ध होते हैं, मूल कर्मात्मक प्रत्यय हैं और परिणामत: शुद्ध संकल्प के उन आकारों में प्रतिष्ठित होते हैं जोकि शुद्ध बोध के ही अन्तर्गत हैं और इस प्रकार स्वयं विचारणा-वृत्ति (थिंकिंग फैकल्टी) के अन्तर्गत हैं। इसलिए, शुद्ध कर्मात्मक बोध के प्रत्ययों का सम्बन्ध **संकल्प के निर्धारण से** है (कर्म-सम्पादन की) उन भौतिक वस्तुस्थितियों से नहीं **जो अपने प्रयोजनों की सिद्धि के लिए अनिवार्य हैं,** इसलिए कर्मात्मक प्रागनुभविक सिद्धान्त स्वातन्त्र्य के परम सिद्धान्त के सन्दर्भ में प्रज्ञा की अव्यवहित सिद्धि का लाभ करते हैं। उन्हें अपनी सार्थकता की प्राप्ति के लिए संवेदनों की अपेक्षा नहीं करनी होती, क्योंकि उनके सम्बन्ध में यह एक महत्त्वपूर्ण तथ्य है कि वे अपने निर्देश्य विषय (संकल्प के आशय या विषय) की सत्ता का स्वयं सर्जन करते हैं, जोकि विषय-बोधात्मक प्रत्ययों के लिए सम्भव नहीं है।"[1]

इस उद्धरण से स्पष्ट है कि 'ज्ञान' कांट के अनुसार वास्तव में विज्ञप्ति (कोग्नीशन) का अनेक में से केवल एक व्यापार है जो व्यापार एक विदेशी तत्त्व से बाधित है, जबकि विज्ञप्ति स्वयं में निर्बन्ध ज्ञान-व्यापार है।

---

1. "These categories of freedim, for so we choose to call them in contrast to those theoretic categories which are catergories of physical natre, have an obvious advantage over the latter, inasmuch as the latter are only forms of thought which designate object in an indefinite manner by means of universal concepts for every opssible intuition, the former on the contray rerer to the determination of a free elective will (to which indeed no exactly corresponding intuition can be assigned, but which has as its foundation a pure practical a *priori* law, which is not the case with any concept, belonging to the theoretic use of our congnitive faculties); hence instead of the form of intuition to be drawn from another sourse, namely, the sensibility, these being elementary practical concepts have as their foundation the form of a pure will, which is givern in Reason, and therefore in the thinking faculty itself. From this it happens that as all precepts of pure practical Reason condition (of practical ability) of the execution of one's purpose, the practical a *priori* principles in relation to the supreme principle of freedon are at once congnitions, and have not to wait for intuitions, in order to acquire significance, and that for this remarkable reason, because they themselves produce the reality of that to which they refer (the intention of the will), which is not the case with theoratical concepts." (**Cr. Pr. R., 65, 66; 157)**

यहाँ बुद्धि के विषयात्मक व्यापार को भी एक सर्वथा भिन्न प्रकार से समझा जा सकता है जो वास्तव में कांट के प्रतिपादन से आपादित होता है किन्तु जिसे कांट ने वैज्ञानिक पूर्वाग्रह के कारण नहीं देखा। कांट प्रातिभासिक रूप से हमें कारण-निबद्ध देखता है, जोकि वस्तुत: हम हैं। किन्तु कारणता विषय-बुद्धि की अपनी वृत्ति या आकार है, संवेदना या संज्ञा का लक्षण नहीं है। अवश्य यह उस बुद्धि का ही आकार है जो विषयोन्मुख है और अपने व्यापार में संवेद से परिसीमित है, किन्तु कारणता संवेदमूलक नहीं है, यह बुद्धि द्वारा अपने विषयात्मक व्यापार में कल्पित है। और बुद्धि के स्वरूपत: स्वतन्त्र होने से यह कहना ही संगत होगा कि वह कारणता की कल्पना स्वतन्त्रतया करती है, अर्थात् कारणता कारण-शृंखला से अनिर्बद्ध आत्म का स्वतन्त्र निष्पादन है। इस प्रकार कांट के अनुसार यद्यपि आत्मा विषय-बोध के लिए संवेद-परतन्त्र है। यद्यपि कांट अपने वैज्ञानिक पूर्वाग्रह के कारण अपनी अन्तर्दृष्टि के इस वास्तविक अर्थ को देख नहीं पाता किन्तु उसके निम्न प्रतिपादन में उसके संकेत देखे जा सकते हैं—"हमारे स्वयं के ज्ञान के लिए उस **विचारात्मक कर्म** (एक्ट ऑफ थॉट) की आवश्यकता है जो प्रत्येक सम्भव संवेदनात्मक बहुत्व को अतिप्रत्यक्ष (अप्पर्सेप्शन) के एकत्व में, जोकि संवेदना की निर्धारक विधा (डिटर्मिनेंट मोड) है, संयोजित करता है जिसके द्वारा यह बहुत्व प्रदत्त (गोचर विषय-रूप) होता है। इससे यह आपादित होता है कि यद्यपि मेरा प्रातिभासिक अस्तित्व वास्तव में प्रतीति मात्र नहीं है (भ्रान्ति-रूप होना तो दूर की बात है) किन्तु मेरे (इस) अस्तित्व का निर्धारण आन्तर संवेदन के आकार (काल) के माध्यम से और उसके अनुरूप ही घटित हो सकता है, जोकि आन्तर संवेद की वह विशिष्ट विधा है जिसके विषयकरण के लिए वह संवेद-बहुत्व प्रस्तुत होता है जिसका विधान मैं करता हूँ। **इससे मुझे अपने तात्त्विक स्वरूप का ज्ञान नहीं हो सकता, केवल अपने उस रूप का ही ज्ञान हो सकता है जो मुझे प्रस्तुत होता है। इस प्रकार आत्म की चेतना** (कांश्यसनेस ऑफ दि सेल्फ) **आत्म के ज्ञान से सर्वथा भिन्न है**, उन सब वर्गणाओं के बावजूद जोकि एक अतिप्रत्यक्ष (अप्पर्सेप्शन) में संवेद-बहुत्व के संयोजन द्वारा विषय-सामान्य के विचार की घटक बनती है। जिस प्रकार मुझे अपने से पृथक् विषय के ज्ञान के लिए उसके सामान्य विचार (धारणा) के अतिरिक्त अपने भीतर संवेद-बहुत्व की आवश्यकता होती है जिसके द्वारा कि मैं अवधारणा को निर्धारित करता हूँ, उसी प्रकार मुझे अपने ज्ञान के लिए अपनी चेतना के अतिरिक्त अपने भीतर संवेदना की आवश्यकता होती है जिसके द्वारा मैं इस विचार का निर्धारण करता हूँ। **मेरा (तात्त्विक) अस्तित्व उस बुद्धितत्त्व के रूप में है जो केवल मात्र संवेद-संयोजन की अपनी शक्ति के प्रति चेतन है,** किन्तु संयोज्य संवेद-बहुत्व के प्रसंग में मैं तत्परतन्त्र हूँ, क्योंकि यह बहुत्व कालात्मक सम्बन्धों के अनुसार ही, जोकि बोधमूलक प्रत्ययों या वर्गणाओं के क्षेत्र से बाहर हैं, संवेद्य हो सकता है। इस प्रकार का बुद्धि-तत्त्व केवल अपने को बुद्धि-बाह्य संवेदनाओं के माध्यम से प्रातिभासिक रूप से ही जान सकता है, उस प्रकार से नहीं जिस प्रकार से यह तब जान पाता यदि इसकी संवेदना बुद्धिमूलक होती।"[1] यद्यपि इस अनुच्छेद का सन्दर्भ उससे भिन्न है जिसमें यहाँ इसका उपयोग किया जा रहा है किन्तु इसके रेखांकित अंशों से यह स्पष्ट है कि कांट प्रातिभासिक को आत्म के स्वतन्त्र व्यापार के रूप में ही देखता है और यह प्रातिभासिक इस आत्म को केवल प्रातीतिक रूप से, अधिक से अधिक कहें, प्रातिभासिक रूप से, निबद्ध करता है, तात्त्विक रूप से नहीं। इतना ही नहीं, इसके बुद्धि-व्यापार का कार्य होने से इसे तत्त्वत: नैतिक संकल्प से भिन्न नहीं किया जा सकता, सिवाय इस बात के कि नैतिक संकल्प नैतिक नियम के शुद्ध आत्म-तन्त्र आकार के अधीन रहता है और विषयकरण-व्यापार संवेद-परतन्त्र होता है।

कांट की यह व्याख्या उसकी दो मीमांसाओं (क्रिटीक्स) के बीच न केवल एक सुदृढ़ सेतु स्थापित कर देती है बल्कि उन्हें एक ही स्रोत में भी स्थापित कर देती हैं। किन्तु कांट की योजना में एक महत्त्वपूर्ण कठिनाई यह है कि इसमें संवेद और बुद्धि नितान्त भिन्न और परस्पर विपरीत हैं यद्यपि ये परस्पर पूरक और सहयोगी हैं। किन्तु यह सहयोग आत्मा के अनिवार्य बन्धन में प्रतिफलित होता है। किन्तु क्या इससे उसकी मुक्ति सम्भव है? जैसाकि हमने पीछे देखा, कांट के अपने प्रतिपादन में इसके लिए कोई संकेत नहीं है कि यह मुक्ति सम्भव है, क्योंकि

1. **क्रिटीक् ऑफ प्योर रीज़न,** बी. 157-159

उसके अनुसार संवेदन से यह सहयोग, विषयोन्मुखता, बुद्धि का उतना ही सहज धर्म है जितना नैतिक नियममूलक स्वातन्त्र्य। बल्कि यदि यह कहा जाय कि बुद्धि के दो आकार हैं—विषयाकार और नैतिक-नियमाकार (फोर्म ऑफ मॉरल लॉ), और आत्मा का स्वातन्त्र्य द्वितीय में केवल इस बात में है कि यह आकार कारण-कार्यात्मक नहीं है, तो यह कांट के अधिक अनुकूल होगा। किन्तु यह द्रष्टव्य है कि बुद्धि का विषयाकार उसके संवेद से सहयुक्त होने के कारण है और संवेद बुद्धि से बाह्य और उसका प्रतिरोधक है। किन्तु कांट की व्याख्या का दूसरा सूत्र पकड़ते हुए कहा जा सकता है कि **बुद्धि का विषयकरण-व्यापार भी कर्म होने से इसकी भी प्रतिष्ठा उसी आत्मा में है जिसका तत्त्व संकल्प है, इसलिए उसका संवेद से सहयोग केवल उसका स्वतन्त्र वरण है और यह सहयोग उसके तत्त्व को कभी आविल नहीं करता, केवल उसे प्रातीतिक रूप से आबद्ध करता है।** इस कारण आत्मा स्वरूपत: स्वतन्त्र ही है और यह प्रतिभास को अपने सहयोग से जब भी चाहे वंचित कर निरस्त कर सकता है।

फ़िख़्ते ने कांट की कुछ इसी प्रकार की व्याख्या की है, यद्यपि बहुत अनुपयुक्त ढंग से। उसके अनुसार आत्म (इगो) स्वरूपत: एक संकल्प है किन्तु वह अपने को बाह्यत: भौतिक तत्त्व से प्रतिरुद्ध पाता है। इस सीमा से अपने को मुक्त करने के लिए वह इस अबोध्य सत् (भौतिक प्रकृति) के स्थानापन्न के रूप में संवेद और विषय-बोध को प्रतिस्थापित करता है। निश्चय ही आत्म तब भी बद्ध या परिसीमित ही रहता है, किन्तु क्योंकि यह सीमा उसकी अपनी सृष्टि है इसलिए इसका अधिष्ठाता वह स्वयं होता है और इसे वह अधिक-से-अधिक जानकर, इसका क्रमश: बोध में अन्तर्भाव कर इस स्वयं आरोपित बन्धन का निरास कर सकता है।"[1] किन्तु इस व्याख्या में यह दोष है कि यह कांट के स्पष्ट निषेध के बावजूद संवेद को भी बोधगम्य की कोटि में रख देती है।

फ़िख़्ते यह तर्क दे सकता है कि संवेद मन (चित्) की ही वृत्ति है जिसका कारण या हेतु बाह्य है, इसलिए यह नितान्त अबोधगम्य नहीं हो सकता। किन्तु इसका उत्तर है कि कांट संवेदना (वृत्ति) और संवेद-प्रदत्त (उसकी अन्तर्वस्तु) दोनों को बुद्धि के विपरीत और प्रतिरोधक के रूप में ही देखता है, इस कारण उसके मन की वृत्ति होने पर भी यह बोधगम्य नहीं है। वास्तव में फ़िख़्ते की यह धारणा भी सही नहीं है कि कांट के अनुसार प्रतिभास आत्म द्वारा सर्जित भौतिक प्रकृति का स्थानापन्न है। वास्तव में कांट के अनुसार प्रतिभास ही प्रकृति है—यह स्वरूप-सत् आत्म का प्रकृतिमूलक निबन्धन है। इसके समर्थन में यह युक्ति है कि कांट आन्तर और बाह्य दोनों संवेदनों को समान रूप से प्रतिभास का मूल मानता है और कम-से-कम आन्तर संवेदन के मूल या प्रथम कारण के सम्बन्ध में यह स्पष्ट है कि वह भौतिक नहीं होकर चिदात्मक है। यदि आन्तर प्रतिभास का मूल चित् या स्वरूप-सत् आत्म है तब यह नहीं कहा जा सकता कि आत्म प्रातिभासिक जगत् को बोध के लिए अगम्य प्रकृति के बोधगम्य स्थानापन्न के रूप में प्रतिस्थापित करता है। अब प्रश्न है कि बाह्य संवेदन के आदि कारण का स्वरूप क्या है? क्या वह आन्तर संवेद के आदि कारण से भिन्न है या कि अभिन्न? प्रथम दृष्टि में वह भिन्न प्रतीत होता है, क्योंकि कांट न केवल उसे बाह्य विषयों के गोचर गुणों—वर्ण, गंध आदि—का ही हेतु मानता है बल्कि उनके विस्तार, आकृति और दैशिक सम्बन्धों का भी हेतु मानता है। इस प्रकार मेज़ और कुर्सी के वर्ण और आकार आदि सब यद्यपि सांवेदनिक हैं किन्तु इनके वर्ण-भेद और आकार-भेद के निर्वर्ण और निराकार हेतु स्वलक्षण वस्तुएँ हैं।[2] इस प्रकार बाह्य विषयों की हेतुभूत वस्तुएँ अनेक भी हो जाती हैं। किन्तु सम्भवत: कांट का यह अभिप्राय नहीं रहा होगा, क्योंकि वस्तुओं की एकता-अनेकता ज्ञानात्मक निर्धारण है जो स्वलक्षण वस्तु पर लागू नहीं हो सकता और इस प्रकार वस्तुओं के गुण और आकृतियों के वैविध्य के हेतु स्वलक्षण-वस्तुमूलक होने का अर्थ यह नहीं है कि उस वस्तु में भी वैविध्य और अनेकत्व है। इतना ही नहीं, यह स्पष्ट लक्षित होने पर भी कांट चिदचिद् का द्वैत स्वीकार करता है, क्योंकि प्रकटत: उसके अनुसार बाह्य संवेद चिद्विकार है, जिसका हेतु

1. **Fundamental Priciples of the Scienc of knowledge,** 1974
2. यहाँ यह द्रष्टव्य है कि कांट वर्ण, गंध आदि गुणों को लॉक के समान व्यक्तिनिष्ठ मानता है जबकि आकार को निर्वैयक्तिक या तात्त्विक मानता है, किन्तु वर्णादि संवेद के हेतु को बाह्य मानता है।

अचितत्त्व में होना चाहिए। कांट इसके सम्बन्ध में मौन है और इस मौन से यह समझना उपयुक्त प्रतीत होता है कि उसे द्वैतवाद मान्य नहीं है।[1] उसकी एकवादी व्याख्या तर्कसंगत रूप से सम्भव भी है। कांट जब संवेद के मूल कारण अथवा हेतु को अविज्ञेय किन्तु शुद्ध बुद्धिगम्य कहता है तब हेतुओं में बाह्य और आन्तर का भेद नहीं करता, दोनों प्रकार के संवेदों का हेतु समानरूप से शुद्ध बुद्धिगम्य अविषय ही है। इस हेतु को बुद्धिगम्य अविषय कह कर वह संकल्पात्मक तत्त्व कहता है। इस प्रकार यह कहना अधिक उचित प्रतीत होता है कि एक ही चित्तत्त्व बाह्य संवेदन को देशाकार में और आन्तर संवेदन को कालाकार में प्रतिभासित होता है। इस प्रकार सम्भवत: कांट के अनुसार एक ही अनाविल चित्तत्त्व अपने को प्रातिभासिक रूप में निबद्ध पाता है यद्यपि स्वरूपत: वह स्वतन्त्र है और उसकी यह स्वतन्त्रता उसे नैतिक कर्म के माध्यम से अवगम्य होती है।

किन्तु यह द्रष्टव्य है कि यह मूल तत्त्व उस अर्थ में अनाविल नहीं है जिस अर्थ में साँख्य का पुरुष या शंकर का ब्रह्म है, क्योंकि यह नैतिक नियम के आकार में निरूपित है।[2] और नैतिक नियम का आकार बौद्धिक है। किन्तु यहाँ यह प्रश्न स्वाभाविक है कि क्या इस आकार को वस्तु की अपेक्षा नहीं है और क्या संकल्प वह वस्तु नहीं है और इस प्रकार संकल्प अबौद्धिक नहीं है? इसका समर्थन इससे भी होता है कि आकार को कर्ममूलक नहीं कहा जा सकता। कांट भी आकारों को नैतिक नियममूलक मानता है जिससे संकल्प अपने को नैतिक रूप से प्रतिबद्ध करता है। इस प्रकार कर्म का स्रोत संकल्प होना चाहिए और इसे मूल ऊर्जा के रूप में देखना चाहिए। इस प्रकार संकल्प और आकार संयुक्तरूप से कर्म बनते हैं : अर्द्ध-नारीश्वर के समान। किन्तु जैसा कि हमने पीछे देखा, विषय-बुद्धि का व्यापार भी विचारात्मक कर्म ही है; केवल इसका आकार नैतिक नियमात्मक नहीं होकर संवेद-संयोजनात्मक है। इस प्रकार दोनों कर्मों का मूल संकल्पनात्मक ऊर्जा में ही ठहरता है।

स्पष्टत: कांट को यह सब व्याख्या मान्य नहीं होगी। उसका लक्ष्य बहुत सीमित था और वह था वैज्ञानिक ज्ञान और नैतिक कर्म की व्याख्या, जिन्हें वह स्वत:सिद्ध सत्य मानता था और जिन सत्यों का कोई एक स्रोत, एक मूल खोजने में न उसकी रुचि थी और न उसकी कल्पना ही थी। ये दो सत्य उसमें असम्बद्ध ही बने रहते हैं और इसी प्रकार असम्बद्ध रहते हैं बुद्धि और संवेद।

कांट-दर्शन की आधारभूत वर्गणाएँ हैं—आनुभविक और अतिक्रामी, तथा ज्ञेय और अज्ञेय। कांट के दर्शन से अल्प परिचित लोग बहुत बार 'अतिक्रामी' को भी 'अज्ञेय' मान लेते हैं, अथवा अधिक-से-अधिक तार्किक रूप से अनुमेय समझते हैं। किन्तु यह ठीक नहीं है। कांट 'प्रागनुभविक ज्ञान' को भी स्वीकार करता है।[3] उसके अनुसार कारण-कार्य सम्बन्ध का प्रत्यय और गणित के प्रत्यय ज्ञेय प्रत्यय हैं। किन्तु वह केवल उन्हीं प्रत्ययों को उचित रूप से अतिक्रामी या प्रागनुभविक मानता है जो अनुभव से सम्बद्ध हैं। कांट के अनुसार, हमारा ज्ञान अनुभव-विषयक है यद्यपि अनुभव उसी सीमा तक ज्ञान-विषय होता है जिस सीमा तक वह हमारे मन की मुद्राओं में ढल सकता है। इसका कारण यह है कि हम वही जान सकते हैं जो मनोमूलक है। तब स्वभावत: हम मन को तो जान ही सकते हैं। बल्कि, उसके अनुसार, मन की ज्ञानात्मक शक्तियों को जानना अपेक्षाकृत सरल है और वर्तमान तर्कशास्त्र में हम इस ज्ञान को फलित देख भी सकते हैं।[4] प्रातिभासिक जगत् का स्वरूप मनोमूलक होने से इसके लक्षणों का ज्ञान और विवेचन अपेक्षाकृत सरल होना स्वाभाविक ही है।[5]

इस प्रकार 'अतिक्रामी' उसके अनुसार ज्ञान का अतिक्रामी नहीं है, केवल अनुभव का अतिक्रामी है। किन्तु जैसा कि हमने ऊपर कहा, मन की ये मुद्राएँ या आकार उसी सीमा तक ज्ञानात्मक हैं जिस सीमा तक ये

1. वह कहता है कि, "सम्भवत: स्वलक्षण वस्तु का स्वरूप चिदात्मक है।" **क्रिटीक् ऑफ प्योर रीज़न,** बी.
2. **क्रि.प्रै.री.,** 65, 66; 157 (पूर्वोद्धृत)
3. वही, बी. 4, 9, ए. 160=बी. 199-200.
4. वही, परिचय, ए. 14.
5. वही, परिचय, ए. 20, बी. 34.

अनुभव का विषयकरण कर सकते हैं। इस प्रकार विषयकरण केवल अनुभवमूलक ही हो सकता है, अनुभव के बिना नहीं। निश्चय ही हम अनुभव से बाहर भी विषयकरण करते हैं, किन्तु वह केवल अनुभव की कोटियों को उसके बाहर लागू करके, जो स्पष्टत: अयुक्त है।

ज्ञान के इस क्षेत्र को, जो विषय-विधान अथवा अनुभवमूलक मानसिक मुद्राओं का क्षेत्र है, कांट प्रतिभास कहता है। 'प्रतिभास' शब्द का उसका प्रयोग यों ही साधारण रूप से किया गया प्रयोग नहीं है बल्कि मूलगामी महत्त्व का है, क्योंकि वह इसे 'सत्' के विपरीतार्थक के रूप में प्रयुक्त करता है। यहाँ यह देखना और भी महत्त्वपूर्ण है कि प्रतिभास उसके लिए केवल बाह्य विषय ही नहीं है बल्कि सुख-दु:ख, प्रेम-द्वेष आदि आन्तर जगत् भी है। इसके आगे जाकर यह भी कहा जा सकता है कि इस प्रतिभास का गृहीता—विषयी—भी प्रतिभासिक ही है क्योंकि यह विषयी विषय से पृथक् कुछ नहीं है, उसका एक घटक मात्र है। इस प्रकार विषय संवेद और बुद्धि का, ज्ञेय और ज्ञाता का संयोग है। परिणामत: मैं संवेद-प्रदत्त के रूप में भी और विषयी के रूप में भी प्रातिभासिक हूँ। इस प्रकार यह मेरा सत्स्वरूप नहीं है। अपने सत्स्वरूप में मैं अविज्ञेय हूँ।

किन्तु क्या चित्सत्ता के लिए अपने-आपके ज्ञान से शून्य होना सम्भव है? जैसा कि हमने पीछे देखा है, कांट संकल्प को विज्ञप्तिरहित (नॉन-कॉग्नीटिव) नहीं मानता है क्योंकि इसे नैतिक नियम के रूप में अपना आकार प्रज्ञप्त होता है, यद्यपि वह 'ज्ञात' नहीं होता। किन्तु कहा जा सकता है कि कांट के अनुसार आत्म का स्वरूप संकल्पनात्मक होने से वह विज्ञानस्वरूप नहीं है, कर्मस्वरूप है और नैतिक नियम उसका आक्षेप है, उसका स्वरूपगत आकार नहीं है। किन्तु तब इस कर्म का आक्षेप केवल नैतिक नियम-रूप ही नहीं है विषय-नियम-रूप भी है, वह इन दो रूपों या आकारों का आक्षेप करता है। किन्तु केवल उसका प्रथम निरूपण आत्म-निरूपण है जबकि दूसरा निरूपण आत्म-बहिष्कारक है। इसी से प्रथम में वह निर्बन्ध रूप से—अपने स्वरूप के अव्यवहित सान्निध्य में—आत्म-सर्जन करता है और दूसरे में वह स्वतन्त्र वरण द्वारा प्रवृत्त होकर भी संवेद द्वारा आत्म-व्यवहित हो जाता है।

इस प्रकार कांट-दर्शन में आत्मा विज्ञानस्वरूप (प्रकाशस्वरूप) नहीं है, कर्म-स्वरूप है। परिणामत: वह आत्म-प्रत्यक् नहीं हो सकता, नैतिक नियम का आक्षेप भी उसे प्रत्यक्ता नहीं दे सकता। इसके क्रियान्वयन के लिए वह संवेद का आश्रय लेता है, जिसमें वह अपने को खो देता है।

समकालीन पाश्चात्य अनुभववादी दर्शन : सर्वेक्षण

आधुनिक यूरोपीय दर्शन में, जिसके प्रवर्त्तक डेकार्ट कहे जाते हैं, दो विरोधी विचारधाराओं के बीच निरन्तर तनाव रहा है। ये हैं यथार्थवादी और प्रत्ययवादी विचारधाराएँ। 'यथार्थवाद' और 'प्रत्ययवाद' संज्ञक कोई दर्शन-सम्प्रदाय वास्तव में नहीं हैं। इन नामों का प्रयोग हमने दो प्रकार की अभिवृत्तियों के लिए किया है जो विभिन्न दर्शन-सम्प्रदायों में द्योतित होती हैं। स्वयं इन अभिवृत्तियों में किसी एक के व्यंजक दो सम्प्रदायों में परस्पर बहुत अन्तर है। उदाहरणत: प्रत्ययवादी धारा के अन्तर्गत कांट, लाइब्निज़, हेगल, रूसो और बर्गसाँ में बहुत मूलगामी अन्तर है, और दूसरी ओर रसल-पर्यन्त आंग्ल अनुभववादी परम्परा, अमरीकी अर्थ-क्रियावादी सम्प्रदाय (प्रेग्मेटिज़्म) तथा उत्तर-विट्गिंस्टाइनीय लोक-भाषावादी सम्प्रदायों में बहुत अन्तर है। यथार्थवादी धाराओं में रसल-पर्यन्त आंग्ल परम्परा और महाद्वीपीय (कांटीनेंटल) प्रत्यक्षवादी (पाज़िटिविस्ट) परम्पराओं में बहुत सामीप्य है, इतना अधिक कि इनकी तत्त्वमीमांसा प्राय: अभिन्न है, दर्शन का प्रयोजन तो दोनों एक ही मानते हैं—विज्ञान तथा लोक-संज्ञान का विवेचन-विश्लेषण। रसल के शब्दों में, दार्शनिक का उद्देश्य विज्ञान तथा दैनिक व्यवहार के संसार की व्याख्या करना होना चाहिए। और कार्नप, जोकि आधुनिक प्रत्यक्षवाद के प्रवर्त्तक दार्शनिकों में प्रमुख हैं, दर्शन का कार्य विज्ञान की भाषा के तार्किक व्याकरण का अध्ययन मानते हैं। (द्रष्टव्य : **लॉजीकल साइंटेक्स ऑफ लेंग्वेज, भूमिका**) मूर यद्यपि विज्ञान के प्रति इतने चिन्तित नहीं थे, उन्होंने अपने-आपको लोक-संज्ञान तक सीमित रखा था, किन्तु इसमें सन्देह नहीं हो सकता कि लोक-संज्ञान के आगे उनके लिए विज्ञान ही विचारणीय विषय हो सकता था। उन्होंने लोक-संज्ञान के जिन पक्षों को दर्शन के लिए विचारणीय पाया वे थे ऐन्द्रिय विषय और नैतिकता। नैतिकता का अर्थ उनके लिए कोई धार्मिक-पारलौकिक साधना-सिद्धि का मार्ग नहीं है, यह उनके लिए साधारण आचरण में सत्-असत् का निर्णय है। यह देखना रोचक बात है कि 'श्रेयस्' (गुड) को उन्होंने 'वर्ण' के समान एक गुण माना—उससे भिन्न प्रकार का, किन्तु तब भी उसके अनुरूप।

इंगलैण्ड में मूर और रसल के विद्यार्थी-काल में विश्वविद्यालयों में हेगलवाद का बोलबाला था। ये दोनों दार्शनिक भी पहले-पहल इसी के प्रभाव में थे। किन्तु बहुत शीघ्र उन्होंने इस सम्प्रदाय के विरुद्ध विद्रोह किया। उन्होंने अपने इस विद्रोह को विनिर्मुक्ति कहा है। उन्हें लगा, जैसे मानो वे अज्ञान के कारावास से निकले हों। परिणामत: उनके आरम्भिक लेखों में इस मुक्ति का आनन्द और उत्साह झलकता है। मूर का यह उत्साह उनके भौतिक वस्तुओं की सत्ता को सिद्ध करने के लिए दिये गए नाटकीय तर्क में देखा जा सकता है। उन्होंने अपना हाथ उठाकर कहा—"यह मेरा हाथ है, यह सिद्ध है, और परिणामत: बाह्य विषयों का ज्ञान भी निस्सन्दिग्ध ज्ञान है।" रसल का यह उत्साह उनके प्रत्येक लेख में झलकता है और वह अब तक उतना ही उग्र है।[1] उन्होंने 1914 में लिखा था—"मेरे विचार में सब दर्शन-सम्प्रदायों ने दर्शन की समस्याओं तथा विधि को ग़लत समझा था। इसकी बहुत-सी पारम्परिक समस्याएँ ऐसी हैं जो हमारे लिए ज्ञान के उन साधनों से सुलझानी असम्भव हैं जो हमें उपलब्ध हैं। जबकि कुछ दूसरी हैं जो यद्यपि कम महत्त्वपूर्ण नहीं हैं किन्तु तब भी जो दार्शनिकों द्वारा उपेक्षित रही हैं, इन्हें अधिक कुशल विधि से धैर्यपूर्वक विचार कर उतने ही सम्यक् और निश्चित रूप से सुलझाया जा सकता है जितनी सम्यक्ता सर्वाधिक विकसित विज्ञानों में हम पाते हैं।"[2] रसल के अनुसार ज्ञान के साधन ज्ञानेन्द्रियाँ हैं,

---

1. इस लेख लिखने के कुछ महीनों बाद रसल का देहान्त हो गया।
2. बर्ट्रंड रसल — **आवर नोलेज ऑफ दि एक्स्टर्नल वर्ल्ड,** पृ. 13.

और अन्य कोई साधन मनुष्य को उपलब्ध नहीं है। शायद वे बुद्धि को भी ज्ञान का साधन मानते हैं, किन्तु सब अनुभववादियों के समान इसे स्वीकार करने में कठिनाई का अनुभव करते हैं। जो भी हो, वे 'संवेद के अनगढ़ प्रदत्तों और गाणितिक भौतिकी के देशल, काल तथा भूत द्रव्य (मैटर) के बीच सम्बन्ध के विवेचन' को दार्शनिक विधि के आदर्श के रूप में देखते हैं, और गाणितिक भौतिकी, संवेद्य प्रदत्तों से भिन्न होने से, बुद्धि का विषय ही हो सकती है। किन्तु तब भी रसल बुद्धि को ज्ञान का साधन नहीं मानते। वे गणित को निगमनात्मक, और पुनरुक्त्यात्मक (टॉटोलोजीकल) व्यवस्था मानते हैं।

रसल, मूर तथा अनुगामी अनुभववादियों (विट्गिंस्टाईन तथा तार्किक प्रत्यक्षवादियों) की ज्ञान के साधनों के प्रति इस दृष्टिकोण की परम्परा लॉक से आरम्भ हुई थी और ह्यूम में इसने प्रौढ़ता प्राप्त की थी। दर्शन और ज्ञान के सम्बन्ध में ह्यूम का दृष्टिकोण इनके प्रति अति प्रसिद्ध उदाहरण में बहुत स्पष्ट और साहित्यिक ढंग से प्रतिपादित मिलता है—"यदि हम इन सिद्धान्तोंके प्रतिपादक ग्रन्थों से संकुल पुस्तकालयों पर विहंगम दृष्टिपात करें तब क्या नाश लीला हम करेंगे? यदि हमारे हाथ अध्यात्म-विद्या अथवा पारम्परिक तत्त्वमीमांसा की पुस्तक पड़ेगी तब हम अपने से प्रश्न करेंगे—क्या इसमें मात्रा, परिमाण अथवा संख्या विषयक कोई अमूर्त्त विचार है? नहीं! क्या इसमें वस्तु-तथ्य तथा अस्तित्व विषयक प्रयोगाधारित विषय है? नहीं! तब हम इसे आग में झोंक देंगे, क्योंकि इसमें वाग्जाल और भ्रान्ति के अतिरिक्त और कुछ नहीं हो सकता।" (**इन्क्वायरी इन्टू ह्यूमन अंडरस्टैंडिंग**)

किन्तु तब भी रसल तत्त्वमीमांसा के इस प्रकार विरोधी नहीं थे, यद्यपि वे दूसरे दार्शनिकों में तत्त्वमीमांसात्मक प्रतिपादनों को उपहास और व्यंग्य से ही अधिकांशत: देखते थे। उन्होंने अपने दार्शनिक सिद्धान्त को तार्किक अणुवाद की संज्ञा दी। यहाँ 'तार्किक' विशेषण का प्रयोग वीयेना सम्प्रदाय के 'तार्किक प्रत्यक्षवाद' में प्रयुक्त 'तार्किक' का पर्याय नहीं है, यह 'अणु' को वैज्ञानिक अणु से पृथक् करने के लिए है। रसल गणित तथा तर्क के क्षेत्र में अपनी सफलताओं से बहुत गर्वित और उल्लसित थे और इस उल्लासपूर्ण उत्साह में उन्होंने समझा कि उनकी वह विधि, निष्कर्ष तथा आकारिक भाषा (फार्मल लेंग्वेज) विश्व के रहस्य की कुंजी है। इसलिए वे तत्त्वमीमांसा को आग में झोंकने योग्य नहीं समझते थे। वे यद्यपि दर्शन का कार्य विज्ञान तथा दैनिक जीवन की व्याख्या करना ही मानते थे, किन्तु इस व्याख्या के लिए वे लोक-धारणा का अनुसारी होना आवश्यक नहीं मानते थे। न वे मूल के समान लोक-धारणा की सत्यता को ही स्वत:सिद्ध मानते थे। इस दृष्टि से उन्हें मूर की अपेक्षा अधिक संगत कहा जा सकता है, क्योंकि रसल के समान मूर भी भौतिक विषयों सम्बन्ध लोक-धारणा को संवेद-वाक्यों में विश्लेष्य मानते थे। किन्तु लोक-धारणा के लिए भौतिक विषयों का संवेद-प्रदत्तों में विश्लेषण उतना ही विस्मयकारक है जितना मैक्टैगार्ट का काल का विश्लेषण, या शायद उससे भी अधिक। तब यह कैसे कह सकते हैं कि आप लोक-संज्ञान के अनुसार हैं? मूर लोक-संज्ञान को असन्दिग्ध मानते थे, केवल उसके विश्लेषण को बहुत कठिन तथा अनिश्चयात्मक कार्य मानते थे। किन्तु लोक-संज्ञान की सत्यता का क्या अर्थ है, यह कैसे निश्चित होगा? क्योंकि यह तो विश्लेषण से ही तय होगा कि लोक-संज्ञान को क्या अभिप्रेत है, अथवा कहें, किसकी सत्यता-असत्यता खोजी जा रही है। उदाहरणत: 'भाई' प्रत्यय का विश्लेषण 'पुंस् सहोदर' है या कुछ और है? यदि इसका विश्लेषण 'पुंस् सहोदर जिसके प्रति अगाध प्रेम हो' यह तो तब 'य र का भाई है' वाक्य का अर्थ उससे बहुत भिन्न हो जायगा जो अर्थ इसका विश्लेषण केवल 'पुंस् सहोदर' करने पर होगा, और परिणागत: सत्यासत्य में भी भेद हो जायगा। इस पर आपत्ति की जा सकती है कि 'जिसके प्रति अगाध प्रेम हो' वाक्यांश तथ्यात्मक नहीं है, केवल मानसिक संस्कार है। किन्तु तब लोक-संज्ञान संस्कारों के अतिरिक्त और क्या है? जो दार्शनिक भौतिक विषयों की सत्यता का निषेध करते हैं उनका यही दावा तो है कि 'यह मेज़ है' कथन में संवेद की अन्तर्वस्तु ही तथ्य है, शेष केवल संस्कार है। बर्ट्रेंड रसल ने भौतिक विषयों में विश्वास को स्वत:सिद्ध सत्य नहीं माना था, इस सम्बन्ध में उनकी स्थिति अधिकांशत: बर्कले के अनुरूप रही, और जब उन्होंने बर्कले की स्थिति को छोड़ा तब उन्होंने मूर के समान संवेद-प्रदत्तों की संवेद से पृथक् सत्ता को सिद्ध करने का प्रयत्न नहीं किया बल्कि भौतिक अस्तित्व को ही, संवेद्य अस्तित्व से परे, स्वीकार किया।

इस प्रकार मूर और रसल के दार्शनिक लक्ष्यों में पर्याप्त अन्तर था, किन्तु तब भी दोनों एक सामान्य कोश में से अपनी सामग्री प्राप्त कर रहे थे। दोनों ब्रेड्ले-परम्परा के, और सब प्रकार के प्रत्ययवाद के, विरोधी थे और इस प्रकार की विचारधाराओं के प्रति घोर असन्तोष से परिचालित थे, दोनों दर्शन का कार्य विश्लेषण मानते थे और यह समझते थे कि सत् सरल वस्तुओं का तन्त्र है जो श्लिष्ट होकर ज्ञान के तन्त्र को जन्म देती हैं, परिणामत: दर्शन का कार्य विश्लेषण द्वारा सत् के स्वरूप का (मूर के लिए, अवधारणाओं के स्वरूप का) उद्घाटन करना है।

यहाँ पुन: रसल और मूर में अन्तर है। रसल ने इस 'सरल' की अवधारणा को अधिक गम्भीरता से लिया और इसके परिणामों को स्वीकार करने में कोई संकोच नहीं किया। उसके अनुसार सरल वह है जो अणु-वाक्यों का वाच्य है और अणु-वाक्य वह है जो अपने से सरलतर वाक्यों में अन्तर्भाव्य नहीं है।

इन वाक्यों को वे इस प्रकार परिभाषित करते हैं—

1. यह अनिवार्यत: किसी संवेद्य घटना द्वारा उद्दीप्त होना चाहिये,

2. इसका रूप (फोर्म) अनिवार्य रूप से ऐसा नहीं होना चाहिए कि अन्य कोई मूल वाक्य (अणु-वाक्य) इसका प्रत्याख्यान नहीं कर सके।[1]

इन सरल वाक्यों के उदाहरण उन्होंने 'मैं गर्म हूँ', 'वह लाल है' आदि दिये हैं। अब यहाँ दो तरफ से खींचातानी है। आप केवल भाषा को देखकर यह निर्धारित नहीं कर सकते कि अणु-वाक्य क्या होंगे, उसके लिए सरल अस्तित्वों का पहले से निर्धारण आवश्यक है। उदाहरण: 'मैं दु:खी हूँ' वाक्य अणु-वाक्य है या नहीं? यह 'मैं दु:खी हूँ' इस तथ्य को देखकर ही निर्धारित किया जा सकता है। रसल इस वाक्य को अणु-वाक्य नहीं मानेंगे क्योंकि वे 'मैं' द्वारा व्यक्त वस्तु को सरल वस्तु नहीं मानते। किन्तु यदि कोई वाक्य अविश्लेष्य हो और उसके अनुरूप तथ्य दिखाई नहीं दे, तब? तब वे उस वाक्य के अनुरूप तथ्य की विद्यमानता मानने को बाध्य होंगे। किन्तु इसकी एक निश्चित सीमा है। 'सब य काले हैं' वाक्य, उनके अनुसार, तर्कत: अविश्लेष्य है, क्योंकि यह वाक्य '$य_1$ काला है', '$य_2$ काला है', '$य_3$ काला है' आदि में अन्तर्भाव्य नहीं है। इस वाक्य की अनन्तर्भाव्यता तर्क से निर्धारित होती है। इसी प्रकार 'य काला नहीं है' भी अनन्तर्भाव्य है, किन्तु इसकी अनन्तर्भाव्यता पूरी तरह से तर्क से निर्धारित नहीं होती, यह मनोविज्ञान से निर्धारित होती है। सो, उन्होंने वाक्यों की इस अविश्लेष्यता से इनके वाच्य तथ्यों को भी स्वीकार कर लिया। ये तथ्य हैं सामान्यात्मक तथ्य और निषेधात्मक तथ्य। अब, 'सब कव्वे' तथा 'काला नहीं' दृश्य प्रकार की सत्ताएँ नहीं हैं, परिणामत: इन्हें अनुभववादी स्वीकार नहीं कर सकते। किन्तु रसल ने इन्हें अनुभववाद से बाहर जाकर भी स्वीकार कर लिया। न रसल ज्ञान को ही अनुभव तक सीमित मानते हैं। उदाहरणत: वे मानते हैं कि हम किसी अ, इ आदि को व्यक्तिश: जाने बिना भी 'सब अ इ हैं' तथा 'अ वस्तुओं का अस्तित्व है' जान सकते हैं।[2]

हमारे लिए यहाँ यह प्रश्न विवेच्य नहीं है कि यह प्रतिपादन कहाँ तक उपयुक्त है और कहाँ तक इसे अनुभववाद का अतिक्रमण कहा जा सकता है। हमारे लिए यहाँ केवल यह द्रष्टव्य है कि उनका यह अतिक्रमण प्रत्ययवाद अथवा अध्यात्मवाद की दिशा में नहीं है—यद्यपि स्पष्टत: इसका आधार तर्क है—बल्कि यथार्थवाद और भौतिकवाद की दिशा में है। इसलिए वे अनुभव और तर्क (प्रत्ययवादी युक्ति) का वहीं तक आश्रय लेते हैं जहाँ तक यह उनकी यथार्थवादी-भौतिकवादी रुचि का समर्थन करता है। वे कहते हैं—"मैं कांट के समान नैतिक नियम को उसी धरातल पर नहीं रख सकता जिस पर तारकित नभ को। विश्व के मानवीकरण का प्रयत्न, जोकि आदर्शवाद[3] कहे जाने वाले दर्शन में अन्तर्निहित है, इस बात से सर्वथा स्वतन्त्र रूप से मुझे अप्रिय है कि यह

1. **इन्क्वायरी इन्टू मीनिंग एण्ड ट्रुथ,** पृ. 138.
2. **माई फिलोसोफीकल डिवलप्मेंट,** पृ. 131.
3. यहाँ मैंने 'आइड्यलिज़्म' का अनुवाद 'आदर्शवाद' किया है जबकि अन्यत्र 'प्रत्ययवाद' किया है। इस प्रसंग में रसल को यही अभिप्रेत प्रतीत होता है, 'प्रत्ययवाद' नहीं।

सत्य है या **असत्य** है। मुझे यह कल्पना तक अप्रिय लगती है कि विश्व हेगल के, अथवा उसके दिव्य आदि-रूप के, दुरूह विचार का परिणाम है। मेरे विचार में, यद्यपि इसमें मैं पूर्णत: निश्चित नहीं हूँ, किसी भी आनुभविक विषय-वस्तु का मूलगामी ज्ञान होने पर उसके कारण-नियमों का अन्तर्भाव भौतिक विज्ञान के कारण-नियमों में सम्भव है। किन्तु विषय-वस्तु अधिक जटिल होने की स्थिति में ऐसा अन्तर्भाव करने में व्यावहारिक कठिनाइयाँ हैं।"[1]

इस उद्धरण में प्रत्ययवाद और विज्ञानवाद के प्रति उनकी अरुचि स्पष्ट है। वास्तव में उनके लेखों से जितने चाहें ऐसे उद्धरण दिये जा सकते हैं जिनमें उनकी यह अरुचि झलकती है। यहाँ नैतिक नियम और तारकित नभ के बीच उनकी तुलना रोचक है। 'तारकित नभ' पद से उन्हें एक ओर भौतिक सत्ता अभिप्रेत है और दूसरी ओर विराट् सौन्दर्य : दूसरे शब्दों में, भौतिक सत्ता का विराट् सौन्दर्य। नहीं तो 'मेज़', 'कुर्सी', 'पेन' अधिक सहज उदाहरण हो सकते थे। हमारे इस कथन की पुष्टि 'मिस्टीसिज़्म एण्ड लोजिक' पुस्तक में संकलित उनके लेख 'फ्री मैन्स वर्शिप' से भी होती है। स्पष्टत: यह कोई दार्शनिक युक्ति नहीं है, यह रुचि की बात है कि आपको 'नैतिक नियम' अधिक आकर्षक लगता है याकि 'भौतिक सत्ता की विराट्ता', किन्तु कांट ने सौन्दर्य के आकर्षण से 'नैतिक नियम' की प्रतिष्ठा को स्वीकार नहीं किया था, उन्होंने नैतिक वस्तुस्थिति की व्याख्या के लिए उसे स्वीकार किया था। किन्तु उनके दर्शन में 'कैटेगोरीकल इम्पेरेटिव' की सार्वभौमता सत्तात्मक सार्वभौमता नहीं है, सत्ता केवल परात्पर आत्मा की है। इस प्रकार नैतिक नियम 'तारकित नभ' से तुलनीय नहीं है। रसल को यह ज्ञात नहीं हो ऐसी बात नहीं है, किन्तु वे यह मानते हैं कि आदर्शवादी दर्शन का उत्स रुचि औ सुख-कामना है, तर्क नहीं, इसलिए शायद उन्होंने कोई भी उदाहरण उपयुक्त माना। किन्तु जैसाकि स्पष्ट है, वे स्वयं इस दोष के अधिक शिकार हैं। इसकी पुष्टि के लिए हम एक और उद्धरण इसी पुस्तक से देंगे। 'प्रत्यक्ष' पर विचार करते हुए वे कहते हैं कि जब हम एक तारे को देखते हैं तब हमारी दृक्-तन्त्रिका (ऑप्टिक नर्व) में एक प्रक्रिया घटित होती है, किन्तु तारक का अनुभव एक बहुत भिन्न प्रकार की घटना है। परिणामत: मन तथा भूत के बीच एक खाई मानी जाती है, और यह समझा जाता है कि यह एक रहस्य है जिसका निराकरण करना एक अपवित्र कार्य है। किन्तु मेरा विश्वास है कि इसमें उससे अधिक रहस्य नहीं है जितना रेडियो द्वारा विद्युच्चुम्बकीय तरंगों के ध्वनि में रूपान्तरण में है। मेरे विचार में इस रहस्य का कारण भौतिक विश्व की भ्रान्त धारणा तथा यह भय है कि कहीं इससे हम मनस् के उत्कर्ष को भौतिक विश्व की भ्रान्त धारणा से निकृष्ट नहीं कर दें।[2]

यहाँ स्पष्ट है कि रसल मन और भूत की समस्या के सम्बन्ध में इससे अधिक कुछ विचारणीय नहीं मानते कि यह एक भावुकता का परिणाम है। यह सही है कि कुछ दार्शनिकों न मन को उत्कृष्ट और भूत को निकृष्ट भी कहा है, किन्तु उन्होंने न तो इस द्वैध को भावुकता के कारण स्वीकार किया था और न इस द्वैध को स्वीकार करने के पक्ष में उनकी युक्तियाँ निर्बल हैं। इसके विपरीत, रसल केवल अभौतिक के प्रति अरुचि के कारण इस सम्बन्ध में कुछ विचार नहीं करते और एक स्पष्ट वस्तुस्थिति से इंकार करने का कोई कारण नहीं देते। यहाँ दृक्-तन्त्रिका में घटित भौतिक प्रक्रिया के 'दिखाई देना' में रूपान्तरण से देखने में स्पष्ट दृष्टि-दोष है और वह इस **अरुचि** के कारण ही हो सकता है। निश्चय ही उन्होंने 'ध्वनि तरंग' शब्द का प्रयोग नहीं कर 'ध्वनि' शब्द का प्रयोग किया है, किन्तु यह केवल दूसरों में दृष्टि-दोष उत्पन्न करने के प्रयत्न का द्योतक ही हो सकता है, क्योंकि रेडियो विद्युच्चुम्बकीय तरंगों का ध्वनि-तरंगों में रूपान्तरण करता है, जिनके ध्वनि में रूपान्तरण के लिए संवेद्यता की उतनी ही आवश्यकता होती है जितनी प्रकाश-किरणों के और दृक्-तन्त्रिका के अन्तर्गत घटित अनुगामी प्रक्रिया के दृष्टि में रूपान्तरण के लिए।

1. **माई फिलोसोफ़िकल डिवलप्मेंट**, पृ. 131.
2. **माई फिलोसोफ़िकल डिवेलप्मेंट**, पृ. 22.

उन्होंने तटस्थ अद्वैतवाद (न्यूट्रल मोनिज़्म) की वकालत भी की है और उसके लिए आदर्श उदाहरण संवेद–प्रदत्त को लिया है—"एक देश–बिन्दु, जहाँ विभिन्न तारक दिखाई देते हैं, एक प्रदेश है, और ऐसे अनेक बिन्दु जिस बिन्दु में सहावस्थित हो सकते हैं, वह दूसरा प्रदेश है। प्रथम स्थान वह है जहाँ तारक दिखाई देने की घटना घटित होती है और दूसरा वह जहाँ तारक स्वयं है।" इसे वे परिप्रेक्ष्यों का सिद्धान्त (थीयरी ऑफ पर्स्पेकटिव्ज़) कहते हैं और अपनी मौलिक सूझ मानते हैं। किन्तु इससे तो मन और भूत–विषयक प्रश्न का समाधान नहीं होता, क्योंकि बोध, या संवित्, को यहाँ छोड़ दिया गया है। यदि परिप्रेक्ष्य इसके उतने अंश का काम चला भी सकते हों जितना भौतिक विषय–ज्ञान में आवश्यक है, और शेष अनावश्यक हो, तो कल्पना, सुख–दुःख आदि का आप क्या करेंगे? रसल ने इसका समाधान करने का प्रयत्न भी किया है और एक स्मृत्यात्मक कारणता (नेमिक काज़ेशन) को अविश्लेष्य अभ्युपगम के रूप में स्वीकार कर मन से छुट्टी पाने का प्रयत्न किया है। यहाँ हम इस विवाद में आगे नहीं जायेंगे कि यह कहाँ तक सम्भव है, किन्तु यदि कोई स्मृत्यात्मक कारणता को पर्याप्त नहीं मान कर चेतना को भी अनन्तर्भाव्य मानना आवश्यक पाता है तो उसे **निकृष्ट कार्य करने वाला** क्यों कहा जाय? और फिर, आप कारणता में द्वैत मान कर क्या मानसिकता को स्वीकार नहीं कर रहे हैं, इस स्वीकृति को कितना भी चाहे आप धीमी आवाज़ में व्यक्त क्यों नहीं करें?

मेरा अभिप्राय यहाँ यह दिखाना नहीं है कि मन और भूत का द्वैत अनिवार्य है अपितु यह दिखाना है कि न तो रसल ने इस द्वैत को अयुक्त दिखाने के लिए कोई पुष्ट तर्क दिये हैं और न इस द्वैत को स्वीकार करने वाले ही फूहड़ (स्टुपिड) थे, जैसाकि रसल उन्हें कहते हैं।

मूर रसल की अपेक्षा अधिक नम्र और शालीन थे। उनका आग्रह केवल इतना ही था कि लोक–संज्ञान की धारणाओं को हमें अधिक आदर की दृष्टि से देखना चाहिए। किन्तु इसके विपरीत मत रखने वाले को वे उपहासास्पद नहीं मानते थे और उनके मत को दुराग्रह तथा निकृष्ट सुख की खोज पर आधारित नहीं समझते थे। इसलिए वे जिस मत का प्रतिवाद करते थे उसे पूरी गम्भीरता से समझने का प्रयत्न करते थे और उसके पुष्टतम तर्कों की दुर्बलता दिखाने के लिए उसका विश्लेषण करते थे। किन्तु इसका अर्थ यह नहीं है कि उनके कोई पूर्वाग्रह नहीं थे। उनके वे सभी पूर्वाग्रह थे जो उनके बौद्धिक परिवेश के पूर्वाग्रह थे। उदाहरणत: उन्होंने लोक–संज्ञान में केवल दृश्य वस्तुओं की सत्यता में विश्वास को ही देखा, जबकि लोक–संज्ञान की कोई सीमा नहीं है—कम–से–कम उसमें लोकेतर और लोकोत्तर में विश्वास समान रूप से बद्धमूल मिलते हैं।

मूर ने अपने दो लेखों से आंग्ल दार्शनिक समाज को लगभग अभिभूत कर दिया था। ये लेख थे 'लोक–संज्ञान के समर्थन में' तथा 'प्रत्ययवाद का खण्डन'। इसमें भी प्रथम लेख विशेष रूप से महत्त्वपूर्ण है—इसलिए नहीं कि इसमें कोई महत्त्व की बात कही गयी है, जोकि निश्चय ही नहीं कही गयी है, बल्कि इसलिए कि यह मूर के दर्शन में आधारभूत कही जा सकती है और लोगों द्वारा इसे इतना महत्त्व दिया जाना उस समय के, और आज के भी, आंग्ल–मानस का द्योतक है। इस लेख में उन्होंने एक प्रकार की प्रतिज्ञप्तियों को, जिन्हें वे लोक–संज्ञान की प्रतिज्ञप्तियाँ कहते थे, **अविवाद्य सत्य माना** है। ये प्रतिज्ञप्तियाँ हैं—मेरा एक शरीर है, मैं कुछ वर्ष पूर्व उत्पन्न हुआ था, मैं पृथ्वी के धरातल पर रहता हूँ और यह पृथ्वी मेरे उत्पन्न होने से बहुत पहले से विद्यमान है, आदि। मूर के अनुसार उन्हें इनमें से प्रत्येक प्रतिज्ञा की सत्यता के सम्बन्ध में असन्दिग्ध ज्ञान है। यह लेख जब उन्होंने दार्शनिक मण्डली में पढ़ा था तब बड़े जोश से अपना हाथ उठाकर कहा था कि—"यह मेरा दायाँ हाथ है और यह बायाँ हाथ है और इसलिए...मेरे से पृथक् भौतिक विषयों का अस्तित्व है और उनका हमें ज्ञान होता है", आदि। बिल्कुल सही, किन्तु तब दिक्कत क्या है? यहाँ दार्शनिक चर्चा समाप्त हो जानी चाहिए। तब जॉन्सन का पत्थर से ठोकर मार कर कहना कि—"इससे यह सिद्ध होता है कि पत्थर है" भी बिल्कुल सही था। ऐसी अवस्था में मूर ने नया क्या कहा? मूर ने नया यह कहा था कि "जबकि इन प्रतिज्ञप्तियों की सत्यता असन्दिग्ध है इनका विश्लेषण क्या होगा यह कहना बहुत कठिन है।" किन्तु यदि वे सचमुच ही इस सम्बन्ध में अनिश्चित होते तब कोई दिक्कत नहीं थी, तब वे या तो विश्लेषण करते ही नहीं या फिर वैकल्पिक विश्लेषण देते। वास्तव में वे

अनिश्चित इस बात में नहीं थे कि विश्लेषण क्या होगा, बल्कि इस बात में थे कि जो विश्लेषण वे कर रहे हैं वह सम्यक् कैसे होगा? इस प्रकार, न केवल वे कुछ प्रतिज्ञप्तियों की सत्यता के सम्बन्ध में ही निश्चित थे बल्कि विश्लेषण क्या होगा, इस सम्बन्ध में भी निश्चित थे। किन्तु इस विश्लेषण के सम्बन्ध में उनके निश्चय का क्या आधार था? अर्थात्, वे यह कैसे जानते थे कि भौतिक विषयों सम्बन्धी प्रतिज्ञप्तियाँ विश्लेष्य हैं और यह विश्लेषण संवेद-प्रदत्तों की पदावली में ही उपयुक्त है? 'यह मेज़ है' वाक्य स्वत: यह संकेत नहीं देता कि यह ऐसे वाक्यों की किसी निश्चित या अनिश्चित संख्या के बराबर है जिसके विधेय संवेद-प्रदत्तों के वाचक पद हों। कम-से-कम यह दावा कोई नहीं कर सकता कि लोक-संज्ञान 'यह मेज़ है' प्रतिज्ञप्ति को संवेद-प्रदत्त वाचक प्रतिज्ञप्तियों की असंख्य शृंखला के बराबर देखता है। अब, यदि यह दावा नहीं किया जा सकता तब मूर के इस विश्लेषण का क्या औचित्य है, सिवाय मूर की या उसके पूर्वज बर्कले की दार्शनिक दृष्टि के? किन्तु तब मूर लोक-संज्ञान की सत्यता को असन्दिग्ध मानकर नहीं चल सकते, क्योंकि वाक्य का वाच्य क्या है, यह तो विश्लेषण से ही तय हो सकता है, अर्थात् उन सरल प्रतिज्ञप्तियों से जो 'यह मेज़ है' वाक्य की दाईं ओर समीकरण-चिह्न के साथ रखी जाती हैं। किन्तु इन समीकृत सरल प्रतिज्ञप्तियों का लोक-संज्ञान के अनुकूल होना आवश्यक नहीं है, जैसेकि स्वयं मूर की ही सरल प्रतिज्ञप्तियां नहीं हैं। वे सरल प्रतिज्ञप्तियाँ हैं जो विश्लेष्य या श्लिष्ट प्रतिज्ञप्ति के अभिप्राय को स्थिर करती हैं, और यदि श्लिष्ट प्रतिज्ञप्ति का अभिप्राय, या कहें स्वरूप, सरल प्रतिज्ञप्तियों से अभिन्न होता है तब किसी प्रतिज्ञप्ति को तब तक लोक-संज्ञानपरक प्रतिज्ञप्ति नहीं कहा जा सकता जब तक लोक-संज्ञान विश्लेषण को स्वीकृति नहीं दे। और जैसाकि हमने ऊपर कहा, मूर का विश्लेषण लोक-संज्ञान को स्वीकृत नहीं हो सकता, वह उसे परिचित भी नहीं लग सकता, परिणामत: यह नहीं कहा जा सकता कि मूर लोक-संज्ञान की प्रतिज्ञप्तियों को स्वत:सिद्ध सत्य मान रहे थे। वे केवल अपनी प्रतिज्ञप्तियों को लोक-संज्ञान पर थोप रहे थे।

हमारी उपर्युक्त आपत्ति शायद कुछ लोगों को दूर की कौड़ी लाने जैसी बात लगे, किन्तु थोड़ा गम्भीरता से देखने पर ऐसा नहीं लगेगा। 'मेरे हाथ में पेन है' वाक्य लें। लोक-संज्ञान के अनुसार यह कथन या तो सत्य है अथवा असत्य है। किन्तु यहाँ कथन क्या है जो सत्य या असत्य है, यह प्रश्न विश्लेषण को प्रेरित करता है। अब, इस कथन के स्वरूप का निश्चय किये बिना सत्यता का प्रश्न तय नहीं हो सकता। किसी के लोक-संज्ञान का समर्थक होने का अर्थ है कि वह लोक-संज्ञान को स्वीकार्य कथन का अनुसन्धान करे। किन्तु मूर अनुसन्धान कर जो कथन लाये हैं वह ऐसा है जैसे कथन को उचित बताने के लिए रसल अक्सर पहले यह कहते हैं कि 'लोक-संज्ञान (मूढ़तावश?) कह सकता है कि पैन वस्तु है...' आदि। रसल यहाँ बिल्कुल ठीक हैं, लोक-संज्ञान यही समझता है, और जिसे लोक-संज्ञान का समर्थन करना है उसे विश्लेषण की बात कह कर जो चाहे कहने का अधिकार नहीं है। लोक-संज्ञान इसके विश्लेषण की अपेक्षा नहीं करता।

यह आपत्ति जितनी मूर के प्रत्यक्ष विषयों के विश्लेषण पर लागू होती है उतनी ही, शायद उससे भी अधिक, उनके नैतिक प्रसंग के विश्लेषण पर लागू होती है। किन्तु यहाँ हम उसकी चर्चा नहीं करेंगे। यहाँ यह द्रष्टव्य है कि लोक-संज्ञान का समर्थन मूर के अतिरिक्त किसी ने इस रूप में नहीं किया, अन्यों ने केवल लोक-संज्ञान को, विज्ञान के अतिरिक्त, दार्शनिक विचार का—समीक्षा का—विषय माना, समर्थन का नहीं।

रसल और मूर के प्रकर्ष-काल में ही वियेना में एक नये दार्शनिक सम्प्रदाय की स्थापना हुई जिसका नाम लॉजीकल पॉज़िटिविज़्म (तार्किक प्रत्यक्षवाद) रखा गया। यहाँ 'सम्प्रदाय की स्थापना' पद का प्रयोग जानबूझ कर किया गया है। वियेना में अब से लगभग 87 वर्ष पूर्व कुछ दार्शनिकों, वैज्ञानिकों तथा गणितज्ञों ने सम्मिलित होकर एक सम्प्रदाय का निर्माण किया जिसे 'वियेना सर्कल' नाम दिया गया। और इस सम्प्रदाय की दर्शन-प्रणाली अथवा दृष्टिकोण को विशेषित करने के लिए इसका नाम तार्किक प्रत्यक्षवाद (लॉजीकल पाज़िटिविज़्म) रखा गया। 1929 में इस सम्प्रदाय का एक घोषणा-पत्र निकाला गया जिसका शीर्षक था 'वियेना सर्कल : इसका वैज्ञानिक दृष्टिकोण'। यह सम्प्रदाय रसल-विट्गिंस्टाईन का उत्तराधिकारी कहा जा सकता है, किन्तु यह उनसे बहुत अधिक उग्र और संकुचित था। ह्यूम और रसल के समान यह ज्ञान का स्रोत केवल ऐन्द्रिय अनुभव को ही

मानता था, और दूसरा आदर का स्थान केवल तर्क और गणित को देता था। किन्तु तर्क को, और गणित को भी, जिसे यह तार्किक मानता था, यह ज्ञानात्मक नहीं मानता, अर्थात् इसके अनुसार तर्क के वाक्य अथवा प्रतिज्ञप्तियाँ कोई नयी जानकारी नहीं देतीं, ये केवल पुनरुक्त्यात्मक होती हैं, अर्थात् इस प्रकार की—सब कँवारे अविवाहित हैं। किन्तु इसमें भी कहा जा सकता है 'य कँवारा है' प्रतिज्ञप्ति तो पुनरुक्त्यात्मक नहीं है। इसका उत्तर यह है कि इस सम्पूर्ण प्रतिज्ञप्ति की सत्यता और सार्थकता 'य कँवारा है' को 'क क है' के समान मानने पर निर्भर करती है। इसके अनुसार तर्क और गणित की सब प्रतिज्ञप्तियाँ इसी प्रकार की हैं। शेष एकमात्र सार्थक वाक्य वे वाक्य हैं जो आनुभविक प्रतिज्ञप्तियों को व्यक्त करते हैं, ये आनुभविक प्रतिज्ञप्तियाँ, विट्गिंस्टाईन के शब्दों में, अणु-तथ्यों की चित्र होती हैं, अथवा कहें, संवेद्य तथ्यों का वर्णन करने वाले वाक्य आनुभविक तथ्यों के वाचक होते हैं। अन्य सब वाक्य अणु-वाक्यों के तार्किक फलन (ट्रुथ फंक्शंस) होते हैं। इनको रसल मॉलीक्यूलर वाक्य कहते हैं, अर्थात् ऐसे वाक्य जो एक से अधिक अणु-वाक्यों को तार्किक योजकों : 'और', 'अथवा' आदि : से संयुक्त करने से बनते हैं। विट्गिंस्टाईन के ही शब्दों में—

4.1 एक प्रतिज्ञप्ति अणु-तथ्यों के अस्तित्व अथवा अनस्तित्व को प्रकट करती है।

4.11 सत्य प्रतिज्ञप्तियों का साकल्य सकल भौतिक विज्ञान है।

1.12 तार्किक देश में स्थित तथ्य ही विश्व है।

2. जो भी वस्तुस्थिति है, तथ्य है, वह अणु-तथ्यों का अस्तित्व है।

विश्व तथा भाषा के सम्बन्ध में अनुभववादी सिद्धान्त का यह स्पष्टतम प्रतिपादन है। किन्तु यह, तथा इसी प्रकार रसल का प्रतिपादन भी, तत्त्वमीमांसात्मक प्रतिपादन है। ये विश्व अथवा सत्ता के स्वरूप के बारे में, तथा ज्ञान और भाषा के सत्ता से सम्बन्ध के बारे में, प्रतिपादन हैं। किन्तु इसका एक अनिवार्य आपादन है जिसे विट्गिंस्टाईन ने देखा और स्पष्टतम शब्दों में **ट्रक्टेटस** में कहा। यह आपादान था भाषा के कथनात्मक प्रयोग की सीमा का बहुत संकुचित निर्धारण। इस सीमा-निर्धारण के अनुसार स्वयं दार्शनिक प्रतिपादन भी असम्भव हो जाता था, क्योंकि यह कहना कि 'भाषा और तथ्य में सम्बन्ध स है' न तो अणु-तथ्य का चित्रण है और न अणु-वाक्यों का तार्किक संयोग है, गह चित्रण के स्वरूप के सम्बन्ध में कथन है, जो स्वरूप 'अकथ्य' है। इसलिए—

6.53. दर्शन की उपयुक्त विधि यह होगी—जो कहा जा सकता है उसके अतिरिक्त कुछ नहीं कहना, अर्थात् प्राकृतिक विज्ञान की प्रतिज्ञप्तियों (के अतिरिक्त) (अर्थात्) उसके अतिरिक्त जिसका दर्शन से कोई सम्बन्ध नहीं है; और तब सदैव, जब कोई अन्य कोई तत्त्वमीमांसात्मक कथन करना चाहे, उसे दिखाना कि उसने अपनी प्रतिज्ञप्तियों में कुछ चिह्नों को कोई अर्थ नहीं दिया है। यह विधि अन्य के लिए सन्तोषप्रद नहीं होगी—उसे ऐसा नहीं लगेगा कि हम उसे दार्शनिक बात कह रहे हैं—किन्तु यही एकमात्र सही विधि है।

विट्गिंस्टाईन का यह प्रतिपादन एक विचित्र विरोधाभास से पूर्ण है : उसका यह एक तत्त्वमीमांसात्मक सिद्धान्त था, क्योंकि यह विश्व के ज्ञान के स्वरूप की और विश्व के साथ भाषा के सम्बन्ध की अवधारणा पर प्रतिष्ठित था। इस विरोधाभास का समाधान यही हो सकता है कि तत्त्वमीमांसा सत्य है किन्तु तत्त्वमीमांसात्मक कथन सम्भव नहीं हैं। तार्किक प्रत्यक्षवादियों ने **ट्रक्टेटस** के इस सम्पूर्ण सिद्धान्त को, इसकी तत्त्वमीमांसा का परित्याग करते हुए, अपना लिया। तत्त्वमीमांसा का प्रत्याख्यान उनका मुख्य लक्ष्य था जो इस 'अवाच्यता' और 'निरर्थकता' के प्रतिपादन से बहुत बढ़िया सिद्ध होता था। सो, उन्होंने यह कहने के बजाय कि 'भाषा तथ्य का चित्रण है। और तथ्य का ऐसा स्वरूप है अत: भाषा का ऐसा स्वरूप है' यह कहा कि 'वाक्य का अर्थ उसकी प्रमाणीकरणीयता में होता है' और प्रमाणीकरण का एक विशिष्ट सिद्धान्त दिया। इस सिद्धान्त के अनुसार भाषा के मूल-वाक्य प्रत्यक्षात्मक प्रकार के होते हैं और अन्य सब वाक्य इन मूल-वाक्यों के तार्किक फलन (लोजीकल फंक्शंस्) होते हैं। इस प्रकार, उनके अनुसार 'अ लाल है', 'अ क आकार का है', 'अ लाल तथा क आकार का

है' आदि प्रकार के वाक्य ही सार्थक हो सकते हैं। किन्तु यह इसलिए नहीं कि ये किसी प्रकार के तथ्यों के चित्र हैं, बल्कि इसलिए क्योंकि ये हमारे प्रत्यक्षों के विवरण हैं।

किन्तु किस प्रकार के विवरण प्रत्यक्षों के विवरण हैं? विट्गिंस्टाईन ने इस सम्बन्ध में अपने अभिमत का कोई संकेत नहीं दिया था, उसने केवल आकारिक स्थिति का प्रतिपादन ही किया था, किन्तु रसल और मूर, इस सम्बन्ध में स्पष्ट थे, वे संवेद-प्रदत्तों को प्रत्यक्षात्मक वाक्यों का विषय मानते थे। किन्तु तार्किक प्रत्यक्षवादियों में इस प्रश्न को लेकर मतभेद था, कुछ इन्हें संवेद-प्रदत्तों के सूचक मानते थे जबकि अन्य सार्वजनिक भौतिक घटनाओं के सूचक मानते थे। इसी प्रकार कुछ इन्हें अप्रमाणीय मानते थे और कुछ प्रामाण्य-अप्रामाण्य की सम्भावना से परे मानते थे। किन्तु सब इस बात में सहमत थे कि इन वाक्यों की तथ्यात्मक अन्तर्वस्तु इन प्रत्यक्षमूलक अनुभवों से ही उपलब्ध होती है और यह अन्तर्वस्तु ही इनको अर्थ प्रदान करती है। यह प्रमाणीकरण-सिद्धान्त था जिसके अनुसार "किसी प्रतिज्ञा का अर्थ उसके प्रमाणीकरण की विधि है।"

किन्तु यदि वाक्य का अर्थ उसके प्रमाणीकरण की विधि है और प्रमाणीकरण ऐन्द्रिय प्रत्यक्षों से उपलब्ध होता है तब अर्थ और प्रमाण दोनों व्यक्तिगत हो जायेंगे, क्योंकि क के प्रत्यक्ष की अन्तर्वस्तु ख के प्रत्यय की अन्तर्वस्तु नहीं हो सकती, न क और ख परस्पर इनकी तुलना कर सकते हैं। वास्तव में क ख के लिए एक ऐन्द्रिय विषय मात्र है। इस कारण तार्किक प्रत्यक्षवाद के सम्मुख अहम्मात्रता (सोलिप्सिज़्म) की समस्या उत्पन्न हुई। कार्नप ने 1928 में **लोजीकल स्ट्रक्चर ऑफ दि वर्ल्ड** में सम्पूर्ण आनुभविक-वैज्ञानिक अवधारणाओं का ताना-बाना आत्मकेन्द्रित आधार पर पुनारचित करने का प्रयत्न किया। पीछे उसने अनुभव किया कि यह प्रयत्न सफल नहीं हो सकता और परिणामत: उसने मूल वाक्यों के रूप में व्यक्तिगत संवेदों या अनुभवों का परित्याग कर भौतिक विषयों को स्वीकार किया। कार्नप का, और उसके साथ न्यूराथ का, यह मत-परिवर्तन अत्यन्त महत्त्वपूर्ण था। सार्वजनिक भौतिक घटनाओं को मूल वाक्यों का वाच्य मानने पर संवेद-प्रदत्त स्वयं भौतिक घटनाओं के रूप में ही ग्राह्य हो सकते थे। पहले जहाँ 'वह क्रुद्ध है' का अर्थ था 'आकार-वर्ण 'व' मुझ में क्रोधानुभव की स्मृति का उद्दीपक है', अब 'मैं क्रुद्ध हूँ' का अर्थ हो गया, 'देश-काल पर स्थित शरीर ऐसा-ऐसा व्यवहार कर रहा है' अथवा 'इस शरीर में इस प्रकार की रासायनिक भौतिकीय घटनाएं घटित हो रही हैं।' इसी प्रकार 'वह क्रुद्ध है' का अर्थ भी। कहने की आवश्यकता नहीं कि तार्किक प्रत्यक्षवाद की ये दोनों उपजातियाँ वस्तुस्थिति की सन्तोषजनक व्याख्या नहीं करतीं। किन्तु यहाँ एक और महत्त्वपूर्ण बात द्रष्टव्य है और वह यह कि इस आधारभूत अन्तर के बावजूद इन दोनों उपजातियों की दार्शनिक प्रेरणा एक ही थी और इसी कारण ये एक ही जाति की उपजातियां हैं। इसका कारण यह है कि इनके लिए दार्शनिक सिद्धान्त महत्त्वपूर्ण नहीं होकर सांस्कृतिक पूर्वाग्रह महत्त्वपूर्ण था, और यह पूर्वाग्रह था कि विज्ञान ही ज्ञान है और प्रामाणिक है। इस मान्यता के स्वीकृत होने पर प्रश्न केवल यह रह जाता है कि इसका सही विवेचन कैसे करें—'यह पैन है', 'वस्तुएँ पृथ्वी की ओर बराबर वेग (विलॉसिटी) से गिरती हैं' आदि सार्थक वाक्य हैं, देखना केवल यह है कि इनकी सार्थकता का कैसे निरूपण किया जाय। इसी प्रकार, 'कर्म भवबन्ध के कारण हैं' निरर्थक वाक्य है, देखना केवल यह है कि इनकी निरर्थकता का निरूपण कैसे किया जायत्र तब जो कसौटी इन दो उद्देश्यों में एक-साथ सफल हो सकती है वही सही कसौटी है। इसीलिए इन दार्शनिकों ने वाक्य-विषयक पूर्वोक्त दो विकल्पों को (जो विकल्प अन्यथा इन्हें पृथक् दार्शनिक सम्प्रदाय बनाते) वैकल्पिक भाषावाद कहा, अर्थात् अपने मूल वाक्यों के लिए चाहे जो भी रूढ़ि स्वीकार कर लें, दोनों उचित हैं, प्रश्न केवल रुचि का है।

किन्तु कार्पन तथा न्यूराथ का भौतिक घटना-वाचक वाक्यों को मूल वाक्यों के रूप में स्वीकार करना उतना निरीह नहीं था जितना यह 'रुचि का प्रश्न' तथा 'वैकल्पिक' पदों से प्रतीत होता है, क्योंकि मूल वाक्यों को भौतिक घटनाओं के वाचक वाक्य मानने का अर्थ है मूल वाक्यों के रूप में उनकी विशिष्टता अस्वीकार करना। वास्तव में उन्होंने इन वाक्यों की विशिष्ट स्थिति पूर्णत: और स्पष्टत: अस्वीकार कर दी, क्योंकि उनके अनुसार, किसी या किन्हीं मूल वाक्यों का किसी उच्चतर स्तर के कथन से, किसी वैज्ञानिक अभ्युपगम से, विरोध होने पर

उनमें से किसी पर भी (अर्थात् तथाकथित मूल वाक्य पर अथवा अभ्युपगम पर) सन्देह किया जा सकता है। किन्तु स्पष्टत: वैज्ञानिक अभ्युपगम अथवा सिद्धान्त को मूल वाक्यों के स्तर पर रखने का अर्थ है वैज्ञानिक अभ्युपगम को तथ्य तथा अनुभव (प्रत्यक्ष) पर आधारित नहीं मानना और इस प्रकार विज्ञान की सत्यता के सम्बन्ध में आत्मसंगति का सिद्धान्त स्वीकार करना। किन्तु यह कहा जा सकता है कि कार्नप तथा न्यूराथ कुछ वाक्यों को तो मूल वाक्य मानते ही थे, और ये वाक्य अनिवार्यत: प्रत्यक्षात्मक प्रकार के ही थे। इस प्रकार वे अन्त:संगतिवादी होने पर भी इस संगति की धुरी के रूप में प्रत्यक्ष को ही स्वीकार करते थे। किन्तु वास्तव में यह भी सही प्रतीत नहीं होता। क्योंकि भाषा का तथ्य के साथ सम्बन्ध स्वीकार करने का अर्थ था तत्त्वमीमांसा के क्षेत्र में अतिक्रमण करना, जोकि उनके लिए सबसे अधिक वर्जित क्षेत्र था। अन्य प्रत्यक्षवादियों ने इस कठिनाई के समाधान के अनेक असफल प्रयत्न किये, किन्तु कार्नप और न्यूराथ को ये सब समझौते स्वीकार नहीं थे। कार्नप ने दर्शन को तार्किक व्याकरण कहा और इस कथन के आपादनों (इंप्लीकेशंस) को पूर्ण रूप से स्वीकार किया। उनके अनुसार, "किसी भाषा विशेष के स्वरूप-निरूपण के लिए उसका शब्दकोश तथा व्याकरण देना आवश्यक है, अर्थात् वे शब्द जो इसमें प्रयुक्त होते हैं तथा वे नियम जिनके अनुसार (1) उन शब्दों से वाक्यों का निर्माण किया जा सकता है तथा (2) इन वाक्यों को उसी भाषा के अन्य वाक्यों अथवा अन्य भाषा के वाक्यों में रूपान्तरित किया जा सकता है (निगमन के नियम तथा अनुवाद के नियम)। किन्तु क्या यह आवश्यक नहीं है कि शब्दों का अभिप्राय समझने के लिए शब्दों के अर्थ भी बताए जायें? नहीं : वस्तु-विधा (मैटीरियल मोड) में इस प्रकार की गयी माँग ऐसे आकारात्मक नियम देने से पूरी की जा सकती है जो नियम कि इसके व्याकरण का निर्माण करते हैं। क्योंकि किसी शब्द का 'अर्थ' या तो अनुवाद के द्वारा दिया जाता है अथवा परिभाषा के द्वारा। अनुवाद शब्दों का एक भाषा से दूसरी भाषा में रूपान्तरित करने के नियमों को कहते हैं। किन्तु यह बात तथाकथित शाब्दिक परिभाषाओं (उदाहरणत: 'हाथी' 'उसी प्रकार का पशु जिस प्रकार का कि इस देश-काल-स्थिति में पशु') के लिए भी सही है, जिस बात को कि प्राय: ही भुला दिया जाता है। दोनों परिभाषाएँ शब्दों के अनुवाद हैं।"[1]

यहाँ हम इस प्रतिपादन की उपयुक्तता-अनुपयुक्तता पर विचार नहीं करेंगे, यहाँ हम केवल इस बात की ओर संकेत करना चाहते हैं कि कार्नप किस प्रकार तत्त्वमीमांसा से बचने के लिए अनुभववाद से भी दूर जा पड़े। किन्तु यह प्रतिपादन तार्किक प्रत्यक्षवाद के लिए बहुत उपयुक्त है, क्योंकि यदि विट्गिंस्टाईन के अवाच्यता विषयक निष्कर्ष को सत्य और तत्त्वमीमांसा के सत्यता विषयक सिद्धान्त को असत्य मान लिया जाय, जैसाकि तार्किक प्रत्यक्षवादियों ने माना, तब वाक्यों के वाच्य केवल अन्य वाक्य ही हो सकते हैं। क्योंकि यदि तत्त्वमीमांसात्मक वाक्य असत्य होने पर भी सार्थक हों तब भाषा का वाच्य शब्द-बाह्य हो जायगा। किन्तु अनुभवाद तत्त्वमीमांसा से नहीं बच सकता, क्योंकि उसके लिए यह बताना आवश्यक है कि क्यों अनुभव और ज्ञान का उसका निरूपण ही सही है, और यह बताने के लिए आवश्यक है कि वह तत्त्व या विश्व के स्वरूप की चर्चा करे। यदि प्रत्यक्षवादी इससे बचना चाहते हैं तब उनके लिए कार्नप-न्यूराथ के पक्ष का अवलम्बन करना एक उपाय है, यद्यपि यह एकमात्र उपाय नहीं है, किन्तु निश्चय ही उनके लिए वे रास्ते खुले नहीं हैं जो श्लिक, बर्गमान, एयर और क्वाईन तथा गुडमान आदि ने अपनाए।

कार्नप के इस अतत्त्वमीमांसात्मक अनुभववादी प्रतिपादन की मुख्य कठिनाई यह है कि वे इतने शिल्प-कौशल के बावजूद, जो कि उन्होंने सब वाक्यों को आकारी विधा (फोर्मल-मोड) में रूपान्तरित करने में प्रदर्शित किया है, कुछ भी उपलब्ध नहीं कर पाये, सिवाय यह दिखाने के कि यह रूपान्तरण सम्भव है। किन्तु इस रूपान्तरण का क्या औचित्य है? क्या यह औचित्य स्वयं इस विधा के रूपान्तरण द्वारा स्थापित किया जा सकता है? तत्त्वमीमांसा में क्या दोष है, क्या यह बताने के लिए अर्थ का प्रमाणीकरण-सिद्धान्त अथवा काण्टीय

1. 'यूनिटी ऑफ साईंस', यहाँ जे.ओ. उर्मसन की पुस्तक **फिलोसोफीकल एनेलेसिस,** पृ. 123 से उद्धृत।

अभ्युपगम—कि विशुद्ध प्रत्यय को अनुभव से सम्बद्ध होना चाहिए—आवश्यक नहीं है? किन्तु यह स्थापित करने के लिए वस्तुओं और वस्तुस्थितियों की चर्चा आवश्यक होगी।

कार्नप ने पीछे तार्किक व्याकरण के सिद्धान्त का परित्याग कर दिया और पद-अर्थ-विज्ञान (सिमेंटिक्स) की उपयुक्तता को स्वीकार किया। पदार्थ-विज्ञान का महत्त्वपूर्ण कार्य भाषा तथा उसके वाच्य विषयों में सम्बन्ध का विवेचन करना है। किन्तु इस विवेचन के लिए यह आवश्यक नहीं है कि कोई तत्त्वमीमांसात्मक सिद्धान्त स्वीकार किया जाय, इसमें एक तटस्थ दृष्टि भी हो सकती है जो एक ओर तत्त्वमीमांसा से रक्षा करती है और दूसरी ओर भाषागत वस्तुस्थिति का उपयुक्त निरूपण सम्भव करती है। और यदि इसे दार्शनिक सिद्धान्त के रूप में स्वीकार कर लिया जाय तब यह आपको पूर्णत: भार-मुक्त कर निर्द्वन्द्व विहार का आनन्द देती है। भाषा के सम्बन्ध में कार्नप की इस नवीन दृष्टि में यह उन्मुक्तता हमें भरपूर मिलती है। यदि हम तत्त्वमीमांसात्मक रूप से प्रतिबद्ध नहीं हों तब हमारा वाच्यों के चुनाव में कोई आग्रह नहीं हो सकता। भाषा स्वयं में न तो सामान्यों की असत्ता और विशिष्टों की सत्ता के पक्ष में कोई आधार हमें देती है और न अदृश्य से दृश्य को अधिक सत् मानने के लिए कोई आधार देती है। इसलिए हम सब प्रकार के वाक्यों का प्रयोग उपयुक्त रूप से कर सकते हैं—तब संख्याएँ, वर्ग, सामान्य, प्रत्यय आदि उतनी ही सद्वस्तुएँ हैं जितने संवेद-प्रदत्त, विशिष्ट या व्यष्टि। दार्शनिक के लिए करणीय केवल यह रह जाता है कि वह प्रत्येक वाच्य क्षेत्र के विशिष्ट स्वरूप के अनुसार उपयुक्त भाषा-व्यवस्था की रचना करे, क्योंकि सामान्य भाषा में ये रचना-नियम पूर्णत: व्यवस्थित नहीं हैं। इस प्रकार कार्नप ने रचनात्मक व्यवस्थाओं का निर्माण किया, अर्थात् विभिन्न वाच्य-सन्दर्भों में निहित संरचनाओं (स्ट्रक्चर्स) को व्यक्त किया। इस उन्मुक्त वायवी दृष्टि का दार्शनिक औचित्य उन्होंने अपने एक लेख 'एम्पिरिसिज़्म, सिमेंटिक्स एण्ड ओंटोलोजी' (अनुभववाद, पदार्थ-विज्ञान तथा सत्तामीमांसा) में बहुत स्पष्ट रूप से प्रतिपादित किया है। इसमें उन्होंने दार्शनिक प्रश्नों को दो वर्गों में बाँटा है—आन्तर और बाह्य। उनके अनुसार सत्ता-विषयक प्रश्न बाह्य प्रश्न होते हैं। जैसे 'क्या संख्याओं का अस्तित्व है?' प्रश्न गणित का आन्तर प्रश्न नहीं है, यह बाह्य प्रश्न है, क्योंकि गणित संख्याओं के अस्तित्व पर विचार नहीं करता, वह इनका उपयोग करता है (इन्हें सत् मान कर)। आन्तर प्रश्न उस व्यवस्था के अपने नियमों के अर्थ और संगति की जाँच से सम्बन्ध रखते हैं। कार्नप के अनुसार, बाह्य प्रश्न अनुचित प्रश्न हैं और आन्तर उचित।

इस स्पष्ट सापेक्षतावादी प्रतिपादन के बावजूद न केवल यही कि कार्नप इस उन्मुक्त सिद्धान्त के आपादन दिखाने के लिए अपने आपको गणित तथा तर्क तक सीमित रखते हैं बल्कि अन्य लेखों में इसके (सापेक्षतावाद के) स्पष्टत: विपरीत भी जाते हैं। यदि सापेक्षतावाद सही है और 'वस्तुओं का अस्तित्व' उस वाक्-व्यवस्था पर निर्भर करता है जिसके अन्तर्गत शब्दों का प्रयोग हो रहा है, तब 'यह मेज़ है' जितना प्रत्यक्ष विषयपरक वाग्व्यवस्था में, तथा '2 सम-संख्या है' जितना गणितीय वाग्व्यवस्था में उचित वाक्य है उतना ही 'ईश्वर सर्वशक्तिमान् है' वाक्य भी उचित होना चाहिये, क्योंकि यह धार्मिक वाग्व्यवस्था का वाक्य है। कार्नप के उपर्युक्त लेख के तर्क का अनुसरण करते हुए तो इसके विरुद्ध केवल यही आपत्ति की जा सकती है कि यह धार्मिक वाक्-प्रयोग के सन्दर्भ में उचित वाक्य नहीं है, जोकि वे सिद्ध नहीं कर पायेंगे। किन्तु वे तो वास्तव में धार्मिक सन्दर्भ को ही उचित मानने को तैयार नहीं हैं जोकि उस सन्दर्भ की वाग्व्यवस्था पर बाह्य आपत्ति है। अपने एक अन्य महत्त्वपूर्ण लेख 'मैथेडोलोजीकल करेक्टर ऑफ साइंटीफीक कांसेप्ट्स'[1] में कार्नप ने भाषा के रचना और अनुवाद के नियमों का प्रतिपादन कर पहले भौतिक विज्ञान के ऐसे वाक्यों का प्रत्यक्षमूलक वाक्यों में रूपान्तरण करने का प्रयत्न किया है जोकि अन्यथा प्रत्यक्षमूलक नहीं हैं और तत्पश्चात् मानसिक अवस्थाओं के वाचक वाक्यों का भौतिक अवस्थाओं के वाचक वाक्यों में रूपान्तरण किया है। अब, यह रूपानतरण भौतिकवादी (फ़िज़िकलिस्टिक) सिद्धान्त के अनुसार है और यह अथवा अन्य कोई ऐसा सिद्धान्त तब तक सम्भव नहीं है जब तक कि बाह्यालोचक नहीं बना जाय। क्योंकि ऐसा सिद्धान्त समस्यात्मक होना आवश्यक है और परिणामत:

1. **मिन्नेसोटा स्टडीज़ इन फिलोसोफी ऑफ साईंस,** सम्पादक फाइग्ल तथा सैल्लर्स, जिल्द 1.

इसके लिए सब आयामों (रैल्म्स) तथा वाच्य-क्षेत्रों का एक आयाम तथा वाच्य-क्षेत्र में अन्तर्भाव आवश्यक है। कार्नप से भी बढ़कर क्वाईन सापेक्षतावाद के समर्थक हैं और उन्होंने इसका प्रतिपादन अपने लेख 'अनुभववाद की दो पूर्व मान्यताएँ' में बहुत स्पष्ट और विदग्ध रूप से किया है।[1] उनका यह सापेक्षतावाद कार्नप से अधिक मूलगामी है, क्योंकि इसे वे भाषा (वाच्य-क्षेत्र की सापेक्षता) तक सीमित नहीं रखते बल्कि इसे वे 'अवधारणात्मक सापेक्षता' कहते हैं। यह अवधारणात्मक सापेक्षता यद्यपि भाषा में भी लक्षित होती है किन्तु यह उससे व्यापकतर है। इसकी यह व्यापकतरता एक भाषा से दूसरी भाषा में अनुवाद की असम्भवता से प्रकट होती है, जिसका अर्थ है कि भाषा का वाच्य उससे अलग नहीं होता। इस प्रश्न पर उन्होंने अपनी पुस्तक **शब्द तथा विषय (वर्ड एण्ड ऑब्जेक्ट)** में विस्तार से विचार किया है।

किन्तु इसके बावजूद वे अस्तित्वमीमांसी हैं और इस अस्तित्व-मीमांसा में लाघव के पक्षपाती हैं। उन्होंने, तथा गुडमैन[2] ने पूर्णत: विशिष्टतावादी-भौतिकवादी अस्तित्वमीमांसा को स्वीकार किया है। इसके लिए क्या औचित्य है, इस सम्बन्ध में कोई तर्क उन्होंने नहीं दिया है। शायद वे इसकी आवश्यकता भी नहीं समझते, उनके लिए समस्या केवल यही है कि भाषा में प्रयुक्त ऐसे वाक्यों का, जिनमें सामान्यवाचक अथवा मानसिक वस्तुवाचक पद प्रयुक्त होते हैं, अन्तर्भाव ऐसे वाक्यों में कैसे किया जाय जिनमें केवल विशिष्टता-वाचक अथवा भौतिक वस्तुवाचक पद घटित होते हैं। क्वाईन के शब्दों में—"भौतिक घटनाओं का अस्तित्व तो सिद्ध है ही, तब दूसरी कोटि को क्यों लाया जाय? इस प्रकार यह कहा जा सकता है कि अन्तर्दर्शन (इन्ट्रोस्पैक्शन) अपनी भीतरी शारीरिक अवस्थाओं को देखना ही है, जैसे यकृत के तेजाब को।"[3] किन्तु इस लाघव को दर्शन का प्रमुखतम आदर्श नहीं बनाया जा सकता, यह केवल तार्किक-आकारिक व्यवस्थाओं का ही लक्ष्य हो सकता है। हमारे यहाँ यह वैयाकरणों का लक्ष्य रहा है, दार्शनिकों का नहीं। यदि लाघव को दर्शन का आदर्श होना ही है तब फिर विशिष्ट और भौतिक के पक्ष में ही यह लाघव क्यों किया जाय, सामान्य और मानसिक के पक्ष में क्यों नहीं किया जाय? और पुन:, यह वास्तव लाघव भी नहीं कहा जा सकता, क्योंकि उस अवस्था में प्रत्येक घटना एक पृथक् सत्ता होगी। इन घटनाओं को 'विशिष्ट' या 'भौतिक' कहकर इन्हें उपयुक्त रूप से कोटिकृत नहीं किया जा सकता, क्योंकि एक व्यवस्था के अन्तर्गत कोटिकरण (केटेगराइज़ेशन) वदतोव्याघात होगा।

किन्तु उपर्युक्त आलोचना से इन दार्शनिकों के वास्तव कृतित्व का अनुमान नहीं हो सकता। इन्होंने इस अनुभववादी प्रतिज्ञा को सिद्ध करने के लिए कि सब सार्थक कथन या तो प्रत्यक्षमूलक हैं अन्यथा केवल आकारिक हैं, सब प्रकार की कथन-विधाओं (मोड्स ऑफ स्टेटमेंट्स) का विस्तृत और सूक्ष्म यद्यपि मतांधता से विवेचन किया। इस प्रकार आकारिक तर्क तथा व्याकरण और अर्थ-विषयक प्रश्नों के विवेचन के लिए विश्लेषणात्मक शिल्प-कौशल का जो विकास हुआ वह अभूतपूर्व था। इस प्रकार की दर्शन-प्रणाली प्रकृष्टतम रूप में कार्नप की **लोजीकल साइंटेक्स ऑफ लेंग्वेज** तथा **मीनिंग एण्ड नेसेसिटी** में, क्वाईन की **फ्राम ए लॉजीकल प्वाइंट ऑफ व्यू** तथा **वर्ड एण्ड ऑब्जेक्ट** में, और गुडमैन की **स्ट्रक्चर ऑफ अपीयरेंस** तथा स्ट्रॉसन की **इंडीविडुअल्स** पुस्तकों में प्रखरतम रूप में फलीभूत हुई है। इन पुस्तकों के दृष्टिकोणों तथा विधियों में बहुत अन्तर है, किन्तु तब भी ये भाषा तथा आकारिक तर्क के प्रति अपने आग्रह में समान हैं। स्ट्रॉसन निश्चय ही आकारिक तर्क का आश्रय नहीं लेते, वे इसके विरुद्ध भी हैं, किन्तु व्याकरण की कोटियों के विश्लेषण को दार्शनिक समस्याओं की कुँजी उन्होंने भी माना है।

आधुनिक अनुभववादी-प्रत्यक्षवादी दर्शन की तीसरी मुख्य शाखा को विश्लेषणवाद, लोक-भाषा विश्लेषणवाद, उपचारवाद (थिरेप्यूटिज़्म) इत्यादि बहुत-से नाम दिये गए हैं। इसका प्रथम प्रवर्त्तक कुछ लोग मूर

---

1. **फ्राम ए लोजीकल प्वाईंट ऑफ व्यू** में संकलित।
2. गुडमैन, **स्ट्रक्चर ऑफ अपीयरेंस।**
3. क्वाईन, **वर्ड एण्ड ऑब्जेक्ट,** पृ. 264.

को भी मानते हैं, किन्तु यह केवल वंश-परम्परा को और अधिक प्राचीन बनाने के विचार से। अन्यथा इस विशेष विधि के स्वरूप और औचित्य पर सर्वप्रथम विट्गिंस्टाईन ने विचार किया। विट्गिंस्टाईन के ये विचार उसकी मरणोपरान्त प्रकाशित पुस्तक **फिलोसोफीकल इन्वेस्टीगेशंस्** में संकलित हैं। इस सम्प्रदाय के मुख्य दार्शनिक विज़्डम, राईल, ऑस्टिन तथा वेज़मान हैं।

यद्यपि इस सम्प्रदाय के दार्शनिक इस सम्प्रदाय को तार्किक प्रत्यक्षवाद की, अथवा अनुभववाद की भी, एक शाखा नहीं मानते, बल्कि उन्हें इस विशेषण से चिढ़ है, किन्तु तब भी दूसरे देखते हैं कि 'कुल सपूत जान्यो परत लखि सुभ लच्छन गात।' इस सम्प्रदाय में तथा ऊपर चर्चित दो सम्प्रदायों में वास्तव में ही निकट बन्धुता का सम्बन्ध है। यह बन्धुता इनके तत्त्वमीमांसा-विरोध में, भाषा-विश्लेषण को दर्शन की इतिकर्त्तव्यता मानने में, तथा लोक-धारणाओं और विज्ञान को प्रामाणिकता की पराकाष्ठा मानने में, निहित है। जैसाकि हमने ऊपर देखा, इस सम्प्रदाय का एक नाम उपचारवाद भी है। इस नामकरण का कारण विट्गिंस्टाईन द्वारा दर्शन का कार्य स्पष्ट रूप से यह प्रतिपादित करना है कि स्वत: कोई दार्शनिक समस्याएँ नहीं होतीं, ये समस्याएँ कुछ लोगों द्वारा कुछ भाषा-प्रयोगों का स्वरूप ठीक-ठीक नहीं समझ पाने के फलस्वरूप उत्पन्न भ्रम के कारण होती हैं। उनके अनुसार, "दार्शनिक समस्या का स्वरूप इस प्रकार का होता है—मुझे रास्ता नहीं सूझ रहा है।" और पुन: "जब हम दार्शनिक चिन्तन में प्रवृत्त होते हैं तब हम उन असभ्य-आदिम लोगों की भूमिका में होते हैं जोकि सभ्य लोगों द्वारा बोले गए वाक्य सुनते हैं और उनसे विचित्र निष्कर्ष निकालते हैं।" पुन:, "दर्शन में आपका क्या उद्देश्य होता है? बोतल में फँसी मक्खी को बाहर निकलने का रास्ता दिखाना।" ये दो उद्धरण परस्पर विरोधी प्रतीत होते हैं। इस विरोध का परिहार इस प्रकार है कि प्रथम में दार्शनिक-चिंतक को जबकि 'बोतल में फँसी मक्खी' के रूप में देखा गया है, दूसरे में उसे 'बोतल में फँसी मक्खी को बाहर निकलने का रास्ता दिखाने वाले के रूप में।' ये दोनों स्थितियाँ दार्शनिक की ही होती हैं, क्योंकि लोक-साधारण न अकारण उलझन में पड़ता है और न उसे निकलने की आवश्यकता होती है। भाषा को ग़लत समझने के कारण उलझन में पड़ने वाले दार्शनिक और ये उपचारवादी दार्शनिक एक ही कोटि के नहीं हैं। प्रथम प्रकार के दार्शनिक वे हैं जिनकी 'बुद्धि भाषा (लोक-भाषा) के द्वारा व्यामोहित (बिविच्ड) होती है', जो 'व्याकरणमूलक भ्रान्तियों से विभ्रान्ति होते हैं', जो 'हमारी भाषा की वाक्य-रचनाओं की ग़लत व्याख्या' के कारण तत्त्वमीमांसा की भूलभुलैया में फँसते हैं। और दूसरे प्रकार के दार्शनिक वे हैं जो 'हमारी भाषा के वास्तव व्यापार को स्पष्ट करते हैं और विपरीत आकर्षण होने पर भी इसी वास्तव व्यापार को पहचानने के लिए हमें बाध्य करते हैं।'

यह दार्शनिक व्यामोह या विभ्रान्ति कैसे उत्पन्न होती है? **ट्रक्टेटस लोजीको फिलोसोफीकस** पुस्तक में विट्गिंस्टाईन ने भाषा का कार्य तथ्य-चित्रण कहा था। इस कारण उसके लिए आवश्यक हो गया कि वह ऐसे सब वाक्यों का, जो प्रकटत: किसी तथ्य का चित्रण नहीं करते हैं, ऐसे वाक्यों में अन्तर्भाव करे जो यह चित्रण करते हैं। परिणामत: जो वाक्य इस प्रकार अन्तर्भूत नहीं किये जा सकते थे उन्हें उसने निरर्थक कहा।

अब, **इन्वेस्टीगेशंस्** में उसका मत था कि भाषा का कोई एक ही कार्य नहीं है। शब्द और वाक्य विभिन्न कार्यों का सम्पादन करते हैं और विभिन्न प्रयोजन सिद्ध करते हैं। सो, दार्शनिक का प्रथम कार्य यह देखना है कि ये कितने विभिन्न प्रकारों के हैं। "औज़ारों की सन्दूकड़ी में पड़े औज़ारों की ओर ज़रा ध्यान दो; इसमें हथौड़ा होता है, पेचकस होता है, आरी होती है, फट्टा रहता है, बर्सा होता है, और पेच तथा कीलें आदि होती हैं। शब्दों के प्रकार्य उतने ही भिन्न-भिन्न प्रकार के होते हैं जितने इन औज़ारों के। दार्शनिक चिन्तन करते हुए हम शब्दों के किसी एक व्यापार को उनका एकमात्र व्यापार मानने लगते हैं। किन्तु ऐसा कोई भी एक विवरण बेकार है, उतना ही बेकार जितना बेकार औज़ारों का कोई एक कार्य मान कर दिया गया विवरण होगा। यदि हम कहें 'सब औज़ारों का कार्य कुछ घड़ना है' तब इससे क्या लाभ होगा? यह हमें हथियारों के सम्बन्ध में कोई ज्ञान नहीं देगा। इसी प्रकार, 'वाक्य कितने प्रकार के हैं?' कहेंगे, कथनात्मक, प्रश्नात्मक और विध्यात्मक...किन्तु वास्तव में ये असंख्य प्रकार के हैं। जिन्हें हम 'शब्द', 'प्रतीक', 'वाक्य' कहते हैं उनके असंख्य प्रकार के उपयोग हैं।"

क्रीड़ाओं को लें। "इन सब में क्या सामान्य है?...यह कहना उचित नहीं है कि कुछ अवश्य सामान्य होगा, अन्यथा उन्हें क्रीड़ाएँ नहीं कहा जायगा...किन्तु **देखो और जाँचो** कि क्या वास्तव में इनमें कुछ भी सामान्य है? क्योंकि यदि तुम इन पर दृष्टिपात करोगे तब पाओगे कि इनमें कुछ भी सामान्य नहीं है, बल्कि केवल अनुरूपताएँ हैं, सम्बन्ध हैं, और इनकी एक पूर्ण शृंखला इनमें है। सो 'विचारो नहीं, देखो' (डोंट थिंक बट लुक)।"

यहाँ हमने अत्यन्त संक्षेप में विट्गिंस्टाईन के नवीन विचारों का विवरण दिया है और इस प्रसंग में उनके कुछ चमत्कारी वाक्प्रयोग उद्धृत किये हैं। इनसे इंगलैण्ड का युवक समाज बहुत चमत्कृत हुआ और उसने इन्हें श्रुति वचनों के समान ग्रहण कर इन पर मनन और निदिध्यासन आरम्भ किया। राईल का एक लेख इस क्रम में है 'व्यवस्थित रूप से भ्रामक अभिव्यक्तियाँ', जो इन नवीन प्रवृत्तियों का प्रतिनिधि लेख समझा जाता है। जैसाकि इस लेख के शीर्षक से ही स्पष्ट है, इसमें राईल ने कुछ वाक्यों का विश्लेषण किया है जिनके सम्बन्ध में उसका विचार है कि दार्शनिक इन या ऐसे वाक्यों के व्याकरण-रूप को सत् का द्योतक मानने के कारण भ्रमित हुए हैं। उसके अनुसार, वाक्यों का न तो कोई स्थिर अर्थ होता है और न ये सत् के चित्र होते हैं। वाक्यों का अर्थ उनके प्रयोग के सन्दर्भ में ही समझना चाहिये।

उनका यह लेख अधिकांश में बर्ट्रंड रसल के 'ऑन डिस्क्रिप्शंस्' लेख की अनुवृत्ति जैसा लगता है और बहुत कुछ वह वैसा है भी, किन्तु अपनी मूल दृष्टि में यह उससे बहुत भिन्न है। रसल यह मानते हैं कि "भाषा का एक मूल ढाँचा है जिसके वाक्य संज्ञा और सम्बन्धवाचक पदों से रचित होते हैं। यह ढाँचा सत् के ढाँचे के अनुरूप है और संज्ञा तथा विधेय पद सत् के द्योतक होते हैं।" 'स्वर्ण-पर्वत का अस्तित्व नहीं है' जैसे वाक्यों में 'स्वर्ण-पर्वत' वास्तव में संज्ञा-पद नहीं होकर वर्णनात्मक पद है, जो किसी का वर्णन नहीं करता। इसके विपरीत राईल किन्हीं ऐसी 'मूल संज्ञाओं', 'मूल विधेयों' और 'मूल वाक्यों' को नहीं मानते। अपने इस लेख का निष्कर्ष बताते हुए वे लिखते हैं—

"इस प्रकार मेरे विचार में, यह प्रश्न करने, अथवा कहने में भी कि इस कथन का क्या अर्थ है, एक तुक है। क्योंकि जब कोई अभिव्यक्ति किसी तथ्य के वास्तव रूप को छिपाती हो अथवा उपयुक्त रूप से प्रकट नहीं करती हो, तब यह प्रश्न करना उचित ही है कि वाच्य तथ्य का वास्तव रूप क्या हैञ और इस तथ्य का हम नवीन पद-योजना द्वारा कथन कर सकते हैं जो कथन कि उसे प्रकट कर देता है जिसे कि प्रथम पद-योजना प्रकट नहीं कर रही थी। इस समय मैं सोचता हूँ कि यही दार्शनिक विश्लेषण है और यह दर्शन का एकमात्र कार्य है।...किन्तु क्योंकि अपने पाप की स्वीकृति आत्मा के लिए श्रेयस्कर है, इसलिए मुझे यह स्वीकार करना ही चाहिये कि मुझे वे निष्कर्ष, जिनकी ओर ये निष्कर्ष संकेत करते हैं, बहुत रुचिकर नहीं हैं। मैं दर्शन को भाषा में दोषपूर्ण वाक्य-रचनाओं तथा भ्रान्त सिद्धान्तों के स्रोत खोजने से उत्कृष्टतर कार्य देना चाहूँगा। किन्तु इसमें मुझे सन्देह नहीं है कि दर्शन कर कम-से-कम यह कार्य तो है ही।"

अपने इस लेख के निष्कर्षों का उन्होंने अपनी पुस्तक **दि कांसेप्ट ऑफ माईंड** में अनुसरण किया है और उन विभिन्न शब्दों के विभिन्न प्रयोग-प्रसंग दिखाए हैं जो मानसिक स्थितियों के वाचक समझे जाते हैं। इस पुस्तक का लक्ष्य यह दिखाना है कि 'मन-संज्ञक कोई सत्ता या वस्तु नहीं है जो व्यवहार और क्रियाओं से भिन्न और अतिरिक्त कुछ है। यह केवल हमारे (दार्शनिकों के) आदिम विश्वासों का अवशेष है कि हम व्यवहारों और क्रियाओं के पीछे किसी सत्ता की खोज करते हैं, जैसे आदिम लोग मशीन को चलते देखकर उसमें भूत की कल्पना करते हैं।' उनका यह दृष्टिकोण विट्गिंस्टाईन द्वारा प्रवर्तित इस दार्शनिक मत के अनुरूप ही था कि अर्थ का वाक्य से पृथक् कोई अस्तित्व नहीं है। वे अर्थ को **प्रयोग-सन्दर्भ का प्रकार्य** मानते हैं। दूसरे शब्दों में, अर्थ शब्द-प्रयोग के सन्दर्भ में निहित होता है। इस प्रतिज्ञा का अनुसरण करने पर यह निष्कर्ष सहज है कि मन मनस्क्रियाओं और व्यवहार का ही जाति-नाम है—'राम क्रुद्ध है' का यह अर्थ नहीं कि 'राम के भीतर क्रोध संज्ञक कोई स्थिति विशेष है।' यह राम के वर्तमान व्यवहार और सम्भाव्य व्यवहार के सम्बन्ध में कथन का ही एक संक्षिप्त रूप है।

यह प्रतिपादन उतना अनुपयुक्त नहीं है जितना यह प्रथम दृष्टि में प्रतीत होता है। ऐसा प्रतीत होने का कारण यह है कि राईल का झुकाव बहुत कुछ भौतिकवादी-वैज्ञानिकतावादी है। इसकी पुष्टि उनकी 'मशीन में भूत' की उपमा से भी होती है। किन्तु इस प्रतिपादन की मूल प्रतिज्ञा के लिए भौतिकवादी आग्रह न केवल आवश्यक ही नहीं है बल्कि अनुपयुक्त भी है। अर्थ को 'शब्द-प्रयोग का व्यापार' कहने के लिए आवश्यक है कि सन्दर्भ को **सगर्भ ध्वनि** माना जाय और प्रयोग-सन्दर्भ को एक **सगर्भ सन्दर्भ।** 'सगर्भ' से यहाँ यह अभिप्राय नहीं है कि अर्थ संज्ञक कोई वस्तु है जो ध्वनि में अन्तर्हित है, यहाँ कहने का अभिप्राय यह है कि यह ग्रामोफोन रिकार्ड द्वारा ध्वनित और टेपरिकार्डर द्वारा श्रुत से बहुत अधिक कुछ है। पुन:, अर्थ उतना ही प्रयोग-निर्भर है जितना प्रयोग अर्थ-निर्भर, दोनों एक ही वस्तुस्थिति के दो पक्ष हैं। इसी प्रकार मन के लिए भी : 'मुझे ज्ञात है कि यह मेज़ है' का यह विश्लेषण बहुत अधिक समीचीन है कि यह किसी मन-संज्ञक वस्तु में किसी घटना के घटित होने के सम्बन्ध में कथन नहीं है, यह दौड़ की प्रतियोगिता में जीत के जैसा है जिसमें जीत संज्ञक कोई वस्तु या स्थिति नहीं होती। किन्तु इसमें एक बड़ी महत्त्व की बात छोड़ दी गई है : जब मैं कहता हूँ कि 'मैं जानता हूँ'...तब जानना अवश्य ही अन्यान्य स्थितियों का व्यापार है, किन्तु 'जान पाने' और 'जान पाने में असफल रहने' के बीच कुछ सामान्य भी है और यह मात्र 'मेज़ के होने' से मूलत: भिन्न है, इस बात की उपेक्षा नहीं की जा सकती। इसे चाहे व्यवहार, क्रिया या इनकी सम्भावना से पृथक् नहीं मानें, किन्तु तब आप व्यवहार, क्रिया आदि को भी मशीन की पदावली में नहीं समझ सकते। **यहाँ आधारभूत महत्त्व की बात यह है कि यदि मन को मशीन के भीतर भूत-कल्पना मानेंगे तो भूत-द्रव्य वह भुतही भूमि होगी जिस पर मशीन दिखती है। किन्तु इन लोगों के लिए भौतिक द्रव्य तो प्रत्यक्ष-सिद्ध ही है, धोखे की बात तो दिखाई नहीं देने वाली बात में है।**

ऐसा नहीं है कि इस सम्प्रदाय के सभी दार्शनिक राईल के समान ही व्यवहारवाद के प्रतिपादक हैं, स्वयं विट्गिंस्टाईन ही नहीं थे, और न वेज़मान ही थे, किन्तु तब भी इस सम्प्रदाय में ऐसी प्रवृत्तियों की ओर ही झुकाव दिखाई पड़ता है जिनसे व्यवहारवाद-भौतिकवाद को बल मिलता है। हमारे इस कथन की पुष्टि इस सम्प्रदाय के दार्शनिकों की नीति-मीमांसा से होती है। वे नीति-वाक्यों को आदेश-वाक्यों, आवेग-व्यंजक वाक्यों आदि में अन्तर्भाव्य मानते हैं, यद्यपि वे इस आपत्ति को स्वीकार नहीं करेंगे, क्योंकि उनका तो मत है कि वे नैतिक वाक्य-प्रयोग का ही स्वरूप दिखा रहे हैं, स्वयं वाक्य-प्रयोग के ही द्वारा। किन्तु 'क उत्कृष्ट है' के प्रयोग-सन्दर्भों को देखने से ही ऐसा कुछ प्रतीत होता है। उदाहरणत: 'नैतिक अंधापन' एक प्रयोग है और इसका पसन्द-नापसन्द की पदावली में **अनुवाद** सम्भव दिखाई नहीं देता, केवल अन्तर्भाव-आग्रह ही सम्भव हो सकता है।

जैसाकि हमने पीछे देखा, विट्गिंस्टाईन ने दर्शन का कार्य दार्शनिक के भाषाजन्य व्यामोह का निरास करना कल्पित किया था और परिणामस्वरूप इन अनुयायी दार्शनिकों ने अपना कर्त्तव्य व्यामोहित दार्शनिकों का उपचार करना मानकर समकालीन तार्किक अणुवाद और तार्किक प्रत्यक्षवाद की आलोचना की। विज़्डम की तो एक पुस्तक का नाम ही **तत्त्वमीमांसा और मनोविश्लेषण (मैटाफ़िजिक्स एण्ड साइकोएनेलेसिस)** है। इसमें उन्होंने तत्त्वमीमांसा को मनोग्रन्थियों का परिणाम माना है और उसका मनोविश्लेषण किया है। किन्तु विज़्डम के विपरीत वेज़मान, जोकि इस सम्प्रदाय के एक बहुत स्वस्थ और उदार दार्शनिक हैं, तत्त्वमीमांसा को इस प्रकार व्यामोह और मनोव्याधि का परिणाम नहीं मानकर उसे 'हमारी अवधारणाओं में गहरे झाँक कर ऐसी तहें देखने वाला' मानते हैं "जिन अवधारणाओं को साधारण लोग ऊपर से ही देखते हैं और इसलिए उन्हें कोई उलझन दिखाई नहीं देती।"[1] उनकी यह उदारता उनके भाषाविषयक दृष्टिकोण में भी परिलक्षित होती है। इस प्रसंग में उनका लेख 'लेंग्वेज स्ट्राटा' द्रष्टव्य है। इसमें से यहाँ एक उद्धरण देना समीचीन होगा—

"यह तथ्य कि भाषा ऐन्द्रिय संवेद के स्तर से उठकर मानसिकता के स्तर पर आरोहण करती है, एक विचित्र वस्तुस्थिति को जन्म देता है : बहुत बार हम एक शब्द के पीछे एक अन्य अभिप्राय की, जोकि गहनतर

---

1. 'हाउ आई सी फिलोसोफी' एयर द्वारा सम्पादित **लौजीकल पॉज़िटिविज़्म** पुस्तक में संकलित।

तथा अर्ध-गुह्य होता है, झलक देखते हैं, और एक अन्य अर्थ के दबे-पाँव-प्रवेश की आहट अनुभव करते हैं, जिसमें तथा जिसके साथ दूसरे अर्थ भी ध्वनित हो उठते हैं। और ये सब अर्थ शब्द के मूल अर्थ के साथ घण्टी के अनुरणनों के समान गुँजरित होते हैं।"[1] यहाँ शब्द और अर्थ के सायुज्य और शब्द और अर्थ की प्रयोग-निर्भरता का बहुत ही सुन्दर वर्णन है और साथ-ही-साथ शब्द की अध्यात्म-स्वरूपता विस्पष्ट है। भाषा तथा मानसिकता के प्रति यदि दृष्टिकोण किश्होम के लेख 'इंटेंशनल इनेग्ज़िस्टेंस' (उनकी पुस्तक **'पर्सीविंग'** के परिशिष्ट में संकलित) में भी है। इस प्रकार इस सम्प्रदाय का कोई निश्चित दार्शनिक मत नहीं है, सिवाय इस बात के कि ये तत्त्वमीमांसा और रचित भाषा-व्यवस्थाओं के विरुद्ध हैं।

फाइग्ल ने **'मिन्नेसोटा स्टडीज़ इन फिलोसोफी ऑफ साईंस'** की जिल्द 1 के प्रवेश में रसल-मूर से लेकर राईल-ऑस्टिन तक सब को प्रत्यक्षवाद के अन्तर्गत ही रखा है और इन तीन सम्प्रदायों को तीन शाखाएँ कहा है। इसी प्रकार एअर ने **तार्किक प्रत्यक्षवाद** पुस्तक में रसल तथा राईल और वेज़मान के लेख भी संकलित किये हैं। इनमें क्या सामान्य है, यह उपर्युक्त विवेचन से स्पष्ट हो जाना चाहिए। इनमें मतभेद वास्तव में एकमत्य के अन्तर्गत हैं। यह ऐकमत्य मूल दृष्टिकोण में है—ये सभी तत्त्वमीमांसा-विरोधी हैं, सभी दर्शन का कार्य विशिष्ट प्रश्नों पर विचार करना मानते हैं और एक समग्र व्यवस्था के निर्माण में विश्वास नहीं करते, सभी अध्यात्म, मृत्यु, जीवन का लक्ष्य और अर्थ विषयक समस्याओं को वर्जनीय मानते हैं। इस प्रकार ये निश्चित रूप से एक ही जाति के हैं।

1. फ्लू द्वारा सम्पादित **एस्सेज़ ऑन लोजिक एण्ड लेंग्वेज,** जिल्द 2 में संकलित, पृ. 13.

2

सांख्य दर्शन में मनुष्य की अवधारणा

साँख्य–दृष्टि का मर्म

परम्परागत रूप से दर्शन के विषय परलोक, परमार्थ, परमात्मा, आत्मा आदि रहे हैं। उदाहरण के लिए, सृष्टि की रचना किस पदार्थ से हुई, किसने की, ये प्रश्न विशिष्ट रूप से दार्शनिक प्रश्न ही माने जाते रहे हैं। आज कुछ लोग इन प्रश्नों को अतिप्रश्न, निरर्थक प्रश्न कहने लगे हैं यह बात दूसरी है, किन्तु वास्तव में आज भी दर्शन, पदावली के थोड़े अन्तर के साथ, इन्हीं प्रश्नों पर विचार करता है। भौतिकवाद, प्रत्ययवाद, आदर्शवाद आदि नाम इन्हीं प्रश्नों के उत्तरों के वर्गीकरण के रूप में हैं। जो लोग इन प्रश्नों को अतिप्रश्न कहते हैं उनका तर्क यह है कि इन प्रश्नों का उत्तर नहीं दिया जा सकता, क्योंकि हम अपने ज्ञान की सीमाओं के बाहर नहीं जा सकते, और सत्ता सम्बन्धी ये प्रश्न ज्ञान की सीमा के बाहर हैं। किन्तु, जब वे ज्ञान के मूल तत्त्वों के सम्बन्ध में प्रश्न करते हैं तब प्रश्नों का मूल सम्बन्धी होना ही इनको दार्शनिक प्रश्न बनाता है और विज्ञान से इन्हें भिन्न करता है। उदाहरण के लिए, सृष्टि की रचना जल से या अग्नि से हुई, यह उत्तर दार्शनिक उत्तर है, जबकि भौतिक तत्त्व क्या है। इसका उत्तर वैज्ञानिक है। किन्तु यह उत्तर भी तब दार्शनिक हो जाता है जब इसका सन्दर्भ मूल–विषयक हो जाता है। उदाहरण के लिए डेकार्ट की 'भौतिक' की परिभाषा लें। उस परिभाषा का सन्दर्भ है कि मूल सत् क्या है? इसका उत्तर है, यह एक नहीं दो द्रव्य हैं, आदि। इसी प्रकार साँख्य भी सत् के मूल स्वरूप के सम्बन्ध में विचार करता है और इसे द्वि–विध मानता है। इसके दो तत्त्वों के नाम प्रकृति और पुरुष हैं।

दर्शन के इस प्रकार सत्ता और परमार्थ सम्बन्धी प्रश्नों में ही व्यस्त रहने के कारण अधिकांश में समझ लिया जाता है कि इसका विचार–विषय मनुष्य नहीं है। क्योंकि मनुष्य संसार का या सत्ता का एक अंश मात्र है, पूरा संसार तो वह नहीं है। उदाहरणत: थेल्स ने संसार का मूल द्रव्य जल को कहा, उसके प्रश्न और उत्तर का सम्बन्ध मनुष्य के स्वरूप से कहीं दूर से भी स्थापित नहीं होता। तब इसी तरह मूल तत्त्व ब्रह्म है, या प्रकृति और पुरुष है, इसका भी सम्बन्ध मनुष्य के स्वरूप से नहीं होना चाहिए। वास्तव में प्रकट रूप से यह है भी नहीं। आख़िर जब उपनिषद् या शंकर अस्तित्व मात्र का तत्त्व ब्रह्म को कहते हैं तब जितना यह मनुष्य के लिए है उतना ही पशु के लिए भी है और उतना ही पहाड़, नदी, ग्रह–नक्षत्र आदि के लिए भी है। न्याय दर्शन जब तीन तत्त्वों—ईश्वर, जीव, प्रकृति—को मूल मानता है, तब न तो ईश्वर मनुष्य है और न प्रकृति, और जहाँ तक जीव का सम्बन्ध है, वह भी केवल मनुष्य तक ही सीमित नहीं है, मनुष्य केवल एक योनि है, लाखों में से एक। इस प्रकार दर्शन का सन्दर्भ, उसका जिज्ञास्य, अस्तित्व मात्र ही होता है। किन्तु यह सन्दर्भ अपने आप में अधिक अर्थवान् नहीं होता, इसकी सार्थकता की धुरी मनुष्य के स्वरूप की व्याख्या ही होती है। उदाहरण के लिए, भारतीय परम्परा में मान्य जीव की 84 लाख योनियाँ वास्तव में उस कर्म के फल के भोग के लिए हैं जो वह जीव मनुष्य योनि में करता है। ईश्वर यद्यपि संसार का रचयिता है, किन्तु यह संसार वास्तव में मनुष्य का संसार ही है, मनुष्य के बिना संसार में सम्भवत: ईश्वरवादी दर्शनों की वैसी रुचि नहीं हो सकती थी। तो भी बहुत–से ईश्वरवादी दर्शन इतना प्रत्यक्ष रूप से मनुष्य के स्वरूप से सम्बन्धित नहीं हैं। किन्तु साँख्य, वेदान्त, मीमांसा, बौद्ध, जैन, प्लेटो, अरस्तू, कन्फ्यूशियस, ताओ आदि अधिकांश दर्शन मुख्य रूप से और प्रत्यक्ष रूप से मनुष्य के स्वरूप का ही चिन्तन करते हैं और उसी केन्द्र पर से सत्ता के स्वरूप पर विचार करते हैं। वास्तव में दार्शनिक सार्थकता का केन्द्र अनिवार्यत: मनुष्य है। उदाहरण के लिए, मनुष्य योनि के बिना शेष सब योनियाँ उसी प्रकार हैं जिस प्रकार नाभि के बिना चक्र के अरे। इसी से यह भी कहा जा सकता है कि जिस दर्शन का तत्त्व–विचार जितना ही प्रत्यक्ष रूप से मनुष्य के स्वरूप की व्याख्या से सम्बन्धित होता है वह उतना ही सार्थक होता है। इसी से साँख्य–दर्शन की जो गरिमा गीता में प्रकट हुई है वह अन्यत्र नहीं। अवश्य साँख्य–सूत्र और साँख्यकारिका ही साँख्य के आधार–ग्रन्थ हैं, और उनमें समग्र सत्ता के स्वरूप पर ही विचार है, किन्तु इस विचार का केन्द्र–बिन्दु मनुष्य ही है

जिसके साध्य और साधक-बाधक के रूप में पुरुष और प्रकृति कल्पित हैं। यह तथ्य गीता में पूर्ण प्रकर्ष के साथ प्रकट होता है। किन्तु हम साँख्य के अनुसार मनुष्य के स्वरूप पर प्रत्यक्षत: विचार करने से पहले साँख्य के तत्त्व-चिन्तन पर, मुख्यत: पुरुष और प्रकृति के स्वरूप पर विचार करेंगे।

साँख्य द्वैतवादी दर्शन है, अर्थात् उसके अनुसार सत् के दो मौलिक घटक हैं, अथवा कहें दो मूल सत् हैं, एक चित् और दूसरा अचित्, जिन्हें साँख्य क्रमश: 'पुरुष' और 'प्रकृति' नाम देता है। किन्तु यह मौलिक सत्, या सत् के मौलिक पक्ष, दो ऐसी वस्तुएँ नहीं हैं जिन्हें हम देखते हैं और पहचानते हैं, चाहे यह देखना और पहचानना अत्यानुभविक ही क्यों न हो। क्योंकि इनमें एक : पुरुष : देखने वाले की आत्यन्तिक विषयिता, दृष्टि का तत्त्व, आत्यन्तिक दर्शकत्व है, जबकि दूसरा इसी विषयी का विषयत्व है। दूसरे शब्दों में इसे 'मनुष्य के लिए संसार' : मानव और जगत् के सम्बन्ध : के रहस्य का निरूपण कह सकते हैं, जिसमें 'मानव' वह स्वयं है, जो रहस्य के निरूपण में निरूपकत्व है। इस प्रकार साँख्य दर्शन, और वास्तव में अन्ततः कोई भी दर्शन, मनुष्य और जगत् के सम्बन्ध के रहस्य के निरूपण का ही प्रयत्न करता है।

हमने कहा, साँख्य द्वैतवादी है, अर्थात् कुछ दर्शन अद्वैतवादी भी हैं, और कुछ बहुत्ववादी भी हैं। भारतीय दर्शनों में वेदान्त, विज्ञानवादी बौद्ध, और चार्वाक अद्वैतवादी दर्शन हैं, साँख्य द्वैतवादी और न्याय तथा वैशेषिक बहुत्ववादी हैं, आदि-आदि। ये सब इसी रहस्य 'मानव-जगत्' के निरूपण के प्रयत्न हैं।

साँख्य द्वैतवादी क्यों है? यह हम इस अध्याय के अन्त में देखेंगे। यहाँ हम इसके द्वारा कल्पित दो तत्त्वों : पुरुष और प्रकृति : के स्वरूप पर विचार करेंगे।

साँख्यकारिका ने पहले प्रकृति का निरूपण किया है और पीछे पुरुष का। इसका कारण है : विषयी जबकि अपने से अभिन्न है और चिदात्मक होने से आत्म-अव्यवहित है, जगत् में चेतना का स्वरूप ऐसा है कि यह सहज रूप से विषयोन्मुख है और विषय के माध्यम से ही अपने को जानती है। **साँख्यकारिकाकार** ने प्रत्यक्ष की परिभाषा 'प्रतिविषयाध्यवसाय:' दी है,[1] 'विषयी की अपने में अवस्थिति' नहीं। किन्तु जैसाकि हम आगे देखेंगे, मानव-चैतन्य जबकि अपने सहज पाशव-भाव में 'प्रतिविषयात्मक' है, इसमें विषय से निवर्तित होने की, स्व-रूप दर्शन की, योग्यता भी है। इसी से सत् को केवल प्रकृति रूप में निरूपित नहीं किया जा सकता, उसके साथ पुरुष-तत्त्व का निरूपण भी अनिवार्य है। यदि एक ही तत्त्व मानना हो, जैसाकि बहुत-से दार्शनिकों ने माना है, तो प्रकृति-तत्त्व को तो छोड़ा जा सकता है, चित्-तत्त्व को नहीं। किन्तु यहाँ यह प्रश्न हमारे लिए विचारणीय नहीं है, केवल यही विचारणीय है कि साँख्य ने इन दो पक्षों या तत्त्वों को किस रूप में देखा है और इससे अस्तित्व, ज्ञान और मूल्य के अनुभव की किस प्रकार व्याख्या की है।

जैसाकि हमने पीछे कहा, चेतना में आदिमतम अनुभव जगत्-साम्मुख्य का है। यह साम्मुख्य एक स्वतन्त्र अस्तित्व का बोध है। हम चलने में इस आस्था के साथ प्रवृत्त होते हैं कि धरती हमारे पैरों को धारण करेगी, नीचे से एकाएक लुप्त नहीं हो जायेगी, देखते हैं तो इस आस्था के साथ कि दृश्य दृष्टि का आक्षेप मात्र नहीं है, बल्कि स्वतन्त्र कुछ है जो देखा जा रहा है। इस प्रकार विषयगत अस्तित्व का बोध प्रत्येक क्रिया और ज्ञान में आधारभूत है और वही 'क्रिया' क्रिया है और वही 'ज्ञान' ज्ञान है जो विषयगत अस्तित्व से समंजस है। किन्तु यह अस्तित्व सुख-दुःख, हर्ष-विषाद की अनुभूति को भी उत्पन्न करता है। यह भी जीव मात्र में सहज बोध है। किन्तु मनुष्य में यह एक दूसरा स्तर प्राप्त करता है, जब मनुष्य विशिष्ट रूप से मानुषिक होता है। यह स्तर मूल्य का है। यहाँ मूल्य की अवधारणा हमारा विवेच्य नहीं है, किन्तु यह ज्ञातव्य है कि सुख-दुःख का सहज जैव अनुभव तब मूल्यानुभव में रूपान्तरित होता है जब इसका सन्दर्भ संवेद से पृथक् होकर सार्थकता हो जाता है। बुद्ध की सम्बोधि—सर्वंदुःखम्—इसका उदाहरण है। जगत् के सब अनुभव तो दुःखात्मक नहीं हैं, कुछ संवेद अप्रिय होते हैं, दूसरे

1. का. 5.

कुछ प्रिय होते हैं। यदि ऐसा नहीं हो तो न प्रिय होगा और न अप्रिय, न सुख, न दुःख। किन्तु तब भी बुद्ध ने जो सब प्रिय-अप्रिय अनुभवजनक वस्तुओं को दुःख कहा वह इसी सन्दर्भ के भेद के कारण। यह दूसरा सन्दर्भ संवेद से भिन्न सार्थकता का है। साँख्य भी सार्थकता के इस प्रश्न से ही आरम्भ करता है—"जगत् दुःख है, इस दुःख के निवारण का उपाय आवश्यक है, यह उपाय लौकिक अपचार नहीं हो सकते, ये उपचार दुःख से आत्यन्तिक निवृत्ति नहीं दे सकते क्योंकि लौकिक उपचार और लौकिक दुःख दोनों एक ही स्वभाव के हैं। इस दुःख से निवृत्ति केवल विवेक ही दे सकता है।"

इस प्रकार साँख्य दुःख-निवृत्ति का उपाय खोजता है। यह दुःख साँख्य के अनुसार, असत्मूलक नहीं है, जिस प्रकार वेदान्त और कुछ बौद्ध दर्शनों के लिए है; इसका तत्त्व, अधिष्ठान प्रकृति में है। प्रकृति स्वयं दुःखात्मक नहीं है, दुःखात्मक जगत् है, किन्तु प्रकृति इस जगत् का अजागतिक-अदुःखात्मक-आधार है। साँख्य-दृष्टि है कि जगत् का अनुभव हमें सद्रूप में होता है, जगत् के इन पदार्थों के सम्बन्ध से हमें सुख-दुःख-मोह की प्राप्ति होती है, इसलिए यह जगत् असत् नहीं हो सकता। साँख्यीय दृष्टि की यह व्याख्या बहुत कुछ स्थूल है, क्योंकि जगत् और जगत् का अनुभव ये साँख्य के लिए भिन्न-भिन्न नहीं हैं, न अनुभवकर्त्ता के रूप में हम ही जगत् से भिन्न हैं, ये तीनों पक्ष—अनुभूयमान, अनुभव और अनुभवकर्त्ता—एक ही तत्त्व के तीन पक्ष हैं, जो तत्त्व प्रकृति है। साँख्य की युक्ति को ठीक-ठीक इस प्रकार रखा जा सकता है कि शुद्ध चित्तत्व के अपवाद के अतिरिक्त, सब स्थितियाँ या तो कारण हैं, या कार्य, अथवा दोनों। कोई कार्य कारण के बिना नहीं हो सकता, क्योंकि यदि वह कारण के बिना होगा तो वह स्वयं कारण ही हो जायेगा। पुरुष या चित् को ऐसी ही स्थिति भी कहा जा सकता है, जो ऐसा कारण है जो कार्यरूप में परिणत नहीं होता। किन्तु जगत् ऐसा प्रतीत नहीं होता, यह कार्य-रूप प्रतीत होता है जिसका कारण इससे भिन्न है। शंकर आदि जगत् को कार्य मानते हुए भी असत् मानते हैं क्योंकि चित्तत्व उनके अनुसार भी अपरिणामी है। किन्तु यह समझ में आने वाली बात नहीं है कि कार्य विद्यमान हो किन्तु कारण तब भी अपरिणामी हो। यदि जगत् कल्पना है तो चित् को कल्पना-वृत्ति के रूप में परिणत मानना होगा, अथवा कल्पना-वृत्ति और चित् को अभिन्न मानना होगा। किन्तु यह साँख्य और वेदान्त दोनों को मान्य नहीं है, इसलिए साँख्य वेदान्त से भिन्न जगत् और जगद्-वृत्ति दोनों को वास्तव कारण या परिणामी का कार्य या परिणाम मानता है। वेदान्त इसे ऐसा परिणाम कहता है जो केवल प्रातीतिक रूप से ही परिणाम है, वास्तव रूप में नहीं। यह उत्तर अनेक समस्याओं को जन्म देता है,[1] जिनकी चर्चा हम यहाँ नहीं करेंगे।

इस कार्य या परिणाम के स्वरूप पर विचार कर साँख्य इसे तीन आयामों का संघात पाता है, जिन्हें वह गुण कहता है। साँख्य में 'त्रैगुण्य' और 'प्रकृति' ये पर्यायवाचक शब्द है। यहाँ 'गुण' शब्द बहुत अर्थगर्भित और उपयुक्त है। प्रकृति को त्रिगुणसंघात कहकर साँख्य ने एक ओर इसकी द्रव्यरूपता समाप्त कर दी और दूसरी ओर इसकी सद्रूपता स्थापित कर दी। अर्थात् साँख्य को एक ओर यह अभिप्रेत है कि जगत् की नामरूपात्मकता केवल प्रातीतिक है, अर्थात् अविद्यामूलक है, और दूसरी ओर यह कि, यह अविद्या और उसका फल स्वयं मूल-रहित नहीं हैं, इनका मूल वास्तविक है, और तीसरी ओर यह कि यह मूल तत्त्वत: उससे परे कुछ नहीं है जो प्रकट है, जैसा न्याय और वैशेषिक में भी है, क्योंकि यदि यह मूल प्रकट से परे कुछ होगा तब मूल और प्रकट की, और जिसे वह प्रकटित है उसकी, पृथक्-पृथक् सत्ताएँ माननी होंगी, जैसाकि न्याय में है।[2] यद्यपि साँख्य अभिव्यक्त और अनभिव्यक्त का, परिणाम और परिणत का भेद करता है, और इसकी कुछ कठिनाइयाँ हैं जिन पर हम आगे विचार करेंगे, किन्तु तब भी यह अत्यधिक सूक्ष्म और जटिल दृष्टि का परिचायक है कि प्रकृति उसके लिए द्रव्य नहीं होकर ऐसी व्यवस्था या नियम है जो तात्त्विक-वास्तविक है। यह किस प्रकार द्रव्य या द्रव्याधारित गुण से भिन्न है, इसे इस उदाहरण से समझा जा सकता है कि सूर्य या चन्द्र का प्रकाश, श्वेत-वर्ण, शान्त स्वभाव,

1. द्रष्टव्य, भगवती — 'शांकर अद्वैतवाद : युष्मत् का संवरण', दार्शनिक, त्रैमासिक, जनवरी, 1975.
2. वेदान्त और साँख्य सत्कार्यवादी हैं, वे कारण और कार्य को तत्वत: अभिन्न मानते हैं, न्याय कार्य को कारण से अतिरिक्त उत्पत्ति मानता है।

सत्यपरायणता और शास्त्र-विचार ये सब सत्व गुण प्रधान अभिव्यक्तियाँ हैं। इसी प्रकार प्रकाश-किरणों का संचार, सत्यानुसरण और असत्य का विरोध, और शास्त्र-विचार में प्रवृत्ति ये रजस् गुण-प्रधान अभिव्यक्तियाँ हैं। इस प्रकार प्रकृति द्रव्य और सत्व, रजस्, तमस् उसके अनुषंगी गुण नहीं होकर प्रकृति ही सत्व, रजस्, तमस् है, और ये सत्व, रजस्, तमस् वस्तुएँ नहीं होकर उस जगत् के रूप में प्रकट तात्त्विक व्यवस्था के घटक सूत्र (फाउंडेशनल प्रिंसिपल्स) हैं जो जगत् बुद्धि (विचार और विचार-विषय), अहंकार (वैयक्तिक अस्मिता और वैयक्तिक अस्तित्व), मन (अनुभूति और अनुभूत), इन्द्रिय, तन्मात्र और महाभूत (ग्राहक-ग्राह्य दोनों पक्षों में) का संघात है। 'संघात' शब्द पुन: भ्रामक हो सकता है। इस शब्द का साधारण अर्थ है वस्तु-समूह, किन्तु यहाँ इसका अर्थ यह नहीं है। यह वैसी ही संहति है जैसी शब्द और अर्थ की, अथवा वर्ण तथा प्रकाश की, अथवा आकृति और विस्तार की संहति होती है। इन गुणों का निरूपण साँख्य-इतिहास में निम्नप्रकार से किया गया है—

सत्व गुण हल्का और प्रकाशक है। यह बुद्धि में विवेक और विचार तथा इन्द्रियों में वस्तु-प्रकाशन का आधार होता है। रजोगुण गति का आधार है। इसी कारण इन्द्रियाँ विषयों की ओर दौड़ती हैं और मन चंचल होता है। सत्व और तमस् स्वयं अप्रवृत्तिशील होते हैं, इस कारण अपने-अपने कार्य के उत्पादन में असमर्थ होते हैं, पर रजोगुण द्वारा वे उत्तेजित किये जाते हैं। इसीलिए रजस् को उपष्टम्भक (प्रवर्त्तक) कहा गया है। तमस् जड़त्व और अज्ञान का बीज है जिससे उसका प्रकर्ष होने पर सत्व और रजस् बँध जाते हैं।[1] यही उनका आवरक या अवरोधक है। गुण प्रत्यक्ष नहीं देखे जाते, उनके कार्यों (सांसारिक विषयों) को देखकर उनका अनुमान किया जाता है। संसार के समस्त विषयों का यह सामान्य धर्म है कि वे सुख, दु:ख और मोह उत्पन्न करते हैं। एक ही वस्तु एक के मन में सुख, दूसरे के मन में दु:ख व तीसरे के मन में औदासीन्य-भाव जागृत करती है। सतोगुण, रजोगुण एवं तमोगुण सब प्रकार की मानसिक प्रवृत्तियों के सामान्य लक्षण समझे जाते हैं। इसीलिए मानसिक भावों को भी सात्विक, राजसिक तथा तामसिक कहा गया है। इसी प्रकार श्रद्धा भी तीन प्रकार की बतायी गयी है। जो लोग सात्विक हैं वे देवताओं की पूजा करते हैं, राजस् लोग राक्षसों और यक्षों का भजन करते हैं एवं तामस् लोग प्रेतों और भूतों का भजन करते हैं। फल की आशा छोड़कर अपना कर्त्तव्य समझ कर शास्त्र की विधि के अनुसार शान्त चित्त से जो यज्ञ किया जाता है वह सात्विक यज्ञ है। फल की इच्छा से किया गया यज्ञ अथवा ऐश्वर्य दिखलाने के लिए किया गया यज्ञ राजस् यज्ञ है।शास्त्र-विधि-रहित, अन्नदान-रहित, बिना दक्षिणा का और श्रद्धा से शून्य यज्ञ तामस् यज्ञ कहलाता है। तप भी शारीर, अर्थात् कायिक, वाचिक एवं मानस् कहे गये हैं। देवता, ब्राह्मण, गुरु और विद्वानों की पूजा; शुद्ध, अनुद्विग्न, सत्य, प्रिय और हितकारक सम्भाषण तथा स्वाध्याय, अर्थात् अपने कर्म, मनन, इनको वाचिक तप कहते हैं। मन को प्रसन्न रखना, सौम्यता, मौन, मनोनिग्रह और शुद्ध भावना—इनको मानस तप कहते हैं। ये तीनों तप यदि फल की इच्छा को छोड़कर किये जाएँ तो वे सात्विक तप कहलाते हैं। जो तप अपने सत्कार या मान के लिए किया जाय वह तप राजस् कहा जाता है। अज्ञान से स्वयं कष्ट उठाकर अथवा दूसरे को सताने के लिए किया गया तप तामस् कहलाता है।

फल-प्राप्ति की इच्छा न करने वाला मनुष्य प्रेम और द्वेष से रहित होकर, बिना आसक्ति के जो कर्म करता है उस कर्म को सात्विक कहते हैं, किन्तु फल की इच्छा रखकर व अहंकार से किया गया कर्म राजसिक कहलाता है। तामस् कर्म वह है जो मोह से, बिना इन बातों का विचार किये किया जाता है कि आगे क्या होगा, अपनी सामर्थ्य कितनी है और नाश अथवा हिंसा होगी या नहीं। जिसे आसक्ति नहीं रहती, जो 'मैं' और 'मेरा' का भाव नहीं रखकर, कार्य की सिद्धि व असिद्धि दोनों में विकार-रहित होकर उत्साह के साथ कर्म करता है उसे सात्विक कहते हैं। विषयासक्त, लोभी, कार्य की सिद्धि के समय हर्ष व असिद्धि के समय शोक से युक्त, हिंसात्मक कर्त्ता राजस् कहलाता है। चंचल बुद्धिवाला, गर्व से फूलने वाला, दूसरों की हानि करने वाला, आलसी, अप्रसन्न चित्त कर्त्ता तामस् कहलाता है। जो बुद्धि प्रवृत्ति और निवृत्ति को जानती है, जो कार्य और अकार्य को जानती है, किससे

1. साँख्यकारिका, कारिका 13.

बन्धन होता है और किससे मोक्ष प्राप्त होता है इससे अभिज्ञ होती है, वह बुद्धि सात्विक है। वह बुद्धि राजसिक है जो धर्म और अधर्म तथा कार्य और अकार्य के विचार के बिना क्रिया-प्रवृत्त होती है। वह बुद्धि तामसिक है जो तम से व्याप्त होकर अधर्म को धर्म समझती और उसमें निमग्न रहती है। जो आरम्भ में विष के समान दुःखदायी परन्तु परिणाम में अमृततुल्य है, जो आत्मनिष्ठ बुद्धि की प्रसन्नता से प्राप्त होता है, उस आध्यात्मिक सुख को सात्विक कहते हैं, इन्द्रियों और उनके विषयों के संयोग से होने वाला सुख राजस् है, जो मनुष्य को मोह में फँसाता है उसे तामस् सुख कहते हैं। आयु, सात्विक वृत्ति, बल, आरोग्य, सुख एवं प्रीति की वृद्धि करने वाले, मन के लिए आनन्ददायक आहार सात्विक मनुष्य को प्रिय होते हैं। चटपटे, खट्टे, खारे, तीखे और दुःख उपजाने वाले आहार राजस् मनुष्य को प्रिय होते हैं, नीरस, बासी तथा अपवित्र भोजन तामस् मनुष्य को प्रिय होता है।

इस प्रकार तीन गुण ही हमारे नैतिक, अनैतिक, सुखात्मक अथवा दुःखात्मक भावों के निर्धारक हैं। सतोगुण नैतिक स्थिति के, रजोगुण विवेक-विचार से तटस्थ जीवनानुरक्ति के और तमोगुण निकृष्ट एवं अनैतिक स्थिति के लक्षण हैं।

श्री अरविन्द के अनुसार, "ये तीनों गुण जब साम्यावस्था में रहते हैं तब सब कुछ जहाँ का तहाँ पड़ा रहता है, कोई गति, कोई कर्म या सृष्टि नहीं होती। इसीलिए चिन्मयी आत्मा की अक्षर ज्योतिर्मय सत्ता में आभासित या प्रतिबिम्बित होने वाली कोई वस्तु नहीं होती। पर जब पुरुष के संयोग से साम्यावस्था विक्षुब्ध हो जाती है तब तीनों गुण परस्पर विषम हो उठते हैं और एक-दूसरे से संघर्ष करते और एक-दूसरे पर अपना प्रभाव जमाने का प्रयत्न करते हैं। उसी से विश्व को प्रकटाने वाला यह सृष्टि, स्थिति और संहार का विरामरहित व्यापार आरम्भ होता है। यह अवस्था तीनों गुणों की 'अन्योन्यमिथुनवृत्तिता' की है। सत्व, रजस्, तमस् परस्पर मिथुनीभूत होकर सर्ग-रचना में प्रवृत्त होते हैं। यह कर्म तब तक चलता रहता है जब तक पुरुष अपने अन्दर इस वैषम्य को, जो उसके सनातन स्वभाव को ढक देता है और उस पर प्रकृति के स्वभाव को आरोपित करता है, प्रतिभासित होने देता है। पर जब पुरुष अपनी इस अनुमति को हटा लेता है, तब तीनों गुण साम्यावस्था को प्राप्त हो जाते हैं।"[1]

यहाँ यह द्रष्टव्य है कि 'पुरुष की अनुमति' आदि पद-प्रयोग यहाँ केवल उत्प्रेक्षा रूप में ही हैं, वास्तव नहीं। क्योंकि वास्तव में तो पुरुष स्वरूपतः तटस्थ और निर्विकार है। किन्तु जगत् का सम्पूर्ण व्यापार अविद्यामूलक और विवेकमूलक है और जगत् के ये दोनों व्यापार अपने आप में कोई सार्थकता ग्रहण नहीं कर सकते, केवल पुरुष के प्रसंग से ही कर सकते हैं, इसलिए उत्प्रेक्षा से, अर्थात् मानो ऐसा है, इस रूप में, पुरुष की अनुमति की बात कही गयी है।

यद्यपि सत्व, रजस्, तमस् तीनों गुण परस्पर विरुद्ध स्वभाव वाले हैं तथापि पुरुष के भोग एवं अपवर्ग रूप द्विविध प्रयोजन की सिद्धि के लिए ये सहयोगी होकर कार्य करते हैं। जिस प्रकार दीपक में अग्नि, बत्ती और तेल विरोधी हैं, अतः परस्पर संयोग से उन्हें नष्ट हो जाना चाहिए, किन्तु दीपक रूप से ये तीनों मिलकर वस्तु के स्वरूप का प्रकाशन करते हैं, इसी प्रकार परस्पर विरुद्ध होने पर भी ये तीनों गुण सहकारी होकर अपने-अपने व्यापारों को सम्पन्न करते हुए पुरुष के लिए भोग एवं अपवर्ग रूप दोनों ही प्रयोजनों को सम्पन्न करते हैं।[2]

इस प्रयोजन की सिद्धि के लिए ये तीनों गुण अन्योन्य-अभिभव, अन्योन्य आश्रयण, अन्योन्यजनन तथा अन्योन्य-मिथुनवृत्ति वाले हैं।[3] इस अभिभव वृत्ति में कोई एक गुण प्रबल होकर शेष दो गुणों को अभिभूत करके अपने व्यापार को पूर्ण करता है। सत्व, रजस् और तमस् ये तीनों गुण परस्पर एक-दूसरे का आश्रय ग्रहण करने वाले हैं। इन गुणों का यह आश्रय-भाव आधार-आधेय रूप नहीं है बल्कि सहकारिता का है।

---

1. श्री अरविन्द — गीता प्रबन्ध, पृ. 77 : श्री अरविन्द आश्रम, पाण्डिचेरि।
2. साँख्यकारिका — कारिका, 17.
3. वही, कारिका, 12.

त्रिगुण परस्पर का अनुवर्तन क्यों करते हैं? ऐसा प्रश्न नहीं हो सकता, क्योंकि ये सदैव इस रूप में ही उपलब्ध होते हैं। 'क्यों होता है'—यह प्रश्न तभी उठता है जब कुछ अन्यथा भी देखा जाता हो। गुण-वैषम्य के उदाहरण के रूप में जो महदादि हैं वे अनादि हैं, अत: भोगापवर्ग रूप प्रयोजन द्वारा गुण-वैषम्य पहले प्रवर्तित होता है—यह कथन संगत नहीं है। वास्तव में भोगापवर्ग जब तक है तब तक गुण-वैषम्य है, और जब भोगापवर्ग नहीं रहते हैं तब गुणवैषम्य भी नहीं रहता। वस्तुत: भोगापवर्ग गुण-विकारों के स्थिति-हेतु हैं, उत्पत्ति-हेतु नहीं। गुणवैधर्म्य और महदादि करण अविनाभावी हैं, महदादि करण अनादि हैं। ऐसा नहीं है कि पहले त्रिगुणमात्र समभाव में थे, बाद में उनके साथ भोगभाव का योग हुआ और वे त्रिगुण भोगभाव के अधीन हो गये। बल्कि भोगभाव जब तक है, महदादि रूप परिणाम चलता रहता है और भोगभाव की समाप्ति होने पर महदादि का परिणाम भी समाप्त हो जाता है। इसीलिए माना जाता है कि भोग और अपवर्गवश त्रिगुण का प्रवर्तन होता है। किन्तु भोगभाव अनादि है इसीलिए यह प्रवर्तन भी अनादि है।

प्रकृति के लिए प्रमाण रूप में साँख्य पाँच हेतुओं को प्रस्तुत करता है।

1. कारण-कार्य विभागात्[1]—अर्थात् कारण से ही सभी प्रकार के कार्यों का आविर्भाव होने से समस्त कार्यों का कारण अव्यक्त प्रकृति ही सिद्ध होती है। साँख्य सत्कार्यवाद को स्वीकार करता है, जिसके अनुसार कार्य अपने उद्भव से पूर्व अपने ही कारण में अनभिव्यक्त रूप से विद्यमान रहता है और कारण-व्यापार द्वारा उसी की अभिव्यक्ति होती है। इसे समझाने के लिए वाचस्पति मिश्र ने उपमा दी है कि 'जिस प्रकार कछुए के शरीर में विद्यमान अंगों के बाहर निकलने पर' यह कछुए का शरीर है और ये उसके अंग हैं, इस प्रकार की पृथक् प्रतीति होती है तथा उनके कछुए में प्रविष्ट होने पर वे अव्यक्त हो जाते हैं, अर्थात् पृथक् रूप से दिखायी नहीं देते, इसी प्रकार सत् अर्थात् कारण में अव्यक्त रूप से विद्यमान पृथिवी आदि कार्य स्वकारण तन्मात्र होने से प्रकट होने पर पृथक् प्रतीत होते हैं, एवं सत् तन्मात्र स्वकारण अहंकार से, सत् अहंकार स्वकारण महत्तत्त्व से तथा सत् महत्तत्त्व परम अव्यक्त से आविर्भूत होने पर पृथक् प्रतीत होते हैं। इस प्रकार कारण से ही सत्कार्य की अभिव्यक्ति होने से परम्परया सभी कार्यों का मूल कारण अव्यक्त प्रकृति सिद्ध होती है।[2]

किन्तु यह उपमा उपयुक्त नहीं है, बल्कि भ्रामक है। कछुए के अंग शरीर रूप में कारण से परिणत कार्यरूप नहीं होते बल्कि पहले कारण के भीतर छिपे रहते हैं और पीछे उसके बाहर प्रकट होते हैं, जबकि परिणाम में परिणत स्थिति उसी प्रकार विद्यमान नहीं होती। उदाहरण के लिए दूध का दही परिणाम है किन्तु दही दूध में उसी प्रकार अव्यक्त रूप से विद्यमान नहीं रहता जिस प्रकार कछुए के अंग, बल्कि वह दूध का वास्तविक परिणाम है।

किन्तु तब प्रश्न हो सकता है कि दूध से दही के परिणाम को 'अभिव्यक्ति' कैसे कहा जा सकता है? वास्तव में साँख्य द्वारा 'व्यक्त' और 'अव्यक्त' शब्दों के प्रयोग को इस अर्थ में नहीं समझना चाहिए, क्योंकि ऐसा समझने पर परिणाम का कोई अर्थ नहीं रह जायेगा, जबकि साँख्य परिणामवादी है। अवश्य कारण और परिणाम में पदार्थ की दृष्टि से अभेद हो सकता है, किन्तु उनमें गुण-भेद होना आवश्यक होगा, जैसे दूध-दही में है। वास्तव में साँख्य जब साम्य-वैषम्य की बात करता है तब इस प्रकार का भेद ही अभिप्रेत है। तब व्यक्त-अव्यक्त भेद का क्या अर्थ है? इसका अर्थ यह है कि तीन गुणों के लक्षण : प्रकाश, गति, अवरोध तथा प्रीति, अप्रीति और मोह आदि : यद्यपि गुणों में स्वाभाविक हैं किन्तु ये प्रकट केवल गुण-वैषम्यावस्था में ही होते हैं। इस अव्यक्त-व्यक्त को क्रमश: योग्यता और उसका क्रियान्वयन कहा जा सकता है।

2. कारण-कार्य अविभागात्—कारण से कार्य का अविभाग होने से, अर्थात् कारण में ही कार्य का विलय होने से समस्त कार्यों का मूल कारण अव्यक्त प्रकृति सिद्ध होती है। कार्य घट, मुकुट इत्यादि अपने कारण

1. सांख्यकारिका — कारिका, 15-16.
2. साँख्यतत्त्वकौमुदी — रामशंकर भट्टाचार्यकृत अनुवाद व व्याख्या, मोतीलाल बनारसीदास, 1976, पृ. 124.

मृत्तिका-पिण्ड, हेमपिण्ड इत्यादि में विलीन होकर अव्यक्त हो जाते हैं एवं अपनी अपेक्षा अपने कारण को अव्यक्त सिद्ध करते हैं। इसी प्रकार पृथ्वी इत्यादि महाभूत अपने कारण गंध आदि तन्मात्राओं में लीन होकर उनको अपनी अपेक्षा से अव्यक्त सिद्ध करते हैं। तन्मात्राएँ भी अपने कारण अहंकार में और अहंकार महत्तत्त्व में और महत्तत्त्व प्रकृति में तिरोहित होकर अपनी अपेक्षा से प्रकृति को अव्यक्त सिद्ध करता है। कारण-परम्परा का मूल प्रकृति में है जो परम अव्यक्त और सूक्ष्मतम अवस्था है।

3. **शक्तित: प्रवृत्ते**—अर्थात् कारण में निहित स्वाभाविक कार्य-प्रवृत्ति से ही कार्य का उद्भव होने से सभी कार्यों का मूल कारण अव्यक्त सिद्ध होता है। सत्कार्यवाद के अनुसार, कारण की शक्ति से ही कार्य की उत्पत्ति होती है। जिस प्रकार घट, मुकुट, तेल आदि सभी कार्य अपनी विशिष्ट शक्तियों से युक्त कारण मृत्तिका-पिण्ड, हेम-पिण्ड तथा तिल आदि से ही उत्पन्न होते हैं, वैसे ही महत्तत्त्व इत्यादि कार्य भी किसी समर्थ कारण की शक्ति की अभिव्यक्ति हैं। जिस प्रकार घट, मुकुट, तेल आदि को उत्पन्न करने वाली शक्ति का आश्रय मृत्तिका आदि हैं उसी प्रकार महत्तत्त्वादि कार्यों को उत्पन्न करने वाली शक्ति का आश्रय प्रकृति है।

4. **परिणामात्**—अर्थात् महत्तत्त्वादि सभी कार्यों के परिच्छिन्न, परिमित होने से सभी कार्यों के मूल कारण के रूप में प्रकृति की सिद्धि होती है।

5. **समन्वयात्**—अर्थात् विविध समान कार्यों का समान कारण होना चाहिए, इस आधार पर भी समस्त कार्यों का मूल कारण अव्यक्त सिद्ध होता है। संसार के सभी पदार्थ सुख-दु:ख-मोह स्वरूप होने के कारण अपने ही स्वरूप वाले किसी कारण का ज्ञान कराते हैं। इस रूप में सभी कार्यों का कारण सुख-दु:ख-मोह स्वरूप अव्यक्त प्रकृति सिद्ध होती है।

प्रकृति की संसार-रूप में प्रवृत्ति पुरुष के भोग एवं विवेकाभ्यासपूर्वक मोक्ष के लिए होती है। पुरुषार्थ की भावना से यही प्रकृति अधर्म, ज्ञान-अज्ञान, वैराग्य-अवैराग्य, ऐश्वर्य-अनैश्वर्य रूप अपने ही सातों भावों से अपने को ही बाँधती है, तथा पुन: ज्ञान रूप एक भाव द्वारा अपने को ही मुक्त करती है।[1] प्रकृति की यह प्रवृत्ति पुरुष के प्रति तब तक बनी रहती है जब तक विवेक की उत्पत्ति नहीं होती। विवेक के उत्पन्न होते ही प्रकृति अपने व्यापार से विरत हो जाती है, जिस प्रकार नर्तकी नृत्य-समाप्ति के बाद स्वत: निवृत्त हो जाती है।[2] इस प्रकार प्रकृति की प्रवृत्ति परार्थ है, पुरुष के लिए है। वस्तुत: तो पुरुष मुक्त है। पुरुष उदासीन द्रष्टा, असंग, चिन्मात्र है। प्रकृति में ही वास्तव कर्त्तृत्व है, पुरुष में नहीं। पुरुष से संयोग रहने पर भी रागादि आदि धर्म साक्षात् रूप से पुरुष के नहीं होते, वे प्रकृति के ही होते हैं। जिस प्रकार जब लोहा जलाता है तो वस्तुत: अग्नि ही जलाती है, लोहा नहीं।

यहाँ कहा जा सकता है कि चूँकि पुरुष एवं प्रकृति स्वप्रतिष्ठ हैं, स्वतन्त्र हैं—अत: वे संयुक्त नहीं हो सकते।

किन्तु ये प्रश्न युक्त नहीं हैं, क्योंकि इनमें ध्वनित है कि असंयुक्तावस्था से किसी काल में यह संयोग हुआ है। कोई किसी के साथ संयुक्त हुआ है—यह दृष्टि इस संयोग के विषय में संगत नहीं है। यह संयोग न प्रधान-कर्त्तृक है, न पुरुष-कर्त्तृक, क्योंकि ऐसा होने के लिए संकल्प, इच्छा, सामर्थ्य आदि चाहिएँ, जो न त्रिगुणमात्र में हैं न निर्गुण पुरुष में। अत: साँख्य-कारिका में जो अंधे व पंगु का उदाहरण दिया गया है,[3] वह साँख्य दर्शन के समग्र सन्दर्भ में एक उत्प्रेक्षा के रूप में ही लिया जा सकता है।

---

1. कारिका, 62.
2. कारिका, 57.
3. कारिका, 22.

वस्तुत: यह संयोग अविवेकमूलक है। यह अविवेक प्रवाहरूपेण अनादि है। यह अविवेक यद्यपि अनादि है तथापि नित्य नहीं है, अन्यथा उसका उच्छेद नहीं होता। संयोग का कारण अविवेक विवेक-ज्ञान (कि जड़ प्रकृति से पुरुष पृथक् है) से नष्ट होता है, तभी प्रधान की सृष्टि की निवृत्ति होती है, जिस प्रकार अंधकार आलोक से निश्चित रूप से नष्ट हो जाता है। यही मोक्ष है, कैवल्य है। अत: मुक्ति वस्तुत: किसी अप्राप्त अवस्था की उपलब्धि नहीं है, अन्तरायों का नाश ही मुक्ति है। श्री रामशंकर भट्टाचार्य के अनुसार "यह संयोग अनादि है, और क्योंकि जीव का संसार-बंधन जीवान्तर का प्रयत्नमूलक या संकल्पमूलक नहीं है, अत: स्वीकार करना होगा कि बन्धन का कारण स्वगत है।"[1]

यहाँ शंका हो सकती है कि, तब कारण का प्रश्न ही क्यों उठता है? उत्तर यह है कि क्योंकि इस बन्धन की समाप्ति देखी जाती है अत: अनादि होने पर भी यह बन्धन कारण-युक्त है। यह कारण अविवेक है। विवेकज्ञान से मोक्ष होने से यह मानना पड़ता है कि अविवेक बन्धन का कारण है।[2] इस सन्दर्भ में डॉ. भगवती का कहना है कि, "सांख्यकीय प्रकृति की कल्पना बहुत सूक्ष्म और जटिल है। चैतन्य स्वरूपत: निरपेक्ष और शुद्ध प्रकाश स्वरूप है और विषयी रूप में शुद्ध द्रष्टृभाव है। प्रकृति स्वरूपत: विषयभाव है। ये विषयिभाव और विषयभाव परस्पर सापेक्ष सत्ताएँ नहीं हैं। ये निरपेक्ष हैं। इस निरपेक्षता में चैतन्य शुद्ध प्रकाश स्वरूप है और प्रकृति अव्यक्त, अनिर्वचनीय, नितान्त सामान्यात्मक जड़त्व है। किन्तु यह प्राप्त वस्तुस्थिति नहीं है। प्राप्त वस्तुस्थिति में विषय-विषयिभाव संश्लिष्ट और सापेक्ष हैं। इस संश्लिष्ट या प्राप्त वस्तुस्थिति को साँख्य ने व्यक्त प्रकृति भी कहा है। व्यक्त प्रकृति आत्म (पुरुष) और अनात्म (प्रकृति) के बीच अविवेक का परिणाम है। किन्तु इस अविवेक का अधिष्ठान पुरुष में नहीं, प्रकृति में ही है। अविद्यावश ही परम अनात्म सत्ता रूप प्रकृति आत्मोपाधि से उपहित होकर 'मनुष्य के लिए संसार' रूप में परिणत होती है। यह अविद्या और 'मनुष्य के लिए संसार-रचना' किसी समय शून्य से आरम्भ नहीं होती, यह अनादि है।"[3]

पुरुष

हमने पीछे प्रकृति को जगद्भाव का अधिष्ठानभूत तात्त्विक नियम और व्यवस्था कहा। 'जगत्' को 'जगद्भाव' कहना सप्रयोजन है। न्याय, वैशेषिक, मीमांसा, सर्वास्तिवाद, सौत्रान्तिक आदि मतों के अनुसार जगत् जगद्भाव नहीं है, वह इन्द्रियगोचर सत्-विषयों का समवाय है। इसके विपरीत साँख्य के अनुसार यह अविद्यामूलक प्रवर्तन है। इसकी पुष्टि इस बात से भी होती है कि प्राकृतिक परिणामों की शृंखला में पहली कड़ी बुद्धि है और अन्तिम कड़ी पंचमहाभूत। भारतीय दर्शनों में, विशेषत: साँख्य और वेदान्त में, बुद्धि जगत्परक व्यवसाय में विषयात्मक विकल्पों और अध्यवसायों की कारण है और मोक्षान्वेषण में आत्म-अनात्म-विवेक की। इसी परिणाम-शृंखला में तन्मात्रों और महाभूतों का आविर्भाव होता है। यही परिणाम-शृंखला जगत् है, जो आत्म और अनात्म के अविवेक से प्रवर्तित होती है। यह अविवेक ही जगद्भाव है।

किन्तु इस जगद्भाव में स्तर-भेद है। पाशव बुद्धि जबकि पूर्णत: विषय-निमग्न है और पंचमहाभूत बुद्धि-शून्य विषयतामात्र, मानव-बुद्धि सहज रूप में विषयोन्मुख होने पर भी विषय से पृथक् विषयिता और अस्मिता के बोधों से भी युक्त है। इस सीमा तक यह विषयभाव से परे आत्म-भाव का आभासन है। यही आभासन उस प्रयत्न का आधार बनता है जो जगत्-भाव से परे शुद्ध आत्मभाव या पुरुष-तत्त्व के अन्वेषण में प्रवृत्त होता है। **साँख्यकारिका** ने इस आभासन और अन्वेषण को ही क्रमश: 'भोक्तृभावात्' और 'कैवल्यार्थ प्रवृत्तेश्च'[4] कहकर पुरुष की सत्ता के लिए प्रमाण रूप में प्रस्तुत किया है। यहाँ यह द्रष्टव्य है कि भोक्तृभाव या कैवल्यार्थ

1. रामशंकर भट्टाचार्य, उपर्युक्त, पृ. 138.
2. कारिका, 23.
3. डॉ. भगवती — साँख्य-विवेचन, दार्शनिक त्रैमासिक, अक्टूबर, 1974.
4. कारिका, 17.

प्रवृत्ति स्वयं में पौरुषिक नहीं है, ये पुरुष के लिए प्रमाण हैं, अर्थात् साँख्य के अनुसार ये उपादनतया प्रकृतिगत होने पर भी पुरुषलक्षी हैं।

यहाँ साँख्य की इस दृष्टि की कांट के साथ तुलना करना उपयुक्त होगा—कांट में थ्योरेटीकल रीजन (विषयबोधक तिमर्श) रीप्रेस्सिव कंटेम्प्लेशन (विषयिमूलक विमर्श) में अपनी सीमाओं का उल्लेख करता है, यद्यपि उन सीमाओं का अतिक्रमण नहीं करता। ठीक यही स्थिति साँख्य में भोक्तृभाव और कैवल्यार्थ-प्रवृत्ति की है। ये प्राकृतिक हैं, किन्तु ये प्रकृति की सीमाओं का उल्लेख कर उसके परे की स्थिति की ओर संकेत करती हैं। कांट से साँख्य की स्थिति में यह अन्तर है कि कांट जबकि इस उल्लेख को प्रमाण के रूप में नहीं देखकर केवल निषेधात्मक रूप में देखता है : कि कारण-कार्य-व्यवस्था विषय-ज्ञान की सीमाओं के बाहर सम्भवत: विद्यमान नहीं है, साँख्य भोक्तृ-भाव और कैवल्यार्थ प्रवृत्ति को पुरुष-भाव या पुरुष-तत्त्व की पारमार्थिकता के प्रमाण के रूप में देखता है।

यहाँ प्रश्न हो सकता है कि ये पुरुष-तत्त्व की यथार्थता के लिए कहाँ तक उपयुक्त प्रमाण हो सकते हैं? यह बहुत कठिन प्रश्न है, किन्तु मनुष्य के स्वरूप और दार्शनिक सत्य के अन्वेषण का अर्थ समझने की दृष्टि से मूलभूत महत्त्व का है। इसलिए हम यहाँ भोक्तृभाव और कैवल्यार्थ प्रवृत्ति के स्वरूपों पर संक्षेप में विचार करेंगे।

'भोक्तृभाव' का अर्थ रूप-रस-गंध आदि वेदनाएँ नहीं हैं, यद्यपि रूप-रस-गंध आदि वेदना-रहित स्थितियों का होना एक ओर, और इनकी वेदना का होना दूसरी ओर, इस भाव की दृष्टि से महत्त्वपूर्ण है। विषय-भाव की पराकाष्ठा स्वयं रूप, रस, गंध आदि विषय हैं। इनकी वेदना चित् का विषयानुरूप और विषयानुविद्ध उद्दीपन है। विदित रूप, रस, गंध आदि का विषयकरण, यह तीसरी स्थिति है जिसे अध्यवसाय कहते हैं : 'प्रतिविषयाध्यवसाय: दृष्ट:।'[1] यह अध्यवसाय विषयानुरूप नहीं होकर विषय का निरूपक होता है, इसीसे इसे विकल्प भी कहते हैं, किन्तु यह विषयानुविद्ध अवश्य होता है। किन्तु अध्यवसाय विषयानुविद्ध होने के साथ-साथ आत्म-प्रकाशक, विषयिता-बोधक भी होता है, जिसे डेकार्ट ने 'मैं सोचता हूँ' के द्वारा संकेतित किया। यही भोक्तृभाव है। यह 'मैं सोचता हूँ' डेकार्ट में प्रमेय, प्रमाण और प्रमा एकसाथ है, इसके लिए किसी अन्य प्रमाण की आवश्यकता नहीं है। किन्तु साँख्य में यह इस दृष्टि से प्रमा होने पर भी कि इसका प्रामाण्य स्वत:सिद्ध है, प्रमेय नहीं है और इसीलिए आत्यन्तिक रूप से या परमार्थत: प्रमा भी नहीं है। इसमें साँख्य पुन: कांट से तुलनीय है जिसके अनुसार विषयानुविद्ध अस्मिता या भोक्तृभाव स्वयं भी विषयात्मक, अथवा कहें जागतिक (फिनोमिनल) है, किन्तु यह अपने से परे अजागतिक पारमार्थिक-आत्मतत्त्व का संकेतक या उसके लिए प्रमाण बनता है। इस भोक्तृभाव के विद्यमान नहीं होने पर केवल वेदना और वेद्य वस्तु होती और भोग के भी नहीं होने पर केवल अविदित वस्तु होती। किन्तु वस्तु पर वेदना, वेदना पर भोग और भोग पर भोक्तृभाव (ज्ञातृत्वाभिमान) का अस्तित्व है और यह क्रम उस स्थिति में पर्यवसायी है जिसमें आत्मा स्वयं निरवलम्ब भाव में रहता है। किन्तु यहाँ यह द्रष्टव्य है कि निरवलम्ब भाव में स्थित यह आत्मा कोई द्रव्य, वस्तु या तथ्य का अस्तित्व नहीं है, बल्कि यह वह नियामक आधार है जिसके बिना उपर्युक्त क्रम का अस्तित्व सम्भव नहीं है और जो इस क्रम का प्रवर्तक और पर्यवसान है।

'कैवल्यार्थ प्रवृत्तेश्च' का अर्थ है कि मानव-चेतना जगद्भाव से उपरंजित होने पर भी कभी-कभी इसमें अपने को 'प्रवासी' अनुभव करती है और उपलब्ध से परे, उसकी सीमा के बाहर, अपना लाभ देखती है। यह प्रवासानुभव सिद्ध से परे साध्य का अन्वेष्य तथ्य है, यह हम सब जानते हैं। कुछ लोग इस तथ्य को आत्म-छल कहते हैं, किन्तु यह केवल इसकी व्याख्या है, इसकी तथ्यता का निषेध नहीं। साँख्य इस तथ्य को पुरुष की सत्ता के लिए—पुरुषभाव के लिए—प्रमाण के रूप में देखता है। कुछ लोग वस्तु-दर्शन को तो वस्तु के अस्तित्व के लिए प्रमाण मानते हैं किन्तु मूल्य-पर्येषणा को पर्येष्य के अस्तित्व के लिए प्रमाण नहीं मानते, जबकि वास्तव में

1. कारिका, 5.

प्रथम में वैसी प्रामाणिकता नहीं है जैसी दूसरे में। इसका कारण यह है कि जबकि दर्शन में दृश्य वस्तु का इतर होना आवश्यक है इसीसे उसका अस्तित्व कभी भी असन्दिग्ध नहीं हो सकता, पर्येषणा में आत्मा का अपना अव्यवहितत्व और पर के द्वारा प्रस्तुत व्यवधान का निवारण ही पर्येष्य होता है। पर्येषणा इस बात की असन्दिग्ध प्रमाण है कि पर्येषक चित्त आत्म-अव्यवहित है और व्यवधान के निवारण के लिए विकल है। इसे **बृहदारण्यक उपनिषद्** ने बहुत ही मार्मिक ढंग से कहा है कि पति, पत्नी, पुत्र आदि कुछ भी उनके अपनेपन में प्रिय नहीं होते, बल्कि आत्मा की अपनी पर्येषणा के रूप में ही प्रिय होते हैं।[1] इसका आशय समझने के लिए उदाहरणार्थ जल को लें जो तृषा-शामक है। यहाँ अन्वेष्य जल नहीं बल्कि तृषा-शमन है और तृषा आत्मा का अपने से व्यवधान, आत्मा के अपने भाव (सत्) के अन्तर में अभाव की उत्पत्ति है। यह बात दूसरी है कि धर्म, अर्थ और काम में आत्मा स्वयं अध्यस्त आत्मा है, किन्तु जैसाकि भोक्तृत्व के प्रसंग में हमने देखा, इसमें लक्षित अनध्यस्त आत्मा ही होता है। इसीसे मन्त्र के अन्त में जब ऋषि कहता है कि "वह आत्मा ही दर्शनीय, श्रवणीय, मननीय और निदिध्यासितव्य है"[2] तब स्पष्ट है कि वह आत्मा के अध्यस्त रूप के मूल में अनध्यस्त आत्मा को ही व्यंजित देखता है। बिना किसी चेतावनी के ही अध्यस्त आत्मा के प्रसंग से अनध्यस्त आत्मा के प्रसंग पर चले जाने का औचित्य यही है कि अध्यस्त आत्मा अनध्यस्त को अनिवार्यत: व्यंजित करता है और उसके बिना वह निराधार है। इस प्रकार पर्येषणा मात्र अन्ततः आत्मगत अभाव और उसकी पूर्ति की व्याकुलता को सूचित करती है। किन्तु आत्मा में अभाव सम्भव नहीं है, क्योंकि वह स्वत:पूर्ण और निरपेक्ष है। तब फिर 'आत्मनस्तुकामाय' का क्या अर्थ है? केवली में कैवल्यार्थ प्रवृत्ति कैसे सम्भव है? और साँख्य के अनुसार तो प्रकृति भी स्वत:पूर्ण और निरपेक्ष है, तब उसमें भी पर्येषणा कैसे सम्भव है? इसका समाधान यह है कि पर्येषणा जगद्गत अभावानुभूति है, जिसका तत्त्व ही 'आत्मा का अपने से व्यवधान' है। इस प्रकार कैवल्यार्थ प्रवृत्ति केवली के अस्तित्व के लिए प्रमाण है।

साँख्य ने पुरुष-तत्त्व के लिए सर्वप्रथम प्रमाण 'संघात परार्थत्वात्' दिया है। सम्भवत: इसका आशय सबसे अधिक सन्दिग्ध है। संघात, अर्थात् त्रैगुण्य का संघात, अर्थात् प्रकृति, अस्तित्वत: पुरुष की अपेक्षी नहीं हो सकती। यदि यह अस्तित्वत: अपेक्षी हो तो कैवल्यार्थ प्रवृत्ति का भी कभी अवसान नहीं हो सकता और इस प्रकार तब पुरुष भी कांट के ईश्वर के समान केवल पार्यन्तिक अवधारणा (लिमिटिंग कांसेप्ट) हो जायेगा।

किन्तु साँख्य को ऐसा अभिप्रेत नहीं है। साँख्यीय पुरुष अस्मिता (ज्ञातृत्वाभिमान और कर्त्तृत्वाभिमान) का आधार तत्त्व है, इसलिए संघात की परार्थता प्रकृति के जगत् पक्ष में है : प्रकृति की जागतिक अभिव्यक्ति, अथवा कहें आदिम जड़ उपादान में जगत् का आविर्भाव, पुरुष-लक्षी है, यह अविभक्त, आत्म-विश्रान्त चैतन्य तत्त्व की विपुलता का उद्भिन्न, स्फुट तथा विमर्शात्मक प्रतिदर्श है, इसलिए पुरुष-तत्त्व : चित्तत्व : के नितान्त अपरिणामी रहने पर भी जगत् रूप में प्रवृत्ति का चेतनाधर्मी व्यापार चलता है। संघात परार्थत्वात् की इस व्याख्या की पुष्टि 56वीं कारिका से होती है—

> इत्येष प्रकृति-कृतो महदादि भूत पर्यन्त:।
> प्रति पुरुष विमोक्षार्थं स्वार्थ इव परार्थ आरम्भ:।।

इस कारिका में जगत् का प्रयोजन पुरुष का विमोक्ष-साधन कहा गया है, जबकि पुरुष स्वरूपत: विमुक्त है। तब इसका क्या अर्थ है? इसका अर्थ है कि जगत्सृष्टि का प्रयोजन चैतन्य में स्वरूप-सिद्ध मुक्ति का अन्य माध्यम में साक्षात्करण है, जैसे कला-कल्पना का कला-कृति के माध्यम से साक्षात्करण होता है। इसी को दूसरे शब्दों में हमने अनुद्भिन्न वैपुल्य का उद्भिन्न प्रतिदर्श कहा है। वास्तव में जगत् स्वरूपत: भिन्नता है,[3] किन्तु इसकी प्रतिष्ठा

---

1. न वा अरे पत्यु: कामाय पति: प्रियो भवत्यात्मनस्तु कामाय पति: प्रियो भवति।. . . आदि। ब्राह्मण-4, कण्डिका 5.
2. आत्मा वा अरे द्रष्टव्य:, श्रोतव्यो, निदिध्यासितव्यो मैत्रेय्यात्मनो वा अरे दर्शनेन, श्रवणेन, मत्या, विज्ञानेनेदं सर्वं विदितम्। — वही।
3. सावयवम् 1, का. 10.

और निष्पत्ति अभिन्नता में है।[1] इसको वाक्य के उदाहरण से देखा जा सकता है जो उद्देश्य और विधेय में विभक्त होता है। वाक्यगत यह भेद अभिन्न अर्थ के पुनर्ग्रहण के क्रम में उत्पन्न होता है और उसके प्रकाशन में पर्यवसित होता है, यह बात दूसरी है कि हम भेद के माध्यम में उद्भासित अभेद का ग्रहण नहीं कर पायें।

इस प्रकार पुरुष-तत्त्व स्वरूपत: अनुद्भिन्न और अखण्ड पूर्णता है, जो जगद् व्यापार के लिए लक्ष्य और साध्य होकर भी स्वयं अपरिणामी और असंग है। इसीसे उपर्युद्धृत कारिका में पुरुष के विमोक्ष के लिए प्रधान को प्रवृत्त बताया गया है, पुरुष को नहीं, जोकि स्वरूपत: मुक्त है। इसका आशय स्पष्ट करने के लिए पुरुष की अवधारणा की ब्रह्म की वेदांतीय अवधारण से तुलना करना स्थाने होगा। वेदांतीय ब्रह्म भी नित्य अपरिणामी है, किन्तु क्योंकि वह साथ ही जगत् का उपादान भी है इसलिए वेदान्त के लिए यह समस्या है कि जगत्-परिणाम की किस प्रकार व्याख्या करे। इसके लिए वह ऐसे परिणाम की कल्पना करता है जो ब्रह्म के परिणत हुए बिना भी है, अर्थात् जो किसी परिणति के बिना, परिणाम है। इसे वह 'विवर्त' नाम देता है। किन्तु साँख्य को यह मत ग्राह्य नहीं है, इसलिए वह परिणामभूत जगत् का उपादान चित्तत्व से पृथक् रखता है।

साँख्य के इस समाधान का महत्त्व इस बात से स्पष्ट होता है कि जगत् साँख्य और वेदान्त दोनों के लिए अविद्या (क्रमश: अविवेक और अध्यास) मूलक है। ऐसी अवस्था में वेदान्त के लिए यह समाधान असम्भव प्रतीत होता है। क्योंकि तब प्रश्न उठता है कि अविद्या की प्रतिष्ठा किसमें है? 'जगत् विवर्त है' का भी अर्थ है कि असत् परिणाम सद्वत् प्रतिभासित होता है। इससे जगत् के उपादान के अपरिणामी होने का समाधान तो हो गया किन्तु 'प्रतिभास' की विद्यमानता का क्या समाधान है? यदि अविद्या भी असत् है तब प्रतिभास हो ही नहीं सकता, और यदि सत् है तो यह अनिवार्यत: ब्रह्मगत है। साँख्य इस कठिनाई का समाधान परिणाम और अविद्या को प्रकृति में रखकर करता है—अविवेक और विवेक दोनों बुद्धिगत वृत्तियाँ हैं, प्रथम स्थिति में यह दु:ख और दूसरी में मुक्त पुरुष के विमोक्ष का उपाख्यान, शाश्वत भाव का ऐतिहासिक निरूपण, अखण्डार्थ का वाक्यीय विमर्श है।

1. भेदानां परिमाणात् — अविभागाद्वैश्वरूपस्य। का. 15.

मनुष्य का तात्त्विक स्वरूप

मनुष्य क्या है? उसका स्वरूप क्या है? यह प्रश्न मनुष्य के सन्दर्भ में उठता है, पशु-पक्षी या मेज़, लोहे आदि के सन्दर्भ में नहीं उठता। ऐसा क्यों है कि हम गाय के स्वरूप को विचारणीय प्रश्न नहीं मानते किन्तु मनुष्य के स्वरूप को एक अत्यन्त महत्त्वपूर्ण विचारणीय प्रश्न मानते हैं? ऐसा तो नहीं कहा जा सकता कि गाय का कोई स्वरूप नहीं होता। सभी वस्तुओं का अपना स्वरूप-स्वभाव होता है। गाय के स्वरूप के लिए हम 'गोत्व' शब्द का प्रयोग करते हैं और घट के स्वरूप के लिए 'घटत्व' का। किन्तु गाय आदि के 'स्वरूप' में उससे अधिक कुछ निहित नहीं होता जो हम उसकी शरीर-रचना, आकृति तथा उपयोग में देखते हैं। हमारे लिए गाय एक ऐसा ही विषय है जिसका स्वरूप हमें लगभग पूर्णत: ऐन्द्रिय रूप से प्रदत्त है। जीव-वैज्ञानिक और शरीर-वैज्ञानिक की, अथवा ग्वाले की भी, उसके स्वरूप-ज्ञान में रुचि इसलिए होती है कि उससे अधिक-से-अधिक दूध किस प्रकार लिया जा सकता है! इसके विपरीत जब हम मनुष्य के स्वरूप पर विचार करते हैं तब उसकी शरीर-रचना अथवा उसकी शरीराकृति को नहीं जानना चाहते, उसका गोचर पक्ष उसके लिए प्रासंगिक ही नहीं होता, इसमें हम उसके उस पक्ष को जानना चाहते हैं जो हमारी अन्तश्चेतना में हमें अर्धप्रत्यक्ष-सा ग्राह्य होता है, जिसका न शरीर है और न आकृति।

मनुष्य की विशेषता उसकी चेतना की अस्मिता-बोध-सामर्थ्य है, जो उसे मौलिक एकता, व्यक्तित्व, और शेष जगत् से पृथक् स्वत्व देती है। अवश्य मनुष्य में आदिम भाव जगत्-परकता का ही है जिससे उसकी चेतना सहज रूप में जगदुन्मुख ही रहती है। किन्तु यह मानव-चेतना का विशिष्ट लक्षण नहीं है, क्योंकि यह भाव पशुओं में मनुष्यों से कहीं अधिक दृढ़ होता है। मनुष्य में विषयोन्मुखता के साथ ही आत्मोन्मुखी वृत्ति भी है। मनुष्य में चित् अपनी ओर भी उन्मुख होता है और इस उन्मुखता के द्वारा ही वह विषय के अपने से पृथक् निरीक्षण में समर्थ होता है, और विषय से भिन्न स्वयं को विषयी रूप में जानता है। किन्तु पशु में स्वयं को विषयी रूप में जानने की सामर्थ्य नहीं होती। इसीलिए पशु पूर्णतया इन्द्रियाधीन होता है, उसकी चेतना पूर्णतया विषय-संकुल होती है। किन्तु मनुष्य जबकि पशु के समान ही अधिकांशत: इन्द्रियाधीन रहता है, वह इन्द्रियों पर स्वामित्व भी प्राप्त कर सकता है और उनका यथेच्छया नियोजन कर सकता है। इतना ही नहीं, वह ऐन्द्रिकता से पूर्णत: मुक्त भी हो सकता है, जैसाकि हम बुद्ध और सुकरात में देखते हैं। मानव-चेतना की अपनी ओर उन्मुख होने की यह सामर्थ्य ही उसमें कर्म के प्रति उत्तरदायित्व तथा पुरुषार्थ-बोध की आधार है। अपनी आत्मोन्मुखी प्रवृत्ति के कारण मानव-चैतन्य जब चाहे और जैसे चाहे विषय की उपेक्षा कर सकता है। इस आत्मोन्मुख निवर्तन में चैतन्य सबसे पहले जिस विषय का साक्षात्कार करता है वह है अस्मिता (अहंता), किन्तु अस्मिता के भी विषय होने से मानव-चैतन्य उससे भी आगे अपनी ओर लौटता है और उस विषय के प्रामाण्य की खोज करता है। प्रामाण्य की यही खोज पुरुषार्थ, कैवल्यार्थ प्रवृत्ति या मूल्यान्वेषण, और व्यवहार के विपरीत परमार्थ के बोध की आधार बनती है। इस बोध के कारण ही मनुष्य कर्म के अर्थ और विषय के सत्य और प्रामाणिकता के सम्बन्ध में अन्वीक्षा और विमर्श कर सकता है। किन्तु जैसाकि हमने ऊपर कहा, ये दोनों प्रकार के विमर्श अस्मिता को पूर्वापेक्षित करते हैं और अस्मिता के स्वयं विषय होने से यह भी विमृश्य हो सकती है। किन्तु अस्मिता जहाँ विषय के विमर्श-योग्य होने के लिए पूर्वापेक्षित होती है, वह स्वयं विमर्श के योग्य विषय के विमर्श के अनन्तर ही होती है—मनुष्य का आत्मविमर्श, स्वरूप-विमर्श, विमर्श का उच्चतम धरातल है। इस प्रकार प्रत्यक्ष या परोक्ष रूप में सब दर्शन मनुष्य-स्वरूप के इस प्रश्न पर विचार करते हैं।

किन्तु कुछ लोग यह समझते हैं कि दर्शन सत्ता और ज्ञान के स्वरूप पर तथा ईश्वर, ब्रह्म आदि के प्रश्नों पर तो विचार करता है, मनुष्य क्या है, यह उसका विचार-विषय नहीं है, कम-से-कम मुख्य रूप से यह प्रश्न

उसका विचार–विषय नहीं है। किन्तु गहराई से देखने पर पता लगता है कि वास्तव में मनुष्य ही दर्शन का विचार–विषय है। सत्ता, ज्ञान, ईश्वर, ब्रह्म सब उसी के स्वरूप से सम्बन्धित होकर दर्शन के लिए विचार्य होते हैं। मनुष्य के स्वरूप की अवधारणा ही दार्शनिक के सत्ता–विषयक विचारों को प्रेरित और निर्धारित करती है। उदाहरणत: ह्यूम केवल संवेद को ज्ञान और संवेद–प्रदत्त को ज्ञान–विषय मानता है, और इस ज्ञानमीमांसा से इस निष्कर्ष पर पहुँचता है कि आत्मा का कोई अस्तित्व नहीं है, और न व्यक्ति में कोई अन्य वास्तविक एकत्व है।

बर्ट्रण्ड रसल ने अपनी पुस्तक 'मिस्टीसिज़्म एण्ड लॉजिक' में दर्शन का कार्य तटस्थ और निर्मम भाव से सत्य का अनुसन्धान कहा है, फिर चाहे उसके निष्कर्ष मनुष्य और समाज के सन्दर्भ में कुछ भी निकलें।[1] किन्तु उसके इस विचार के आधार में मनुष्य की तर्क–स्वरूपता में आस्था निहित है। यह उसके दार्शनिक ग्रन्थों में ही नहीं देखा जा सकता, 'मैरेज एण्ड मारल्स' तथा 'ह्वाई आई एम नॉट के क्रिश्चियन' जैसे ग्रन्थों में तथा और लेखों में भी देखा जा सकता है।

मार्क्स मनुष्य को देह–स्वरूप ही मानता है, क्योंकि मार्क्स भूततत्त्व को ही परमतत्त्व मानता है, किसी अतिक्रामी सत्व या चेतना को भी नहीं, जोकि स्वतन्त्रता और नैतिकता का स्रोत है। क्योंकि वह मानता है कि तकनीकी क्रान्ति से समाज में जिस असन्तोषजनक स्थिति का उदय हुआ है उसकी व्याख्या तभी की जा सकती है यदि भूततत्त्व को ही परम माना जाये। किन्तु फिर भी वह चेतना को स्वीकार करता है, इसीलिए वह कहता है कि मनुष्य कुछ सद्‌गुणों व स्वतन्त्रता से युक्त है। सामाजिक प्राणी के रूप में वह सदैव समाज में अपनी स्वतन्त्रता के लिए प्रयत्न करता रहता है। किन्तु मार्क्स चेतना को भूततत्त्व पर ही आधारित मानता है, अत: वह मानने को बाध्य है कि मनुष्य देह–स्वरूप ही है।

सोफिस्ट दार्शनिक प्रोटागोरस संवेदनात्मक ज्ञान को ही सत्य ज्ञान मानता है। इसलिए उसके अनुसार मनुष्य ऐन्द्रिक स्वरूप ही है, संवेदनाओं से परे किसी आत्मतत्त्व की सत्ता नहीं है। इसके विपरीत सुकरात व प्लेटो के अनुसार ज्ञान संवेदनात्मक नहीं है, क्योंकि ऐन्द्रिय ज्ञान परिवर्तनशील व अन्तर्विरोधपूर्ण है। विज्ञानों का ज्ञान इन्द्रियों द्वारा नहीं होता बल्कि आत्मा अपने शुद्धतम रूप में इनका साक्षात्कार करता है। अत: मनुष्य प्रकाशात्म–स्वरूप है।

गोयथे के अनुसार,[2] समस्त प्राणियों में से केवल मनुष्य ही अतीन्द्रिय अनुभव में समर्थ है। अत: वह प्रकृति से स्वतन्त्र है और 'ईश्वरीय प्रकाश' को ग्रहण करने में समर्थ है। अपनी इसी क्षमता के कारण वह नि:स्वार्थ, स्नेहशील, न्यायप्रिय और शुभ–संकल्प–युक्त है। कांट के समान गोयथे भी मानता है कि नैतिकता मनुष्य का स्वभाव है। गोयथे मनुष्य को दो स्तरों से सम्बन्धित मानता है। एक ओर वह संवेदनाओं के विषयों से सम्बन्धित है, प्राकृतिक अनिवार्यता के विषयी (सब्जेक्ट) के रूप में मनुष्य 'दरिद्र चेतना' है परन्तु वह अपने चिन्तन में स्वयं को इन सबसे असीम रूप से ऊपर रखता है। इस व्यक्तित्व के कारण वह प्राकृतिक प्रक्रिया से मुक्त है। वह अपने संकल्प में स्वतन्त्र है। इस अर्थ में उसका कर्म किसी से निर्धारित नहीं होता। किन्तु गोयथे मनुष्य को शरीर और मनस् में विभक्त नहीं करता जैसाकि अन्य दार्शनिकों ने किया है। उसके अनुसार प्राकृतिक जगत् मनुष्य को अपनी ओर आकर्षित करता है, किन्तु वह अपनी इस दृष्टि को त्याग कर पारमार्थिक लोक की ओर भी आ सकता है, जो लोक असीम है।

सामाजिक प्राणी के रूप में मनुष्य दूसरे मनुष्यों के सम्पर्क में आता है, जो सम्पर्क उस में आत्म और पर के भेद को और इस प्रकार शत्रुता–मित्रता और स्वार्थ–परार्थ भाव को जन्म देता है। मनुष्य के लिए एक–दूसरे को समझना कठिन है, क्योंकि कोई भी अपने को उद्‌घाटित नहीं करता। किन्तु इसके साथ ही मनुष्य में प्रेम, सद्भाव

1. Russell, B. — Mysticism and Logic, Ch. 1, London, George Allen and Unwin, 1910.
2. Goethe the Thinker, By Kari Veitor, Harvard University Press 1950.

और विश्वास भी है। वह दूसरों की सहायता के लिए तत्पर रहता है। इस प्रकार गोयथे की कविताओं में स्वतन्त्र धरती पर स्वतन्त्र मनुष्यों में विश्वास सशक्त और पूर्ण अभिव्यक्ति पाता है। गोयथे के अनुसार मनुष्य की यह नियति है कि वह विचारों से, योजना से, और कर्म से स्वयं को पृथ्वी का स्वामी बनाना चाहता है और वह जानता है कि प्रत्येक मनुष्य जगत् के अस्तित्व के वैभव को पूर्णतया भोगना चाहता है, किन्तु ऐसा वह अन्यों के साथ ही कर सकता है। व्यक्ति दूसरों के साथ व दूसरों के लिए जीकर ही इस अस्तित्व का आनन्द ले सकता है और स्वयं को पूर्ण बना सकता है। अकेला कौन हँसेगा? अकेला कौन रोयेगा?

किन्तु इसका यह अर्थ नहीं है कि व्यक्ति का अस्तित्व समाज या अन्य किसी समूह में निश्शेष हो जाता है। नैतिक चेतना के रूप में प्रत्येक व्यक्ति स्वयं से सम्बन्धित है। गोयथे ने अपनी कविताओं में व्यक्ति और समाज के मध्य स्पष्ट रेखा खींची है।

टॉयन्बी के अनुसार,[1] मनुष्य प्रेम, बोध एवं सर्जन के लिए जीना चाहता है। सच्चा प्रेम एक भावना है जो स्वयं को ही अपनी क्रिया में उन्मुक्त करती है। मनुष्य आत्म-केन्द्रण या स्वार्थ का अतिक्रमण 'स्व' का दूसरे मनुष्यों के लिए त्याग करके करता है। यह प्रेम ही, जिसमें 'स्व' का त्याग होता है, सच्ची आत्मपूर्णता है। गोयथे प्रेम को मनुष्य की आध्यात्मिक सत्ता के साथ जोड़ता है, जिस सत्ता का आत्मा अंग है, किन्तु जो उससे व्यावहारिक दृष्टि से पृथक् है।

सब प्राणियों में मनुष्य ही विवेकशील और बुद्धिमान् है, इसलिए केवल वही सोच-समझकर चुनाव करने में समर्थ है। मनुष्य के लिए यह जानना बहुत कठिन है कि वह अपने प्रेम को किस प्रकार विभाजित करे, यह किस प्रकार निश्चित किया जाय कि कौन अधिक प्रेम के योग्य है। इसमें मानव-चेतना अथवा बुद्धि समर्थ है।

किन्तु मनुष्य का स्वभाव आंशिक रूप से ही बौद्धिक है। मनुष्य मानवेतर प्राणियों के समान संवेदनाओं से भी चालित होता है जो उसमें अनीति और अशुभ के लिए आधार बनती हैं। मानवीय जीवन निरन्तर बौद्धिक एवं अबौद्धिक संघर्ष से गुज़रता है और बुराई को छोड़ते हुए अच्छाई को चुनना चाहता है। हम सदैव बुद्धि से संवेदनाओं को जीतकर अपने वश में करना चाहते हैं किन्तु अक्सर असफल होते हैं और तब अबौद्धिक पक्ष की जीत हो पाती है। सम्पूर्ण मानव-जीवन बौद्धिकता को सर्वोच्च रखने का प्रयत्न है।

मानव-चेतना का तीसरा विशिष्ट लक्षण सर्जनशीलता है, जिसका अर्थ है कि यह चेतना प्रदत्त-स्थिति को स्वीकार नहीं कर साध्य स्थिति का अनुसन्धान करती है। इस प्रकार मनुष्य का संसार चेतना से स्वतन्त्र नहीं होकर उसकी सृष्टि है, यह उसकी कल्पना और संकल्प की निष्पत्ति है।

कुछ दार्शनिकों ने इस संकल्प को स्वरूपत: श्रेयोमय माना है, जिसका अर्थ है कि अश्रेयस् अथवा पाप मौलिक और वास्तविक नहीं होकर केवल आरोप है। किन्तु दूसरे श्रेयस् और अश्रेयस् दोनों को मनुष्य के स्वभाव में वास्तविक मानते हैं। उदाहरणत: भारतीय चिन्तन-धारा में असुर और देवता दोनों जगत् में वास्तविक हैं, और ईश्वर जगत् के प्रति अपनी अनुकंपा से असुरों का संहार करके देव-भाव की रक्षा करता है। किन्तु यह विचार हमें केवल भारतीय धार्मिक चिन्तन में ही मिलता है, दार्शनिक चिन्तन में नहीं। मुख्य दार्शनिक सम्प्रदायों, जैसे बौद्ध, वेदान्त, साँख्य और जैन दर्शनों में, अश्रेयस्-असत्-आरोप अथवा मिथ्या है। भारतीय धार्मिक चिन्तन के अनुरूप चीनी दार्शनिक कन्फ्यूशियस[2] और वांग चुंग[3] भी श्रेयस् और अश्रेयस् दोनों को मानव-चेतना में मौलिक मानते हैं।

---

1. Toynbe, Arnold J. Surviving the Future, Oxford University Press, New York, 1971.
2. A Source Book in Chinese Philosophy, Translated and Compiled by Wing — Tsit Cho, Princeton University Press, 1963, p. 5.
3. वही, अ. 16.

ईसाई दार्शनिक आगस्तीन[1] भीं मनुष्य जगत् में देव-भाव और असुर-भाव दोनों को मौलिक स्वीकार करता है। उसके अनुसार मनुष्य एक ओर ईश्वर की सन्तान है और उसके दिव्य अंश से उज्ज्वल है और दूसरी ओर ऐन्द्रिकता के मल से, आसुरी भाव से, भी आविल रहता है। यह वास्तव में सामान्य रूप से ईसाई-धर्म की ही मान्यता है। इसी से सन्त एक्वाइनस भी मनुष्य को दिव्य और आसुर दोनों भावों से सम्बन्धित मानता है।[2] किन्तु आसुर भाव अथवा अविद्या को दिव्य भाव अथवा ज्ञान के समान ही मौलिक और वास्तव मान लेने पर अनेक दार्शनिक कठिनाइयाँ उपस्थित हो जाती हैं। यदि आसुर भाव या अविद्या मौलिक हो तो इसका निवारण सम्भव नहीं हो सकता। दूसरे, इसे मौलिक स्वीकार करने पर या तो ईश्वर को सर्वशक्तिमान् और सर्वव्यापक नहीं माना जा सकेगा क्योंकि उसका अविद्या पर, असुरों पर, कोई वश नहीं होगा, अथवा सर्वशक्तिमान् मानने पर उसे अंशत: आसुर-भाव से युक्त भी मानना पड़ेगा। इस समस्या का कोई समाधान ईसाई दर्शन में नहीं मिलता। कांट ने इस समस्या को एक दूसरा ही रूप दिया और इसके समाधान का प्रयत्न किया। किन्तु उसका समाधान वास्तव में कठिनाइयाँ अधिक उत्पन्न करता है बजाय वास्तव समाधान देने के। उसके अनुसार मौलिक सत् व्यक्ति-चैतन्य है जो स्वरूपत: दिव्य है, किन्तु वह आसुर-भाव से उपहित है, जो प्रातिभासिक है, सत् नहीं है। किन्तु कांट प्रातिभासिक को दो नितान्त पृथक् सन्दर्भों में देखता है और इन सन्दर्भों में सत् भी दो प्रकार का हो जाता है जिनमें परस्पर कोई सम्बन्ध दिखायी नहीं पड़ता। ये सन्दर्भ हैं—ज्ञान और कर्म। ज्ञान के सन्दर्भ में यद्यपि प्रतिभास सत् पर बुद्धि-विकल्पों का आरोप है, किन्तु स्वयं बुद्धि भी असत् है ऐसा कहीं स्पष्ट नहीं है। दूसरी ओर इस सन्दर्भ में सत् न ज्ञेय है और न अनुमेय, वह केवल एक पार्यन्तिक कल्पना है। अर्थात् बुद्धि अपने ग्रहण की सीमाओं के अनुमान से उन सीमाओं से बाहर कुछ होने की सम्भावना का निषेध नहीं कर सकती।[3]

यह स्थिति कर्म के सन्दर्भ में उलट दी गई है। कर्म इस अतिक्रामी सत् को आधार मानकर अग्रसर होता है। नैतिक बोध अथवा श्रेयोमय संकल्प में सत् को अव्यवहित रूप से प्रदत्त आधार भी कह सकते हैं। कहीं-कहीं कांट शुद्ध कर्म को सत् के साथ अभिन्न के रूप में भी देखता है, और संवेद को, जो प्रतिभास का उपादान कारण है, अविद्या और आसुरता के रूप में देखता है।

मनुष्य के स्वरूप को लेकर कुछ भारतीय दर्शनों में बहुत गम्भीर, और एक दृष्टि से अन्य दर्शन-प्रणालियों से विशिष्ट, विचार मिलता है। सभी भारतीय दर्शन दार्शनिक विचार का उद्देश्य मनुष्य के स्वरूप का अनुसन्धान मानते हैं, और प्राय: सभी इस विश्वास के साथ अपना प्रतिपादन आरम्भ करते हैं कि दर्शन का लक्ष्य परमार्थ ज्ञान है और यह ज्ञान मनुष्य को अपवर्ग या मोक्ष की उपलब्धि कराता है। किन्तु कोई ज्ञान अपवर्ग की उपलब्धि कैसे कराता है? उदाहरणत: यह ज्ञान तो अपवर्ग की उपलब्धि नहीं कराता कि अन्न की उपज कैसे बढ़ायी जा सकती है अथवा मेरी आय कैसे बढ़ायी जा सकती है? इस पर कोई कह सकता है कि एक प्रकार से लोकायत इसी ज्ञान को अपवर्ग-प्रदायक मानते थे। यह बात सही है और यह इस तथ्य पर प्रभूत प्रकाश डालती है कि दार्शनिक तत्त्व-चिन्तन किस प्रकार प्रत्यक्ष या परोक्ष रूप से मनुष्य के स्वरूप का ही चिन्तन है। इस प्रकार वास्तव में देखा जाय तो चार्वाक दार्शनिकों के चिन्तन का केन्द्र भी मनुष्य का स्वभाव ही है। उदाहरणत: अनुमान-प्रमाण को लें। अब लोकायतों द्वारा अनुमान-प्रमाण का निषेध और मनुष्य के स्वरूप सम्बन्धी पुरुषार्थ, अपवर्ग अथवा परम सुख-विषयक विचार एक ही मूल दार्शनिक-दृष्टि पर आधारित हैं, कि इन्द्रियों के अतिरिक्त

1. Augustine — The Confessions, Transleated Edvard B. Pusay, D. D. , Hocket Books, New York, also see Windelband, W. , A History of Philosophy, The Mecmillan and Co. , 1931. p. p. 276-287.
2. Anton C. Pegis (Ed.) Introduction to St. Thomas Agnimas, The Modern Library Books, 1948, p. p. 520-540.
3. द्रष्टव्य, यशदेव शल्य — इम्मेनुअल कांट, दार्शनिक त्रैमासिक, 1977.

ज्ञान का और कोई साधन नहीं है और इन्द्रिय-ग्राह्य के अतिरिक्त दूसरा कुछ सत् नहीं है, और परिणामत: मनुष्य का स्वरूप भौतिक है और सौख्य ऐन्द्रिक एषणाओं की सन्तुष्टि। यही बात अन्य दर्शनों के सम्बन्ध में कही जा सकती है, किन्तु अन्य भारतीय दर्शनों का यह उत्तर नहीं है। इसका अर्थ यह नहीं है कि अन्य सम्प्रदायों का यदि कोई एक उत्तर होता तो वे पृथक् सम्प्रदाय ही नहीं कहे जा सकते थे। किन्तु उन सबमें एकसूत्रता है और वह है उनकी मानव-केन्द्रितता।

यहाँ हमारा अभिप्राय यह नहीं है कि दूसरी संस्कृतियों के दर्शनों का अनुसंधेय मनुष्य नहीं है। यह तो सम्भव ही नहीं है। ग्रीक दर्शन की मुख्य चिन्ता हम मनुष्य को ही पाते हैं, इसी प्रकार पाश्चात्य दर्शन आरम्भ में ईसाई धर्म-विषयक दर्शन था और इस प्रकार मनुष्य के ईश्वर तथा जगत् से सम्बन्ध को समझना ही उसके विचार का विषय था। उसके पश्चात् डेकार्ट, स्पिनोज़ा, कांट, जर्मन आदर्शवादी, अस्तित्ववादी सब दर्शन-सम्प्रदाय मनुष्य के स्वरूप पर ही विचार करते मिलते हैं। यहाँ तक कि अनुभववाद के विभिन्न सम्प्रदाय भी मनुष्य के स्वरूप-सम्बन्धी ही दर्शन हैं, यद्यपि ये उसके ऐसे सब अनुभव को झुठलाते हैं जो मनुष्य को पशु से अलग करता है। इस प्रकार जो दर्शन प्रत्यक्षत: इस समस्या के प्रति उन्मुख नहीं प्रतीत होते वे भी वास्तव में इसी समस्या पर विचार करते हैं। उदाहरणत: वैशेषिक दर्शन विभिन्न प्रकार के परमाणुओं की सत्ता स्वीकार करता है। ये परमाणु आत्मा के कर्मों के प्रभाव से संसार रूप में क्रियान्वित होते हैं। किन्तु यह दर्शन मनुष्य में इस कर्ममय जगत् से ऊपर उठने की इच्छा भी स्वीकार करता है, जिससे अपवर्ग की प्राप्ति होती है। मीमांसा ऐसा स्वीकार नहीं करता। उसके अनुसार यद्यपि मनुष्य का स्वरूप या परम लक्ष्य पारलौकिक ही है, चाहे वह स्वर्ग हो या मोक्ष, किन्तु स्वर्ग या मोक्ष-प्राप्ति कर्म के द्वारा ही सम्भव है।

जैन दर्शन के अनुसार मनुष्य जीव-स्वरूप है, जो भूत-तत्त्व द्वारा बँधा है। अपने शुद्ध रूप में जीव बंधन-रहित है और सर्वज्ञ है। किन्तु जीव में कर्मों का प्रादुर्भाव होने पर उसे एक निश्चित आकार मिलता है। कर्मों का प्रादुर्भाव जीव की अविद्या से होता है। किन्तु यह प्रश्न होने पर कि जीव स्वरूपत: शुद्ध है तो वह अविद्या में कैसे फँसता है? उत्तर दिया गया कि अविद्या अनादि है।[1]

बौद्ध दार्शनिकों के अनुसार, मनुष्य-जीवन अविद्या और धर्ममूलक चेतना है। मानवीय चैतन्य कर्मों के अधीन ही पुन: पुन: जन्म लेता है। पाँचों स्कन्ध (रूप स्कन्ध, वेदना स्कन्ध, संस्कार स्कन्ध, और विज्ञान स्कन्ध) कर्मों के बल से ही प्रकट होते हैं। किन्तु बौद्ध इस जागतिक चेतना को मनुष्य का स्वरूप नहीं मानते, उनके अनुसार मनुष्य का स्वरूप या सत्व निर्वाण है।

शांकर वेदान्त के अनुसार केवल ब्रह्म ही सत् है। इसलिए मनुष्य तत्त्वत: ब्रह्म-स्वरूप है। अत: मनुष्य के जगत्-विषयक सभी अन्वेषण अविद्यामूलक हैं।

वेदान्त की परम्परा में ही स्वामी विवेकानन्द भी मानते हैं कि मनुष्य देहस्वरूप नहीं है। उसका यथार्थ स्वरूप 'ब्रह्म' है, जो अनन्त और सर्वव्यापी है। कार्य-कारण व देश-काल से अतीत होने के कारण वह मुक्त स्वभाव है। आत्मा अनादि-अनन्त है अत: जन्म-मृत्यु का प्रश्न ही नहीं उठता। मनुष्य का यह ज्ञान कि वह सांत् और परिणामशील है, भ्रम है। मनुष्य स्वयं पूर्ण और शुद्ध स्वरूप है।

उपनिषदों में, जैसे ऐतरेयोपनिषद् व तैत्तिरीयोपनिषद् में, जगत् को अविद्या या माया के रूप में नहीं देखा गया है, बल्कि मनुष्य के आत्म-साक्षात्कार के आधार के रूप में देखा गया है। किन्तु उपनिषदों में यह

---

1. Raju, P. T. The Concept of Man in Indian Thought. Edited by S. Radhakrishnan & P. T. Raju, George Allen & Unwin Ltd., London 1960, p. p. 157-58.

भी कहा गया है कि आध्यात्मिकता सांसारिकता से उच्चतर है। मनुष्य-जीवन का अर्थ है—आन्तरिक सत् को प्राप्त करना।[1]

साँख्य दर्शन में मनुष्य पर बहुत व्यापक रूप से विचार हुआ है। साँख्यकारिका का आरम्भ ही दु:ख की विद्यमानता के तात्त्विक बोध से होता है। दु:ख का स्वरूप क्या है, और उससे मुक्ति कैसे सम्भव है? ये प्रश्न मनुष्य ही से सम्बन्ध रखते हैं, मनुष्य ही इसका केन्द्र है, अर्थात् मनुष्य ही है जो दु:ख का अनुभव करता है और जो उसका कारण और निदान जानना चाहता है। मनुष्य अपने अस्तित्व और उससे सम्बन्धित आकांक्षाओं, अनुभवों व प्रवृत्तियों के मूल्य की सार्थकता की परिपृच्छा करता है, साँख्य मनुष्य की इस परिपृच्छा का, उसकी व्याकुलता का, तात्पर्य समझना चाहता है।

साँख्य के अनुसार दु:ख तीन प्रकार के हैं—आध्यात्मिक, आधिभौतिक और आधिदैविक। (का. 1) इन तीनों प्रकार के दु:खों के निवारण के लिए अनेक प्रकार के लौकिक सुख-साधन होने पर भी दु:ख का आत्यन्तिक नितारण नहीं होता। वाचस्पति मिश्र के अनुसार, त्रिविध दु:ख की निवृत्ति के लिए लोकविदित उपाय हैं। जैसे शारीरिक दु:ख के निवारण के लिए चिकित्सा, मानस् दु:ख के निवारण के लिए सुखकर विषयोपभोग, आधिभौतिक दु:ख के निवारण के लिए निरुपद्रव स्थान में रहना, और आधिदैविक दु:ख के निवारण के लिए दान-पूजा आदि कार्य। इन उपायों से दु:ख-निवारण होने पर भी वह निवृत्ति न एकान्त होती है और न अत्यन्त। और तब मनुष्य में यह जिज्ञासा उत्पन्न होती है कि दु:ख की आत्यन्तिक निवृत्ति कैसे सम्भव है? वह अनुभव करता है कि नीरोग देह, राज्यलक्ष्मी और हाथी-घोड़े होने पर भी दु:ख का अनुभव है, और तब पाता है कि वास्तव में यह अस्तित्व ही दु:ख है जिसमें भाव और अभाव के प्रसंग उपस्थित होते हैं। मैत्रेयी की यह चिन्ता प्रसिद्ध ही है। औपनिषद मैत्रेयी ने जगत् के सम्पूर्ण वैभव के सम्बन्ध में पाया था कि यह सब निरर्थक है, क्योंकि यह आगन्तुक है, अर्थात् यह स्वरूप नहीं है, स्वरूप से बाह्यत: सम्बन्धित है। इसीसे उसने कहा, "जिससे मुझे अमृतत्व-लाभ नहीं हो उसे लेकर मैं क्या करूँगी?" किन्तु अमृत तो जीवन में कुछ भी नहीं है—यह देह, मन, विचार और अस्मिता भी नहीं है, और यदि ये सब मरण-धर्मा हैं तब भवमात्र ही आगन्तुक है, आगन्तुक अर्थात् स्वरूप से बाह्यत: सम्बद्ध, दूसरे शब्दों में, असम्बद्ध। किन्तु हम इसी में सुख खोजते हैं, और इन्हें पाकर भी जब तृषित ही रहते हैं तब फिर वही और अधिक खोजते हैं अथवा दूसरा वैसा ही कुछ खोजते हैं। किन्तु क्योंकि उससे अक्षुण्ण सुख मिल ही नहीं सकता इसलिए उनका अनुसरण व्यर्थ है।

सांख्य के अनुसार जगत् की स्थिति चेतना के जगद्भाव में है, दूसरे शब्दों में—आगन्तुक के अनुसरण में है। इस भ्रान्त अनुसरण में प्रवृत्त चेतना ही मनुष्य है, जो इस प्रवृत्ति से मुक्त होने की योग्यता भी रखता है। उसके ये दो पक्ष परमार्थ के द्वैत की ओर संकेत करते हैं। जगत्प्रवृत्ति से मुक्त होने की आकांक्षा और योग्यता, कैवल्यार्थ प्रवृत्ति, मनुष्य की पुरुष-स्वरूपता को प्रमाणित करती है और जगत्प्रवृत्ति प्रकृति-स्वरूपता को, किन्तु क्योंकि जगत् दु:खात्मक है इसलिए वह मनुष्य का स्वरूप नहीं हो सकता, वह केवल इतर ही हो सकता है जिसे साँख्य ने 'प्रकृति' कहा है।

प्रकृति और पुरुष—ये दो अनादि और सभी स्थितियों के पहले हैं। प्रकृति अव्यक्त, अनिर्वचनीय, नितान्त सामान्यात्मक जड़त्व है। (का. 4) प्रकृति ग्राह्य, ग्रहण एवं ग्रहीता-रूप विविध द्रव्यों का उपादान है, यह जगत् का तात्त्विक आधार है, अत: वह अपरिच्छिन्न, निरवयव, अनाश्रित, अनादि और अन्तहीन है। यह मूल प्रकृति सत्व, रजस् व तमस् गुणों का संघात है। ऐसा नहीं है कि ये गुण प्रकृति के गुण हैं और प्रकृति कोई पृथक् द्रव्य है। वास्तव में ये गुण प्रकृति से भिन्न नहीं हैं। प्रकृति का अर्थ है—तीनों गुणों की साम्यावस्था, और तीनों गुणों की साम्यावस्था का अर्थ है—प्रकृति। संसार के सभी विषय और उनके विषयी इन तीनों गुणों के कार्य हैं। इनके कारण ही मनुष्य के विभिन्न मानसिक स्तर हैं। इन्हीं के आधार पर मनुष्य को तीन भागों में विभाजित किया जा

1. तैत्तिरीय के अनुवाक 2 से 5 इसी विषय पर हैं।

सकता है। जिसमें सत्वगुण का आधिक्य है वह सात्विक, जिसमें रजस् का आधिक्य है वह राजसिक, और जिसमें तमस् गुण का आधिक्य है वह तामसिक प्रवृत्ति का कहलाता है। दूसरे शब्दों में, जगत् में उपलब्ध विभिन्न रूप-गुण-स्वभाव एक ही मूल स्वभाव के विकार हैं, और यह मूल स्वभाव (प्रकृति) त्रिआयामात्मक है। ये तीन आयाम हैं—सत्व, रजस् और तमस्। साँख्य इन आयामों को 'गुण' संज्ञा देता है। ये तीन गुण जगत् के कारण हैं और कार्य भी हैं, अर्थात् जगत् अपने स्वरूप और प्रतीति से भिन्न नहीं है, सिवाय इस अविवेक के कि जो अनात्म है उसे मनुष्य आत्मरूपेण ग्रहण करता है। मनुष्य स्वरूपेण पुरुष है और पर-रूपेण प्रकृति, इस प्रकार दोनों मनुष्य में संयुक्त हैं। यह पर-रूप का स्वरूपवत् ग्रहण विषयी-पक्ष में अविवेक और विषय-पक्ष में जगत् है। साँख्य के अनुसार, मूल प्रकृति प्राप्त-वस्तुस्थिति नहीं है। वह न दृश्य है और चिन्त्य, क्योंकि दर्शन और चिन्ता तथा इनके विषयभूत दृश्य और चिन्त्य सब स्वयं प्रकृति हैं, अर्थात् विचार और विचार-क्रिया व वस्तु सब प्रकृति है, इस अन्तर के साथ कि यह प्रकृति की प्राप्त (व्यक्त) वस्तुस्थिति है। स्वयं दर्शन और चिन्तन के ही प्रकृति होने से प्रकृति दृश्य और चिन्त्य नहीं हो सकती, क्योंकि विषयी अपने आधार का ग्रहण अपने को निरस्त करके ही कर सकता है जो वदतोव्याघात है। क्योंकि ग्रहण के लिए विषयी होना आवश्यक है इसी से साँख्य के अनुसार प्रकृति नितान्त अव्यक्त है और विषयि-विषयात्मक जगत् की आधार है। साँख्य ने प्रकृति को 'विषय' और पुरुष को 'विषयी' भी कहा है। किन्तु वहाँ इन शब्दों का आशय साधारण नहीं होकर तत्त्व-मीमांसीय है। 'विषयी' से तात्पर्य वहाँ लौकिक विषयी से नहीं है जो लौकिक विषय का दूसरा पक्ष—विषयापेक्षा—मात्र है, यह उस साक्षिभाव की पराकाष्ठा है जो लौकिक विषयी में आत्म-परामर्श के रूप में, मनन के रूप में, लक्षित होती है। इसी प्रकार 'प्रकृति' भी लौकिक अर्थ में विषय नहीं है, जो विषयि-सापेक्ष भाव : अध्यवसाय द्वारा अपेक्षित अध्यवसेय : ही है, बल्कि यह वह तत्त्व है जो इस विषय-सापेक्ष विषयी और विषयि-सापेक्ष विषय, दूसरे शब्दों में जगद्भाव, का आधार है। इस प्रकार प्रकृति के सभी विकार विषयि-विषयात्मक हैं। साँख्य के सम्भवत: सभी व्याख्याकारों ने इस साँख्यीय दृष्टि की भ्रामक व्याख्या की है। उन्होंने कुछ विकारों को विषयिपरक और दूसरे विकारों को विषयपरक कहा है। उनके अनुसार महत् (बुद्धि) अहंकार, मनस् और इन्द्रियाँ—ये विषयिपरक, और तन्मात्र तथा पंचमहाभूत विषयपरक विकार हैं। सम्भव है साँख्य के मूल चिन्तकों का भी यही अभिमत रहा हो। किन्तु यह अभिमत न साँख्य की दृष्टि से संगत है और न वस्तुस्थिति से। साँख्य के अनुसार 'जगत् अहं-एतत, अस्मद्-युष्मद् का अविवेक है। इसमें प्रकृति 'एतत्' है जो 'अहं' रूप से गृहीत होती है। यदि ऐसा नहीं हो तब यह सभी विकारों के लिए समान रूप से होना चाहिए, नहीं तो विषयिपरक विकार तो अविवेकमूलक होंगे, विषयपरक नहीं, क्योंकि वे तो सदैव 'एतत्' के रूप में ही गृहीत होते हैं। किन्तु ऐसा साँख्य ने कहीं नहीं कहा है।

इसके अतिरिक्त वस्तुस्थिति में भी, देह जितना इन्द्रियगोचर विषय है उतना ही यह देहात्मभाव भी है। इनमें प्रथम जबकि इन्द्रिय विषय है, दूसरा अस्मिता का देशमूलक अधिष्ठान है—मैं देशात्मक जगत् में देही के रूप में हूँ, जैसे संवेद-प्रदत्तों के जगत् में इन्द्रियों के अधिष्ठाता (देखने वाले, सुनने वाले आदि) के रूप में और इच्छाओं, संवेगों के देश में मनस् के अधिष्ठाता (दु:खी, सुखी, इच्छा-अनिच्छावान) के रूप में हूँ। **तैत्तिरीय उपनिषद्** की भृगुवल्ली में अन्न और अन्नमय कोश इस बात के द्योतक हैं कि 'पंचमहाभूत' समान रूप से भौतिक विषय और भौतिक विषयी दोनों पक्षों का संयोग है और इसी प्रकार इन्द्रिय, मन आदि हैं। **गीता** के तृतीय अध्याय के पाँचवें श्लोक में इस विषयिपक्ष को साक्षी पुरुष के रूप में ही देखा गया है, इसी से देहेन्द्रियादि सब 'प्रकृति' हैं। यह प्रकृति निरपेक्ष विषय-भाव है, विषयि-सापेक्ष विषय नहीं है, इसी से पुरुष निरपेक्ष साक्षि-भाव है, विषय-सापेक्ष विषयि-भाव नहीं।

यहाँ यह प्रश्न प्रासंगिक है कि साँख्य की यह दृष्टि कहाँ तक युक्ति-संगत है और इससे अनुभव को समझने में क्या सहायता मिलती है?

साँख्य वास्तव में सबसे अधिक अनुभव-संगत दर्शन है, यद्यपि साथ ही यह अत्यधिक साहसपूर्ण तत्त्वमीमांसा भी है। इसका द्वैतवाद और पुरुष-बहुत्ववाद साधारण अनुभव की रक्षा के आग्रह के द्योतक हैं,

जबकि इनके स्वरूप और सम्बन्ध की कल्पना सूक्ष्मतम और अत्यन्त साहसपूर्ण तत्त्वमीमांसीय चिन्तन की द्योतक है। ज्ञान में विषयी और विषय, इच्छा में इच्छुक और इच्छित, कर्म में कर्त्ता और साध्य का द्वैत साधारण अनुभव में प्रसिद्ध बात है। अद्वैतवाद इन दोनों पक्षों को एक ही पक्ष का दूसरे में विकास मानता है : भौतिक अद्वैतवाद विषयि-पक्ष को विषय-पक्ष (भौतिक) का रूपान्तरण मानता है और चैतसिक अद्वैतवाद विषय-पक्ष को विषयिपक्ष (चित्) का रूपान्तरण। किन्तु यह साधारण अनुभव के अनुकूल नहीं है। इसी प्रकार इनमें कुछ तात्त्विक कठिनाइयाँ भी हैं : यदि चैतसिक अद्वैतवाद को ही मानें तब प्रश्न होगा कि शुद्ध चैतन्य संसार-भाव में और औपाधिकता में क्यों लिप्त होता है? और यदि भौतिक-अद्वैतवाद को मानें तो समस्या है कि मनुष्य में मूल्यान्वेषण : विषय-पराङ्मुख प्रवृत्ति : की विद्यमानता की क्या व्याख्या है? अद्वैतवाद इन समस्याओं का समाधान उतनी सरलता से नहीं कर पाता जितनी सरलता से द्वैतवाद कर सकता है। अवश्य द्वैतवाद के सामने दूसरी कठिनाई यही है कि ये दो पूर्णत: भिन्न तत्त्व परस्पर सम्बन्धित कैसे होते हैं? इसमें डेकार्ट और लायब्नीज़ आदि पाश्चात्य दार्शनिकों के उत्तरों का हमें पता ही है, और उन उत्तरों की उपहासास्पदता का भी पता है।

किन्तु साँख्य का उत्तर इनसे नितान्त भिन्न है और तत्त्वमीमांसीय सूक्ष्म चिन्तन की अत्यधिक उत्कृष्टता का परिचायक है। साँख्य पुरुष और प्रकृति को दो द्रव्यों के रूप में कल्पित नहीं करता जिस प्रकार डेकार्ट और लाइब्नीज़ करते हैं, बल्कि दो आधार-तत्त्वों (फाउण्डिंग प्रिंसिपल्स) के रूप में करता है जो प्रस्तुत अनुभव में परिलक्षित होते हैं।[1] इसी से साँख्य की प्रकृति त्रि-आयामात्मक है, जो आयाम अनुभव-जगत् के रूप, गुण और क्रिया में प्रकट हैं। पुरुष भी मानस् द्रव्य नहीं है बल्कि मोक्षाकांक्षा का और उस साक्षिभाव का आश्रय है जो सब ज्ञान और कर्म में निहित अस्मिता और 'दृष्टि' के रूप में आत्म-प्रकाशित होता है। लोक में यह साक्षिभाव यद्यपि विषयाश्रित ही उपलब्ध होता है, क्योंकि यह उस ज्ञान या कर्म का अन्वीक्षण करता है जो किसी विषय से सम्बद्ध होता है, और फिर स्वयं ये ज्ञान और कर्म भी इस अन्वीक्षण के लिए विषयभूत होते हैं। किन्तु इस साक्षिभाव का स्वरूप विषयोन्मुखता नहीं है बल्कि ज्ञान-भाव में स्वरूप-स्थिति है। पुरुष यही स्वरूप-विश्रान्त साक्षिभाव है जबकि लौकिक साक्षिभाव तत्त्वत: प्रकृति है। किन्तु यह प्राकृतिक साक्षिभाव प्रकृति की अपर्याप्तता और 'परार्थता' को प्रकट करता है, क्योंकि प्रकृति में साक्षिभाव का कोई प्रयोजन ही नहीं है। इसीसे साँख्य ने संसार के आविर्भाव का प्रयोजन पुरुष के मोक्ष की सिद्धि कहा है—जबकि वस्तुत: (वस्तुरूप में) संसार अनादि है और पुरुष मुक्त-स्वरूप है।

वास्तव में साँख्य-दर्शन मूल्य-दर्शन है क्योंकि उसके अनुसार जगत् की सार्थकता ही इसलिए है कि वह साक्षिभाव का अनुसधेय है। साँख्य-दर्शन में पुरुषार्थ की खोज के लिए उपकरण होने के अतिरिक्त जगत् की कोई सार्थकता नहीं है। प्रकृति पुरुष के मोक्ष के लिए ही जगत् रूप में प्रवृत्त होती है : 'प्रतिपुरुष विमोक्षार्थं स्वार्थ इव परार्थ आरम्भ:' (का. 56)।

उपर्युक्त विवेचन से स्पष्ट है कि साँख्य के विचार का केन्द्र मनुष्य ही है। साँख्य दर्शन के मुख्य ग्रन्थ **साँख्यकारिका** में सब ज्ञान का लक्ष्य दु:ख की आत्यन्तिक निवृत्ति कहा गया है। यदि दर्शन का लक्ष्य शुद्ध ज्ञान, सत्य की तटस्थ खोज कहा जाता, जैसाकि पश्चिम के बहुत-से दार्शनिक मानते हैं, तब इस दर्शन का केन्द्र मनुष्य को नहीं कहा जा सकता था, यद्यपि वास्तव में सब विचार अन्ततः मनुष्य के स्वरूप के अन्वेषण के प्रयत्न के रूप में ही पर्यवसित होता है। किन्तु जो विचार तटस्थ सत्य को नहीं बल्कि दु:ख के निवारण को लक्ष्य बनाता है, वह तो केवल मानव-दर्शन ही हो सकता है। किन्तु प्रश्न है कि यह दर्शन दैहिक, दैविक और आध्यात्मिक दु:खों को कैसे दूर करेगा? दैहिक दु:ख चिकित्सा शास्त्र से, दैविक दु:ख भौतिक और रासायनिक विज्ञानों से और आध्यात्मिक दु:ख मनोविज्ञान से दूर किये जा सकते हैं, अथवा उनसे दूर करने की आशा की जा सकती है, किन्तु दर्शन इन दु:खों का उपाय कैसे करेगा? यह प्रश्न भी कारिकाकार ने इसी कारिका में उठाया है—'दृष्टे

1. 'कार्यतस्तदुपलब्धि:' का. 8 तथा 'पुरुषोऽस्ति भोक्तृभावात्, कैवल्यार्थं प्रवृत्तेश्च।' का. 17.

साऽपार्थी' और तब उत्तर दिया है कि चिकित्सा आदि उपाय अवश्य उपयोगी हैं, किन्तु ये तात्कालिक दु:ख के तात्कालिक उपाय हैं, ये दु:ख का मूल से उच्छेद नहीं कर सकते। दु:ख का मूल से उच्छेद तत्त्वज्ञान से[1] ही सम्भव है। किन्तु तब प्रश्न हो सकता है कि इस ज्ञान से मलेरिया-रोग आदि के और अतिवृष्टि आदि के उपाय कैसे होंगे? इस पर **गीता** का प्रश्न है, जो क्रीटो संवाद में प्लेटो का भी है, कि "तुम्हें कैसे मालूम कि मलेरिया का उपचार अन्य अधिक घातक दु:खों को उत्पन्न नहीं करेगा?" उदाहरण के लिए ज्ञान की जिस प्रक्रिया ने मलेरिया के उपाय का अनुसन्धान किया उसी ने परमाणु बम का अनुसन्धान भी किया। इस पर आपत्ति हो सकती है कि यह आवश्यक नहीं है कि मलेरिया के उपचार का अनुसन्धान साथ ही परमाणु बम के अनुसन्धान की ओर भी अग्रसर हो। किन्तु प्रश्न है कि उसे उस ओर अग्रसर होने से रोका कैसे जा सकता है? इसकी रोक स्वयं इस ज्ञान में नहीं है, इसकी रोक अन्ततः उचित-अनुचित के ज्ञान में है और यह ज्ञान अन्ततः तत्त्वज्ञान है। इसी से साँख्यकारिकाकार ने लौकिक ज्ञान को ही नहीं, आनुश्रविक ज्ञान को, उचित-अनुचित विषयक पारम्परिक ज्ञान को, भी अपर्याप्त कहा है। इसका अर्थ यह नहीं है कि चिकित्सा-विज्ञान और भौतिक-विज्ञानमूलक उपाय अनावश्यक या निरर्थक हैं, किन्तु ये उपाय व्यावहारिक और औपचारिक हैं, मनुष्य का मौलिक दु:ख उसका बन्धन में होना है, क्योंकि उसका स्वरूप मुक्ति : स्वातन्त्र्य : है। पशु का स्वरूप स्वतन्त्र नहीं है, इसी से उसका दु:ख भी बन्धनमूलक नहीं है। इसलिए इस मूल बात का ध्यान रखे बिना सब उपाय व्यर्थ हैं, जैसे पुत्र-शोक से संतप्त व्यक्ति का उपचार एस्प्रीन से करना व्यर्थ है।

तब साँख्य दु:ख के निदान के रूप में क्या व्यवस्था प्रस्तुत करता है? यदि मनुष्य का स्वरूप मुक्ति है और दु:ख का निदान बन्धन का क्षय है तो मूल प्रश्न यह है कि मुक्ति और बँध क्या हैं? साँख्य का उत्तर है कि अनात्म में आत्म-बुद्धि और आत्म की अनवगति बन्धन है और अनात्म को अनात्म तथा आत्म को आत्म जानना मुक्ति है। तब अनात्म क्या है और आत्म क्या है और कैसे और क्यों अनात्म आत्म-रूपेण विदित होता है?

इसका उत्तर है कि, ऐसा विदित होता है, यह स्पष्ट है, जैसे, हम प्राय: ही समझते हैं कि यदि अमुक वस्तु मिल जाये तो हमारा जीवन सफल हो जाय, किन्तु उसे पाकर हम पाते हैं कि सन्तोष और सफलता उतने ही दूर हैं जितने पहले थे, और तब कुछ और खोजते हैं। किन्तु ऐसी कोई भी उपलब्धि केवल क्षणिक रूप से ही सन्तोष का भाव उत्पन्न करती है। इस स्थिति पर मनन हमारे अन्वेषणों का खोखलापन प्रकट करता है। खोखलेपन का यह बोध तब तत्त्वमीमांसीय स्तर ग्रहण करता है जब मृत्यु पर मनन हमारे अस्तित्वमात्र की यथार्थता पर प्रश्न-चिह्न लगा देता है। महात्मा बुद्ध इसके ऐतिहासिक उदाहरण हैं, यद्यपि यह बोध मनुष्य में बहुत प्राचीनतर है और प्राय: सभी दार्शनिक और धार्मिक चिन्तनों का आधार है।

इस प्रकार साँख्य मूलत: एक मूल्य-दर्शन है, और सब मूल्य मानव के अनुसन्धेय होने से, यह मानव-दर्शन है। किन्तु मूल्य-चिन्तन अन्ततः तत्त्वमीमांसीय प्रश्नों को, वस्तुसत् और प्रातीतिक सत् विषयक प्रश्नों को, उत्पन्न करता है। वास्तव में यथार्थ तत्त्वमीमांसा मूल्यमीमांसा से ही अग्रसर होती है। मूल्य-मीमांसा के बिना सत् और प्रतीति, परमार्थ और व्यवहार आदि विषयक प्रश्न और उनके विवेचन ऊपरी ही रहते हैं। उदाहरण के लिए 'संवेद-प्रदत्त सत् हैं और पुस्तक आदि वस्तुएँ मानस-विकल्प हैं' अथवा 'सम्बन्ध वस्तुओं से बाह्य आरोप नहीं होकर वस्तुगत होते हैं' आदि ज्ञान-मीमांसीय चर्चाएँ रोचक होने पर भी तत्त्व-दृष्टि के स्तर तक नहीं उठ पातीं। इसके विपरीत 'वास्तव में अनुसन्धेय क्या है और क्या नहीं', यह प्रश्न इस जिज्ञासा को उत्पन्न करता है कि क्या सत् है और क्या असत्, क्योंकि वही अनुसन्धेय हो सकता है जो सत् है। देहमूलक विषय अनुसन्धेय नहीं हो सकता, क्योंकि देह आगन्तुक है, जैसाकि मृत्यु से स्पष्ट है, इन्द्रियमूलक भी अनुसन्धेय नहीं हो सकता, क्योंकि मृत्यु इन्द्रिय की भी आगन्तुकता प्रकट करती है, इसी प्रकार मनस् सुख-दु:ख, इच्छा-अनिच्छा की विषयाधीनता के द्वारा अपनी आगन्तुकता को प्रकट करता है। यह आगन्तुकता एकसाथ लौकिक मूल्यों की

1. व्यक्ताव्यक्तज्ञविज्ञानात् (का. 2)।

मूल्यहीनता को और लौकिक अस्तित्व की अपारमार्थिकता को प्रदर्शित करती है। इस पर कहा जा सकता है कि यह आगन्तुक भी आख़िर तो है ही, यह क्यों है और कहाँ से है?

'आगन्तुक का अस्तित्व' यह अपने आप में समस्यात्मक बात है—किसी गाय के लिए उसका वर्ण-विशेष और परिमाण-विशेष आगन्तुक हैं, किन्तु वर्ण-विशेष और परिणाम-विशेष अपने आप में आगन्तुक नहीं हैं, ये उतने ही तात्त्विक हैं, जितनी गाय। अद्वैत-वेदान्त की यह एक मूलभूत कठिनाई है कि वह आगन्तुक को कोई स्थान नहीं दे सकता। साँख्य इस समस्या को स्वीकार करता है और इसका समाधान करता है कि आगन्तुक मनुष्य के तत्त्व के प्रसंग से तो आगन्तुक है, किन्तु उससे पृथक् स्वयं में आगन्तुक नहीं है, स्वयं में वह भी तात्त्विक है। इसका तत्त्व प्रकृति है, जबकि मनुष्य का तत्त्व शुद्ध चैतन्य है। यह द्रष्टव्य है कि संसार-भाव में चित्-अचित् के संयुक्त और समन्वित होने पर भी साँख्य इन तत्त्वों (प्रिंसिपल्स) को परस्पर निरपेक्ष मानता है, क्योंकि प्रस्थान-बिन्दु मनुष्य होने से चित् अन्वेष्य और अचित् उसके प्रसंग से आगन्तुक है। यदि चित् और अचित् को निरपेक्ष नहीं मानकर दोनों को परस्पर सापेक्ष मानें, अथवा चित् को अचित् का अपेक्षी मानें तो अचित्-विषय : जगद्भाव : आगन्तुक नहीं रहेगा, वह चित् में मौलिक हो जायेगा और तब उन मानुषिक वस्तुस्थितियों की व्याख्या सम्भव नहीं होगी जिनका उल्लेख हमने ऊपर किया है। किन्तु तब प्रश्न होगा कि यदि चित् निरपेक्ष पुरुष-तत्त्व है और प्रकृति निरपेक्ष जड़भाव या वस्तुभाव तो जगत्परक सापेक्षभाव का क्या हेतु है? इस पर अन्य भारतीय दर्शनों के समान साँख्य का उत्तर है कि जगत् अनादि है, अर्थात् इसका कोई हेतु नहीं है, यद्यपि कारण है। इस उत्तर के दो पक्ष हैं, एक आनुभविक और दूसरा तत्त्वमीमांसीय। आनुभविक पक्ष का औचित्य है कि समस्त जिज्ञासा का आरम्भ ही दुःख अर्थात् जगत्, के अनुभव से होता है, स्वयं जिज्ञासा भी जगत् ही है, क्योंकि जिज्ञासा जगत्-सापेक्ष है, यद्यपि यह सही है कि जिज्ञासा में साथ ही जगत् का अतिक्रमण भी है। तत्त्वमीमांसीय पक्ष यह है कि जगत् का आरम्भ मानने का अर्थ होगा जगत् के कारण का जगत् से पूर्व होना और इस प्रकार उसका अजागतिक होना, जो एक ओर यह समस्या उत्पन्न करता है कि उस कारण का धारण किस में होता है और दूसरे यह कि तब उस कारण को अनादि मानना होगा और कारण के अनादि होने पर उससे कार्य की उत्पत्ति के उस समय तक अवरुद्ध रहने का कोई हेतु बताना होगा। इसका यह अर्थ नहीं है कि ये प्रश्न इसलिए उठाने योग्य नहीं हैं क्योंकि ये बहुत जटिल हैं, बल्कि ये प्रश्न ही युक्त नहीं हैं। ये प्रश्न तत्त्वमीमांसीय प्रकार के नहीं होकर व्यावहारिक-वैज्ञानिक प्रकार के हैं—"ऐसा है, तो इसका क्या कारण है, ऐसा नहीं है तो इसका क्या कारण है?" किन्तु तात्त्विक स्तर पर स्वयं कारण-कार्य ही स्वतःसिद्ध तथ्य नहीं है।

हमने ऊपर कहा, जगत् का हेतु कोई नहीं, किन्तु कारण है। 'कारण' का यहाँ अर्थ है कार्य के रूप में प्रवर्तित वस्तु। जगत् का यह कारण, अर्थात् जगत्-रूप में प्रवर्तित वस्तु, अविद्या है। अविद्या होने का कारण होने से ये प्रश्न अप्रासंगिक हो जाते हैं कि अविद्या किसको है और क्यों है? 'अविद्या' साधारण 'अज्ञान' का पर्याय शब्द नहीं है, इस प्रकार रज्जु में सर्प-भ्रम अविद्या नहीं है, यह भ्रान्ति है, अविद्या तात्त्विक स्थिति है जो जगद्भाव की ही पूर्वापेक्षा है।

इस प्रकार जगत् अनादि अविद्या है। यह जब है तब अनादि और अनन्त है, जब नहीं है तब है ही नहीं।

इस पर आपत्ति हो सकती है कि यह व्याख्या वैदान्तिक है, साँख्यीय नहीं, क्योंकि साँख्य प्रकृति को मानता ही इसलिए है कि वह जगत् का कारण अविद्या जैसी असत् वस्तु को नहीं मानता। किन्तु ऐसा नहीं है, अविवेक या अविद्या साँख्य के अनुसार मात्र त्रैगुण्य नहीं है, अविवेक त्रैगुण्य में वैषम्य के आविर्भाव का हेतु है, और अविवेक स्वयं अहैतुक और जगत् का कारण है। जगत्, अविवेक और नाम-रूप ये एकार्थक शब्द हैं, त्रैगुण्य इनका अधिष्ठान है, अथवा कहें उपादान है। जैसे गाय ओर अश्व का उपादान समान रूप से मांस-मज्जा आदि हैं, किन्तु गोत्व और अश्वत्व का कारण यह उपादान नहीं है।

अन्त में, यहाँ यह देखना स्थाने होगा कि यह दार्शनिक सिद्धान्त हमारे साधारण लौकिक अनुभव और सामाजिक जीवन के प्रति क्या दृष्टि देता है? जैसाकि हमने पीछे देखा, **साँख्यकारिका** दुःख के मूल और स्वरूप पर विचार के साथ आरम्भ करती है। यह विचार तत्त्वमीमांसीय है, किन्तु दुःख जीवन का साधारण अनुभव है, जो अनुभव तत्त्वमीमांसीय दृष्टि द्वारा पारमार्थिक अनुभव और चिन्तन में रूपान्तरित हो जाता है। यह रूपान्तरित अनुभव साधारण अनुभव से विच्छिन्न नहीं होता बल्कि यह साधारण अनुभव ही होता है जिसके प्रति दृष्टि-भेद हो जाता है। कुछ लोग समझ सकते हैं कि दृष्टि का यह रूपान्तरण हमें काल्पनिक लोक में ले जाता है, जबकि हमारी समस्याएँ स्थूल और लौकिक हैं। यह सही नहीं है। तत्त्व-दृष्टि लोक-दृष्टि का बाध नहीं करती, उसका अतिक्रमण करती है। इस प्रकार त्रिविध दुःख का एक लौकिक-व्यावहारिक स्तर है जिस पर उसका लौकिक निदान अपेक्षित होता है, तत्त्वमीमांसा उसका निषेध नहीं करती। साँख्य दर्शन तो त्रैगुण्य की कल्पना द्वारा भैषज्य तक का सिद्धान्त भी बना है। यह बात **गीता** के उदाहरण से और स्पष्ट होती है। उसका आरम्भ-बिन्दु महाभारत के युद्ध-क्षेत्र में अर्जुन का संशय है। यह संशय सर्वथा लोक-साधारण है, किन्तु उसे श्रीकृष्ण उस तत्त्वमीमांसीय स्तर पर उठा देते हैं जिस पर वह मनुष्य के तात्त्विक स्वरूप का दर्पण हो जाता है। इस रूपान्तरित संशय का समाधान केवल तभी किया जा सकता है यदि सत्ता के सब स्तरों का अवगाहन कर लिया जाय। किन्तु तब भी उत्तर अत्यन्त सरल और सुगम है—मनुष्य में वासना-शून्य प्रेक्षक भाव में अवस्थित होने की योग्यता है। यह प्रेक्षक-भाव ही मनुष्य को कर्म का अधिकारी बनाता है, इसमें अवस्थित हुए बिना सब कर्म अनधिकृत कर्म हैं, दुष्कर्ष हैं। ऐसा क्यों? ऐसा इसलिए क्योंकि यह प्रेक्षक-भाव ही मनुष्य का तत्त्व है, शेष प्रेक्ष्य-भाव है, जो सत्ता का दूसरा आयाम है। इस दूसरे आयाम को प्रथम से व्यामिश्रित करना ही सब अज्ञान का मूल है—

अशोच्यानन्वशोचस्त्वं प्रज्ञावादांश्च भाषसे।[1]

यह प्रेक्षक-भाव विवेक (रैश्नैलिटी) का आधार है। यह विवेक आध्यात्मिक धरातल पर जबकि परम पुरुषार्थ—मोक्ष—है, व्यावहारिक धरातल पर सामाजिक व्यवहार के लिए आधार और प्रमाण बनता है : केवल तटस्थ व्यक्ति ही अपने को और दूसरे को एक तुला पर रखकर निर्णय कर सकता है, दूसरे शब्दों में स्वार्थ से ऊपर उठ सकता है : आत्मनः प्रतिकूलानि परेषां न समाचरेत, यह आधारभूत नैतिक बोध है। समाज का एक अनिवार्य आधार प्रेम भी है, उसके बिना दो व्यक्ति निकट नहीं आ सकते। किन्तु अकेला प्रेम निकटता को समाज के स्तर पर नहीं उठा सकता। यहाँ प्रश्न हो सकता है कि रैश्नैलिटी साँख्य दर्शन की कोई विशिष्टता नहीं है, वह तो पश्चिम के भी बहुत-से दर्शनों में स्वीकृत है और सामाजिक व्यवहार के निर्देशक के रूप में तो प्रायः सर्वस्वीकृत है। यह सही है, किन्तु साँख्य विवेक और बुद्धि को एक सर्वथा दूसरे स्तर पर उठा देता है, वह उसे तात्त्विक आधार देता है, सामाजिक सन्दर्भ तो उसका केवल एक प्रयोग-स्थल है। इसके अतिरिक्त, रीज़न साँख्य के लिए अन्तिम आधार नहीं है, वह केवल एक उपकरण है, जो प्रेक्षक-भाव में अतिक्रमणीय है।

यहाँ प्रश्न हो सकता है कि प्रेक्षक पुरुष किस प्रकार परस्पर सम्मिलित होकर समाज का निर्माण कर सकते हैं? इसका उत्तर होगा कि समाज पुरुषों का नहीं, मनुष्यों का होता है और मनुष्य संसारी है, पुरुष-भाव उसकी सार्थकता और लक्ष्य है, समाज इस लक्ष्य की सिद्धि में एक उपकरण हो सकता है।

1. भगवद्गीता, 2. 11.

मूल्य-बोध

प्राणिमात्र में अपने अस्तित्व की रक्षा एक मौलिक और प्रमुखतम अभिनिवेश है, इसी की प्रेरणा से वह अपनी परिस्थितियों के साथ अनुकूलता स्थापित करने की चेष्टा करता रहता है। मनुष्य में अपने प्राकृतिक परिवेश से जूझने की अपूर्व क्षमता है, जोकि उसे इन्द्रियों और मस्तिष्क के विकास से उपलब्ध होती है। किन्तु जहाँ एक ओर उसमें अपने प्राकृतिक अस्तित्व का बोध है, वहीं दूसरी ओर उसमें मृत्यु का स्फुट बोध भी है। और इसी बोध के साथ है एक अतिप्राकृतिक, अलौकिक अस्तित्व का अस्फुट भान और अमृतत्व की अभीप्सा तथा इस लौकिक जीवन से ऊपर उठने की आकांक्षा। इस प्रकार मनुष्य में ये दो पक्ष दिखायी देते हैं : वह अपने को प्रकृति के राज्य में पाता है, किन्तु खोजता है स्वराज्य। यद्यपि विभिन्न संस्कृतियों और युगों में इस द्विविध स्थिति की अभिव्यक्ति समान रूप से नहीं होती किन्तु तब भी किसी-न-किसी रूप में सभी विचारधाराओं में मनुष्य में पाये जाने वाले लौकिक और आध्यात्मिक बोध की छाया मिलती है। मानवीय चेतना के विकास में लौकिक स्वर सहज सिद्ध स्वर है, किन्तु विशुद्ध आत्मबोध उसका लक्ष्य है। जहाँ एक ओर प्रत्यक्ष जगत् और प्राकृतिक कार्य-कारणात्मक सम्बन्धों का ज्ञान लौकिक व्यवहार में समर्थ सिद्ध होता है वहीं इस प्रकार के ज्ञान से मनुष्य को आन्तरिक तृप्ति नहीं होती। ज्ञान के एक स्तर पर अव्यक्त लक्ष्य की प्रेरणा उसे अपनी लौकिक चेतना को जाँचने और आँकने को बाध्य करती है। श्री अरविन्द के अनुसार "अपने बोध के उषाकाल में मनुष्य जिस विषय में अभिनिविष्ट हुआ वही उसका अनिवार्य और अन्तिम व्यवसाय प्रतीत होता है, क्योंकि उसकी यह लगन संशय की लम्बी से लम्बी अवधियों के बाद भी बनी रही है, साथ ही यह उसके विचार की उड़ान का उच्चतम शिखर भी है। यह लगन अभिव्यक्त होती है भगवान् के पूर्वाभास में, पूर्णता की प्रेरणा में, विशुद्ध सत्य एवं विशुद्ध आनन्द की खोज में, और निगूढ़ अमृतत्व के बोध में। आज जबकि मानवता बाह्य प्रकृति का विजयी विश्लेषण करने से अघा गयी है, उसे सन्तोष की प्राप्ति नहीं हुई है, और अब वह अपनी आदिम चाह की ओर वापिस जाने की तैयारी कर रही है। ईश्वर, ज्योति, स्वातन्त्र्य, अमरत्व-ज्ञान का यह आदि सूत्र ही उसका अन्तिम सूत्र अभिलक्षित होता है।"[1] इस प्रकार स्वभावत: मनुष्य अपने को केवल प्रकृति का अंग नहीं मानता। वह यह जानता है कि सभी प्राकृतिक घटनाएँ नियत कारणों से होती हैं और परतन्त्र हैं, किन्तु वह अपने को स्वतन्त्र मानता है, अस्थिर और भंगुर जगत् के अन्दर भी वह अपने लिए अमृतत्व की आशा नहीं छोड़ता। लौकिक जगत् की व्यवस्था से वह अलौकिक जगत् की उसके आधार रूप में कल्पना करता है और अपने लौकिक जीवन को अपनी अलौकिकता से असम्बन्धित नहीं मानना चाहता।

इससे स्पष्ट होता है कि पशु-जीवन के समान मानव-जीवन एक सहज और नियत प्रवृत्ति के चक्र में बँधा हुआ नहीं है। आत्मबोध के साथ मनुष्य में अपनी प्रवृत्तियों की ओर एक सजग भाव उदित होता है, जो उनके सहज रूप को पूरी तरह से स्वीकार नहीं करता। "अज्ञात विषयक प्रवृत्तियों से बरबस संचालित न होकर मनुष्य विवेक के द्वारा अनुमोदित विषयों के अनुसन्धान में अपनी स्वतन्त्रता पाता है। मानव-विवेक सहज अथवा संस्कारजन्य प्रयोजनों को स्वीकृत या अस्वीकृत करने के लिए अपने को स्वतन्त्र मानता है। विषय जिस रूप में प्राप्त हैं उनके अन्तराल में से आदर्श विषयों की खोज, यही मनुष्य का मनुष्योचित जीवन है और यही मूल्यान्वेषण अथवा पर्येषण है। पर्येषणा में न केवल विषयों का इच्छाओं के अनुरूप बल्कि इच्छाओं का आत्मबोध के अनुरूप विवेचन निहित है।"[2] जहाँ एक ओर प्रदत्त स्वभाव को भोगना ही प्रवृत्तियों के अधीन जीवन का स्वभाव

---

1. श्री अरविन्द — **दिव्य जीवन**, भाग-1, पृ. 2, अनु. श्री अरविन्द आश्रम, पाण्डिचेरि।
2. पाण्डे, गोविन्दचन्द्र — **मूल्यमीमांसा**, पृ. 30, राजस्थान हिन्दी ग्रन्थ अकादमी, जयपुर।

है, दूसरी ओर मूल्य मनुष्य जीवन के लक्ष्य हैं, उसकी उपलब्धि हैं। प्रवृत्ति तो नियत स्वभाव की बार-बार क्षति-पूर्ति मात्र ही करती है, किन्तु उस स्वभाव में अन्तर्निहित अभाव को पूरा नहीं करती। मूल्यार्थी पुरुष इस सांसारिक अस्तित्व में निरर्थकता का बोध कर 'भूमा' का अनुसन्धान करता है। यही मूल्य का स्वरूप है, इसी में मनुष्य की चरितार्थता, उसके जीवन का सुख है। "इस प्रकार जिस विषय की खोज का विषय होने पर विवेक का समर्थन प्राप्त हो वही 'मूल्य' है। अत: मूल्य आत्मविवेकी, सारगवेषी चेतना के द्वारा विचार-निर्णीत प्रत्यय है। 'मूल्य' प्रत्यय एक ऐसे विषय-विषयिभाव की ओर संकेत करता है जिसमें विषय अपने तात्त्विक रूप में प्रकट होता है तथा विषयी स्वतन्त्र, और दोनों का सम्बन्ध साध्य-साधक सम्बन्ध होता है। मूल्य-साधना इच्छा और ज्ञान के अनुरूप विषय को उसके आदर्श के भान से सुधारती है और आदर्श को यथार्थ रूप में गढ़ती है। चेतना का मूल रूप स्वातन्त्र्य है और अपने इस स्वभाव से रहित होकर वह सीमित विषयों में बन्धन और अभाव का अनुभव करती है और उसकी पूर्ति के लिए एक पूर्ण और पर्याप्त पद को खोजती है। मानो एक अन्तर्निहित अव्यक्त स्मृति से उपस्थापित विषयों में अनुपस्थित मान का संकेत पाकर वह अंधेरी गुफा से सूर्य की ओर मुड़ती है और उठती है।"[1] मूल्यज्ञान, मूल्यान्वेषण और मूल्यसाधना मानव-चेतना का स्वभाव है। निरन्तर अपने अनुरूप विषयों की खोज में रत चेतना स्वरूप की ही खोज करती है, क्योंकि आत्मबोध ही पूर्णतया सामंजस्यपूर्ण और सत्-बोध है, और सब प्रकार के पदार्थों के ज्ञान में उच्चतम है। वास्तव में विवेकानुकूल संकल्प में ही मनुष्य की स्वतन्त्रता है—और यह विवेक-शक्ति उसे नियत प्राकृतिक व्यवस्था की अधीनता से मुक्त कर आत्मबोध के अनुकूल जीवन और सुख की ओर प्रेरित करती है।

इस प्रकार चेतना अपनी सहज वृत्ति में अपने को विषयों में ही संलग्न पाती है, जिसमें परिवर्तन विवेक से ही सम्भव होता है। अत: विषय से यह निवर्त्तन आत्म द्वारा अपनी सहज वृत्ति का विवेक-साध्य निरोध है जो इसे मूल्यात्मक बना देता है। मूल्य के बिना यह स्थगन निष्प्रयोजन भी है और असाध्य भी, जैसाकि फिनोमिनलोजी दार्शनिकों के दर्शन में देखा जा सकता है।[2] वास्तव में चेतना की विषयोन्मुखता के स्वरूप के विश्लेषण से ही मूल्य या आदर्श का बोध होता है। विषय और विषयी, सत्ता और चेतना, भूत और भव्य, नियम्य और नियामक का एकीभाव आत्मा में ही होता है। विषयोन्मुखता के कारण ही नित्यसिद्ध होने पर भी आत्म-स्वरूप साध्य बनता है। अपने से भिन्न प्रतीयमान विषय-जगत् की परतन्त्रता में एक सीमित विषय की तरह पड़ी हुई आत्मा को ही अपनी सत्ता और विषय-जगत् के विरोध का एहसास अपने वास्तविक स्वरूप की खोज की ओर प्रेरित करता है। यह खोज आत्मा में प्रतिबिम्बित निरतिशय, अनन्त, नित्य, स्वतन्त्र सत् की खोज है। यही मूल्यान्वेषण है।

दर्शन इस मूल्यान्वेषण को ही समझने का प्रयत्न करता है, इसी में उसकी सार्थकता है। प्रकटत: चाहे विभिन्न दर्शन विभिन्न प्रकार की पर्येषणाएँ अथवा औत्सुक्य द्योतित करते हैं, किन्तु दर्शन उचित रूप से केवल 'आत्म-दर्शन' ही हो सकता है—आत्म का पुरुषार्थ के रूप में और उससे भिन्न का अनात्म के रूप में दर्शन। और इस प्रकार आत्म का जागरण हो जाने पर यह वृत्ति यहीं विश्राम नहीं लेती। यह सब चीज़ से उसका अर्थ पूछती है, केवल अपने विषयपरक अनुभव से ही नहीं, धार्मिक, नैतिक अनुभव से भी और अन्ततः स्वयं अपने से भी। उसकी यह प्रश्न-दृष्टि उन सब चीज़ों को अविहित कर देती है जो अपना अर्थ नहीं बता सकतीं।

तब यह अर्थ क्या है? यह प्रश्न अर्थ-विषयक ऐसा साधारण प्रश्न नहीं है जैसा 'इस कविता का क्या अर्थ है?' यहाँ वास्तव में पूछा जा रहा है कि कवि-कर्म का क्या स्वरूप है? और तब कवि-कर्म की क्या सार्थकता है? इसी प्रकार इस प्रश्न का कि 'मेज़ का क्या स्वरूप है?' उत्तर होगा कि 'मेज़ वस्तुएँ रखने का साधन है', किन्तु यहाँ वास्तव प्रश्न है कि 'गोचर विषयानुभव का क्या स्वरूप है?' और अन्त में, 'इसकी क्या सार्थकता है, यह मुझे कहाँ ले जाता है। यह किस प्रकार पूर्वसिद्ध सार्थकता को समृद्ध बनाता है?' दार्शनिक सन्देहवाद का यही

---

1. पाण्डे, गोविन्दचन्द्र — **मूल्यमीमांसा**, पृ. 30, राजस्थान हिन्दी ग्रन्थ अकादमी, जयपुर।
2. शल्य, यशदेव — **विषय और आत्म**, पृ. 36; अखिल भारतीय दर्शन परिषद्, 1973.

अर्थ है—जिसमें भी सन्देह किया जा सकता है, उसे हटाओ। यह आगन्तुक है तो छोड़ो इसे, क्योंकि यह सत्ता की अर्थ-समृद्धि में कुछ जोड़ेगा नहीं। जिसका भी असत्व सम्भव है, उसके होने का क्या अर्थ है? केवल निस्सन्दिग्ध और निरपेक्ष अर्थ ही इस अपेक्षा को सन्तुष्ट कर सकता है। किन्तु यह परम अर्थ ज्ञानविषय नहीं है, यह साध्य है, क्योंकि यह अपनी पूर्णता से सब अपूर्णताओं को नापता है और इस प्रकार पूर्ति के लिए प्रवृत्त करता है। अपूर्ण की यह प्रवृत्ति आत्म को कर्तृत्व और स्वतन्त्रता देती है, क्योंकि आत्म अपने को स्वरूपत: पूर्ण ही कल्पित कर सकता है, जोकि वह वास्तव में नहीं है। इसकी वास्तविक स्थिति अनात्म की ओर उन्मुखता की स्थिति है, यह निरन्तर अपने को विषयाकार पाता है, यद्यपि निरन्तर अपने निर्विषय स्वरूप को खोजता है।[1] यही मूल्य-साधना है।

सभी दर्शन मनुष्य की इस मूल्य-साधना को समझना चाहते हैं और जानना चाहते हैं कि मनुष्य-जीवन का परम लक्ष्य क्या है, परम मूल्य क्या है? जैसे, यूनान में दर्शन का आविर्भाव प्रकृति-विषयक मीमांसा से हुआ था। यूनानी दार्शनिक थेल्स, अनाविसमान्देर, पाइथागोरस, हेरेक्लाइत्स, पारमेनिदीज़ एवं अनाक्सागोरस ने जगत् के मूलतत्त्व-विषयक विचार किया। इस प्रकार यद्यपि ये दर्शन स्वत: कोई जीवन-दर्शन प्रस्तुत नहीं करते, किन्तु फिर भी पाइथागोरस की परम्परा एक आध्यात्मिक सम्प्रदाय से जुड़ी हुई थी और हेराक्लाइतस की उक्तियों में भी एक जीवन-दर्शन प्रतिबिम्बित होता है।

किन्तु सोफिस्ट दार्शनिकों ने दर्शन को स्पष्ट रूप से मानव-केन्द्रित किया। प्रोटोगोरस की यह उक्ति की 'मनुष्य सब पदार्थों का मानदण्ड है' मूल्यमीमांसा की दृष्टि से उतनी ही महत्त्वपूर्ण है जितनी ज्ञानमीमांसा की दृष्टि से। सोफिस्टों के अनुसार, आचार और समाज की व्यवस्थाएँ मानव-केन्द्रित हैं। इस प्रकार उन्होंने मूल्यों को मानवापेक्षी माना। जैसे—थेसीमेक्स ने न्याय को बलवत्तर का स्वार्थ बताया है।

इसके विपरीत सुकरात, प्लेटो एवं अरस्तू ने इन व्यवस्थाओं का मूल विवेक-बुद्धि में देखा। उन्होंने धर्म की सार्वभौमता को आदर्श-रूप माना एवं आदर्श को बुद्धिमूलक। सुकरात और प्लेटो ने इस जगत् के परे रूपों (आइडियाज़) को ही तत्त्व माना जोकि एक तारतम्य-युक्त श्रेणी में व्यवस्थित हैं और जो परिवर्तन युक्त और काल में स्थित भौतिक पदार्शों के लिए आदर्शवत् हैं। इस संघर्ष में 'तत्त्व' और 'श्रेय' अभिन्न ठहरते हैं—जैसे गीता में 'तत्सत्' की व्याख्या में सत् के अन्दर उत्कर्षता का समावेश भी मिलता है। ऐसे ही प्लेटो में परम-सत् और परम-मूल्य अविन्न रूप से मिलते हैं। इस सत् के दर्शन में ही मानवीय बुद्धि विवेक-सम्पन्न होती है और विवेक ही मनुष्य के लिए 'धर्म' अथवा सदाचार सम्भव करता है। समाज में भी विवेकी पुरुष ही शासक पद को ग्रहण करने योग्य है और उसको व्यवस्थित रखने में समर्थ है। सौन्दर्य-लिप्सा अथवा प्रेम सांसारिक पदार्थों में आदर्श-रूपों के ज्ञान से उत्पन्न आत्मिक प्रेरणा ही है। आत्मा में अलौकिक विश्व के आदर्श-रूपों का स्मरण हमेशा विद्यमान रहता है और लौकिक विश्व में उनका आभास पाकर आत्मा के मानो पंख फड़फड़ाने लगते हैं, तब वह इस भंगुर, कालिक जगत् की अपूर्णता से परे अपने सहज विश्व की ओर जाना चाहता है। आत्मा की यह व्याकुलता और अभीप्सा ही वास्तविक सौन्दर्य-प्रेम है। प्लेटो ने मानव-जीवन को मूल्यापेक्षी माना है। मानव का उत्तम अंश बुद्धि है और बुद्धि इन रूपों के दर्शन में ही कृतकृत्य होती है। ये 'रूप' स्वरूपविश्रान्त किन्तु परिभाषित और व्यवस्थित विषय हैं।

फिलेबस में प्लेटो ने श्रेयोमीमांसा को व्यवस्थित रूप दिया है, जहाँ सुकरात फ़िलेबस के इस मत का कि 'सुख ही श्रेयस् है', विरोध करते हुए ज्ञान को सुख से श्रेष्ठ प्रतिपादित करता है।

अरस्तू के अनुसार भी सुख अथवा समृद्धि मनुष्य के परम लक्ष्य नहीं हो सकते, क्योंकि किसी अभीष्ट के पुरुषार्थ बनने के लिए दो लक्षणों की विशेष रूप से आवश्यकता है—एक तो उसका मूल्य स्वरूपगत होना

---

1. शल्य, यशदेव — **विषय और आत्म**, पृ. 41.

चाहिए, दूसरे, उसमें यह क्षमता होनी चाहिए कि वह स्वत: जीवन को सार्थकता दे। परम मूल्य के लिए सहज और स्वत:पर्याप्त होना आवश्यक है। अत: सुख मानव का परम लक्ष्य नहीं हो सकता। मनुष्य का सर्वोत्कृष्ट हित तत्त्वदर्शन है। दिव्य और परम तत्त्व के इस निरन्तर चिन्तन और साक्षात्कार को 'ईश्वर का ध्यान और उपासना' भी कहा गया है।

अरस्तू के दर्शन में मूल्य, मानव-मूल्य और नैतिक मूल्य में विवेक मिलता है। मूल्य अथवा अर्थ स्वतन्त्र सत् हैं। परम मूल्य आत्म-विश्रान्तता, निर्दोषता और नित्यता में है, उसका मूल्यत्व या अर्थत्व इसी में है कि वह विश्व में होने वाली क्रियाओं का परम लक्ष्य अथवा परमाकर्षण है। मनुष्य के अन्दर 'कारक-ज्ञान' के ही अमर तत्त्व होने के कारण इस परमार्थ का दर्शन उसके लिए सम्भव है। प्लेटो और अरस्तू दोनों ही इस बौद्धिक परमार्थ-दर्शन को मानव का परम उद्देश्य या पुरुषार्थ मानते हैं। किन्तु प्लेटो मनुष्य की आत्मा को अमर एवं उसके पुनर्जन्म को मानता था, अत: उसके लिए परमार्थ और पुरुषार्थ, मूल्य और मानव-मूल्य का अन्तर आवश्यक था। प्लेटो के अनुसार, मनुष्य अमर आत्मा है, जिसका परमधाम 'सत्य लोक' है, जहाँ आदर्श रूपों का दर्शन ही जीवन की अमरता है, उसकी सार्थकता है। अरस्तू जबकि मनुष्य को सभी प्राणियों में उत्तम मानता है, वह आत्मा को अमर नहीं मानता। मनुष्य की 'कार्य बुद्धि' में ज्ञान की उत्पत्ति कारक-ज्ञान से होती है और मनुष्य सत् के ज्ञान का अधिकारी बनता है, किन्तु कारक ज्ञान की कोई व्यक्ति-सत्ता नहीं है, वह प्रकाशमय, नित्य और 'महत्' सत्ता है। मानव-तत्त्व-दर्शन के लिए वह प्रकाश के समान है, किन्त मानव-अस्तित्व केवल प्राकशमय अथवा केवल प्रकाशार्थी नहीं है। अत: अरस्तू के लिए परमार्थ और पुरुषार्थ का भेद आवश्यक हो जाता है।

एपीक्यूरस के अनुसार सुखी जीवन ही उत्तम जीवन है किन्तु सुख की खोज शान्ति अथवा स्वास्थ्य को खोकर नहीं करनी चाहिए। सुखी होने के लिए मनुष्य को विमर्श-परायण और नीति-निपुण होना चाहिए। सुखी जीवन के लिए मनुष्य को जीने की कला आनी चाहिए, जिसके वह दो मुख्य अंग मानता था—मतिमत्ता और दर्शन का परिशीलन। दर्शन का अध्ययन मनुष्य को जीवन और जगत् के वास्तविक स्वभाव से परिचित कराता है और उसे भ्रान्तिमूलक भयों से मुक्त करता है। बुद्धिमान् मनुष्य सुखी जीवन के लिए संयम और सादगी को महत्त्व देता है और इस बात को जानता है कि शारीरिक और मानसिक आरोग्य, शान्ति, धैर्य और अपरिग्रह के बिना सुखी जीवन की प्राप्ति नहीं हो सकती।

एपिक्यूरस का दर्शन सुखवादी होते हुए भी सुखासक्ति का दर्शन नहीं है, क्योंकि सुखी जीवन और तात्कालिक सुख-संवेदन के अन्तर पर इस दर्शन में विचार किया गया है। इस प्रकार प्लेटो और अरस्तू के विपरीत इस विचारधारा में दर्शन जीवन का परमार्थ न होकर उसको सुखी बनाने का एक साधन है।

स्टोइक सम्प्रदाय के अनुसार, जीवन की चरम सार्थकता उसकी सुखिता में न होकर उसकी साधुता में है। समस्त प्रकृति में एक आन्तरिक नियम व्याप्त है जिसे एक विश्वव्यापी दिव्य सत्ता की इच्छा भी माना जा सकता है। यह वैदिक ऋत की-सी अवधारणा है। इस प्राकृतिक नियम के अनुरूप सादा, संयत, शान्त जीवन ही आदर्श जीवन है। समाज भी स्वरूपत: प्राकृतिक नियम पर आधारित एक विश्व-समाज है। इस प्रकार व्यक्ति एक विश्व-नागरिक बन जाता है और अपनी स्थिति के अनुरूप कर्त्तव्य-पालन उसका धर्म हो जाता है। इस सन्दर्भ में 'प्रकृति', 'प्राकृतिक नियम' आदि सहज प्रवृत्तियों के द्योतक न होकर बुद्धिगम्य ज्ञानमूलक व्यवस्था और उसके स्वीकार के द्योतक हैं। विश्व एक आन्तरिक नियति से नियत है और मनुष्य की स्वतन्त्रता उसके ज्ञानमूलक स्वीकार अथवा अस्वीकार तक ही सीमित है। बौद्धिक ज्ञान के सहारे सहज प्रवृत्तियों के वशीकरण के द्वारा मनुष्य नैतिक जीवन में कृतार्थ होता है और अपने अन्दर ही वास्तविक सुख पाता है।

प्राचीन ग्रीक और रोमन मूल्यान्वेषण बौद्धिकता और सामाजिकता की परिधि में सीमित था। उसमें मनुष्य की अमर जीवन की चिरन्तन आकांक्षा को तृप्त करने का कोई साधन नहीं था और न वह हृदय को जीवन के दुःख-प्रवाह से शान्ति दिला सकता था। अनन्तर ईसाई धर्म ने इस अपेक्षा की पूर्ति की। वह लोक-जीवन की

तुच्छता और अमर-जीवन की सम्भावना का सार्वभौमिक सन्देश लेकर आया। उसका आधार हृदय की श्रद्धा थी न कि बौद्धिक तर्क। बौद्धिक ज्ञान और उससे निर्धारित नैतिकता के स्थान पर ईसाई धर्म ने ईश्वर के सन्देश में श्रद्धा के आधार पर लौकिक भोगों के त्याग, ईश्वर भक्ति और विश्व-प्रेम को व्यक्ति और समाज के लिए प्रधान मूल्यों के रूप में प्रस्तुत किया। दुःख से अत्यन्त रहित, नित्य और निरतिशय सुख की प्राप्ति ही परम पुरुषार्थ है, और इस पुरुषार्थ की सिद्धि भगवद्रूप परमार्थ के दर्शन से ही सम्भव है। इस दृष्टि में अर्थ अथवा मूल्य के दो अर्थ हो जाते हैं—सत्-रूप अर्थ अथवा परमार्थ और इष्ट-रूप अर्थ अथवा पुरुषार्थ। परमार्थ ईश्वर-रूप है जिसमें वास्तविकता और अच्छाई अपने चरम रूप में नित्य विद्यमान हैं। पुरुषार्थ सुख-रूप है और सुख में मनुष्य की सहज प्रवृत्ति है। मनुष्य अपनी प्रवृत्ति के विषय को समझने में भ्रान्ति कर सकता है, फलत: उसकी इच्छा के विषय उसे सदा कृतार्थता की ओर नहीं ले जाते। उसके हृदय में ईश्वर-प्रदत्त विवेक है जिसके सहारे सत् और असत् का विवेक कर वह नैतिक जीवन भी जी सकता है।

संत ऑगस्तीन के अनुसार, मनुष्य की इच्छा शक्ति उसकी अल्पज्ञता और स्वच्छन्दता के कारण ईश्वर से विमुख होकर पाप में पड़ती है। किन्तु वह ईश्वर की कृपा पाकर लोकोत्तर जीवन का सौभाग्य पाता है।

मध्यकाल के विपरीत आधुनिक पाश्चात्य मनुष्य ने अपने प्राकृतिक जीवन के विकास को ही मुख्य सार्थकता के रूप में अपनाया है जिसके फलस्वरूप धर्म और दर्शन के स्थान पर विज्ञान की एवं ईश्वर के स्थान पर मानव और मानव-समाज की प्रतिष्ठा हुई। अब मूल्य-ज्ञान का साधन केवल बुद्धि नहीं रही, क्योंकि बुद्धि-तत्त्व का स्थान प्रत्यक्षमूलक अनुमान एवं सोपाधिक तर्क ने ले लिया। आधुनिक दृष्टि मूल्य-ज्ञान को मानव-मनस् की विशेषता और संस्कारों में खोजती है। अनेक विचारकों ने मूल्यबोध को मनोवैज्ञानिक पद्धति से समझने का प्रयत्न किया है। हॉब्स, स्पिनोज़ा, बटलर, ह्यूम, बैंथम, मिल और सिजविक ने मनुष्य के मूल्य-बोध एवं मूल्य-व्यवहार को निश्चित मनोवैज्ञानिक हेतुओं से समझा।

भारतीय दार्शनिक चिन्तन में भी मूल्यबोध पर बहुत अधिक विचार हुआ है। वैदिक चिन्तन में नियत प्राकृतिक और सामाजिक व्यवस्था में विश्वास पाया जाता है और उसमें इस प्रकार की विश्व-नियामक व्यवस्था को ऋत कहा गया है। 'ऋत' सहज तात्त्विक व्यवस्था है और उसकी अभिव्यक्ति ही 'सत्य' है। वस्तु स्तर पर अर्थ-सृष्टि एवं मानस-स्तर पर अर्थ-प्रतिभास दोनों ही ऋत से अनुप्राणित होने पर सत्य होते हैं। इसी समानान्तरता के कारण ईश्वर और ऋषि दोनों ही कवि, द्रष्टा और स्रष्टा माने जाते थे।

उत्तरवैदिककाल में ज्ञान और कर्म का यह सहज सामरस्य, जिसमें जीवन की स्वीकृति, ज्ञान की खोज और ऋतानुकूल श्रेयोऽभीप्सा समन्वित थी, समाप्त हो गया और कर्मकाण्ड को ही प्रधानता दी गयी। कर्म का नियामक आन्तरिक नहीं होकर बाहरी और आनुष्ठानिक हो गया। किन्तु साथ ही नित्य-अनित्य के विवेक से भोगों की असारता और आत्मिक जीवन की पारमार्थिकता का बोध विचार-विषय बना जिससे श्रेयस् और प्रेयस् का भेद आचार-दर्शन का विचार-विषय बना। आत्म-ज्ञान के द्वारा आत्मावस्थिति ही श्रेयस् है, इन्द्रियों के द्वारा अनित्य वस्तुओं का सुख-भोग ही प्रेयस् है, बहिर्मुख प्रवृत्ति के द्वारा मनुष्य बार-बार जन्म-मृत्यु को प्राप्त होता है। किन्तु तब भी उपनिषदों में संन्यास पर जोर नहीं है। आत्मा का स्वरूप आनन्द है और मुक्ति आत्मकामता है। भौतिक जीवन से परे एक शाश्वत सत्य को देखने और लक्ष्य मानने पर भी उपनिषदों में जीवन को नकारने की दृष्टि विरले ही मिलती है। **तैत्तिरीयोपनिषद्** में कहा गया है कि आत्मा ब्रह्म है और ब्रह्म जगत् का मूल उपादान है। छान्दोग्य में कहा गया है कि आत्मा के अतिरिक्त कुछ नहीं है, सभी पदार्थ आत्मा से अनुप्राणित हैं तथा 'नाम', 'रूप' एवं 'कर्म' से उपहित उसी के अंश हैं। विश्व आनन्द से बना है और आनन्द से व्याप्त है, यह दुःख-प्रपंच नहीं है। द्वैत के आभास से ही भय का जन्म होता है, यही दुःख की अनुभूति का कारण है। **माण्डूक्योपनिषद्** में कहा गया है कि विश्व स्वयं दुःखात्मक नहीं है, बल्कि सर्वोत्तम और वरणीयतम है। इस प्रकार उपनिषदों में दुःख की नहीं आनन्द की मीमांसा मिलती है।

उपनिषदों में 'मूल्य' के लिए 'अर्थ' शब्द प्रयुक्त है जिसका नैरुक्तिक अर्थ है—'प्राप्य' अथवा 'गन्तव्य'। 'अर्थ' की दो विधाएँ हैं—प्रेयस् एवं श्रेयस्। अर्थ के इस द्वन्द्व के सम्मुख मनुष्य को एक का 'वरण' करना आवश्यक है। इसीलिए 'अर्थ' 'वरेण्य' है। यह वरण केवल ज्ञान अथवा प्रज्ञा का व्यापार नहीं है, बल्कि 'संकल्प' का भी है। अत: श्रेयोऽर्थी के लिए भावमूलक सदाचार आवश्यक है। क्षमा, दान, दया, श्रद्धा, तप और सत्य इसके लिए आवश्यक हैं। केवल प्रज्ञा से अर्थ-प्राप्ति सम्भव नहीं है। यद्यपि उपनिषदों में ज्ञान एवं नैतिक अच्छाई में भेद है और कहा गया है कि प्रज्ञा मात्र मनुष्य को दुराचार से रोकने में समर्थ नहीं है, किन्तु फिर भी परम सत् ज्ञान-मात्र से प्राप्त हो सकता है।

इस प्रकार ज्ञान को भोग के और निष्कामता को काम के ऊपर माना गया है। किन्तु उपनिषदों में सुख के भी दो विभाग कर दिये गये हैं। **तैत्तिरीयोपनिषद्** के अनुसार ज्ञान और निष्कामता में भी सुख या आनन्द है जो काम-भोग से पृथक् और श्रेष्ठ है। इस दृष्टि में परम ज्ञान और नित्यानन्द अभिन्न हैं। बाद में वेदान्त में भी यही दृष्टि विकसित हुई। आत्मा ही आनन्द का मूल है और पारमार्थिक इष्ट है। जहाँ कहीं प्रियानुभूति होती है वह आत्मा के ही औपाधिक अवभास के कारण होती है।[1] आत्मा ही परम और नित्यानन्द है। किन्तु आत्मा को ज्ञान के द्वारा ही पाया जा सकता है। भोग द्वारा उत्पन्न क्षणिक सुख से ऊपर उठने के लिए मनुष्य को यह विवेक होना चाहिए कि ये सब दुःखमय हैं। नित्यानित्य के विचार द्वारा ही विवेक होता है और विवेक आत्म-ज्ञान के द्वारा अनर्थ को समाप्त कर परमार्थ की प्राप्ति का हेतु बनता है।

अन्य भारतीय दर्शनों में भी व्यावहारिक सुख-भोग और परम पुरुषार्थ की स्थिति में स्पष्ट भेद किया गया है। सभी भारतीय दर्शनों में आत्यन्तिक और ऐकान्तिक दुःख-निवृत्ति या मोक्ष-प्राप्ति को परम पुरुषार्थ और उसका मुख्य साधन विवेकपूर्वक आत्मज्ञान माना गया है। इस प्रकार मूल्यों के दो मुख्य स्तर हुए—व्यावहारिक, जिसके अंग काम-भोग, सकाम कर्म और अपरा विद्या हैं एवं पारमार्थिक, जिसके अंग निष्काम कर्म एवं परा विद्या हैं।

इस प्रकार भारतीय दर्शनों में अनर्थ और मूल्य दोनों का ही विवेचन मिलता है। एक ओर दुःख, अनित्य, अनात्म और दूसरी ओर मोक्ष, नित्यता, निरतिशयता, निरपेक्षता, स्वप्रकाशता, और शान्ति।

साँख्य दर्शन में भी इन दोनों की चर्चा मिलती है। साँख्य के अनुसार सभी लौकिक सुख दुःख-रूप है। भोग-सुख, सन्तोष-सुख, असात्विक बुद्धि का सुख, सभी दुःखमय हैं। इस दुःख की निवृत्ति ही परम पुरुषार्थ है। इस पुरुषार्थ की प्राप्ति ज्ञान से होने के कारण ज्ञान भोग के ऊपर है। साँख्य के अनुसार जग दुःख है, दुःख दोषरूप है, अनर्थ है। इस दुःख पर मनन विवेक को उत्पन्न करता है जिससे ही दुःख का निवारण सम्भव है। किन्तु साँख्य दुःख की अनुभूति को असत् नहीं मानता, जैसाकि अद्वैत वेदान्त मानता है। उसके अनुसार इसका अधिष्ठान प्रकृति है जो सत् है। किन्तु प्रकृति स्वयं अनर्थ (डिस्वैल्यू) रूप या दुःख रूप नहीं है बल्कि यह जगत् दुःखरूप है जो प्राकृतिक होने पर भी आत्मवत् : पुरुषस्वरूपवत् : विदित होता है और इसीलिए जो अनात्म और अनर्थ है। इसीलिए साँख्य का यह प्रतिपादन है कि बोध होने पर दुःख पर मनन देह को आत्मा या पुरुष से भिन्न और बाहर स्थापित कर महाभूतों के रूप में ग्रहण करता है, महाभूतों को तन्मात्रों के रूप में, तन्मात्रों और इन्द्रियों को अहंकार के रूप में और अहंकार को बुद्धि के रूप में प्रकृति को समर्पित करता है जो वे वस्तुत: हैं, अर्थात् अनात्म-स्वभाव। योग इस बोध का व्यावहारिक साधन बनता है। तब इन उपाधियों से निवृत्त बुद्धि आत्मा या पुरुष का विवेक-वृत्ति में ग्रहण करती है। बुद्धि की यह आत्मवृत्ति बुद्धि को भी प्रकृति के रूप में प्रकट कर बुद्धि का लय घटित करती है।

1. **पंचदशी**, 15. 19.

सांख्य दर्शन में मनुष्य की अवधारणा

मनुष्य का आत्मानुसन्धान एक जागरूक प्रकृति-भाव से प्रारम्भ होता है। मनुष्य में आसक्ति और रागात्मक प्रवृत्ति होने पर आत्मोपाधियों का प्रवर्तन होता है, और विरागात्मक होने पर ये उपाधियाँ लुप्त हो जाती हैं। समस्त सांसारिक सुखों के उपलब्ध होने पर भी मनुष्य में इनके प्रति निरर्थकता का बोध हो सकता है, क्योंकि सांसारिक वस्तुएँ वहीं तक मूल्यवान् लगती हैं जहाँ तक वे सुख की अनुभूति के द्वारा एक तात्कालिक आत्मशान्ति देती हैं, किन्तु उनकी अनित्यता उन्हें अनर्थात्मक, दुःखात्मक प्रदर्शित करती है। इसीलिए उन्हें सत्य, वास्तविक या पारमार्थिक नहीं कहा जा सकता। यह बोध या विवेक ही दुःख-जगत् का, जोकि अनात्म की आत्मोपाधिक सृष्टि है, विलयन कर आत्मा का उसके स्वरूप में ग्रहण करता है। साँख्य के अनुसार, जगत् का दुःख के रूप में ग्रहण और इसका निवारण ही मूल्य है। यद्यपि यह मूल्य इसीलिए है क्योंकि आत्म (पुरुष) परम मूल्य है। चेतना का गवेष्य और भाव्य अर्थ पुरुष ही है। किन्तु पुरुष किसी का साध्य नहीं है, क्योंकि वह तो सिद्ध है, अत: साध्य तो केवल असत् का निवारण ही है, क्योंकि वह दुःख और अतएव दोष है।

इस प्रकार कहा जा सकता है कि सामान्य बोध में तो चेतना विषयों में ही निमग्न रहती है। यह पराङ्मुखता ही अविद्या है जो अनर्थ को जन्म देती है। इसके विपरीत जब बुद्धि आत्म को प्रतिबिम्बित करती है या स्वयं को आत्म (पुरुष) के समक्ष पूर्णतया खोल देती है, तब बुद्धि की इस आत्मवृत्ति से प्रत्यङ्मुखता का जन्म होता है जो मूल्यबोध को उपस्थित करती है। अत: मूल्यबोध चेतना की प्रत्यङ्मुखता या आत्माभिमुखता है। मूल्यान्वेषण आत्मान्वेषण है।

किन्तु साँख्य द्वारा सभी कोटियों को प्रकृति में समाहित कर देने के कारण और पुरुष को केवली व निष्क्रिय मानने के कारण कुछ लोग इस भ्रम में पड़ जाते हैं कि साँख्य में पुरुष या मोक्ष आरोपित अवधारणाएँ हैं, ओर साँख्य वस्तुवादी दर्शन है। किन्तु उपर्युक्त विवेचन से स्पष्ट है कि साँख्य की प्रकृति भौतिक द्रव्य नहीं है, जिससे भौतिक-रासायनिक क्रियाओं से मन, बुद्धि आदि की उत्पत्ति होती है। बल्कि यह उत्पत्ति विषय को आत्मरूप में, एतत् को अहं रूप में ग्रहण करने से होती है। इस प्रकार साँख्य के लिए प्रकृति आत्मा से इतर वस्तुओं का स्वभाव है जो वस्तुएँ अविद्यावश आत्मा के स्वभाव की प्रतीत होती हैं। इस अविद्या का निषेध और अतिक्रमण ही परमसाध्य है। इस प्रकार साँख्य मौलिक रूप से मूल्य-दर्शन है।

अविवेक

साँख्यकारिका का आरम्भ दुःख की विद्यमानता के तात्त्विक बोध के साथ होता है। दुःख, जगत् और मनुष्य परस्पर सापेक्ष हैं क्योंकि जगत् मनुष्य का ही जगद्भाव है। जगत् या संसार में मनुष्य का अस्तित्व है ही उसकी जगत्प्रवृत्ति के कारण। बुद्धि केवल प्रकृति का एक विकसित तत्त्व ही नहीं है जिसका कार्य निश्चय करना है, बल्कि उसमें विभिन्न भाव भी स्थित हैं। साँख्य के अनुसार, मनुष्य की सांसारिक प्रवृत्ति के पीछे मुख्य भाव 'अज्ञान', या कहें ज्ञान का अभाव है। 'ज्ञान का अभाव' से अर्थ विवेक-ज्ञान के अभाव से है, साधारण ज्ञान के अभाव से नहीं। साँख्य की पारिभाषिक पदावली में अविवेक चिद्रूप पुरुष और अचित्-रूप प्रधान को एक-रूप देखना है। साधारण शब्दों में कहें तो यह देह-भाव, इन्द्रिय-भाव आदि में अस्मत्व देखना है। उदाहरण के लिए, अर्जुन द्वारा विपक्ष में खड़े परिजनों में मम-भाव का आक्षेप और उसके आधार पर कर्म का निर्णय देखा जा सकता है, जो हमारे प्रतिदिन के अनुभव का एक निदर्श है। यह मिथ्या अवधारणा ही दुःख का कारण है। मनुष्य अज्ञान के कारण जीवन को दुःख-मुक्त करने वाली दृष्टि खो देता है और यह नहीं अनुभव करता कि सांसारिक वस्तुएँ वास्तविक शान्ति और सुख देने वाली नहीं हैं। दुःखों का अन्त वैज्ञानिक एवं तकनीकी उपलब्धियों से, धार्मिक कृत्यों या अन्य लौकिक साधनों से सम्भव नहीं है, क्योंकि 'दुःख' का मूल कारण अपने 'स्वरूप' को भूलना है जो इन सब सीमाओं से परे है। जब मनुष्य पूर्णतः सांसारिक प्रवृत्ति में निमग्न रहता है तब वह आत्म-स्वरूप को नहीं जान पाता। परिणामस्वरूप वह समस्त दुःखों से अभिन्नता महसूस करता है और मानता है कि यह सांसारिक या आनुभाविक जीवन ही उसका स्वरूप है। वह 'द्रष्टा' और 'दृश्य', शुद्ध चैतन्य और आनुभाविक चेतना में भेद करने में समर्थ नहीं होता।[1] इस दृष्टि का अभाव ही 'अविवेक' (पुरुष और प्रकृति के बीच भेद न देखना) है। इसके कारण मनुष्य अपने सत् स्वरूप या आत्म (पुरुष) को भूलकर आनुभविक विषयों से, जोकि अनात्म रूप (प्राकृतिक) हैं, तादात्म्य स्थापित कर लेता है और भ्रमित होकर सोचता है कि मनोभाव, इच्छाएँ, संकल्प और इन्द्रियानुभव, जोकि निरन्तर परिवर्तनशील भौतिक स्थितियों और इन्द्रियों के बीच क्रिया-प्रतिक्रिया के कारण उत्पन्न होते हैं—इसके अपने हैं। इस प्रकार वह समस्त सांसारिक स्थितियों से मम-इतर का सम्बन्ध स्थापित कर लेता है। यह वह अवस्था है जब मनुष्य यह दृष्टि नहीं रखता कि 'वह' इस सांसारिकता से परे भी 'कुछ' है जो इसका स्वरूप है। यह पूर्ण आत्म-विस्मृति या अनात्म से पूर्ण तादात्म्य ही दुःख का मूल है।

आत्म (पुरुष) और अनात्म (प्रकृति) के बीच अविवेक के कारण ही प्रकृति व्यक्तावस्था को प्राप्त होती है। किन्तु इस अविवेक का अधिष्ठान पुरुष में नहीं होकर प्रकृति में ही है।[2] इस अविवेक के कारण अव्यक्त प्रकृति, जोकि अनात्म है, आत्म उपाधि के साथ व्यक्त होती है। बुद्धि से पंचमहाभूतपर्यन्त यह जगत् मनुष्य (और प्राणिमात्र) तथा उसके विषयों के सम्पूर्ण अस्तित्व और प्रकारता का समावेश करता है। किन्तु जबकि अपने अस्तित्व में इसका स्वभाव, इसकी प्रकृति, प्रधानात्मक—त्रिगुणात्मक—है, अपने अर्थ में, अपनी अभीप्सा में, यह पुरुष है। इस प्रकार यह विषयी जीव प्राकृतिक होते हुए भी पुरुष अथवा निरपेक्ष आत्म से भी संयुक्त है, अपने इस अर्थ का आभास जीव प्रत्यङ्मुख विचार में, मननवृत्ति में, प्राप्त करता है। प्रकृति में आत्मोपाधि का यही अर्थ है। यदि ऐसा नहीं मानें तो 'आत्मोपाधि', 'अनात्म' आदि शब्दों का कुछ अर्थ नहीं होगा। किन्तु परम अर्थ, परम मूल्य आत्म और अनात्म का संयुक्त रूप एवं विकासमान और ऐतिहासिक नहीं है, साँख्य के अनुसार वह

---

1. पारमार्थिक चैतन्य और विषय — चेतना या आनुभविक चेतना में साँख्य मौलिक अन्तर देखता है। इस पर द्रष्टव्य डॉ. भगवती का पूर्वोद्धृत लेख तथा Larson, G. J. The Classical Sankhya, p. p. 170–71. Motilal Banrasidas 1979.
2. का. 27

स्वरूप-विश्रान्त, निरपेक्ष और आत्मपूर्ण सत्ता है। किन्तु तब भी जगत्, अथवा कहें मनुष्य के लौकिक अस्तित्व, के लिए यह नितान्त बाह्य भी नहीं है, क्योंकि उसी से इसकी सार्थकता है, उसी से इसकी गति, स्थिति, रूप और गुण का कुछ अर्थ बनता है, जैसे हृदयगति का अर्थ प्राणी के जीवन से और मार्ग का मंज़िल से बनता है।

अब यह अनात्म क्या है? साँख्य के अनुसार, जगत् दुःख है, क्योंकि यह आत्मरूपेण गृहीत अनात्म है। अनात्म आत्म-सम्बद्ध दोष है, यद्यपि साँख्य के अनुसार इसका अधिष्ठान आत्म में नहीं होकर इससे इतर है। यह दोष आत्म में तभी हो सकता था यदि आत्म स्वरूपतः पूर्ण, गुण-दोषातीत नहीं होता। किसी भी भारतीय दर्शन-सम्प्रदाय ने आत्म अथवा चैतन्य को विकासमान सत्ता नहीं माना है। आत्मा के पूर्ण सत् होने से उनके लिए अनात्म की विद्यमानता और इसके अधिष्ठान का प्रश्न एक बड़ी समस्या बन जाता है। वेदान्त ने इसे असत् मानकर इसका अधिष्ठान ब्रह्म में माना है। किन्तु अनात्म, जोकि दोष है, का अधिष्ठान स्वतन्त्र नहीं मानने पर इसे आत्मगत दोष मानना पड़ता है और तब आत्मा को स्वरूपान्वेषी और विकासमान मानना पड़ता है जोकि वेदान्त को अस्वीकार्य है। इसीलिए वेदान्त के लिए अनात्म की विद्यमानता एक समस्या है जो साँख्य के लिए इस प्रकार से नहीं है।

अब यदि अद्वैत वेदान्त यह कहे कि अनात्म के असत् होने से आत्म की पूर्णता खण्डित नहीं होती, तो कहा जायेगा कि अनात्म दोष रूप है ही आत्म के प्रसंग से, अपने आप में कोई बात न अनात्म है और न दोष, अब यदि किसी स्थिति को दोष और अपने आप में असत् कहा जाये तो दोष आत्मा का धर्म हो जायगा। इस परिस्थिति से बचने के लिए ही साँख्य अनात्म को आत्मोपाधि रूप में असत् किन्तु पदार्थतः सत् मानता है। अर्थात् आत्मोपाधि इसलिए असत् है क्योंकि इसका स्वभाव, इसकी प्रकृति, आत्मा से भिन्न त्रैगुण्य है जबकि इसकी प्रतीति आत्मरूपेण है।

इस प्रकार समस्त अनुभव जिसके प्रसंग से हैं वह सत्-स्वरूप में नित्य अपरिवर्तनीय है। स्वरूप में शुद्ध चैतन्य उपाधि-रहित है। यह गतिहीन है क्योंकि यह पूर्ण और निरपेक्ष है। किन्तु आत्मा का हमारा अनुभव आपेक्षिकता और अपूर्णता का ही है। इसका समाधान क्या है? इसका समाधान यह है कि यह आपेक्षिक में निरपेक्ष का प्रतिबिम्ब है जो भ्रान्तिवश वास्तवरूपेण ग्रहण किया जा रहा है।

किन्तु तब प्रश्न है कि इस भ्रान्ति का कारण क्या है? इसमें साँख्य का उत्तर अंशतः वही है जो उन सभी भारतीय दर्शनों का है जो जगत् का मूल अविद्या में मानते हैं, और अंशतः उनसे भिन्न है। 'कारण' का अर्थ यदि हेतु मानें तो साँख्य का उत्तर उनके समान है कि इस भ्रम का कोई हेतु नहीं हो सकता, क्योंकि सामान्य भ्रम : जैसे रज्जु में सर्प-दृष्टि : में हेतु विषयगत अनुरूपता और मनःस्थिति का संयुक्त व्यापार कहा जा सकता है, विषयाभाव में भ्रम का हेतु केवल मनःस्थिति, जैसे विक्षिप्तता, को कहा जा सकता है। किन्तु अविद्या के लिए दोनों हेतु अनुपस्थित हैं—न तो प्रकृति और पुरुष में कोई अनुरूपता है और न मनःस्थिति ही विद्यमान है, क्योंकि मनःस्थिति अविद्यापूर्वक होती है। इस कारण अविद्या अनादि और अतिक्रामी है। अन्यों से साँख्य की विशिष्टता इस बात में है कि, यदि कारण का अर्थ उपादान मानें तो, साँख्य अन्यों से भिन्न अविद्या का उपादान कारण प्रकृति को मानता है जबकि अन्य सम्प्रदाय कोई उपादान नहीं मानते। बौद्ध तो कारण का प्रश्न ही नहीं उठाते, वेदान्त उठाता है। अब साँख्य के समान वेदान्त भी सत्कार्यवादी है। तब उससे प्रश्न होगा कि अविद्या का उपादान क्या है? इसका उसके पास कोई उत्तर नहीं है।

इस प्रकार साँख्य के अनुसार, हेतु रूपेण प्रकृति और पुरुष का संयोग अनादि है। संयोग के अनादि होने से जन्म-मरण का यह क्रम भी अनादि है।

अब यह अनादि भ्रम या अविवेक जगद्भाव का अनादि हेतु है और यह जगद्भाव सुख-दुःख, हर्ष-विषाद आदि का अनादि हेतु है। किन्तु इनके हेतु के अनादि और अहैतुक होने से अन्ततः ये भी अहैतुक ही हैं, किन्तु उपादान में ये प्राकृतिक या त्रिगुणात्मक हैं।

यदि सुख-दुःख आदि को अचेतन प्रकृति के स्वरूप अथवा विकार नहीं मानें और इनकी अनुभूति के समय चेतन तत्त्व का इस रूप में परिणाम घटित मानें तो चेतन को परिणामी होने से कैसे बचाया जा सकता है? वस्तुस्थिति यह है कि सुख-दुःख आदि की अनुभूति के काल में आत्मा का सुखादि के रूप में परिणाम नहीं होता, बल्कि सुख-दुःखादि रूप में परिणत हुई बुद्धि ही चेतन आत्मा की अपेक्षा से सुखादि विषयक अनुभूति का साधन बनती है। सुख-दुःखादि रूप में इस प्रकार बुद्धि का परिणाम होना और आत्मा में इसे प्रतिबिम्बित करना आदि समस्त क्रिया-कलाप चेतन के सम्पर्क की अपेक्षा रखता है। इन दोनों का सहयोग संसार के समस्त व्यवहार एवं क्रिया-कलाप की धुरी है। किन्तु द्रष्टव्य है कि 'पुरुष' और 'प्रकृति', 'चैतन्य' और 'जड़त्व' तथा 'सहयोग' आदि शब्दों का प्रयोग साधारण अर्थ में समझना दो नितान्त भिन्न स्तरों में व्यामिश्र करना है, यह दार्शनिक अववेक है। चेतन या पुरुष साँख्य में मानसिक चेतना का पर्याय नहीं है, जैसाकि हम पीछे भी कह चुके हैं, मानसिक चेतना साँख्य के अनुसार त्रिगुणात्मक और परिणामत: अचेतन या जड़ है। मन को जड़ मान लेने पर 'जड़' का अर्थ भी स्पष्टत: असाधारण हो जाता है। पुरुष साँख्य के अनुसार अनुभव की सब कोटियों से अस्पृष्ट अस्तित्व की अर्थ-पर्येषणा का साध्य तत्त्व है और 'जड़' या प्रकृति इस अस्तित्व का वह तत्त्व जो यह अस्तित्व इस अर्थ और पर्येषणा के बिना हो सकता है : जैसे, जल भरने के अर्थ के बिना घट मात्र मिट्टी है।

पुरुष और प्रकृति अथवा चैतन्य और जड़त्व को इस प्रकार परिभाषित कर देने पर कर्त्तृत्व, भोक्तृत्व और ज्ञातृत्व जबकि निरभिमान अतिक्रामी प्रेक्षकत्व के रूप में जीव के तात्त्विक स्वरूपगत हैं, साभिमान रूप में ये अविवेक हैं, क्योंकि साभिमान कर्त्तृत्व आदि विषयात्मक-अनुभवात्मक हैं और इस प्रकार वे तत्त्वत: कर्त्तृत्व, भोक्तृत्व, ज्ञातृत्व नहीं होकर इनकी विषयता हैं, क्योंकि कर्त्तृत्वादि स्वातन्त्र्य को पूर्वापेक्षित करते हैं जबकि अभिमान विषय-पारतन्त्र्य है।

साँख्य अन्य भारतीय दर्शनों के समान ही पुनर्जन्म को भव-चक्र मानता है, किन्तु पुनर्जन्म के रूप और अर्थ के सम्बन्ध में विभिन्न भारतीय दर्शनों में मतभेद है जो वास्तव में उनकी तत्त्वमीमांसा के अनुसार आवश्यक है। यह द्रष्टव्य है कि पुनर्जन्म की अवधारणा का मूल मनुष्य द्वारा मृत्यु पर विजय की आकांक्षा है। **गीता** में कृष्ण अर्जुन को जो कहते हैं कि आत्मा शरीर के नाश के साथ नष्ट नहीं होती—न हन्यते हन्यमाने शरीरे—उसमें यही अमरता की अभीप्सा है। प्लेटो ने भी पुनर्जन्म इसी आधार पर स्वीकार किया है। किन्तु साँख्य और बौद्ध दर्शनों में, तथा वेदान्त में भी, पुनर्जन्म आत्मामूलक नहीं है, तीनों में इसका उपादान अनात्म-तत्त्व है। साँख्य के अनुसार जन्म-मरण और इसके कारण-भूत संस्कार सब प्राकृतिक हैं, जिस प्रकार बौद्धों के लिए स्कन्धमूलक हैं। इसके लिए आत्मा या पुरुष की आवश्यकता नहीं है। किन्तु इस भव-चक्र की विवेक से समाप्ति हो जाने पर मनुष्य का जो शेष रहता है वह है उसका अनात्म से मुक्त आत्म-तत्त्व।

इस प्रकार साँख्य में संसार 'पुरुष' से निगमित नहीं होता, न पुरुष संसार से निगमित होता है, किन्तु संसार का अर्थ 'पुरुष' के बिना अपूर्ण रहता है। संसार, या कहें विकृति, के बुद्धि से पंचमहाभूत पर्यन्त विभिन्न तत्त्व पुरुष के वैभव को ही प्रकट करने के लिए हैं। यह 'पुरुष', जोकि शुद्ध चैतन्य है, संसार का द्रष्टा है, किन्तु संसार-भाव में यह इस रूप में ज्ञात नहीं होता। कारिका 20 में कहा गया है—

"पुरुष के संयोग से अचेतन लिंग चेतन की तरह प्रतीत होता है, और इसी प्रकार वस्तुत: कर्त्ता गुणों के होने पर भी उदासीन पुरुष कर्त्ता सा प्रतीत होता है।"

यहाँ प्रश्न हो सकता है कि, यदि 'प्रकृति' 'पुरुष' से पूर्णत: पृथक् है, यदि वह अनात्म का स्वतन्त्र अधिष्ठान है, तब अनात्म का आविर्भाव ही किस प्रकार होता है? क्योंकि शुद्ध ज्ञानस्वरूप 'पुरुष' और शुद्ध तटस्थ 'प्रकृति' दोनों में अविवेक असम्भव है।

इस प्रश्न में आधारभूत भ्रान्ति है, वह यह कि 'अविवेक' का कभी आविर्भाव होता है। जैसाकि हमने पीछे देखा, अविवेक प्राप्त स्थिति है। उसका केवल तिरोभाव होता है और हो सकता है, आविर्भाव नहीं, और तिरोभाव

होने पर ऐसा नहीं है कि अविवेक या अनात्म या जगत् का प्रकृति में लय हो जाता है। ऐसा कुछ नहीं होता, क्योंकि 'प्रकृति' और 'पुरुष' वस्तुएँ नहीं हैं। अविवेक तिरोभूय है, वह निवार्य है, यही उसकी प्राकृतिकता है, और निवृत्त अवस्था 'प्रकृति' है। 'प्रकृति' और 'पुरुष' दो भिन्न तत्त्व हैं। 'प्रकृति' जगत् का अधिष्ठान है, पुरुष शुद्ध चेतना है। इस रूप में ये दोनों स्वतन्त्र कोटियाँ हैं। इसी सन्दर्भ में देखने पर साँख्य के इस वाक्य को कि 'पुरुष बन्धन और मोक्ष का अधिष्ठान नहीं है'[1] समझा जा सकता है।

अन्त में, यह विचारणीय है कि प्रकृति और पुरुष के द्वैत के लिए क्या युक्ति है? यदि बुद्धि-पर्यन्त सब कोटियाँ प्राकृतिक हैं और विवेक भी बुद्धि-व्यापार ही है, तब ऐसा कहने में क्या दोष है कि बौद्धिक चेतना में संसार-भाव और संसार-भाव के अतिक्रमण दोनों की क्षमता है और यह अतिक्रमण आध्यात्मिक शान्ति और सौख्य को देने वाला है। उदाहरणत: डेकार्ट की व्यवस्था में भौतिक और मानसिक दो तत्त्व हैं, जोकि साँख्य द्वारा एक ही में सन्निहित हैं, जगत् की व्याख्या करने के लिए पर्याप्त हैं। इसी प्रकार प्लेटो, कांट और हेगल की व्यवस्थाओं में भी जो कुछ आनुभविक और अतिक्रामी है वह सब साँख्य की प्रकृति में सम्मिलित है। तो क्या इन दार्शनिकों की व्याख्याएँ अधूरी हैं? इसका उत्तर हम देना चाहेंगे कि वास्तव में प्लेटो का सूर्य अथवा परम शिवतत्त्व (दि गुड) डेकार्ट का ईश्वर, कांट का स्वतन्त्र संकल्प और हेगल का निरपेक्ष चैतन्य साँख्य की प्राकृतिक कोटियों में नहीं रखे जा सकते, ये बुद्धि का अतिक्रमण करते हैं। इसके अतिरिक्त, इतरता का बोध जैसे ऐन्द्रिय विषयों में हमें हो सकता है वैसा ही, बल्कि उससे भी अधिक तीव्रता के साथ, मनोवृत्तियों और विचारों के प्रति भी हो सकता है। यह इतरता का बोध ऐसे तत्त्व की ओर संकेत करता है जो नितान्त अनात्म है।

किन्तु यह बोध अत्यधिक विरले व्यक्तियों को ही होता है साधारण रूप से मनुष्य अविवेक की अवस्था में ही रहता है। यद्यपि हम पदे-पदे सदसद्, उचित-अनुचित, कर्त्तव्याकर्त्तव्य में विवेक करते हैं, किन्तु यह विवेक वास्तव में पारमार्थिक स्तर का नहीं होता, यह लौकिक स्तर का ही होता है। अर्जुन का कुरुक्षेत्र में युद्ध नहीं करने का निर्णय इसका बहुत उत्तम उदाहरण है : युद्ध, राज्य में अपने भाग की माँग, ये सब स्पष्टत: त्याज्य प्रतीत होते हैं और इनसे विरति, राज्य और सम्पत्ति का त्याग उत्तम ही प्रतीत होते हैं, किन्तु वास्तव में अर्जुन के इस भाव में आत्म-छलना है यह हमें तभी विदित होता है जब द्रष्टा कृष्ण इसे दिखाते हैं। किंतु वास्तव में इस दृष्टि का सच्चा मर्म धारण करने के लिए उस तनाव का, उस ग्लानि और क्लेद का होना आवश्यक है जो अर्जुन अनुभव कर रहा था। अन्यथा हम सामान्यत: जो विवेक करते हैं वह अविवेक का ही एक सोपान होता है। तो भी यह विवेक भी वास्तव विवेक की ओर संकेत कर सकता है, यदि हम इस संकेत को लेने के लिए उद्यत हों तो। क्योंकि आख़िर किसी भी स्तर पर सद्-असद् में विवेक है ही किस आधार पर? यह परिपृच्छा हमें किसी भी स्तर पर उस अन्तिम स्थिति का संकेत दे सकती है।

1. का. 62.

विवेक ज्ञान

साँख्य दर्शन मनुष्य केन्द्रित दर्शन है। इसलिए यह मनुष्य के जागतिक अस्तित्व से उत्पन्न दुःख और उसके निदान पर विचार से आरम्भ होता है। इसकी समस्या उस बोध का स्वरूप समझने की है जो मनुष्य जगत् की सार्थकता में सन्देह के रूप में अनुभव करता है। इस प्रकार साँख्य प्रस्तुत अनुभव से आरम्भ करके उसके अतिक्रमण की सम्भावना पर विचार करता है।

मनुष्य के दुःख का कारण 'पुरुष' या 'शुद्ध-चैतन्य' को, या अपने स्वरूप को, उस रूप में जानना है जो वह नहीं है। अतः यह दुःख तब तक रहता है जब तक वह (मनुष्य) 'पुरुष' (आत्म-स्वरूप) को 'प्रकृति' (पररूप) से पृथक् नहीं जानता। स्वयं प्रकृति इस विभेदीकरण को प्रकटाने या विवेक-ज्ञान के लिए भूमिका रूप में प्रस्तुत होती है। (का. 56) सम्पूर्ण प्राकृतिक व्यापार पुरुष की सिद्धि के लिए है। स्वरूपतः प्रकृति अचेतन है। अतः साँख्य पूरी तरह पूर्ण चैतन्य के कैवल्य से सम्बन्धित है। उसके अनुसार संसार पुरुष के प्रसंग के बिना अप्रासंगिक है। अर्थात् साँख्य की संसार में अपने आप में कोई रुचि नहीं है, वह केवल उसे 'पुरुष' के केवली स्वरूप को उद्भासित करने के प्रसंग में ही देखता है। का. 61 में इसी आशय को प्रतिपादित किया गया है— "प्रकृति से अधिक सुकुमार कोई अन्य पदार्थ नहीं है, क्योंकि यह ज्ञात होते ही कि 'पुरुष ने मुझे देख लिया है' यह प्रकृति इसकी दृष्टि में पुनः नहीं आती।"

वस्तुतः 'प्रकृति' और 'पुरुष' अस्तित्व के दो भिन्न व निरपेक्ष आयाम हैं। पुरुष शुद्ध चैतन्य और साक्षिरूप है, जबकि प्रकृति पूर्णतः अव्यक्त और जड़ है। अतः उनमें कोई सम्बन्ध नहीं हो सकता। किन्तु जगद्भाव में (अविवेक में) 'प्रकृति' और 'पुरुष' सापेक्ष हैं। इस सापेक्षता को ही साँख्य ने व्यक्त प्रकृति या 'संसार' कहा है। किन्तु इस जगद्भाव या अविवेक का अधिष्ठान 'पुरुष' नहीं 'प्रकृति' है, क्योंकि साँख्य के अनुसार जो भी अनुभवगम्य है वह सब प्रकृतिमूलक है, इसलिए भौतिक अस्तित्व से लेकर इच्छा, विचार तक सब प्राकृतिक हैं। इसलिए 'पुरुष', जो निरपेक्ष चैतन्य-स्वरूप है, वह बँध और मोक्ष का विषय नहीं हो सकता। सांसारिक भाव में ही मनुष्य इसे इन अवस्थाओं में देखता है। (का. 62-63)

अद्वैत वेदान्त इस जगद्भाव का आश्रय माया को मानता है। अब जबकि उसके अनुसार ब्रह्म ही सत् है, तब माया का अधिष्ठान भी ब्रह्म ही होगा। ऐसी स्थिति में ब्रह्म मिथ्यात्व का अधिष्ठान हो जाता है। किन्तु शंकर ब्रह्म को पुरुष के समान ही इस जगद्भाव से परे और शुद्ध स्वरूप मानते हैं। किन्तु 'प्रकृति' को अविवेक का आश्रय मानकर साँख्य के समक्ष यह समस्या नहीं रहती। अतः कीथ का यह कहना संगत नहीं है कि वेदान्त ने अविवेक की तत्त्वमीमांसीय स्तर पर व्याख्या देने की कोशिश की है जबकि साँख्य ने 'अविवेक' के अधिष्ठान की कोई व्याख्या नहीं दी है।[1]

'पुरुष' को 'प्रकृति' से निरपेक्ष केवली रूप में जानना ही 'ज्ञान' या 'विवेक' है। यह ज्ञान बुद्धि में होता है। बुद्धि में आत्म (पुरुष) और अनात्म (प्रकृति) के भेद का सम्यक् ज्ञान उत्पन्न होता है। यह बुद्धि की निरुद्धावस्था है। इस अवस्था में सांसारिक अनुभव निरुद्ध हो जाता है और बुद्धि स्वयं को पुरुष के समक्ष पूर्णतः समर्पित कर देती है। बुद्धि में उत्पन्न होने से विवेक बुद्धि के आठ भावों (धर्म, ज्ञान, वैराग्य, ऐश्वर्य, अधर्म, अज्ञान, अवैराग्य, अनैश्वर्य) में से एक है। धर्म से स्वर्गादि लोकों की प्राप्ति तो होती है किन्तु मोक्ष-सिद्धि नहीं होती। वैराग्य से भी मोक्ष सम्भव नहीं है, क्योंकि वैराग्य से उत्पन्न लीनता या निरुद्धावस्था आत्यन्तिक लीनता नहीं है, चित्त में

---

1. A. B. Keith — A History of the Samkhya Philosophy, p. p. 99.

व्युत्थित होने का संस्कार रहता ही है, अत: निरोध–बल का क्षय होने पर वे पुन: उपयोगी शरीर का ग्रहण करने के लिए बाध्य हो जाते हैं। पूर्ण लीनता पूर्ण ज्ञान है, जो तत्त्वदर्शन से प्राप्त होता है। योग में अष्टाँग योग की बात ज्ञान को उद्भासित करने के लिए ही कही गई है जिससे वैराग्य भी कैवल्य का हेतु बन जाता है।[1]

ज्ञान से ही मोक्ष या कैवल्य की प्राप्ति होती है। प्रकृति भी तभी तक भोग उत्पन्न करती है जब तक विवेकज्ञान उत्पन्न नहीं करती। विवेकज्ञान के उत्पन्न हो जाने पर वह कृतकृत्य होकर निवृत्त हो जाती है।[2]

विवेकज्ञान साधारण ज्ञान या जागतिक ज्ञान से परे है, या कहें यह जागतिक ज्ञान की पूर्णता है। यह वह ज्ञान है जो जागतिक ज्ञान की प्रक्रिया से परे ले जाता है। साँख्य में सांसारिक ज्ञान 'ज्ञानाभाव' या अविद्या के समानार्थक है, क्योंकि ज्ञानाभाव में ही मनुष्य का सांसारिक अस्तित्व व ज्ञान है। विवेक होने पर बुद्धि की जगदुन्मुख वृत्ति की अत्यन्त निवृत्ति हो जाती है। यह निवृत्ति पुरुष को लक्ष्य कर ही होती है। उस समय बुद्धि सात्विकता के अतिरेक में पुरुष का आभास पाती है और अपना क्षय घटित करती है। केवली रूप से जो पुरुष ज्ञात हो रहा था वह अब इस रूप में ज्ञात नहीं होता। बुद्धि की यह अत्यन्त निवृत्ति की अवस्था इसलिए है क्योंकि विवेक के द्वारा व्यक्तता के कारण–भूत अविवेक का अत्यन्ताभाव होने से गुणवैषम्यभूत लिंग स्वत: अव्यक्त हो जाता है। गह ज्ञान विशुद्ध, अन्तिम, पूर्ण और शुद्ध है। इस ज्ञान के उदय होने पर यह बोध होता है कि और कुछ ज्ञातव्य शेष नहीं है। क्योंकि यह बोध होने पर कि 'इन्द्रियों को प्रस्तुत विषय प्रकृति के विकार मात्र हैं। अत: मेरा कोई ज्ञानविषय नहीं है,' बौद्धा बुद्धि हमेशा के लिए निरुद्ध हो जाती है।

यह निवृत्ति तभी होती है जब दृश्य से पृथक् द्रष्टा के अस्तित्व का अवधारण पूर्ण हो जाय। इसकी चरितार्थता विषय में उपेक्षाबुद्धि का उदय होने पर ही होती है। अब यद्यपि यह प्रज्ञा या विवेक बुद्धिकृत ही है, किन्तु यह बुद्धि–पर्यवसायी नहीं है, यह पुरुष–लक्षी है। यदि यह पुरुष–लक्षी न हो तो मनुष्य ऐसी असम्भव स्थिति में होगा जो वात्याचक्र से निकलने के प्रयत्न में वात्याचक्र की ही सृष्टि करती है। इस प्रकार तत्त्व–दर्शन या विवेक–ज्ञान प्राकृतिक अस्तित्व की वह अवस्था है जिसमें यह अस्तित्व अपना मिथ्यात्व जानकर अपने ही 'स्वभाव' में तिरोहित हो जाता है। व्यक्तावस्था की कारणभूत अविद्या का नाश होने पर प्रकृति पुन: सर्ग–रचना में प्रवृत्त नहीं होती। पुरुष के विषय में भ्रान्त ज्ञान का नाश होकर विवेक–ज्ञान की उत्पत्ति होती है और यह ज्ञान भी अव्यक्त हो गई बुद्धि या अहं के साथ ही अव्यक्त हो जाता है। जो पुरुष व्यक्त बुद्धिगत द्रष्टृत्व था वह अब अव्यक्त के द्रष्टा के रूप में रहता है। यह अवस्था रजोगुण व तमोगुण से अतीत है, अत: इसमें त्रिविध दु:ख की अत्यन्त निवृत्ति हो जाती है। अब भोग और कैवल्य के साध्य नहीं रहने से पुन: पुन: सर्गरचना नहीं होती, विवेक हो जाने पर वे पुरुषार्थ या लक्ष्य नहीं रहकर स्व–रूप हो जाते हैं, जिससे प्रकृति में सृष्टि के लिए प्रेरणा नहीं रहती—

प्रयोजनं नास्ति सर्गस्य। का. 66.

जिस प्रकार सीपी को ही रजत समझने वाले पुरुष को प्रकाश से जब सीपी का निश्चय हो जाता है तब उसकी उसमें पुन: रजत–बुद्धि नहीं होती, उसी प्रकार तत्त्वज्ञान हो जाने पर उससे मिथ्याज्ञान का विनाश हो जाता है।

तत्त्वज्ञान या विवेक तब उत्पन्न होता है जब मनुष्य में यह बोध उत्पन्न होता है कि उसके अस्तित्व का अन्तिम आधार क्या है। यह अन्तिम आधार मनुष्य के संकल्प, प्रयत्न, आत्म–चेतना, मनस् आदि में नहीं पाया जा सकता बल्कि शुद्ध चैतन्य में ही पाया जा सकता है, जोकि मनुष्य और उसके संसार के इन समस्त आयामों से परे है, जिसकी विद्यमानता ही मनुष्य को स्वयं व संसार के स्वरूप का बोध कराती है।

---

1. रामशंकर भट्टाचार्य — साँख्यतत्त्वकौमुदी, ईश्वरकृष्ण कृत सांख्यकारिका का हिन्दी अनुवाद व ज्योतिष्मती व्याख्या, पृ. 272.
2. वही, पृ. 267.

साँख्य के अनुसार यह मोक्षधर्मी ज्ञान उन तत्त्वों के विश्लेषण से होता है जो तत्त्व इस संसार के कारण हैं।[1] इस प्रकार तत्त्वाभ्यास से यह ज्ञान उत्पन्न होता है कि यह कर्त्ता-भोक्ता मैं नहीं हूँ, यह देहादि मेरा नहीं है, यह अहंकार भी मैं नहीं हूँ, इस प्रकार विपरीत-दृष्टि से रहित शुद्ध कैवल्य-ज्ञान उत्पन्न होता है। का. 64.

इस प्रकार विवेकज्ञान प्रकृति में ही उत्पन्न यह ज्ञान है कि मैं 'पुरुष' (शुद्ध चैतन्य) से भिन्न जड़ हूँ। अब जबकि यह 'ज्ञान' तत्त्वों के बोध से उत्पन्न होता है, इसका यह अर्थ नहीं है कि केवल इन तत्त्वों के बारे में या उनकी संख्या जान लेने से ही यह बोध हो जाता है। यह ज्ञान स्वयं अपने अस्तित्व में ही रूपान्तरण घटित होने से उत्पन्न होता है।

'पुरुष' को या 'शुद्ध चैतन्य' को जानकर जागतिक अस्तित्व का कारणभूत अहंकार तथा सभी प्रयत्न, विचार निवृत्त हो जाते हैं। यह वह चैतन्य है जो सभी सन्दर्भों और भेदों से परे है। इस प्रकार साँख्य में साध्यज्ञान केवल विवेक है, जो जगदोन्मुख वृत्ति की निवृत्ति है।

यहाँ कहा जा सकता है कि, दुःख प्रकृति में नहीं है, क्योंकि दुःख अनुभव है, और अनुभव के लिए चेतना की अपेक्षा है। किन्तु प्रकृति चेतन नहीं है, और पुरुष, जोकि शुद्ध चैतन्य है उसमें क्रिया नहीं है। अतः साँख्य के अनुसार दुःख और बंधन की उत्पत्ति और स्थिति कैसे सम्भव है और यदि यह तत्त्वतः सम्भव नहीं है, तब इनसे मुक्ति का भी प्रश्न नहीं उठता।

इसके उत्तर में कहा जायेगा कि, यह ठीक है कि निरपेक्ष प्रकृति और निरपेक्ष पुरुष में तत्त्वतः कोई दुःख या बंधन नहीं है, इसलिए इनके सन्दर्भ में मुक्ति की बात भी नहीं की जा सकती। किन्तु संसार में दुःख का अनुभव है, जिसका कारण अविवेक अर्थात् आत्म (पुरुष) और अनात्म (प्रकृति) को अभिन्न देखना है। चैतन्यस्वरूप पुरुष प्रकृति में प्रतिबिम्बित होता है, यह प्रतिबिम्ब प्रकृति में अनुभव को सम्भव करता है। अनुभव न केवल प्रकृति में है, न पुरुष में, बल्कि 'प्राकृतिक चेतना' में है। अतः दुःख और उससे मुक्ति का भाव प्राकृतिक है यद्यपि यह प्रकृति नहीं है।

यहाँ प्रश्न हो सकता है कि, विवेक ज्ञान होने पर लिंग या जीव की क्या स्थिति होती है?

इसके उत्तर में कहा जा सकता है कि, 'क्या स्थिति होती है?' का तात्पर्य यदि यह है कि, किस देश या किस काल में रहता है, तो प्रश्न ही असंगत है, क्योंकि तन्मात्रों के परे देश की सत्ता रहती ही नहीं है, और महत् की निवृत्ति होने से काल की सत्ता भी समाप्त हो जाती है। अतः यही कहना उचित है कि, इस अवस्था में जीव देश और कालपरक सम्बन्ध से परे हो जाता है।

यदि 'स्थिति' से अभिप्राय स्वरूप से है, अर्थात् कि उस अवस्था में उसका क्या स्वरूप होता है, तो उत्तर होगा कि महत् या बुद्धि की निवृत्ति होने से अस्मत-बोध अपने को अपनी अभिव्यक्ति के मूल हेतु पुरुष को जानकर निरुद्ध कर लेता है, या करणों की निवृत्ति करके स्वयं भी निवृत्त हो जाता है। गौड़पाद ने इस अवस्था को 'तुरीय' अवस्था कहा है।

यहाँ प्रश्न हो सकता है कि कैवल्यावस्था में अत्यन्त निवृत्त बुद्धि का पुरुष के साथ क्या सम्बन्ध रहता है? क्या इस अवस्था में इसके साथ बुद्धि का कोई योग रहता है? यदि नहीं तो क्या पुरुष और बुद्धि का वस्तुतः वियोग हो जाता है? क्या ऐसा होना सम्भव है? यदि नहीं होता तो प्रश्न होगा कि क्या कारण है कि पुरुष-संयोग रहने पर जो निवृत्ति पहले नहीं हुई थी वह अब हो जाती है?

इसका समाधान है कि कैवल्यावस्था में बुद्धि रहती ही नहीं। 'बुद्धि' ही वास्तव में व्यक्त प्रकृति है, अहंकार से भौतिक विषय पर्यन्त विकार बुद्धि के ही भाव हैं। उदाहरणतः घट मिट्टी में आकार की अभिव्यक्ति है जो जल-

---

1. Gerald James Larson — The Classical Samkhya, p. p. 204.

संग्रह के प्रयोजन से मिट्टी का चाक आदि उपकरणों के द्वारा घटाकार के रूप में क्रियान्वित होना है। जगत् का सम्पूर्ण वैविध्य इसी प्रकार बुद्धि का ही क्रियान्वयन है, अथवा कहें, यह सब बुद्धि ही है। अपनी इस शक्ति और क्रिया का ज्ञान और इस प्रकार अपना अतिक्रमण भी बुद्धि ही है, यह विवेक-बुद्धि है, विवेक-बुद्धि का पुरुष से सम्बन्ध उसके स्वाभाविक कैवल्य के प्रकाशन के लिए है। इस प्रकाशन से भी औदासीन्य बुद्धि के प्रकृति में अत्यन्त विलय के रूप में पर्यवसित होता है। तब पुरुष से सम्बन्ध का कोई प्रश्न ही नहीं रह जाता क्योंकि बुद्धि ही नहीं रह जाती, वह निष्प्रयोजन होकर अपना नामरूप खो देती है और उपादान-शेष : प्रकृति मात्र : रह जाती है।

यह शंका भी हो सकती है कि, तत्त्वज्ञान के होने पर भी 'कैवल्य' की अवस्था नहीं हो सकती, क्योंकि तत्त्वविषयक अभ्यास से तत्त्वज्ञान भले ही उत्पन्न हो जाये किन्तु अनादि अविद्या के संस्कार बचे रहने से मिथ्या ज्ञान भी उत्पन्न होगा।

इसके उत्तर में कहा जा सकता है कि, तत्त्वज्ञान मिथ्याज्ञान से अमिश्रित होता है। यद्यपि अविद्या का संस्कार अनादि है तब भी तत्त्वसाक्षात्कार या तत्त्वज्ञान से उसका विनाश सम्भव है, और तत्त्वोन्मुखता बुद्धि का एक स्वभाव है।

यहाँ पुनः यह शंका हो सकती है कि, यदि तत्त्वज्ञान से 'संसार' व अहंकार (वैयक्तिकता) का अस्तित्व समाप्त हो जाता है तब मुक्त होने के बाद मुक्त व्यक्ति के शरीर का विनाश भी हो जाना चाहिए, क्योंकि देह संस्कारमूलक प्रकृति-परिणाम ही है।

यह ठीक नहीं है, क्योंकि 'विवेक' होने पर धर्मादि की कार्य-कारण शृंखला रुक जाती है और जीव कर्मों के बल से उसी प्रकार शरीर धारण किये रहता है जिस प्रकार कुम्हार के दण्ड-चालन व्यापार के रुक जाने पर भी चक्र वेग के कारण चलता रहता है। (का. 67) केवल इतना अन्तर होता है कि प्रकृति (दृश्य) और पुरुष (द्रष्टा) के बीच अविवेक समाप्त हो जाता है और वह इन्हें पृथक् देखता है, और तब अपने प्राकृतिक व्यापार से निवृत्त होकर इस व्यक्तित्व को कर्म में लगा रहने देता है। तत्त्वज्ञानी ही उस पूर्ण विभेद का अनुभव करता है, वह इस सांसारिक अस्तित्व का अतिक्रमण करता है। यह वह स्थिति है जहाँ चेतना विषयोन्मुख नहीं होती, या कहें साधारण सांसारिक जीवन के बन्धनों से परे पूर्ण स्वतन्त्रता की स्थिति में रहती है।

जागतिक अस्तित्व की कोटियाँ

जैसाकि हमने पीछे देखा, जागतिक अस्तित्व उस मनुष्य का अस्तित्व है जिसका स्वरूप मोक्ष है। किन्तु जगत् इस स्वरूप से अपने आपसे न संगत है और न विसंगत, यह दोनों में से कोई भी रूप ले सकता है। मोक्ष से इसका संगत रूप विवेक-दृष्टि है, जिसके उपलब्ध होने पर जगत् मोक्ष का ही व्यक्त रूप होता है, यह उसके अन्तर्गत आत्म-विश्रान्त तात्पर्य का मानो आत्मोद्‌घाटन होता है। साँख्य का यह तात्पर्य कारिका 57 और 58 में पूर्णत: स्पष्ट है। **श्रीमद्भगवद्‌गीता** इस तात्पर्य की एक व्याख्या है। **गीता** कर्म को मनुष्य के लिए अनिवार्य मानती है, कर्म का प्रयोजन ईश्वर में मानती है। **साँख्यकारिका** ईश्वरवादी नहीं है, इसलिए वह उसका प्रयोजन पुरुष में मान सकती है। यहाँ द्रष्टव्य है कि ईश्वर के पूर्ण होने से प्रयोजन न कामना-रूप हो सकता है और न वह काल में कोई घटना-क्रम हो सकता है, यह अर्जुन को प्रदर्शित विराट् रूप से स्पष्ट है जिसमें वह कुरुक्षेत्र के सब योद्धाओं को पहले से कृष्ण के मुँह में देखता है। मृत्यु जीवन के क्रम की परिणति है। यदि मनुष्य पहले से ही मृत्यु-मुँह में विद्यमान देखा जा सकता है तब इसका अर्थ है कि उसके जीवन का सम्पूर्ण क्रम तत्त्वत: मूल अर्थ का विस्तार मात्र है, जैसे 'यह वट वृक्ष है' वाक्य वट-वृक्ष-दर्शनगत अभिन्न अर्थ का चार प्रत्ययों में विस्तार है। यह मूल अर्थ **साँख्यकारिका** के अनुसार मोक्ष है, जगत् जिसके अर्थ का व्यक्तीकरण है। यही जगत् एक स्वतन्त्र सार्थकता के रूप में देखा जाने पर पुरुष के अर्थ के विपरीत अर्थों का अनुसरण है। तीन पुरुषार्थ—धर्म, अर्थ, काम मोक्षपरक होने पर पुरुषार्थ हैं, अन्यथा अपुरुषार्थ-जगदर्थ हैं।

इस प्रकार साँख्य में जगत् का निषेध उस प्रकार नहीं है जिस प्रकार वेदान्त में है, **गीता** उपयुक्त रूप से साँख्य की व्यवस्था में ही समझी जा सकती है।

किन्तु मनुष्य की दोनों उन्मुखताओं में जगत् समान रूप से विद्यमान है, यहाँ तक कि चतुर्थ पुरुषार्थ मोक्ष भी जगत् को पूर्वकल्पित करता है, क्योंकि जगत् के बिना पुरुष स्वरूप-विश्रान्त स्थिति है जो उतनी ही सत् है जितनी असत्, क्योंकि वह किसी भी प्रकार न निर्धार्य है और न निर्धारणों की अतिक्रामी, उनसे परे; क्योंकि निर्धारणों के होने पर ही अनिर्धार्य अवगम्य हो सकता है, चाहे वह अवगम्यता अगम्य-रूप में ही हो। दूसरे शब्दों में, अनिर्धार्य निर्धारणों के बीच से ही अपने अर्थ की अनवगाह्य-अनिर्धार्य विपुलता प्राप्त कर सकता है। इस प्रकार 62 तथा 63 कारिकाएँ साँख्य के जगत् के सिद्धान्त को समझाने की दृष्टि से मौलिक हैं।

अब, यह जगत् अपने अस्तित्व में क्या है? इसका स्वरूप क्या है? सर्वप्रथम, यह भौतिक, जैविक और सामाजिक विषयों की एक अपार व्यवस्था के रूप में प्रस्तुत होता है, जो दृष्टिगोचर सीमित क्षेत्र में असीम में प्रसारित होता प्रकट होता है। इस प्रकार यह मैं हूँ, इस देश-काल-बिन्दु पर अवस्थित, और वह जगत् है जो इस देश-काल-बिन्दु पर मुझे प्रस्तुत है। किन्तु मैं इस क्षेत्र का भाग हूँ या कि इसके बाहर हूँ? यह प्रश्न एक विचित्र अनुभव देता है—इस पर विचार करते ही मैं पाता हूँ कि मैं इसके अन्तर्गत हूँ भी और नहीं भी : जगत्-क्षेत्र को देखते हुए मैं इसमें अपने को इसके भाग के रूप में अवस्थित पाता हूँ—देश-काल में भी, प्राणिरूप में भी, और सामाजिक रूप में भी। किन्तु तब भी इससे बाहर हूँ, क्योंकि मैं इसे देखने वाला हूँ और यह मुझे प्रस्तुत है। यह द्विविध अनुभव—मेरी विषयता का और विषियता का जगत् मेरे में मौलिक है। इस प्रकार मनुष्य अपनी जगद्‌बाह्यता को जगद्-विषयक अनुभव के अन्तर्गत ही ग्रहण करता है।

किन्तु यह प्रस्तुत-अनुभूत जगत् क्या है? इन्द्रियगम्य रूप में यह भौतिक है, फिर चाहे वह पत्थर और पानी हो, चाहे घट-पट, और चाहे मेरी और दूसरों की देह; किन्तु इन्द्रियों के बिना यह भौतिक नहीं हो सकता। यह तभी भौतिक है यदि यह इन्द्रिय-ग्राह्य है—रूप-वर्णवान् है, शीतोष्ण और कठोर-कोमल है। परिणामत:

भौतिक जगत् के दो पक्ष हैं—इन्द्रियगम्य और इन्द्रिय। इस प्रकार भौतिक जगत् के अनुभव के प्रथम ग्रहण में हमें दो कोटियाँ उपलब्ध हुईं—महाभूत और इन्द्रियाँ।

यह संक्षेप में प्राकृतिक विकास, या कहें जगत् के आविर्भाव, की ज्ञान-पक्षीय व्याख्या है। किन्तु ज्ञान-विषयता जगत् का केवल एक पक्ष है, दूसरा और अधिक महत्त्वपूर्ण पक्ष सुख-दुःख, एष्यता-अनेष्यता का है। त्रैगुण्य जितना ज्ञान-पक्ष का कारण (उपादान) है उतना ही एष्य-अनेष्य का भी है। 12वीं कारिका में गुणों के ये दोनों ही पक्ष कहे गये हैं। इसके अनुसार—'प्रीत्यप्रीति-विषादत्मिका:, प्रकाश-प्रवृत्ति-नियमार्था:।' इनमें पहला कोटि-करण एषणात्मक है और दूसरा ज्ञानात्मक। वास्तव में जगत् में ये दो पक्ष अविभाज्य रूप से संयुक्त होते हैं—हम पुष्प को देखते हैं, वह दिखायी भी देता है और प्रिय भी लगता है, उसका वर्ण एकसाथ दृश्य और एष्य होता है। यह दूसरा पक्ष कर्म को जन्म देता है जिसकी साधन कर्मेन्द्रियाँ बनती हैं। एष्य-अनेष्य अर्थ और काम पुरुषार्थों के आधार बनते हैं। ये दोनों पक्ष चेतना के सभी स्तरों पर मिलते हैं। कहा जा सकता है कि ये चेतना के मनस्-पर्यन्त स्तर तक उपचरित होते हैं, अथवा कहें, ये महत् के केवल बाह्योन्मुख-व्यापार के स्तर पर घटित होते हैं। इसे पाशव स्तर भी कह सकते हैं। चेतना का एक तीसरा स्तर प्रत्यङ्मुखता, विषय-पराङ्मुखता, या कहें आत्मोन्मुखता है। इसमें चेतना बाह्य विषयों का अवलोकन नहीं करती बल्कि स्वयं अपनी वृत्तियों का और अपना अवलोकन करती है। पीछे हमने जिसे जगदबाह्यता कहा, वह इस प्रत्यङ्मुखता से ही प्रतिफलित होती है।

यह प्रत्यङ्मुखता ज्ञाता और भोक्तापरक आत्मबोध को, ज्ञाता और भोक्ता के रूप में मेरी अस्मिता कोश सम्भव करती है। यहाँ द्रष्टव्य है कि अस्मिता अहंकार नहीं है, क्योंकि अहंकार का आविर्भाव बुद्धि में विषयोन्मुख वृत्ति के क्रम में होता है और अस्मिता का विषय से प्रत्यावर्तन के क्रम में। अहंकार अस्मिता का नहीं, व्यष्टिभाव का, वैशिष्ट्य का, मूल है। इसके विपरीत अस्मिता व्यष्टिभाव नहीं है, यह पर-भाव के विरुद्ध आत्म-भाव भी नहीं है, यह केवल आत्म-भाव है जो अहंकार का अतिक्रमण कर सार्वभौम भी हो सकता है, जैसे, 'अहं ब्रह्माऽस्मि' में और 'तत्त्वमसि' में। इसी से यह अस्मिता शेष दो पुरुषार्थों—धर्म और मोक्ष का साक्षात्कार सम्भव करती है। धर्म की परिभाषा 'व्यष्टियों का धारक सामान्य नियम' यदि करें तो अनुपयुक्त नहीं होगा। 'आत्मन: प्रतिकूलानि परेषां न समाचरेत्' (अन्यों के प्रति हमें ऐसा आचरण नहीं करना चाहिए जो हमें अन्यों द्वारा अपने प्रति होने पर अप्रिय लगे) उक्ति इस धर्म-तत्त्व के साक्षात्कार पर ही आधारित है। इस प्रकार धर्म में अहंकार का अतिक्रमण अपेक्षित है। किन्तु धर्म को प्रथम पुरुषार्थ रखा गया है, जिसका कारण यह है कि अर्थ और काम भी अब उस चेतना के मूल्य हैं जो प्रत्यङ्मुख होने से पाशव नहीं मानवीय है और जिनका अन्वेषण मोक्ष के लिए बाधक नहीं है।

किन्तु प्रत्यङ्मुखता मात्र जगद्बाह्यता नहीं है, यह जगत् के एक-दूसरे आयाम को प्रकट करती है, जिसे सार्थकता और मूल्य का आयाम कह सकते हैं। प्रत्यङ्मुखता के बिना सब संघात (त्रैगुण्य संघात) मात्र है, इसमें अर्थ पुरुष-परकता से आता है, जो पुरुष-परकता प्रत्यङ्मुखता के रूप में ही प्रकृति में प्रकट होती है। यह पुरुष-परकता ही जगत् की सार्थकता है, जिसके बिना जगत् त्रैगुण्य का निरर्थक व्यापार रह जाता है।

परिणामत: साँख्य आरम्भ में पुरुष और प्रकृति के स्वरूप व इनके परस्पर सम्बन्ध पर आरम्भिक विचार कर जगत् की कोटियों पर विचार करता है। यह द्रष्टव्य है कि ये कोटियाँ न अरस्तू के समान सत्ता की कोटियाँ हैं और न कांट के समान ज्ञान की, ये जगद्भाव की कोटियाँ हैं।

पुरुष और प्रकृति अनुभव के अतिक्रामी विश्लेषण के निष्कर्ष के रूप में प्राप्त परतत्त्व हैं, अनुभव के विषय अथवा अनुभूत स्थितियाँ नहीं हैं। साँख्य के अनुसार पुरुष शुद्ध विषयी है और प्रकृति समस्त विषय-जगत् की कारण है। जगत् प्रकृति का परिणाम या विकार है। प्रकृति में यह विकार पुरुष विषयक होता है जिसे साँख्य के आचार्य रूपकात्मक पद 'सान्निध्य' के प्रयोग द्वारा व्यक्त करते हैं। योग दर्शन प्रकृति के इस विकार या परिणाम के कर्त्ता के रूप में ईश्वर को मानता है। किन्तु साँख्य ईश्वर या किसी ऐसी सत्ता को नहीं मानता। उसके अनुसार

'पुरुष का सान्निध्यमात्र' ही इसमें कारण है। दूसरे शब्दों में, प्रकृति में ये विकार पुरुष की अपेक्षा से किन्तु स्वत: होते हैं। इसके अनुसार, अभिव्यक्त जगत् अपनी अभिव्यक्ति के लिए पुरुष के सान्निध्य की अपेक्षा करता है और पुरुष उसक प्रत्येक स्तर का प्रेक्षक है। व्यक्त जगत् की प्रत्येक अभिव्यक्ति पुरुष को लक्ष्य करके है। किन्तु व्यक्त जगत् पुरुष से उत्पन्न नहीं होता बल्कि मूल प्रकृति से ही उत्पन्न होता है, जो त्रिगुणात्मिका है। पुरुष के सान्निध्य मात्र से गुणों में विक्षोभ होता है और प्रकृति अव्यक्त से व्यक्त में परिणत हो जाती है। यह पुन: रूपकात्मक कथन है जिसमें कालवाचक सम्बन्ध का आश्रय लिया गया है। किन्तु साँख्य को कालिक सम्बन्ध का कथन भी अभिप्रेत नहीं है। इस रूपक से उसका अभिप्राय है कि प्रेक्षकत्व (पुरुष) के सन्दर्भ में जो नाम-रूपात्मक अर्थों का वैविध्य है उस सन्दर्भ के बिना वह अचिन्त्य, अकल्पनीय, स्वरूपविश्रान्त विषयाधिष्ठानभूत सत्ता मात्र है। इसे प्रकृति की पुरुष-विषयकता भी कह सकते हैं।

प्रकृति के इस परिणाम को गुण-परिणाम कहा जाता है। यह परिणाम सत्कार्यात्मक है, अर्थात् कार्य तत्त्वत: कारण से अभिन्न होता है, प्रकट भेद अतात्त्विक होता है। इस प्रकार यह विकास या कार्य केवल मूल प्रकृति का रूपान्तरण है, इसमें कोई नव्योत्पत्ति नहीं होती। दूसरे शब्दों में, पुरुष के प्रसंग से अव्यक्त से व्यक्त जगत् का आविर्भाव कोई नयी सृष्टि का जनक नहीं होता, जैसे मनुष्य द्वारा देखा गया पत्थर रूप, गुण, सम्बन्ध और उपकरण आदि परक अर्थों से युक्त हो जाता है और उसके बिना इन सब अर्थों से रहित अचिन्त्य-अकल्पनीय कुछ होता है, कुछ उसी प्रकार पुरुष के बिना यह प्रकृति होती है जो उसके प्रसंग से अर्थों में स्फुट जगत् हो जाती है। किन्तु साँख्य का जगत् इन्द्रियगोचर वस्तुओं का संघात नहीं है, जैसा हम सामान्यत: समझते हैं, बल्कि विषयिता के वे सभी प्रकार हैं जिनका विषय-पक्ष यह जगत् है : अर्थात् देह, जो लोक में अस्मिता को धारण करती है, इन्द्रियाँ, जो आकार और गुण को प्रकट करती हैं, अन्तःकरण, जो सुख-दुःख और भूख-प्यास आदि को प्रकट करता है, अहंकार, जो अस्मिता, विशिष्टता या वैविध्य का आधार है, तथा बुद्धि, जो एकत्व और पार्थक्य, व्यवस्था, नियम और सम्बन्ध की मूल है। ये विकसित तत्त्व तीन गुणों—सत्व, रजस्, तमस् के विभिन्न अनुपातों में संयोग हैं। सत्व गुण हल्का और प्रकाशक है, रजस् क्रियाशील है और तमस् गुरु व जड़रूप है। ये क्रमश: प्रकाश, गति व स्थिति रूप हैं। ये तीनों गुण अव्यक्त और व्यक्त दोनों अवस्थाओं में होते हैं। पुरुष के प्रसंग से इनमें आनुपातिक असन्तुलन होता है, यह असन्तुलन ही मनुष्य व उसके संसार के स्वरूप का निर्धारण करता है। इस प्रकार साँख्य के अनुसार जगद्विकास अचेतन मूल प्रकृति में पुरुष परक क्रियाजन्य असन्तुलन है।

डॉ. रांसस वी. केटेलीना के अनुसार, "प्रकृति में विकास पुरुष के अतिक्रामी प्रभाव से होता है। जिस प्रकार चुम्बक लोहे को उससे प्रभावित हुए बिना प्रभावित करता है उसी प्रकार पुरुष प्रकृति को स्वयं अप्रभावित रहकर भी प्रभावित करता है। पुरुष के इस प्रकार के अनुभवातीत प्रभाव का अर्थ है कि प्रकृति के विकास में एक सोद्देश्यता निहित है। सभी गुणों का इस प्रकार रूपान्तरण व परिणाम होता है जिससे वे पुरुष के उद्देश्य को पूर्ण करते हैं।"[1]

प्रकृति के विकास के विषय में दो मत हैं—प्रथम के अनुसार प्रकृति स्वयं ही प्रलयावस्था को प्राप्त होती है और तब पुन: इस अवस्था से हटकर नवीन कार्योत्पत्ति करती है। दूसरे मत के अनुसार, प्रकृति की क्रिया पुरुष के सान्निध्य की अपेक्षी है।[2] यह दूसरा मत अधिक सांख्यानुमोदित प्रतीत होता है। इस प्रकार चेतन पुरुष व अचेतन जगत् के बीच आधारभूत द्वैत है। साँख्यीय द्वैतवाद डेकार्ट के अनुरूप शरीर व मनस् का या विचार और विस्तार का द्वैत नहीं है, क्योंकि इन दोनों तत्त्वों का समावेश साँख्य प्रकृति में ही करता है। मन भी मूल प्रकृति का ही विकार है जिस प्रकार शरीर है। इस प्रकार मनुष्य के विचार आदि भी प्राकृतिक ही हैं। विचार और विस्तार, मन और शरीर व्यक्त जगत् के ही दो आयाम हैं। इन दोनों की एकता इस बात में है कि ये दोनों आयाम तीन प्राकृतिक

1. Dr. Rancis. V. Catalina — A Study of the Self of Samkhya-Yoga Philosophy, p. p. 44.
2. वही, पृ. 44

गुणों के भिन्न-भिन्न अनुपातों में संयोग हैं। साँख्य का द्वैतवाद वास्तव में शुद्ध चैतन्य, अर्थात् पुरुष, तथा मनोभौतिक जगत् की अधिष्ठानभूत प्रकृति के बीच है। पुरुष बुद्धि, अहंकार, मन व अन्य विकसित तत्त्व नहीं है बल्कि शुद्ध चैतन्य व शुद्ध प्रकाश स्व-रूप है, किन्तु इसकी अन्तर्वस्तु प्रकृति का प्रतिबिम्ब है। तब इसकी अन्तर्वस्तु वह है जो यह नहीं है। चेतना सदैव किसी वस्तु की होती है, यह दृष्टि ही साँख्यीय द्वैतवाद का आधार है।

वस्तुत: साँख्यीय द्वैतवाद जगत् के प्रत्येक स्तर पर लागू होता है। यद्यपि जगत् पुरुष को लक्षित करके ही है, तथापि जगत् का चैतन्य में तिरोभाव नहीं होता। किन्तु साँख्य की जगत् में स्वयं में रुचि नहीं है, वह इसे मनुष्य के स्वरूप के विवेचन के उद्देश्य से ही देखता है। उसका यह उद्देश्य है मनुष्य का स्वरूप लोकोत्तर दिखाना और तब जगत् की और जगत् में उसकी विद्यमानता की संगत व्याख्या करना। पुलिन बिहारी चक्रवर्ती के अनुसार, "जीवन की कोई भी घटना या पक्ष ऐसा नहीं होता जो इस विकास के उद्देश्य के अनुकूल न हो। यह उद्देश्य दो प्रकार का है—प्रथम सुख व दु:ख का अनुभव और द्वितीय, उपर्युक्त अनुभव से मुक्ति। इस द्वितीय उद्देश्य की प्राप्ति सांसारिक भाव से अलग होकर ही होती है।"[1] द्रष्टव्य है कि साँख्य अनुभूत सुख-दु:ख दोनों को दु:ख ही मानता है, क्योंकि अनुभूत सुख-दु:ख दोनों अपौरुषिक—प्राकृतिक—हैं। यह महात्मा बुद्ध के 'सब्बं दु:खं' के समान है। लार्सेन के अनुसार, "तत्त्वों की व्याख्या का आधार वस्तुपरक नहीं बल्कि अनुभवपरक है। अनुभव का आधार भी मनोविज्ञान के सामान्य नियम नहीं, वरन् तात्त्विक अनुभूतिपरकता है।"[2] संसार पुरुष के सन्दर्भ से है, और पुरुष व्यष्टिरूप है। इसलिए संसार व्यक्ति के सन्दर्भ से ही बोधगम्य है, अर्थात् 'व्यक्ति-चेतना को संसार किस प्रकार प्रस्तुत होता है' यह एतत् परक द्रष्टव्य है कि यह प्रस्तुति साधारणत: बाह्य विषय रूप में ही समझी जाती है जबकि साँख्य के लिए यह मूल्यात्मक—पुरुषार्थपरक—है। यह **साँख्यकारिका** की पहली कारिका से ही स्पष्ट है, कि अनुगामी विवेचन का उद्देश्य दु:खत्रयाभिघात से और उसके हेतु से आत्यन्तिक मुक्ति है, न कि जगत् की वस्तुओं के सांसारिक प्रयोजन से विनियोजन के उपायों की खोज। जे.एन. मुकर्जी के अनुसार, "व्यक्त का अर्थ है—मनुष्य का जगत्। मनुष्य विषय-विषयी का संयोग है। यह संयोग ही संसार है। अत जबकि मनुष्य अनेक हैं, परिणामत: उनके जगत् भी अनेक हैं : किन्तु तार्किक रूप से जगत् एक ही है क्योंकि विषयी-विषय के सम्बन्ध का तार्किक रूप सबमें समान है।"[3]

सृष्टि के विकास की प्रक्रिया साम्यावस्था से वैषम्यावस्था की ओर, अविशेष से विशेष की ओर तथा अयुतसिद्ध से युतसिद्ध की ओर है। विकास से पूर्व की अवस्था नितान्त निरवच्छिन्न साम्य की अवस्था है, वह पूर्णत: असमन्वित, अनिर्धारित और अनिर्वचनीय स्थिति है। यह दशा अस्तित्व और अनस्तित्व दोनों के प्रति समान और उदासीन है। यह वह दशा है जो किसी उद्देश्य की पूर्ति नहीं करती। अस्तित्व भी उसे नहीं कहा जा सकता, अनस्तित्व भी नहीं, किन्तु अब धारणात्मक रूप से यह दशा सब पदार्थों की जननी है। इसी से पुरुष के सान्निध्य से विषमता के उत्पन्न होने से समस्त नाम-रूप जन्म लेते हैं और प्रकृति विकसित होकर धीरे-धीरे निश्चित, नियत और विभेदीकृत होती जाती है। इस विकास-क्रम में प्रकृति से महान् और महान् से अहंकार, अहंकार से पाँच तन्मात्र तथा एकादश इन्द्रियाँ—इन सोलह तत्त्वों का समूह उत्पन्न होता है। इन सोलह के समूह के अन्तर्भूत पाँच तन्मात्रों से पाँच भूत उत्पन्न होते हैं। (का. 22) यह कारिका उन सभी तत्त्वों को बताती है जिनसे संसार निर्मित है। ये सभी पदार्थ प्रकृति से ही निर्मित हैं इसलिए अनात्म भी कहे गये हैं। यह उपादान दृष्टि है। निमित्त दृष्टि से अविकारी पुरुष महत् की अभिव्यक्ति का निमित्त है।

1. Pulinbihari Chakravarti — Origin and Development of the Samphya- System of Thought, p. p. 235.
2. Gerald James Larson — Classical Samphya.
3. J. N. Mukarji — Samkhya or the Theory of Reality, p. p. 29.

बुद्धि, अहंकार, मनस्, इन्द्रियाँ, तन्मात्र और पंचमहाभूत प्रकृति में आत्मोपाधिभूत परिणाम हैं। इस प्रकार मनुष्य का जगत् 25 तत्त्वों से निर्मित है। ये जगत् के अस्तित्व की कोटियाँ हैं, किन्तु जगत् से पृथक् इनका अस्तित्व नहीं है। दासगुप्ता के अनुसार, "इस उद्विकास का यह तात्पर्य नहीं है कि प्रकृति सम्पूर्ण रूप से विचलित और असन्तुलित हो गयी है या प्रकृति में रहने वाले गुण समग्र रूप से सन्तुलन की स्थिति खो बैठे हैं। इसका तात्पर्य केवल यह होता है कि विचार और द्रव्य के विश्वों को बनाने वाले गुणों की एक महती संख्या असन्तुलित हो गयी है।"[1] हीरियन्ना के अनुसार, "प्रकृति का विकास लक्ष्योन्मुखी है, किन्तु प्रकृति अचेतन है तब उसमें लक्ष्योन्मुखवृत्ति कैसे सम्भव है? इसीलिए यही कहना चाहिए कि लक्ष्योन्मुखवत् है। उद्विकास में तन्मात्र और पंचमहाभूत भौतिक हैं व मन आदि चेतनायुक्त प्रतीत होते हैं, जबकि दोनों प्रकृति के विकार हैं, जोकि स्वयं अचेतन है। वास्तव में यह स्वयं चेतन नहीं है, पुरुष प्रकाश से चेतन है।"[2] किन्तु वास्तव में साँख्य की दृष्टि से तन्मात्र व पंचमहाभूत भी भौतिक या जड़ नहीं हैं। रामशंकर भट्टाचार्य के अनुसार, "जड़रूप से जिसको हम समझते हैं वह वस्तुतः चित्-जड़-संयोगजात् है, शुद्ध जड़ नहीं। भौतिक विषय तन्मात्रमूलक हैं, तन्मात्र अहंकारमूलक है, अहंकार बुद्धिमूलक है। जब बुद्ध्यादि को जड़ या अचेतन कहा जाता है तब इसके उपादान की दृष्टि से ही, यद्यपि सदैव बुद्धि चित्-संयुक्त ही है। शरीर भी शुद्ध जड़ नहीं है क्योंकि वह अन्तःकरण द्वारा नियन्त्रित है।"[3] इस प्रकार स्पष्ट है कि, वास्तव में साँख्य में व्यक्त भाव में शुद्ध जड़रूप कुछ नहीं है। शरीर पंचमहाभूत रूप है, वह जड़ नहीं है, क्योंकि पंचमहाभूत पाँच तन्मात्रों से, जो अहंकार से उत्पन्न हैं, उत्पन्न हैं।

बुद्धि प्रकृति का पहला विकार है। चूँकि यह व्यक्त है अतः कारणयुक्त, सीमित, क्रियायुक्त व अनेक है। (का. 10) बुद्धि यद्यपि प्रकृति-जात है तथापि व्यवहारतः बुद्धि केवल जड़ नहीं है, क्योंकि इसके साथ पुरुषरूप स्वप्रकाश पदार्थ का सदैव संयोग है। यह सोचना नितान्त असंगत है कि जड़-प्रकृति का कार्य होने के कारण बुद्धि जड़ है। बुद्धि जड़ है यह तार्किक विश्लेषण मात्र है, वस्तुस्थिति नहीं, बुद्धि सदैव पुरुष-प्रकाश से प्रकाशित है।

प्रकृति से महत् या बुद्धि के आविर्भाव का यह अर्थ नहीं है कि अव्यक्त स्थिति में गुणत्रय किसी काल-विशेष में पुरुष से युक्त होकर महत् में परिणत होता है। देश और काल की सत्ता व्यक्त-प्रकृतिमूलक ही है, अव्यक्त प्रकृतिमूलक नहीं। अतः किसी काल में गुणत्रय के साथ पुरुष संयुक्त हुआ है, कहना संगत नहीं है। अव्यक्त और पुरुष का पृथक् रूप से अवस्थान है, यह कहना भी ठीक नहीं है, क्योंकि पृथक् स्थिति भी देशाश्रयी और कालाश्रयी है जो देशकालातीत निरवयव प्रधान और चिद्रूप अपरिणामी पुरुष के प्रति प्रयोज्य नहीं है। महत् की अभिव्यक्ति में पुरुष का संयोग अपरिहार्य है, इस विषय में भी किसी काल में पुरुष के साथ योग होने से गुण-वैषम्य से महत् का आविर्भाव हुआ, यह सोचना संगत नहीं है। ज्ञेय-ज्ञातृ-भाव, जो मनुष्य में है, की व्याख्या केवल त्रिगुण से करना सम्भव नहीं है, अतः किसी स्वप्रकाश पदार्थ के साथ उसका संयोग मानने से ही संगत अर्थ की सिद्धि होती है। सो, कुन्हन राजा के अनुसार, "पुरुष का प्रकाश ग्रहण कर प्रकृति की साम्यावस्था भंग होने पर सत्व का प्राबल्य जिस विकार में रहता है, वह बुद्धि है।"[4] अध्यवसाय अर्थात् निश्चय करने वाला तत्त्व बुद्धि है। 'यह मुझे करना है' तथा 'अ वस्तु लाल रंग की है' आदि प्रकार का निश्चय ही अध्यवसाय है। टी.जी. मेनकर के अनुसार, "अध्यवसाय निश्चय है। यह बुद्धि में उसी प्रकार अन्तर्विष्ट है जिस प्रकार बीज में भविष्य में पल्लवित होने वाला अंकुर होता है। वह निश्चित ज्ञान होता है जो निर्धारित विषय के वैसा होने पर होता है, जैसे—घट वास्तव में होने पर 'यह घट है' आदि। यह वह क्षमता है जो विश्लेषण करती है, जिसके द्वारा आत्मा

1. सुरेन्द्रनाथ दासगुप्त — भारतीय दर्शन का इतिहास, भाग-1, पृ. 253-254; अनुवादक — कलानाथ शास्त्री, सुधीरकुमार।
2. M. Hiriyanna — Outlines of Indian Philosophy, pp. 273-274.
3. रामशंकर भट्टाचार्य — सांख्यतत्त्वकौमुदी, ईश्वरकृष्णकृत साँख्यकारिका तथा वाचस्पति मिश्र कृत — साँख्य तत्त्वकौमुदी का हिन्दी अनुवाद व ज्योतिष्मती व्याख्या, पृ. 157.
4. C. Kunhan Raja — The Samphya Kariya of Isvarakrsna, p. p. 104.

प्रत्यक्ष, इच्छा, व क्रिया करती है।"[1] लार्सन के अनुसार, "अध्यवसाय बुद्धि का असाधारण कार्य है।" (का. 23) बुद्धि आठों भावों से युक्त है : धर्म, ज्ञान, वैराग्य तथा ऐश्वर्य उसके सात्विक भाव हैं। इन आठों से मनुष्य-स्वभाव का निर्धारण होता है। ज्ञान के अतिरिक्त ये सभी भाव मनुष्य के संसारावतरण के कारण हैं। ज्ञान का अर्थ साधारण या लौकिक ज्ञान से नहीं बल्कि परमज्ञान से है जो पुरुष को प्रकृति से पूर्णत: पृथक् दिखाता है। इसी प्रकार अज्ञान आधारभूत कैवल्य ज्ञान का अभाव है, जो सांसारिकता का कारण है।"[2]

श्री रामशंकर भट्टाचार्य के अनुसार, बुद्धि के सात्विक और तामसिक रूप व्यक्तित्व के विशेषक हैं। मनुष्य के सत्वाभिमुख, रजोऽभिमुख, तमोऽभिमुख एवं पुरुषाभिमुख ये चार रूप होते हैं। सत्वाभिमुख रूप विराग से, तमोऽभिमुख ऐश्वर्य से तथा पुरुषाभिमुख रूप ज्ञान से सम्बद्ध होते हैं।[3]

बुद्धि विषय की प्रत्यक्ष क्रिया में आन्तरिक करणों के साथ रहती है। यही अन्य करणों से प्राप्त संवेदनाओं के आधार पर निश्चय और निर्णय करती है। (का. 35-37) वाचस्पति मिश्र के अनुसार, जिस प्रकार ग्रामाध्यक्ष सभी कुटुम्बपालक गृहस्थों से कर लेकर उसे नगराध्यक्ष को देता है, और वह सर्वाध्यक्ष को, सर्वाध्यक्ष राजा को सौंपता है, उसी प्रकार बाह्य इन्द्रियाँ विषयों का आलोचन कर उनका समर्पण मन को करती हैं, मन अहंकार को तथा अहंकार बुद्धि को करता है।[4]

यहाँ प्रश्न है कि क्यों सब करण बुद्धि को ही पुरुषार्थ का समर्पण करते हैं?

इसके उत्तर में साँख्य का कहना है कि, क्योंकि बुद्धि ही पुरुष के लिए सर्वविषयक भोग को सम्पन्न करती है और वही प्रकृति एवं पुरुष के सूक्ष्म भेद को प्रकट करती है। (का. 37) बुद्धि वह प्रथम कोटि है जिसके बिना सांसारिक अस्तित्व सम्भव नहीं है। डॉ. फ्रेंसिस वी. केटेलीना के अनुसार, "प्रकृति से पहला रूपान्तरण बुद्धितत्त्व है। यह सर्वाधिक सामान्य अवस्था है जिससे अविद्या के कारण विशेष बुद्धियाँ उत्पन्न होती हैं।"[5] दासगुप्त के अनुसार, "यह वह बुद्धितत्त्व है जिसमें व्यष्टि-बुद्धियाँ समायी रहती हैं। व्यक्ति की प्रयोजनसिद्धि के लिए ही यह बुद्धितत्त्व व्यष्टि-बुद्धियों में परिवर्तित होता है।"[6]

प्रकृति से विकसित दूसरा तत्त्व अहंकार है। यह चेतना की वह विशिष्ट अभिव्यक्ति है जो किसी अनुभव को व्यक्तिपरक बनाती है। ये जो इन्द्रियों से गृहीत और मन से विचारित विषय हैं, 'इनमें मैं अधिकृत हूँ', 'मैं इन्हें करने में समर्थ हूँ', 'ये विषय मेरे लिए ही हैं', 'मेरे अतिरिक्त कोई इनमें अधिकृत नहीं है' इस प्रकार का विशेष व्यापार अहंकार है। इसी का आश्रय करके बुद्धि 'यह मुझे करना है' ऐसा निश्चय करती है। इसीलिए इसे अभिमान भी कहा गया है।

डॉ. फ्रेंसिस बी. केटेलीना के अनुसार, "अहंकार अस्मिता-रूप है। महत् अहंकार के लिए उसी प्रकार विषय रूप है जिस प्रकार सुख, दु:खादि की चेतना आत्म-चेतना के लिए होती है।"[7]

1. T. G. Mainkar — The Samphya Kariya of Isvarakrsna with the Commentry of Gaudapada, p. p. 72.
2. Gerald, James Larson — Classical Samphya, p. p. 200.
3. रामशंकर भट्टाचार्य — साँख्यतत्त्वकौमुदी, ईश्वरकृष्णकृत साँख्यकारिका तथा वाचस्पति मिश्र कृत तत्त्वकौमुदी का हिन्दी अनुवाद व ज्योतिष्मती व्याख्या, पृ. 157.
4. वाचस्पति मिश्र — साँख्य तत्त्वकौमुदी व ईश्वरकृष्ण कृत सांख्यकारिका का हिन्दी अनुवाद व ज्योतिष्मती व्याख्या, का. 36 की टीका।
5. Dr. Francis V. Catalina — A Study of the Self of Samphya-Yoga Philosophy, p. p. 45.
6. सुरेन्द्रनाथ दासगुप्त — भारतीय दर्शन का इतिहास भाग-1, पृ. 256; अनुवादक — कलानाथ शास्त्री एवं सुधीर कुमार।
7. Dr. Francis V. Catalina — A Study of the Self of Samphya — Yoga Philosophy, p. p. 47.

दासगुप्त के अनुसार, "यह अहंकार बुद्धि में अहंता या ममता की चेतना के विकास का हेतु है। यह बुद्धि से इस दृष्टि से भिन्न है कि बुद्धि का कार्य केवल ज्ञान अथवा सत्ता जानना है।"[1] अहंकार का बोध बुद्धि में होता है, इस दृष्टि से अहंकार बुद्धि का कार्य है, वह स्थूल है। अहंकार को अनात्म वस्तुओं को आत्मरूपेण ग्रहण करने की वृत्ति भी कह सकते हैं। अहंता और ममता अहंकार-प्रतिष्ठ ही हैं। अभिमान के कारण बुद्धि संकुचित हो जाती है।

किन्तु साँख्य सत्कार्यवादी है, ऐसी अवस्था में क्या अहंकार और अनुवर्ती परिणाम भी बीजरूप में महत् में ही निहित होने चाहिएँ? श्री रामशंकर भट्टाचार्य 24वीं कारिका की व्याख्या में ऐसा ही कहते हैं। उनके अनुसार, महत् में लीन अहंकार का आत्मलाभ वैषयिक संस्कारों की अभिव्यक्ति के कारण होता है। इस संस्कार का उद्दीपक जगत् की उत्पत्ति की आकांक्षा है। यह आकांक्षा अनादि वासना है।[2]

इस विकारशील अहं के दो परिणाम होते हैं—एक इन्द्रियरूप तथा दूसरा तन्मात्र रूप। श्री रामशंकर भट्टाचार्य अहंकार से इन्द्रियों की उत्पत्ति के विषय में कहते हैं कि, "बाह्य विषयों की प्रथम अभिव्यक्ति होने पर जैसे बुद्धि का परिवर्तन होकर अहंकार प्रकट होता है उसी प्रकार अहंकार भी विषय-सम्पर्क से दस इन्द्रियों तथा एक मन में परिणत हो जाता है। मूल बाह्य विषय जब अधिक स्थूल होता है तब उसको उसी तरह ग्रहण करने के लिए अहंकार के परिणाम भी प्रकट होते हैं। यह प्रत्येक परिणाम एक प्रकार का व्यूह रूप है, यही इन्द्रिय है। बाह्य विषय में प्रकाश्य धर्म हैं, अत: उनके ग्रहणार्थ ज्ञानेन्द्रियाँ प्रकट होती हैं, और बाह्य विषयों में कार्य धर्म है उनका व्यवहार करने के लिए कर्मेन्द्रियाँ प्रकट होती हैं।"[3]

श्री भट्टाचार्य की उपर्युक्त व्याख्या सूझपूर्ण दृष्टि पर आधारित है और हमारे पिछले अध्यायों में प्रतिपादित सिद्धान्तों से संगत है। इसका आशय यह है कि जगत् का मूल वासना है, जिसे जगद्-वासना, भोग-वासना कुछ भी कह सकते हैं। इसका साधन ग्राह्य-ग्राहक द्वैत का आविर्भाव है जो अहंतामूलक अन्तःकरण और इन्द्रियों के रूप में एक ओर और इनके विषयों के रूप में दूसरी ओर प्रस्फुटित होता है; साध्य विषय-सुख है। ज्ञानेन्द्रियाँ ग्राह्य विषय का बाह्य ग्राहक के रूप में निर्धारण करती हैं और कर्मेन्द्रियाँ भोग-वासना के अनुसार उनको साधती हैं। किन्तु ये प्रदत्त और साधित विषय और इनकी ग्राहक तथा साधक इन्द्रियाँ, इनका रसास्वाद करने वाला अन्तःकरण ये तीनों अहंकार के उद्गत रूप मात्र हैं क्योंकि भोग का मूल अधिष्ठान अस्मिता ही है। किन्तु अहंकार स्वयं में कुछ भी अर्थ नहीं रखता, क्योंकि अस्मिता अपने-आप में एक रिक्त आकार मात्र है, जैसाकि कांट ने **क्रिटिक् ऑफ प्योर रीज़न** में दिखाया है। यह आकार बुद्धि से अपना ग्राह्य भाव और विषयों से उसकी सन्तुष्टि प्राप्त करता है।

यहाँ प्रश्न हो सकता है कि एक ही अहंकार में ग्राहक (इन्द्रियाँ) और ग्राह्य (विषय—तन्मात्र और महाभूत) कैसे उत्पन्न होते हैं?

इसके उत्तर में साँख्य का कहना है कि सात्विक अहंकार, जिसे वैकृत अहंकार भी कहा जाता है, से ग्यारह इन्द्रियों का सात्विक समूह उत्पन्न होता है। विकास के इस स्तर पर मनुष्य बाह्य व स्थूल जगत् के सम्पर्क में आता है। इनमें मन या अन्तःकरण (अन्तरेन्द्रिय) 'संकल्प' करने वाला है। यह उभयात्मक है, अर्थात् यह ज्ञानेन्द्रिय भी है और कर्मेन्द्रिय भी, क्योंकि मन में अधिष्ठित होकर ही चक्षु आदि ज्ञानेन्द्रियाँ और वागादि कर्मेन्द्रियाँ अपने-अपने विषयों में प्रवृत्त होती हैं। (का. 27) रूपादिमय वस्तु के रहने पर भी, तथा चक्षु आदि के विषयग्रहण योग्य

1. सुरेन्द्रनाथ दासगुप्त — भारतीय दर्शन का इतिहास भाग-1, पृ. 257; अनुवादक — कलानाथ शास्त्री, सुधीर कुमार।
2. रामशंकर भट्टाचार्य — साँख्यतत्त्व कौमुदी, ईश्वरकृष्ण कृत साँख्यकारिका तथा वाचस्पति मिश्र कृत तत्त्वकौमुदी का हिन्दी अनुवाद व ज्योतिष्मती व्याख्या, पृ. 157.
3. वही, पृ. 180.

रहने पर भी, रूपादि ज्ञान सदैव नहीं होता। मन का योग ही इन्द्रियों को विषय-ग्रहण के योग्य बनाता है। यही मन का 'इन्द्रिय' रूप है। (का. 27)

लार्सन के अनुसार, "बाह्येन्द्रियों से प्राप्त ज्ञान व पूर्वानुभूत विषयों को मिलाकर जो चिन्तन होता रहता है वह संकल्प है। एक तरफ मन अहंकार व बुद्धि के बीच सेतु बनता है, दूसरी ओर आन्तर और बाह्य जगत् के बीच।"[1] अन्तःकरण बुद्धि, अहंकार और मन के भेद से तीन प्रकार का है। ये शरीर के अन्तर्गत रहने से अन्तःकरण कहलाते हैं। अतः मन इन्द्रिय व अन्तःकरण दोनों है।

अहंकार से उत्पन्न दस इन्द्रियाँ हैं—चक्षु, कर्ण, नासिका, रसना तथा त्वक् नामक पाँच बुद्धीन्द्रियाँ या ज्ञान की साधक इन्द्रियाँ और वाणि, हस्त, पाद, पायु और उपस्थ पाँच कर्मेन्द्रियाँ हैं। (का. 26)

टी.जी. मेनकर के अनुसार, "करणों की विविधता और बाह्य विषयों की विविधता गुणों के विशेष परिणाम से ही उत्पन्न होती है। अतः यह विविधता न तो ईश्वर का कार्य है, न ही अहंकार का, न ही बुद्धि का, न ही प्रकृति (नेचर) का और न ही आत्मा का, बल्कि गुणों के रूपान्तरण हैं, जिनसे सहजतया ये उत्पन्न होते हैं।"[2]

श्री मेनकर यहाँ 'कार्य' शब्द का प्रयोग 'कर्त्ता द्वारा उत्पादित स्थिति' के अर्थ में कर रहे हैं, किन्तु साँख्य में 'कार्य' का अर्थ त्रैगुण्य का एक अवस्था से दूसरी अवस्था में परिणत होना मात्र है। किन्तु यह परिणाम यान्त्रिक नहीं है, यह सप्रयोजन है। श्री मेनकर यहाँ परिणाम को भी स्वीकार नहीं कर रहे हैं, उनके अनुसार त्रैगुण्य उसी प्रकार पृथक्-पृथक् बुद्धि, अहंकार, इन्द्रियादि का रूप ले लेता है जिस प्रकार मिट्टी यहाँ चूर्ण वहाँ ढेला, अन्यत्र पत्थर आदि का रूप ले लेती है। किन्तु यह व्याख्या साँख्य से कोई सम्बन्ध नहीं रखती।

श्री रामशंकर भट्टाचार्य के अनुसार इन्द्रियाँ शरीर-यन्त्र रूप नहीं हैं, बल्कि अहंकार का विषयों से सम्पर्क कराने की माध्यम हैं। इसीलिए चित्तरोध हो जाने पर इन्द्रियों का भी निरोध हो जाता है, और इन्द्रियाँ विषय-सम्पर्क से विच्युत होकर चित्त-सदृश हो जाती हैं। यदि ऐसा नहीं हो तो चित्त के शान्त हो जाने पर इन्द्रियों की विषयोन्मुखता शान्त नहीं होनी चाहिए।[3]

यहाँ प्रश्न होता है कि, महत् आदि जब करणमात्र हैं तो उनका कोई प्रयोजक होना चाहिए, यह प्रयोजक निर्गुण, अपरिणामी पुरुष तो हो नहीं सकता, तब यह प्रयोक्ता कौन है?

इसके उत्तर में साँख्य का कहना है कि, त्रैगुणिक करणों की प्रवृत्ति सहैतुक है। करणों का स्व-स्व व्यापार के प्रवर्तन में भोग एवं अपवर्ग-पुरुषार्थ ही हेतु हैं।

तामस अहंकार से पाँच तन्मात्रों की उत्पत्ति होती है। ये तन्मात्र बुद्धि व अहंकार के समान ही कार्य को उत्पन्न करते हैं। इनसे पंचमहाभूतों की उत्पत्ति होती है। पाँच तन्मात्र 'अविशेष' हैं। अविशेष का अर्थ है—विशेष-शून्य, जिसमें सुख, दुःख, मोह नहीं है। इनसे सत्ता की नयी इकाइयों के निर्माण के लिए उनके आगे और विशेषीकरण या विभेदीकरण सम्भव है।

तन्मात्रों व नैयायिकों के परमाणुओं में भेद है। तन्मात्र केवल इन्द्रियों को प्रभावित करने की शक्ति रूप में हैं जबकि परमाणु स्वयं जगत् के मूल जड़ तत्त्व हैं।

---

1. Gerald James Larson — Classical Samphya, p. p. 186-187.
2. T. G. Mainkar — The Samphya Karika of Isvarakrisana with the commentary of Gaudapada, p. p. 81.
3. रामशंकर भट्टाचार्य — साँख्यतत्त्व कौमुदी, ईश्वरकृष्ण कृत सांख्यकारिका का हिन्दी अनुवाद व ज्योतिष्मती व्याख्या, पृ. 189.

ग्यारह इन्द्रियों और पंचमहाभूतों को विशेष कहा गया है, क्योंकि उनके आगे सत्ता की नयी इकाइयाँ नहीं बनतीं। शब्द, स्पर्श, रूप, रस और गंध तन्मात्र सूक्ष्म हैं। शब्द से आकाश, स्पर्श से जल, रूप से अग्नि, रस से जल व गंध से पृथ्वी महाभूतों की उत्पत्ति होती है। अहंकार के रजस् गुण से ये दोनों पक्ष गतिमान् होते हैं।

टी.जी. मेनकर के अनुसार, "सात्विक अहंकार अक्रियात्मक है। जब उसका रजस् या तेजस् अहंकार से सम्बन्ध होता है तब यह इन्द्रियों को उत्पन्न करने में असमर्थ होता है। इसी प्रकार तमस् अहंकार भी तेजस् अहंकार से जुड़कर ही तन्मात्रों को उत्पन्न करता है। अत: यह नहीं मानना चाहिए कि रजस् का कोई कार्य नहीं है। यद्यपि इससे कोई विशेष रूप से परिणाम उत्पन्न नहीं होता, किन्तु यह सत्व व तमस् के सहयोग से विकास के मूल में है। यदि सत्व और तमस् इन्द्रियों व तन्मात्रों के उपादान कारण हैं तो रजस् निमित्त कारण है।"[1]

यहाँ यह द्रष्टव्य है कि इस प्रकार की व्याख्याएँ स्थूल और भ्रान्तिजनक होती हैं, क्योंकि इसमें ऐसा प्रतीत होता है मानो तीन गुण पृथक्-पृथक् वस्तुएँ या सत्त्व हैं और ये इस प्रकार से इन्द्रिय आदि को उत्पन्न करती हैं, जबकि वास्तव में ये केवल अनुभवगत वैविध्य की व्याख्या के लिए सूत्र मात्र हैं। यहाँ यदि इतनी बात ध्यान में रख ली जाय कि जगत् अनादि है और इस प्रकार ये परिणाम काल-क्रम में नहीं बल्कि तार्किक क्रम में देखने चाहिएँ, तब उपर्युक्त प्रतिपादन चित्रात्मक शैली के प्रयोग के रूप में देखा जायेगा और भ्रामक नहीं होगा।

उपर्युक्त तेरह तत्त्वों (बुद्धि, अहंकार, मनस्, पाँच ज्ञानेन्द्रियाँ, व पाँच कर्मेन्द्रियाँ) को लिंग या करण कहा जाता है। बुद्धि, अहंकार और मन अन्तःकरण कहलाते हैं। बाह्यकरण इन तीनों अन्त:करणों के व्यापारों के कार्य हैं, अर्थात् ये विषयों के प्रति होने वाले संकल्प, अभिमान और निश्चय में साधन बनते हैं। बाह्य इन्द्रियाँ केवल वर्तमानकाल विषयक होती हैं। अन्तःकरण त्रिकाल-विषयक होते हैं। इन करणों का कार्य आहरण, धारण तथा प्रकाश करना है। ज्ञानेन्द्रिय रूप करण में प्रकाशन-क्रिया प्रधान है, कर्मेन्द्रिय में आहरण (ग्रहण) क्रिया मुख्य है, तीनों अन्त:करणों में धारणरूप (शरीर रूप से व्यूहित होना) क्रिया मुख्य है।

करणों या लिंग का यह व्यापार पुरुष के उद्देश्य की पूर्ति के लिए है। इसलिए यह कार्य तब तक चलता रहता है जब तक मनुष्य मोक्ष को प्राप्त नहीं कर लेता। श्री रामशंकर भट्टाचार्य के अनुसार, "यह लिंग केवल महत् नहीं है और न ही महदादि सूक्ष्मपर्यन्त कोई सहजात समष्टि है, न ही महदादि की तरह कोई तत्त्व है। महत् आदि इस लिंग के कारण हैं।"[2] यह लिंग जीव-भाव है। रामशंकर भट्टाचार्य के अनुसार, "यह सूक्ष्मतम चिज्जड़ ग्रन्थि है। यह महदादि करणों का प्रयोक्ता है, पर उनसे पृथक् नहीं है। इसका ही बन्धन होता है, इसकी ही मुक्ति होती है। यह उपादान दृष्टि से अवश्य ही त्रिगुण है पर सदैव पौरुष चैतन्य से युक्त रहने के कारण यह पुरुषाकार है। यह सदैव ज्ञातृत्व रूप है। पर यह ज्ञातृत्व सापेक्ष और ससीम है।"[3]

जे.एन. मुकर्जी के अनुसार, "लिंग स्वयं में अचेतन है, किन्तु पुरुष सान्निध्य से चेतन और कर्त्ता प्रतीत होता है।"[4] वाचस्पति मिश्र के अनुसार, "प्रधान के ज्ञापक होने से बुद्धि आदि लिंग कहलाते हैं।"[5]

तेरह स्तरीय ये करण एक सावयव समष्टि बनाते हैं और मनुष्य के स्वभाव की आधारभूत संरचना हैं। यह संरचना संसार तथा स्वयं को समझने की सामर्थ्य देती है। इस करण में मनुष्य का सम्पूर्ण मानसिक और

---

1. T. G. Mainkar — The Samphyakarika of Isvarakrisana with the commentry of Gaudapada, p. p. 76–77.
2. रामशंकर भट्टाचार्य — साँख्यतत्त्व कौमुदी, ईश्वरकृष्णकृत साँख्यकारिका का हिन्दी अनुवाद व ज्योतिष्मती व्याख्या, पृ. 154.
3. वही, पृ. 154.
4. J. N. Mukarji — Sampkhya or the theory of reality, p. p. 43.
5. रामशंकर भट्टाचार्य — साँख्यतत्त्व कौमुदी, ईश्वरकृष्ण कृत साँख्यकारिका का हिन्दी अनुवाद व ज्योतिष्मती व्याख्या, पृ. 258.

भावनात्मक स्वरूप समाविष्ट है। इसीके एक पक्षभूत बुद्धि के द्वारा मनुष्य पुरुष : आत्म-स्वरूप : का प्रकृति से अपना विवेक करने में समर्थ होता है।

ये तेरह करण या लिंग बिना किसी आश्रय के नहीं रह सकते। ये आश्रयभूत पाँच तन्मात्र हैं (का. 4)। इन तेरह करणों और पाँच तन्मात्रों के समूह को सूक्ष्म शरीर कहा जाता है। यही शरीर एक देह को छोड़कर देहान्तर में जाता रहता है और आत्मा के लिए भोग को सम्पन्न करता है। इसी आधार पर इसे 'आतिवाहिक शरीर' कहा जाता है। वाचस्पति मिश्र के अनुसार, "बुद्ध्यादि के आश्रय के रूप में एक शरीर की आवश्यकता है। जन्म-मरण काल के मध्य चूँकि स्थूल शरीर नहीं रहता इसलिए बुद्ध्यादि के आश्रय-रूप में जिस शरीर की अपेक्षा है वह सूक्ष्म शरीर है।"[1] पुनर्जन्म, जीवनचक्र और दुःख बुद्धि के भावों या एषणाओं के कारण हैं। इसीलिए साँख्य के अनुसार भाव लिंग के बिना व लिंग भाव के बिना सम्भव नहीं है। इसीलिए लिंगात्मक और भावात्मक दो सर्ग प्रवृत्त होते हैं। (का. 52) भाव सर्ग को प्रत्यय सर्ग भी कहा गया है।

भावसर्ग और लिंगसर्ग के अतिरिक्त भौतिक सर्ग (तन्मात्र परिणाम) को भी साँख्य मानता है। देवसृष्टि, तिर्यक्सृष्टि और मनुष्य सृष्टि ही भौतिक सृष्टि है। (का. 33)

देवसृष्टि ब्रह्म, प्रजापति, इन्द्र, पितृ ,गंधर्व, यक्ष, राजस् और पिशाच यह आठ प्रकार की है। तिर्यक्सृष्टि पशु, मृग, पक्षी, सरीसृप तथा स्थावर रूप से पाँच प्रकार की होती है। मनुष्यसृष्टि एक प्रकार की है। ऊर्ध्वलोक में सत्त्व प्रधान है, तिर्यक्सृष्टि में तम प्रधान है और मनुष्यों में रज प्रधान है। मनुष्य का स्थूल शरीर भौतिक सर्ग के अन्तर्गत है, लिंग और सूक्ष्म शरीर स्थूल शरीर से संसार में अस्तित्व ग्रहण करता है। यह एक जीवन का भोग सम्पन्न कराकर नष्ट हो जाता है। यह शरीर माता-पिता से उत्पन्न होता है।

इस प्रकार साँख्य ने मनुष्य के विवेचन के साथ ही उसके संसार का भी विवेचन किया है। संसार के रूप में प्रकृति की प्रवृत्ति अविवेकमूलक है। यह सृष्टि चित्त-विक्षेप रूप है। जब तक चित्त-विक्षेप संस्कार-भाव से युक्त रहेगा तब तक वह सृष्टि-विक्षेप से विक्षिप्त रहेगा।

साँख्य की इस प्रकार की व्याख्या पर सन्देह हो सकता है, क्योंकि तन्मात्र और पंचमहाभूत भौतिक विश्व की उत्पत्ति के कारण हैं। अधिकतर व्याख्याकारों ने भौतिक विश्व को महाभूतों से निर्मित विशिष्ट वस्तुओं के समवाय के रूप में ही देखा है। किन्तु साँख्य की इस प्रकार की व्याख्या संगत नहीं है। जैसाकि हमने पीछे देखा है, साँख्य के अनुसार प्रकृति में विक्षोभ और परिणामत: विकार इस मूल अविद्या से उत्पन्न होता है कि यह प्रकृति आत्मा से अभिन्न है। इसलिए महत् से महाभूत पर्यन्त विकास इस अभेद के रूप में, आत्मोपाधि के रूप में, ही समझना चाहिए। जिसका अर्थ है कि महाभूत आत्मोपाधिभूत देह के उपादान हैं, बाह्य विषय के नहीं। यह इस बात से भी सिद्ध है कि अविवेक की समाप्ति से विकृति का भी लय होता है। विभिन्न विकार वास्तव में आत्मोपाधि की ही विभिन्न वृत्तियाँ मात्र हैं। अथवा आत्मोपाधि की अभिव्यक्ति विभिन्न कोटिक है, इसी से साँख्य यह नहीं मानता कि बुद्धि की उत्पत्ति के पश्चात् अनुगामी विकारों की उत्पत्ति रोकी जा सकती है, न ही वह यह मानता है कि निम्नतर स्तरों का विवेक हो जाने पर उन स्तरों के देह विलीन हो जाते हैं। उनके अनुसार बुद्धि-विग्रह का लय होने तक शेष सभी स्तरों के देह बने रहते हैं।

इस पर यह आपत्ति की जा सकती है कि, यदि विकृति-क्रम विभिन्न स्तरीय आत्मोपाधि मात्र है, अथवा आत्मा का किसी भी स्तर की उपाधि के साथ तादात्म्य मात्र है तो बुद्धि, अहंकार आदि में कोई क्रम नहीं देखना चाहिए। क्योंकि तब यह तादात्म्य किसी भी स्तर पर हो सकता है और अन्य स्तर अनुपलब्ध रह सकते हैं।[2]

---

1. रामशंकर भट्टाचार्य — साँख्यतत्त्व कौमुदी, ईश्वरकृष्ण कृत साँख्यकारिका का हिन्दी अनुवाद व ज्योतिष्मती व्याख्या, पृ. 258.
2. भगवती — साँख्य : युष्मत् का निषेध।

इसका समाधान यह है कि यदि इस क्रम को विषय-निरोध के क्रम के रूप में देखें तो इस क्रम में एक तार्किक युक्ति दिखाई पड़ेगी। विषय-निरोध या संसार-भाव के निरोध में पहले देह-भाव का, आत्मा के देह से तादात्म्य का, निरोध अपेक्षित होता है। इसके बिना निरोध का क्रम ही आरम्भ नहीं हो सकता। इसके अनन्तर इन्द्रियों की प्रवृत्तियों का निग्रह अपेक्षित होता है। इसमें यह तो सम्भव है कि कोई सहज साधना से अन्तःकरण या अहंकार के निरोध को सीधे ही प्राप्त कर ले, किन्तु तब नीचे की कोटियों का निग्रह स्वत: ही हो जाता है। इस बात की पुष्टि अविद्या या संसार को अनादि किन्तु सांत मानने से भी होती है। अनादि होने से इसकी विकृतियों के आविर्भाव में कोई कालिक क्रम नहीं हो सकता, किन्तु सांत होने से निरोध में क्रम हो सकता है। इस प्रकार भी कहा जा सकता है कि बुद्धि की अहंकार से प्राथमिकता उत्पत्ति-क्रम में नहीं हो सकती क्योंकि बुद्धि अत्यन्त सामान्यात्मक और विवेकात्मक होने से अहंकार को जन्म नहीं दे सकती। वैसे भी साँख्य के सत्कार्यवादी होने से बुद्धि में अहंकारादि समस्त अनुक्रम का पूर्वनिहित होना अनिवार्य है। वास्तव में व्यक्ति की उत्पत्ति के लिए, या कहें पुरुष के संसारावतरण के लिए, अहंकार को प्रथम होना चाहिए। किन्तु अहंकार को बुद्धि से प्रथम मानने पर मोक्षान्वेषण के क्रम में, प्रकृति के आत्म-विवेक के क्रम में, या संसार के आत्म-विघटन के प्रयत्न में, अहंकार का अतिक्रमण सम्भव नहीं होगा। इसलिए साँख्य के लिए बुद्धि की प्राथमिकता वास्तव में आरोहण क्रम में है। अब, निवर्तन के क्रम में बुद्धि आत्म-अनात्म विवेक के द्वारा अहंकार का अतिक्रमण करती है और अन्ततः इसी विवेक द्वारा अपनी सीमाओं का भी अतिक्रमण करती है।

साँख्य पर शंकर के आक्षेपों का साँख्यीय समाधान

आचार्य शंकर ने अपने **ब्रह्मसूत्र भाष्य** में साँख्य-दर्शन की पर्याप्त विस्तार से आलोचना की है। यह आलोचना उन्होंने निम्न चार स्थलों पर की है—

अध्याय 1, पाद 1, सूत्र 5–11 और 18

अध्याय 1, पाद 4, सूत्र 1–18

अध्याय 2, पाद 1, सूत्र 1–11

अध्याय 2, पाद 2, सूत्र 1–10

इस आलोचना का अवसर वास्तव में स्वयं ब्रह्मसूत्रकार बादरायण ने ही प्रस्तुत किया है, किन्तु इस अवसर का उपयोग कितना और किस प्रकार करना है, यह भाष्यकार पर निर्भर करता है। शंकर ने इस आलोचना को अधिकतम महत्त्व दिया है। यों उन्होंने न्याय, वैशेषिक, मीमांसा और विभिन्न बौद्ध सम्प्रदायों की भी आलोचना की है, किन्तु उनकी आलोचना को वैसा महत्त्व नहीं दिया है, क्योंकि उनके अनुसार, यह शास्त्र "महाजनों से परिगृहीत है और तत्त्वज्ञान-निरूपण के बहाने से प्रवृत्त हुए उसको प्राप्त कर कुछ मंदमतियों की अपेक्षा हो सकती है कि वह भी तत्त्व के लिए उपादेय है।"[1] दूसरे, "उस पक्ष के पोषक कुछ लिंगाभास वेदान्तों में आपातत: प्रतीत होते हैं, वह पक्ष कारण-कार्य का अभेद स्वीकार करने से वेदान्त के अति निकटवर्ती है, और देवलादि कुछ धर्मसूत्रकारों ने अपने ग्रन्थों में उसको आश्रय दिया है। इससे उसके प्रतिक्षेप में अत्यन्त यत्न किया गया है।"[2]

आलोचना के इन चार में से पहले तीन स्थलों में आलोचना का आधार साँख्य की श्रुति-विरुद्धता दिखाना है। ऐसा दिखाने के दो कारण हैं। एक तो यह कि, शंकर के अनुसार, साँख्य के समर्थक अपने सिद्धान्तों को श्रुति से समर्थित कहते हैं, और दूसरे यह कि, शंकर के अनुसार पारमार्थिक सत्यों का उद्घाटन केवल श्रुति में ही उपलब्ध हो सकता है, अनुभव और तर्क से नहीं। किन्तु द्रष्टव्य है कि स्वयं साँख्यकारिकाकार ने, जिसे सम्भवत: शंकर ने अपनी आलोचना का आधार बनाया है, पर तत्त्वों के ज्ञान के लिए श्रुति को प्रमाण नहीं माना है।[3] आप्त वचन को साँख्य ने केवल देवी-देवताओं आदि के लिए ही प्रमाण माना है, जो साँख्य के अनुसार इन्द्रियों, विवेक और तर्क तीनों के अविषय हैं।[4] ऐसी अवस्था में शंकर द्वारा श्रुति के आधार पर साँख्य को अप्रतिष्ठित दिखाने का क्या औचित्य हो सकता है? किन्तु तब भी शंकर ने तीन-चौथाई से भी अधिक स्थान साँख्य की श्रुति-विरुद्धता दिखाने में ही दिया है। स्वयं शंकर ने भी इस तथ्य को स्वीकार किया है कि साँख्य श्रुति को पारमार्थिक प्रसंगों में प्रमाण नहीं मानता, जोकि इससे स्पष्ट है कि उसने साँख्य को तर्कवादी कहा है और

---

1. **ब्रह्मसूत्र — शांकर भाष्य** : सत्यानन्द सरस्वती कृत हिन्दी अनुवाद और व्याख्या, गोविन्द मठ, टेढ़ी नीम, वाराणसी, संवत् 2035 : 2. 1. 1, पृ. 311 (यहाँ सब उद्धरण इसी पुस्तक में से दिये गये हैं और सूत्रादि संख्या के साथ पृष्ठ संख्या भी दी गई है। भाषा में कहीं-कहीं सुधार किया गया है)।

2. वही, 1. 4. 28, पृ. 333.

3. अतीन्द्रियाणां प्रतीतिरनुमानात्, का. 6 (अतीन्द्रिय विषयों : पुरुष और प्रधान : की प्रतीति अनुमान से होती है।) मैं समझता हूँ कि इसमें इन्द्रिय-पर्यन्त विकारों को भी सम्मिलित करना चाहिए, क्योंकि इन्द्रियाँ और उनके कारणभूत लिंग (विकार) इन्द्रिय-विषय नहीं हैं।

4. तस्मादपि चासिद्धं परोक्षमाप्तागमात्सिद्धम्। वही (तर्क से भी असिद्ध विषय परोक्ष हैं और ये आगम-प्रमाणमूलक हैं।) आगे 7वीं-8वीं कारिकाएँ भी द्रष्टव्य।

पूर्वपक्ष के रूप में साँख्य का मत प्रस्तुत किया है कि वह तर्क को श्रुति से स्वतन्त्र प्रमाण मानता है।[1] तब साँख्य की श्रुति-विरुद्धता दिखाने को इतना महत्त्व देने का कारण सम्भवत: यह है कि स्वयं श्रुति के बहुत-से ग्रन्थों में साँख्य का समर्थन दृष्टिगोचर होता है और **गीता** तो स्पष्टत: उसकी अनुसारिणी प्रतीत होती है। और श्रुति तथा स्मृति को शंकर, और जनसमुदाय भी, जिसे शंकर अपनी बात मनवाना चाहते हैं, परमार्थ ज्ञान का एकमात्र साधन मानते हैं। किन्तु क्योंकि साँख्य श्रुति को परमार्थ-ज्ञान में प्रमाण स्वीकार नहीं करता, बल्कि उसे इस कारण अशुचि भी मानता है कि उसमें पशु-बलि आदि कर्मों का विधान है,[2] इसलिए वह शंकर की उन सब युक्तियों को, जो उन्होंने साँख्य की श्रुति-विरुद्धता दिखाने के लिए दी हैं, अप्रासंगिक कहकर तिरस्कृत कर सकता है।

किन्तु इसमें शंकर का औचित्य यह है कि वह तर्क को स्वतन्त्र प्रमाण मानने से इन्कार करता है और इसके लिए साँख्य को पूर्वपक्ष में प्रस्तुत उसकी युक्तियों का खण्डन तथा श्रुति की प्रामाणिकता का मण्डन करता है। इसलिए साँख्य की ओर से शंकर के इस आक्षेप का उत्तर देना अनिवार्य हो जाता है। वास्तव में स्वयं शंकर ने ही साँख्य की ओर से यह उत्तर प्रस्तुत किया है। उत्तर यह है कि, किसी युक्ति का दोष भी आख़िर युक्ति से ही प्रकट किया जा सकता है। इस प्रकार साँख्य के अनुसार, किसी युक्ति का अप्रतिष्ठित होना युक्तिमात्र का दोष नहीं है, यह तो तर्क की आत्म-दोष के दर्शन द्वारा आत्म-दोष के निवारण की सामर्थ्य को ही प्रकट करता है। शंकर के शब्दों में, 'अयमेव तर्कस्यालंकारो यदप्रतिष्ठितत्वं नाम। एवंहि सावद्य तर्क परित्यागेननिरवद्यस्तर्क: प्रतिपत्तव्यो भवति।'[3] इस उत्तर पर शंकर का प्रत्युत्तर है कि, "यदि ऐसा कहो कि तर्क की अप्रतिष्ठा दोष नहीं है, तो ऐसा मानने पर भी तर्क दोष-मुक्त नहीं हो सकता। यद्यपि किसी विषय में तर्क की प्रतिष्ठा उपलक्षित हो सकती है तो भी प्रकृत विषय में तर्क अप्रतिष्ठितत्व दोष से मुक्त नहीं हो सकता। इस अति गम्भीर, भाव-याथात्म्य (सत्स्वरूप), मुक्ति के हेतु (ब्रह्म) का ज्ञान तो आगम के बिना हो ही नहीं सकता।"[4] किन्तु तब शंकर से प्रश्न हो सकता है कि ऐसा क्यों? इस पर शंकर के दो उत्तर हैं : एक तो यह कि 'केवल पुरुष-कल्पनामूलक तर्क प्रतिष्ठित नहीं होते, क्योंकि कल्पना निरंकुश होती है।' दूसरा उत्तर है कि "यह पदार्थ (ब्रह्म) रूपादि रहित होने से प्रत्यक्ष प्रमाण का विषय नहीं हो सकता और लिंग आदि का अभाव होने से अनुमान आदि का विषय भी नहीं हो सकता।"[5] दूसरे शब्दों में, तर्क का विषय केवल अनुभवमूलक व्याप्ति ही हो सकती है, प्रत्यक्षागम्य वस्तु नहीं हो सकती। दुर्भाग्यवश साँख्य भी ऐसा ही मानता है, जैसाकि उसके 'तर्क' के लिए 'अनुमान' शब्द के प्रयोग से, और प्रकृति-पुरुष को सामान्यतो दृष्ट अनुमान से प्रमाणित कहने से स्पष्ट है। किन्तु शंकर आगमानुसारी तर्क को, अर्थात् विभिन्न आगम-ग्रन्थों के कथनों में प्रकट विरोध होने पर उस विरोध-परिहार को, और स्मृतियों की आगमनानुकूलता-प्रतिकूलता के विनिश्य को भी तर्क का कार्य मानते हैं। इसी प्रकार साँख्य भी संसार के हेतु का और अविवेक के स्वरूप का निर्णय करता है, ये दोनों निर्णय ऐन्द्रिय प्रत्यक्षमूलक अनुमान के आधार पर नहीं किये जा सकते।

किन्तु शंकर की स्थिति और भी आपत्तिजनक है : यदि ब्रह्म और मोक्ष केवल आगम-प्रत्यक्षगम्य हैं तब वे हमारे लिए केवल शब्द मात्र हैं, जिसका अर्थ हम नहीं समझ सकते, क्योंकि आगम : श्रुति : केवल शब्द है जिसका अर्थ, अर्थात् वाच्य-वस्तु, हमारे लिए अनुभवगम्य या तर्कगम्य नहीं है। यदि वह अनुभव का विषय हो : चाहे फिर वह अनुभव अलौकिक ही क्यों नहीं हो : तो उसके लिए आगम को प्रमाण नहीं कहा जा सकता,

1. 2. 1. 6, पृ. 360.

2. दृष्टवदानुश्रविक:, स इह विशुद्धिक्षयातिशय युक्त:। का. 2 (यद्यपि यहाँ प्रसंग प्रमाणों का नहीं होकर दु:ख-निवारण के उपायों का है किन्तु इससे यह आपादित होता है। क्योंकि यदि श्रौत उपाय दु:ख-निवारण में सहायक नहीं है तो श्रौत उपदेश परमार्थ-ज्ञान (विवेक) में भी सहायक नहीं हो सकता।)

3. 2. 1. 11, पृ. 356-357.

4. वही।

5. वही।

क्योंकि तब प्रमाण अनुभव होगा। कहा जा सकता है कि हम बहुत-सी बातों को आगम (विश्वसनीय लोगों के कथनों अथवा विश्वसनीय परम्परा) के आधार पर स्वीकार करते हैं, जैसे महाराजा अशोक की कलिंग विजय और निर्वेद को, तब क्या वह सब भी अप्रामाणिक नहीं हो जाएंगे? इसका उत्तर होगा कि, इनकी प्रामाणिकता के दो पक्ष हैं : एक अशोक, कलिंग-विजय और निर्वेद के हुए होने की सम्भावना, और दूसरा, उनका वास्तव में हुए होना। इनमें प्रथम अतीत अशोक के वर्तमान मनुष्यों के समान होने, कलिंग-विजय के भारत द्वारा पूर्वी-पाकिस्तान विजय के समान होने, और निर्वेद के हमारे द्वारा अनेक अवसरों पर अनुभूत भावना के समान होने के आधार पर ज्ञानप्रद और प्रामाणिक होने की सम्भावना से युक्त हैं। तभी वह प्रामाणिक या अप्रामाणिक भी हो सकते हैं। किन्तु ब्रह्मानुभव या मोक्षानुभव के अन्तःकरण आदि उपाधियों से अगम्य होने और हमारे अनिवार्यतः इन उपाधियों से उपहित होने से हमारे लिए यह अनुभव यदि अगम्य है तब वह उपर्युक्त उपमा से आगम के आधार पर भी गम्य नहीं हो सकता और अनुभव के आधार पर भी गम्य नहीं हो सकता, और अनुभव के आधार के बिना हम यह भी कैसे कह सकते हैं कि कौन वचन आप्त हैं और कौन नहीं : उपनिषद् आप्त हैं अथवा चार्वाक-वचन? यहाँ कहा जा सकता है कि अन्तःकरण आदि उपाधियों के रहते हुए भी हमारे स्वरूपतः ब्रह्म होने के कारण हमें उस निरुपाधिक स्थिति का आभास होता है और आगम उस आभास को और स्पष्ट करने में सहायक होता है। चार्वाक आदि के वचन हमें अनुभूत उस अतिक्रामी संकेतों के अनुकूल नहीं होने से वे आप्त या श्रुति नहीं हैं।

किन्तु यह तर्क-प्रणाली शंकर को स्वीकार होगी, यह कहना कठिन है, क्योंकि शंकर श्रुति को इस प्रकार अपने अनुभव के अधीन और इस प्रकार गौण बनाना स्वीकार नहीं करेंगे। किन्तु तब प्रश्न है कि, श्रुति-वचनों का अर्थ क्या है, यह भी स्वतःस्पष्ट नहीं है, वास्तव में तो वह कुछ है भी यह भी हम नहीं जान सकते। किन्तु यदि किसी प्रकार यह मान भी लें कि श्रुति-वचनों को हम समझ सकते हैं, तो भी वे स्वतःस्पष्ट नहीं हैं, उनके अर्थ प्रयत्न-साध्य हैं और यह प्रयत्न तर्क ही हो सकता है। अवश्य प्रयत्न का एक और रूप भी है जो हम औपनिषद श्वेतकेतु में 'तत्त्वमसि' मन्त्र के ग्रहण की सामर्थ्य के रूप में देखते हैं। किन्तु वह प्रयत्न 'दार्शनिक' नहीं है और न श्वेतकेतु द्वारा साक्षात्कृत 'तत्त्वमसि' मन्त्र का ज्ञान श्रुतिमूलक ही है। यह तो आत्मा से आत्मा को आलोक-सम्प्रेषण है। शंकर श्रुति-प्रमाण को ऐसे शब्द के रूप में प्रस्तुत कर रहे हैं जिसका अर्थ विमर्श द्वारा निर्णेय है और वह निर्णय अन्ततः तर्क का अपेक्षी होता है। शंकर भी तर्क को स्वीकार करने को तैयार हैं, किन्तु श्रुति के अधीन रूप में ही। किन्तु तर्क श्रुति के अधीन कैसे हो सकता है, यदि श्रुति के अर्थ का निर्णय तर्क से ही सम्भव हो? किन्तु शंकर के अनुसार निरपेक्ष तर्क काल्पनिक है, क्योंकि "कुछ विद्वानों से यत्नपूर्वक कल्पित तर्क अन्य विद्वानों द्वारा आभास से दिखाये जाते हैं, उनसे भी कल्पित हुए तर्क उनसे अन्य विशिष्ट विद्वानों द्वारा आभास से ग्रहण किये जाते हैं। इस कारण तर्कों की प्रतिष्ठा कदापि ग्रहण नहीं की जा सकती।...सम्यग्ज्ञान एक रूप होता है, क्योंकि वस्तु के अधीन होता है। सदा एक से रहने वाला जो पदार्थ है वही यथार्थ है। लोक में उस विषयक ज्ञान को ही सम्यग्ज्ञान कहा जाता है। जैसे, 'अग्नि उष्ण है' (इस ज्ञान में कोई मत-विभिन्नता नहीं हो सकती) किन्तु यहाँ कठिनाई यह है कि जिस प्रकार 'अग्नि उष्ण' यह प्रत्यक्षगम्य है और इसका वाचक वाक्य सरलतया अर्थबोधक है उस प्रकार श्रुति-वाक्य नहीं हैं। दूसरे 'अग्नि उष्ण है' इसका वाच्यार्थ हम अग्नि पदार्थ के स्पर्श के अनन्तर ही जानते हैं, यह वाक्य इसके पहले अर्थ-ज्ञापक नहीं होता, इसके विपरीत शंकर यहाँ श्रुति-वाक्यों को स्वतन्त्र रूप से ही अर्थ-प्रापक कह रहे हैं। इस प्रकार शंकर की यह उपमा ही भ्रामक है।"

इस प्रकार श्रुति को स्वतन्त्र प्रमाण मानने की कठिनाई देखने के बाद यहाँ हम संक्षेप में शंकर और साँख्य के तर्क-विषयक सिद्धान्त के सम्बन्ध में कुछ कहना चाहेंगे। हमारे विचार में तर्क के सम्बन्ध में इन दोनों के विचार, जोकि समान हैं, अत्यन्त संकुचित हैं। यह द्रष्टव्य है कि 'अनुभव' के बजाय इन दोनों दर्शनों ने 'दृष्ट' शब्द का प्रयोग किया है, जिसका अर्थ इनके लिए है ऐन्द्रिक अनुभव। इस प्रकार इनके अनुसार तर्क का कार्य अतीत ऐन्द्रिक अनुभव के आधार पर अनागत ऐन्द्रिक अनुभव के सम्बन्ध में निष्कर्ष देना है। किन्तु जैसाकि कांट ने दिखाया, और जैसाकि थोड़ा गहराई से देखने पर हम जान सकते हैं, ऐन्द्रिक अनुभव के क्षेत्र में भी विचार

अनुभव से स्वतन्त्र व्यापारित होता है : इसे कांट ने साइंथेटिक ए प्रायराई (संश्लेषणात्मक प्रागनुभविक) कहा है। बौद्धों ने इसे विकल्प कहा है। अवश्य ये दोनों इस ज्ञान या तर्क–व्यापार को सत्ता–विषयक नहीं कहते हैं किन्तु कांट में यह बौद्धों के समान सत् और ज्ञान के बीच व्यवधान का वाचक भी नहीं है। इसके अतिरिक्त कांट तर्क का स्थान नैतिक और तटस्थ पयनात्मक बोधों (मॉरल एण्ड एस्थेटिक एक्सपीरियेंसिस) में भी देखता है। किन्तु सौभाग्यवश साँख्य भी अपने विचार को अपनी परिभाषा से सीमित नहीं करता, जैसाकि शंकर बहुत सीमा तक करता है। उदाहरणत: साँख्य की दु:ख से निवृत्ति की हेतुभूत दृष्टि ऐन्द्रिय अनुभव और तत्परक अनुमान की सीमाओं से बाहर है, इसी प्रकार प्रधान और पुरुष भी व्याप्तिमूलक अनुमानगम्य नहीं होकर अतिक्रामी दृष्टिगम्य हैं, जो दृष्टि अतीन्द्रिय विचारात्मक है। यहाँ कांट की प्रणाली द्रष्टव्य है जो अनुभवमूलक अनुमान अपनी ही सीमाओं के दर्शन द्वारा अपने अतिक्रमण का मार्ग प्रशस्त करता है। साँख्य में भी जगन्मूलक अनुभव को इसी प्रकार आत्म–अतिक्रमणशील देखा जा सकता था। किन्तु साँख्य यह अतिक्रमण सीधे मूल्य–दृष्टि में पौरुषिक आत्मसाक्षात्कार द्वारा देखता है। किन्तु दुर्भाग्यवश सांख्याचार्यों ने इस प्रकार विचार नहीं किया है।

जो भी हो, साँख्य परमार्थ–विचार में श्रुति को प्रमाणरूपेण नहीं देखता। ऐसी अवस्था में शंकर द्वारा श्रुति के आधार पर की गई उसकी आलोचना का कोई अर्थ नहीं रह जाता। किन्तु यहाँ यह कहना अस्थाने नहीं होगा कि जबकि **उपनिषद्** मुख्यत: अद्वैतवादी–ब्रह्मकारणवादी—ही हैं, उनमें पूर्ण एकवाक्यता नहीं है। स्मृतियों में **गीता**, जोकि स्वयं शंकर द्वारा भी प्रमाणरूपेण स्वीकृत है, स्पष्टत: सेश्वर साँख्यवादी है। शंकर द्वारा सब उपनिषदों में और **गीता** में एकवाक्यता दिखाना इस बात का द्योतक है कि वे अपने मत को श्रुति और अत्यधिक सम्मानित स्मृतियों पर आरोपित करने में किसी भी सीमा तक जाने को तैयार हैं। किन्तु यहाँ हम इस विवाद में नहीं पड़ना चाहेंगे। परिणामत: हमारे विचार का विषय यहाँ केवल शंकर द्वारा साँख्य की आलोचना में दी गई युक्तियाँ हैं। इन युक्तियों की यहाँ हम भीतरी और बाहरी दो पक्षों से परीक्षा करने का प्रयत्न करेंगे। भीतरी पक्ष से हमारा अभिप्राय है युक्ति की अपनी संरचना और वस्तु का पक्ष और बाहरी पक्ष से अभिप्राय है साँख्य–दृष्टि का पक्ष। शंकर ने साँख्य के विरुद्ध 8 आपत्तियाँ उठायी हैं जो निम्नप्रकार हैं—

1. शंकर की पहली आपत्ति है कि, साँख्य जगत् की भौतिक और आध्यात्मिक सब स्थितियों को अचेतन प्रधान रूप कारण का कार्य मानता है। किन्तु "लोक में चेतन से अनधिष्ठित अचेतन स्वतन्त्र रूप से पुरुषार्थ के सम्पादन करने में समर्थ विकारों की रचना करता हुआ नहीं देखा जाता। लोक में गृह, शयन, आसन, विहार आदि समय के अनुसार बुद्धिमान् शिल्पियों द्वारा सुख–प्राप्ति और दु:ख–परिहार के योग्य रचे जाते हैं।...तब जिसकी आलोचना बड़े–बड़े बुद्धिमान् शिल्पियों द्वारा मन से भी नहीं की जा सकती उसकी रचना अचेतन प्रधान कैसे कर सकता है, क्योंकि अचेतन लोष्ठ, पाषाण आदि में यह रचनाधर्मिता नहीं देखी जा सकती? इस कारण इस प्रधान को भी अन्य चेतन से अधिष्ठित मानना पड़ेगा।" (2.2.1, पृ. 402) और पुन:,

2. "बाह्य और आध्यात्मिक विकारों का सुख–दु:ख–मोहात्मकता के साथ अन्वय उपपन्न नहीं होता, क्योंकि सुखादि आन्तरिक प्रतीत होते हैं और शब्दादि बाह्य प्रतीत होते हैं और सुखादि शब्दादि के निमित्त रूप से प्रतीत होते हैं।" (2.2.1, पृ. 402)

3. जो साँख्य जगत् के वैविध्य को कार्य–रूप देखकर उसके एक कारण के रूप में प्रधान की कल्पना को तर्कसम्मत मानता है वह भी, शंकर के अनुसार, अयुक्त है, क्योंकि तब "सत्व, रजस् और तमस् भी संसर्गपूर्वक मानने पड़ेंगे, क्योंकि सत्व, रजस् और तमस् में भी परिमितता उसी प्रकार है।" अर्थात् जिस प्रकार "मूलांकुरादि में परिमितत्व होने से उनमें कार्यत्व की कल्पना है और उससे कारण के रूप में प्रधान की कल्पना है, उसी प्रकार सत्व, रजस् और तमस् के भी परस्पर परिमित होने से और प्रधान के त्रैगुण्यात्मक होने से प्रधान को भी कार्य मानना पड़ेगा और उसके कारण की कल्पना अनिवार्य होगी।" (2.2.1, पृ. 402–403)

4. कार्य-कारणभाव कारण को अचेतन मानने को अनिवार्य नहीं करता, क्योंकि "प्रज्ञा (बुद्धि) पूर्वक निर्मित शयन, आसन आदि का कार्य-कारण भाव देखा जाता है, इसलिए कारण-कार्यभाव होने से बाह्य और आध्यात्मिक विकारों में अचेतन पूर्वकत्व की कल्पना नहीं की जा सकती।" (2.2.2, पृ. 503)

5. साँख्य के अनुसार प्रधान त्रिगुण की साम्यावस्था है। इसमें विक्षोभ होने पर इनमें वैषम्य : अंगागिभाव : उत्पन्न होता है। साँख्य इसे स्वतः मानता है, किन्तु शंकर के अनुसार, "मृत्तिका आदि और रथ आदि स्वयं अचेतन होते हुए भी चेतन कुलाल आदि अथवा अश्व आदि से अधिष्ठित हुए बिना कार्य में प्रवृत्ति वाले नहीं देखे जाते।"...यदि पूर्वपक्ष की यह आपत्ति हो कि वेदान्त भी "देहादि से संयुक्त आत्मा को विज्ञान स्वरूप मात्र मानता है और परिणामतः उसमें भी प्रवृत्ति की अनुपपत्ति है, तो यह युक्त नहीं है, क्योंकि अयस्कान्त मणि (लौह-चुम्बक) और रूपादि के समान प्रवृत्ति-रहित वस्तु में भी प्रवर्तकत्व हो सकता है।" (2.2.2, पृ. 403-405)

6. यदि यह मान भी लें कि प्रवृत्ति निमित्त के बिना सम्भव है, क्योंकि प्रयोजन है, तो प्रश्न है कि प्रयोजन क्या है? आप प्रयोजन पुरुष को भोग प्रस्तुत करना और मोक्ष देना यह कहते हैं। तब प्रश्न है कि इनमें कौन-सा प्रयोजन है, भोग या मोक्ष, या दोनों? "यदि भोग है तो सुख आदि आधान-अतिशय से रहित (निरपेक्ष, पूर्ण) पुरुष का भोग किस प्रकार होगा? दूसरे, भोगापेक्षा से मनोक्षाभाव प्रसंग भी होगा। यदि मोक्ष प्रयोजन है तो प्रवृत्ति के पूर्व भी पुरुष तो मुक्त ही है, ऐसी अवस्था में यह प्रयोजन निरर्थक हो जाता है। दोनों प्रयोजन मानने पर भोग के योग्य प्रधान-तन्मात्राओं के अनन्त होने से मोक्ष का अभाव होगा। उत्सुकता के लिए भी प्रवृत्ति नहीं है, क्योंकि अचेतन प्रधान में उत्सुकता सम्भव नहीं है और न पुरुष में, उसके निर्मल, निष्कल होने से, प्रवृत्ति सम्भव है।" (2.2.4-5, पृ. 406-407)

7. यदि कहो कि प्रधान और पुरुष अंध व्यक्ति और पंगु व्यक्ति के समान परस्पर उपकारक होकर प्रवृत्त होते हैं, तो यह भी अयुक्त है, क्योंकि दोनों चेतन हैं। यदि अयस्कान्त मणि के समान पुरुष की सन्निधि नित्य होने से प्रवृत्ति भी नित्य होगी तो परिणामतः मोक्ष असम्भव होगा। इस पर साँख्य का उत्तर है कि हम गुणों को निरपेक्ष स्वभाव और कूटस्थ नहीं मानते, हम गुणों का स्वभाव कार्य के अनुसार ही अभ्युपगमित करते हैं। किन्तु शंकर के अनुसार यह भी अयुक्त है क्योंकि "प्रधान में ज्ञान-शक्ति का अभाव होने से रचना-अनुपपत्ति आदि दोष ज्यों के त्यों हैं। यदि साँख्य इस दोष-परिहार के लिए प्रधान में ज्ञान-शक्ति भी माने तो यह हमारे मत की स्वीकृति ही हुई, कि चेतन ही प्रपंच का उपादान है।" (2.2.7-9, पृ. 409-411)

8. अन्त में, शंकर साँख्य की ओर से वेदान्त पर एक आक्षेप उठाकर उसका उत्तर देते हैं। आक्षेप है, "वेदान्त में एक ही ब्रह्म सर्वात्मक है और सम्पूर्ण प्रपंच का (उपादान और निमित्त) कारण है। ऐसा स्वीकार करने पर वह ताप और तापक दोनों का एक ही विशेष्य होगा और इस प्रकार ताप-मुक्ति असम्भव होगी।...तप्ति नाम दुःख का है, वह चेतन को होता है, अचेतन को नहीं। यदि देह ही दुःख होता तो वह देह के नष्ट होने पर स्वयं ही नष्ट हो जाता।"

शंकर इसका उत्तर देते हैं, "देह के अभाव में केवल चेतन को भी दुःख होते नहीं देखा गया है। यह तुम्हें भी इष्ट नहीं है कि तप्ति-क्रिया केवल चेतन को है। अशुद्धि आदि दोषों का प्रसंग होने से देह और चेतन का संघात भी तुमको इष्ट नहीं है और तप को ताप होना भी तुम स्वीकार नहीं करते हो। तो तुम्हारे मत में तप्य-तापक भाव किस प्रकार सिद्ध होगा? यदि कहो कि सत्वगुण तथ्य है, रजोगुण तापक है, तो यह युक्त नहीं है, क्योंकि उनके साथ चेतना का संहत्व नहीं हो सकता। यदि कहो कि सत्व (बुद्धि) अनुसारी होने से चेतन भी तपता-सा, दुःख भोगता-सा है, तो परमार्थ से वह दुःखी नहीं होता। यदि परमार्थ से चेतन तप्त नहीं होता तो 'इव' शब्द दोष के लिए नहीं होता। इसलिए यह तप्य-तापक भाव अविद्याकृत है, पारमार्थिक नहीं है, ऐसा स्वीकार करना चाहिए।

ऐसा मानने पर हमारे पक्ष में भी कोई दोष नहीं है...यदि कहो कि तप्य और तापक शक्तियों के नित्य होने पर भी ताप निमित्त-सहित संयोग की अपेक्षा रखता है,...तो यह ठीक नहीं है, क्योंकि अज्ञान रूप तमोगुण नित्य स्वीकार किया गया है।...वेदान्त में तो आत्मैकत्व स्वीकार होने से विषय-विषयि-द्वैत नहीं हो सकता,...इसलिए मोक्षाभाव की आशंका नहीं हो सकती।" (2.2.10, पृ. 413-414)

इस प्रकार संक्षेप में साँख्य के विरुद्ध शंकर की युक्तियों का विवरण है। हमारे विचार में शंकर की ये युक्तियाँ साँख्य-सिद्धान्त की सूक्ष्मता को समझने में उसकी अनिच्छा की द्योतक हैं। 'अनिच्छा' की द्योतक इसलिए कहा क्योंकि शंकर द्वारा पूर्वपक्ष के प्रस्तुतीकरण और खण्डन में कुछ स्थलों पर स्पष्ट खींचातानी दिखायी देती है, जबकि कुछ स्थलों पर साँख्य-दृष्टि की सूक्ष्मता के ग्रहण में लोक-साधारण-सुलभ अपरिष्कृतता प्रकट होती है। यहाँ हम शंकर की प्रत्येक युक्ति की क्रमशः परीक्षा करेंगे—

1. जैसाकि हमने पिछले अध्यायों में विस्तार से देखा है, साँख्यीय प्रधान जड़ तो है किन्तु भौतिक नहीं है। भूत तत्त्व बुद्धि का एक विकार है जो ग्राहिका इन्द्रियों के ग्राह्य पक्ष का बाह्य-विषय-रूप है। प्रधान का प्रथम विकार बुद्धि है जो जगत्-रूप में ग्राह्य-ग्राहक भाव से आविर्भूत होती है। शंकर के अनुसार, रथ, आसन आदि की रचना अचेतन नहीं कर सकता। साँख्य का उत्तर होगा कि ये अपने स्वरूप में बौद्धिक ही तो हैं और क्या हैं? अब प्रश्न है कि जिसे तुम 'कारण' कह रहे हो वह निमित्त के अर्थ में अभिप्रेत है या कि उपादान के अर्थ में? यदि उपादान के अर्थ में तो रथ, आसन आदि भौतिक हैं, यदि निमित्त के अर्थ में तो ये बौद्धिक हैं। अब यदि आप इन्हें निमित्त से बौद्धिक नहीं मानते तो नाम-रूप का निमित्त ब्रह्म में आधृत करना होगा। तुम भी इच्छा, सुख-दुःख और विचार आदि मनःस्थितियों को ब्रह्म में स्वीकार नहीं करते, इन्हें अविद्यामूलक मानते हो, तब स्पष्टतः तुम्हारे अनुसार भी ब्रह्म-चैतन्य मनःस्थितियों के रूप में अनुभूत या विदित चेतना नहीं है बल्कि इनसे अतिक्रान्त है। तुम्हारा कहना है कि, "किन्तु हम इनका उपादान ब्रह्म चैतन्य को ही मानते हैं", किन्तु तब यह स्मरणीय है कि तुम उतना ही और वैसा ही उपादान ब्रह्म को काष्ठ-लोष्ठ का भी मानते हो। क्या काष्ठ-लोष्ठ भी चेतन हैं? तुम्हारा कहना है कि इनमें चेतना अनभिव्यक्त होती है, तो हम प्रश्न करना चाहेंगे कि अनभिव्यक्त चेतना को तुम चेतना कैसे कह सकते हो? क्या विदित हुए बिना किसी को वेदना कह सकते हैं? दूसरे, तब सुषुप्ति को तुम काष्ठ-लोष्ठ से कैसे पृथक् करोगे?

किन्तु इससे भी गम्भीरतर आपत्ति यह है कि तुम स्वप्न, जागृति और सुषुप्ति तीनों को चैतन्य की उपाधियाँ मानते हो, यद्यपि सुषुप्ति को उसके निकटतम मानते हो। यदि ऐसी बात है तो चैतन्य को इन तीनों में से किसी से तद्रूप नहीं कहा जा सकता, और सुषुप्ति को निकटतम कहने से यह और स्पष्ट है कि अभिव्यक्त चेतना से उसका वैपरीत्य अधिक है। इसमें तुम जो घटाकाश और मठाकाश का उदाहरण देते हो उसमें भी एक बड़ी भ्रामकता है, और वह यह कि इनमें तुम घटाकाश और मठाकाश की आकृतियों की अवहेलना कर देते हो। दूसरे, इस बात की अवहेलना कर देते हो कि घट और मठ के बिना घटाकाश, मठाकाश नहीं हो सकते। किन्तु वास्तव में यह दृष्टान्त आधार से ही ठीक नहीं है। सुख-दुःखादि अनुभूतियाँ आकार और वस्तु दोनों में ही ब्रह्म नहीं हैं, क्योंकि इनके आकार सुख और दुःख हैं और वस्तु वेदना है, ब्रह्म चैतन्य को इन दोनों से अभिन्न नहीं कहा जा सकता। उसके लिए ये दोनों उपाधियाँ हैं, घटाकाश के समान वेदना को सुख-दुःख से आकारित ब्रह्म-चैतन्य नहीं कहा जा सकता। यदि तुम ऐसा कहोगे तो फिर सुषुप्ति को ब्रह्मावस्था के निकटतम नहीं कह सकते। दूसरे, तब तुम्हें अबोध बालक की चेतना को ब्रह्म के निकटतम कहना होगा जिसमें सुखादि आकार विविक्त रूप से गृहीत नहीं होते।

किन्तु साँख्य जगत् के आविर्भाव को केवल प्रधान की स्वतः प्रवृत्ति से भी नहीं मानता, इसमें वह पुरुष को अनिवार्य लक्ष्य के रूप में देखता है। अर्थात् जगत् प्रधान की पुरुषोल्लेखिता है। 17वीं साँख्यकारिका में ईश्वरकृष्ण जगत् (संघात) को पुरुषपरकता से सार्थक कहता है।

यहाँ यह स्मरणीय है कि साँख्य कार्य से कारण को अनुमेय मानता है और इस प्रकार उसके लिए जगत् के कारण रूप में प्रधान और पुरुष दोनों अभ्युपगमित होते हैं, एकमात्र प्रधान पर्याप्त नहीं है; और दूसरे, प्रधान

भौतिक द्रव्य नहीं है बल्कि उस विकृति की प्रकृति है जो विविध विषयों, विषयियों और उनकी कामनाओं, मूल्यों और विचारों का संघात है, और उसी प्रकार जो अविवेक और विवेक दोनों का संघात है। इसे शंकर द्वारा साधारण-जनोचित अर्थ में जड़ कहना अयुक्त है। साँख्य-दृष्टि है कि हमारे क्रिया-कलाप, हमारे सुख-दुःख, हमारे अनुभूति-विचार, इन सबकी अपने आप में कोई सार्थकता, कोई पर्याप्त प्रयोजन नहीं है। यह इस बात से भी प्रकट है कि मनुष्य इनके सहित असन्तुष्ट अनुभव करता है और इनसे परे, इनके आगे, अर्थ का अन्वेषण करता है : 'मोक्षार्थ प्रवृत्तेश्च:'।

2. दूसरी आपत्ति भी इसी प्रकार साँख्य के अभिमत को भ्रामक रूप से प्रस्तुत करने पर आधारित है। जैसाकि हमने पीछे भी कहा, साँख्य के लिए बाह्य और आध्यात्मिक में कोई भेद नहीं है, परमार्थत: त्रैगुण्य मात्र बाह्य है, केवल पुरुष आध्यात्मिक है। जहाँ तक विकार-भेद का सम्बन्ध है, त्रैगुणिक आध्यात्मिक विकार ही बाह्य विकारों के कारण हैं, और उपादानत: इनमें अन्तर केवल सात्विक और तामसिक के मात्रा-भेद का है। इसके अतिरिक्त, वेदान्त भी तो बाह्य और आन्तर में मौलिक भेद नहीं मानता? वेदान्त के अनुसार भी ब्रह्म ही भौतिक और आध्यात्मिक, सुख-दुःख के ग्राहक मन और सुख-दुःख दायक विषयों का कारण है।[1] शंकर भी भौतिक और मानसिक को क्रमश: अनभिव्यक्त और अभिव्यक्त चेतना के रूप में ही देखते हैं।

3. साँख्यकारिका 15 में प्रकृति और विकृति में एक भेद यह बताया गया है कि विकृति—जगत्—जबकि परस्पर परिमित अवयवों में विभक्त है, प्रकृति उस प्रकार विभक्त नहीं है। जगद्गत वस्तुओं की परिमितता इस बात के लिए प्रमाण है कि ये कार्य हैं और इस प्रकार ऐसे कारण के अपेक्षी हैं जो इस प्रकार कारण-कार्य-रूप से, अथवा संख्यात्मक रूप से परस्पर परिमित वस्तुओं से, घटित नहीं है। इस पर शंकर का आक्षेप है कि तीन गुण भी परस्पर परिमित ही हैं, परिणामत: त्रिगुणात्मक प्रधान को भी कार्य ही मानना पड़ेगा।

यह आपत्ति प्रथम दृष्टि से युक्तियुक्त प्रतीत होती है और इसका साँख्यकारिका के दो मुख्य भाष्यकारों—वाचस्पति मिश्र और विज्ञानभिक्षु के भाष्यों से, अथवा इसके एक आधुनिक व्याख्याकार—श्रीरामशंकर भट्टाचार्य—की व्याख्या से कोई समाधान नहीं होता। उनके अनुसार, "अनेक महत् तत्त्वों के परिमितत्व को देखकर ही अव्यक्त का अनुमान किया जाता है। यहाँ तत्त्वों के 'परिमित होने' की युक्ति का तात्पर्य है—महद्गत परिच्छिन्न प्रकाश-क्रिया-स्थितित्व को देखकर अपरिच्छिन्न प्रकाशादि का अनुमान करना। महत्-गत परिच्छिन्नता सूक्ष्मतम परिच्छिन्नता है। जिस प्रकार अहंकार-रूप भेद से महत्-रूप जो कारण अनुमित होता है, वह परिच्छिन्न ही है, महत्-रूप भेदों का अनुमित कारण उस प्रकार परिच्छिन्न नहीं हो सकता।"[2] स्पष्टत: इसमें शंकर की आलोचना का कोई उत्तर नहीं है। लार्सन ने अपनी पुस्तक **क्लॉसीकल साँख्य** में शंकर द्वारा साँख्य की आलोचना पर विशेष रूप से एक पृथक् अध्याय में विचार किया है और उसमें शंकर की इस आलोचना को भी अनुसूचित किया है। उसका उत्तर अत्यन्त सूझपूर्ण है। उसके अनुसार, "संयोग और परिवर्तन सम्पूर्ण (जगत) व्यवस्था में घटित होते हैं और ये मनस् के स्तर पर परिमेय देश और काल प्रधान से भिन्न कोटियाँ नहीं हैं। देश और काल वास्तव में जगत् की क्रिया-व्यवस्था की गौण सहगामी कोटियाँ हैं और इस प्रकार उसकी सापेक्ष हैं। इस प्रकार, जब शंकर...यह आपत्ति करते हैं कि गुण (भी तीन होने से) अपने एक कारण को पूर्वकल्पित करते हैं, तब वह साँख्य को समझने में अपनी असामर्थ्य ही प्रकट करते हैं।"[3] यहाँ यह आपत्ति की जा सकती है कि आख़िर गुण तीन तो हैं ही और उनमें एक का आधिक्य दूसरे की न्यूनता का हेतु होता है, ऐसी अवस्था में इनमें परस्पर परिमितता तो है ही। परिमितता केवल देश-काल प्रकारक ही नहीं होती, अन्य प्रकार की भी होती है, जैसे दो अवधारणाओं : गोत्व और अश्वत्व, देश और काल, जड़ और चेतन : में परस्पर है।

---

1. **ऐतरेय उपनिषद्**, अ. 1, खण्ड 1, **बृहदारण्यकोपनिषद्**, अ. 1, ब्राह्मण 2, **वेदान्त परिभाषा**, प्रत्यक्ष परिच्छेद, निरुपाधिक चैतन्य एक होता हुआ भी उपाधि-भेद से प्रमातृ-चैतन्य, प्रमाण-चैतन्य और विषय-चैतन्य रूप से तीन प्रकार का हो जाता है।

2. श्रीरामशंकर भट्टाचार्य — **साँख्य तत्त्वकौमुदी**, ईश्वरकृष्ण कृत साँख्यकारिका का वाचस्पति मिश्र कृत 'तत्त्व कौमुदी' नामक भाष्य और उसके हिन्दी अनुवाद सहित ज्योतिष्मती व्याख्या। पृ. 130

3. Geral James Larson — Classical Samphya, p. p. 225.

इसका समाधान यह है कि अवधारणात्मक परिमिति तात्त्विक परिमिति नहीं है। उदाहरणत: जड़ और चेतन जबकि अवधारणाओं के रूप में परस्पर व्यावर्तक हैं, तत्त्वों के रूप में परस्पर व्यावर्तक नहीं हैं। इसी से साँख्य दोनों को विभू : सर्वव्यापक : मानता है, पुरुषों को अनेक मानते हुए भी परस्पर परिसीमक नहीं मानता, और इस पर शंकर कोई आपत्ति नहीं उठाते। इस पर कहा जा सकता है कि पुरुषों का बहुत्व या जड़-चेतन का द्वैत परस्पर परिमिति के बिना कैसे सम्भव हैं? इसका उत्तर यह है कि यह केवल हमारी अवधारणाओं का स्वभाव है कि इनमें व्यावृत्ति के बिना कुछ ग्रहण नहीं हो सकता, इसी प्रकार यह हमारे देश और काल के आकार का स्वभाव है कि इनमें बँटे बिना कुछ ग्राह्य नहीं हो सकता, किन्तु यह वस्तु-स्वभाव नहीं है। उदाहरणत: गोत्व को अपनी सत्ता के लिए अश्वत्व की अपेक्षा नहीं है, और न इस घट को अन्य घट की या पट की, या व्यावर्तक देश की अपेक्षा है। इस पर कहा जा सकता है कि, किन्तु घट दैशिक परिभाषा के बिना और गोत्व अवधारणात्मक परिमिति के बिना हो ही नहीं सकते। यह सही है, किन्तु तब यह इनको स्वरूपत: इन्द्रिय-गोचर और बुद्धिगोचर विषय कहना है, जबकि प्रधान इस प्रकार विषय नहीं है।

4. यहाँ शंकर उपादान और निमित्त कारणों में व्यामिश्र कर रहे हैं। किन्तु यह द्रष्टव्य है कि साँख्य एक प्रकार से निमित्त कारण को परमार्थत: स्वीकार ही नहीं करता, केवल उपादान कारण को ही स्वीकार करता है; और दूसरे, गौण प्रकार से, त्रैगुण्य के स्वरूपत: पुरुषापेक्षी होने से इस अपेक्षा को ही निमित्त मानता है। साँख्य को मुख्य अर्थ में निमित्त स्वीकार करने की आवश्यकता नहीं है, क्योंकि साँख्य जगत् को अनादि मानता है और इस प्रकार उसको किसी प्रवर्त्तक की आवश्यकता नहीं है। किन्तु तब शंकर आपत्ति कर सकते हैं कि साँख्य प्रवृत्ति को तो स्वीकार करता है। यह प्रवृत्ति प्रवर्त्तक में है, या प्रवर्तित में? इसके लिए साँख्य का उत्तर है कि प्रवृत्ति बुद्धि में है, जो एकसाथ प्रवर्तक और प्रवृर्तित है। बुद्धि में यह उभयता इस कारण है कि यह एकसाथ विषय और विषयी हो सकती है। यदि आपत्ति की जाय कि यह उभयविधता एक में कैसे सम्भव है, तो इसका उत्तर है कि बुद्धि का यह स्वभाव दृष्ट है : हम एकसाथ विचार भी करते हैं और विचार-वस्तु (प्रत्यय) को विषय-रूप में भी जानते हैं। जो इस प्रकार उभयात्मक नहीं हो सकता वह प्रवर्तक भी नहीं हो सकता। ब्रह्म यह नहीं हो सकता, क्योंकि विषयता और विषयिता ब्रह्म-चैतन्य में अकल्पनीय है। यदि ब्रह्म-चैतन्य में यह मानें तब उसमें विषय से निवृत्ति सम्भव नहीं होगी। क्योंकि एक तो इस निवृत्ति का कोई प्रयोजन नहीं होगा और दूसरे, तब प्रवर्तकता को ब्रह्म में आगन्तुक कहना होगा। यदि इसे उसमें आगन्तुक मान लें तो यह द्वैत होगा। शंकर, या कहें अद्वैत वेदान्त, इस कठिनाई के निवारण के लिए माया की कल्पना करता है। शंकर के अनुसार ब्रह्म स्वरूपत: उदासीन है किन्तु माया के आश्रय से प्रवर्तक है (स्वरूप- व्यापाराश्रयमौदासीन्यं माया व्यापाराश्रयं प्रवर्तकम्) किन्तु यह एकदम निरर्थक बात लगती है। "यदि ब्रह्म के स्वाभाविक औदासीन्य के बावजूद माया सक्रिय हो सकती है तो उसी प्रकार प्रकृति भी सक्रिय हो सकती है। यदि माया के लिए क्रियार्थ ईश्वराश्रित होना अनिवार्य है, जैसाकि शंकर मानते हैं, तब इसमें अन्योन्याश्रयत्व दोष होगा, क्योंकि ईश्वर पर माया की उपाधि के कारण माया की क्रियाशक्ति है और माया में क्रिया-शक्ति उसके ब्रह्म पर आश्रित होने से आती है।"[1] किन्तु वास्तव में शांकर-मत की अयुक्तता इससे कहीं गम्भीर है, क्योंकि माया उसके अनुसार असत् होने से वह ब्रह्माधिष्ठित, ब्रह्मस्वभावान्तर्गत अथवा कम-से-कम ब्रह्म से संकल्पित हो जाती है और तब ब्रह्म उदासीन नहीं रहता। शंकर की ओर से इसका यह उत्तर हो सकता है कि माया जगत्-प्रतिभास : व्यवहार : को समझने के लिए अभ्युपगमित की जाती है, जिसे द्वैतवादी सिद्धान्त से समझना दुर्निवार तर्क-दोषों से आकीर्ण है। किन्तु ऐसा कहना भी युक्त नहीं है, क्योंकि शंकर कहीं पर भी जगत्-प्रतिभास की व्याख्या के लिए उत्सुक दिखायी नहीं देते, वे श्रुतियों के आधार पर सीधे परमार्थ तत्त्व का निरूपण करते हैं, और ब्रह्म को सर्वशक्तिमान्, सर्व आदि कहते हैं। अब तर्कत: सर्वशक्तिमत्व शक्ति के बाधक को और सर्वज्ञता ज्ञान के बाधक को पूर्वकल्पित करते हैं। जीव उपाधि से बाधि होने से अल्पज्ञ आदि है, किन्तु ब्रह्म, जिसकी सत्ता उपाधि-रहित ही नहीं है बल्कि उपाधि की सम्भावना से ही रहित है, अर्थात् जिसकी अवधारणा में उपाधि वदतोव्याघात है, उसे सर्वशक्तिमान्-सर्वज्ञ आदि कैसे कहा जा सकता है? साँख्य पुरुष को कहीं सर्वज्ञ और सर्वशक्तिमान् नहीं कहता, क्योंकि वह निर्बाध होने से ज्ञान और शक्ति से अतिक्रामी है।

1. M. G. Shastri — An Examination of Shankara's Refutation of the Samkhya Theory, p. 69.

किन्तु जैसाकि हमने कहा, 'कारण' से साँख्य का अर्थ 'उपादान कारण' से है, निमित्त कारण से नहीं, जैसाकि शंकर के भी ब्रह्म को जगत् का कारण कहने से अधिकांशत: यही अर्थ होता है। अब जगत् का उपादान कारण प्रधान को कहना युक्ति-संगत है या नहीं, यह प्रश्न भी साँख्य के प्रसंग में उठाया जा सकता है, यह प्रश्न भी उठाया जा सकता है कि निमित्त के बिना उपादान कार्य-रूप में परिणत हो सकता है या नहीं, यह नहीं कि जहाँ वह कह रहा है कि जड़ कार्य का जड़ ही उपादान हो सकता है वहाँ कोई कहे कि नहीं, क्योंकि जड़ कार्यों का निमित्त कारण चेतन भी हो सकता है इसलिए सब जड़ कार्यों का उपादान जड़ कहना युक्त नहीं है।

5. यहाँ पाँचवीं आपत्ति में शंकर निमित्त के बिना उपादान की कार्य-रूप में परिणति की असम्भवता का प्रसंग सही रूप में प्रस्तुत करते हैं। इसका आंशिक उत्तर ऊपर दिया जा चुका है कि, साँख्यीय प्रधान इस स्थूल अर्थ में जड़ नहीं है जिसमें लोक-साधारण इस शब्द : जड़ : को समझते हैं और उनके अनुसारी शंकर भी समझ रहे हैं, यह उस अर्थ में जड़ है जिसमें इन्द्रियाँ और मन ही नहीं बल्कि अहंकार और बुद्धि भी सम्मिलित हैं, क्योंकि ये सब पुरुषेतर हैं : अनात्म हैं। किन्तु शंकर इस ग्राम्य अर्थ में ही 'जड़' शब्द को समझते हुए वेदान्त के विरुद्ध आपत्ति प्रस्तुत कर उसका उत्तर देते हैं कि जिस प्रकार अगस्कान्त गणि लोहे को और रूपादि विषय इन्द्रियों को स्वयं प्रवृत्त हुए बिना भी प्रेरित करते हैं उसी प्रकार आत्मा भी देहादि को प्रेरित करता है।

यहाँ प्रथम तो यह द्रष्टव्य है कि दार्शनिक को ऐसी उपमा का सहारा नहीं लेना चाहिए जो स्वत:स्पष्ट या स्वत: सिद्ध नहीं हो। यहाँ पहली उपमा का उपमान भौतिक रूप से असिद्ध है और दूसरी उपमा का उपमान दार्शनिक रूप से विवादास्पद। इसके अतिरिक्त, दूसरी उपमा में दो दोष और हैं—प्रथम, इसमें जड़ है जो चेतन को प्रवृत्त हुए बिना प्रवर्तित करता कहा जा रहा है, और दूसरे, प्रवर्तक-प्रवर्त्य जड़-चेतन होने से यहाँ समस्या दार्शनिक है कि इनमें सम्बन्ध क्या और कैसे है? इसलिए ये उपमाएँ अनुपयुक्त हैं। वैसे यहाँ यह स्मरणीय है कि क्योंकि शंकर इन्द्रिय और विषय दोनों को चैतन्य पर समान रूप से उपाधियाँ मानते हैं इसलिए आत्यन्तिक रूप से उनके विरुद्ध ये आक्षेप नहीं हो सकते, किन्तु यहाँ उन्होंने जिस प्रकार युक्ति दी है उसमें ये आक्षेप युक्त हैं।

किन्तु दूसरी और गम्भीरतम आपत्ति यह है कि यदि शयन-आसन आदि का निमित्त कारण होना आवश्यक है और वह ब्रह्म है, तो वह इन प्रत्ययों और प्रयोजनों से संवृत और संस्कृत होगा : देह, इन्द्रियाँ और अन्त:करण आदि यदि अन्य उपादान के परिणाम नहीं हैं तो वे ब्रह्म के परिणाम ही होंगे, किन्तु तब ये ही ब्रह्ममय नहीं होंगे, ब्रह्म भी इन-मय होगा। उदाहरणत: हमारे दिवास्वप्नों या जादुई रचनाओं को लें। इन दोनों की सृष्टियाँ सर्जक मनस् से अभिन्न होती हैं, किन्तु इस कथन के साथ ही यह अनिवार्यत: आपादित होता है कि वह मनस् या सर्जक इन सृष्टियों में व्यक्त या संरचित होता है। दूसरे शब्दों में, 'कल्पना करना' का सही अनुवाद यह नहीं होगा कि 'मन कल्पना करता है', बल्कि यह होगा कि 'मन कल्पना-वृत्तिक है।' इस प्रकार ब्रह्म के अदृश्य होने पर और इस प्रकार जगत् के : नाम रूप के : अविद्यामूलक होने पर, अथवा, मायोपादानक होने पर, ब्रह्म माया और अविद्या से अदूषित नहीं रह सकता। यदि यह भी मान लें कि अविद्या के निवृत्त हो जाने पर वह तिरोहित हो जाती है, जैसे रज्जु में सर्प-भ्रम के नष्ट हो जाने पर भ्रम तिरोहित हो जाता है, तो भी अविद्या के रहते चैतन्य को अविद्या से अकलुषित नहीं कहा जा सकता। शंकर ने ब्रह्म और जीव के बीच एक ईश्वरीय स्थिति की कल्पना की है जो अविद्या से रहित है किन्तु माया से उपहित है। इस माया को ईश्वर द्वारा स्वतन्त्र आक्षेप कह सकते हैं। किन्तु जैसाकि हमने ऊपर कहा, इससे स्थिति में कोई अन्तर नहीं पड़ता, क्योंकि जादूगर जादू-विषयों को कल्पित करते हुए विषय-वृत्तिक होने से नहीं बच सकता। शंकर ने यह प्रश्न **शारीरिक भाष्य** के सूत्र 2.1.4-6 में उठाया है और इसका समाधान करने का प्रयत्न किया है; किन्तु ये तर्क नितान्त दुर्बल हैं, वास्तव में इनका कोई अर्थ ही नहीं बनता। तर्क इस प्रकार हैं—

जगत् और ब्रह्म एक-दूसरे से विलक्षण : भिन्न प्रकार के : हैं, यह आपत्ति करने वाला यह बात किस अर्थ में कह रहा है? 1. क्या वह जगत् में ब्रह्म-स्वभाव की पूर्ण अनुवृत्ति देखना चाहता है, या 2. किसी भी स्वभाव की अनुवृत्ति का अभाव, या कि 3. चैतन्य की अनुवृत्ति का अभाव? (1) इनमें पहली बात होने पर तो कार्य-कारणभाव ही समाप्त हो जायेगा, क्योंकि प्रकृति और विकृति : कारण और कार्य : में अतिशय वैलक्षण्य नहीं होने पर यह प्रकृति है, यह विकार है, यही भेद नहीं रहेगा? (2) द्वितीय पक्ष में असिद्धि-दोष है, क्योंकि जैसाकि हम पहले कह चुके हैं, सत्ता-लक्षण की अनुवृत्ति ब्रह्म में और महाभूतों में देखी जाती है। (अर्थात् ब्रह्म सत्, चित्,

आनन्दस्वरूप है, महाभूतों में यद्यपि चित् और आनन्द लक्षण नहीं हैं किन्तु सत्-लक्षण है।) (3) तृतीय पक्ष में (चैतन्य की अनुवृत्ति के पक्ष में) दृष्टान्त का अभाव है, क्योंकि श्रुति में इस समस्त वस्तु-समुदाय को ब्रह्मोपादानक माना गया है। (2.1.6, पृ. 349) यहाँ तीनों उत्तरों की दुर्बलता स्पष्ट है—1. साँख्य जब जड़ कार्य का कारण भी जड़ होने की अपेक्षा करता है तब उसमें पूर्ण अनुवृत्ति की माँग नहीं है, किन्तु ऐसे एक मूल लक्षण की अनुवृत्ति की माँग है जिसके बिना कारण-कार्य सम्बन्ध मानने पर किसी भी कारण से कोई भी कार्य उत्पन्न हो सकता है। इसलिए जब शंकर दूसरे उत्तर में केवल सत्ता लक्षण की अनुवृत्ति को पर्याप्त कहते हैं तब इस माँग को छोड़ देते हैं। क्योंकि सत्ता को यदि लक्षण भी मान लें तो भी वह ऐसा लक्षण है जो सबमें समान है, ऐसी अवस्था में घट से पट और कुम्हार भी उत्पन्न हो जाएंगे। क्योंकि इनमें सत्ता-लक्षण सामान्य है। किन्तु वास्तव में सत्ता कोई लक्षण नहीं है क्योंकि लक्षणों की भी सत्ता है। इस प्रकार लक्षणों में सत्ता पूर्व-कल्पित है। यह इतनी सामान्य है कि इसका अभाव अकल्पनीय है। इस प्रकार जब **ऐतरेयोपनिषद्** का ऋषि कहता है कि, 'आरम्भ में केवल असत् ही था' तब यह असत् भी सत्ता में आकलित हो जाता है, अथवा कहें, मात्र सत् असत् से अविलक्षण है, जैसाकि हेगल ने कहा है।[1] तीसरी युक्ति युक्ति है ही नहीं। दूसरी युक्ति भी युक्ति नहीं होकर उसका केवल आभास है। पहली युक्ति युक्ति है, किन्तु वह साँख्य के अभिमत को भ्रामक रूप से प्रस्तुत करने पर आधारित है। किन्तु इसमें एक और गम्भीरतर दोष भी है और वह यह कि यह जिस प्रतिज्ञा पर आधारित है उसे शंकर साँख्य से भी अधिक अमान्य करते हैं। साँख्य सत्कार्यवादी होते हुए भी कम-से-कम परिणाम को स्वीकार करता है, शंकर वह भी नहीं करते, उनके अनुसार कार्य वहीं तक सत् है जहाँ तक कारण से अभिन्न है, अर्थात् दही वहीं तक सत् है जहाँ तक वह दूध के लक्षणों से समन्वित है। उनके शब्दों में, जो इससे अगले ही सूत्र के भाष्य में उन्होंने लिखा है, "जिस प्रकार यह कार्य (जगत्) अभी भी कारण रूप से सत् है, उसी प्रकार उत्पत्ति के पूर्व भी था। अब भी यह कार्य-कारण-स्वरूप से ही सत् है। उत्पत्ति के पूर्व कारण के कार्य-रूप होने में वर्तमान काल से कोई अन्तर नहीं है। परन्तु क्या शब्द-रहित ब्रह्म जगत् का कारण है? हाँ है, किन्तु शब्दादि युक्त कार्य-कारण-रूप से रहित न उत्पत्ति के पूर्व था और न अब है।" (2.1.7)

6. साँख्य के विरुद्ध दिया गया यह तर्क भी उनके साँख्य के वास्तविक तात्पर्य के अग्रहण का द्योतक है। प्रथम आक्षेप है कि, निरपेक्ष पुरुष में भोग किस प्रकार होगा? क्योंकि भोग इच्छापूर्वक होता है। दूसरी आपत्ति है कि पुरुष तो स्वरूपतः मुक्त है, तब प्रधान की पुरुष के मोक्षार्थ प्रवृत्ति का क्या अर्थ है? यहाँ हम पहले शंकर से प्रश्न करेंगे कि, जब साँख्य पुरुष को पूर्णतः निरपेक्ष और मुक्त स्वरूप मानता है तब भी वह जो प्रधान की प्रवृत्ति के ये दो प्रयोजन कहता है तब उसका इसमें कुछ तो अभिप्राय होगा ही, वह इतना मूढ़ तो नहीं हो सकता कि वह पुरुष सम्बन्धी अपने मूल और स्पष्ट लक्षण के विरुद्ध इतनी स्पष्ट बात कहे। तब प्रश्न है कि ये प्रयोजन किस प्रकार संगत कहे जा सकते हैं? इसके समाधान के लिए हम अपने एक लेख 'प्रकृति-तत्त्व' में से उद्धरण देंगे। उसके अनुसार, "साँख्य का विचार्य विषय मनुष्य है।...मनुष्य मुक्त नहीं है, किन्तु मोक्षाकांक्षी है। इसका अर्थ है कि मुक्ति है, क्योंकि यदि मुक्ति : मुक्त-भाव, स्वातन्त्र्य : वस्तु-सत् नहीं हो तो मोक्षाकांक्षा भी नहीं हो सकती। मुक्त-सत् के बिना मोक्षाकांक्षा असम्भव है, क्योंकि आकांक्षा भाव-अभाव का यौगपद्य है, और अभाव यदि भावाश्रित नहीं है, भाव का आत्म-व्यवधान नहीं है, तो वह स्वयं एक पूर्ण भाव हो जायगा और परिणामतः आकांक्षा एक अनन्त, शाश्वत और अनिवार्यतः असफल पर्येषणा हो जायगी। किन्तु दूसरी ओर यदि मुक्तावस्था मोक्षाकांक्षा का साध्य नहीं होकर नित्य सिद्ध अवस्था हो, तो भी मोक्षाकांक्षा नहीं हो सकती। दूसरी ओर, यदि मोक्षाकांक्षा और मुक्तावस्था एक ही अधिष्ठान में हो तो वह वास्तव में मोक्षाकांक्षा ही होगी, मुक्तावस्था नहीं, क्योंकि मोक्षाकांक्षा मुक्तामुक्त अवस्था है और अमुक्तता के रहते मुक्तपूर्णता कुछ नहीं हो सकती। इसलिए उसका (साँख्य का) समाधान है कि भाव : मुक्ति : नित्य सिद्ध अवस्था है, मोक्षाकांक्षा अभाव में भाव का व्याकरण है (पाद टिप्पणी में साँख्यकारिका 55-56 निर्दिष्ट)। इसके विपरीत वेदान्त इनका (मोक्षाकांक्षा और मुक्ति का) एक ही अधिष्ठान मानता है, किन्तु तब वह मोक्षाकांक्षा को, अभाव को, मिथ्या मानता है।"[2] इसी लेख में आगे

1. Hegel's Logic, Translation in English by M. Nallace, p. 127.
2. यशदेव शल्य — प्रकृति तत्त्व, **'सत्ताविषयक अन्वीक्षा'** का अध्याय 5।

प्रयोजन की व्याख्या देते हुए हमने लिखा है, "उसके (साँख्य के) अनुसार प्रकृति केवल ऐन्द्रिक प्रत्ययों का सत्यापक द्रव्य नहीं होकर वह व्यापार है जो साध्य अर्थ : स्वातन्त्र्य : के साधन के रूप में उससे पृथक् है, अथवा जो विषयिता के परिपूर्ण वैभव को सापेक्ष विषयता के माध्यम में स्फुटित कर उसे निरपेक्ष विषयता में उपसंहृत करता है। इसके अनुसार इन्द्रियगोचर वस्तु और ऐन्द्रिक प्रत्यय एक ही जगद्व्यापार के दो पक्ष हैं, प्रत्यय सत्व-प्राधान्य है और विषय तमस्-प्राधान्य। पुरुष को सिद्ध-साध्य के रूप में और जगत् को साधक उन्मेष-व्यापार के रूप में कल्पित कर साँख्य अद्वैतवाद की इस समस्या के समाधान का प्रयत्न करता है कि स्वतन्त्र और सम्पन्न अद्वय तत्त्व सापेक्षताओं में आत्म-व्यवहित कैसे होता है? यद्यपि नागार्जुन, वसुबन्धु और शंकर तीनों इसके अद्वैतवादी समाधान का प्रयास करते हैं, कि सापेक्षताएँ असत् हैं : जिस प्रकार वृत्त के दो अर्ध भागों की सापेक्षता निरपेक्ष वृत्त में उनकी प्रतिष्ठा के कारण ही होती है उसी प्रकार जागतिक सापेक्षताएँ वस्तुत: निरपेक्ष में प्रतिष्ठित हैं। किन्तु भ्रम, अभाव और दोष की विद्यमानता मानव-चेतना में अनुभूत होती है और अन्यत्र तर्क-गम्य। अब यदि अनुभव-गम्य और तर्क-गम्य अपेक्षाएँ भ्रान्ति हैं तो फिर भ्रान्ति के सम्बन्ध में वही समस्या होगी, कि वह कैसे है? अवश्य उपर्युक्त तीनों दार्शनिक इस समस्या के समाधान का प्रयत्न करते हैं। एक द्वैतवादी प्रयत्न साँख्य करता है। साँख्यीय द्वैतवाद को निम्न तीन सूत्रों में रखा जा सकता है—(1) दृश्य-दर्शक, विचारक-विचार्य-विषय, और भोक्ता-भोग्य सभी कुछ प्राकृतिक है, (2) परिणामत: जगत् या प्राकृतिक व्यापार पुरुषोल्लेखी, अथवा कहें अर्थान्वेषण की प्रक्रिया है। (3) अन्वेष्य इस प्रक्रिया का लक्ष्य भूत निरपेक्ष-स्वतन्त्र चित् सत् है, जो जगत्-प्रक्रिया के लिए साध्य होने पर भी स्वत: त्रिकाल-सिद्ध है।[1]

इस प्रकार शंकर की आपत्तियाँ साँख्य पर भी तभी लागू हो सकती हैं यदि पुरुष और प्रकृति को दो सिद्ध वस्तुएँ मान लिया जाय, जबकि साँख्य के लिए ये आत्म-अपर्याप्त, स्थितियाँ हैं। यदि ये ही आपत्तियाँ वेदान्त के विरुद्ध उठायी जाएँ तो इस सन्दर्भ में उसके पास भी इनका कोई समाधान नहीं होगा। जैसे, ब्रह्म के ज्ञान-स्वरूप होने पर, अद्वय होने पर, अविद्या कैसे और किसे होती है? आदि।

7. इस आपत्ति का आधार उपमान और उपमेय के धर्मों में असमानता दिखाकर खण्डन करना है जो यहाँ अप्रासंगिक है। इस उपमा से साँख्य का अभिप्राय केवल पुरुष और प्रकृति की पारस्परिकता के स्वरूप का निरूपण करना है। यहाँ उचित प्रश्न यह हो सकता है कि पुरुष-चैतन्य को निष्क्रिय और प्रकृति को सक्रिय कहने का क्या औचित्य है और इस प्रकार के दो तत्त्वों (प्रिंसिपल्स) में सम्बन्ध कैसे हो सकता है और वह क्यों आवश्यक है? इसका उत्तर हम पीछे प्रथम अध्याय में दे चुके हैं, अवान्तरत: इसका उत्तर ऊपर के दो उद्धरणों में भी है, यहाँ हम संक्षेप में पुन: कहेंगे—

जैसाकि हमने कहा, अथवा कहें जैसाकि साँख्य 'संघात परार्थत्वात्' से आपादित करता है, जगत् न मात्र पुरुष है और न मात्र प्रकृति, अथवा चित्र की उपमा से कहें तो यह न मात्र रंग-रेखा है और न मात्र प्रत्यय, यह रंग-रेखाओं में निरूपित प्रत्यय है। यहाँ कहा जा सकता है कि, किन्तु चित्रकार के बिना यह निरूपण कैसे होगा? साँख्य का उत्तर होगा कि इस उपमा में समान धर्मों को इससे आगे दिखाने की माँग करना अनुचित है, लौकिक प्रसंग अलौकिक स्थितियों को केवल व्यंजित कर सकते हैं, उनका वर्णन नहीं कर सकते। साहित्यिक प्रसंगों तक में उपमा में पूर्ण समान धर्मों की माँग विहित नहीं होती। उदाहरण के लिए 'उसका मुख चाँद-सा सुन्दर है' में समान धर्म केवल दर्शक की अनुभूतिगम्य है। कर्त्तृत्व के बिना सप्रयोजन-क्रिया का उदाहरण अवर जीवों की सहज प्रवृत्तियों में देखा जा सकता है। जैसे चिड़िया विचार या कर्म के अभिमानपूर्वक घोंसला-निर्माण नहीं करती, वह मात्र एक क्रिया होती है जो उसके अंगों से लेकर तिनकों के घोंसला रूप में एकत्र होने तक एक ही क्रम होती है। यदि कहा जाय कि 'नहीं, चिड़िया में कर्त्तृत्वाभिज्ञता होती है' तो हम कहेंगे कि, मान लें कि यह विवादास्पद है, किन्तु तब विवाद यह है कि घोंसला-निर्माण सहज प्रवृत्ति है या साभिमान कर्म? अब इस प्रश्न का अर्थ है कि सहज प्रवृत्ति सम्भव है इसलिए अकल्पनीय नहीं है। हम आपसे इसी कल्पना के सहारे परमार्थ को समझने का अनुरोध कर रहे हैं।

---

1. यशदेव शल्य — प्रकृति तत्त्व, **'सत्ताविषयक अन्वीक्षा'** का अध्याय 5।

यहाँ एक जो दूसरी बात द्रष्टव्य है कि वह यह कि शंकर ने आपत्ति संख्या 5 में साँख्य की अपने पक्ष की आलोचना का उत्तर अयस्कान्त मणि से दिया है और यहाँ साँख्य की उसी उपमा पर वे आक्षेप कर रहे हैं। किन्तु यह उपमा वास्तव में सहायक ही नहीं है। शंकर ने इसके आगे जो साँख्य का पूर्वपक्ष दिया है वह साँख्य की वेदान्त से मौलिक रूप से भिन्न अभिवृत्ति का द्योतक है, कि उसके परम अर्थ भाव-रूप वस्तुएँ नहीं हैं बल्कि अनुभवगत स्थिति में व्यंजित तत्त्व (प्रिंसीपल्स) हैं जो उतने ही भाव रूप हैं जितने भाव्य रूप, उतने ही वस्तु-रूप हैं जितने क्रिया और घटना-रूप। ऐसी अवस्था में शंकर की आपत्ति कि 'रचना के लिए ज्ञान-पूर्वकता अनिवार्य है' अप्रतिष्ठित है, क्योंकि साँख्य का उत्तर होगा कि हम रचना ही को नहीं मानते। वह कहेगा, 'जगत् है, जिसे हम मूल्यात्मक पक्ष (भोग और मोक्ष) में कार्य या अभिव्यक्ति कह सकते हैं और सत्तात्मक पक्ष में प्रकृति और पुरुष।'

इसमें साँख्य के विरुद्ध कोई युक्ति नहीं दी गई है बल्कि वेदान्त के विरुद्ध साँख्य की ओर से आक्षेप प्रस्तुत कर उसका उत्तर दिया गया है। यहाँ हम इस प्रश्न पर विस्तार से विचार नहीं करेंगे, क्योंकि इस पर पीछे प्रथम अध्याय में विचार किया गया है। इसके अतिरिक्त, यह प्रश्न अत्यन्त आधारभूत है कि द्वैतवाद क्यों, अद्वैतवाद क्यों नहीं? किन्तु यहाँ हम संक्षेप से दोनों पक्षों को प्रस्तुत करेंगे।

सर्वप्रथम यहाँ द्रष्टव्य है कि साँख्य और वेदान्त, किन्तु साँख्य विशेष रूप से, जीवन की सार्थकता के सम्बन्ध में अन्वेषण-मूलक दृष्टि व्याख्या का प्रयत्न करते हैं, परिणामत: वे, विशेषत: साँख्य, सत्ता के आधार का अन्वेषण नहीं कर मूल्य (भोग और मोक्ष) के आधार का अन्वेषण करते हैं। इसीसे तप्य और तापक के स्वरूप का प्रश्न उठता है। **साँख्यकारिका** जगत् की दु:ख-स्वरूपता और उसके आत्यन्तिक निवारण के उपाय के अन्वेषण के प्रयोजन के साथ अपना विचार आरम्भ करती है और शंकर युष्मत् प्रत्यय को अस्मत् प्रत्यय समझने की भ्रान्ति के निवारण के प्रयोजन के साथ। द्रष्टव्य है कि साँख्यीय अविवेक भी यही है। दोनों दर्शनों के लिए यह भ्रान्ति या अविवेक ही ताप का कारण है, दोनों के लिए यह ताप अविद्यामूलक और इस प्रकार असत् है। किन्तु तब अविद्या भी क्या असत् है? इसमें साँख्य का पक्ष शंकर ने प्रस्तुत किया है कि "तप्य और तापक शक्तियों के नित्य होने पर भी ताप निमित्त-सहित संयोग की अपेक्षा करता है।" यह प्रस्तुति अंशत: सही है किन्तु अंशत: और बहुत सूक्ष्म रूप से, भ्रामक है—भ्रामक इसलिए कि यह वस्तुवाचक पदावली का प्रयोग है। ताप साँख्य के अनुसार दो वस्तुओं के संयोग से उत्पन्न या नव्योत्क्रान्त गुण नहीं है, 'प्रकृति' ताप-उपराम का वाचक पद है, 'विकृति' ताप का वाचक पद। इसलिए यह कहना कि 'ताप-रूप तमोगुण नित्य स्वीकार किया गया है' अविचार है। शंकर का तर्क यह होना चाहिए कि ताप यदि गुण नहीं है तब उपराम होने पर वह रहता ही नहीं, और यदि उपराम होने पर वह आत्यन्तिक रूप से विलुप्त हो जाता है तब वह वस्तुत: है ही नहीं, केवल प्रतीति है। किन्तु तब साँख्य का तर्क होगा कि ताप हम अनुभव करते हैं। यदि यह प्रतीतिमात्र भी हो तो ताप का निषेध कर आपने प्रतीति का स्वीकार कर लिया। तो वह तो है ही, प्रकृति को नहीं मानने पर उसका उपादान और निमित्त ब्रह्म हो जायेगा और तब ब्रह्म ताप से, या अविद्या से, आविल मानना पड़ेगा।

हमारे विचर में मानवीय मूल्य-बोध की निगूढ़ समस्या के समाधान के ये दोनों प्रयत्न प्राय: तुल्य-बल हैं, कम-से-कम इनमें एक को दूसरे से सबल उतनी आसानी से नहीं कहा जा सकता। शंकर ने साँख्य का बल अनुभव तो किया किन्तु उसे उसकी अन्तर्दृष्टि में निहित नहीं मानकर उसकी श्रुति-सम्मतता की भ्रान्त समझ में माना और उसके तर्कों को इस आधार पर मात्र-तर्क माना क्योंकि वे श्रुत्यनुसारी नहीं हैं। यदि वे साँख्य को भी एक गम्भीर अन्तर्दृष्टि के रूप में देखते तो वे उसके खण्डन की बजाय उसकी अन्तर्दृष्टि का मर्म बताकर वैदान्तिक अन्तर्दृष्टि को एक अधिक समीचीन विकल्प के रूप में प्रस्तुत करते।

उपसंहार

जैसाकि हमने पीछे, विशेषत: द्वितीय अध्याय में, देखा सब दर्शन वास्तव में मानव-स्वरूप विषयक चिन्तन ही होते हैं। कुछ में यह अधिक प्रत्यक्ष रूप से लक्षित होता है, कुछ में थोड़ा कम प्रत्यक्ष रूप से। इस पर कहा जा सकता है कि, तब तो दर्शन पारमार्थिक और निरपेक्ष सत्य पर विचार नहीं कर केवल एकदेशीय और सापेक्ष सत्य पर ही विचार करता है : कहा जाता है कि यदि बिल्लियाँ ईश्वर की कल्पना करें तो उनके ईश्वर की आकृति बिल्लियों जैसी होगी, भेड़िये ईश्वर की कल्पना करें तो उनके ईश्वर की आकृति भेड़ियों जैसी होगी। यह सही है, किन्तु दूसरी ओर यह भी सही है कि बिल्लियाँ और भेड़िये ईश्वर की कल्पना नहीं कर सकते। ईश्वर की कल्पना में चेतना का एक सर्वथा दूसरा स्तर अपेक्षित है जो स्तर सिद्ध होने पर चेतना एकदेशीयता और सापेक्षता से ऊपर उठ सकती है और देख सकती है कि ईश्वर की कोई आकृति नहीं है, परिणामत: उसे कल्पना-ग्राही बनाने के लिए किसी भी आकृति में कल्पित किया जा सकता है। इस प्रकार मनुष्य-कल्पित ईश्वर निरपेक्ष है। किन्तु वह मनुष्य की अपेक्षा है, अर्थात् यह मनुष्य है जो सापेक्ष है और ईश्वर उसकी अपेक्षा का चरम लक्ष्य है। यही बात दर्शन द्वारा अन्वेष्य सत्य के विषय में कही जा सकती है। यदि दार्शनिक अन्वेषण मानवीय चिन्तन के स्वरूप और सीमाओं से निर्धारित होगा ही तो वह मनुष्य की बेबसी है, किन्तु मनुष्य की चेतना अपनी इस सीमा पर विचार कर सकती है और इस प्रकार इसका अतिक्रमण कर सकती है। वास्तव में ईश्वर और दर्शन द्वारा अन्वेष्य सत्य मनुष्य द्वारा अपनी सीमाओं के अतिक्रमण के ही प्रयत्न है।

इस प्रकार 'निरपेक्ष सत्य के अन्वेषण' और 'मानव-स्वरूप के अन्वेषण' में कोई विरोध नहीं है, क्योंकि द्वितीय अन्वेषण वास्तव में मानवीय सीमाओं या उपाधियों के अतिक्रमण का ही अन्वेषण है।

हमने देखा है कि साँख्य मनुष्य के स्वरूप-चिन्तन और निरपेक्ष सत्य के निरूपण दोनों दृष्टियों से एक अत्यन्त उत्कृष्ट और विश्वासप्रद सिद्धान्त प्रस्तुत करता है। यह एक द्वैतवादी व्यवस्था है और द्वैतवादी व्यवस्थाओं में उत्कृष्टतम और सूक्ष्मतम है। सप्तम अध्याय में हमने अद्वैतवादी दार्शनिकों के सिरमौर शंकर द्वारा साँख्य पर उठायी गई आपत्तियों पर विचार किया था और पाया था कि शंकर की ये आपत्तियाँ साँख्य का निराकरण नहीं कर पातीं। सांख्य पर अद्वैतवादी आपत्तियों पर विचार के परिणामस्वरूप हम साँख्य को और अधिक गहराई से समझ पाये। शंकर की आपत्तियाँ मनुष्य के स्वरूप-विषयक चिन्तन से प्रत्यक्षत: सम्बन्धित नहीं हैं, किन्तु जैसाकि हमने पीछे देखा, ये दोनों दार्शनिक व्यवस्थाएँ प्रत्यक्ष रूप से मानव-स्वरूप-विषयक ही हैं। शंकर अपने **ब्रह्मसूत्र भाष्य** का प्रारम्भ युष्मत् और अस्मत् प्रत्ययों में अविवेक से उत्पन्न परिस्थिति पर विचार से ही करते हैं और ईश्वरकृष्ण इस अविवेक से उत्पन्न दु:ख पर विचार से आरम्भ करते हैं। तब दोनों के सामने प्रश्न है कि यह 'युष्मत्' 'अस्मत्' और 'अविवेक' क्या है? दोनों के लिए अस्मत् समान रूप से निरुपाधिक चैतन्य है, किन्तु युष्मत् साँख्य के लिए इस चैतन्य से इतर तत्त्व में अधिष्ठित है, शंकर के लिए यह उस प्रकार इतर अधिष्ठित नहीं है। किन्तु जैसाकि श्री अरविन्द ने लक्षित किया है, ऐसा कहने पर अविद्या का अधिष्ठान ब्रह्म को मानने की अवांछनीय परिस्थिति उपस्थित हो जाती है।[1] इस तथा अन्य सम्बन्धित प्रश्नों पर हमने प्रसंगवश पीछे विचार किया है। यहाँ हम अत्यन्त संक्षेप में एक-दूसरे प्रश्न पर विचार करना चाहेंगे, और वह यह कि क्या जगत् को अविवेक और दु:ख के रूप में देखना उचित कहा जा सकता है? यह दृष्टिकोण क्या हमारे जीवन को विपन्न और बिना किसी समाधान के नहीं छोड़ देता? अवश्य साँख्य बौद्धों के समान केवल जगत् और मनुष्य के जागतिक अन्वेषणों का निषेध मात्र ही नहीं करता, वह 'पुरुषों' के रूप में उसके अन्वेषणों को एक अधिष्ठान भी देता है।

---

1. The Life Devine, Part 1, p. 311.

किन्तु यहाँ प्रश्न हो सकता है कि यह अधिष्ठान भी क्या केवल निषेधात्मक ही नहीं है? क्योंकि पुरुष-तत्त्व देह, इन्द्रिय, मन और बुद्धि इन सबका इतर के रूप में निषेधक है—इनके विषयी पक्ष का उतना ही निषेधक जितना इनके विषय-पक्ष का। तब 'पुरुष' केवल एक ऐसा पद हो जाता है जो प्रकटत: तो नाम है किन्तु जो वास्तव में किसी को नामित नहीं करता।

किन्तु यह सही नहीं है। साँख्य के लिए पुरुष जगत् के अर्थ : उसके प्रयोजन और अभिप्राय : का वाचक है, क्योंकि जगत् का स्वरूप निरपेक्षत: अवगम्य नहीं है। यह एक अत्यन्त महत्त्वपूर्ण दृष्टि है। इस दृष्टि का मर्म यह है कि जगत् सत्ता और अर्थ की दृष्टि से अपने-आप में एक पर्याप्त स्थिति नहीं है, इसकी सार्थकता पुरुष-सापेक्ष है। इस पर प्रश्न हो सकता है कि, यह किस आधार पर कहा जा सकता है? साँख्य ने इसके दो उत्तर दिये हैं जो परस्पर पूरक हैं। एक उत्तर यह है कि जगत् दु:ख-स्वरूप है, इससे सिद्ध है कि यह स्वरूप-शून्य है, दूसरा उत्तर है कि यह साधनात्मक-उपकरणात्मक है। इनमें पहला उत्तर विशेष रूप से आपत्तिजनक हो सकता है, क्योंकि यह उत्तर समग्र-निषेधात्मक है। इसके अनुसार जगत् मात्र दु:ख-स्वरूप है। इस पर दूसरी आपत्ति हो सकती है कि यदि जगत् उपकरणात्मक है : पुरुष के भोग और अपवर्ग का उपकरण : तो यह दु:खात्मक कैसे हो सकता है? इसका उत्तर होगा कि जगत् मनुष्य के लिए दु:खात्मक है और 'पुरुष' के लिए उपकरणात्मक। अर्थात्, जो चेतना जगत् को पर्याप्त : अपने आप में सार्थक : देखती है उसके लिए यह दु:खात्मक है, क्योंकि यह अपने आप में पर्याप्त नहीं है, और अपर्याप्त को आत्म-पर्याप्त देखना अविद्या है, मनुष्य ऐसी ही चेतना है। इसके विपरीत पुरुष ऐसी चेतना है जिसके लिए जगत् अपने-आप में कोई अर्थ नहीं रखता, जैसे पीने वाले के बिना दूध, जल और विष में कोई भी अन्तर नहीं है, तीनों समान रूप से परमाणु-संघात मात्र हैं और इस प्रकार दूध आदि के रूप में निस्स्वरूप हैं। इस पर आपत्ति हो सकती है कि साँख्य का पुरुष तो तटस्थ है, उसके लिए दूध, जल और विष में अन्तर अपेक्षित ही नहीं है—**गीता** का श्लोक 'शुनिचैव श्वपाकेच: पण्डिता समदर्शिन:' भी इसकी पुष्टि करता है। यह बात अंशत: सही है, अंशत: सही नहीं है। अंशत: इसलिए सही नहीं है क्योंकि दूध-जल आदि का उपकरण रूप में भेद मनुष्य के लिए है और इनके प्रति उसकी तटस्थता इस अर्थ में अपेक्षित होती है कि वह इनका ग्रहण-त्याग वासना-पूर्वक नहीं, वासना-रहित रूप में ही करे। इस प्रकार मनुष्य के लिए दूध-जल-विष का भेद-ग्रहण प्रासंगिक है, किन्तु तब भी उससे वासनामूलक तटस्थता अपेक्षित है। किन्तु जैसे वैज्ञानिक के लिए ये तीनों समान रूप से परमाणु-संघात हैं, जो परमाणु स्वत: दुग्धत्व, जलत्व और विषत्व से असंपृक्त हैं, उसी प्रकार पुरुष के लिए जगत् समान रूप से त्रिगुण-संघात मात्र है। इस पर आपत्ति होगी कि, किन्तु भोग्यत्व तो जगत् में है, मात्र-त्रैगुण्य में नहीं, अर्थात् त्रिगुण-साम्य में नहीं, और जगत् तभी हो सकता है यदि दुग्धत्व, जलत्व आदि हो, और दुग्धत्व-जलत्व आदि भेद-दृष्टि के अपेक्षी हैं।

इसका उत्तर हो सकता है कि जिस प्रकार वैज्ञानिक के लिए दुग्ध-जल आदि की परमाणु-स्वरूपता का ज्ञान उसके लिए उनमें दुग्धत्व-जलत्व को समाप्त नहीं कर देता उसी प्रकार पुरुष के लिए जगत् की त्रैगुण्य-स्वरूपता का ज्ञान जगत् की उपकरण-स्वरूपता को समाप्त नहीं कर देता।

किन्तु जैसाकि हमारे पीछे के विवेचनों से स्पष्ट है, यह सम्पूर्ण युक्ति भ्रान्ति पर आधारित है। साँख्य-दृष्टि यह है कि जगत् की सब कोटियाँ : ज्ञान, कर्म, और मूल्य तथा विषय, कृति और अन्वेष्य—ये सापेक्ष और अपर्याप्त हैं और इनके इस स्वरूप, या कहें स्वरूपाभाव, से निरपेक्ष चित्तत्व संकेतित होता है। यह संकेत जगत् का निषेध नहीं करता, यह इसके वास्तविक अर्थ को प्रकट करता है। जिस प्रकार कोई बच्चा किसी खिलौने को अपना अभिन्न सखा मानकर उससे चिपका रहे तो उसके लिए वह खिलौना अधिक सार्थक नहीं हो जायगा, उसी प्रकार मनुष्य जगत् को : जिसमें वह विषयी के रूप में स्वयं भी सम्मिलित है : यदि निरपेक्षत: काम्य मानकर उसमें अपने को खो दे तो उसके लिए वह अधिक सार्थक नहीं होगा। किन्तु इन दो अज्ञानों में एक मूलभूत भेद भी है : पहला अज्ञान जबकि निरापद है, दूसरा भयावह और खेदजनक है, क्योंकि दूसरे में अपने स्वरूप की ही हानि होती है। इस प्रकार साँख्य वास्तव में निषेध का दर्शन नहीं बल्कि सम्यग्-दृष्टि का दर्शन है।

× × ×

सांख्य दर्शन में मनुष्य की अवधारणा

जैसाकि सर्वविदित है, साँख्य में एक सम्प्रदाय ईश्वरवादी है और एक निरीश्वरवादी। साँख्यकारिकाकार ईश्वरकृष्ण और उनके परवर्ती साँख्याचार्य निरीश्वरवादी हैं, जबकि **'मोक्ष–धर्म'** और **'गीता'** ईश्रवादी हैं। यदि योग को भी साँख्य का ही एक सम्प्रदाय मानें तो वह भी ईश्वरवादी है। किन्तु हमने साँख्य को केवल साँख्यकारिका के अनुसार ही लिया है, अर्थात् उसके निरीश्वरवादी सम्प्रदाय को ही विचारार्थ स्वीकार किया है। वास्तव में साँख्य का युक्ति-संगत रूप निरीश्वरवाद ही है, क्योंकि साँख्य की दृष्टि से पुरुषों में न्यूनाधिक्य या उच्चावचत्व का भेद नहीं हो सकता। ऐसी अवस्था में इन दो सम्प्रदायों में तर्कसंगत रूप से केवल यह भेद हो सकता है कि या तो ईश्वर–रूप एक पुरुष को और प्रकृति को माना जाय अथवा साँख्यकारिकाकार के अनुरूप पुरुष–बहुत्व और प्रकृति को माना जाय। तब ईश्वरवाद के अनुसार मनुष्य स्वरूपत: ईश्वर ही होगा, निरीश्वरवाद के अनुरूप कल्पित पुरुष नहीं। किन्तु थोड़ा गहराई से देखा जाय तो इन सम्प्रदायों में भेद का यह भी कोई महत्त्वपूर्ण आधार नहीं हो सकता, क्योंकि पुरुष–बहुत्व में बहुत्व को कोई ऐसी आधारभूत प्रतिज्ञा नहीं बनाया जा सकता कि साँख्य को उससे परिभाषित किया जाय, क्योंकि पुरुष के लक्षणों में व्यष्टिता कोई लक्षण नहीं है, बल्कि वह निस्सीम और निर्बाध है। इन दो सम्प्रदायों में अन्तर यह है कि निरीश्ववादी साँख्य में पुरुष जबकि केवली, अकर्त्ता और प्रेक्षण–क्रिया के बिना प्रेक्षकत्व मात्र है, ईश्वरवादी साँख्य का ईश्वर सर्वाध्यक्ष, कर्त्ता और कर्म–फल–नियामक है। दूसरा महत्त्वपूर्ण अन्तर मनुष्य के स्वरूप को लेकर है, जोकि वास्तव में ईश्वर का स्वरूप इस प्रकार स्वीकार करने से अनिवार्यत: आपादित होता है। मनुष्य अब स्वरूपत: केवली पुरुष नहीं होकर ईश्वर के अधीन जीवात्मा हो जाता है। **गीता** में और मोक्ष–धर्म में ईश्वर और मनुष्य का यही सम्बन्ध है। किन्तु योग–दर्शन में जीवात्मा बहुत कुछ साँख्यकारिका के पुरुष के जैसा ही है, यद्यपि उसके ईश्वरवादी होने के कारण ईश्वर का अधिष्ठातृत्व और पुरुष का अधीनत्व तो रहता ही है। किन्तु यह दृष्टि साँख्य–दृष्टि के प्रतिकूल है। साँख्य की विशिष्टता पुरुष की केवलता और कर्त्तृत्व में है, जबकि ईश्वरवादी दृष्टि इसके सर्वथा विपरीत है।

तब पूछा जा सकता है कि, ऐसी अवस्था में ईश्वरवादी सम्प्रदाय को 'साँख्य' कहने में क्या औचित्य है? इसका उत्तर है कि दोनों सम्प्रदायों में प्रकृति–विषयक दृष्टि में और प्रकृति तथा जीवात्मा के बीच सम्बन्ध में एकरूपता है। प्रकृति इन दोनों सम्प्रदायों में जगत् का उपादान और निमित्त दोनों ही प्रकार का कारण है, यद्यपि निमित्त में प्रकृति की पुरुषाभिमुखता भी सहयोगी कारण होती है। परिणामत: इनमें बन्ध और मोक्ष की कल्पना में, विशेषत: बन्ध की कल्पना में, भी साम्य है। किन्तु ईश्वरवादी सम्प्रदाय लोक–धारणा के अधिक निकट है। निरीश्वरवादी सम्प्रदाय दार्शनिक दृष्टि से बहुत अधिक सूक्ष्म और लोक–बुद्धि के लिए दुरूह है। किन्तु इसीसे यह कम अनुभव–संगत नहीं हो जाता। यहाँ कहा जा सकता है कि जगत् मात्र को दु:ख रूप में देखना कोई अनुभव–संगत बात नहीं है। यह प्रकटत: सही है, किन्तु यदि 'अनुभव' शब्द के अर्थ में मूल्यात्मक अनुभव और आत्मा–विषयक विचार आदि को भी सम्मिलित किया जाता है तो जगत् को इस अर्थ में 'दु:ख' कहने में अनुभव–विरोध नहीं है कि जागतिक–सांसारिक–अन्वेषणों का स्वरूप 'भरि–भरि उदर विषय की ओर दौड़ना है, शूकर–ग्रामी के समान, इसका दूसरा कुछ अर्थ नहीं है।' इस तथ्य को उपयोगितावादी–सुखवादी (यूटीलिटेरियन) जॉन स्टुअर्ट मिल तक ने भी स्वीकार किया है। उसके अनुसार "सुकरात का विष–पान (सुकरात के लिए) जबकि महत्तर सुखप्रद है, सूअर का विषय–भोग–सुख उसकी तुलना में कहीं नहीं ठहरता है। इसलिए प्रथम जबकि वरेण्य है, दूसरा त्याज्य है। ऐसा क्यो हैं?" इसका उत्तर होगा, क्योंकि मनुष्य देह से नहीं बल्कि बुद्धि से, और उससे भी आगे नैतिक चेतना से, परिभाषित होता है। इसीसे जो व्यक्ति अपने स्वरूप से अवगत हो जाता है उसके लिए जगत् स्व–रूप के विपरीत पर–रूप में रूपान्तरित हो जाता है।

इस प्रकार साँख्य–दृष्टि से चाहे कोई सहमत हो या नहीं, यह एक सर्वथा दूसरी बात है, किन्तु उस दृष्टि में युक्तिसंगतता, अनुभवसंगतता आदि विषयक दोष नहीं देखे जा सकते। शंकर की आपत्तियों पर हमने इसी बात को ध्यान में रखकर विचार किया है। हमारे विचार में साँख्य एक अत्यधिक सूक्ष्म, व्यापक और अनुभव–संगत

जीवन-दृष्टि है, और यदि हम यह दिखाने में तनिक भी सफल हुए हैं तो हम मानेंगे कि हमारा प्रयत्न बहुत सार्थक हुआ है।

× × ×

हमने अपने इस अध्ययन में साँख्य को कहीं बाहरी आलोचक की दृष्टि से नहीं देखा है, भीतरी जिज्ञासु के रूप में उसकी दृष्टि के साथ तादात्म्य स्थापित करके ही उसे समझने का प्रयत्न किया है। इसी दृष्टि से हम यहाँ इस सिद्धान्त की तीन कठिनाइयों का उल्लेख करके उनको एक भिन्न प्रकार से देखने का प्रयत्न करेंगे। इनमें प्रथम कठिनाई है पुरुष-बहुत्व की। बहुत्व इतर से व्यावर्तन को पूर्वकल्पित करता है, यह व्यावर्तन चाहे देशमूलक हो, चाहे कालमूलक हो और चाहे प्रत्यय या अवधारणा के आधार पर। उदाहरण के लिए श्रयेस् का अश्रेयस् से व्यावर्तन प्रत्ययमूलक होता है और इस प्रकार श्रेयस् सापेक्ष प्रत्यय हो जाता है। दूसरी ओर अश्वत्व, गोत्व अथवा घटत्व इस प्रकार सापेक्ष प्रत्यय नहीं हैं, किन्तु ये अपर्याप्त प्रत्यय हैं, क्योंकि ये अन्यान्य प्रत्ययों का समावेश नहीं करते : गोत्व पशुत्व की सब सम्भावनाओं को निश्शेष नहीं करता, और पशुत्व अस्तित्व की प्रकारता की सब सम्भावनाओं को निश्शेष नहीं करता। अब यदि पुरुष इस प्रकार इतर-व्यावृत्त है तो वह बाह्यत: भी परिसीमित है और आन्तरत: भी। आन्तरत: इसलिए क्योंकि वह चैतन्य-स्वरूप है। केवल जड़ वस्तुएँ ही बाह्यत: परिसीमित होती हैं। उदाहरणत: अस्मिता आन्तर व्यावृत्ति है क्योंकि 'अहं' इतर के बोधपूर्वक होता है, इतर का बोध अहं का घटक होता है। पुरुष के साथ यह बात नहीं है। पुरुष साँख्य द्वारा निरपेक्ष चैतन्य के रूप में कल्पित है, तब पुरुष-बहुत्व के लिए क्या आधार हो सकता है?

साँख्यकारिका में यह आधार मनुष्यों में व्यक्ति-भेद बताया गया है। स्पष्टत: यह आधार अनुमान के लिए है, जिस प्रकार अव्यक्त के लिए व्यक्त, त्रैगुण्य के लिए प्रीति, अप्रीति, विषाद आदि हैं। साँख्य की यह विशेषता है कि वह परात्पर सत्ताओं को अनुभव से निगमित (अनुमित) करता है। किन्तु यह बहुत बड़ा दोष भी है। पुरुष-बहुत्व के लिए अट्ठारवीं कारिका में तर्क दिया गया है कि, "जन्म-मरण में व्यक्ति-भेद है, प्रत्येक व्यक्ति में इन्द्रियों की प्रवृत्ति पृथक्-पृथक् होती है और सुख-दु:ख-मोह अथवा प्रीति-अप्रीति-विषाद और ज्ञान-कर्म-नैष्कर्म्य आदि में व्यक्ति-भेद दिखायी देता है, इससे यह सिद्ध है कि पुरुष एक नहीं बल्कि व्यक्ति-भेद से अनेक हैं।" दूसरे शब्दों में, साँख्य का पुरुष वेदान्त का जीवात्मा है।

किन्तु यह बात साँख्य की पुरुष की मूल अवधारणा से संगत नहीं है। मूल अवधारणा के अनुसार पुरुष उससे भी अधिक अतिक्रामी है जितना वैदान्तिक ब्रह्म, क्योंकि वेदान्त ब्रह्म को जगत्-कारण भी मानता है। इसके विपरीत साँख्य चैतन्य को उससे अतीत रखना चाहता है और परिणामत: जगत् के लिए प्रकृति को स्वतन्त्र उपादान और निमित्त मानता है। अवश्य नैमित्तिकता में पुरुष भी सहकारी है, किन्तु नितान्त परोक्ष रूप में : किसी भी प्रकार सम्मिलित हुए बिना। तब पुरुष की अनेकता के लिए 18वीं कारिका में दिये गए तर्क नितान्त असंगत हो जाते हैं क्योंकि, और बातों के अतिरिक्त, इसका यह अर्थ भी हो जाता है कि बन्धावस्था में पुरुष देह के भीतर रहता है। यह सब लोकसाधारण बुद्धि के अनुकूल तो है, दार्शनिक स्तर के चिन्तन के अनुकूल नहीं, न साँख्य की अपनी प्रणाली के ही अनुकूल है।

तब क्या पुरुष-बहुत्व के लिए कोई और उचित युक्ति हो सकती है? डॉ. भगवती ने युक्ति दी है कि प्रकृति के नितान्त सामान्य होने से वैशिष्ट्य का आधार चैतन्य में होना चाहिए। पुरुष इसका अतिक्रामी आधार है।[1] दूसरे शब्दों में, पौरुषिक चैतन्य स्वरूपत: विभिन्न हो, ऐसा आवश्यक नहीं है, किन्तु जीवों में व्यक्ति-भेद उसके प्रसंग से ही कल्पनीय है। इस प्रकार जगत्पक्ष में चैतन्य में पुरुष-बहुत्व है, यद्यपि तत्त्वत: उसमें एक-अनेक की कल्पना व्यर्थ है।

---

1. पूर्वोद्धृत, पृ. 232-235.

यह साँख्य-दृष्टि की व्याख्या में एक उत्कृष्ट योगदान है, किन्तु साँख्यकारिका में ऐसी कोई बात नहीं है, सिवाय इसके कि 18वीं कारिका में प्रस्तुत तर्क साँख्य की पुरुष-विषयक अवधारणा के साथ प्रकटत: संगत नहीं है।

भगवती जी की इस व्याख्या के सन्दर्भ में कांट और फ़िख़्ते का उल्लेख उद्बोधक हो सकता है। कांटीय व्यवस्था में नैतिक संकल्प में व्यक्त स्वलक्षण वस्तु वैयक्तिक है या सार्वभौम? इसका उत्तर होगा कि नैतिक बोध में यह वैयक्तिक चेतना का अतिक्रामी (ट्रांसेंडेंटल) वैयक्तिक आधार है, किन्तु परमार्थत: यह सार्वभौम है।

फ़िख़्ते में मूल परमार्थ-सत् इगो है। यह परमार्थत: आत्म और इतर की उपाधियों से रहित है किन्तु यह निरपेक्ष इगो अपने को आत्म और इतर की उपाधियों में आक्षिप्त कर विषयी और विषयभूत संसार (जिसमें अन्य व्यक्ति भी सम्मिलित हैं) के रूप में उत्सृष्ट होता है।[1] अब यह इगो वैयक्तिक है या निरपेक्ष? शैल्लिंग का इस पर आक्षेप था कि यह वैयक्तिक है,[2] किन्तु फ़िख़्ते ने इस आरोप का प्रतिवाद किया कि नहीं, उसने इगो को वैयक्तिक रूप में नहीं, सार्वभौम चैतन्य के रूप में ही कल्पित किया है। यह सही है। किन्तु इसका अर्थ है कि जगत् के पक्ष से इगो वैयक्तिक है किन्तु निरपेक्षत: वह ऐसा इगो (व्यक्ति-आत्म) है जो साथ ही वैयक्तिकता की उपाधि से परे और इस प्रकार सार्वभौम है। पुरुष-बहुत्व के सम्बन्ध में यही दृष्टि युक्त जान पड़ती है।

साँख्य-सिद्धान्त की दूसरी बड़ी कठिनाई परिणामवाद सम्बन्धी है। साँख्य सत्कार्यवादी है, जिसका अर्थ है कि कारण और कार्य में सत्ता की दृष्टि से कोई भेद नहीं है, त्रैगुण्य एकमात्र प्राकृतिक सत् है, वही कारणावस्था में सत् है और वही कार्यावस्था में। तब प्रश्न है कि कारण-कार्य में भेद क्या है? उत्तर है कि भेद होना अनिवार्य नहीं है, सदृश-परिणाम में स्थिति ज्यों की त्यों रहती है और विसदृश-परिणाम में अनुपात में भेद हो जाता है। यदि बात ऐसी है तब परिणाम और विवर्त में क्या भेद है? परिणाम का अर्थ है कारण का कार्य में रूपान्तरण। इसका उत्कृष्ट उदाहरण है 'दूध से दही।' किन्तु इस 'रूपान्तरण' का क्या अर्थ है? कि दूध तरल होता है और दही उसकी अपेक्षा ठोस, दूध फीका-मीठा होता है और दही खट्टा? किन्तु ये दोनों लक्षण प्रतीतिमूलक हैं, वस्तुमूलक नहीं। यदि कहें कि इनसे लक्षित वस्तु ही होती है, तो प्रश्न होगा कि वस्तुओं में भेद क्या है? यदि कहें कि भेद परिणाम में है, तो कठिनाई यह है कि परिणाम-भेद को रूपान्तरण कैसे कह सकते हैं? यदि बराबर अनुपात के दही-पानी के घोल में पानी और डाल दें तो उसे 'परिणाम' कहना कैसे उचित होगा? सदृश-परिमाण में वह भी नहीं होता। किन्तु सदृश-परिणाम की कठिनाई यदि यहाँ जाने भी दें और मात्रा-भेद को परिणाम कहने के औचित्य के प्रश्न को भी, तो आगे यह महत्त्वपूर्ण प्रश्न होगा कि कारण से कार्य में रूपान्तरण यदि वास्तविक है, केवल प्रातीतिक नहीं, तब कार्य-कारण में विलीन कैसे हो सकता है? कारण-कार्य में विपर्यास परिणामवाद में तो सम्भव ही नहीं है। आप यह तो कह सकते हैं कि दूध से दही और दही से दूध दोनों क्रम कारण-कार्यात्मक हैं, किन्तु यह कैसे कह सकते हैं कि दूध से दही तो परिणाम है किन्तु दही से दूध कार्य की कार्यता की समाप्ति है? विशेषत: तब जब आप सदृश परिणाम की बात भी करते हैं। अब यदि यह बात मानें, तब सृष्टि और प्रलय का चक्र तो हो सकता है, जगत् के मोक्षपरक लय की बात नहीं हो सकती। यद्यपि प्रलय के सम्बन्ध में दूसरी कठिनाइयाँ हैं, जिन पर हम आगे विचार करेंगे।

परिणाम के सम्बन्ध में एक दूसरी कठिनाई मिट्टी से घट को और स्वर्ण से आभूषण को परिणाम कहने में है? बिना पकी मिट्टी से पकी मिट्टी तो परिणाम है, किन्तु मिट्टी से घट कैसे परिणाम है? पकी मिट्टी से बने घट में मिट्टी में कोई भी रूपान्तरण नहीं होता। दूध से स्वयं बना दही उपादान का उपादान में परिणाम है, जबकि मिट्टी से बना घट उपादान में रूपान्तरण घटित हुए बिना घटित कार्य है। यहाँ यदि उपादान का रूपान्तरण ही कहना हो तो वह उपादान या तो घट-कल्पना को कहना होगा या घट-प्रत्यय (जाति) को कहना होगा, मिट्टी को यह उपादान

---

1. द्रष्टव्य, शल्य, यशदेव — गॉतलीव फ़िख़्ते, पाश्चात्य दर्शन का इतिहास, भाग-2, सं. डॉ. दयाकृष्ण, राजस्थान हिन्दी ग्रन्थ अकादमी, जयपुर, 1984.

2. वही।

नहीं कहा जा सकता, क्योंकि घट में रूपान्तरण घट-कल्पनामूलक या घट-जातिमूलक होता है, मिट्टी तो ज्यों की त्यों रहती है।

यहाँ साँख्य उत्तर दे सकता है कि हमें आपकी यह व्याख्या स्वीकार्य है, क्योंकि हमारे अनुसार बुद्धि भी प्राकृतिक परिणाम है और आगे घटादि नाम-रूप तथा मृत्तिकादि भौतिक पदार्थ बुद्धि के ग्राहक-ग्राह्य-रूप परिणाम हैं, वेदान्त से हमारे सिद्धान्त की इसी बात में उत्कृष्टता है। किन्तु साँख्य का यह उत्तर सही नहीं है। यह सही होता यदि वह कार्य में कारण से भेद केवल गुण-अनुपात-भेद मात्र नहीं देखता। जाति और व्यक्ति में भेद क्रमश: सत्व-प्राधान्य और तमस् प्राधान्य का भेद कहना अत्याचार है। यहाँ यह द्रष्टव्य है कि प्रत्यय और घट दोनों को प्रकृतिमूलक कहने में हमें कोई आपत्ति नहीं है, किन्तु इनको क्रमश: सत्व-प्रधान और तमस्-प्रधान विकार कहना आपत्तिजनक है।

किन्तु मान लें कि सब कार्य केवल गुण-अनुपात-भेद ही है। तब फिर वास्तव परिणाम की बात करना अनुचित है। मात्र अनुपात-भेद कहने का अर्थ है कि कारण-कार्य में केवल प्रातीतिक-भेद है, तात्त्विक भेद नहीं है, और ऐसा कहने पर साँख्य परिणामवादी तो दूर, विवर्तवादी भी नहीं रहता, वह अजातिवादी हो जाता है।

तीसरी कठिनाई प्रलय की अवधारणा विषयक है। प्रलय होती है या नहीं, यह एक जगद्गत घटनाओं-विषयक प्रश्न है जिसके लिए किसी के पास कोई आनुभविक प्रमाण नहीं है। यदि इसके लिए कोई आनुभविक प्रमाण होता तब इसके तार्किक आकलन की समस्या भी होती। किन्तु जब कोई आनुभविक प्रमाण ही नहीं है तब प्रलय की बात केवल तार्किक-अनिवार्यता के आधार पर ही की जा सकती है, अर्थात् साँख्य की व्यवस्था में प्रलय को एक तार्किक रूप से अनिवार्य निष्कर्ष होना चाहिए। किन्तु ऐसी कोई बात नहीं है। प्रलय की कल्पना सभी ब्राह्मण दर्शनों में है और सभी में यह समान-रूप से अजागलस्तनवत् है, किन्तु साँख्य के लिए यह विशेष रूप से अनाकलनीय है, क्योंकि साँख्य जगद्व्यापार को प्रतिपुरुष-विशिष्ट व्यापारों का संघात मानता है। यदि प्रत्येक व्यक्ति की देह और इन्द्रियों में भेद से उनमें पारमार्थिक भेद मानना अनिवार्य है और मोक्ष को प्रतिपुरुषपरक मानना अनिवार्य है, तब प्रलय को सर्वपरक मानने में क्या औचित्य है? स्पष्टत: प्रलय एक दार्शनिक अवधारणा नहीं हो कर एक परम्परागत मान्यता है जिसे दार्शनिकों ने भी ज्यों-का-त्यों बिना विचारे ही स्वीकार कर लिया है। डॉ. दयाकृष्ण मोक्ष को भी इसी प्रकार की परम्परा प्राप्त मान्यता कहते हैं।[1] यह सही है, किन्तु 'मोक्ष' में और 'प्रलय' में यह अन्तर है कि 'मोक्ष' जबकि सब सम्प्रदायों में उनकी तर्क-व्यवस्था के अंग के रूप में कल्पित किया गया है, और परिणामत: सब में भिन्न-भिन्न रूप में अवधारित है, प्रलय के लिए यह बात नहीं है।

साँख्य-व्यवस्था में इन कठिनाइयों के बावजूद यह एक अत्यधिक तर्कसंगत और सूक्ष्म विचारपूर्ण व्यवस्था है, जैसाकि हमने अपने पिछले अध्ययन में देखा है।

1. Dr. Dayakrishna — Three Concepts of Indian Philosophy.

3

नागार्जुनकृत मध्यमकशास्त्र और विग्रहव्यावर्त्तनी

प्राक्कथन

नागार्जुन पर इस शताब्दी में देश और विदेश में बहुत–से ग्रन्थ और लेख प्रकाशित हुए हैं। इसी प्रकार प्राचीनकाल में उनके मध्यमक शास्त्र तथा अन्य ग्रन्थों पर कई टीकाएँ लिखी गईं जिनमें से हमने केवल एक : चन्द्रकीर्तिकृत : का उपयोग। यहाँ नागार्जुन की युक्तियों की परीक्षा में किया है। अन्य टीकाकारों की हमने उपेक्षा की है। टीकाकारों का उद्देश्य स्वभावत: युक्तियों की परीक्षा करना नहीं होकर कारिकाओं के तात्पर्य का विशदीकरण करना ही था, आधुनिक व्याख्याकारों ने उनके दार्शनिक प्रतिपाद्य : शून्यवाद : के निर्वचन का प्रयत्न किया है। इन दूसरे वर्ग के अध्येताओं का उद्देश्य उनकी युक्ति–परीक्षा था ही नहीं : उन्होंने अपने प्रयोजन के अनुसार कारिकाएँ उद्धृत कर शून्यता का निर्वचन कर दिया। उन पर कुछ विचार हमने इस पुस्तक के तृतीय और चतुर्थ अध्यायों में किया है। कुछ प्राचीन विरुद्ध मतावलम्बी दार्शनिकों ने उनकी युक्ति–विधि तथा सिद्धान्त का प्रतिवाद भी किया है किन्तु उन्होंने भी उन्हें केवल वैतण्डिक या सर्वनिषेधवादी आदि निन्दात्मक नाम मात्र देकर सन्तोष कर लिया है और उन पर विचार करना, उनकी युक्तियों की परीक्षा करना, अनावश्यक माना है। यहाँ इनके प्रतिनिधि रूप में आचार्य शंकर के **ब्रह्मसूत्रभाष्य** से उद्धरण देना स्थाने होगा। उन्होंने इस भाष्य के दूसरे अध्याय में अनेक वैदिक–अवैदिक दर्शन–सम्प्रदायों पर पर्याप्त विस्तार से विचार किया है और उनके प्रतिपादनों के विरुद्ध युक्तियाँ दी हैं, किन्तु नागार्जुन के सम्बन्ध में उन्होंने केवल इतना कहना ही पर्याप्त समझा कि "शून्यवादी पक्ष तो सर्वप्रमाण–विरुद्ध है, इससे वह निराकरण करने के भी योग्य नहीं है। सर्व प्रमाणसिद्ध इस लोक–व्यवहार का कोई भिन्न तत्त्व स्वीकार किये बिना निषेध नहीं किया जा सकता है, क्योंकि अपवाद के अभाव में उत्सर्ग प्रसिद्ध है।"[1] (अर्थात् जो दीखता है वह असत् नहीं है, ऐसे उत्सर्ग के कारण प्रपंच शून्य नहीं है, क्योंकि बाध का अभाव है।) इस प्रकार नागार्जुन ने अपने मत के प्रतिपादन में जो युक्तियाँ दी हैं उनकी समुचित परीक्षा तो दूर साधारण परीक्षा भी नहीं की गई जबकि उनकी प्रतिपादन–शैली की विलक्षणता ही उसकी नितान्त युक्तिपरकता में है। उनका दार्शनिक प्रतिपाद्य यह है कि "सब कुछ, जो कुछ भी है, शून्य, रिक्त, निस्स्वभाव है", और यह सिद्ध करने के लिए उन्होंने विभिन्न वस्तुओं अथवा वस्तुस्थितियों को उदाहरण चुन कर उनके स्वभाव के सम्बन्ध में पूर्वपक्ष की उद्भावना की है और तब दिखाया है कि किस प्रकार उस स्वभाव के सम्बन्ध में भावात्मक, अभावात्मक, उभयात्मक या अनुभयात्मक कोई भी प्रतिज्ञा स्वीकार्य नहीं हो सकती। इस युक्ति–विधि के प्रयोग का कोई दूसरा उदाहरण हमारे देश के दार्शनिक इतिहास में नहीं मिलता, यद्यपि इसके बीज महात्मा बुद्ध के प्रतिपादनों में देखे जा सकते हैं। किन्तु इस विधि का प्रयोग प्राचीन ग्रीस और आधुनिक पश्चिम में क्रमश: प्लेटो और कांट में अत्यन्त विकसित रूप में मिलता है। किन्तु नागार्जुन के विपरीत उनमें यह विधि उनके दर्शन का सर्वस्व नहीं होकर उनमें केवल अंशभूत है। इसका कारण इनके दार्शनिक उद्देश्यों का भिन्न होना है। इस सम्बन्ध में कुछ विचार हमने इस पुस्तक के अन्तिम अध्याय में किया है। नागार्जुन की ये युक्तियाँ बहुत सूक्ष्म हैं, जैसीकि प्लेटो और कांट की भी हैं, किन्तु नागार्जुन का दार्शनिक सिद्धान्त दुरवधार्य है जो कि इन दो दार्शनिकों और हेगल का नहीं है, क्योंकि नितान्त शून्यवाद–नास्तिक्यवाद कोई सरलतया गम्य अवधारणा नहीं है, शंकर के समान कुछ इसे अनवधार्य भी कह सकते हैं। वास्तव में नागार्जुन के सिद्धान्त की दुरवधार्यता के कारण ही उनके आधुनिक व्याख्याकारों ने उनके शून्यवाद को सर्वनिषेधवाद के रूप में स्वीकार नहीं कर उसे अद्वय परमार्थवाद (अब्सोल्यूटिज़्म) कहा है। इन सबके विपरीत हमने अपने इस निबन्ध में नागार्जुन के 27 में से 17 प्रकरणों की युक्तियों की और विग्रह व्यावर्तनी की मुख्य युक्ति : कि यदि सब शून्य है तो शून्यता–प्रतिपादक आपकी प्रतिज्ञा भी शून्य होगी और परिणामत: यह शून्य प्रतिज्ञा कुछ भी प्रतिपादित करने में असमर्थ रहेगी : की परीक्षा की है और पाया है कि उनकी शून्यता

1. ब्रह्मसूत्र, शांकर भाष्य, 2.2.6.31

निरपेक्ष अभाव की ही वाचक है। किन्तु हमारा उद्देश्य इस निबन्ध में केवल यही सिद्ध करना नहीं है बल्कि उनकी युक्तियों की युक्तता की इस सिद्धान्त से स्वतन्त्र परीक्षा करना भी है। इस परीक्षा के लिए हमने उनकी युक्तियों को यथासम्भव स्पष्ट रूप से प्रस्तुत करने का प्रयत्न भी किया है। इस प्रकार प्रस्तुतीकरण और आलोचना से उनकी युक्तियों को समझने में भी सहायता मिलेगी। इस तरह यह पुस्तक नागार्जुन पर, और वास्तव में किसी भी भारतीय दार्शनिक पर, आधुनिक युग में लिखी गई अपने ढंग की पहली पुस्तक है। इसमें हमने एक और बात की है : हमने नागार्जुन की युक्तियों को उनके ऐतिहासिक सन्दर्भ से हटा कर उनके सार्वभौम-सार्वकालिक तत्त्व को ही अपनी परीक्षा का विषय बनाया है। किसी जीवित दर्शन का अध्ययन इसी प्रकार करना उचित है और हमारी सुदीर्घ परम्परा में यह इसी प्रकार होता रहा है। ऐतिहासिक सन्दर्भ की कारण-कार्य शृंखलाएँ खोजना इतिहासकारों का कार्य है और वह उपयोगी भी है; उसका विषय प्राचीन ही नहीं, समकालीन दार्शनिक को भी बनाया जा सकता है। किन्तु कोई भी सृजनात्मक विचारक अपने को कारण-कार्यात्मक शव-परीक्षा का विषय बनाने को तैयार नहीं हो सकता और न वैसा करना, इस प्रकार की परीक्षा की सीमाओं का ध्यान रखे बिना, उचित ही होता है। पाश्चात्य अध्येताओं ने भारतीय दार्शनिकों को केवल इसी रूप में देखा और उन्हें इंडोलोजी (भारती विद्या) का विषय माना, यह बात तो समझ में आती है, किन्तु हम भी इन दार्शनिकों को अतीत, काल-कवलित, ऐतिहासिक अध्ययन के विषय, अवरुद्ध और विनष्ट परम्परा की कड़ियाँ मानें इसका कोई औचित्य दिखाई नहीं देता। पश्चिम ने कभी ग्रीक दार्शनिकों और पिछले पाश्चात्य दार्शनिकों को मात्र इतिहास का विषय नहीं माना—सिवाय मध्यकालीन ईसाई दार्शनिकों के, जिन्हें वे अपनी परम्परा की पिछली कड़ियों के रूप में नहीं देखते। विडम्बना यह है कि हमारे यहाँ आज केवल वे ही आधुनिक दार्शनिक माने जाते हैं जो आधुनिक पश्चिम की परम्परा में लिख रहे हैं। विशेषण-रहित आधुनिक दर्शन पद का अर्थ हमारे देश में 'आधुनिक पाश्चात्य दर्शन' ही लिया जाता है, जो इस कारण उचित भी है क्योंकि हमारे इन दार्शनिकों के कृतित्व का, यदि इसे कृतित्व कहा जा सके तो, प्रमाण वही दर्शन है। हमने प्राचीन भारतीय दर्शन के अध्ययन के सम्बन्ध में यह परम्परा तोड़ी है। अन्यत्र कुछ प्रसंगों में हमने सांख्य और वेदान्त को भी सार्वकालिक दार्शनिक विचारों के रूप में लेते हुए उन पर चर्चा की है। किन्तु इस प्रकार की चर्चा की एक क्षीण परम्परा सौभाग्यवश हमारे देश में अनवच्छिन्न है। अकादमिक संस्थाओं, अथवा कहें राजनीतिक शक्ति-केन्द्रों से बाहर तो भारतीय दार्शनिक परम्परा से सम्बन्धित बहुत-से विचारक हैं किन्तु इन शक्ति-केन्द्रों द्वारा स्वीकृत भी विचारकों की एक अटूट शृंखला विद्यमान है, जिनमें श्री अरविन्द, कृष्णचन्द भट्टाचार्य, डॉ. भगवादास और प्रोफेसर गोविन्दचन्द पाण्डे[1] के नाम उल्लेखनीय हैं। किन्तु नागार्जुन की युक्तियों की हमारी परीक्षा सम्भवत: भारतीय दर्शन-विषयक आधुनिक लेखन में एक सर्वथा नया प्रयत्न है।

नागार्जुन की युक्तियों की हमारी परीक्षा खण्डनात्मक है। हम उनके दार्शनिक सिद्धान्त शून्यवाद को भी स्वीकार नहीं कर सके हैं। दर्शन में खण्डनात्मक लेखन को एक अनुचित और अनुपयोगी कार्य कहा जा सकता है, क्योंकि किसी भी तर्क के विरुद्ध प्रति-तर्क हो सकता है और किसी भी सिद्धान्त अथवा विश्वदृष्टि के समानान्तर एक दूसरी विश्वदृष्टि प्रस्तुत की जा सकती है। इसलिए किसी दूसरे दार्शनिक पर लिखना तभी उपयोगी कहा जा सकता है यदि उसकी दृष्टि में सहभाग लेते हुए उसे और अधिक गहराई और विस्तार दिया जाना हो अथवा उसकी युक्तियों में रह गई दरारों को पूरा किया जाना हो। यह सही है। हमने स्वयं कुछ दार्शनिकों या दार्शनिक सिद्धान्तों पर इसी प्रकार लिखा है। किन्तु नागार्जुन ने अनुभव और तर्क सभी की आधार-भूमियों को ही अप्रतिष्ठित कर दिया है। यह स्वयं दार्शनिक विचार को चुनौती है। वास्तव में यह सन्देहवाद से भी अधिक विस्थापक दार्शनिक कृत्य है। इसका उपयोग और महत्त्व ही इस बात में है कि इसका निवारण किया जाय, जिसके लिए विचार को और अधिक गहराई में ले जाना आवश्यक होता है। शंकर ने नागार्जुन की युक्ति और सिद्धान्त को

1. पाण्डेजी के कुछ लेखों के अतिरिक्त उनकी पुस्तक मूल्यमीमांसा और मीनींनिंग एण्ड प्रॉसेस ऑफ कल्चर इस प्रसंग में उल्लेखनीय हैं।

असम्भव कहकर छोड़ दिया है। असम्भव यह निश्चय ही है, किन्तु दर्शन असम्भव को असम्भव मात्र कहकर नहीं छोड़ सकता। और इस प्रकार नहीं छोड़कर उसकी चुनौती स्वीकार करना, यही उस दार्शनिक के कृत्य के औचित्य की स्वीकृति और उस दार्शनिक का अभिशंसन है।

अन्त में मैं अपने कुछ मित्रों के प्रति और भारतीय दार्शनिक अनुसंधान परिषद् के अधिकारियों के प्रति अपना आभार प्रदर्शित करना चाहूँगा : सर्वप्रथम मेरा आभार मेरे अभिन्न सुहृत् प्रोफेसर गोविन्दचन्द जी पाण्डे के प्रति है जिन्होंने इस पुस्तक का विषय-प्रवेश लिखने का मेरा अनुरोध सहज ही स्वीकार कर लिया। उनके व्यापक और गम्भीर पाण्डित्य से सब परिचित ही हैं, इस प्रकार इस विषय-प्रवेश में नागार्जुन के दर्शन के ऐतिहासिक सन्दर्भ की व्याख्या से इस पुस्तक का मूल्य कितना बढ़ गया है यह बताना केवल स्पष्ट की आवृत्ति करना ही होगा।

प्रोफेसर दयाकृष्ण, प्रोफेसर नारायण शास्त्री द्राविड़ तथा डॉ. हर्षनारायण के प्रति भी मैं बहुत आभारी हूँ जिन्होंने इस पुस्तक की पाण्डुलिपि देखकर अपनी प्रतिक्रियाओं से मुझे अवगत कराया। यद्यपि उन प्रतिक्रियाओं के फलस्वरूप मुझे अपने विचार में कोई परिवर्तन करना आवश्यक प्रतीत नहीं हुआ किन्तु दो-एक स्थलों पर स्पष्टीकरण में कुछ जोड़ना अवश्य उपयुक्त प्रतीत हुआ।

भारतीय दार्शनिक अनुसंधान परिषद् ने इसके टंकण और आवश्यक पुस्तक-क्रय के लिए मुझे यथापेक्षित आर्थिक अनुदान देकर मेरा कार्य सरल बनाया इसके लिए मेरा उन्हें शतवार धन्यवाद है, और उससे अधिक धन्यवाद इसे प्रकाशनार्थ स्वीकार करने के लिए है।

— यशदेव शल्य

4 जून, 1988
पी-51, मधुवन पश्चिमी,
टोंक रोड, जयपुर 302015

भूमिका

नागार्जुन और उनका युग

किसी ऐतिहासिक महापुरुष और महान् विचारक को उसके युग से अलग कर पूरी तरह नहीं समझा जा सकता। पुरुष और समाज वैसे ही सम्पृक्त हैं जैसे जीव और पर्यावरण। यह सही है कि मानव-बुद्धि सनातन और सार्वभौम आदर्शों को खोजती है पर उसके व्यक्त प्रश्न, विचार-पद्धति और भाषा-प्रयोग, अभ्युपगत तथ्य और मूल्य युग-निरपेक्ष नहीं रहते एवं फलत: उसकी स्वतन्त्र वास्तविक उपलब्धि सीमित ही रहती है और उसके चारों तरफ अतीत का व्यूह बँधा रहता है। इतिहास के द्वारा इस व्यूह-भेदन के पश्चात् ही अतीत के विचारकों से जीवन्त संवाद सम्भव है। इसीलिए 'चिरन्तन' प्रश्नों पर बार-बार विचार करना पड़ता है और इसीलिए न तो दर्शन अपने इतिहास को भुला सकता है न इतिहास मात्र से सन्तुष्ट हो सकता है। आर्य मंजुश्री कल्प की भविष्यवाणी के अनुसार बुद्ध के निर्वाण के चार सौ वर्ष व्यतीत होने पर नाग नाम के भिक्षु का आविर्भाव दक्षिणापथ में होगा। इसी प्रकार की भविष्यवाणी आर्य द्वादश सहस्रमहामेघ में भी मिलती है। तिब्बती इतिहासकार बुदीन के द्वारा संरक्षित परम्परा के अनुसार भी यही आविर्भाव-काल पुष्ट होता है। लामा तारानाथ के अनुसार बुद्धाब्द के पहले पाँच सौ वर्ष धर्म के उत्थान के और दूसरे पाँच सौ वर्ष उसके ह्रास के थे और नागार्जुन इन युगों की सन्धि में हुए थे। दूसरी ओर कुमारजीव द्वारा चीनी में अनूदित नागार्जुन की जीवनी और उस पर आधारित चीनी परम्परा के अनुसार नागार्जुन का समय दूसरी शताब्दी अथवा तीसरी शताब्दी ईसवी निश्चित किया गया है। प्रो. उई नागार्जुन को दूसरी शताब्दी के पूर्वार्द्ध में, विंटरनित्स दूसरी शताब्दी के उत्तरार्द्ध में, लामोत तीसरी शताब्दी के पूर्वार्द्ध में रखते हैं। इस प्रकार जहाँ सूत्रों पर आधारित तिब्बती परम्परा के आधार पर नागार्जुन को ई. पू. पहली शताब्दी से ई. पहली शताब्दी में रखा जा सकता है, चीनी परम्परा उनका समय ई. दूसरी शताब्दी-तीसरी शताब्दी सूचित करती है। वस्तुत: ई.पू. दूसरी एवं पहली शताब्दियों में सम्भवत: प्रज्ञापारमिता-साहित्य का विकास हुआ था और चूँकि नागार्जुन को इस सूत्र-साहित्य का उद्धारक एवं प्रचारक माना जाता है अत: उनके काल को इस सूत्र-काल से शायद मिला दिया गया है। नागार्जुन प्रज्ञा-साहित्य के परवर्ती हैं एवं सर्वास्तिवादी अभिधर्म के भी। वे अश्वघोष के आसन्न हैं। एक चीनी विवरण के अनुसार निर्वाण की चतुर्थ शती में कात्यायन ने ज्ञानप्रस्थान की रचना की, उसके खण्डन के लिए अश्वघोष का आविर्भाव हुआ, पाँचवीं शती का अन्त होने पर 500 अर्हतों ने कि-पिन में **ज्ञानप्रस्थान** या **विभाषा** की रचना की। इसी समय 'वैभाषिक' अभिधर्म के खण्डन के लिए नागार्जुन का आविर्भाव हुआ। **विभाषा** की रचना कनिष्क कालीन चतुर्थ बौद्ध संगीति के अवसर पर हुई, ऐसा प्राय: माना जाता है। अश्वघोष की भी कनिष्ककालीनता प्रसिद्ध है। कनिष्क का काल अवश्य अनिश्चित है किन्तु अधिकांश पुराने भारतीय इतिहासकार उसे शक-काल का प्रवर्तक मानते हैं अत: प्रथम शती के अन्तिम चरण में रखते हैं। यह भी स्मरणीय है कि कुछ चीनी विवरणों में नागार्जुन को एक सातवाहन राजा का मित्र बताया गया है जिसकी निश्चित पहचान दुष्कर है। किन्तु यह प्रसिद्धि है कि इसी राजा के लिए उन्होंने सुहल्लेख लिखा था। यह स्मरणीय है कि नागार्जुन को सुदीर्घजीवी कहा गया है और यह समभव है कि वे ई. प्रथम शती के उत्तरार्द्ध एवं द्वितीय शती के पूर्वार्द्ध में रहे हों।

नागार्जुन का युग सातवाहन-शक-कुषाण युग था जो कि ई.पू. दूसरी शताब्दी से ई. तीसरी शताब्दी के आरम्भ तक विस्तृत था और जो प्रथम मगध साम्राज्य के अन्त से लेकर द्वितीय मगध साम्राज्य के आविर्भाव के कुछ पहले तक का संक्रान्ति एवं परिवर्तन का युग था। इस युग में विदेशी आक्रमण, राज्य विप्लव एवं नवीन राज्यों की स्थापना से व्यापक परिवर्तन घटे। मध्य एशियाई जातियों का भारतीयकरण हुआ और भारतीय धर्म एवं

संस्कृति का मध्य एशिया में प्रसार हुआ। दक्षिणापथ में सामुद्रिक व्यापार से पौर-समृद्धि के साथ साहित्य, विज्ञान एवं कला को विशेष प्रोत्साहन मिला। शूद्रक, हाल एवं गुणाढ्य, अश्वघोष, चरक, भरत एवं वात्स्यायन इसी युग की विभूतियाँ थीं। विज्ञान के बल से अपूर्व सिद्धियों की सम्भावना जन-कल्पना को आन्दोलित करती थी जिसका निदर्शन **बृहत्कथा** में मिलता है। स्वदेशी और विदेशी विजेताओं के सैनिक घुड़सवारों की टापें, व्यापारियों और शिल्पियों के काफ़िलों की घंटियाँ, धर्म-प्रचारक भिक्षु-समुदायों का मंगल-स्वर उत्तरापथ और दक्षिणापथ में सर्वत्र गूँजता था। प्राचीन राज्य-व्यवस्था के साथ ही समाज-व्यवस्था क्षत-विक्षत थी और मनु आदि स्मृतिकारों ने संकीर्ण जाति एवं आपद्धर्म की कल्पना के सहारे उसके जीर्णोद्धार का प्रयत्न किया। पुरानी अमूर्त निषेधपरक आध्यात्मिकता नयी जातियों में धर्म-प्रचार के लिए अनपयुक्त थी। उसके लिए आवश्यकता थी एक चमत्कारी, भक्ति-प्रधान मानवीय धर्म की। इसी आवश्यकता ने भागवत् और पाशुपत-शैव सम्प्रदायों के साथ-साथ महायान के विकास को सहायता पहुँचाई। इसी के परिणामस्वरूप दार्शनिक स्तर पर वैदिक और आगमिक दृष्टियों का एवं बौद्ध धर्म के अन्दर हीनयान एवं महायान का संघर्ष समझना चाहिए। प्रज्ञापारमिता सूत्रों के आधार पर माहायानिक दृष्टि और अनुभूति के मूल व्याख्याकार थे नागार्जुन।

कुमारजीव के अनुसार नागार्जुन दाक्षिणात्य ब्राह्मण थे और अपनी विद्वत्ता के लिए प्रसिद्ध थे। ऐन्द्रजालिक सिद्धियों के प्रयोग में दुःख पाकर उन्हें वैराग्य उत्पन्न हुआ और उन्होंने प्रव्रज्या ग्रहण कर पहले हीनयानी आगम का अध्ययन किया। हिमालय में उनका महायान सूत्रों से परिचय हुआ और उन्होंने अनेक शास्त्रार्थों में विजय पायी। इस प्रसंग में उन्हें लगा कि बौद्धों में तर्कशास्त्र का पर्याप्त परिशीलन नहीं है, इसलिए उन्होंने एक अपनी नवीन परम्परा का प्रवर्तन किया। महानाग बोधिसत्त्व ने दया कर उन्हें **वैपुल्य सूत्रों** से परिचित कराया जिससे उन्हें अनुत्पत्तिक धर्म-शान्ति का लाभ हुआ। उन्होंने दक्षिण भारत में निवास किया, अनेक ग्रन्थ रचे और महायान का प्रचार किया। उनके निधन के सौ वर्ष पश्चात्, जब यह जीवनी सम्भवतः लिखी गयी थी, नागार्जुन की दक्षिण में बुद्ध के समान पूजा होती थी।

श्वांच्वांग और बुदोन के विवरण से पता चलता है कि नागार्जुन ने नालन्दा में प्रसिद्धि प्राप्त की और श्री पर्वत पर नागार्जुनिकोंड में सातवाहन राजा के सौजन्य से निर्मित संघाराम में निवास किया। अनुश्रुति के अनुसार नागार्जुन का अन्त सातवाहन कुमार की प्रेरणा से एवं उनकी अपनी अनुमति से हत्या के कारण हुआ। उनके जीवन की चर्या प्रसिद्ध है। इसीलिए सम्भवतः जहाँ कल्हण ने उन्हें हुष्क, जुष्क और कनिष्क का समकालीन बताया है, बाण ने उन्हें त्रि-समुद्राधिपति सातवाहन का मित्र बताया है। जो रचनाएँ नागार्जुन की प्रायः निश्चित रूप से कही जा सकती हैं वे हैं—**माध्यमिक कारिकाएँ, विग्रहव्यावर्तनी, युक्तिषष्टिका, शून्यतासप्तति, रत्नावली, चतुःस्तव, सुहल्लेख, प्रतीत्यसमुत्पादहृदय** एवं **व्यवहारसिद्धि**। चीनी परम्परा में नागार्जुन को **महाप्रज्ञापारमिताशास्त्र** नाम के विपुलकाय ग्रन्थ का भी रचयिता माना जाता है। प्रो. लामोत ने इसे अप्रामाणिक ठहराया है जबकि प्रो. रमशन् इसकी प्रामाणिकता के समर्थक हैं। तिब्बती परम्परा में इस ग्रन्थ का अनुल्लेख इसकी प्रामाणिकता में सन्देह उत्पन्न करता है यद्यपि यह असम्भव नहीं है कि योगाचार-विज्ञानवाद के विकास ने इस ग्रन्थ को भुला दिया हो। अभिधर्म के माहायानिक प्रतिरूप को विकसित करने का श्रेय योगाचार-विज्ञानवाद को जाने पर माध्यमिक विचारक तार्किक प्रसंगों में ही सीमित रह गए प्रतीत होते हैं। यदि ऐसा हो तो **महाप्रज्ञापारमिताशास्त्र** का भारत में लोप और तिब्बत में अनुल्लेख संगत हो सकता है।

नागार्जुन ने **पंचविंशति साहस्रिका प्रज्ञापारमिता** पर **महाप्रज्ञापारमिताशास्त्र** नाम से बहुत बृहत् भाष्य लिखा हो या नहीं, यह निर्विवाद है कि उनका **प्रज्ञापारमितासूत्रों** से घनिष्ठ सम्बन्ध था। बोधिसत्त्व की अवधारणा और प्रज्ञा की अवधारणा महायान के प्राण थे। बोधिसत्त्व का आदर्श महायानिक चर्या की प्रेरणा था, प्रज्ञा उसका अन्तर्दर्शन। विश्व-कल्याण के लिए बोधि से साधक की आख्या बोधिसत्त्व थी। बोधि और प्रज्ञा समानार्थक होने के कारण प्रज्ञा की साधना ही बोधिसत्त्व के लिए परम साधना थी। प्रज्ञा का सामान्य अर्थ बुद्धि है और उसे मोह अथवा मूढ़ता के विपरीत अर्थ का बोधक माना जाता है। तथापि दार्शनिक सन्दर्भ में 'प्रज्ञा' पद प्रायः

साक्षात्कारात्मक ज्ञान अथवा प्रतिभा के अर्थ में प्रयुक्त होता रहा है। प्रज्ञा का अनुसन्धान पारमार्थिक सत्य के साक्षात्कार का अनुसन्धान था। दार्शनिक स्तर पर यह हीनयानी अभिधर्म का निराकरण था। हीनयान ने लौकिक प्रत्यक्ष के गोचर घट-घटादि पदार्थों को सांवृत बताकर उनके आधार के रूप में अनेक **तत्त्वों** अथवा **धर्मों** की व्यवस्था की। प्रत्येक धर्म लक्षणधारक, अविश्लेष्य और द्रव्यसत् होता है। कुछ धर्म अनित्य और कुछ नित्य होते हैं। अनित्य धर्म मुख्यत: या तो मानसिक एवं ऐन्द्रिय उपलब्धि के भेद होते हैं अथवा उनके विषय। नित्य धर्म मुख्यत: निर्वाण है। सभी धर्म नि:सत्त्व, निर्जीव हैं। उनकी ओर विचारपूर्वक वैराग्य से तृष्णाक्षय और संसार से निवृत्ति होती है। फलत: हीनयान की चर्या वैराग्य की साधना थी और उसकी विचार-पद्धति अनुभव-प्रवाह के विश्लेषण की अनोखी पद्धति थी जिसमें अनुभव के मूल कारणों और रूपों अथवा लक्षणों के निर्धारण के साथ-साथ उनका मूल्यांकन भी होता था। इस पद्धति को विभिन्न व्याख्याकारों ने **'साइकोलोजिकल'**, **'साइकोएथिकल'**, **'एनेलिटिकल'** अथवा **'फेनोमेनालॉजिकल'** कहा है। लौकिक अनुभव-प्रवाह दु:खात्मक होता है और अविचार के कारण मनुष्य उसमें फँसा रहता है, पर अनुभव सहेतुक होता है और हेतुज्ञान से उसकी धारा को मोड़कर शान्ति की ओर प्रवाहित किया जा सकता है। अनुभव-प्रवाह में 'अहं' और 'मम' की कल्पना से मुक्त होने पर मनुष्य के राग-द्वेष क्षीण हो जाते हैं और उसके लिए विरक्त और शान्त जीवन व्यतीत करना सम्भव होता है।

इस अभिधर्म के दो मुख्य सिद्धान्त थे—नाना पृथक् 'धर्मों' का अस्तित्व और जीवात्मा का पृथक् द्रव्य के रूप में अनस्तित्व। धर्मस्वभाववादी और पुद्गल-नैरात्म्यवादी अभिधर्म में निर्वाण का स्वरूप विवादास्पद था। सभी निर्वाण को असंस्कृत अथवा नित्य मानते थे पर वैभाषिक उसे भावरूप और सौत्रान्तिक अभाव रूप मानते थे। प्रज्ञा के द्वारा निर्वाण की 'प्राप्ति' सबको अभिमत थी किन्तु किस अर्थ में, किसे और कैसे, ये विवेच्य विषय थे। ऐसा लगता है कि जहाँ संसार सहेतुक अनुभव-प्रवाह माना जाता था, निर्वाण उसकी विरोधात्मक कल्पना थी। इसमें कठिनाई है कि निर्वाण स्वयं कोई घटना नहीं है अपितु साक्षात्कार का नित्य विषय है। क्या अभाव असंस्कृत अथवा नित्य हो सकता है?

किसी विषय का भाव अथवा अस्तित्व उसके स्वभाव की अभिव्यक्ति और उसका अभाव उसके स्वभाव की अनभिव्यक्ति से अलग नहीं बताये जा सकते। इस प्रकार भाव और अभाव दोनों ही स्वभावापेक्ष होते हैं। पर इस अव्यक्त किन्तु व्यंग्य स्वभाव की कल्पना का क्या औचित्य है? यदि आत्मविषयक प्रतीतियों के पीछे किसी द्रव्यसत् आत्मा की कल्पना अनावश्यक है तो प्रतीतियों के बाह्य विषयों के पीछे नियत स्वभावों की कल्पना क्या अनावश्यक नहीं है? प्रतीतियों अथवा प्रतीत-विषयों के नियामक के रूप में विभिन्न स्वभावयुक्त द्रव्य-सत्ताएँ कल्पनामात्र हैं। विषय जिस नियत रूप में प्रतीत होता है उसका नियामक कोई द्रव्यगत स्वभाव नहीं है। सभी विषयों की यह निरुपादान या निराधार प्रत्ययात्मकता या प्रतिबिम्बात्मकता महायान सूत्रों का विशेष प्रतिपाद्य है। इसे धर्म-नैरात्म्य या शून्यता का नाम दिया गया है। इसका ज्ञान ही प्रज्ञापारमिता है जिससे ज्ञेयावरण-विमोक्ष सम्पन्न होता है। विषयात्मक विश्व चित्तसापेक्ष है। चित्त ही अपने परिचित स्वभाव का अतिक्रमण कर प्रज्ञा में अवतीर्ण होता है। विषयों से निवृत्त होने पर चित्त अपने से भी निवृत्त हो जाता है। यही चित्त का अचित्त हो जाना है। चित्त ज्ञान की एक अशुद्ध अवस्था—क्लिष्ट, विषयावृत, सहेतुक है, प्रज्ञा उसकी सहज, परावृत्त अवस्था है। किन्तु प्रज्ञा के लिए सभी घटनाएँ, सभी विषय प्रतिबिम्बमात्र रह जाते हैं। यही उनकी शून्यता है। प्रज्ञा में विषय-भेद न रहने से प्रज्ञा और शून्यता को अभिन्न भी कहा जाता है। सभी धर्म शून्य हैं, शून्यता प्रज्ञा है, यही **प्रज्ञापारमितासूत्रों** का सार है। इस सारांश का तार्किक प्रतिपादन और आभिधार्मिक दृष्टि का खण्डन नागार्जुन का मुख्य कार्य था।

शून्यता की व्याख्याएँ

बौद्ध-विरोधी प्राचीन ब्राह्मण दार्शनिक शून्यता को अभावार्थक अथवा मिथ्यार्थक ही मानते थे। इसीलिए शंकराचार्य ने शून्यवाद को असंगत बताया है : बिना किसी सत् को स्वीकार किये केवल असत् का प्रतिपादन

किस प्रकार किया जा सकता है? वाचस्पति मिश्र का कहना है कि शून्यवाद अभाव को ही मूर्त्तिमान बना देता है। उदयनाचार्य ने कल्पना की है कि शून्यवाद का मूल एक प्रकार की भ्रान्त मानसिक अनुभूति में था। आधुनिक व्याख्याकारों में सुज़ुकि शून्यता को निर्विकल्पता से अभिन्न मानते हैं। श्चेरबात्स्की ने शून्यता को सापेक्षता बताया है। प्रो. टी. आर. वी. मूर्त्ति शून्यता को निस्स्वभावता, नैरात्म्य एवं प्रज्ञापारमिता कहते हैं किन्तु उसकी व्याख्या में कांट के दर्शन और अपने निजी दर्शन का मिला-जुला प्रयोग करते हैं। साथ ही वे अनात्मवाद की जिस प्रकार व्याख्या करते हैं उसे गम्भीर आध्यात्मिक भ्रान्ति ही कहा जा सकता है। प्रो. रमणन् का कहना है कि शून्यता का मूल अर्थ लौकिक एवं पारमार्थिक विषयों की निस्सत्त्वता है, व्यावहारिक सत्य के स्तर पर यह परिच्छिन्न विषयों और प्रत्ययों की सापेक्षता है, पारमार्थिक स्तर पर यह शून्यता की शून्यता अद्वय सत्य है। प्रो. राबिन्सन् के अनुसार भाव और अभाव विषय-ज्ञान की भाषा के अन्तर्गत सार्थक पद हैं जबकि शून्यता उच्चतर निरूपणात्मक भाषा का पद है। शल्य जी ने एक नई व्याख्या प्रस्तुत की है जो कि शून्यता के निषेधात्मक अर्थ को विशेष रूप से विवेचित करती है और एक नए दार्शनिक संवाद की रचना करती है।

सामान्य भाषा में 'शून्यता' शब्द रिक्तता, रहितता या अभावमात्रता का अभिधान करता है। इसी आधार पर प्राचीन बौद्ध साहित्य में शून्यता का एक पारिभाषिक अर्थ किया गया—"आत्मा अथवा आत्मीय से रहित होना।" इस प्रकार हीनयान में शून्यता पुद्गल-नैरात्म्य की वाचक है। महायान में शून्यता का अर्थ व्यापकतर होकर धर्म-नैरात्म्य हो गया। सभी धर्म अथवा मूल पदार्थ अपारमार्थिक, मायोपम हैं। आन्तरिक और बाह्य जगत् का सामान्य ज्ञान एक मूल अविद्या पर आश्रित है। समस्त व्यावहारिक और तार्किक ज्ञान एक मौलिक भ्रान्ति के अन्तर्गत है। शून्यता इसी मौलिक भ्रान्ति का निषेध करती है। इस प्रकार महायान-सूत्रों में शून्यता लौकिक ज्ञान के पारमार्थिक मिथ्यात्व का सिद्धान्त है। घट-पटादि सांवृत पदार्थ, रूपादि स्कन्ध, धातु और आयतन, 'बुद्ध', 'बोधिसत्त्व', प्रज्ञापारमिता आदि देशना के तत्त्व, सभी इस मिथ्यात्व से कुण्डलित हैं। व्यवहार की पूर्वकल्पना होने के कारण इस मिथ्यात्व का व्यवहार में पता नहीं चलता जैसे स्वप्न का स्वप्नदशा में या इन्द्रजाल का उससे बँधी आँखों को। लौकिक ज्ञान, व्यावहारिक एवं तार्किक, सभी विषयों को भाव, अभाव और स्वभाव की कोटियों के सहारे निर्धारित करता है, किन्तु ये सभी कोटियाँ अविद्यामूलक कल्पनाएँ हैं। चित्त की विशुद्ध, सहज, निर्विकल्प प्रभास्वरता या प्रज्ञा के आलोक में केवल अद्वय ही परमार्थ ठहरता है। शून्यता व्यावहारिक विषयों का निरूपण नहीं करती है अपितु ज्ञानमार्गी आध्यात्मिक अनुभूति के सन्दर्भ में व्यावहारिक ज्ञान का पुनर्मूल्यांकन करती है। साथ ही व्यवहार की कोटियों को स्वीकार करने वाली सभी दार्शनिक दृष्टियों का वह प्रतिषेध करती है।

नागार्जुन ने शून्यता का मुख्य प्रतिपादन उसके इस दृष्टि-प्रतिषेधात्मक रूप में ही किया है। उनका कहना है—**शून्यता सर्वदृष्टीनां प्रोक्ता निःसरणं जिनैः। येषां तु शून्यता दृष्टिस्तानसाध्यान् बभाषिरे।।** शून्यता सब दृष्टियों से निकलने का द्वार कहा गया है। जिनके लिए शून्यता ही दृष्टि है वे तो असाध्य ही हैं। यहाँ 'दृष्टि' नाना दार्शनिक मतों को सूचित करती है। यद्यपि नागार्जुन ने **मध्यमकशास्त्र (26)** में कुछ अव्याकृत विषयक दृष्टियों का ही उल्लेख किया है, **ब्रह्मजालसूत्र** आदि में 'दृष्टि' का व्यापक अर्थ है। शून्यता उनका अन्तः-समीक्षात्मक निषेध है। उसकी तुलना **डायलेक्टिकल रीज़न या वेरनुंफ्ट (Vernunft)** से की जा सकती है जो कि तत्त्वमीमांसा की स्थापनाओं में अनिवार्य असंगतियां पाती है। उदान में हाथी और सात अंधों का दृष्टान्त मिलता है। अपने-अपने सीमित अनुभव और अनुमान के सहारे वे अंधे हाथी के स्वरूप को रस्सी, खम्भा आदि के समान बताते हैं। मौलिक ज्ञान की पृष्ठभूमि में एकांगी अनुभव और तर्क से इस प्रकार दृष्टियाँ जन्म लेती हैं और तार्किक दर्शन पल्लवित होते हैं। इस सन्दर्भ में जिन दर्शनों का नागार्जुन ने विशेष रूप से खण्डन किया है वे हैं वैभाषिक, सांख्य और वैशेषिक।

भगवान् बुद्ध ने अपने को सब दृष्टियों से मुक्त बताया था और दृष्टियों को मूलतः दो कोटियों में विभक्त किया था : अस्तित्ववादी और नास्तित्ववादी, जिन्हें शाश्वतवाद और उच्छेदवाद भी कहा गया है। स्वयं उपनिषदों में सत् या असत् को मूल तत्त्व प्रतिपादित करने वाली विरुद्ध दृष्टियों का उल्लेख है। नागार्जुन कात्यायन

को दिये हुए बुद्ध के प्रसिद्ध उपदेश का उद्धरण देते हैं—**कात्यायनाववादे चास्तीति नास्तीति चोभयम् प्रतिषिद्धं भगवता भावाभावविभाविना।।** भाव और अभाव के विचारक भगवान् ने कात्यायनाववाद में 'है' और 'नहीं है' इन दोनों का प्रतिषेध किया है। सत् का आग्रह तत्त्व की शाश्वतता को प्रसक्त करता है, असत् का आग्रह उच्छेद अथवा अभाव को—**अस्तीति शाश्वतग्राहो नास्तीत्युच्छेददर्शनम्। तस्मादस्तित्वनास्तित्वे नाश्रीयेत विचक्षणः।।** यह स्मरणीय है कि गीता में भी इन दो अन्तों का उल्लेख मिलता है—**नासतो विद्यते भावो नाभावो विद्यते सतः। उभयोरपि दृष्टोऽन्तस्त्वनयोस्तत्त्वदर्शिभिः।। गीता** में उच्छेदवाद के निराकरण के लिए शाश्वतवाद प्रस्तुत किया गया है। न असत् हो सकता है, न सत् का अभाव हो सकता है। नागार्जुन इसी युक्ति को बाधक तर्क के रूप में प्रयुक्त करते हैं—यदि वस्तुस्वभाव सत् हो तो वह असत् नहीं हो सकता, यदि वह असत् हो तो सत् नहीं हो सकता, किन्तु व्यवहार में सत् और असत् का विपर्यय देखा जाता है। अतः वस्तुस्वभाव न सत् है, न असत् है। **यद्यस्तित्वं प्रकृत्या स्यान्न भवेदस्य नास्तिता। प्रकृतेरन्यथाभावो नहिजातूपपद्यते।। प्रकृते कस्य वासत्यामन्यथात्वं भविष्यति। प्रकृतौ कस्य वा सत्यामन्यथात्वं भविष्यति।।** स्वभावविषयक इस सदसद्-विरोध के मूल में है स्वभाव की कल्पना का अन्तर्द्वन्द्व। स्वभाव का अवधारण परभाव की अपेक्षा करता है, परभाव स्वभाव की। स्वभाव परभाव का परभाव है—**स्वभावः परभावस्य परभावो हि कथ्यते।।** स्वभाव और परभाव के सिद्ध होने पर ही भाव सम्भव है—**स्वभावे परभावे च सति भावो हि सिध्यति।।** भाव होने पर ही अभाव सम्भव है क्योंकि भाव का अन्यथाभाव ही अभाव है—**भावस्यह्यन्यथाभावमभावं ब्रुवते जनाः।।** अतः स्वभाव और परभाव, भाव और अभाव की कोटियों में तत्त्वदर्शी आसक्त नहीं होता—**स्वभावं परभावं च भावं चाभावमेव च। ये पश्यन्ति न पश्यन्ति ते तत्त्वं बुद्धशासने।**

भाव और अभाव के प्रत्ययों के द्वन्द्व का समाधान अनेक प्रकार से प्रस्तुत हुआ है। जैन विचारक उनको दृष्टि-सापेक्ष मानते हैं, हेगेल उनका समन्वय अन्यथाभाव के प्रत्यय में करते हैं। नागार्जुन अन्यथाभाव को भाव और अभाव का असमाहित द्वन्द्व ही मानते हैं और उनके परे बुद्ध द्वारा उपदिष्ट मध्यम मार्ग का सहारा लेते हैं। बुद्ध ने अन्तवर्जनपूर्वक मध्यमा प्रतिपदा को प्रतीत्यसमुत्पाद के रूप में व्याख्यात किया था। नागार्जुन कहते हैं—**यः प्रतीत्यसमुत्पादः शून्यतां तां प्रचक्ष्महे। सा प्रज्ञप्तिरुपादाय प्रतिपत्सैव मध्यमा।** जो प्रतीत्यसमुत्पाद है उस ही को हम शून्यता कहते हैं, वही सापेक्ष निरूपण है, वही मध्यमा प्रतिपद् है। प्रतीत्यसमुत्पाद को प्राचीन बुद्धवचन में "गम्भीर, दुर्दर्श, दुरनुबोध, शान्त, उत्तम और अतर्कावचर" बताया गया है। प्रतीत्यसमुत्पाद का प्राचीन सूत्र था "इसके होने पर यह होता है, इसके उत्पन्न होने से यह उत्पन्न होता है, इसके न होने पर यह नहीं होता है।" नागार्जुन ने इसे मुख्यतया सापेक्षता का सूत्र माना है, न कि कार्य-कारण-भाव का। व्यावहारिक कार्य-कारणता भी सापेक्षता का ही निदर्शन करती है। किसी भी पदार्थ का स्वभाव-निर्धारण अथवा अस्तित्व-नास्तित्व परापेक्ष होते हैं। स्वतन्त्र न होने के कारण किसी भी पदार्थ का स्व-भाव अयुक्त है। पदार्थों की यह निस्स्वभावता ही उनकी शून्यता है। इस प्रकार सापेक्षता और निस्स्वभावता के द्वारा प्रतीत्यसमुत्पाद शून्यता से अभिन्न हो जाता है। दोनों अन्तों का परिवर्जन करने के कारण प्रतीत्यसमुत्पाद मध्यमा प्रतिपद है। **"यदनयोरन्तयोर्मध्यम, तदरूप्यमनिदर्शनमप्रतिष्ठमनाभासमनिकेतमविज्ञप्तिकम्, इयमुच्यते काश्यप मध्यमा प्रतिपद् भूतप्रत्यवेक्षा।"** यह मध्य अविद्यान्तर्गत एक तीसरी दृष्टि नहीं है अपितु 'भूतप्रत्यवेक्षा', सत्य का अन्तर्दर्शन, अर्थात् प्रज्ञा है। प्रतीत्यसमुत्पाद का ज्ञान प्रपञ्च के मिथ्यात्व का ज्ञान है, परमार्थतः न निरोध है न उत्पाद, न उच्छेद न शाश्वतता, न एकता है न अनेकता, न आगमन न निर्गमन। प्रतीत्यसमुत्पाद प्रपंचोपशम है, शिव है।

अविरोधमनुत्पादमनुच्छेदमशाश्वतम्। अनेकार्थमनानार्थमनागममनिर्गमम्।।
यः प्रतीत्यसमुत्पादः प्रपञ्चोपशमं शिव देशयामास सम्बुद्धस्तं वन्दे वदतां वरम्।।

संक्षेप में यह कहा जा सकता है कि शून्यता अन्तर्ग्राही दृष्टियों के प्रतिषेध का भी प्रतिषेध करती है। व्यावहारिक ज्ञान की विधि और प्रतिषेध की प्रतिषेधरूप शून्यता व्यावहारिक प्रतिषेध से तुलनीय नहीं है। यह स्पष्ट है कि शून्यता यदि भाव नहीं है तो अभाव भी नहीं है। वह व्यवहार की बाधक नहीं है यद्यपि व्यवहार का मूल

अविद्या में बताती हुई वह उसे अपारमार्थिक या अतात्त्विक बताती है। **"तन्मृषा मोषधर्म यद्भगवानत्यभाषत। सर्वे च मोषधर्माण: संस्कारास्तेन ते मृषा।।" "यथा माया यथा स्वप्नो गन्धर्वनगरं यथा। तथोत्पादस्तथा स्थानं तथा भंग उदाहृत:।।"** मायोपम होने से पदार्थ कारित्ररहित या अव्यावहारिक नहीं हो जाते। माध्यमिक अपने ऊपर नास्तिकता के आक्षेप का परिहार करते थे। **"लोक–भासन–भंगो न धर्म: कश्चिन्न तत्त्वत:। भीतोऽज्ञोऽकल्पनिहारे सौगते वचनं त्वत:।। इदं प्रतीत्य चास्तीदं न रोधो लोकपद्धते। प्रतीत्यज: स नि:सत्त्व: सन्त्येते निश्चय: कथम्।।" "भवांस्तु नास्तित्वं शून्यतार्थ परिकल्पयन्...न शून्यतायां प्रयोजनं वेत्ति अभावशब्दार्थ च शून्यतार्थमिथ्याध्यारोप्य भवानस्मानुपालंभते।"** शून्यवादी लौकिक धर्मों का न प्रत्याख्यान करते हैं न उनका तत्त्वत: आख्यान। व्यवहार–प्रसिद्ध कार्यकारण–नियम का निषेध नहीं किया जाता क्योंकि वह सापेक्षता ही है। किन्तु इन परतन्त्र, व्यावहारिक पदार्थों को सत्य कैसे माना जा सकता है? व्यावहारिक पर अपारमार्थिक विषयों को प्रतिबिम्बोपम कहा गया है। **"असंक्रान्तिमनाद्यन्तं प्रतिबिम्बादिसन्निभम्। हेतु–प्रत्ययसामग्रीं प्रतीत्य जातस्य परायत्तात्मलाभस्य प्रतिबिम्बस्येव कुत: सस्वभावता।"**

शून्यता की प्रतिपत्ति में सबसे बड़ी बाधा व्यवहारमूलक तर्क का यह सहज दुराग्रह है कि व्यावहारिक सत्ता ही सत्य का परम निदर्श है, अत: उसका प्रत्याख्यान होने पर कुछ भी नहीं बचता। व्यावहारिक सत्ता से असन्तुष्ट दार्शनिकों ने बुद्धिगम्य आदर्शों की अथवा अप्रत्यक्ष तत्त्वों की कल्पना की है पर वे सब ही बुद्धि–गोचर अथवा अगोचर तत्त्व स्वत: अथवा स्वाभासत: सत्तासंलग्न रहते हैं और स्वभावयुक्त भी होते हैं। इस प्रकार नाना अप्रत्यक्षवादी दार्शनिकों के तत्त्वजगत् व्यावहारिक जगत् के ही आंशिक प्रतिबिम्ब निषेध ठहरते हैं। इनके विपरीत शून्यता व्यवहार का निषेध नहीं करती पर व्यवहारासक्त सभी दार्शनिक दृष्टियों का निषेध करती है, पर स्वयं किसी दृष्टि या तत्त्व की स्थापना नहीं करती।

नागार्जुन की तर्कशैली और युक्तिविन्यास

क्या बिना अभ्युपगम के निषेध सम्भव है? क्या भाव का निषेध अभाव की स्वीकृति नहीं है? यदि मिथ्याज्ञान के विषय भी व्यवहार–समर्थ हो सकते हैं तो भ्रम और प्रमा में क्या अन्तर है? व्यावहारिक पदार्थों की व्यावहारिकता यदि मान ली जाती है तो फिर निषेध का विषय क्या शेष रहता है? शून्य रूप–रसादि अशून्य रूप–रसादि से किस प्रकार भिन्न हैं? इत्यादि प्रश्नों का उठना स्वाभाविक है। इनका एक मौलिक उत्तर यह है कि मध्यमा प्रतिपद (=शून्यता) दृष्टियों की आन्तरिक परीक्षा है। अविद्यामूलक कल्पनाएँ या अनादिवासनाएँ संवृत्ति की रचना–सूत्र होती हैं, वे ही सहज प्रवृत्ति की नियामक होती हैं एवं व्यावहारिक ज्ञान और उसके विश्व को व्यवस्था प्रदान करती हैं। यद्यपि इन कल्पनाओं का ज्ञानमीमांसा की दृष्टि से स्पष्ट विवेचन परवर्ती सौत्रान्तिक–विज्ञानवादी सम्प्रदाय में मिलता है, माध्यमिक चिन्तन में वे व्यावहारिक विषयों के सामान्य प्रत्ययों के रूप में विवेचित हैं। किन्तु उसमें इन प्रत्ययों के व्यवस्थापन अथवा सांव्यवहारिक प्रमाणों के सन्दर्भ में उनकी उपयोगिता पर ध्यान नहीं दिया गया है बल्कि इन प्रत्ययों के विशदीकरण के लिए प्रस्तावित दार्शनिक दृष्टियों में प्रत्ययमूलक द्वन्द्वात्मकता के कारण अनिवार्य अन्तर्विरोध पर ज़ोर दिया गया है। प्रो. मूर्त्ति ने कांट की भाषा का प्रयोग करते हुए माध्यमिक दर्श के तत्त्वमीमांसात्मक सिद्धान्तों का प्रतिपादन किया है, नागार्जुन अपने को दृष्टिमुक्त रखते हुए दृष्टियों का प्रतिषेध करते हैं। प्रचलित दार्शनिक धारणाओं और प्रश्नों पर विचार करते हुए नागार्जुन उनकी कठिनाइयों के मूल में प्रत्ययगत विसंगतियों का उद्घाटन करते हैं। किसी प्रत्यय या प्रत्यय–व्यवस्थात्मक दृष्टि को अन्तर्विरोध से ग्रस्त पाने के लिए नागार्जुन को स्वयं अपने पक्ष या दृष्टि की आवश्यकता नहीं है। अन्तर्विरोध के उद्घाटन की यह पद्धति 'प्रासंगिक' कहलाती है। प्रसंगापादन के लिए आलोच्य दृष्टि से स्वतन्त्र दृष्टि का अभ्युपगम अनावश्यक है। यही प्रासंगिक शैली नागार्जुन की प्रसिद्ध तर्कशैली है।

क्या भाव का निषेध अभाव की स्वीकृति नहीं है, क्या चतुष्कोटि–विनिर्मुक्त तत्त्व की चर्चा स्वयं व्याहत नहीं है, क्या पक्ष और विपक्ष के मध्य में कोई तीसरी कोटि कल्पनीय है? इन प्रश्नों के सन्दर्भ में नागार्जुन की तर्कयोजना में **लॉ ऑव काण्ट्रेडिक्शन, लॉ ऑव एक्स्क्लूडेड मिडल, लॉ ऑव डबल नीगेशन** के स्थान का

विवेचन किया गया है। प्रो. राबिन्सन् चारों कोटियों की असमान रूप से व्याख्या कर विरोध-परिहार का प्रयत्न करते हैं। वस्तुत: नागार्जुन के तर्कों में न तो सामान्य तर्कशास्त्र के नियमों की अवहेलना है, न किसी नये प्रकार के तर्कशास्त्र की उद्भावना है। वे स्वयं स्वगत विरोध की अनुपपन्नता, विरुद्ध पक्षों में गत्यन्तर का अभाव एवं अभावाभाव की भावरूपता के नियमों को स्वीकार करके ही दृष्टियों का खण्डन करते हैं। इस प्रसंग में वे प्राय: प्रसज्य-प्रतिषेध, **हाइपोथेटिकल सिलाजिज़्म, मोडस टालैन्स, डिस्ट्रक्टिव डिलैमा**, और **एन्थीमीम** का प्रयोग करते हैं। उनकी कुछ प्रसिद्ध युक्तियों को विस्तार से प्रस्तुत करने की बानगी से यह स्पष्ट हो जायगा—यदि कोई वस्तु कभी भी उत्पन्न होती है तो वह या तो सहेतुक उत्पन्न होगी, या अहेतुक, यदि वह अहेतुक उत्पन्न होती है तो वह या तो उससे अभिन्न होगी, या भिन्न, या (किसी रूप में) उससे भिन्न एवं (किसी रूप में) उससे अभिन्न होगी। किन्तु इनमें से कोई भी विकल्प उपपन्न नहीं है, अत: किसी भी वस्तु को कभी भी उत्पत्तिमान कहना उपपन्न नहीं है। **"न स्वतो नापि परतो न द्वाभ्यां नाप्यहेतुत: उत्पन्ना जातु विद्यन्ते भावा: क्वचन केचन।"** यहाँ तीसरे विकल्प में (**"द्वाभ्यां = स्वत:+परत:**) वस्तुत: विरुद्ध-संसर्ग अभिमत नहीं है क्योंकि प्रकार-भेद से हेतुओं को कार्य से भिन्नाभिन्न कहा जा सकता है। चतुर्थ विकल्प (न स्वत: न परत:) के निषेध के निषेध से तीसरा विकल्प पुन: उपस्थित नहीं होता क्योंकि उसका तात्पर्य हेतुमात्र के निषेध में है न कि विभिन्न प्रकार के हेतुओं के संयोग के निषेध में। यह भी अवधेय है कि इस उत्पत्तिमत्व के खण्डन में जहाँ एक ओर सर्वास्तिवादी, सांख्य और वैशेषिक मतों की समीक्षा है, वहीं वस्तु की अवधारणा में स्वभाव और सत्ता के सम्बन्ध की दुरुपपादता के द्वारा वस्तु को निस्स्वभाव और कार्यकारण-सम्बन्ध को इस निस्स्वभावता की द्योतक आपेक्षिकता मात्र सिद्ध किया गया है।

वस्तुत: चतुष्कोटिक वाद-पद्धति नागार्जुन की अपनी उद्भावना नहीं थी। उसका प्रयोग अत्यन्त प्राचीनकाल से होता था। सामान्यतया उसमें पहली दो कोटियाँ ऐकान्तिक होती थीं, तीसरी विरुद्ध धर्मों के सावच्छेद समुच्चय के कारण समन्वयात्मक थी, चौथी कोटि विवादाध्यासित धर्मी के लिए विकल्पित धर्मों की अप्रयोज्यता के कारण अनिर्वचनीयता की थी।

पर यह सही है कि तथागत, लोक एवं जीव-शरीर-सम्बन्ध को लेकर जो परम्परागत अव्याकृत प्रश्न थे उनके सन्दर्भ में चतुष्कोटिक तर्क भिन्न प्रकार का है। उसका तात्पर्य इन विषयों के तर्कातीत स्वरूप की सूचना में है, जिसे तर्क की सीमाओं का सिद्धान्त भी कहा जा सकता है। किन्तु यहाँ भी यह स्मरणीय है कि तथागत-विषयक चतुर्थ कोटि रहस्यवादी अनिर्वचनीयता की ही कोटि है।

जैसाकि सुविदित है, शून्यता को लेकर नागार्जुन पर आक्षेप होना स्वाभाविक है। नागार्जुन का उत्तर था कि यदि शून्यता के लिए उसके प्रतियोगी अशून्य को स्वीकार करना होगा तो शून्यता के प्रतिषेध में शून्यता स्वीकार्य हो जायगी। वस्तुत: 'सब धर्म शून्य हैं', यह प्रमाणसाध्य प्रतिज्ञावाक्य नहीं है बल्कि नाना प्रतिज्ञाओं की समीक्षा से उनके अन्तर्गत सांवृत धर्मों की शून्यता का ख्यापन या निर्देश मात्र है। अद्वैत वेदान्त में मिथ्यात्व के मिथ्यात्व की स्थिति तुलनीय है।

11, बलरामपुर हाउस,

इलाहाबाद।

— गोविन्दचन्द्र पाण्डे

मध्यमकशास्त्र

प्रस्तावना

नागार्जुन की **विग्रहव्यावर्तनी** और **मध्यमकशास्त्र** कृतियों का भारतीय दर्शन–परम्परा में अप्रतिम स्थान है, क्योंकि ये एकमात्र ऐसे ग्रन्थ हैं जिनमें अवधारणाओं का शुद्ध तार्किक विश्लेषण किया गया है और उस विश्लेषण के अनुसरण में दार्शनिक निष्कर्ष स्थापित किये गए हैं। कहा जा सकता है कि कभी कोई दर्शन–व्यवस्था शुद्ध तार्किक विश्लेषण के आधार पर नहीं स्थापित की जाती, तर्क का दार्शनिक प्रातिभ की पुष्टि के लिए ही उपयोग किया जाता है। किन्तु यह बात नागार्जुन के सम्बन्ध में सही प्रतीत नहीं होती। नागार्जुन ने प्रतीत्यसमुत्पाद और शून्यता की अवधारणाओं का, जिनकी उद्भावना महात्मा बुद्ध ने की थी, शुद्ध तर्कात्मक युक्तियों में रूपान्तरण कर दिया। महात्मा बुद्ध में इन अवधारणाओं का रूप दार्शनिक साक्षात्कार का ही है, जिसका अर्थ है कि तर्क उनमें अंगभूत है, किन्तु जैसाकि हम आगे देखेंगे, नागार्जुन में तर्क ही उनका सर्वस्व हो गया है।[1] दार्शनिक साक्षात्कार या प्रातिभ में तर्क के अंगभूत होने का अर्थ है कि वह प्रातिभ स्वरूपत: ही सावयव और समग्रात्मक होता है। सावयवता का अर्थ है आन्तरत: उद्भिन्नता, अंगात्मकता और अंगों की परस्परापेक्षता। अवधारणाओं का यह स्वरूप इन्हें पूर्वमान्यता–रहित और सर्वाकिलनात्मक बनाता है, क्योंकि ऐसी पूर्वमान्यता अनिवार्यत: तर्कबाह्य और असमग्रात्मक होती है। वास्तव में सावयवता समग्रात्मकता से संयुक्त होकर प्रत्येक अवधारणा को ही एक अवयव बना देती है और समग्र को अवयवी, जिसमें अन्योन्यापेक्षता स्वत: ही पूर्वमान्यता–राहित्य में प्रतिफलित होती है। महात्मा बुद्ध की इन अवधारणाओं को दार्शनिक प्रातिभ कहने का औचित्य यह है कि वे इन्हें विश्व–स्वभाव–निरूपण में व्यवस्थात्मक रूप से युक्तिपूर्वक प्रस्तुत करते हैं, यद्यपि वे युक्ति की युक्तता दर्शाने को अधिक महत्त्व नहीं देते। उनकी यह विशेषता, युक्तता दर्शाने को अपना उत्तरदायित्व नहीं स्वीकार करना, उन्हें दार्शनिक से भिन्न करती है। उनके लिए युक्ति का महत्त्व केवल साधना को दृष्टियुक्त बनाने तक है, युक्ति का अपना कोई स्वतन्त्र महत्त्व नहीं है। किन्तु दार्शनिक के लिए युक्ति का महत्त्व प्रथम होता है और वह प्रातिभ को युक्ति के निष्कर्ष के रूप में स्थापित करता है। किन्तु प्रथम होने पर भी युक्ति प्रातिभ से स्वतन्त्र अनुसरणीय नहीं होती, उसका युक्तनिष्कर्षानुसारिणी होना आवश्यक होता है, और युक्त निष्कर्ष वह होता है जो प्रातिभ–मूलक, साक्षात्कार–मूलक हो। वास्तव में 'युक्त निष्कर्ष' द्वि–मुखीन पद है, जो एक ओर युक्ति की प्रातिभानुसारिता का वाचक है और दूसरी ओर प्रातिभ की युक्त्यात्मकता का। किन्तु कभी–कभी दार्शनिक लोग प्रातिभ को युक्ति के अधीन समर्पित कर देते हैं, जिसका परिणाम होता है कि प्रातिभ उस स्वतन्त्र हुई युक्ति के अधीन निष्कर्ष के रूप में अपचित हो जाता है, वह युक्ति का नियमन नहीं कर पाता। नागार्जुन में ऐसा ही हुआ प्रतीत होता है। उन्होंने बुद्ध के साक्षात्कृत 'प्रतीत्यसमुत्पाद' को युक्ति के अधीन स्थापित कर उसे युक्त्यनुसारी निष्कर्ष में रूपान्तरित कर दिया : "सब धर्म प्रतीत्यसमुत्पन्न हैं।" इससे यह आपादन सर्वथा युक्तियुक्त है कि सब धर्म स्वभाव से रहित है, क्योंकि सबका 'भाव' (सत्त्व) परापेक्षी होता है। किन्तु तब कोई पर भी ऐसा नहीं हो सकता जिसका कोई स्वभाव हो, परिणामत: कोई वस्तु स्वभावयुक्त नहीं हो सकती। किन्तु यदि कोई वस्तु

---

1. हमारे इस कथन का एक प्रमाण यह है कि महात्मा बुद्ध ने जिन प्रत्ययों या वस्तुओं को अवाच्य कहा, अथवा कहें जिनकी अवाच्यता का मौन से संकेत किया, नागार्जुन ने उनकी भी शून्यता या निस्स्वभावता के लिए तर्क दिये।

प्रतीत्यसमुत्पन्न नहीं हो और इस प्रकार स्वभावयुक्त हो, तब? यह भी सम्भव नहीं है, क्योंकि स्वभाववान् वस्तु अनुत्पन्न और अनुत्पादक होगी और इस प्रकार अकिंचित्कर : शून्य : ही होगी।[1]

इस प्रकार नागार्जुन ने सर्व धर्म-निस्स्वभावता का प्रतिपादन किया। किन्तु तब आपके प्रतिपादन का, प्रस्थापना का, क्या होगा? यह सस्वभाव है या निस्स्वभाव? इसका उत्तर नागार्जुन का सबसे बड़ा वैशिष्ट्य है। उनका उत्तर है कि "उनकी प्रस्थापनाएँ भी निस्स्वभाव हैं", और अपने इस कथन के परिणाम के लिए वे तैयार हैं। किन्तु यहाँ यह द्रष्टव्य है कि नागार्जुन की यह तार्किकता नैयायिकों और अन्य तार्किकों से भिन्न है जो प्राय: निरपवाद रूप से सर्वस्वीकारवादी हैं। उनके लिए सब पदार्थ (पद-वाच्य) सत् हैं। नागार्जुन का यह वैशिष्ट्य उनके तर्क को पूर्वमान्यता-राहित्य के परमोच्च पद पर प्रतिष्ठित करता है। वास्तव में नागार्जुन किसी भी पूर्वमान्यता पर रुकने को तब स्पष्टत: अस्वीकार कर देते हैं जब वे स्वयं प्रमाणों की प्रामाणिकता पर भी प्रश्न-चिह्न लगा देते हैं। न वे शंकर और डेकार्ट के समान आत्मा को ही अन्तिम और पूर्वमान्यता-रहित आधार स्वीकार करने को तैयार हैं, क्योंकि जैसाकि हम आगे देखेंगे, वे आत्मा को भी विश्लेष्य और इस प्रकार शून्य पाते हैं। इतना ही नहीं, अहंकारातीत प्रत्यङ्मुखता के पराकाष्ठाभूत बुद्ध को भी वे सस्वभाव स्वीकार करने को तैयार नहीं हैं। **तथागत गुह्य सूत्र** के अनुसार : "जिस प्रकार यन्त्रीकृत तूरी वायु के झोंकों से बजती है, उसका कोई वादक नहीं होता किन्तु शब्द निकलते हैं, उसी प्रकार सत्त्वों की वासना से प्रेरित होकर बुद्ध की वाणी नि:सृत होती है:—

यथा यन्त्रीकृतं तूर्यं वाद्यते पवनेरितम्
न चात्रवादक: कश्चिन्निश्चरंत्यथ च स्वरा:
एवं पूर्व सुशुद्धत्वात् सर्वसत्त्वाशयेरिता।
वाग्निश्चरति बुद्धस्य, न चस्यास्तीह कल्पना।
(18.7 पर प्रसन्नपदा में उद्धृत)

इस पर कहा जा सकता है कि उनका यह नि:स्वभाववाद या शून्यवाद केवल संवृति तक सीमित है, असांवृतिक परमार्थ उनके अनुसार शून्य नहीं है। किन्तु वास्तव में ऐसा नहीं है, वास्तव में उनके अनुसार संवृति की शून्यता ही परमार्थ है।[2] वेदान्त के समान संवृति और परमार्थ ये सत् के दो स्तर नहीं हैं, न ऐसा ही है कि संवृति परमार्थ पर अध्यारोपित भ्रान्ति है। दूसरे शब्दों में, अध्यास की कोई भी परिभाषा नागार्जुनीय संवृति और परमार्थ पर लागू नहीं हो सकती। जैसा कि आगे यथास्थान हम देखेंगे, वे निर्वाण और तथागत को भी निस्स्वभाव कहते हैं और नास्तिक्यवाद से अपना भेद वस्तु-सत् के आधार पर नहीं, दृष्टि के आधार पर ही कर पाते हैं। अवश्य उनकी शून्यताविषयक इस दृष्टि का मूल भी उनके पूर्वगामी विचारकों में ही है : **अष्टसाहस्रिका** प्रज्ञापारमिता के आरम्भ में सुभूति स्वयं प्रज्ञापारमिता की भी शून्यता का आख्यान करते हुए कहते हैं—"हे भगवन्, मुझे तो प्रज्ञापारमिता नामक भी कोई धर्म दृष्टिगत नहीं होता।"[3] किन्तु तब भी, उनकी तर्क-प्रक्रिया के निष्कर्ष के रूप में शून्यता की अवधारणा में एक ऐसी आत्यंतिकता है जो प्रज्ञापारमिता-शास्त्रों में इसकी अवधारणा से आगे है।

---

1. म. शा. 24/22, 24/38
2. धर्मों की धर्मता क्या है? धर्मों का स्वभाव। यह स्वभाव क्या है? शून्यता। शून्यता क्या है? निस्स्वभावता। निस्स्वभावता क्या है? तथता। तथता क्या है? तथा-भाव, अविकारिता। परनिरपेक्षतया अकृत्रिम होने के कारण अग्न्यादि का अनुत्पाद ही उनका स्वभाव है। — 1/15/2 पर प्रसन्नपदा।
3. "तमप्यिह भगवन् धर्म्मं न पश्यामि यदुत प्रज्ञापारमिता नाम।" प्रो. गोविन्दचन्द्र पाण्डे कृत बौद्ध धर्म के विकास का इतिहास, पृ. 366 से उद्धृत।

इससे स्पष्ट है कि उत्तरवर्ती वेदान्त-दार्शनिक नागार्जुन के अधिक ऋणी नहीं थे जैसाकि कुछ विद्वानों ने सिद्ध करने का प्रयत्न किया है। यद्यपि व्यवहार और परमार्थ के भेद और व्यवहार की सांवृतिकता आदि की अवधारणाओं ने उत्तरवर्ती अद्वैतवेदान्त के आचार्यों को कुछ सीमा तक प्रभावित किया, किन्तु न उन्होंने परमार्थ को संवृति की शून्यता के पर्याय के रूप में देखा और न संवृति को निस्स्वभाव। परमार्थ उनके लिए विराट् सत्स्वरूप ब्रह्म था और जगत् ब्रह्म-स्वभाव।

नागार्जुन की यह तर्क-प्रणाली दार्शनिक रूप से भी अत्यन्त महत्त्वपूर्ण है, क्योंकि यह दार्शनिक अवधारणाओं के अन्तर्निहित आकार को स्फुट कर उनमें निहित विषमताओं को प्रकट करती है। ग्रीस और पाश्चात्य परम्परा में ज़ेनो द्वारा प्रस्तुत गति-विषयक विरोधाभास (पाराडॉक्स) बहुत प्रसिद्ध है और उस पर बहुत लोगों ने लिखा है, किन्तु नागार्जुन ने न केवल गतिविषयक वह विरोधाभास ही उद्भावित किया है बल्कि उसके आगे जाकर अवधारणा मात्र की ही विरोधाभसता प्रकट की है। किन्तु यह आश्चर्य की बात है कि उस पर अनुवर्ती दार्शनिकों ने विचार नहीं कर उसे केवल वितण्डा मात्र कह दिया। उनके तर्क को वितण्डा कहने का कारण यह है कि वे केवल अन्य दृष्टियों का खण्डन करते हैं और अपनी दृष्टि नहीं रखते। किन्तु वास्तव में ऐसा नहीं है। प्रथम तो, अन्य दृष्टियों का खण्डन यदि अयुक्त हो तो उन दृष्टियों के समर्थकों के लिए उस खण्डन की अयुक्तता को प्रकट करना आवश्यक है। जैसे ज़ेनो का विरोधाभास स्वीकार्य नहीं हो सकता क्योंकि गतिमान बाण को गतिहीन स्वीकार नहीं किया जा सकता। किन्तु ज़ेनो द्वारा प्रदर्शित विरोधाभास का निराकरण दार्शनिकों का एक अनिवार्य उत्तरदायित्व है। किन्तु नागार्जुन द्वारा प्रस्तुत चुनौती वास्तव में ज़ेनो से बहुत अधिक गहरी है, वे जनो के अनुरूप केवल देश और काल की अवधारणा-विशेष के आधार पर गति की असम्भवता ही नहीं दिखा रहे हैं बल्कि स्थिति की असम्भवता भी दिखा रहे हैं, और उसके आगे वस्तुमात्र की असम्भवता दिखा रहे हैं। और उनकी अपनी प्रतिज्ञाहीनता का कारण यह नहीं है कि वे अपने खण्डन के निराकरण के जोखम से बचना चाहते हैं, बल्कि इसलिए है क्योंकि उनकी दृष्टि में कोई भी प्रतिज्ञा सम्भव नहीं है। किन्तु तब कहा जा सकता है कि यदि सब कुछ निस्स्वभाव है, यदि संवृति और परमार्थ दोनों निस्स्वभाव हैं क्योंकि अन्यथा केवल संवृति की निस्स्वभावता सापेक्ष होगी, तो फिर यह **विग्रहव्यावर्तनी और मध्यमक शास्त्र** की प्रवृत्ति ही क्यों है? वास्तव में वे इसका भी उत्तर देते हैं। वे बुद्ध के प्रवचनों को अप्रवचित कहते हैं, उन्हें वे केवल श्रोताओं के वासनाजन्य श्रवण कहते हैं जैसाकि हम पीछे देख आये हैं। इसी प्रकार परमार्थ या तत्त्व को वे अनुद्विग्न नहीं, शान्त कहते हैं। अवश्य वे एक स्थान पर परमार्थ की देशना के लिए व्यवहार के आश्रय को आवश्यक कहते हैं:—

> व्यवहारमनाश्रित्य परमार्थो न देश्यते।
> परमार्थमनागम्य निर्वाणं नाधिगम्यते। (24.10)

किन्तु वास्तव में वे परमार्थता में व्यवहार का कोई स्थान नहीं देखते:—

> निवृत्तिमभिधातव्यं निवृत्ते चित्त गोचरे।
> अनुत्पन्नानिरुद्धा हि निर्वाणमिव धर्मता। (18.7)

इस कारिका पर चन्द्रकीर्ति की टिप्पणी है—इस प्रकार परमार्थ में वाणी की और ज्ञान की भी प्रवृत्ति कैसे सम्भव है? वह परमार्थ आर्यों को प्रत्यात्मवेद्य, सर्व-प्रपंचातीत और अपरप्रत्यय है। उसका न उपदेश हो सकता है और न ज्ञान।[1]

इस टिप्पणी में "आर्याणां प्रत्यात्मवेद्य:" से आर्यचित्त और प्रत्यात्मवेद्यता की वस्तुता या स्वभाव के स्वीकार का भ्रम हो सकता है, किन्तु वास्तव में ऐसा नहीं है, जैसाकि प्रज्ञापारमिता, बुद्ध और निर्वाण के भी

1. इति कृत्वा कुतस्तत्रपरमार्थे वाचां प्रवृत्तिः, कुतो वा ज्ञानस्य? स हि परमार्थो अपर प्रत्ययः शान्तः, प्रत्यात्मवेद्य आर्याणां सर्वप्रपंचातीतः। स नोपदेश्यते? न चापि ज्ञायते।

स्वभाव के निषेध से स्पष्ट होना चाहिए। इस प्रकार शून्यता को निरपेक्ष अभाव कहा जा सकता है।[1] अवश्य नागार्जुन शून्यता को अभावात्मक रूप में देखने का भी निषेध करते हैं—"तस्मान्न निस्स्वभावार्थ: शून्यार्थ:"[2] किन्तु यह अभाव है, निरपेक्ष अभाव नहीं।

किन्तु यह सब कह देने के बाद यह कहना सम्भव प्रतीत होता है कि यह शून्यता परम शून्यता नहीं है, निरपेक्ष अभाव नहीं है, यह केवल सर्वोत्तीर्णता है। अवश्य यह कहने के लिए नागार्जुन के किसी कथन को उद्धृत नहीं किया जा सकता, किन्तु तब भी यह कहा जा सकता है कि उनके समग्र प्रतिपादन से ऐसा ध्वनित होता है। अन्यथा, द्वादशायतन की उत्पत्ति अविद्या से होती है और अविद्या का प्रहाण इस चक्र को समाप्त कर देता है। किन्तु उसके उपरान्त? उसके उपरान्त की कोई भी कल्पना सांवृतिकता के निदर्श पर ही हो सकती है—आत्मा, ब्रह्म, पुरुष या कुछ भी और। इस प्रकार उस कल्पना का आश्रयण न कर तत्त्व-बोध का प्रयत्न दूसरे द्वार से अविद्यामूलक आयतनों के चक्र में प्रवेश करने जैसा है। किन्तु तब अविद्या-प्रहीणता को अभावात्मक कहना भी युक्त नहीं है, क्योंकि यह कहने में भी संवृति-सापेक्षता रहती है। इस प्रकार इस सर्वोत्तीर्णता को शून्य में उत्तीर्णता भी कहा जा सकता है। किन्तु यह शून्यता उस पूर्णता के तुल्य भी कही जा सकती है जिसमें न कोई छिद्र है और न जिसका कोई छोर : हेगल के उस शुद्ध सत् समान जो शुद्ध असत् से अभिन्न है और उस शुद्ध असत् के समान जो शुद्ध सत् से अभिन्न है। किन्तु यहाँ यह दोहरा देना आवश्यक है कि यह नागार्जुन के प्रतिपादन से केवल ध्वनि रूप में ही अनुमेय है, जो अनुमान केवल आरोप भी हो सकता है।

इस संक्षिप्त भूमिका के बाद अब हम नागार्जुन की युक्तियों पर सूक्ष्मता से विचार करना चाहते हैं, जो कार्य पर्याप्त दुष्कर होने के साथ बहुत फलप्रद भी है, क्योंकि इससे दर्शन की अत्यन्त महत्त्वपूर्ण और जटिल समस्याओं का आन्तर स्वरूप समझने का अवसर मिलता है। इस समीक्षा में हम नागार्जुन और उसके एक प्रमुख व्याख्याकार चन्द्रकीर्ति की युक्तियों को एक-साथ रखते हुए देखेंगे और उनके लिए एक सामान्य संज्ञा 'आचार्य' का उपयोग करेंगे, क्योंकि हम यहाँ शास्त्रीय व्याख्याकार की भूमिका से उन पर टीका नहीं करके दार्शनिक आलोचक की भूमिका से उनकी युक्तियों की परीक्षा कर रहे हैं। हमारे विचार में, यदि नागार्जुन की दार्शनिक दृष्टि को उसकी समग्रता में बिना किसी आपत्ति के स्वीकार भी कर लिया जाय तो भी उनकी विशिष्ट वस्तुओं या तथ्यों की निस्स्वभावताप्रदर्शक प्रत्येक युक्ति को स्वीकार करना आवश्यक नहीं है। यह एक बात है कि जगत् अपनी समग्रता में निस्स्वभाव है और यह एकदम दूसरी बात है कि जगत् की विशिष्ट वस्तुएँ, तथ्य और अवस्थाएँ निस्स्वभाव हैं। इनमें भेद यह है कि 'जगत्' जबकि जगद्भाव का विषय है, वस्तुएँ आदि प्रत्यक्ष, अध्यवसाय और तर्क की विषय हैं। उदाहरणत:, "जगत् अध्यास है" से यह आपादित नहीं होता कि "यह घट है" अध्यवसाय भी अध्यास है, और न "जगत् की प्रत्येक वस्तु प्रतीत्यसमुत्पन्न है" से यह आपादित होता है कि जगत् भी प्रतीत्यसमुत्पन्न है। नागार्जुन जगत् को और प्रत्येक वस्तु को नि:स्वभाव कहते हैं और वस्तुओं, अवस्थाओं, तथ्यों सबकी, और तदुत्तर निर्वाण तथा बुद्ध आदि की भी निस्स्वभावता प्रदर्शित करते हैं। हमें उनकी ये सब युक्तियाँ अस्वीकार्य प्रतीत होती हैं। हम यहाँ उनमें से प्रत्येक की परीक्षा कर उनकी अयुक्तता दिखाने का प्रयत्न करेंगे।

---

1. यहाँ प्रोफेसर गोविन्दचन्द्र पाण्डे का विपरीत मत उल्लेखनीय है जो वास्तव में प्रोफेसर टी.आर.वी. मूर्ति, वेंकटरमन तथा सुजुकी प्रभृति का भी है। पाण्डे जी लिखते हैं, "इस विख्यात निरूपण (का. 1.1) में प्रतीत्यसमुत्पाद को भाषा और विचार की कोटियों से अतीत रूप में देखा गया है। ये कोटियाँ परस्पर व्यावर्तक सापेक्ष युगलों से निर्मित होती हैं। माध्यमिक कारिका के अनुगामी अध्यायों में नागार्जुन कारणता, गति, काल आदि आधारभूत अवधारणाओं का विश्लेषण करके दिखाते हैं कि वे वास्तव में स्वरूपत: द्वन्द्वात्मक हैं और इस प्रकार सिद्ध करते हैं कि ये तर्कत: सापेक्ष और इस प्रकार किसी सद्वस्तु के अनुरूप नहीं हैं। इस प्रकार (इस विश्लेषण के आधार में) यह निहित धारणा विद्यमान है कि सत् को एक ऐसा द्रव्यरूप होना चाहिए जो अस्तित्व और अवधारणा दोनों दृष्टियों से स्वतन्त्र हो।" (बुद्धिस्ट फिलोसोफी, पंजाबी यूनीवर्सिटी, पटियाला) से प्रकाशित पुस्तक में संकलित पाण्डे जी का निबन्ध 'बुद्धिज़्म', पृ. 44) किन्तु वास्तव में यह इन विद्वानों का अपना आग्रह है, नागार्जुन का प्रतिपादन नहीं है, जैसाकि हम आगे विस्तार से देखेंगे। अवश्य सत्त्व (भाव) विषयक नागार्जुन की अवधारणा उपर्युक्त प्रकार की ही है, किन्तु वे इस अवधारणा के अनुरूप किसी वस्तु को स्वीकार नहीं करते।

2. 24.11 पर प्रसन्नपदा।

1. प्रत्यय–परीक्षा

बौद्ध वस्तुओं का स्वभाव प्रतीत्यसमुत्पाद मानते हैं। यह प्रतीत्यसमुत्पाद क्या है? नागार्जुन के अनुसार, हेतु–प्रत्ययों की अपेक्षा कर भावों की उत्पत्ति का नियम प्रतीत्यसमुत्पाद है। अब, भावों की उत्पत्ति के सम्बन्ध में विभिन्न वाद हैं : अहेतुवाद, एकहेतुवाद, विषमहेतुवाद आदि। नागार्जुन और चन्द्रकीर्ति इन सब मतों का खण्डन करते हैं। नागार्जुन ने यह खण्डन बुद्ध–स्वभाव–निर्देश के रूप में बुद्ध की वन्दना करते हुए प्रथम कारिका में ही किया है।

कारिका है:—

अनिरोधमनुत्पादम्, अनुच्छेदमशाश्वतम्।
अनेकार्थमनानार्थम्, अनागममनिर्गमम्।

अर्थात् बुद्ध का स्वरूप, जो कि प्रतीत्यसमुत्पाद से अभिन्न है, इन आठ विशेषणों से प्रकट होता है—अनिरोध, अनुत्पाद, अनुच्छेद, अशाश्वत, अनेकार्थ, अनानार्थ, अनागम और अनिर्गम। चन्दकीर्ति इसकी व्याख्या इस प्रकार करते हैं : निरोध क्षणभंगता है, किन्तु तत्त्व में क्षणभंगता नहीं है, अत: वह अनिरोध है। उत्पाद अपने भाव का उन्मज्जन है, तत्त्व में आत्मभावोन्मज्जन नहीं है, अत: वह अनुत्पाद है। उच्छेद सन्तान–प्रबन्ध का विच्छेद है, किन्तु तत्त्व में यह विच्छेद नहीं है, अत: वह (तत्त्व—बुद्ध) अनुच्छेद है। शाश्वतिकता सार्वकालिक स्थाणुता है, परन्तु तत्त्व में यह स्थाणुता नहीं है, अत: वह अनेकार्थमनानार्थम् है। तत्त्व में नानार्थता और अनानार्थता दोनों विकल्प नहीं हैं, अत: वह अनेकार्थमनानार्थम् है। तत्त्व में आगम और निर्गम द्वन्द्व के ये दोनों पक्ष लागू नहीं होते, अत: वह अनागम और अनिर्गम है।

इसकी व्याख्या करते हुए चन्द्रकीर्ति कहते हैं : "प्रतीत्यसमुत्पाद क्या है? हेतु–प्रत्ययों की अपेक्षा कर भावों की उत्पत्ति का नियम प्रतीत्यसमुत्पाद है। अब भावों की उत्पत्ति के सम्बन्ध में विभिन्न वाद है—अहेतुवाद, एक–हेतुवाद, विषम–हेतुवाद आदि।" इन सब मतों का खण्डन करते हुए वे कहते हैं : "इन वादों के निषेध से पदार्थों का सांवृत रूप उद्भासित होता है और यह सिद्ध होता है कि आर्य–ज्ञान की दृष्टि से पदार्थ स्वभावत: अनुत्पन्न हैं। अत: प्रतीत्यसमुत्पन्न पदार्थों में निरोधादि नहीं है।

यहाँ यह प्रश्न विचारणीय है कि प्रतीत्यसमुत्पाद व्यवहार का स्वरूप है या परमार्थ का? प्रो. गोविन्दचन्द्र पाण्डे के अनुसार, "प्रतीत्यसमुत्पाद के द्वारा व्यावहारिक जगत् का प्रतिषेध इन आठ विशेषणों से प्रकाशित किया गया है...अर्थात् प्रतीत्यसमुत्पाद में न निरोध होता है न उत्पाद, न उच्छेद होता है न शाश्वत स्थिति...विरुद्ध धर्मों का निषेध प्रतीत्यसमुत्पाद की अतर्क्यता द्योतित करता है। तर्क–बुद्धि प्रत्येक पदार्थ को धर्म विशेष से विशेषित कर तद्विपरीत धर्म से उसकी व्यावृत्ति करती है। इस दृष्टि से जो वस्तु एक नहीं है उसे अनेक होना चाहिए, जो उच्छिन्न नहीं होती उसे शाश्वत होना चाहिए, किन्तु प्रतीत्यसमुत्पाद में इस प्रकार का तर्क नहीं लगता। इसका कारण यह है कि शून्य में विशेषण लगा देने से शून्य गुणित अंकों के तुल्य विशेषणों का विरोध भी शून्यसात् हो जाता है। आचार्य गौड़पाद ने कहा है कि मायामय बीज से उत्पन्न हुआ मायामय अंकुर न शाश्वत कहा जा सकता है न नश्वर।"[1] नागार्जुन के मंतव्य की यह पूर्णत: युक्त व्याख्या है। इसका अर्थ होता है कि प्रतीत्यसमुत्पाद व्यवहार का पारमार्थिक स्वरूप है, व्यावहारिक स्वरूप नहीं, अर्थात् व्यवहार में निरोध, उत्पाद आदि वस्तुत: होते हैं किन्तु परमार्थत: इनकी कोई प्रतिष्ठा नहीं है। इस पर कहा जा सकता है कि व्यवहार और परमार्थ का इस प्रकार से भेद नागार्जुन पर कांटीय दृष्टि का आरोप है। किन्तु यह आपत्ति सही नहीं है, क्योंकि जैसाकि हमने ऊपर देखा, स्वयं नागार्जुन ही कहते हैं कि यदि वस्तुओं का कोई स्वभाव स्वीकार करें तो व्यवहार ही नहीं चल सकता, क्योंकि स्वभाववान् वस्तु न उत्पन्न हो सकती है न उत्पन्न कर सकती है, और परिणामत: तब कोई क्रिया भी

1. बौद्ध धर्म के विकास का इतिहास, पृ. 380 से उद्धृत।

सम्भव नहीं है। इसका अर्थ है कि व्यवहार में उत्पाद-निरोध आदि है और यह होना ही इस बात का द्योतक है कि व्यवहार-जगत् नि:स्वभाव है। वास्तव में प्रतीत्यसमुत्पाद में सापेक्ष उत्पत्ति का ही कथन है। किन्तु तब यह कहना युक्त नहीं है कि प्रतीत्यसमुत्पाद में अनिरोध और निरोध नहीं होता, यह कहना चाहिए कि प्रतीत्यसमुत्पाद निरोध-अनिरोध की एक भिन्न व्याख्या प्रस्तुत करता है। प्रो. टी.आर.वी. मूर्त्ति प्रतीत्यसमुत्पाद की जो व्याख्या करते हैं उसमें यह आपत्ति नहीं उठ सकती, यद्यपि वह व्याख्या नागार्जुन की प्रासंगिक कारिका से संगत नहीं है। वे कहते हैं, "कांट के लिए दो कार्य थे : विकल्प की कोटियों को प्रागनुभविक दिखाना और तब यह दिखाना कि ये व्यवहार-जगत् के अन्तर्गत सत्य हैं यद्यपि परमार्थत: असत्य, इसके विपरीत माध्यमिक सिद्धान्त सरल और सीधा है। उसके लिए कारण-नियम का व्यावहारिक याथार्थ्य सिद्ध करना अपेक्षित नहीं है, उसके लिए केवल यह दिखाना ही अपेक्षित है कि यह नियम केवल व्यवहार-जगत् तक ही सीमित है।"[1] अर्थात् व्यवहार-जगत् में सापेक्ष उत्पत्ति और निरोध वस्तुत: घटित होते हैं, किन्तु यह वस्तुओं का परमार्थ स्वरूप नहीं है, परमार्थत: कारण-कार्य-नियम का उसके किसी भी रूप में कोई स्थान नहीं है। किन्तु इस व्याख्या के अनुसार कांट और नागार्जुन में कारणता की तात्त्विक स्थिति को लेकर कोई अन्तर नहीं रहता, अन्तर केवल यह रहता है कि नागार्जुन व्यवहार और परमार्थ के क्षेत्र-निर्धारण के लिए कोई सैद्धान्तिक व्यवस्था प्रस्तुत नहीं करते जबकि कांट करते हैं। किन्तु वास्तव में बात ऐसी नहीं है, नागार्जुन प्रतीत्यसमुत्पाद को व्यवहार-विषयक परमार्थ-दृष्टि, व्यवहार की प्रपंचरूपता, स्वयं परमार्थ, तथता, बुद्धत्व और शून्य के रूप में निरूपित करते हैं। इसी से वे प्रतीत्यसमुत्पाद की अनिरोध-अनुत्पाद आदि के द्वारा अतर्क्यता, अनिर्वच्यता निरूपित करते हैं। किन्तु तब भी प्रश्न रह जाता है कि प्रतीत्यसमुत्पाद-नियम यद्यपि व्यवहार की प्रपंचरूपता का द्योतक है किन्तु क्या प्रपंच : व्यवहार-लोक : में निरोध, उत्पाद आदि की व्यवस्था है? इसका उत्तर निस्संकोच रूप से 'है' में होना चाहिए। पाण्डे जी कहते हैं कि "तर्क-बुद्धि व्यावर्तक द्वन्द्वों के माध्यम से उपचरित होती है किन्तु प्रतीत्यसमुत्पाद में इस प्रकार का तर्क नहीं लगता।" किन्तु प्रश्न है व्यवहार-लोक तर्क-बुद्धिमूलक है या कि परमार्थमूलक? इसका उत्तर होना चाहिए कि यह तत्त्वत: परमार्थमूलक है और उपचारत: बुद्धिमूलक। वास्तव में नागार्जुन यह भी आपादनत: स्वीकार करते हैं और चन्द्रकीर्ति स्पष्टत: कहते हैं—"यहाँ प्रश्न उठता है कि माध्यमक के इस अनुमान-प्रयोग में किस अर्थ की सिद्धि के लिए 'परमार्थत:' विशेषण है, क्योंकि लोक-संवृति (लोक-बुद्धि) से स्वीकृत उत्पाद अप्रतिषेध्य होता है। किन्तु माध्यमिकों के मत में लोक-संवृति से भी भावों का स्वत:उत्पाद सिद्ध नहीं होता। माध्यमिक से इतर मतावलम्बियों की अपेक्षा से भी यह विशेषण सार्थक नहीं है क्योंकि माध्यमिक परमत की उत्पाद आदि व्यवस्था को संवृत्या भी कहाँ स्वीकार करता है?" (प्रत्यय परीक्षा) यहाँ आपत्ति की जा सकती है कि यह चन्दकीर्ति का अपना मत है, नागार्जुन का नहीं। किन्तु यह सही नहीं है, क्योंकि नागार्जुन जिन वस्तुओं के स्वभाव का जिन युक्तियों से प्रतिषेध करते हैं वे व्यवहारमूलक ही हैं। इस पर कहा जा सकता है कि नागार्जुन व्यावर्तक-द्वन्द्वों की दोनों प्रतिज्ञाओं का प्रतिषेध करते हैं, जैसे गति का भी और स्थिति का भी, इस प्रकार वे दोनों को प्रतिषेध्य दिखाकर अनिर्धायता की ओर संकेत करते हैं। यह सही है कि उनका यही प्रयोजन है, किन्तु जैसाकि हम अब देखेंगे उनकी प्रणाली यही है कि वे सांवृतिक को सांवृतिकतया ही अतर्कसंगत दिखाने का प्रयत्न करते हैं, जो अयुक्त है।

वे वस्तुस्वभाव के निषेध का आरम्भ स्वत:उत्पादवाद के निषेध से करते हैं। अब, स्वत:उत्पादवादियों या परत: उत्पादवादियों ने अपने पक्ष में संवृति और परमार्थ में भेद किये बिना ही युक्तियाँ दी हैं। नागार्जुन के सिद्धान्त के अनुसार वे सब युक्तियाँ वास्तव में संवृत्यात्मक ही होंगी। तब उन युक्तियों का खण्डन यदि उसी स्तर की युक्तियों से किया जाता है तो वह सांवृतिक खण्डन ही होगा, असांवृतिक नहीं। उदाहरणत: स्वत:उत्पादवाद के विरुद्ध उनकी युक्ति है कि "वस्तु का स्वत:उत्पाद मानने पर उत्पन्न की ही पुन: उत्पत्ति माननी पड़ेगी। इस प्रकार 'स्वत:उत्पाद' का अर्थ है "अपने ही उपादान से अपना उत्पाद", सांख्य की पदावली में कहें तो, त्रैगुण्य से त्रैगुण्य

---

1. दि सेंट्रल फिलोसोफी ऑफ बुद्धिज़्म, ज्योर्ज एलन एण्ड अन्विन, लंडन, द्वितीय संस्करण, 1966, पृ. 168

का उत्पाद। इसी प्रकार परत: उत्पादवाद के विरुद्ध उनकी युक्ति है कि "अन्य की अपेक्षा से यदि अन्य उत्पन्न हो तो ज्वाला से भी अन्धकार होना चाहिए और सबसे सब वस्तुओं का उत्पाद होना चाहिए, क्योंकि कार्य के प्रति उससे अतिरिक्त सब वस्तुओं में परतस्त्व अक्षुण्ण है।"

अब यह खण्डन स्पष्टत: सांवृतिक तर्कपरक होने के अतिरिक्त अतिचार पूर्ण भी है, क्योंकि इसमें न स्वत:उत्पादवादियों के आशय का ध्यान रखा गया है और न परत: उत्पादवादियों के। वास्तव में साधारण रूप से कारण-कार्य-सम्बन्ध की व्याख्या में विभिन्न प्रकार के उदाहरणों को एक ही प्रकार में संगृहीत कर दिया जाता है और उससे बहुत भ्रान्ति होती है। उदाहरणत: तिल से तेल एक प्रकार का उदाहरण है और ईंधन से अग्नि दूसरे प्रकार का, दूध से दही तीसरे प्रकार का और आघात से व्रण चौथे प्रकार का, व्रण से वेदना पाँचवें प्रकार का, और इसी प्रकार कुछ अन्य प्रकारक भी गिने जा सकते हैं। अब वास्तव में तिल से तेल में कोई कारणता नहीं है, यह केवल तेल का स्थान-परिवर्तन है। पहले तेल तिलों में रहता है और बाद में बर्तन में। इसमें कार्यता तेल के स्थान-परिवर्तन की ही है जिसका कारण तेली होता है। अब तेली का प्रयत्न और तेल की तिलों में से निष्कृति स्वतोत्पाद नहीं है। किन्तु दूध से दही के घटित होने को स्वतोत्पाद कहा जा सकता है। वास्तव में सांख्य-सम्मत सत्कार्यवाद का यही उपयुक्त उदाहरण भी है : सम्भवत: ईंधन से अग्नि को भी उपयुक्त उदाहरण कहा जा सकता है। सांख्य मतानुसार त्रैगुण्य में मात्रात्मक अनुपात-भेद ही सब रूप-भेद का कारण है। अब, इसमें कारण क्या है और क्या है? कारण त्रैगुण्य है या अनुपात-भेद है? यदि मात्र त्रैगुण्य ही कारण हो तो अनुपात-भेद के बिना भी रूपभेद की उत्पत्ति सम्भव हो, जो कि नहीं होती, इसलिए कारण अनुपात-भेद को मानना होगा, त्रैगुण्य को नहीं, और उसका कार्य रूप-भेद को मानना होगा। इस प्रकार सत्कार्यवाद साधारणत: प्रतिपादित रूप में युक्त सिद्धान्त नहीं कहा जा सकता। इसे केवल इसी रूप में उपयुक्त सिद्धान्त कहा जा सकता है यदि इसका अर्थ यह लिया जाय कि कारण के रूप में किसी सद्वस्तु की उपस्थिति होने पर ही कार्य की उत्पत्ति हो सकती है। किन्तु इसमें स्वत:उत्पाद की कोई बात नहीं है। स्वत:उत्पाद का केवल इतना ही अर्थ है कि पर की सहायता के बिना उत्पाद। यह उत्पाद वास्तव में सत्कार्यता में नहीं असत्कार्यता में उपलब्ध होता है। उदाहरणत: तैत्तिरीय उपनिषद् में ऋषि असत् से सत् की उत्पत्ति बताते हुए कहता है—तब उसने स्वयं अपने से अपना सर्जन किया : असद्वा इदमग्र आसीत्, ततो वै सदजायत, तदात्मानं स्वयमकुरुत। यह आत्मसर्जन स्वतोत्पाद का उत्कृष्टतम उदाहरण है और सत्यकार्यवाद के विपरीत असत्कार्यवाद है। किसी भी सर्जन का यह तत्त्व है कि वह असत्पूर्वक ही होता है और उसका उपादान सर्जक स्वयं होता है, और वह 'स्वयं' भी उत्पाद की क्रिया के साथ ही सृष्ट होता है। स्पष्टत: नागार्जुन या चन्द्रकीर्ति का आक्षेप इस पर लागू नहीं होता। स्वतोत्पाद का एक दूसरा और इसके विपरीत रूप सांख्य और बुद्ध-सम्मत जगत् के प्रवर्तन की अवधारणा में उपलब्ध होता है, क्योंकि यह प्रवर्तन पुरुष-कृत या अन्य-कृत नहीं है। इस पर आपत्ति हो सकती है कि क्रमश: विकृति और द्वादश प्रतीत्यसमुत्पाद-चक्र के प्रवर्तन को सांख्य और बुद्ध अनादि मानते हैं इसलिए इसमें उत्पाद का कोई प्रश्न नहीं है। किन्तु ऐसा नहीं है, अविवेक और अविद्या के निवार्य होने के कारण इनकी विद्यमानता निरन्तर उत्पादन की अपेक्षी होती है, क्योंकि अन्यथा ये (विकृति या द्वादशांग) स्वत: निरस्त हो जाएंगे। किन्तु इनका उत्पादक इनके बाहर नहीं होने से इनकी उत्पत्ति स्वत: है। स्वतोत्पाद का यह स्वरूप भी नागार्जुन के आक्षेप का विषय नहीं है। वास्तव में स्वतोत्पाद के इस रूप पर उन्होंने अहेतुवाद के अन्तर्गत विचार किया है। अहेतुवाद के विरुद्ध उनकी आपत्ति है कि "इससे सर्वदर्शनसम्मत कारण-कार्यभाव के सिद्धान्त का विरोध होगा और अहेतुक गगन-कमल के वर्ण और गंध के समान जगत् भी गृहीत नहीं होगा।" इनमें पहला तर्क स्पष्टत: बेतुका है क्योंकि सर्वदर्शन-सम्मत हेतुवाद को वे स्वयं भी कहाँ स्वीकार करते हैं? दूसरे, जनमत संग्रह को वैसे भी कोई युक्ति नहीं माना जा सकता। इसलिए केवल दूसरी युक्ति शेष रहती है कि इससे जगत् आकाश-कुसुमवत् सिद्ध होगा। किन्तु यह अयुक्त उपमा है क्योंकि 'आकाश-कुसुम' पद वदतोव्याघात रूप में देखा जाता है और इसकी वदतोव्याघातता इस बात में देखी जाती है कि 'आकाश' पद पृथ्वी-जल आदि उस उपादान-राहित्य का वाचक है जो कुसुम के भौतिक पक्ष का घटक है और जिसके बिना कुसुम नहीं हो सकता। किन्तु जैसाकि हम पीछे देख आये हैं, उपादान उचित रूप से कारण नहीं

है क्योंकि पृथ्वी, जल आदि, जो कुसुम के प्रादुर्भाव से पहले थे वही उसके प्रादुर्भाव के बाद भी रहते हैं और उसी रूप में रहते हैं, अन्तर केवल कुसुमत्व के आविर्भाव के रूप में पड़ता है जिसका हेतु उपादान नहीं होता। अब इस प्रादुर्भाव का क्या हेतु होता है? यह कुसुम के बजाय घट का उदाहरण लेने से अधिक सरलता से देखा जा सकता है। 'आकाश-कुसुम' पद को 'आकाश-घट' पद से भी स्थानान्तरित किया जा सकता है और इस पक्ष में दोनों में कोई अन्तर नहीं है। अब घट का हेतु क्या है? इसका हेतु कुम्भकार की घटत्वावधारणा है जिसका कोई हेतु नहीं है, क्योंकि प्रथम घटकार के चित्त में : वह प्रथम घटकार चाहे व्यक्ति नहीं होकर समाज ही रहा हो : इसका प्रादुर्भाव स्वतः, अन्य हेतु के बिना, ही होता है।

परतः उत्पादवाद के विरुद्ध उनकी युक्ति है कि "तब ज्वाला से भी अंधकार उत्पन्न होना चाहिए, सब वस्तुओं से सब वस्तुओं का जन्म होना चाहिए" आदि। अब यह द्रष्टव्य है कि ज्वाला से अंधकार उत्पन्न नहीं होता, ज्वाला से उसका निवारण होता है; इसी प्रकार, आघात से काँच टूटता है, टूटा काँच नहीं जुड़ता। परतस्त्व जबकि चारों में है : ज्वाला से अंधकार उत्पन्न होने और नहीं होने तथा आघात से काँच टूटने और नहीं टूटने में : कारण-कार्यता केवल दो में है। इसका अर्थ हुआ कि परतःउत्पादवाद में परतस्त्व की हेतुता नहीं, हेतु की परतस्त्वता अभिप्रेत है जबकि हेतुता के लिए किसी अन्य गुण की अपेक्षा है। उस अन्य गुण के साथ परतस्त्व भी अभिप्रेत है, अन्यथा इस वाद के अनुसार कारण-कार्य-सम्बन्ध नहीं बनता। किन्तु नागार्जुन इस स्पष्ट बात की उपेक्षा कर परतःउत्पादवाद का अनभिप्रेत अर्थ लेकर उस पर आपत्ति उठाते हैं।

नागार्जुन ने स्वतःउत्पादवाद के जिस रूप पर विचार किया है उससे भिन्न भी एक रूप हो सकता है, वह है जिसे वे अहेतुवाद कहते हैं। अहेतुवाद के विरुद्ध चन्द्रकीर्ति की एकमात्र आपत्ति यह है कि इससे "सर्वदर्शन-सम्मत कारण-कार्य-भाव के सिद्धान्त का विरोध होगा और अहेतुक गगन-कमल के वर्ण और गंध के समान जगत् भी गृहीत नहीं होगा।" इनमें पहला तर्क स्पष्टतः बेतुका है जैसाकि हम पीछे देख आये हैं, जहाँ तक दूसरी युक्ति का प्रश्न है, वह भी अयुक्त है। उसके सम्बन्ध में दो बातें द्रष्टव्य हैं : प्रथम यह कि अवश्य प्राकृतिक उत्पादनों में उपादान-राहित्य की स्थिति में उत्पत्ति सम्भव नहीं है—भौतिक तत्त्व उपस्थित नहीं होने पर कुसुम नहीं हो सकता, मिट्टी नहीं होने पर घट नहीं हो सकता—किन्तु सर्जनात्मक उत्पादनों में यह सम्भव है, जैसाकि हम पीछे देख आये हैं : घटावधारणा की प्रथम उत्पत्ति किसी हेतु की अपेक्षा से नहीं होती, व्यक्ति या कहें आत्मा की उत्पत्ति अहंकार से होती है किन्तु अहंकार की उत्पत्ति किसी हेतु से नहीं होती। दूसरे, "गगन-कमल के समान जगत् भी गृहीत नहीं होगा" यह उपमा माध्यमिक नहीं दे सकता क्योंकि उसके अनुसार जगत् और गगन-कमल में वास्तव में ही कोई अन्तर नहीं है। जगत् का ग्रहण उसके अनुसार किसे होता है? वास्तव में किसी को भी नहीं, क्योंकि जिसे वह होता है वह स्वयं जगत् के ही अन्तर्गत है। इस प्रकार अहेतुवाद के विरुद्ध भी उनका कोई तर्क युक्तियुक्त नहीं ठहरता।

अहेतुवाद को स्वतःउत्पादवाद में संगृहीत करते हुए उत्पाद-विषयक दो विकल्प रह जाते हैं। अब ये दोनों अस्तित्व के दो पृथक् क्षेत्रों में लागू होते हैं, स्वतःउत्पादवाद चित् के सर्जनात्मक क्षेत्र में और परतःउत्पादवाद चेतना के असर्जनात्मक क्षेत्र में और भौतिक जगत् में।

किन्तु परतः उत्पाद को लेकर वास्तव में कुछ दूसरी बड़ी कठिनाइयाँ हो सकती हैं। सबसे बड़ी कठिनाई यही है कि यह उत्पादक पर पूर्णतः पर होने पर उत्पादन में समर्थ नहीं होता, उदाहरणतः मनोभाव भौतिक वस्तुओं में कोई परिवर्तन घटित नहीं कर सकते किन्तु मनोभाव अपने से अधिष्ठित देह में परिवर्तन घटित कर सकते हैं और उसके माध्यम से भौतिक वस्तुओं तथा अन्य देहों में परिवर्तन घटित कर सकते हैं। चित्त देहि में कैसे परिवर्तन घटित कर पाता है यह एक निरंतर विवाद का विषय रहा है जिसका कारण चित्त और देह में नितान्त परत्व को मानना ही है। अब चित्त यह परिवर्तन एक देह में घटित कर पाता है अन्य में नहीं, यह वास्तव में इस बात का द्योतक है कि चित्त और चित्ताधिष्ठित देह में नितान्त परत्व नहीं है। कोई यह भी कह सकता है कि इनमें कोई परत्व है ही नहीं। अब यदि यह दूसरी बात मानें, जो मानना कम-से-कम इस प्रसंग में उचित जान पड़ता है, तब वास्तव

में कारण और कार्य में परत्व कहीं नहीं रहता, केवल स्थूल दृष्टि से ही परत्व रहता है। किन्तु तब भी तिल से तेल के उदाहरण के अतिरिक्त पीछे हमारे द्वारा दिये गये सब उदाहरणों में एक परत्व है, निमित्त कारणता में तो पूर्ण परत्व है।

निश्चय ही कारण-कार्य-सम्बन्ध को गहराई से देखने पर इसमें बहुत-सी कठिनाइयाँ हैं, सबसे बड़ी कठिनाई कारण-घटना और कार्य-घटना को निर्धारित करने की है, जो निर्धारण अन्ततः विचारमूलक या प्रयोजनमूलक ही ठहरता है, किन्तु नागार्जुन या चन्दकीर्ति ने उस दृष्टि से कोई आपत्ति नहीं उठाई है इसलिए उन कठिनाइयों पर यहाँ विचार अनावश्यक है।

प्रमाण-द्वयता का खण्डन

जैसाकि हम आगे देखेंगे, नागार्जुन प्रमाण की प्रामाणिकता को ही अस्वीकार करते हैं। प्रमाण को स्वभावहीन कह देने के बाद उसके प्रकारों की निस्स्वभावता दिखाने की कोई आवश्यकता नहीं रहनी चाहिए। किन्तु यहाँ वे प्रमाण के दो आधारभूत प्रकारों की निस्स्वभावता प्रदर्शित करते हैं। इस प्रदर्शन से प्रमाण के स्वरूप पर गहराई से विचार का अवसर मिल सका है और इस प्रकार प्रमाण की स्वभावहीनता अधिक गहराई से दिखायी जा सकी है। किन्तु हमारे विचार में उनकी इसके लिए प्रस्तुत की गई युक्तियाँ भी युक्त नहीं हैं।

प्रमाण-द्वयता के खण्डन में वे पूर्व पक्ष की तीन उद्भावनाएँ करते हैं : (1) प्रमाण के दो प्रकार माने जाते हैं : स्वलक्षण और सामान्य लक्षण। अब इन लक्षणों से लक्षित कुछ और भी होना चाहिए : और तब उसके लिए प्रमाण भी पृथक् होना चाहिए, क्योंकि स्वलक्षण और सामान्य लक्षण भी प्रमेय हैं। (2) यदि वादी कहे कि उसके ये लक्षण किसी अन्य लक्ष्य के संकेतक नहीं होकर स्वयं लक्ष्यभूत (लक्ष्यते तदिति) ही हैं तो भी यह कठिनाई होगी कि प्रमेय होने से ये कर्म होंगे और इनसे पृथक् करणभूत ज्ञान की अपेक्षा होगी। इस प्रकार दो स्वलक्षण आपन्न होंगे, जो दोष है। यदि कहें कि विज्ञान-स्वलक्षण का कर्म विज्ञान के अन्तर्गत ही होता है और इस प्रकार कर्म-करण की पृथक्ता नहीं होती, तो भी यह युक्त नहीं होगा, क्योंकि इस प्रकार कोई स्वलक्षण प्रमेय नहीं रहेगा, अथवा वादी को यह व्यवस्था करनी होगी कि एक स्वलक्षण ऐसा है जो प्रमेयभूत है : विज्ञानगत : और दूसरा ऐसा जो अप्रमेयभूत है। अब यदि इस दूसरे को भी कर्म ही मानें तो इस कर्मभूत से अन्य कोई करण मानना होगा और इस प्रकार अनवस्था प्रसंग होगा।

प्रथम युक्ति का तात्पर्य है कि 'स्वलक्षण' और 'सामान्य लक्षण' ये दो प्रमेय माने जाते हैं। अब यदि ये वस्तु के लक्षण हैं तो लक्ष्यभूत प्रमेय इनसे भिन्न तीसरा सिद्ध होगा, ऐसी अवस्था में तीन प्रमाणों की अपेक्षा होगी। किन्तु स्पष्टतः 'स्वलक्षण' और 'सामान्य लक्षण' को प्रमेय मानने वालों को इनसे पृथक् कोई प्रमेय अभिप्रेत नहीं है। इस पर नागार्जुन कहते हैं कि ऐसी अवस्था में लक्ष्य के बिना लक्षण मानना होगा जो युक्त नहीं है क्योंकि लक्षण किसी लक्ष्य को लक्षित करने वाला होता है। किन्तु नागार्जुन की यह आपत्ति इसलिए उचित नहीं कही जा सकती क्योंकि जो लक्षणों से आगे किसी लक्ष्य को स्वीकार नहीं करता वह 'लक्षण' शब्द का प्रयोग एक-दूसरे अर्थ में कर रहा है और उस अर्थ के अनुसार लक्षण लक्ष्य के बिना निरवलम्ब नहीं होते। अब, दूसरी आपत्ति भी युक्त प्रतीत नहीं होती। क्योंकि करण की कर्म से, प्रमाण की प्रमेय से, भिन्नता स्वीकार करने में क्या आपत्ति है यह बताना चाहिए; बल्कि, यदि प्रमाण और प्रमेय को अभिन्न मानें तब कठिनाई अवश्य हो सकती है। किन्तु ये दो पूर्वपक्ष वास्तविक पूर्वपक्ष नहीं हैं इसलिए यहाँ हम तीसरी उद्भावना के विरुद्ध उनकी आपत्ति पर ही विस्तार से विचार करेंगे। तीसरे पूर्वपक्ष के विरुद्ध उनकी आपत्ति है कि "यदि वादी कहे कि काठिन्यादि विज्ञानगम्य है अतः वह उसका कर्म है, इस प्रकार स्वलक्षण से कर्म अतिरिक्त नहीं होगा, तो यह अयुक्त है, क्योंकि तब विज्ञान-स्वलक्षण कर्म नहीं होगा, क्योंकि वह करण है और कर्म के बिना स्वलक्षण प्रमेय सिद्ध नहीं होगा। इसके अतिरिक्त वादी को प्रमेय में यह विशेष भेद करना होगा कि एक स्वलक्षण ऐसा है जो लक्षित होता है, वह प्रमेयभूत है, दूसरा ऐसा है जिससे लक्षित किया जाता है, वह अप्रमेयभूत है। यदि दूसरे को भी पहले के समान

कर्म-साधन ही मानें तो उस कर्मभूत से अन्य कोई करण-भूत मानना होगा। इस दोष के परिहार के लिए यदि ज्ञानान्तर की करणता स्वीकार करें तो अनवस्था दोष तथा एक चित्त को दूसरे का आलम्बन बनाने (चितेन चित्तानुपश्यन) का दोष होगा।

किन्तु चित्त द्वारा यह आत्मानुपश्यन सम्भव है, वास्तव में इसे अध्यवसायात्मक चित्त का स्वभाव भी कहा जा सकता है। इस प्रकार 'यह घट है' में 'यह' आत्मविज्ञप्त चित्त से पृथक् विषय का निर्धारण है जो 'मैं घट देख रहा हूँ' में स्फुटत: कहा जाता है। इस पर नागार्जुन की आपत्ति है कि इसमें अनवस्था दोष आपन्न होता है। किन्तु यह आपत्ति युक्त नहीं है क्योंकि चित्त का आत्मानुपश्यन-व्यापार एक ही बार आत्म-विषयकरण और तदवलम्बी विषयित्व में पर्यवसायी होता है। अवश्य इस विषयी का भी विषयकरण और इस प्रकार तदवलम्बी विषयीकरण सम्भव है और यह आत्म-विषयकरण-विषयीकरण की प्रक्रिया अनन्त हो सकती है, किन्तु क्योंकि यह प्रत्येक घटना में एक बार पर्यवसायी होता है इस लिए यह अनन्तता अवगमन की किसी घटना में घटित नहीं होती और परिणामत: आत्मानुपश्यन स्वीकार करने में आत्मानुपश्यन की अनन्त प्रक्रिया और इस प्रकार अनवस्था-दोष आपादित नहीं होता। इस पर नागार्जुन कह सकते हैं कि तब यह विषयी अप्रमेय होगा। इसका उत्तर होगा कि हमें विषयी की प्रमेयता अभिप्रेत ही नहीं है, आप तो यह बतायें कि इसमें दोष क्या है?

इस युक्ति के पूर्वांश पर नागार्जुन की आपत्ति और भी अयुक्त प्रतीत होती है। वादी का कहना है कि विषय-प्रतिज्ञप्ति विज्ञान का स्वलक्षण है इसलिए करण-कर्म का भेद आपतित नहीं होता। इस पर नागार्जुन का यह कहना कि, "इस प्रकार विज्ञान-स्वलक्षण कर्म नहीं होगा और कर्म के बिना स्वलक्षण प्रमेय सिद्ध नहीं होगा" ग्राह्य नहीं है क्योंकि वादी का कहना यह है कि विज्ञान-स्वलक्षण करण-कर्म का युगपद्भाव है। यह प्रतिज्ञा होने पर इससे आगे की आपत्ति भी नहीं उठती कि एक स्वलक्षण ऐसा है जो लक्षित होता है और दूसरा ऐसा जिससे लक्षित किया जाता है। वास्तव में माइनांग-हुस्सर्ल की चित्त की विषयापेक्षात्मक अवधारणा में यह और भी स्पष्ट रूप से अभीष्ट है, वसुबन्धु भी ग्राह्य और ग्राहक को चित्त के अन्तर्गत ही मानते हैं यद्यपि वे इस भाव को अविद्यामूलक मानते हैं। यदि स्वलक्षण को प्रमाण-प्रमेय का द्वित्व भी मानें, जैसाकि दिङ्नाग मानते हैं, तो यह कहने में कोई कठिनाई नहीं है कि स्वलक्षण द्विपक्षीय होता है : निर्विकल्पक प्रत्यक्ष और स्वलक्षण वस्तु। इस पर नागार्जुन की यह आपत्ति कि प्रत्यक्ष यदि कर्म नहीं है तो उसके लिए प्रमाण क्या और यदि कर्म है तो फिर उसके लिए अन्य प्रत्यक्ष की अपेक्षा होगी, केवल इस पूर्वमान्यता के आधार पर ही युक्त हो सकता है कि प्रत्यक्ष (प्रमाण-करण) कर्म हुए बिना आत्मज्ञप्त नहीं होता।

इसके बाद नागार्जुन लक्ष्य-लक्षण-भेद या उनके अभेद के विरुद्ध तर्क देते हैं। वे कहते हैं : "यदि लक्ष्य से लक्षण भिन्न है तो लक्ष्य से भिन्न अलक्षण भी है, तब उसके समान लक्षण भी अलक्षण क्यों नहीं होगा? इसी प्रकार लक्षण से भिन्न होने के कारण लक्ष्य भी अलक्ष्यवत् लक्ष्य नहीं रहेगा। एक दोष यह भी होगा कि लक्षण जब लक्ष्य से भिन्न है तो अवश्य ही वह लक्ष्य-निरपेक्ष होगा। किन्तु यदि लक्षण-निरपेक्ष लक्ष्य है तो ख-पुष्प के समान वह नहीं होगा। इन दोषों से बचने के लिए वादी यदि लक्ष्य-लक्षण की अभिन्नता माने तो भी वह दोषमुक्त नहीं होगा। क्योंकि लक्ष्य से अभिन्न लक्षण लक्षण ही नहीं रहता, क्योंकि लक्ष्य-निर्देशी लक्षण ही लक्षण हो सकता है और इसी प्रकार लक्षण से अभिन्न लक्ष्य लक्ष्य नहीं रहता क्योंकि लक्षण से निर्दिष्ट वस्तु ही लक्ष्य हो सकती है।"

इनमें पहला (लक्ष्य-लक्षण-भेद-विरोधी) तर्क परत: उत्पादवाद के खण्डन जैसा ही है। अब यदि लक्ष्य से लक्षण और अलक्षण दोनों भिन्न हैं तो इससे वे दोनों समान नहीं हो जाते, इनकी भिन्नता परस्पर भिन्न की भिन्नता भी हो सकती है। उदाहरणत: लक्षण-लक्ष्य में अंगागीभाव-सम्बन्ध मानने पर लक्षण लक्ष्य से अभिन्न होगा किन्तु लक्ष्य लक्षण से अभिन्न नहीं होगा क्योंकि अंग-अंगी में अशेषत: रहता है जबकि अंगी अंग से अतिरिक्त भी होता है। लक्ष्य-लक्षण में संकेत सम्बन्ध मानने पर दोनों परस्पर भिन्न किन्तु सम्बन्धित होंगे जबकि

अलक्षण लक्ष्य से सम्बन्धित नहीं होगा। उदाहरणत: दशशिरता रावण का लक्षण है और विशिष्ट लक्षण होने से वह रावण से अविश्लेष्य भी है : यह एक–सदस्यीय वर्ग है : किन्तु रावण दशशिरता से अभिन्न नहीं है क्योंकि वह अमृत कुम्भ–नाभ, मन्दोदरिपति आदि भी है। दूसरी ओर सर्पिल वक्रता सर्प का लक्षण है, किन्तु वह रस्सी में भी हो सकती है और सर्प उससे कभी रहित भी हो सकता है। किन्तु दशशिरता सर्प का और सर्पिल वक्रता रावण का अलक्षण है और परिणामत: ये भिन्न हैं किन्तु यह भिन्नता उपर्युक्त से सर्वथा भिन्न प्रकार की है—प्रथम में भिन्नता होने पर भी लक्षण लक्ष्य से अविश्लेष्य है, दूसरे में लक्षण लक्ष्य से विश्लेष्य तो है किन्तु वह लक्षित केवल सर्प को ही करता है, रस्सी को नहीं करता, किन्तु अलक्षण की भिन्नता, जैसे सर्पिल–वक्रता की रावण से भिन्नता, उससे और किसी भी प्रकार सम्बन्धित नहीं होती सिवाय एक भिन्नता–सम्बन्ध के। इस प्रकार प्रथम उदाहरण में लक्षण लक्ष्य से भिन्न किन्तु अविश्लेष्य है, दूसरे में विश्लेष्य है किन्तु तब भी अद्वितीय–रूपेण सम्बन्धित है, तीसरे में दो अवस्थाओं का परस्पर कोई सम्बन्ध ही नहीं है। चन्दकीर्ति एक युक्ति और देते हैं—"लक्ष्य जब लक्षण से भिन्न है तो अवश्य ही लक्षण–निरपेक्ष है, किन्तु यदि लक्ष्य लक्षण–निरपेक्ष है तो वह ख–पुष्प के समान होगा ही नहीं।" क्यों? लक्ष्य–लक्षण की एक अवधारणा ऐसी भी हो सकती है जिसमें लक्षण तो लक्ष्य–मूलक हो किन्तु लक्ष्य लक्षण–सापेक्ष नहीं हो। उदाहरणत: भौतिक वस्तुओं की साधारण अवधारणा के अनुसार ये वस्तुएँ इन्द्रिय–समक्ष होने पर रूपवान् होती हैं किन्तु इन्द्रिय–समक्ष नहीं होने पर अरूपत: भी रहती हैं। इस प्रकार वे रूप से, जो कि उनका लक्षण–भूत होता है, स्वरूपत: निरपेक्ष होती हैं। यहाँ माध्यमिक कह सकता है कि हम लक्षण से निरपेक्ष लक्ष्य को स्वीकार नहीं करते—काठिन्यादि से अतिरिक्त पृथ्वी और स्कंधादि से अतिरिक्त आत्मा का अस्तित्व नहीं है। किन्तु यह एक पृथक् प्रश्न है, यहाँ प्रासंगिक एक तार्किक प्रश्न है कि लक्ष्य को लक्षण–निरपेक्ष मानने में क्या लक्ष्य ख–पुष्पवत् हो जाता है? ख–पुष्प की असत्ता लक्षणाभाव के कारण नहीं है बल्कि पिण्डत्व और खत्व में परस्पर सम्बन्ध की असम्भवता के कारण है।

क्रिया से उत्पाद का खण्डन

इस प्रसंग में नागार्जुन पूर्वपक्ष को निम्न प्रकार से प्रस्तुत करते हैं—चक्षु और रूप आदि प्रत्यय (हेतु) विज्ञान को साक्षात् उत्पन्न नहीं करते अपितु विज्ञान की जनक क्रिया को निष्पन्न करते हैं। इसीलिए वे 'प्रत्यय' : कार्यं प्रति अयन्ते : कहलाते हैं। इस प्रकार प्रत्यय से युक्त विज्ञान की जनक क्रिया ही विज्ञान को उत्पन्न करती है, प्रत्यय नहीं।

आचार्य इसका समाधान निम्न युक्ति से करते हैं, "क्रिया से उत्पत्ति मानने पर क्रिया या तो उत्पन्न विज्ञान में माननी होगी, या उत्पद्यमान विज्ञान में, अथवा अभी अनुत्पन्न विज्ञान में। किन्तु जात (उत्पन्न) का जन्म व्यर्थ है, क्योंकि वह तो पहले से ही उत्पन्न है, अजात में कर्तृत्व होना समभव नहीं है इसलिए उसमें क्रिया होने का प्रश्न ही नहीं उठता, और जब न जात है न अजात तब जायमान के, जो दोनों का युगपद्भाव है, होने का प्रश्न ही उत्पन्न नहीं होता। दूसरे, चक्षुरादि करण विज्ञान–रूप कार्य को उत्पन्न करने से पहले अप्रत्यय हैं, परिणामत: वे तब उत्पादक नहीं होंगे, कार्य उत्पन्न हो जाने पर उनकी उत्पादकता की अपेक्षा ही नहीं रहती। परिणामत: क्रिया से उत्पाद का सिद्धान्त खंडित हो जाता है।"

यहाँ भी नागार्जुन छिद्र का आविष्कार ही कर रहे हैं : यहाँ प्रथमत: यह स्पष्ट नहीं है कि "चक्षु और रूप से विज्ञान की उत्पत्ति" को क्रियापरक कहने का क्या अर्थ है? यदि इसका अर्थ यह समझें कि रूप और चक्षु के संयोग से एक क्रिया उत्पन्न होती है और उससे विज्ञान उत्पन्न होता है, तो विज्ञान की उत्पत्ति दो प्रकार से मानी जा सकती है। एक तो इस प्रकार कि यह क्रिया चित्त में क्रिया उत्पन्न करती है और वही विज्ञान है, और दूसरे इस प्रकार कि इस संयोग से उत्पन्न क्रिया चित्त में विज्ञप्ति–रूप में परिणत होती है जैसे घटकार और चाक की क्रिया घट में निष्पन्न होती है।

इस प्रकार क्रिया जात, जायमान या भावी विज्ञान में नहीं बल्कि चक्षु और रूप में घटित और विज्ञान में निष्पन्न या परिणत होती है। उदाहरणत: जब हम कहते हैं कि मिट्टी पर हस्त और चाक की क्रिया घट में परिणत होती है, तब यह प्रश्न प्रासंगिक नहीं है कि क्रिया जात, जायमान या अजात में से किस घट में घटित होती है; क्रिया तो हस्त,चाक और मिट्टी में घटित होती है और घट में परिणत होती है—जो घट इस परिणति से पहले है ही नहीं और परिणामत: जिसकी कोई कालोपाधि भी नहीं है।

उनकी दूसरी आपत्ति है कि "किसी घटना या वस्तुस्थिति की कारणता उसकी कार्योत्पादकता से होती है। इसलिए जब तक कार्य उत्पन्न नहीं होता तब तक तथाकथित कारण को कारण नहीं कहा जा सकता और कार्य के उत्पन्न हो जाने पर तथाकथित कारण उत्पादक नहीं रहता।" जैसाकि सब जानते हैं कारण–कार्य सम्बन्ध पर मुख्य आक्षेप यही रहा है कि यह कोई वास्तविक सम्बन्ध नहीं है बल्कि व्यवहार–सौकर्यमूलक व्याप्ति को ही अवास्तविक मानकर चला गया है, क्योंकि यदि व्याप्ति को वास्तविक सम्बन्ध मानें तो कहा जा सकता है कि उस आधार पर चक्षु में विज्ञानोत्पादकता पूर्वनियत है परिणामत: विज्ञान–रूप कार्य में चक्षु और रूप की प्रत्ययता : हेतुता : स्वरूपगत है। किन्तु यहाँ प्रश्न यह है कि यदि व्याप्ति नहीं मानें तब नागार्जुन की आपत्ति का कोई उत्तर हो सकता है या नहीं? हम समझते हैं कि हो सकता है और यह कि हम प्रत्येक विशिष्ट घटना के घटित हो जाने पर उस घटना के उत्पादक हेतु को अतीत उत्पादक के रूप में जान सकते हैं। अवश्य पूर्व घटना कार्योत्पत्ति होने पर उत्पादक नहीं रहती क्योंकि वह उत्पादन नहीं कर रही होती, किन्तु किसी घटना को कारण कहने में यह शर्त कहाँ है कि उसके सम्बन्ध में उत्पादन के अनन्तर उसके उत्पादक रहे होने का कथन नहीं किया जायेगा। अब, इस विशिष्ट ज्ञान को व्यापकता देने में क्या कठिनाई है? अवश्य यह व्यवहार–सौकर्यपरक ही होगी, अनिवार्य नहीं।

वे आगे कहते हैं कि, "फल की दृष्टि से भी हेतु नहीं है, क्योंकि व्यस्त तन्तु–तुरी–वेमादि में पट उपलब्ध नहीं होता। यदि उपलब्ध होगा तो कारणों की बहुलता से कार्य की बहुलता होगी। समस्त तन्त्वादि में भी पट नहीं है क्योंकि यदि प्रत्येक तन्तु–तुरी आदि में वह नहीं है तो समस्त में वह कैसे होगा? इसलिए फल की दृष्टि से भी कारणता नहीं है।" यह आपत्ति अधिक स्पष्ट रूप से सदोष है : तुरी–वेम आदि करण व्यस्त तन्तुओं के ग्रन्थन–प्रकारेण समस्त होने में क्रिया–जनकत्व रूप से कारण हैं और तन्तु पट के उपादानरूपेण कारण हैं। तुरी–वेम आदि में क्रिया–प्रेरण के निमित्त रूप से जुलाहा उसका कारण है और जुलाहा–रूप में निमित्त वास्तव में वस्त्र–कल्पना में निहित है जो हस्त–क्रिया और तुरी–वेमादि क्रिया को उपकरण और तन्तुओं को उपादान बनाकर व्यक्त होती है। यह वस्त्र–कल्पना और तन्मूलक प्रेरणा अन्त:प्रत्यक्षगम्य होती है और तत्प्रेरित क्रिया और उसकी निष्पत्ति बहि:प्रत्यक्षगम्य। अब, तुरी–वेम से तन्तु और ग्रथन–क्रिया पर्यन्त की प्रत्ययता वस्त्र से उपलब्ध नहीं होती बल्कि वस्त्र–कल्पना और तदभिव्यंजन–प्रेरणा से उपलब्ध होती है। नागार्जुन की मूल कठिनाई यहाँ अवयवी की सत्ता की है, कि वस्त्र तन्तुओं से अतिरिक्त कहाँ है और तब उनमें पृथक्–पृथक् भी कहाँ है? यदि व्यस्त–तन्तुओं में वह नहीं है तो समस्त में वह कैसे हो सकता है, क्योंकि तन्तुओं के समस्त होने पर उनमें कोई अतिरेक नहीं होता—कहें, पृथक् तन्तुओं के भार का योगफल वस्त्ररूपेण एकत्र तन्तुओं के भार के बराबर ही होता है। इस समस्या का समाधान वास्तव में वही वस्त्र–कल्पना में है : वस्त्रकल्पना–प्रेरित उपकरण–क्रिया से समासित तन्तुओं में कल्पनाभिव्यंजकता रूप अतिरेक का आधान होता है। अवयवी भौतिक रूप से अवयवों से अतिरिक्त कुछ नहीं होता किन्तु चैत्त रूप से वह उनसे अतिरिक्त और प्राक् होता है क्योंकि वह व्यस्त अवयवों को समासित ही नहीं करता बल्कि बहुत बार उन्हें अस्तित्व में भी लाता है और तब उनके माध्यम से व्यक्त होता या अस्तित्व में आता है। उदाहरणत: तुरी, वेम और तन्तु सब वस्त्र–कल्पना के कारण अस्तित्व में आते हैं और वस्त्र को आविर्भूत करने से पृथक् उनका कोई स्वरूप और अस्तित्व नहीं है। यह तथ्य प्राकृतिक अवयवियों में और भी अधिक स्पष्ट रूप से देखा जा सकता है—पर्ण, वृन्त, शाखाएँ और मूल सब वृक्षत्व में ही आधृत होते हैं, उसके बिना उनका अपना कोई स्वरूप और अस्तित्व नहीं होता।

2. गतागत-परीक्षा

गति, गन्ता और गन्तव्य का निषेध

नागार्जुन के अनुसार "गमन-क्रिया की सिद्धि गत, अगत या गम्यमान् अध्व में ही सम्भव है। अब, गत अध्व का गमन इसलिए असिद्ध है क्योंकि वह गमन-क्रिया से उपरत अध्व है, इसलिए वर्तमान कालिक गमन-क्रिया से उसका सम्बन्ध कैसे हो सकता है? (गतं न गम्यते)। अगत अध्व का भी गमन उपपन्न नहीं है क्योंकि अगत वह है जिसमें गमन-क्रिया उत्पन्न नहीं है। इसी प्रकार गम्यमान् का भी गमन नहीं बनेगा क्योंकि गत और अगत के बीच कोई अध्व ही नहीं बचता।"

इस पर नागार्जुन पूर्वपक्ष प्रस्तुत करते हैं कि "गति चेष्टा है। चेष्टा गत और अगत में नहीं हो सकती, गम्यमान् में ही हो सकती है, क्योंकि जिसकी गति उपलब्ध है वह गम्यमान् है।" इसके उत्तर में नागार्जुन कहते हैं—"वादी गमन-क्रिया के योग से ही गम्यमान् का व्यपदेश करते हैं, किन्तु गमि-क्रिया एक है। ऐसी अवस्था में "गम्यमान् के गमन" की सिद्धि के लिए गमि-क्रिया का गम्यमान् के साथ पुन: सम्बन्ध कैसे होगा? क्योंकि गम्यमान् में एक गमि-क्रिया का समावेश ठीक है, द्वितीय के लिए अवकाश नहीं है।

गति के विरुद्ध नागार्जुन की उपर्युक्त दो युक्तियों में से प्रथम आश्चर्यजनक रूप से ज़ेनो की गति के निषेध विषयक युक्ति के अनुरूप है, जिसका आधार देश और काल की अनन्त विभज्यता की अवधारणा है। किन्तु देश और काल अनन्तत: विभज्य हैं इसके लिए क्या युक्ति है? ये अनन्तत: विभज्य नहीं हैं इसके लिए गति की विद्यमानता को क्यों युक्ति नहीं माना जाय? इसके अतिरिक्त, न तो देश की अनन्त विभज्यता प्रत्यक्षगम्य है और न काल की अनुभूतिगम्य, यह विभज्यता केवल देश और काल की उद्ग्रहणात्मक कल्पनामूलक है और इन दोनों उद्ग्रहणों के विरुद्ध एक मुख्य युक्ति प्रत्यक्षसिद्ध गति की विद्यमानता हो सकती है। देश और काल की अनन्त विभज्यता के कथन में वास्तव में देश और काल के अस्तित्व का निषेध भी है। अब, देश की अनन्त विभज्यता के विरुद्ध एक युक्ति अवयवियों की विद्यमानता से भी दी जा सकती है। उदाहरणत: घट या पट की स्वभाव-युक्तता के लिए हम ऊपर तर्क दे ही चुके हैं और इनकी विद्यमानता देश की अविभाज्यता को सिद्ध करती है।

इसके बाद नागार्जुन गति के विरुद्ध परमाणुवाद से युक्ति देते हैं। उनके अनुसार "पैर परमाणुओं में अनन्तत: विभाज्य है।" यहाँ पुन: वही उद्ग्रहण है : परमाणु प्रत्यक्षगम्य नहीं हैं जबकि पैर का अवयवत्व और अवयवित्व अन्त:प्रत्यक्षगम्य है। पैर को परमाणुओं में विघटित कर वे युक्ति करते हैं कि उसका कुछ भाग गत और शेष कुछ भाग अगत अध्व है, परिणामत: उसमें गतिमयता नहीं है। इसी प्रकार काल के लिए भी : अब अनुभूत वर्तमान ईषत् अतीत और ईषत् अनागत को संगृहीत करता है, वास्तव में ये अतीत और अनागत अनुभूत वर्तमान से ही उद्गृहीत होते हैं, ये वास्तविक : अनुभूत : अतीत और अनागत नहीं होते। यह ईषत् विस्तृत अथवा कहें प्रलम्बित वर्तमान अनुभव की गत्यात्मकता की ही अपर संज्ञा है और यह वास्तव में अतीत और अनागत के नैरन्तर्य का आकलन करने में सक्षम होता है। यहाँ यह द्रष्टव्य है कि हम यहाँ किसी एक वैश्व काल की बात नहीं कर रहे हैं केवल अनुभूत काल की ही बात कर रहे हैं।

दूसरी युक्ति है कि, "यदि गम्यमान् गन्तव्य (अध्व) में गमन-क्रिया मानें तो गमन के पूर्व ही गन्तव्य अध्व को गम्यमान् मानना होगा। ऐसी स्थिति में या तो दो गमन मानने होंगे अथवा गति के अभाव में भी गम्यमान्ता की सिद्धि माननी होगी।" नागार्जुन की यह युक्ति नामों के आधार पर वस्तु-विधान की भ्रान्ति का एक उदाहरण है। "गम्यमान् अध्व में गमन-क्रिया" कहने में यदि "गम्यमान् अध्व" एक पृथक् वस्तु बनता है और गमन-क्रिया दूसरी पृथक् वस्तु, जिनके संयोग से गति नामक तीसरी वस्तु घटित होती है तो इस वाक्य-रचना को बदलने की आवश्यकता है, क्योंकि गमन-क्रिया से ही अध्व गम्यमान् बनता है। वास्तव में यह भी कहा जा सकता है कि

घटित हो रही गमन–क्रिया ही गम्यमान् अध्व है : 'गम्यमान् अध्व' यह विशेषण–विशेष्य का संयोग नहीं होकर एक ही पद है और इसका आविर्भाव गमन–क्रिया से ही होता है—दूसरे शब्दों में, गमन–क्रिया ही गम्यमान् अध्व है, तीन पद (अध्व, गमि–क्रिया और गति) और तदनुरूप तीन पदार्थ केवल उद्ग्रहणात्मक कल्पनाएँ हैं। वास्तव में उद्ग्रहण से भी 'गम्यमान् गन्तव्य' (अध्व) में विशेषण–विशेष्य–भाव नहीं बनता, 'गत', 'गम्यमान्' और 'अगत' ये ही पद पर्याप्त हैं, अथवा 'अतीत, वर्तमान ओर अनागत गन्तव्य' (अध्व) ऐसा भी कह सकते हैं। इस प्रकार यहाँ पूर्वपक्ष उपयुक्त रूप से यह है कि "गम्यमान्ता, अथवा कहें घटित हो रही गमन–क्रिया" ही गति है, 'गत' अतीत अथवा स्मृत गमन क्रिया है और "अगत" सम्भाव्य अथवा प्रत्याशित गमन–क्रिया। 'गमन–क्रिया' के साथ 'स्मृत' अथवा 'प्रत्याशित' विशेषण स्पष्टत: गमनत्व अथवा क्रियात्व की अविद्यमानता के द्योतक हैं और इस प्रकार घटित हो रही गमन–क्रिया ही गमन या गति है।

इसी क्रम में नागार्जुन गमन–क्रिया का भी निषेध करते हैं। इसके लिए उनकी युक्ति है कि "गमन को या तो गन्ता से अभिन्न मानना होगा या भिन्न। यदि अभिन्न मानते हैं तो कर्त्ता और क्रिया में अभेद मानना होगा और यदि भिन्न मानें तो गन्ता घट–पट आदि के समान गमन–निरपेक्ष होगा।" नागार्जुन की यह आपत्ति कर्त्ता के स्वरूप को अस्पष्ट छोड़ देने के कारण है। गमन–क्रिया शरीर में होती है और शरीर इस दृष्टि से घट और पट आदि के समान ही है जिसमें गमन–क्रिया हो भी सकती है और नहीं भी हो सकती। अब, शरीर जबकि गमन–क्रिया से अतिरिक्त भी है गमन–क्रिया क्रियापर शरीर से अतिरिक्त कुछ नहीं है, सिवाय चित्तगत क्रियापरता और तन्मूलक गतिमान शरीर की मानस–कल्पना के। अब, यह क्रियापर और क्रिया–कल्पनात्मक चित्त ही कर्त्ता है और क्रिया से भिन्न है। गति या क्रिया भी कर्त्ता के बिना हो सकती है, जैसे वायु में और वायु–प्रेरित कागज़, पर्ण आदि में। अब, कर्त्ता क्रिया से भिन्न तो नहीं किन्तु उससे अतिरिक्त और इस प्रकार उससे विश्लेष्य (डिंस्टिंग्विशेबल) है जबकि क्रिया कर्त्ता से पृथक् भी घटित हो सकती है। यदि वायु, पर्ण आदि में भी कर्तृत्व मानें और कर्त्ता क्रियावान् को ही मानें तो कहा जायेगा कि कर्त्ता क्रिया से भिन्न नहीं किन्तु उससे अतिरिक्त है और क्रिया कर्त्ता से अभिन्न है और उसके अन्तर्गत है। ऐसी अवस्था में गन्ता कर्त्ता का अंशभूत है और कर्त्ता गन्ता से अतिरिक्त है। यह स्पष्टत: परिभाषा–सम्बन्धी प्रश्न है और इससे वस्तुस्थिति में कोई अन्तर नहीं पड़ता। किन्तु किसी भी अवस्था में गन्ता और गति को इसलिए अविश्लेष्य नहीं माना जा सकता क्योंकि गन्ता में गति से अतिरेक है। किन्तु यदि आप इसमें कोई भेद नहीं रखना चाहते, इन्हें इसी प्रकार परिभाषित करते हैं कि गन्तृत्व और गति परस्पर अनतिरिक्त और सापेक्ष हैं तो कहा जायेगा कि ये एक ही वस्तु का वाक्य–निर्माण के हित में द्वैधीकरण है। किन्तु इस सबका गति के भाव या अभाव पर कोई प्रभाव नहीं पड़ता।

इस युक्ति के उपसंहार में चन्द्रकीर्ति कहते हैं : "देवदत्त गाँव जाता है, किन्तु कैसे? गति से गन्तृत्व अभिव्यक्त होता है, परिणामत: गन्तृत्व गति से पूर्व होना चाहिए। किन्तु 'गन्ता' नाम गतियुक्तता से ही बनता है, इसलिए वादी को कहना होगा कि गतियां दो ही होती हैं, एक वह जिससे देवदत्त गन्ता बनता है और दूसरी वह जिससे वह गमन घटित होता है। किन्तु इससे दो गतियां प्रसक्त होंगी जो अयुक्त है।" किन्तु यदि देवदत्त को गन्ता बनाने वाली गति गन्ता को पूर्वापेक्षित किये बिना हो सकती है तो देवदत्त के गाँव–गमन को सम्पन्न करने वाली गति ही पर्याप्त है, क्योंकि उससे देवदत्त का गन्तृत्व भी घटित होगा और गाँव–गमन भी सम्पन्न होगा। चन्द्रकीर्ति की यह युक्ति हमारे इस कथन की केवल अधिक स्पष्टता के साथ ही पुष्टि करती है कि नागार्जुन और चन्द्रकीर्ति वस्तु–स्वभाव को भाषा के माध्यम से देखते हैं और भाषा में बलात् नामों की सृष्टि करते हैं। यहाँ प्रस्तुत युक्ति की संरचना इस प्रकार है : "गति से गन्तृत्व पूर्व होना आवश्यक है, जिस गति से गन्ता गमन कर गाँव जाता है। किन्तु तब गतियाँ दो हो गईं, एक वह जो गन्तृत्व को घटित करती है और दूसरी वह जिससे गन्ता गाँव जाता है।" यहाँ सर्वप्रथम द्रष्टव्य यह है कि "मान लें कि आपकी युक्ति की रूप–रचना सही है, तब इससे यही सिद्ध हुआ कि यह रचना वस्तुस्थिति के अनुरूप नहीं है, न कि यह कि वस्तुस्थिति ही नहीं है। अब, यदि देवदत्त के गाँव–गमन में दो गतियां नहीं हो सकतीं तो इस वाक्य की युक्ति–रचना इस प्रकार करें ही नहीं, इस प्रकार करें : देवदत्त जब गमन–

क्रियावान् है तब गन्तृ है, जब गमन-क्रियावान् नहीं है तब गन्तृ भी नहीं है, और देवदत्त का सदैव गन्तृ होना आवश्यक नहीं है, वह स्थातृ भी हो सकता है और होता है।

हमने ऊपर कहा कि नागार्जुन की गति-विषयक युक्ति में ज़ेनो से आंशिक साम्य है, किन्तु नागार्जुन का उद्देश्य विरोधाभास-प्रदर्शन नहीं होकर गति की अतत्त्वता का प्रदर्शन होने से उसकी युक्तियाँ अनेक-पक्षीय और व्यापक हैं। इन युक्तियों के आधार पर नागार्जुन का निष्कर्ष है : इसलिए न गति है, न गन्ता, न गन्तव्य। चन्द्रकीर्ति इस कारिका (2.25) की व्याख्या करते हुए आर्य अक्षयमति सूत्र उद्धृत करते हैं जो इस निषेध की द्विपक्षता प्रदर्शित करता है : "हे भदन्त शारद्वती पुत्र, चरण का संकर्षण अगति है, चरण का निष्कर्षण गति है। किन्तु जहाँ न संकर्षण-पदत्व है न निष्कर्षण-पदत्व वह आर्य (बुद्ध) का पद है। अपद-योग से ही आर्य की गति है, जो वास्तव में अगति और अनागति है।" अब बुद्ध की गति- विषयक यह प्रतिपत्ति व्यवहार और परमार्थ का भेद करने वाले किसी को भी स्वीकार्य होगी, क्योंकि गति व्यवहार-जगत् का विषय है और बुद्ध परम परमार्थ हैं। किन्तु नागार्जुन गति का निषेध केवल परमार्थ में ही नहीं करते वे व्यवहार में भी करते हैं। यही अयुक्तिसंगत है।

3. चक्षुरादीन्द्रिय-परीक्षा

इस प्रकरण में नागार्जुन ने चक्षुरिन्द्रिय विषयक तीनों पक्षों : द्रष्टा, द्रष्टव्य और दर्शन का निषेध किया है। दर्शन की युक्तता के विरुद्ध उनका तर्क निम्न प्रकार है:—

1. दर्शन, अर्थात् चक्षु, जब अपने रूप को नहीं देख सकता तब वह नीलादि विषयों के रूप को भी नहीं देख सकेगा, जैसे श्रोत्रादि इन रूपों को नहीं देख सकते।

2. दूसरे, दर्शन किसका दर्शन करता है? दृष्ट का, अदृष्ट का या कि दृश्यमान् का? दृष्ट का दर्शन निष्प्रयोजन है, अदृष्ट में यह अनुपचरित होगा क्योंकि अदृष्ट का अभी अस्तित्व ही नहीं है, और दृष्ट-अदृष्ट के अभाव में कुछ तीसरा पक्ष हो ही नहीं सकता।

3. दर्शन वह है जो देखता है। अब इस दर्शन-क्रिया के साथ दर्शन-स्वभाव चक्षु का सम्बन्ध है या कि अदर्शन-स्वभाव चक्षु का? दर्शन-स्वभाव चक्षु का 'पश्यति' के साथ सम्बन्ध उपपन्न नहीं है क्योंकि तब दो दर्शन-क्रियाएँ तथा दो दर्शन मानने होंगे। यदि कहें कि दर्शन-क्रिया से अदर्शन स्वभाव चक्षु का सम्बन्ध होता है तो भी युक्त नहीं है। क्योंकि तब स्तम्भ आदि अन्य अदर्शन-स्वभाव वस्तुओं का भी दर्शन-क्रिया के साथ सम्बन्ध हो सकेगा।

1. यहाँ प्रथम युक्ति के विरुद्ध प्रश्न होगा कि विषयों के रूप को देखने के लिए अपना रूप देखने की योग्यता क्यों अनिवार्य है? इस पर उनका उत्तर है कि यदि यह अनिवार्य नहीं है तो श्रोत्रादि अन्य इन्द्रियों में भी यह दर्शन-योग्यता होनी चाहिए।

इस युक्ति में यह धारणा निहित प्रतीत होती है कि इन्द्रिय और विषय में संयोग-सम्बन्ध होता है जो कि बाह्य सम्बन्ध है। किन्तु इसके लिए इन्द्रिय में कोई विशेषता होनी चाहिए और वह है आत्म-रूप की दृश्यमान्ता। इसलिए यदि दर्शनेन्द्रिय में आत्मदर्शन-योग्यता या गुण, अर्थात् रूप से आन्तर सम्बन्ध, नहीं है तो उसमें पर-दर्शन-योग्यता या गुण भी नहीं हो सकता, यदि श्रोत्र में आत्मश्रवण-गुण नहीं है तो उसमें पर-श्रवण-गुण भी नहीं हो सकता। किन्तु यह तर्क युक्तिसंगत नहीं है। इन्द्रिय और विषय को परस्पर बाह्य वस्तुओं के रूप में नहीं देखकर एक ही वस्तु के दो उद्गृहीत या कल्पित पक्षों : विज्ञप्ति और विज्ञप्त : के रूप में देखना चाहिए। ऐसी अवस्था में दर्शन (चक्षु) दृश्य से स्वतन्त्र दर्शन (चक्षु) नहीं होगा। किन्तु मान लें कि दर्शन और दृश्य का सम्बन्ध हम बाह्य ही मानते हैं, तो भी पर-दर्शन के लिए आत्म-दर्शन-सामर्थ्य आवश्यक नहीं है, क्योंकि तब दर्शन या चक्षु पर-दर्शन से ही चक्षु होगा और श्रोत्र पर-श्रवण से श्रोत्र।

2. दूसरी युक्ति गति के विरुद्ध दी गई पिछली युक्ति के अनुरूप है और उसकी भ्रामकता हम वहाँ दिखा ही आये हैं।

3. तीसरी युक्ति भी यद्यपि नयी नहीं है किन्तु इस प्रसंग में इस पर पुनर्विचार उपयोगी होगा।

इसका एक उत्तर इस युक्ति के स्तर पर ही हो सकता है और वह यह कि दर्शन-क्रिया से सम्बन्ध उस चक्षु का होता है जो इस क्रिया से क्रियावान् होने के स्वभाव से युक्त है। स्तम्भ या श्रोत्र इस स्वभाव से युक्त नहीं हैं इसलिए ये इस क्रिया से युक्त नहीं हो सकते। और चक्षु को इस योग्यता से परिभाषित करने पर दो क्रियाएँ या दो दर्शन भी आपन्न नहीं होते।

किन्तु मान लें कि दर्शन या चक्षु को हम दर्शन-स्वभाव मानते हैं और तब उसका दर्शन-क्रिया से सम्बन्ध मानते हैं। तब भी दो क्रियाएँ या दो दर्शन कैसे आपादित होते हैं? दो क्रियाएँ तब आपादित होंगी यदि दर्शन-स्वभाव और दर्शन-क्रिया एक ही बात नहीं हो। यदि यह एक ही बात हो तो फिर चक्षु और दर्शन-क्रिया अभिन्न होंगी और इस प्रकार सम्बन्ध का कोई प्रश्न नहीं रहेगा।

किन्तु वास्तव में दर्शन के सम्बन्ध में नागार्जुन की ये आपत्तियाँ इस धारणा पर आधारित हैं कि दर्शन (चक्षु) किसी वस्तु की संज्ञा है। किन्तु इन्द्रियों को वस्तुओं के रूप में नहीं देखकर चैत्त फलनों (फंक्शंस) के रूप में देखना चाहिए जिन्हें हम वाग्व्यवहार में एक प्रसंग में वस्तु, दूसरे में गुण और तीसरे में क्रिया कह सकते हैं।

द्रष्टा की असिद्धि

दर्शन को करण मानने पर तदपेक्षा से द्रष्टा का आक्षेप होता है। नागार्जुन इस पर दो आपत्तियाँ उठाते हैं:—

1. द्रष्टा जब स्वयं का दर्शन नहीं कर सकता तो वह अन्य का दर्शन क्या करेगा?

2. दूसरे, द्रष्टा का सद्भाव मानने पर प्रश्न होगा कि वह दर्शन-सापेक्ष है या दर्शन-निरपेक्ष? यदि दर्शन-सापेक्ष है तो प्रश्न होगा कि यह अपेक्षा सिद्ध द्रष्टा की है या असिद्ध द्रष्टा की? सिद्ध द्रष्टा को दर्शन की पुन: अपेक्षा व्यर्थ है, असिद्ध द्रष्टा वंध्यापुत्र के समान स्वयं असिद्ध है, इसलिए वह दर्शन की अपेक्षा ही क्या करेगा?

आक्षेपों के उत्तर

1. इनमें पहली आपत्ति दर्शन के विरुद्ध पीछे उठायी गई पहली आपत्ति के समान ही है। किन्तु इसे थोड़ा गहराई से देखने पर इस प्रश्न में दर्शन-विषयक इस प्रश्न से कुछ भिन्नता दिखायी देगी : यद्यपि द्रष्टा, चक्षु के समान ही, अपने रूप का दर्शन नहीं कर सकता क्योंकि चक्षु के समान ही वह भी रूप-रहित है, किन्तु ज्ञाता, चक्षु से भिन्न, जानने के एक अर्थ में, अपने को जान सकता है। उदाहरणत: यह एक युक्त वाक्य है कि "मुझे यह ज्ञात है कि मैं अभी सो रहा था।" यहाँ आपत्ति हो सकती है कि यह कर्त्ता का आत्म-ज्ञातृत्व नहीं है, क्योंकि इसमें कर्त्ता कर्त्ता नहीं रहकर कर्म हो जाता है और इस प्रकार यह अपने से अभिन्न नहीं होकर आत्म-वियुक्त हो जाता है। इससे अनवस्था प्रसंग भी होता है। इसका उत्तर होगा कि यहाँ नागार्जुन "स्वयं का दर्शन करने" की अपेक्षा कर रहे हैं तो वह अपने विषयकरण के बिना कैसे सम्भव है? यदि वे आत्म-विषयकरण के बिना यह अपेक्षा करते हैं तो यह किसी स्त्री से वन्ध्यात्व के साथ पुत्रवती होने की माँग वन्ध्या से पुत्र की माँग जैसी ही होगी क्योंकि दोनों स्वरूपत: अरूपवान् हैं। और इनके स्वरूपत: अरूपवान् होने से यह भी सिद्ध है कि उनमें आत्म-विषयकरण सम्भव नहीं है, किन्तु ज्ञाता में आत्मविषयकरण सम्भव है। अब ज्ञाता यह आत्मज्ञान, आत्मविषयकरण, अपने अंश में ज्ञातृत्व के अपाकरण के द्वारा ही सिद्ध कर पाता है और इस प्रकार कहा जा सकता है कि वह भी वास्तव में आत्मज्ञ नहीं होता, विषय-कृत आत्मा का ही ज्ञाता होता है। इस प्रकार ज्ञान, और उससे भी अधिक दर्शनादि इन्द्रिय-ग्रहण, केवल पर का ही सम्भव है। परिणामत: ऐसे में यह आपत्ति कि, क्योंकि द्रष्टा अपना दर्शन नहीं कर सकता इसलिए वह परदर्शन कैसे कर सकता है, युक्तिसंगत नहीं ठहरती।

2. दूसरी आपत्ति का उत्तर होगा कि द्रष्टा के दर्शन-सापेक्ष या निरपेक्ष होने का कोई प्रश्न नहीं उठता, क्योंकि दर्शन और द्रष्टा में अभेद है—यदि द्रष्टा को दर्शनातिरिक्त नहीं मानें तो। यदि उसे दर्शनातिरिक्त मानें तो भी द्रष्टा में दर्शन-सापेक्षता नहीं होगी, केवल अतिरिक्तता ही होगी। किन्तु वास्तव में द्रष्टा को दर्शन से अतिरिक्त नहीं मानना चाहिए। तब प्रश्न होगा कि तब दर्शन और द्रष्टा में अन्तर क्या है? इसका उत्तर होगा कि कोई अन्तर नहीं है, केवल 'द्रष्टा' पद 'दर्शन' के सकर्मक स्वरूप को अप्रकट से प्रकट करता है। इस समाधान के बाद द्रष्टा के सिद्ध या असिद्ध होने की कोई बात नहीं रहती।

4. स्कन्ध-परीक्षा

इसके बाद नागार्जुन रूप-स्कन्ध के प्रतिषेध में निम्न प्रकार से तर्क करते हैं : "रूप भौतिक हैं तो चार महाभूत उसके कारण होंगे, क्योंकि कुछ कारण के बिना नहीं हो सकता। किन्तु यदि रूप का कारण मानें तो प्रश्न होगा कि यह कारण सत्-रूप का है या असत् रूप का? यदि रूप के सत् होने पर उसका कारण मानें तो सत् (विद्यमान) कार्य को कारण से कोई प्रयोजन नहीं है (उत्पन्न को उत्पादक की अपेक्षा नहीं है) और यदि रूप असत् है तो उसका कारण नहीं हो सकता—अविद्यमान कार्य का कारण कैसे होगा?"

यह युक्ति मूलतः कारण-कार्य सम्बन्ध-विषयक है, स्कन्ध-विषयक नहीं। इसमें एक अन्तर्निहित प्रतिज्ञा है कि "कारण-कार्य एक सम्बन्ध है और सम्बन्ध के होने के लिए सब पदों का विद्यमान होना आवश्यक है। किन्तु कारण-कार्य ऐसे पदार्थ हैं जो एक-साथ विद्यमान नहीं हो सकते : कारण तब तक कारण है जब तक कार्य उत्पन्न नहीं होता, क्योंकि उत्पन्न कार्य को कारण की कोई अपेक्षा नहीं हो सकती। किन्तु जब तक कार्य उत्पन्न नहीं होता तब तक वह सम्बन्धित पद नहीं हो सकता, परिणामतः कारण भी कारण नहीं हो सकता।

अब यहाँ हमारा प्रथम प्रश्न यह है कि आप यह आपत्ति कारण-कार्य-सम्बन्ध पर कर रहे हैं या उसकी अवधारणा के एक पक्ष पर? यदि आपकी कठिनाई यह है कि कारण-कार्य एक-साथ नहीं हो सकते और सम्बन्ध के दोनों पदों का एक-साथ होना आवश्यक है, तो आपकी प्रतिज्ञा यह नहीं है कि कारण-कार्य-सम्बन्ध असत् है बल्कि यह है कि इसका स्वरूप सम्बन्ध की अवधारणा के अनुरूप नहीं है। किन्तु ऐसी अवस्था में यही कहा जायेगा कि आपकी सम्बन्ध की अवधारणा में अल्प-व्याप्ति-दोष है, जिसका एक प्रमाण यह है कि यह कारण-कार्य-सम्बन्ध पर व्यापक नहीं है। दूसरा समाधान यह हो सकता है कि कारण-कार्य दो स्वतन्त्र पद नहीं हैं और परिणामतः इनमें कोई सम्बन्ध नहीं होता, ये एक प्रक्रिया में व्यावहारिक सुविधा के लिए पृथक्कृत या उद्गृहीत दो स्थितियाँ हैं। प्रक्रिया काल-क्रमात्मक, उत्पन्न-विनष्टात्मक होती है जिसमें प्रत्येक स्थिति युगपद् रूप से सदसद् और इस प्रकार सतत होती है। यह सातत्य निष्पादन-निष्पत्ति-रूप होता है, इसी को उद्ग्रहण द्वारा पृथक् कर हम कारण-कार्य कहते हैं। बौद्ध इस सम्बन्ध को तदाश्रित्य-तदोत्पत्ति रूप मानते हैं। इसमें ऐसा प्रतीत होता है जैसे आश्रय-आश्रित का सम्बन्ध भूमि ओर घट के जैसा है, जबकि वास्तव में यह सम्बन्ध वैसा नहीं है, यह 'नियतरूपेण घटित हुए होने पर नियतरूपेण घटित होने' का है। इस सम्बन्ध में स्मृति दो घटनाओं को धारण करती है। इस धारण को ऐसा कल्पित करना जैसे वे भूमि-घटवत् या घट-जलवत् हों और तब कहना कि वे इस प्रकार सम्बन्धित नहीं हो सकते इसलिए वे किसी प्रकार सम्बन्धित नहीं हैं, भ्रान्ति है।

किन्तु यहाँ स्कंधों की कारणता के प्रसंग में नागार्जुन की युक्ति में एक दूसरी कठिनाई भी है, वह यह कि महाभूत स्कंधों के किस प्रकार के कारण हैं? ये स्पष्टतः उपादान कारण हैं। अब उपादान कारण के सम्बन्ध में वह आपत्ति लागू नहीं होती जो नागार्जुन ने उठाई है, क्योंकि उपादान कारण कार्य में विद्यमान रहता है और इस कार्य की विद्यमानता कारण की विद्यमानता के साथ ही सम्भव हो सकती है, इसके बिना नहीं। इस प्रकार उनके इस प्रश्न का कि "यह कारण सत्-रूप का है या असत् रूप का?" उत्तर होगा कि यह सत्-रूप का कारण है क्योंकि सब उपादान कारण अपने कार्य की विद्यमानता में विद्यमान रहते हैं। यदि कहें कि कार्य की उत्पत्ति अनन्तर होती है, तो इसका उत्तर होगा कि वस्तुतः यह आवश्यक नहीं है यद्यपि कारण-कार्य-सम्बन्ध की तार्किक संरचना के

अनुसार यह आवश्यक हो सकता है। भूत और भौतिक या स्वर्ण और कुण्डल इसी प्रकार के कारण-कार्य हैं जिनमें पूर्वापरता नहीं रहती जबकि बुनना और वस्त्र इस प्रकार के नहीं हैं। किन्तु मान लें कि स्वर्ण और कुण्डल के समान उपादान कारण के सब कार्य यद्यपि कारण की विद्यमानता में ही विद्यमान रहते हैं किन्तु वे उत्पन्न कारण के अनन्तर ही होते हैं, तब नागार्जुन की आपत्ति का क्या उत्तर होगा? तब इसका उत्तर होगा कि यह कार्य के सत् : विद्यमान : होने पर ही उसका कारण होता है और यह कार्य अपने कारण की विद्यमानता में ही विद्यमान रह सकता है।

इस पर नागार्जुन की आपत्ति होगी कि उनका प्रश्न शुद्ध रूप से आकारात्मक है : सत् कार्य को कारण की अपेक्षा ही नहीं हो सकती, वह तो है ही, और कार्य असत् होने पर कोई वस्तुस्थिति कारण कैसे कही जा सकती है, क्योंकि कोई घटना कार्य के बल पर ही कारण होती है? इसका उत्तर होगा कि उपादान कारण के प्रसंग में कार्य की उत्पत्ति होने पर ही कोई वस्तुस्थिति कारण कही जाती है, जैसे स्वर्ण स्वत: कारण नहीं है, कुण्डल के उत्पन्न होने पर ही उसका कारण है, अथवा स्वर्णकार के लिए वह कुण्डल की उत्पत्ति के पूर्व, उसके असत् होने पर भी, उसका भावी कारण है। जहाँ तक सत् कार्य को कारण की अपेक्षा नहीं होने का प्रश्न है, उसके सम्बन्ध में हमने ऊपर कहा ही है कि कार्य को अपनी विद्यमानता में भी उपादान कारण की अपेक्षा होगी : स्वर्ण के तिरोभाव से कुण्डल स्वत: तिरोभूत हो जाएंगे : रूई के क्षय से वस्त्र का स्वत: क्षय हो जाता है। इसलिए भूत और स्कन्ध की कारण-कार्यता के प्रसंग में नागार्जुन को हमारा उत्तर होगा कि स्कन्ध को अपनी विद्यमानता में ही भूत की आवश्यकता है और स्कन्ध की विद्यमानता में ही भूत उसका कारण होता है। अनुत्पन्न स्कंधों का भूत सम्भाव्य कारण होता है—अर्थात् उसमें स्कंधों की उत्पत्ति की योग्यता निहित रहती है।

7. संस्कृत-परीक्षा

संस्कृत धर्मों के याथार्थ्य के विरुद्ध नागार्जुन निम्न युक्ति प्रस्तुत करते हैं:—

1. स्कन्ध, आयतन, धातु को संस्कृत-लक्षण कहा जाता है। 'संस्कृत-लक्षण' का अर्थ है उत्पाद, स्थिति, भंग का समाहार। अब प्रश्न है कि संस्कृत-लक्षण का उत्पाद स्वयं संस्कृत-लक्षण है या असंस्कृत-लक्षण? यदि संस्कृत कहें तो उसे स्वयं भी त्रिलक्षणी होना चाहिए, क्योंकि त्रिलक्षणी से सब संस्कृत धर्मों का अव्यभिचार है, इस प्रकार उत्पाद को त्रिलक्षणी ही होना चाहिए। किन्तु तब वह लक्षण नहीं रह कर लक्ष्य हो जायगा।

2. दूसरा प्रश्न है कि ये लक्षण व्यस्त हैं या समस्त? ये व्यस्त नहीं हो सकते क्योंकि तब एक काल में तीनों के न रहने से त्रिलक्षणी नहीं होगी, और समस्त भी नहीं हो सकते, क्योंकि एक ही क्षण में इनकी विद्यमानता असम्भव है।

3. संस्कृत-लक्षण स्वयं संस्कृत नहीं हो सकते, क्योंकि यदि उत्पादन का उत्पाद मानें तो अनवस्था दोष होगा।

1. प्रथम का उत्तर यह है कि उत्पाद संस्कृत-लक्षणों को लक्षित करने वाले तीन लक्षणों में से एक है, इस प्रकार यह त्रिलक्षणात्मक लक्ष्य नहीं हो सकता, परिणामत: वह इस अर्थ में संस्कृत भी नहीं हो सकता, किन्तु तब वह संस्कृत से अतिरिक्त और कुछ भी नहीं हो सकता क्योंकि वह संस्कृत धर्म का एक लक्षण है। नागार्जुन का यह प्रश्न ऐसा ही है जैसा कोई सांख्य से प्रश्न करे कि सत्त्व गुण प्रकृति है या अप्रकृति? स्वभावत: उसका उत्तर होगा कि सत्त्व प्रकृति नहीं होकर प्रकृति-गत है। अवश्य यहाँ यह आपत्ति हो सकती है कि त्रिगुण अनिवार्यत: समस्त हैं। किन्तु यहाँ प्रश्न समस्तता-व्यस्तता का नहीं है बल्कि अंशांशी सम्बन्ध का और लक्षण के लक्ष्य होने का है, उसमें भी वास्तव में इनमें साम्य है—संस्कृतता त्रैलक्षण्य से पृथक् कुछ नहीं है जिस प्रकार प्रकृति त्रैगुण्य से पृथक् कुछ नहीं है।

2. दूसरी आपत्ति में पहले यह अपेक्षा की गई है कि त्रिलक्षणी के तीनों लक्षण युगपद् होंगे और तब इस अपेक्षा को असम्भव बताया गया है। किन्तु इस अपेक्षा के असम्भव होने के लिए क्या युक्ति है? तीनों लक्षण एक-साथ होने पर ही त्रिलक्षणी हो इस प्रतिज्ञा के लिए कोई औचित्य नहीं है, आनुक्रमिक होने पर भी त्रिलक्षणता हो सकती है, केवल यह आवश्यक होगा कि तीनों का यह अनुक्रम घटित पूर्णत: और अनिवार्यत: हो, अर्थात् यह अनुक्रम कालिक और तार्किक दोनों होना चाहिए। किन्तु वास्तव में बौद्ध उत्पाद-स्थिति-भंग में आनुक्रमिकता के साथ एक-क्षणता भी मानते हैं और यह इस कारण सम्भव है कि उत्पाद भंग में और भंग उत्पाद में निरन्तर लय होता है और स्थिति कोई वास्तविक काल या वास्तविक अवस्था नहीं होकर उत्पाद और भंग के बीच केवल एक अवधारणात्मक व्यवधान की वाचक है। किन्तु इनमें एकक्षणता नहीं मानकर आनुक्रमिकता मानने पर भी समस्तता मानी जा सकती है, जैसाकि हमने ऊपर कहा। 'जातस्य हि ध्रुवं मृत्यु' में यही अभिप्रेत है। इनके ऐसा नहीं होने में क्या युक्ति है?

उत्पद्यमान के उत्पाद का निषेध

इस निषेध के लिए आचार्य निम्न पूर्वपक्ष प्रस्तुत करते हैं : उत्पाद उत्पद्यमान की उत्पत्ति करता है क्योंकि घटोत्पत्ति-क्रिया की अपेक्षा से घट की उत्पद्यमानता प्रतीत होती है। इसके विरुद्ध वे कहते हैं—

"जब उत्पाद के पूर्व कोई अनुत्पन्न घट नहीं है तो उसकी उत्पत्ति-क्रिया की अपेक्षा करके उत्पाद कहना ठीक नहीं।" अपनी इस युक्ति का वे पूर्वपक्ष की ओर से उत्तर देते हैं कि, "यद्यपि उत्पाद के पूर्व घट नहीं है तथापि घट उत्पन्न होकर घट-संज्ञा का लाभ करेगा।" इसके प्रतिवाद में आचार्य कहते हैं—"ऐसा नहीं है, क्योंकि जब उत्पाद-क्रिया प्रवृत्त होती है तो उस समय का वर्तमान पदार्थ घट-संज्ञा-लाभ करता है, किन्तु जब भाव अनागत है तो उससे क्रिया का सम्बन्ध ही नहीं हो सकेगा और परिणामत: तद्विषयक क्रिया की प्रवृत्ति भी नहीं हो सकेगी। तब कौन घट उत्पन्न होकर घट-संज्ञा-लाभ करेगा? क्रिया के अघट के आश्रित होने के लिए निश्चित करना होगा कि यह अघट क्या है? यह पट है या अभावमात्रता है? यदि प्रथम है तो समस्या दुहरी हो जायगी। एक तो जो समस्याएँ घट की उत्पत्ति को लेकर हैं वे ज्यों की त्यों पट की उत्पत्ति को लेकर होंगी और दूसरी समस्या होगी कि उत्पद्यमान पट उत्पन्न होकर घट कैसे हो जायगा?"

आचार्य यहाँ आगे प्रश्न करते हैं—"आपके मत से उत्पद्यमान पदार्थ को उत्पाद उत्पादित करता है, किन्तु तब प्रश्न होगा कि इस उत्पाद को दूसरा कौन उत्पाद उत्पन्न करेगा? यदि एक उत्पाद को उत्पन्न करने के लिए दूसरे उत्पादन की अपेक्षा है तो अनवस्था-दोष होगा, यदि उत्पाद स्वत: उत्पन्न हो जाता है तब सभी कुछ स्वयं क्यों नहीं उत्पन्न हो जाता?" इस युक्ति को आचार्य और आगे बढ़ाते हैं—वे कहते हैं, "उत्पाद का विद्यमान से सम्बन्ध वृथा है क्योंकि वह तो पहले से ही उत्पन्न है, अनागत से उसका सम्बन्ध हो नहीं सकता, क्योंकि जो है ही नहीं उससे सम्बन्ध कैसा? और तीसरी कोई कोटि ही नहीं है, तब उत्पत्ति कैसे होगी? क्या स्वत: होगी? यदि यह मानें तो अव्यवस्था होगी क्योंकि तब घट के बजाय पट और पट के बजाय घट उत्पन्न हो जायगा। फिर उत्पाद को भी उत्पन्न होना चाहिए, उसके लिए अन्य उत्पादक उत्पाद की अपेक्षा होगी। किन्तु ऐसा मानने पर अनवस्था होगी। यदि कहें कि उत्पाद अपना और पर का दोनों का उत्पाद करता है जैसे प्रकाश अपना और पर का दोनों का प्रकाश करता है, तो यह भी अयुक्त है, क्योंकि प्रकाश अपना या पर का किसी का भी प्रकाश नहीं करता, क्योंकि प्रकाश तमोनाश है। प्रकाश तमसाच्छादित हो तब अपने से प्रकाशित हो। पर को यह इसलिए प्रकाशित नहीं कर सकता क्योंकि पराच्छादक तम प्रकाश-देश में नहीं रहता जो उससे प्रकाश का सम्पर्क हो। इसलिए यह उपमा असिद्ध है। जहाँ तक उत्पाद की स्वोत्पादकता का प्रश्न है वहाँ यह भी प्रश्न होगा कि उत्पाद उत्पन्न होकर अपना उत्पाद करता है या अनुत्पन्न रह कर ही? उत्पन्न उत्पाद को अपर से क्या प्रयोजन? अनुत्पन्न उत्पाद अपना उत्पाद करेगा कैसे?"

यहाँ प्रथम आक्षेप है कि "उत्पाद का अभाव से कैसे सम्बन्ध होगा?" यहाँ आचार्य से स्पष्टीकरण अपेक्षित है कि उत्पाद के वस्तु से सम्बन्धित होने का क्या अर्थ है? उत्पाद वस्तु का होता है, वस्तु अनस्तित्व से अस्तित्व में आती है तब उसे उत्पाद कहा जाता है। यहाँ 'वस्तु का अनस्तित्व से अस्तित्व में आना' इस प्रतिपत्ति पर आक्षेप किया जा सकता है कि ऐसा कुछ 'वस्तु' नहीं हो सकता जिसका अस्तित्व नहीं हो। 'वस्तु' पद के वाच्यों में चैत्त और भौतिक दोनों को सम्मिलित कर लेने पर यह आक्षेप उचित है और तब कहा जा सकता है कि वस्तु के घटित होने का प्रथम क्षण उसका अस्तित्व में आना है और यही उसका उत्पाद है। इस प्रकार उत्पाद स्वयं कोई वस्तु या क्रिया नहीं है। जैसे मन में किसी विचार, कल्पना, भावना का घटित होना उसका अस्तित्व में आना है और भौतिक वस्तु-विषयक विचार या कल्पना का भौतिक रूप में घटित होना भौतिक वस्तु का अस्तित्व में आना है, यही उनका उत्पाद है। अवस्तुत्व में, अभाव-मात्रता में, वस्तु की उत्पत्ति कैसे होती है, यह एक बहुत गुह्य रहस्य है, किन्तु यह प्रश्न यहाँ हमारे लिए विचारणीय नहीं है। यहाँ विचारणीय केवल यह है कि उत्पाद के वस्तु से अथवा उसके अभाव से सम्बन्ध की बात कोटिभ्रम है। नागार्जुन कहते हैं, "जब उत्पादन-क्रिया प्रवृत्त होती है तो उस समय का वर्तमान पदार्थ घट-संज्ञा-लाभ करता है किन्तु जब भाव अनागत है तो उससे क्रिया का सम्बन्ध ही नहीं हो सकेगा।" इस कथन में वास्तव में कुम्भकार द्वारा घट-निर्माण का निदर्श सम्मुख है और तब उसमें अनावश्यक रूप से समस्या प्रस्तुत की जा रही है। कुम्भकार की चाक-क्रिया उस समय के वर्तमान पदार्थ : मिट्टी : में प्रवृत्त होती है और उसका परिणाम घट-संज्ञा लाभ करता है। तब इसमें क्या समस्या है? नागार्जुन समस्या उठाते हैं कि "किन्तु भाव-घट तो अनागत है तब उससे क्रिया का सम्बन्ध कैसे हो सकता है?" इसका उत्तर है कि यह सम्बन्ध होना अपेक्षित ही नहीं है क्योंकि यह क्रिया है ही इसलिए कि घट को अस्तित्व में लाना है। इसलिए उत्पाद-क्रिया का सम्बन्ध उत्पाद्य वस्तु से यह है कि उस वस्तु के उत्पन्न हो जाने पर वह अवसित हो जाती है। किन्तु सब उत्पत्तियों को उत्पाद-क्रिया-मूलक भी नहीं कहा जा सकता, उदाहरणत: घट-कल्पना और घट-निर्माणेच्छा की उत्पत्ति को उत्पाद-क्रिया-मूलक नहीं कहा जा सकता। जो भी हो, जहाँ उत्पत्ति उत्पाद-क्रिया-मूलक है वहाँ क्रिया का सम्बन्ध कल्पना, इच्छा से एक होता है, उपकरणों से दूसरा और उत्पाद्य वस्तु से तीसरा, इनमें तीसरा सम्बन्ध अनागत वस्तु से विगत और वर्तमान कल्पना के माध्यम से होता है और वह यह होता है कि क्रिया वस्तु की उत्पत्ति के साथ अवसित हो जाती है।

नागार्जुन दूसरी आपत्ति इस प्रश्न के साथ उठाते हैं कि "उत्पाद कैसे उत्पन्न होता है? परत: या स्वत:? यदि परत: तो अनवस्था-दोष होगा और स्वत: तो अव्यवस्था होगी।" किन्तु परत: उत्पाद कहने से अनवस्था दोष क्यों होगा? इसका कारण यह नहीं है कि यदि प्रत्येक वस्तु की उत्पत्ति अन्य से मानी जाय तो फिर हम कहीं रुक नहीं पाएंगे : घट की उत्पत्ति कुम्हार और मिट्टी से, कुम्हार और मिट्टी की अपने उत्पादकों से, उनकी अन्य उत्पादकों से...आदि : क्योंकि इससे घट की उत्पत्ति की व्याख्या में कोई बाधा नहीं आती। इसका कारण यह है कि प्रत्येक उत्पन्न वस्तु का जैसे उत्पाद के साथ योग होता है उसी प्रकार उत्पाद का भी अन्य उत्पाद के साथ योग होना उत्पाद का परत: उत्पाद है और अन्य उत्पाद से योग नहीं होना उत्पाद का स्वत:उत्पाद। इस प्रकार नागार्जुन का प्रश्न है कि, "उत्पाद किसी दूसरे उत्पाद से उत्पन्न होता है कि स्वत:? यदि हम प्रथम विकल्प स्वीकार करते हैं तो इस उत्पाद के उत्पादक उत्पाद को अपने उत्पाद के उत्पादक उत्पाद की अपेक्षा होगी और इस प्रकार अनन्त क्रम आपन्न होगा, यदि उत्पाद की उत्पत्ति अन्य वस्तुओं के उत्पाद के विपरीत स्वत: ही होती है तो दूसरी सब वस्तुएँ भी स्वत: ही उत्पन्न हो सकती हैं।"

उत्पाद की उत्पत्ति की बात की भ्रान्तता पर हम ऊपर विचार कर आये हैं, उसके बाद प्रकाश के आत्म-प्रकाशन से इसकी उपमा पर विचार अनावश्यक हो जाता है। किन्तु नागार्जुन ने प्रकाश के स्वत:प्रकाशन के प्रश्न पर यहाँ पृथक् विचार भी किया है और इस प्रश्न पर अन्य दार्शनिकों ने भी पर्याप्त विचार किया है इसलिए यहाँ यह स्वतन्त्र रूप से भी विचारणीय है। नागार्जुन के अनुसार "यदि कहें कि उत्पाद अपना और पर का दोनों का उत्पाद करता है जैसे प्रकाश अपना और पर का दोनों का प्रकाश करता है तो यह भी अयुक्त है, क्योंकि प्रकाश

अपना और पर का किसी का प्रकाशन नहीं करता, क्योंकि प्रकाश तमोनाश है। प्रकाश तमसाच्छादित हो तब अपने से प्रकाशित हो। प्रकाश पर को इसलिए नहीं प्रकाशित कर सकता क्योंकि पराच्छादक तम प्रकाश-देश में नहीं रहता जो उससे प्रकाश का सम्पर्क हो। इसलिए यह उपमा असिद्ध है।"

यहाँ 'प्रकाश द्वारा अपने प्रकाशन' में प्रकाश का द्वित्व कल्पित है जो कि 'स्वप्रकाशत्व' पद में आवश्यक रूप से नहीं है। "प्रकाश अपने को प्रकाशित करता है" कहना ऐसा ही है जैसा यह कहना कि "तम अपने को आच्छादित करता है", और ये दोनों कथन ऐसे ही हैं जैसे यह कहना कि वृक्ष अपने को वृक्षायित करता है, ध्वनि अपने को ध्वनित करती है आदि। 'प्रकाशन' दृश्यकरण करना है। घट दिखायी देता है' का अर्थ है "घट से प्रकाश-किरणें चलकर चक्षु का स्पर्श करती हैं" अथवा 'चक्षुरिन्द्रिय से प्रकाश-किरणें चल कर घट को वलयित करती है।' इस प्रकार 'दिखायी देना' 'प्रकाशान्वित होना' ही है। अब 'प्रकाश का प्रकाशन' भी प्रकाश का दिखायी देना ही है, और कुछ नहीं। इस प्रकार वास्तव में सब दिखायी देना समान रूप से प्रकाशित होना है। और सब प्रकाशनों में कोई आधार ही प्रकाशित होता है, प्रकाश प्रकाशित नहीं होता। किन्तु यदि यह मान ही लें कि दीपक की लौ स्वप्रकाशित प्रकाश है तो भी इसमें प्रकाश द्वारा अपने पर प्रकाशन-क्रिया घटित करने की बात अयुक्त होगी, उस अवस्था में 'प्रकाश घटित होता है' यह कहना ही उपयुक्त होगा। अथवा यह कह सकते हैं कि 'प्रकाश प्रकाशमान है' जो यह कहने के बराबर ही है कि 'प्रकाश प्रकाश है।'

प्रकाश के आत्मप्रकाशन का आचार्य भी निषेध करते हैं किन्तु ऐसे कि उसमें उसका ही मूलोच्छेद हो जाता है। अब, प्रकाश है, यह स्पष्ट है, यह भी स्पष्ट है कि प्रकाश होने पर वस्तुएँ दिखायी देती हैं और उसके अभाव में वे दिखायी नहीं देतीं। तब दार्शनिक के लिए इसमें कोई सन्देह उठाने के लिए कहाँ अवकाश है? उसके लिए अवकाश इस अनुभव या तथ्य का स्वरूप बोधगम्य बनाने में है। किन्तु यदि कोई दार्शनिक इस अनुभव का ही निषेध करता है तो वह उसे दिये गये आतिथ्य का निरादर करता है। इस पर कहा जा सकता है कि किसी अनुभव का निषेध व्यापक या उच्चतर अनुभव के स्वरूप के उद्घाटन में सहायक हो सकता है और निश्चय ही यह उद्घाटन महत्तर अर्थ को प्रकट करता है, जैसे दार्शनिकों द्वारा भौतिक के अस्तित्व में सन्देह ज्ञान और सत् के स्वरूप को निरपेक्षत: समझने के प्रयोजन को सिद्ध करता है। वास्तव में नागार्जुन का प्रयोजन भी यही है। किन्तु जैसाकि अभी हम देखेंगे, उनकी यह युक्ति उनकी पिछली युक्तियों से भी अधिक अयुक्त है। उनके अनुसार, "प्रकाश अपना और पर का किसी का प्रकाशन नहीं करता।" क्यों? क्योंकि "प्रकाश तमोनाश है। उसके तमोनाशक होने से यह आपादित होता है कि यह आत्म-प्रकाशन तभी कर सकता है यदि वह पहले तमसाच्छादित हो।" किन्तु तब पर के प्रकाशन में क्या कठिनाई है? इस पर उनका उत्तर है कि "पर का प्रकाशन वह इसलिए नहीं कर सकता क्योंकि पराच्छादक तम प्रकाश-देश में नहीं रहता और इससे प्रकाश का उससे सम्पर्क ही नहीं हो पाता।"

यहाँ नागार्जुन की युक्ति की संरचना देखना उनकी सब युक्तियों के स्वरूप को समझने में सहायक हो सकता है। वे 'प्रकाश' को 'तमोनाश' के रूप में परिभाषित करते हैं। अथवा कहें इसे पूर्वपक्ष के रूप में प्रस्तुत करते हैं। अब, इस परिभाषा से यह आपादित होता है कि जहाँ-जहाँ प्रकाश है वहाँ-वहाँ तम विनष्ट है। अथवा, "प्रकाश तमोनाश है, यहाँ प्रकाश है, इसलिए यहाँ तम विनष्ट है।" किन्तु नागार्जुन 'यहाँ प्रकाश है' अथवा 'जहाँ-जहाँ प्रकाश है' प्रतिज्ञप्ति को ही स्वीकार नहीं करते। वे कहते हैं, "आपके अनुसार प्रकाश की परिभाषा तमोनाश है, किन्तु प्रकाश तम के सम्पर्क में ही नहीं आ सकता इसलिए प्रकाश हो ही नहीं सकता।" किन्तु यह परिभाषा की अयुक्तता से परिभाष्य की सत्ता का निषेध करना है।

किन्तु 'प्रकाश' को 'तमोनाश' से परिभाषित करने का ही क्या औचित्य है? क्यों नहीं तम को 'प्रकाशाभाव' इस प्रकार परिभाषित किया जाय? ये दोनों परिभाषाएँ इस बात में तुल्यबल हैं कि दोनों समान रूप से अयुक्त हैं। वास्तव में प्रकाश की पर-प्रकाशन में अशक्यता के लिए युक्ति में तम और प्रकाश की स्वतन्त्र पदार्थता पूर्वगृहीत है, और इनके स्वतन्त्र होने पर ही इनकी एक देश में उपस्थिति की समस्या उत्पन्न होती है।

तम और प्रकाश तथा इनका सम्बन्ध हमारे प्राचीन दार्शनिकों के लिए गहरी रुचि का विषय रहा है। इसका एक शुद्ध भौतिक पक्ष है और वह भौतिक विज्ञान का विषय है। दर्शन के लिए इसकी रोचकता वास्तव में इसकी ज्ञान और अज्ञान से अनुरूपता को लेकर है। ज्ञान को अनवगत विषय कैसे अवगत होता है, यह एक बहुत जटिल प्रश्न है, सम्भवत: बहुत गुह्य भी। इसी प्रकार, ज्ञानमें आत्मावगमन भी होता है, उसका क्या स्वरूप है यह भी एक अत्यन्त रोचक प्रश्न है, विशेषत: इसलिए कि इसके साथ यह प्रश्न भी जुड़ा है कि क्या 'अनवगत आत्म' इस पद का भी कोई वाच्य हो सकता है? प्रकाश और अन्धकार के परस्पर सम्बन्ध में और ज्ञान तथा अज्ञान के परस्पर सम्बन्ध में इस दृष्टि से एक अनुरूपता है किन्तु उतनी नहीं जितनी हमारे पिछले दर्शन में देखी गई है। यह अनुरूपता ज्ञान के सम्बन्ध में बहुत कुछ व्यामिश्र के कारण देखी गई है। व्यामिश्र ज्ञान और संवित्ति में भेद नहीं देखने के कारण है। संवित्ति चित्त का निर्विषयतया घटित होना मात्र है जबकि ज्ञान विषयावगमनात्मक होता है। संवित्ति ज्ञान के बिना भी हो सकती है, जैसे आरम्भिक शैशव में पीड़ा या सुखानुभूति, किन्तु ज्ञान अपनी अभिव्यक्ति के लिए, अथवा कहें व्यक्तिचित्त में प्रकट होने के लिए, अनिवार्यत: संवित्ति का अपेक्षी होता है। उदाहरणत: 'यह घट है' ज्ञान संवित्ति-पूर्वक होता है और '25/5=5' संवित्ति के माध्यम से व्यक्त या अवगत। इनमें अन्तर यह है कि व्यक्ति-घट का अस्तित्व भौतिक रूप-स्कन्ध है जबकि 25/5=5 का अस्तित्व न भौतिक है, न चैतसिक, यह अलौकिक है। इस कारण घट संवेद में प्रदत्त होकर अध्यवसाय का विषय बनता है जबकि गणित-विषय आन्तर या बाह्य संवेद में प्रदत्त होकर अध्यवसित नहीं होता बल्कि आन्तर संवेद इस अध्यवसाय के संविदित होने के लिए एक माध्यम बनता है। अब स्वप्रकाशत्व संवित्ति का धर्म है जबकि आत्मावगमन ज्ञान का। यह आत्मावगमन भी दो प्रकारका हो सकता है, एक 'ज्ञाताहं' रूप, जिसमें अस्मिता ही प्रत्यक्ष-विषय होती है और दूसरा "'यह घट है' यह अध्यवसाय प्रत्यक्ष-विषयक है और '25/5=5' यह अध्यवसाय गणित-विषयक है" रूप, जिसमें चित्त बुद्धि के आकार में प्रत्यङ्मुख होता है। यह 'ज्ञाताहं' रूप आत्मावगमन भी घटानुरूप संवित्ति-मूलक ही होता है : प्रथम में घटत्व भौतिक अस्तित्व : रूप-वेदना में आविर्भूत होता है और दूसरे में अहंता चैतसिक अस्तित्व : आन्तर संवेद : में। किन्तु असंवित् मूलक ज्ञान में, जैसे गणित-विषय के, संवित्ति अनिवार्य होने पर भी स्वयं विषय की सत्ता के लिए अवान्तर होती है। अब प्रकाश से अनुरूपता वास्तव में संवित्ति की है, ज्ञान की नहीं, क्योंकि जिस प्रकार संवित्ति घटित होने पर रूप या विचार प्रकट होता है और हट जाने पर, जैसे घट के दृष्टि से परे हट जाने पर अथवा विचार के घटित नहीं होने, विचारित नहीं होने, पर वह अप्रकट हो जाता है, उसी प्रकार प्रकाश से संपर्क होने पर घट प्रकट होता है और उसके हट जाने पर वह अप्रकट हो जाता है। किन्तु इसकी संवित्ति से भी अनुरूपता केवल यहीं तक है, क्योंकि संवित्ति ज्ञान को प्रकट करने के साथ स्वयं भी चैतसिक रूप से विदित होती है जिसके कारण वास्तव में इसका नाम 'संवित' है, प्रकाश में वैसा कुछ नहीं होता। यह वास्तव में केवल संवित्ति की ही विलक्षणता है, क्योंकि यह ज्ञान को भी उपलब्ध नहीं है। किन्तु ज्ञान में भी स्वप्रकाशत्व है जिसका रूप दूसरा है। इसे हमने ऊपर[1] चित्त की प्रत्यङ्मुखता कहा है। इसमें चित्त विषयों का उनके अपने तत्त्व में साक्षात्कार करता है जो साथ ही उसका अपना भी तत्त्व होता है। इस प्रकार नागार्जुन की प्रकाश-विषयक युक्ति भी नितान्त भ्रान्तिपूर्ण है।

9. पूर्व-परीक्षा

इस प्रकरण में नागार्जुन दर्शन, श्रवणादि वेदनाओं का और उनके उपादाता आत्मा का निषेध करते हैं। द्रष्टव्य है कि अन्य बौद्ध, स्वयं बुद्ध भी, दर्शन-श्रवणादि वेदनाओं का निषेध नहीं करते, केवल इनके अधिष्ठाता आत्मा का निषेध करते हैं। वास्तव में बुद्ध के लिए यह कहा जा सकता है कि वे पारमार्थिक रूप से दर्शन-श्रवणादि वेदनाओं को भी अतात्त्विक ही मानते हैं, क्योंकि वे भवचक्र को अविद्यामूलक मानते हैं, और वेदनाएँ

1. इस पर विस्तृत चर्चा के लिए द्रष्टव्य : मनुष्य और जगत् में 'जगच्चैतन्य' तथा 'प्रत्यङ्मुख चैतन्य' अध्याय तथा सत्ताविषयक अन्वीक्षा में 'दर्शन के आधार' और 'ज्ञातृत्व' अध्याय।

भव-चक्र ही हैं। किन्तु नागार्जुन के निषेध इस प्रकार के नहीं हैं, वे व्यवहारगत तर्क-कोटियों के अनुसार ही वस्तुओं का निषेध-प्रतिपादन करते हैं। चन्द्रकीर्ति की प्रसन्नपदा के अनुसार यहाँ नागार्जुन को सम्मितीय बौद्धों के मत का खण्डन अभिप्रेत है जो दर्शन-श्रवणादि उपादानों (इन्द्रियों) के होने से उनके उपादातृत्व को, अर्थात् आत्मा को, स्वीकार करना आवश्यक मानते है। किन्तु उपादानों से उपादाता के अस्तित्व के निगमन की अयुक्तता केवल तभी दिखायी जा सकती है यदि उपादानों का अस्तित्व स्वीकार किया जाय न कि उपादानों के ही अस्तित्व का निषेध करने से। महात्मा बुद्ध और अन्य बौद्धों ने यही किया है। नागार्जुन के अनुसार, दर्शन-श्रवणादि का भाव (सत्त्व) ही असिद्ध है तब उनके उपादाता के भाव की सिद्धि क्या होगी? इस प्रतिपादन के लिए वे पूर्वपक्ष प्रस्तुत करते हैं : "यदि पुद्गल को दर्शन-श्रवणादि से पहले स्वीकार नहीं करें तो दर्शनादि का उपादान कौन करेगा? इसलिए पुद्गल दर्शन-श्रवणादि से प्राक् है।" इसके उत्तर में नागार्जुन कहते हैं : "बीज-संज्ञक कारण से अंकुर-संज्ञक कार्य अभिव्यक्त होता है और इस अंकुर-संज्ञक कार्य से बीज-संज्ञक कारण अभिव्यक्त होता है। इस प्रकार यदि किसी दर्शनादि संज्ञक उपादान से कुछ आत्मस्वभाव अभिव्यक्त होता है : कि ये दर्शनादि उपादान-स्वरूप हैं इसलिए इनके किसी उपादाता का होना आवश्यक है : तब इन उपादान-उपादाता में बीजांकुरवत् परस्पर सापेक्षता होगी। यदि उपादाता के बिना ही दर्शनादिक उपादान की सिद्धि मानेंगे तो इनका निराश्रयत्व होगा और ये असत् होंगे। इस लिए दोनों ही असिद्ध हैं। इस प्रकार यह कहना सही नहीं है कि उपादाता आत्मा दर्शनादि से पृथक् अवस्थित हैं।"

अब, यहाँ प्रथम तो बीजांकुर में कारण-कार्यता मानने पर उनमें सत्तात्मक सापेक्षता मानना अयुक्त होगा, क्योंकि कारण से कार्य घटित तो होता है किन्तु उसके घटित नहीं होने पर भी कारण-घटना या वस्तु स्वयं में तो रहती या होती ही है। जैसे बीज से अंकुर हो तो हो, नहीं हो तो भी बीज की सत्ता असिद्ध नहीं होगी। अवश्य बीजांकुर में परस्परता है : क्योंकि वे दोनों परस्पर कारण और परस्परकार्य होते हैं : बीज से अंकुर और अंकुर से बीज उत्पन्न होने से : किन्तु वह परस्परता यहाँ विवक्षित नहीं है। दूसरे, उपादाता और उपादान का सम्बन्ध कारण-कार्यता का नहीं है। यदि कारण-कार्य में सापेक्षता मान भी लें तो भी उपादाता और उपादान में वैसी सापेक्षता नहीं बनती। उपादान में उपादाता की सत्ता तर्कत: पूर्वापेक्षित है किन्तु उपादान उपादाता को अभिव्यक्त करता है ऐसा नहीं कहा जा सकता। इसी प्रकार, अवश्य यदि कुछ उपादान हो तभी कुछ उपादाता कहा जायगा, किन्तु उपादाता वस्तुत: उपादानसापेक्ष नहीं होता, वह केवल अपने उपदातृत्व में उपादान-सापेक्ष कहा जा सकता है। अर्थात् कुछ उपादान को धारण करने से ही उपादाता बनता है, उसके बिना नहीं। किन्तु यह बात उपादाता को उपादानाश्रित नहीं बनाती, केवल उपादान को उपादाताश्रित बनाती है। उदाहरणत: आत्मा के होने पर ही इन्द्रियादि का करणत्व है किन्तु आत्मा के होने के लिए इन्द्रियादि करणों की अपेक्षा अनिवार्य नहीं है। आगे जो आचार्य कहते हैं कि उपादाता के बिना उपादान निराश्रय और इस प्रकार असत् होंगे, वह तो वादी को स्वीकार ही है, किन्तु इससे यह आपादित नहीं होता कि उपादाता भी उपादान-सापेक्ष है।

किन्तु मान लें कि दोनों सापेक्ष हैं, तब दोनों असिद्ध कैसे हैं? क्योंकि वादी यह कब कह रहा है कि दर्शनादि उपादान उपादाता के बिना भी होते हैं?

10. अग्नीन्धन-परीक्षा

अग्नि-ईंधन-सम्बन्ध का निषेध करने के लिए नागार्जुन निम्न प्रकार से प्रश्न के साथ आरम्भ करते हैं:—

1. अग्नि और ईंधन की सत्ता परस्पर अभिन्न होने से है या भिन्न होने से? दाह्य ईंधन है, दाहक अग्नि है। यदि इन्हें अभिन्न मानें तो कर्त्ता और कर्म को अभिन्न मानना होगा, जो अनुचित है। कुम्भ और कुम्भकार में अभेद नहीं माना जा सकता। यदि इन्हें भिन्न मानें तो अग्नि-ईंधन घट-पट के समान निरपेक्ष होंगे, यह भी अनुचित है।

2. समस्या को इस प्रकार प्रस्तुत करने के बाद वे इस पर पूर्वपक्ष प्रस्तुत करते हैं—अग्नि का अस्तित्व ईंधन से भिन्न मानने पर भी इनमें सापेक्षता मानी जा सकती है : ईंधन वह है जो ज्वाला से परिगत है और अग्नि वह है जो अपने अस्तित्व के लिए ईंधन पर आश्रित है। इस पर आचार्य आपत्ति करते हैं कि यदि ज्वाला से परिगत दाह्य ईंधन है तो ईंधन किससे दग्ध होगा? क्योंकि अग्नि ईंधन से अतिरिक्त नहीं है और ईंधन पूर्वत: ही अग्नि से परिगत है। ऐसी अवस्था में उस ईंधन का, जो पूर्वत: ही अग्नि-परिगत है, अन्य कौन अग्नि दाह करेगी?

3. इस पूर्वपक्ष पर कि परस्पर सापेक्ष की भी स्वरूप-सिद्धि होती है, नागार्जुन प्रश्न उठाते हैं कि अग्नि और ईंधन के कर्त्ता और कर्म होने पर इनमें प्रथम कौन है? यदि ईंधन पूर्व हो तो उसके अग्नि-निरपेक्ष होने से उसमें इध्यमानता नहीं होगी और परिणामत: उसमें ईंधनत्व भी नहीं होगा, अन्यथा समस्त तृणादि ईंधन होंगे। यदि अग्नि को पूर्व मानें तो यह असम्भव होगा और अग्नि निर्हेतुक भी होगी।

4. इसके आगे वे कहते हैं—"यदि ईंधन को पूर्व और अग्नि को पश्चात् भी मान लें और कहें कि ईंधन की अपेक्षा करके अग्नि होती है, तो सिद्ध-साधनता दोष होगा, क्योंकि विद्यमान पदार्थ ही अन्य की अपेक्षा कर सकता है और विद्यमान की अपेक्षा से सिद्धि में प्रयोजन ही क्या है?

5. पूर्वपक्ष के अग्नीन्धन का यौगपद्य मानने पर आचार्य आक्षेप करते हैं कि यदि अग्नि ईंधन की अपेक्षा से सिद्ध होती है और ईंधन अग्नि की अपेक्षा से, तो, फिर कोई भी सिद्ध नहीं होगा, क्योंकि किसे किसकी अपेक्षा से सिद्ध करेंगे?

6. जहाँ तक अग्नि के ईंधन से जलने की, और इस प्रकार दोनों के अस्तित्व की, प्रतीति का प्रश्न है, आचार्य के अनुसार वह मिथ्या है क्योंकि ईंधन में यदि अग्नि हो तो वह ईंधन को जलाये, किन्तु वह असम्भव है, ईंधन के अतिरिक्त कहीं अन्यत्र से अग्नि का आगमन देखा नहीं जाता, क्योंकि निरिन्धन अग्नि अहैतुक होगी।

अब हम इन युक्तियों पर क्रमश: विचार करेंगे:—

1. प्रतिज्ञा में 'दाहक', 'दाह्य' पदों का वैयाकरणिक रूप कर्त्ता और कर्म का होने से नागार्जुन अग्नि और ईंधन को वास्तविक कर्त्ता और कर्म : 'कुम्भकार' और 'कुम्भ' के समान : मान लेते हैं, जो कि अयुक्त है। वास्तविकता के अनुसार अग्नि-ईंधन सम्बन्ध-विषयक वाक्य-रचना इस प्रकार होगी—'अग्नि से ईंधन जलता है', अथवा 'ईंधन जल रहा है' अथवा 'ईंधन अग्न्यायित है।' इनमें प्रथम दो वाक्य सम्बन्धित वस्तुस्थिति-विषयक प्रचलित प्रयोग भी हैं, किन्तु अन्तिम नागार्जुन की सम्यक्ता की अपेक्षाओं को ध्यान में रखते हुए रचा गया है। यह अग्नि-ईंधन को भिन्न मानने पर की गई आपत्ति का भी निवारण करता है, क्योंकि इसके अनुसार अग्नि-ईंधन इस प्रकार भिन्न नहीं हैं कि निरपेक्ष हो सकें।

2. दूसरी युक्ति भी कर्त्ता-कर्मपरक इसी वाक्य-रचना के और आगे दुरुपयोग पर आधारित है। वे 'अग्नि-परिगत ईंधन' को कर्म बनाकर कर्तृ-पद के लिए एक और अग्नि की माँग करते हैं। किन्तु दूसरी कोई अग्नि है नहीं, तब वे प्रश्न करते हैं कि "ईंधन को दग्ध कौन अग्नि करेगा?" स्पष्टत: कोई नहीं करेगा, इसलिए उनके अनुसार न अग्नि की सत्ता है और न ईंधन की। यदि पूछा जाय कि वह अग्नि जिससे ईंधन परिगत है ईंधन को क्यों नहीं जला सकती? तो उनका उत्तर होगा कि उसके ईंधन न होने से वह कर्त्ता नहीं हो सकती। किन्तु द्रष्टव्य है कि यहाँ वे पूर्वपक्ष की युक्ति का समाधान नहीं कर उससे बच रहे हैं, क्योंकि पूर्वपक्ष यहाँ अग्नि-ईंधन में कर्त्ता-कर्म-सम्बन्ध का नहीं, सापेक्षता-सम्बन्ध का है।

3. यहाँ नागार्जुन पूछते हैं कि अग्नि और ईंधन के कर्म और कर्त्ता होने से इनमें प्रथम कौन है? इसका उत्तर होगा कि ये कर्त्ता और कर्म ही नहीं है इसलिए यह प्रश्न व्यर्थ है। अब यदि इन्हें कर्त्ता और कर्म मान ही लें तो कर्त्ता और कम को वे जिस प्रकार परिभाषित करते हैं उसके अनुसार उनमें कोई भी प्रथम नहीं होगा, क्योंकि कर्त्ता वह है जो क्रिया-निष्पादन की प्रक्रिया में है और कर्म वह है जिस पर क्रिया घटित हो रही है। यदि ये दोनों युगपद्

नहीं होंगे तो क्रिया-निष्पत्ति ही नहीं हो सकती और परिणामत: कोई कर्त्ता-कर्म भी नहीं हो सकते। इस प्रकार क्रिया कर्त्ता-कर्म को सम्बन्धित करती है और अग्नि-ईंधन के बीच यह सम्बन्ध इस प्रकार से है कि कर्त्ता-कर्म युगपद् हों।

यहाँ कोई पौर्वापर्य-विषयक इस प्रश्न को कालात्मक के बजाय अवधारणात्मक के रूप में विकल्पित कर सकता है, यद्यपि नागार्जुन का प्रश्न अवधारणात्मक पौर्वापर्य-विषयक नहीं होकर कालात्मक ही है। किन्तु अवधारणात्मक रूप से विकल्पित करने पर तो दोनों में पौर्वापर्य का प्रश्न ही नहीं रहता, क्योंकि दोनों एक-दूसरे को पूर्वकल्पित करते हैं।

इसके अतिरिक्त, यदि आप परिभाषया ईंधन उसी को कहते हैं जो इध्यमान है तो उसका अग्नि से पूर्व या पश्चात् होना सम्भव ही कैसे है? द्रष्टव्य है कि नागार्जुन पूर्वपक्ष की अग्नि-ईंधन की परस्पर सापेक्षता का कोई उत्तर नहीं दे रहे हैं और उसे पूर्व-अपर मानने की अवस्था में उत्पन्न होने वाला दोष दिखा रहे हैं, जबकि पूर्वपक्ष यह कह ही नहीं रहा है। इसके अतिरिक्त, वे इस पूर्वापरता के साथ निरपेक्षता को भी जोड़ रहे हैं जिसका पूर्वपक्ष में स्पष्टत: अस्वीकार है। वास्तव में पूर्वापरता के लिए यह भी आवश्यक नहीं है कि ये घटनाएँ परस्पर निरपेक्ष हों : कारण-कार्य में पूर्वापरता के साथ सापेक्षता होती ही है। इसके अतिरिक्त, पूर्वापरता स्वयं भी सापेक्षता-सम्बन्ध है, यद्यपि न वह पूर्वपक्ष को अभिप्रेत है और न वह 'अग्नि' और 'ईंधन' की नागार्जुन द्वारा गृहीत तार्किक परिभाषा के अनुसार सम्भव है।

4. यह युक्ति और भी अयुक्त है : पहले तो आप अग्नि-ईंधन में पूर्वापरता मानने की बात करते हैं और फिर कहते हैं कि अग्नि को ईंधन की अपेक्षा तभी हो सकती है यदि ईंधन विद्यमान हो, और यदि वह विद्यमान होगा तो सिद्ध-साधन-दोष होगा। किन्तु तब इसका क्या अर्थ हुआ कि "यदि अग्नि-ईंधन में पूर्वापार सम्बन्ध मान भी लें...", क्योंकि यदि आप इनमें यह सम्बन्ध मानते हैं तो अपर पूर्व के साथ युगपद् नहीं हा सकेगा।

5. इस युक्ति में आचार्य पूर्वपक्ष की सापेक्षता की प्रतिपत्ति का खण्डन करते हैं, किन्तु यह खण्डन भी स्पष्टत: अतिचार मात्र है। यदि "ईन्धन वही है जो इद्धमान है और अग्नि वही है जो ईंधन की इद्धमानता है" तो यह प्रश्न ही कैसे उठता है कि कौन किसकी अपेक्षा कर सिद्ध होता है? क्योंकि दोनों ही परस्पर की अपेक्षा कर सिद्ध होंगे और यही पूर्वपक्ष की प्रतिपत्ति है, क्योंकि अग्नि-ईंधन में और किसी प्रकार यौगपद्य बन ही नहीं सकता। किन्तु वास्तव में इस पूर्वपक्ष में अग्नि-ईंधन पृथक् भी कल्पित नहीं हैं, जबकि जहाँ दो वस्तुएँ पृथक् भी होती हैं वहाँ भी उनमें सम्बन्ध सापेक्षता-परक हो सकता है। उदाहरणत: दो घट दाहिने-बायें सम्बन्ध में स्थापित किये जाने पर परस्पर सापेक्ष हो जाते हैं : क ख के तभी दायें हो सकता है यदि ख क के बायें हो। इसी प्रकार निर्माता-निर्मित का सम्बन्ध है जो दायें-बायें की तुलना में अधिक निकटता का है—कोई तभी कुम्भकार हो सकता है यदि वह कुम्भ का निर्माण करे, और कुछ कुम्भ तभी हो सकता है यदि कोई कुम्भकार हो। किन्तु कुम्भ और कुम्भकार दो पृथक् वस्तुएँ हैं।

यहाँ यह विचार भी स्थाने होगा कि अग्नि-ईंधन परस्पर भिन्न हैं या अभिन्न? अब, अग्नि और ईंधन प्रत्यक्षत: भिन्न हैं। वास्तव में ईंधन इद्धमानता : ज्वलन : से नहीं ज्वलन-शक्यता से परिभाषित होता है और ईंधन में अग्नि प्रकट होने पर भी दोनों पृथक् परिलक्षित होते हैं। अब, कोई कह सकता है कि अग्नि-ईंधन वस्तुत: पृथक् नहीं हैं, अग्नि ईंधन का केवल एक अभिव्यक्त प्रकृत गुण है जो अभिव्यक्त होने से पहले अनभिव्यक्त रहता है। किन्तु इससे भी स्थिति में कोई अन्तर नहीं पड़ता क्योंकि गुण-गुणी के रूप में ये अवियोज्य होने पर भी पृथक् अवलोक्य होते हैं। किन्तु वास्तव में ऐसा भी नहीं है कि अग्नि सदैव इन्धनाश्रित ही होती है, कुछ अवस्थाओं में वह पृथक् भी दिखती और होती है, जैसे तड़ित रूप में : यदि ईंधन की परिभाषा इतनी व्यापक नहीं बना दी जाय कि अदृश्य गैस और अणु-परमाणु भी उसमें सम्मिलित हो जायं। यदि 'अपेक्षा कर' का अर्थ 'हेतु से' लें तो

अग्नि-ईंधन में यौगपद्य का कोई प्रश्न ही नहीं रहता, क्योंकि हेतु और फल में पूर्वापरता होना अनिवार्य ही है। यदि आप इस पूर्वापरता को कालिक नहीं मानें तो तार्किक तो मानना ही होगा।

6. आगे आचार्य अभिव्यक्ति-सिद्धान्त का भी खण्डन करते हैं। वे पूछते हैं, "यह अभिव्यक्ति किसकी होती है? अभिव्यक्त की या अनभिव्यक्त की? अभिव्यक्त की अभिव्यक्ति का कोई प्रयोजन नहीं है और अनभिव्यक्त की अभिव्यक्ति सम्भव नहीं, क्योंकि उसकी स्थिति आकाश-कुसुम के समान है। यदि कहें कि हेतु प्रत्यय सूक्ष्म रूप से विद्यमान का ही स्थूलीकरण करते हैं तो यह भी युक्त नहीं है, क्योंकि इसका अर्थ है कि पूर्वत: विद्यमान स्थौल्य का (चैतसिकता या भौतिकता का) ये प्रत्यय नव्योत्पादन करते हैं, इसलिए स्थौल्योत्पादन को भी अभिव्यक्ति नहीं कह सकते। और फिर, इस युक्ति के अनुसार सूक्ष्मरूपता (अचैतसिकता और अभौतिकता) का कोई हेतु नहीं होगा, हेतु नहीं होने पर वह होगा ही नहीं तो फिर स्थूलतापादन किसका होगा? इस प्रकार ईंधन में अग्नि सर्वथा नहीं है।" तात्पर्य यह है कि व्यक्त यदि कुछ नवीन है तो यह सत्कार्यवाद की प्रतिज्ञा के विरुद्ध है, यदि यह कुछ नवीन नहीं है तो फिर कारण-कार्य-भेद नहीं होगा : क्या अग्नि ईंधन में पहले अदृश्य रूप से रहती है और फिर उपयुक्त हेतु-प्रत्ययों के द्वारा दृश्य होती है? तो नागार्जुन के अनुसार इसमें भी नव्योत्पत्ति ही है : अविद्यमान गोचरता-गुण की उत्पत्ति। इस युक्ति में एक महत्त्वपूर्ण सत्य है : 'लकड़ी में अग्नि अव्यक्त रूप से है, वही घर्षणादि से व्यक्त होती है' इसका क्या अर्थ है? अग्नि का धर्म प्रकाश और उष्णता है, ये दोनों ही लकड़ी में लक्षित नहीं होते, पीछे हेतु-प्रत्ययों के सहयोग से लक्षित होते हैं, तो यह स्पष्टत: नवीन आविर्भाव है। इस युक्ति को यदि सांख्य-सम्मत बुद्धि आदि विकारों की अभिव्यक्ति के प्रसंग में देखें तो इस आपत्ति का औचित्य और अधिक स्पष्ट रूप से देखा जा सकता है, क्योंकि 'बुद्धि' आदि को मात्र त्रैगुण्य के अनुपात-भेद के रूप में नहीं देखा जा सकता, उसमें पुरुष के भोगापवर्ग की निमित्तता ही उसका स्वरूप है और त्रैगुण्य उसका उपादान मात्र है, जैसे घट अपने उपादान (मिट्टी) से नहीं, जल-धारण-सामर्थ्य आदि प्रयोजनों से लक्षित होता है। वास्तव में वेदान्त के अजातिवाद और विवर्तवाद दोनों मानो सत्कार्यवाद के इस प्रतिवाद में निरूपित दोष के निराकरण के ही उपाय हैं। किन्तु तब भी यह विचारणीय है कि क्या इससे ईंधन में अग्नि की अव्यक्तरूपेण विद्यमानता का निषेध होता है? और यदि नहीं होता तो क्या इससे सत्कार्यवाद की पुष्टि होती है?

यह प्रयोग-सम्मत है कि लकड़ी के दो खण्डों के घर्षण से उनमें उष्णता उत्पन्न होती है और अधिक घर्षण से ज्वाला भी प्रकट होती है, पत्थर के दो खंडों के टकराने से यह और भी अधिक सुविधा से उत्पन्न होती है। ऐसा कैसे होता है? इसका भूतवैज्ञानिक उत्तर हो सकता है कि इस घर्षण से प्रस्तर-रूप में संहत अणुओं में एक व्यवस्थान्तरण घटित होता है और वे अग्नि-संज्ञक के रूप में संहत होते हैं। इस प्रकार प्रस्तर और अग्नि अदृश्य अणुओं की दो संहतियों का आश्रय कर चक्षु को प्रकट होने वाले रूप मात्र हैं। इस प्रकार वस्तुता केवल अणुओं की ही है जो विभिन्न व्यवस्थाओं में संहत हो सकते हैं, ये संहति-भेद ही अरणि (लकड़ी) और अग्नि इन दो रूपों में प्रकट होते हैं। इस प्रकार अरणि में अव्यक्त रूप से विद्यमान अग्नि उपयुक्त हेतु-प्रत्ययों के सहयोग से व्यक्त होती है। दूसरे शब्दों में, अरणि-रूप अणु-व्यवस्था में आंशिक रूपान्तरण घटित होता है। किन्तु तब यहाँ आपत्ति होगी कि इसमें अव्यक्त क्या है और व्यक्त क्या है? क्या अरणि-रूप अणु-व्यवस्था अव्यक्त और अग्निरूप अणु-व्यवस्था व्यक्त है और इनमें दूसरी पहली में लीन रहती है? किन्तु इसका कोई अर्थ नहीं बनता। तब क्या अणु-व्यवस्था को अव्यक्त और अरणि और अग्नि को व्यक्त कहा जाय? किन्तु क्या अरणि और अग्नि अणु-व्यवस्था के अतिरिक्त भी कुछ हैं? यदि कहें कि अरणित्व धर्म और अग्नित्व धर्म अतिरिक्त हैं, तो भी बात नहीं बनती, क्योंकि ये धर्म इन्द्रिय-सन्निकर्ष-जन्य हैं, अणुगत नहीं।

इस प्रकार देखने पर अभिव्यक्तिवाद तब तक अयुक्त ही रहता है जब तक "पुरुष के भोगापवर्ग-निमित्त" का इसमें अध्याहार नहीं करते। इसका अध्याहार करने पर यह कहा जा सकता है कि भोग और अपवर्ग-निमित्तक

प्रत्यय (आइडियाज़) प्राकृतिक उपादान को माध्यम बनाकर व्यक्त होते हैं।[1] किन्तु नागार्जुन की आपत्तियों का रूप यह नहीं है। इसके अतिरिक्त वे इस निषेध से जो स्थापना करते हैं, अथवा कहें निष्कर्ष निकालते हैं, उससे स्पष्ट है कि यहाँ उनका पूर्वपक्ष सांख्य नहीं होकर दूसरे बौद्ध मत हैं। वे कहते हैं, "जिस प्रकार अग्नि-ईंधन के बीच कोई सम्बन्ध सिद्ध नहीं होता और न उनकी अपनी सत्ता ही सिद्ध होती है उसी प्रकार आत्मा और स्कन्ध भी शून्य सिद्ध होते हैं।" किन्तु आत्मा के इस निषेध में उनका जो पूर्वपक्ष है वह वेदान्त, सांख्य, गीता, यहाँ तक कि न्याय की भी आत्मा-विषयक अवधारणा के अनुरूप नहीं है, परिणामत: इससे उनका खण्डन नहीं होता। वे आत्माविषयक पूर्वपक्ष की उपादानों : स्कन्धों : के उपादाता, ग्रहीता, निष्पादक के रूप में उपपत्ति करते हैं (तत्र उपादीयते इत्युपादानं पंचोपादान स्कन्धा:। यस्तानुपदाय प्रज्ञप्यते स उपादाता, ग्रहीता, निष्पादक आत्मेत्युच्यते। अहंकार-विषयत्वादाहित उत्पादितोऽहम्मानोऽस्मिन्निति)।[2] "वेदान्त और सांख्य का आत्मा सब निषेधों, सब प्रतिपत्तियों : शून्यता की प्रतिपत्ति सहित : में पूर्वगृहीत है और यह पूर्वगृहीतता तार्किक नहीं है, क्योंकि तर्क स्वयं इसे पूर्वगृहीत करता है। यह आत्मा प्रत्यङ्मुख-साक्षात्कारात्मक तत्त्व है। उदाहरणत: 'आत्मा असत् है' प्रतिज्ञप्ति में आत्मा अपना विषयकरण कर उसके निषेध में प्रतिष्ठित होता है।

11. पूर्वापर कोटि-परीक्षा

आगे नागार्जुन पूर्वापर-कोटियों के निषेध द्वारा आत्मा का निषेध करते हैं। नागार्जुन का पूर्वापर-कोटियों का निषेध सूक्ष्म युक्ति-युक्त और अत्यन्त सूझपूर्ण है। वे कहते हैं, "यदि कारण को पूर्व और कार्य को पश्चात् मानें तो कारण अकृत होगा। अकृत : निर्हेतुक : कारण अकल्पनीय है, और कार्य को प्रथम मान ही नहीं सकते, क्योंकि वह कारणापेक्षी है।"

यह सही है, किन्तु वहीं तक जहाँ तक सन्दर्भ लौकिक (मनोभौतिक) है, लोक कर्तृ और ज्ञातृ को सम्मिलित नहीं कर सकता। इस प्रकार संसार को अनवराग्र कहा जा सकता है जहाँ तक संसार को उसके अपने भीतर से हम समझते हैं, किन्तु "संसार का मूल अविद्या में है" यह भी कहा जा सकता है, जो संसार से बाहर होकर उसे समझना है। यह मूल या आदि किसी सुदूर प्रागितिहास में नहीं है, यह प्रतिक्षण है, संसार निरन्तर संसार-भाव से उत्पन्न होता है और उसमें प्रतिष्ठित रहता है, और उस भाव की समाप्ति के साथ समाप्त होता है। इस पर यह प्रश्न अपप्रश्न होगा कि तब इस अविद्या का हेतु क्या है? अविद्या का कोई हेतु नहीं है, इसे आप अनादि भी कह सकते हैं और अहैतुक सर्जन भी। अनादि इसलिए क्योंकि चित् में इसके आविर्भाव का कोई क्षण नहीं है और अहैतुक सर्जन इसलिए क्योंकि यह चित् में अपूर्वत: उद्भूत और तिरोहित होती है।

किन्तु चन्द्रकीर्ति की युक्तियाँ यहाँ अत्यधिक शिथिल हैं। वे कारिका 11.1 की व्याख्या में कहते हैं, "अनवरत (आदि-अन्त-रहित) संसार की प्रतिपत्ति अविद्या-आवरण-युक्त सत्त्वों की दृष्टि से है जिससे वे उसके क्षय में प्रवृत्त हों।...यहाँ प्रश्न उठता है कि आदि-रहित संसार का अन्त कैसे माना जाय? इसका उत्तर हो सकता है कि लोक में आदि-रहित बीजादि का दहनादि से अन्त देखा जाता है, भगवान् ने अवबद्ध सत्त्वों को उत्साह प्रदान करने के लिए लौकिक ज्ञान की अपेक्षा से ही संसार का अन्तोपदेश किया हैं। वस्तुत: संसार नहीं है...।" यहाँ प्रश्न उठता है कि भगवान् ने लौकिक ज्ञान की अपेक्षा से ही सही, संसार का आदित्व भी क्यों नहीं कहा? चन्द्रकीर्ति कहते हैं कि संसार का आदि-भाव लौकिक ज्ञान की अपेक्षा से भी सिद्ध नहीं होता। सादि मानने पर संसार अहैतुक होगा। पूर्वपक्षी कहता है, संसार की आदि और अन्त कोटि नहीं हो तब भी संसार के मध्य के सद्भाव से संसार की सत्ता सिद्ध होगी। आचार्य नागार्जुन कहते हैं कि जिसका आदि और अन्त न होगा उसका मध्य क्या होगा?

---

1. सांख्य के सम्बन्ध में विस्तृत विचार के लिए द्रष्टव्य हमारी पुस्तक सत्ता-विषयक अन्वीक्षा, अध्याय 4.
2. कारिका 10.15 पर प्रसन्नपदा।

यहाँ द्रष्टव्य है कि चन्द्रकीर्ति लौकिक ज्ञान की दृष्टि से आदि-रहित का अन्त सम्भव मानते हैं, तब वे लौकिक ज्ञान की दृष्टि से संसार का मध्य भी स्वीकार करने को बाध्य हैं। इस प्रकार अवबद्ध तत्त्वों के लिए संसार और उसका अन्त वास्तव में है, उसके अन्त का उपदेश झूठमूठ उत्साह प्रदान करने के लिए नहीं है। संसार का अन्त हो जाने पर उसके आदि-अन्त और अनादि-अनन्त का कोई प्रश्न ही नहीं रहता। तब आप पूर्वापर कोटि के निषेध की बात ही क्यों करते हैं? क्योंकि पूर्व कोटि का अभाव होने पर तो अपर कोटि का भाव सम्भव है और अपर कोटि का भाव होने पर उसका भाव स्वत: सिद्ध है जिसका अन्त सम्भव है। किन्तु यदि यह भी मानें कि आदि और अन्त दोनों अकल्पनीय हैं, जैसे कहें—"प्रत्येक घटना का कोई कारण होता है और प्रत्येक कारण का कोई कार्य होता है", यहाँ आदि और अन्त दोनों का अस्वीकार है; तो इससे यह कैसे सिद्ध हुआ कि कारण-कार्य घटनाएँ भी नहीं है? चन्द्रकीर्ति ने बीज के अनादित्व किन्तु सान्तत्त्व का जो उदाहरण दिया है वह स्पष्टत: अयुक्त है क्योंकि बीज का कार्यभूत वृक्ष चाहे न भी घटित हो किन्तु दूसरा कार्य राख तो घटित होता ही है, उसका लोप नहीं होता। यदि कहें कि बीज नहीं बीजत्व अभिप्रेत है तो प्रथम तो यह युक्त नहीं है, क्योंकि बीज का उपादान कारण बीजत्व नहीं है, दूसरी यह कठिनाई होगी कि कुछ बीज है, यह केवल वृक्ष की उत्पत्ति से ही सिद्ध होगा और परिणामत: दग्ध वस्तु बीज थी, यह सिद्ध नहीं हो सकेगा, नागार्जुन की युक्तिविधि में तो यह और भी नहीं हो सकेगा।

13. संस्कार-परीक्षा

इस प्रकरण में आचार्यों का प्रतिपादन है कि उनकी दृष्टि अभाव-दृष्टि नहीं है क्योंकि अभाव-दृष्टि भाव-सापेक्ष निषेध-दृष्टि है। पदार्थमात्र के स्वभाव-रहित होने से निषेध के लिए कुछ शेष ही नहीं रहता। इस पर वे पूर्वपक्ष प्रस्तुत करते हैं कि शून्यता का भी कोई आश्रय होना चाहिए, जैसे अभाव और निषेध साश्रय हैं। इसके उत्तर में वे कहते हैं कि शून्यता कोई धर्म नहीं है जो उसका कोई आश्रय हो, शून्यता का अर्थ धर्मों की शून्यता है, इसलिए कोई धर्म अशून्य नहीं हो सकता। जब कोई अशून्य पदार्थ ही नहीं है और अशून्यता नहीं है तब प्रतिपक्ष से निरपेक्ष होने के कारण शून्यता भी नहीं होगी। शून्यता दृष्टियों की अप्रवृत्ति है। यदि कोई इस अप्रवृत्ति को भी शून्यता-दृष्टि कहकर अपनाना चाहे तो उसका क्या इलाज?

> शून्यता सर्वदृष्टीनां प्रोक्ता निस्सरणं जिनैः,
> येषांतु शून्यता-दृष्टिस्तानसाध्यान् बभाषिरे। 13.8

इस प्रतिपादन को माध्यमिक कारिकाओं में केन्द्रीय महत्त्व का कहा जा सकता है। अभाव-दृष्टि भाव-सापेक्ष निषेध-दृष्टि है, परिणामत: कोई निरपेक्ष अभाव-दृष्टि नहीं हो सकती, क्योंकि वह निरपेक्ष भाव-दृष्टि से अविवेच्य होगी। इस प्रकार 'शून्यता' से 'किसी भी दृष्टि की अप्रवृत्ति होना' मात्र अभीष्ट है। किन्तु तब प्रश्न हो सकता है कि आप इस अप्रवृत्ति को पदार्थ मात्र के स्वभाव-राहित्य पर प्रतिष्ठित कर रहे हैं, यह निरपेक्ष अभाववाद नहीं है तो और क्या है? दृष्टि की अप्रवृत्ति यदि भाव-अभाव दोनों के प्रति तटस्थ है तो वह 'जो जैसा तैसा रहे, कहै कबीर विचारि' प्रकारक होगी : एकरस, एकरूप, अव्याख्येय, किन्तु शून्यात्मक नहीं। इस प्रकार कहा जा सकता है कि शून्यवाद वास्तव में 'दृष्टिनामप्रवृत्तिवाद' नहीं होकर सर्व-अभाववाद है, जिसका आगे हम और स्पष्ट प्रमाण पायेंगे।

14. संसर्ग-परीक्षा

नागार्जुन संसर्ग का भी निषेध करते हैं। वे कहते हैं : "संसर्ग के लिए भावों में परस्पर अन्यता होनी चाहिए किन्तु रूप, चक्षु और विज्ञान में अथवा राग, रक्त और रंजनीय में अथवा द्वेष, द्वेष्टि और द्वेषणीय में कोई अन्यता नहीं है, परिणामत: इनमें संसर्ग भी नहीं है। अन्यथा का अभाव केवल इन्हीं में नहीं है, नितान्त अन्य प्रतीत होने वाले घट-पटादि में भी है। क्योंकि घट और पट में अन्यता परस्पर की अपेक्षा से होती है, किन्तु सापेक्षता अन्यता

का निषेध है। नितान्त अन्यता केवल ऐसी दो वस्तुओं में ही हो सकती है जो परस्पर निरपेक्ष हों। जो अन्यता अन्य का आश्रय कर उद्भूत होती है वह अन्यता प्रतीत्यसमुत्पन्न वस्तुओं के समान ही शून्य होगी। यहाँ आपत्ति हो सकती है कि घट और पट में निरपेक्ष अन्यता सम्भव कैसे है? इसका उत्तर होगा कि यदि घट-वस्तु स्वकीय अन्य धर्मता के कारण पट-वस्तु से अन्य हो तो वह पट के अभाव में भी अन्य होगी। जो जिससे अन्य है वह यदि उस दूसरे के बिना भी अन्य हो तभी वह वास्तव में अन्य होगा, अन्यथा नहीं। जिस प्रकार घट अपने स्वरूप की निष्पत्ति में : घटत्व में : अन्य की अपेक्षा नहीं करता उसी प्रकार यदि वह अपने अन्यत्व में भी, पट के बिना भी, अन्य हो तभी उसमें निरपेक्ष अन्यता होगी। अब, यदि निरपेक्ष एकत्व में : घट की पट-निरपेक्षता में और पट की घट-निरपेक्षता में : संसर्ग मानें तो अनुपपन्न होगा क्योंकि निरपेक्षों में संसर्ग नहीं हो सकता, और यदि पृथक्ता में संसर्ग मानें तो भी अनुपन्न होगा, क्योंकि क्षीर उदक से पृथक् रहकर उससे संश्लिष्ट नहीं होता।"

यहाँ भी पूर्व प्रदर्शित जैसा ही व्यामिश्र है : अन्यत्व दो या अधिक वस्तुओं में परस्पर व्यावर्तकता-सम्बन्ध है इसलिए निश्चय ही यह किसी एक का धर्म नहीं हो सकता। इस प्रकार अन्यत्व का निषेध वास्तव में सम्बन्ध मात्र का निषेध है। अब, इसमें युक्ति यह है कि घट में अघट का निषेध घट-स्वरूपगत ही होना चाहिए, अर्थात् तब भी यदि अघट नहीं हो। यद्यपि यह माँग प्रथम दृष्टि में केवल वाक्-चातुरी मात्र प्रतीत होती है किन्तु वास्तव में यह वैसी नहीं है, यदि हम इसे व्यावृत्ति के रूप में देखें तो। अब, नागार्जुन का प्रश्न है कि क्या घट पट का घटत्वेन ही व्यावर्तक है या कि पट-सापेक्षकत्वेन? इस पर हमारा उत्तर है कि घट अघट का घटत्वेन ही व्यावर्तक है, जो उसकी दैशिक सीमाओं, आकृति-वैशिष्ट्य और उपयोगार्थता से, जो उसे घट-व्यष्टि बनाते हैं, सिद्ध है। इसके बिना घट घट नहीं हो सकता और यह होने पर वह पर का ही नहीं स्वयं अन्य घट-व्यष्टियों का भी व्यावर्तक होता है।[1] किन्तु अन्य की यह स्वरूपगत व्यावर्तकता अन्य की अपेक्षा भी है, क्योंकि व्यावर्तन स्वत्व में अन्यत्व के निषेध की अन्तर्गत अपेक्षा है। ऐसा भी कह सकते हैं कि घट में व्यावर्तकता उसकी अघट से व्यावृत्तता भी है, इस प्रकार घट का स्वत्व अघट से उसका अन्यत्व भी है। नागार्जुन की घट में अन्य से निरपेक्ष स्वकीय अन्यता की माँग ऐसी ही है जैसी व्यष्टि से, उसके सीमित हुए बिना व्यष्टि होने की माँग, अथवा वर्ण से रक्त या पीत हुए बिना और इस प्रकार उसके अरक्त या अपीत से व्यावृत्त हुए बिना वर्ण होने की माँग करना। इस पर नागार्जुन की आपत्ति है कि जब सापेक्षता है तो अन्यता कैसे हुई? यह तो पारस्परिकता है और इस प्रकार अन्यता का निषेध है। इसके विपरीत हमने दिखाया है कि अन्यता और विशिष्ट सापेक्षता एक ही बात है और ये जगत् की वस्तु मात्र में स्वरूपगत है, उनके स्वभाव में अन्तर्निहित। यहाँ यह उल्लेखनीय है कि व्यावर्तकता एक प्रकार की सापेक्षता भी है, किन्तु वह अन्य के अपोहपूर्वक स्वत्व है और इस प्रकार वस्तुओं के, विशेषत: व्यष्ट्यात्मक वस्तुओं के, वैलक्षण्य की द्योतक भी है : कोई वस्तु विलक्षण हुए बिना व्यावर्तक और व्यावृत्त नहीं हो सकती।

यहाँ यह भी द्रष्टव्य है कि नागार्जुन अन्यात्मक सापेक्षता का कारणात्मक सापेक्षता में अन्तर्भाव करते हैं। 'घट पट से अन्य है' में अवश्य सापेक्षता भी है और इसलिए यह भी कहा जा सकता है कि घट की अन्यता पटाश्रित है, किन्तु यह सापेक्षता या आश्रितता कारणात्मक प्रकार की नहीं है, क्योंकि घट की अन्यता पट से उतनी ही है जितनी दूध से, अग्नि से, या पेड़ से; घट की यह अन्यता अन्य घट से भी है यद्यपि घटत्व में उसकी उससे अभिन्नता है। अब अंकुर की बीज पर आश्रितता में यह नहीं है कि अंकुर जिस प्रकार बीज का आश्रय कर, अपेक्षा कर, उत्पन्न होता है उसी प्रकार वह घट का, दूध का, या अग्नि का भी आश्रयकर उत्पन्न होता है। नागार्जुन यहाँ घट-पट, बीज-अंकुर और ह्रस्व-दीर्घ तीनों को एक समान रूप में देख रहे हैं, जो कि ये स्पष्टत: ही नहीं हैं। विशेष अंकुर विशेष बीज होने पर ही होता है और अंकुर के उत्पन्न हो जाने पर बीज नहीं रहता, बीज अंकुर में परिणत हो जाता है, किन्तु घट पट के ही नहीं, किसी भी वस्तु के भाव या अभाव में घट ही रहता है। ह्रस्व-दीर्घ की सापेक्षता इन दोनों से भिन्न प्रकार की है : ह्रस्व दीर्घ के होने पर ही ह्रस्व होता है, नहीं तो वह ह्रस्व नहीं होता,

1. व्यष्टित्व और इतरव्यावृत्ति पर विस्तृत चर्चा के लिए द्रष्टव्य : सत्ताविषयक अन्वीक्षा, अ. 1 और 5.

किन्तु विशेष ह्रस्व विशेष दीर्घ का अपेक्षी नहीं होता और इस प्रकार वह किसी दीर्घ पर अपने अस्तित्व के लिए निर्भर नहीं होता, वह केवल अवधारणात्मक रूप से दीर्घता-सापेक्ष होता है।

नागार्जुन की आगे की युक्ति और भी विचित्र है : "उनके अनुसार सापेक्षों में संसर्ग इसलिए नहीं हो सकता क्योंकि वे सापेक्ष हैं ओर निरपेक्षों में इसलिए नहीं हो सकता क्योंकि वे निरपेक्ष हैं, पृथक् वस्तुओं में इसलिए नहीं हो सकता क्योंकि वे पृथक् हैं और अपृथक् वस्तुओं में इसलिए नहीं हो सकता क्योंकि वे अपृथक् हैं।" दूसरे शब्दों में, जनक-सुता और रामस्य भार्या में इसलिए संसर्ग नहीं हो सकता क्योंकि इन दो विशेषणों का विशेष्य एक ही है और एक का स्वयं से संसर्ग होने का कोई अर्थ नहीं ही है, किन्तु क्षीर और उदक में क्यों संसर्ग नहीं हो सकता? यदि कहें कि क्षीरत्व और उदकत्व में अथवा घटत्व और पटत्व में संसर्ग असम्भव है और परिणामत: घट-पट में भी असम्भव है तो दो घटों के संसर्ग में यह कठिनाई नहीं होनी चाहिए। किन्तु वास्तव में घट और पट में भी संसर्ग घटत्व-पटत्व-परक नहीं होता, घटत्वावच्छिन्न और पटत्वावच्छिन्न दो भौतिक पिण्डों में होता है और परिणामत: यह भी दो घटों के बीच संसर्ग के अनुरूप ही होता है।

15. स्वभाव-परीक्षा

नागार्जुन के अनुसार स्वभाव का अर्थ है 'पर-निरपेक्षता तथा अकृत्रिमता' (अकृत्रम: स्वभावो हि निरपेक्ष: परत्र च)। इसकी व्याख्या में चन्द्रकीर्ति कहते हैं कि'स्वोभाव:' इस व्युत्पत्ति के अनुसार पदार्थ का आत्मीय रूप उसका स्वभाव कहा जाता है। आत्मीय रूप वही होता है जो अकृत्रिम होता है। इस प्रकार अग्नि की उष्णता हेतु-प्रत्यय से प्रतिबद्ध होने के कारण, पूर्व में न होकर पश्चात् होने के कारण, कृतक है और इस प्रकार वह अग्नि का स्वभाव नहीं है। "अग्नि की उष्णता कृत्रिम : पर-कृत : कैसे है?" इसकी व्याख्या में वे कहते हैं "क्योंकि अग्नि की उत्पत्ति मणि-ईंधन-आदित्य के समागम से तथा अरणि के निर्घर्षणादि से होने के कारण हेतु-प्रत्ययाश्रित है।"

स्वभाव की यह परिभाषा नितान्त सम्यक् और युक्त है। किन्तु इस परिभाषा के अनुसार अग्नि और इस प्रकार कोई वस्तु स्वभाववान् नहीं है, यह निष्कर्ष युक्त नहीं है। यह सही है कि अरणियों के घर्षण से अग्नि उत्पन्न होती है, किन्तु इस उत्पन्न में कुछ 'स्वीय भाव' नहीं होता, यह बात सिद्ध नहीं है। इस सम्बन्ध में हम पीछे अग्नीन्धन-परीक्षा में विचार कर चुके हैं। किन्तु मान लें कि ऐसा है: कि अग्नि आदि हेतु-प्रत्ययों की अपेक्षा कर ही उत्पन्न होते हैं और अपने हेतु-प्रत्ययों में पूर्णत: अपचेय होते हैं, किन्तु तब भी नागार्जुन यह किस आधार पर सिद्ध मानते हैं कि यह व्यवस्था या नियम सर्वव्यापक है? मूल्यान्वेषण का सम्पूर्ण आयाम इस नियम के बाहर प्रतीत होता है : उत्कृष्ट-निकृष्ट, सुन्दर-कुरूप जिन हेतु- प्रत्ययों की अपेक्षा कर उत्पन्न होते हैं उनमें वे अपचेय नहीं होते।

16. बन्ध-मोक्ष-परीक्षा

इस प्रकरण में नागार्जुन संसार की सत्ता का निषेध करते हैं। इसके लिए वे निम्न प्रकार से तर्क प्रस्तुत करते हैं : "संस्कारों का संसरण होता है या कि सत्त्वों का? जिन संस्कारों का संसरण होता है वे नित्य हैं या अनित्य?" इन प्रश्नों का वे उत्तर देते हैं कि–

1. नित्यों का संसरण असम्भव है और अनित्य उत्पादन के समनन्तर ही नष्ट हो जाते हैं, विनष्ट अविद्यमान होने के कारण वन्ध्यापुत्र के संस्कारों के समान कहीं गमन नहीं कर सकते।

2. यदि कहें कि संस्कार हेतु-फल-परम्परा के रूप में अविच्छिन्न रहते हैं और संतान रूप में प्रवर्तित होकर संसरण करते हैं, तो यह भी ठीक नहीं है, क्योंकि कार्य कहीं से आगमन नहीं करता और कहीं गमन नहीं करता।

3. यदि कहें कि उत्तर क्षण के उत्पन्न होने पर पूर्व का संसरण होता है, तो पूर्व और उत्तर क्षणों के एक ही होने पर यह असम्भव होगा। किन्तु उनका एकत्व असम्भव नहीं है क्योंकि उनमें कारण-कार्यभाव है। और पुनः, भिन्नता मानने और संसरण मानने पर अर्हतों का भी संसरण मानना होगा।

4. आगे प्रश्न होगा कि नष्ट, अनष्ट या नश्यमान् किस प्रकारक पूर्वक्षण से उत्तरक्षण का उदय होता है? यदि नष्ट से, तो वह्नि-दग्ध बीज से भी अंकुरोदय होगा, अनष्ट से, तो बीज के अविकृत रहने पर भी अंकुरोदय मानना होगा, जब नष्ट-अनष्ट असिद्ध हैं तो नश्यमान् स्वतः ही असिद्ध हो जाता है।

संस्कार-प्रतिषेध विषयक इन आपत्तियों के सम्बन्ध में हमारी टिप्पणियाँ निम्न प्रकार हैं:—

1. 'अनित्य उत्पाद के समनन्तर नष्ट हो जाता है' यह प्रतिपत्ति काल की उद्ग्रहणात्मक अवधारणा (एब्स्ट्रेक्शन) पर आधारित है, अन्यथा आनुभूतिक काल का क्षण प्रलम्बित क्षण होता है, अर्थात् इसके वर्तमान में सद्यः अतीत और सद्यः भविष्यत् तनाव, उद्विग्नता या अपेक्षा के रूप में सम्मिलित रहते हैं। इसके अतिरिक्त, जैव और चैत्त तत्त्व अतीत-संग्राही भी देखा जाता है। उदाहरणतः प्राणि-व्यवहार अतीत अनुभव के अनुसार भिन्न देखा जाता है। यदि कहें कि वह मन का वर्तमान क्षण ही होता है अतीत क्षण नहीं, तो यह काल का भौतिक निर्धारण है, मानसिक नहीं। मानसिक काल का निर्धारण भौतिक प्रकार से करने पर स्मृति की व्याख्या असम्भव होगी जिसमें अतीत में अनुभूत विषय अतीतता के परिवेश और लक्षणों के साथ संगृहीत होता है। विषय के इस अतीतात्मक परिवेश का आधार विक्षयी की अपनी काल-स्थायिता होती है जो स्थायिता भौतिक प्रकारक नहीं होकर विलक्षण रूप से चैत्त प्रकारक होती है। इस प्रकार उत्पाद-समनन्तर नश्वरता मनोजगत् में अलभ्य होती है। यह नश्वरता वास्तव में अध्यवसायात्मक चित्त के स्तर पर ही नहीं जैव चित्त के स्तर पर भी लक्ष्य नहीं होती। जहाँ तक भौतिक सत्ता का प्रश्न है, उसमें काल चैत्त काल के उद्गृहीत रूप का ही आरोप होता है और वहीं पर क्षण की असीम अल्पता और उत्पाद-समनन्तर नश्वरता की कल्पना लागू होती है।[1]

2. हेतु-फल-परम्परा के रूप में संसरण के तर्क का नागार्जुन का प्रतिवाद भी युक्त नहीं है। उनकी युक्ति है कि हेतु अतीत होने और फल अनागत होने से असत् है और असत् होने से संसरण में असमर्थ है। यह युक्ति वे पीछे दूसरे प्रसंग में भी दे चुके हैं और उस प्रसंग के विचार में हम इसका प्रतिवाद भी कर चुके हैं,किन्तु यहाँ उस पर प्रसंगांतर में विचार अस्थाने नहीं होगा : हेतु और फल को पृथक्-पृथक् देखना केवल हमारे द्वारा व्यावहारिक सौकर्य की दृष्टि से आरोप है, अन्यथा हेतु और फल एक ही प्रक्रिया के अन्तर्गत होते हैं। बीजांकुर को बीज और अंकुर इन दो कोटियों के रूप में ही क्यों देखा जाय? इन्हें एक ही प्रक्रिया क्यों नहीं माना जाय? कहा जा सकता है कि बीज भूमि, जल आदि हेतु-प्रत्ययों के योग से अंकुर-रूप में प्रस्फुटित होता है। सही है, किन्तु तब ये भी उस प्रक्रिया के अन्तर्गत सम्मिलित देखे जा सकते हैं। इस प्रकार यदि आप यह कहें कि "हेतु-फल ये दो कोटियाँ एक अविभाज्य स्थिति पर आरोप हैं, स्वयं वस्तुस्थिति एक एवं अविभाज्य है" तो समझ में आता है, किन्तु यह कथन समझ में नहीं आता कि हेतु-फल विगत और अनागत होने से निष्क्रिय हैं। इस पर आचार्य की आपत्ति होगी कि प्रक्रिया कह देने से कोई अन्तर नहीं पड़ता, क्योंकि प्रक्रिया विगत और अनागत का ही संयोग है। पर हमारा उत्तर है कि इसे संयोग तब कहें यदि इसमें विभाजन का कोई औचित्य हो। प्रक्रिया के विभाजन का आधार प्रक्रिया से बाहर उसका प्रेक्षक है जिस प्रेक्षण के देश-काल-बिंदु पर से एक प्रक्रिया को हम हेतु-फल-रूप में विगत-अनागत में विभक्त करते हैं, प्रेक्षक-निरपेक्षता में इस विभाजन का कोई औचित्य नहीं है।

---

1. यहाँ कांट की कालविषयक अवधारणा का उल्लेख स्थाने होगा जो काल को चैत्त अनुभवाकार मानकर भी उसे शुद्ध आकार के रूप में देखते हैं, जो नितान्त अयुक्त है : जैसाकि यहाँ देखा जा सकता है, चैत्त अनुभवाकार उद्गृहीत रूप में भी देश के अनुरूप कल्पनीय नहीं है, केवल भौतिक आयाम में ही इस प्रकार कल्पनीय है, क्योंकि भौतिक आयाम स्वयं उद्गृहीत है। द्रष्टव्य : सत्ताविषयक अन्वीक्षा, अ. 4

अथवा, यदि विभज्यता को वस्तु-स्वभावगत ही माना जाय तो कारण-विनाश संसरण को पूर्वापेक्षित ही करता है, क्योंकि अन्यथा उत्पन्न नष्ट क्यों होगा? इसके उत्तर में नागार्जुन उत्पत्ति-नाश समनन्तरता की बात करते हैं, जिसका प्रत्याख्यान हम पीछे कर आये हैं। जैसाकि हमने वहाँ देखा, समनन्तरता को 'उत्पत्ति-नाश' की समकालिकता में नहीं बल्कि 'उत्पत्ति-नाश-उत्पत्ति' इस त्रिपदी के रूप में देखना चाहिए। अब रही कारण-कार्य के गमनागमन की बात। यदि कारण-कार्य का गमनागमन नहीं होता है तो क्या ये स्थिर रहते हैं? इस पर नागार्जुन कह सकते हैं कि भाव और अभाव दोनों कोटियाँ सापेक्ष और बुद्धि-विकल्प-मूलक हैं। सही है, यह भी सही है कि दो घटनाओं का कारण-कार्य-रूप में निर्धारण विकल्प-मूलक है, किन्तु यहाँ नागार्जुन का प्रयोजन यह दिखाना नहीं है, यहाँ उनका प्रयोजन इस विकल्प की आत्म-अयुक्तता दिखाना है। उसी प्रसंग में और उसी स्तर पर यह प्रश्न उठता है कि कारण विगत होने से और कार्य अनागत होने से गमन और आगमन क्रिया में असमर्थ हैं, क्रिया केवल वही कर सकता है जो है। किन्तु इसका उत्तर है कि कारण वर्तमान भी हो सकता है, जहाँ तक कार्य का सम्बन्ध है वह अवश्य कारण के वर्तमान होने पर भविष्यगत : अनागत : होगा किन्तु तब उसके लिए यह कोई नहीं कहता कि वह कोई क्रिया करता है या आगमन करता है, उसके लिए केवल यही कहा जाता है कि कारण, जो है, वह एक अवस्था है, यह अवस्था गमन-क्रिया द्वारा विगत और अनागत के अध्व की रचना करती है। इस अध्व के विरुद्ध आपत्ति का हम पहले ही प्रत्याख्यान कर चुके हैं।

3. उत्तर के आगमन पर पूर्व का संसरण मानने पर नागार्जुन की आपत्ति है कि वह क्षण की एकता होने पर ही सम्भव है, और एकता होने पर कारण-कार्य-भेद नहीं होगा, जैसे रूप से विज्ञान की उत्पत्ति कहने में यह पूर्वगृहीत है।

यहाँ आचार्य हमें दो विकल्प देते हैं : या तो संसरण को चुनें और कारण-कार्य-भेद को छोड़ें, अथवा कारण-कार्य-भेद को चुनें और संसरण को छोड़ें। किन्तु प्रश्न है कि ऐसा क्यों आवश्यक है? इसके लिए उनका उत्तर है कि प्रथम विकल्प स्वीकार करने पर संसरित और आगत : पूर्व और उत्तर : की एकक्षणता स्वीकार करना आवश्यक होगा, अन्यथा वे पृथक्-पृथक् होंगे और परिणामतः संसरण नहीं होगा, किन्तु यदि एकक्षणता मानते हैं तो कारण-कार्य भेद नहीं होगा। स्पष्टतः यह प्रतिपत्ति क्षणों की अणु-रूप कल्पना पर आधारित है। अर्थात् इनके अनुसार क्षण असीमल्प अवधि की पृथक्-पृथक् सत्ताएँ हैं। जिस क्षण में कारण घटित होता है वह पृथक् और जिसमें कार्य घटित होता है वह पृथक् है और इसी से कारण और कार्य भी पृथक् हैं। यह प्रतीत्यसमुत्पादवाद की प्रतीत्य की परिभाषा से संगत भी है, जिसके अनुसार एक घटना के घटित होने और अवसित होने पर दूसरी घटना घटित होती है। जैसाकि हमने देखा, यह कारण-कार्य सम्बन्ध की और इस प्रकार उस वस्तुस्वरूप की, जिसे बोधगम्य बनाने के लिए यह सम्बन्ध कल्पित है, अयुक्त अवधारणा है। जहाँ तक संसरण मानने के लिए एक-क्षणता मानने की बात है, वह मानने का अर्थ है क्षण को प्रलम्बित मानना, जो युक्त है यद्यपि नागार्जुन उसे स्वीकार नहीं करते। किन्तु यह मानने पर ही कारण-कार्य सम्बन्ध का रूप भी अधिक संगत बनता है।

पूर्व और उत्तर की एकक्षणता मानने पर उनकी एक और आपत्ति है कि तब 'पूर्व' और 'उत्तर' पदों के अर्थ में भिन्नता का क्या होगा? इसके दो उत्तर हो सकते हैं : प्रथम यह कि एक-क्षणता केवल उत्तर के प्रथम और पूर्व के अन्त की कड़ी है, संपूर्ण की नहीं, और भिन्न क्षणों के आद्यन्त की यह एकता ही अविरलता या सन्ततता को सम्भव कर सकती है। स्पष्टतः आचार्य की यह आपत्ति क्षण की असीमल्प काल-बिन्दु के रूप में अवधारणा पर आधारित है।

किन्तु नागार्जुन की अपनी कोई प्रतिज्ञा नहीं है, केवल सब प्रतिज्ञाओं की आत्म-बाधितता का प्रदर्शन ही उनका प्रतिपाद्य है, इसलिए वे क्षण-भेद की प्रतिज्ञा की विसंगत भी प्रदर्शित करते हैं। इसके विरुद्ध उनकी युक्ति है कि "इससे अर्हतों का संसरण भी आपादित होगा, क्योंकि अर्हतों से भिन्न पृथग्जनों की उत्पत्ति तो होती ही है और उनकी उत्पत्ति से अर्हतों का, जो कि पृथग्जनों से भिन्न हैं, संसरण मानना होगा।" किन्तु यह तर्क भी युक्त नहीं है, क्योंकि क्षणभेद के साथ संसरण मानने का यह अर्थ नहीं है कि कोई भी दो वस्तुएँ पूर्वोत्तर रूप से

और इस प्रकार संसरित और तदनुगामी रूप से परस्पर सम्बन्धित हो सकती है। यहाँ यह द्रष्टव्य है कि पृथग्जनों के समान अर्हतों का संसरण क्यों नहीं माना जाता? इसका उत्तर होगा कि क्योंकि उनका पुनर्भव नहीं होता। ऐसी अवस्था में वे पूर्वोत्तर क्रम से और पृथग्जनों के साथ किसी भी सम्बन्ध से रहित हो जाते हैं। संसरण केवल पृथग्जनों का होता है और वह उनके अनिर्वाण के कारण पूर्वोत्तर क्रम-गतत्व के कारण होता है। उनका दूसरा उदाहरण है कि क्षण-भेद में संसरण मानने पर निर्वात प्रदीप को भी प्रदीपान्तर में ज्वलित मानना होगा। किन्तु क्यों? निर्वात प्रदीप और प्रज्ज्वलित प्रदीप में केवल क्षणान्तरता ही नहीं है, सन्तानान्तरता भी है। निर्वात प्रदीप एक निरुद्ध सन्तति है और प्रज्ज्वलित प्रदीप दूसरी और अनिरुद्ध सन्तति, इन दो में क्षणान्तरता ही नहीं सन्तानान्तरता भी है। दूसरे शब्दों में, संसरण में क्षण-भेद की अनिवार्यता-विषयक वादी की प्रतिज्ञा का यह अर्थ नहीं है कि कोई भी भेद, अथवा क्षणों का भी भेद मात्र ही, संसरण का प्रयोजक है बल्कि यह है कि संसरण के लिए अन्य अपेक्षाओं के अतिरिक्त पूर्वोत्तर क्षणों की भिन्नता भी अनिवार्य है। अब निर्वात प्रदीप को प्रदीपान्तर में इसलिए ज्वलित नहीं माना जाता क्योंकि प्रदीप : अग्नि-शिखा : और प्रदीपान्तर : अन्य अग्नि-शिखा : में केवल पूर्वापरता ही नहीं है बल्कि व्यष्टिभिन्नता और इस प्रकार सन्तानान्तरता भी है। यदि वादी की प्रतिज्ञा केवल क्षणान्तरता तक ही सीमित हो तभी नागार्जुन की यह आपत्ति वैध मानी जायगी।

4. यह आपत्ति भी भ्रान्तिपूर्ण है, जिस भ्रान्ति का कारण वस्तु-स्वरूप को गहराई से नहीं देखना है। पूर्व क्षण से उत्तर क्षण के उदय का कोई एक रूप नहीं है : बीजांकुर एक है, आघात से व्रण दूसरा, व्रण से पीड़ा तीसरा है, वियोग से दुःख चौथा, उपदेश से बोध पाँचवाँ है और मनन से बोध छठा; इसी प्रकार और भी अनेक प्रकार पूर्वक्षण से उत्तर क्षण के उदय के हो सकते हैं। अब बीजांकुर में यह कहना ठीक नहीं है कि बीज-क्षण अंकुर-क्षण के साथ रहता है, बल्कि यह कहना ठीक है कि बीज-क्षण से अंकुर-क्षण तक एक विकास-प्रक्रिया घटित होती है जिसके प्रथम छोर को बीज और अंतिम छोर को अंकुर की संज्ञा दे दी जाती है। किन्तु आघात से व्रण में दूसरी बात होती है। इसमें आघात के अवसित होने के साथ व्रण उत्पन्न होता है। अब यहाँ यह उल्लेखनीय है कि वही घटनात्मक अवसान कारण कहे जाते हैं जो किसी अन्य घटना को निष्पन्न करते हैं, अन्यथा नहीं, यह निष्पन्न घटना कार्य कही जाती है। किन्तु 'व्रण से पीड़ा' में नष्ट, अनष्ट और नश्यमान् में से कोई भी कोटि चरितार्थ नहीं होती : व्रण के रहते ही पीड़ा रहती है, उसके समाप्त हो जाने पर पीड़ा समाप्त हो जाती है। यही बात 'वियोग से दुःख' की उत्पत्ति में है। अब कहा जा सकता है कि कारण-कार्य के रूप में इनमें पूर्वापरता तो रहती है। सही है, किन्तु तब यह कहा जा सकता है कि पूर्व और उत्तर में जनक-जन्य भाव तो है किन्तु इस प्रकार कि पूर्व उत्तर में अवसित होता है, अथवा अधिक उचित शब्दों में पूर्व उत्तर पर्यन्त होता है, ऐसा नहीं कि पूर्व के नष्ट होने पर उत्तर का उद्भव होता है। वियोग से दुःख में कारण-कार्य में समकालिकता रहती है।

नागार्जुन इन युक्तियों के आधार पर, जिनकी हमने अयुक्तता दिखायी है, आत्मा का, और बन्ध तथा मोक्ष का भी, खण्डन करते हैं। आत्मा के खण्डन में उनकी युक्तियाँ वही हैं जो पीछे उन्होंने अन्य प्रसंगों में प्रस्तुत की हैं किन्तु बँध और मोक्ष के उनके खण्डन में युक्तिनावीन्य नहीं होने पर भी वह महत्त्वपूर्ण है। यह युक्ति चन्द्रकीर्ति की है, नागार्जुन की नहीं। वे संसार के सद्भाव के लिए पूर्वपक्ष प्रस्तुत करते हैं कि "संसार है, क्योंकि उसका प्रतिद्वन्द्वी निर्वाण है।" इसके उत्तर में चन्द्रकीर्ति कहते हैं "निर्वाण नहीं है, क्योंकि प्रश्न होगा कि निर्वाण नित्य सत्त्व के लिए है या कि अनित्य सत्त्व के लिए? ये दोनों पक्ष ठीक नहीं हैं क्योंकि नित्य अविकारी होता है और अनित्य अविद्यमान होता है, अतः निर्वाण नहीं होगा। यदि कहें कि नित्यत्वेन अनिर्वचनीय का निर्वाण होता है तो संसार के समान आत्मा का भी निर्वाण स्वीकार करना पड़ेगा...किन्तु आत्मा अलात चक्र तथा मृगमरीचिका के समान आत्मीय स्वभावों से रहित है। केवल विपर्यास से अहंभाव का परिग्रह है इसलिए सत्त्व सोचता है कि मैं सर्वोपादानरहित होकर निर्वाण प्राप्त करूँ। सत्त्व का यह अहंकार-ममकार ही सत्कायदृष्टि का उपादान है, वस्तुतः यह उसका मताग्रह है। परमार्थ सत्य में निर्वाण का अध्यारोप अनुपलब्ध होने के कारण

निर्वाण असम्भव है, इसलिए संसार-परिक्षय भी असम्भव है। क्योंकि जब निर्वाण नहीं है तो संसार भी कैसे विकल्पित होगा?"

यहाँ सर्वप्रथम यह द्रष्टव्य है कि पूर्वपक्ष द्वारा निर्वाण को संसार के व्यावर्तक के रूप में, उसकी प्रतिप्रतिज्ञा के रूप में देखने पर आचार्यों ने कोई आपत्ति नहीं की है, बल्कि उसे स्वीकार किया है और संसार के प्रतिषेध के लिए निर्वाण का भी प्रतिषेध किया है। यह दृष्टि मोक्ष-विषयक वेदान्त-दृष्टि के पूर्णत: विपरीत है।

निर्वाण के प्रतिषेध में प्रथम युक्ति है कि 'निर्वाण के होने के लिए कोई निर्वाण प्राप्त करने वाला सत्त्व भी होना चाहिए, और वह हो नहीं सकता।' इस युक्ति में आत्मा की नित्यता और अनित्यता के अभ्युपगम के निषेध में प्रयुक्त तर्क वैसे ही हैं जैसे इस प्रकार के दूसरे निषेधों के पक्ष में दिये गये तर्क हैं। किन्तु तीसरा अभ्युपगम : नित्यत्वेन अनिर्वचनीयता का : नया है और निर्वाण की दृष्टि से आधारभूत है। अर्थात् आत्मा की नित्यता द्वन्द्वात्मक विचार-कोटियों द्वारा निर्धार्य नहीं है, वह केवल नेति-नेति द्वारा संकेत्य है। इस उद्भावना का कोई युक्त प्रतिकार आचार्यों ने नहीं किया है बल्कि उसे उन्हीं द्वन्द्वात्मक विचारकोटियों का विषय बनाकर उसका निषेध किया है। जैसे चन्द्रकीर्ति कहते हैं—"सोपादान आत्मा की ही अवाच्यता कही जायेगी। किन्तु निर्वाण में कोई उपादान नहीं हो सकता इसलिए इसकी अवाच्यता कैसे हुई? यदि कहें कि तत्त्व-अन्यत्व अवाच्यता है तो प्रश्न होगा कि क्या वह (आत्मा) निर्वाण में है? या कि नहीं है? यदि कहें कि है, तो मोक्ष में भी उसका सद्भाव होने से नित्यता होगी, यदि कहें कि नहीं है तो आत्मा अनित्य होगा। अथवा यदि निर्वाण में भी आत्मा की अस्तित्व-नास्तित्व से अवाच्यता इष्ट है तो भी प्रश्न होगा कि क्या वह विज्ञेय है? अथवा नहीं? यदि विज्ञेय है तो वह आत्मा निर्वाण में निरुपादनभूत होकर विज्ञेय नहीं हो सकता, संसार ही की तरह, यदि कहें कि वह अविज्ञेय है, तो वह अविज्ञेय-स्वरूप होने से आकाश-कुसुम के समान असत् होगा, तब फिर वह अवाच्य कैसे होगा? इस प्रकार निर्वाण भी नहीं है।" ये सब आक्षेप भयानक रूप से भ्रान्तिग्रस्त हैं। प्रथम आक्षेप है कि "अवाच्य होने के लिए कुछ होना आवश्यक है : सोपादान : किन्तु निर्वाण में कोई उपादान नहीं हो सकता।" सर्वप्रथम, अवाच्यता के लिए उपादान का होना आवश्यक है? क्या शून्य वाच्य है?[1] याकि वह अवाच्य और इसलिए सोपादान है? निर्वाण यदि निरुपादान है तो वह क्या वाच्य है? दूसरे, निर्वाण उपादान-रहित है, यह कैसे सिद्ध है? यदि कोई कहे कि वाच्यानामतिक्रमण ही निर्वाण है जो वाच्यानामतिक्रमण का पर्याय है, तो उसके विरुद्ध क्या युक्ति होगी? यहाँ वादी अपनी इस प्रतिपत्ति के समर्थन में कह सकता है कि निरुपादानिकता आकाश-कुसुम के समान असम्भव है, तो उसके विरुद्ध क्या तर्क है? इसके विरुद्ध उनका तर्क है कि, तब आत्मा नित्य या अनित्य होगा। यदि हम कहें कि आत्मा के नित्यत्व में आपकी क्या आपत्ति है? तो पीछे वे नित्यता के विरुद्ध यह आपत्ति कर चुके हैं कि ऐसा द्रव्य निष्क्रिय होगा। किन्तु आत्मा को स्वीकार करने वाले तो उसके लिए यही कहते हैं। किन्तु अपनी इस आपत्ति के विरुद्ध वे पूर्वपक्ष देते हैं कि, "नहीं, आत्मा नित्यानित्यत्व से अवाच्य है।" इस युक्ति के विरुद्ध वे प्रश्न उठाते हैं कि वह विज्ञेय है या अविज्ञेय? और तब कहते हैं कि "वह निर्वाण में निरुपादभूत होने से विज्ञेय नहीं हो सकता।" किन्तु प्रतिपक्षी ने यह स्वीकार ही नहीं किया कि आत्मा निर्वाण में निरुपादभूत है। पर मान लें कि वह निरुपादभूत है, तब वह अविज्ञेय भी कैसे होगा, क्योंकि ज्ञेयता और अज्ञेयता दोनों समान रूप से विधेय हैं जो उद्देश्य को लक्षित करते हैं। और 'अविज्ञेय' 'अनस्ति' के जैसा अयुक्त विधेय नहीं है, यद्यपि चन्द्रकीर्ति अविज्ञेय को आकाश-कुसुमोपम कहकर उसे अयुक्त विधेय ही कहना चाहते हैं। 'अविज्ञेय' उसी प्रकार युक्त विधेय है जिस प्रकार 'अदृश्य' है। अपने या अन्य के विचार अदृश्य हैं क्योंकि वे स्वरूपत: इन्द्रिय-अविषय हैं। ठीक उसी प्रकार ज्ञान को अनिवार्यत: सविषय मानने पर विषयी, विशेषत: कर्त्ता, अविज्ञेय होगा। अब मान लें कि आप ज्ञान को तत्त्व-साक्षात्कार-पर्यन्त व्यापक मानते हैं और इस प्रकार किसी

1. यहाँ स्वयं नागार्जुन कहते हैं :
शून्यमिति न वक्तव्यमशून्यमिति वा भवेत्।
उभयं नोऽभयं चेति, प्रज्ञप्त्यर्थं तु कथ्यते।। 22 ।।

तत्त्व को अविज्ञेय नहीं मानते, किन्तु यह केवल ज्ञान के निर्धारण की बात हुई, 'अविज्ञेय' पद के प्रयोग की युक्तता की बात नहीं।

निर्वाण के निषेध विषयक इन युक्तियों की अयुक्तता देखने के बाद अब हम इस सम्बन्धी मूल युक्ति की अयुक्तता देखेंगे। मूल युक्ति है कि "निर्वाण होने के लिए कोई सत्त्व होना चाहिए जिसका निर्वाण हो। किन्तु यह हो नहीं सकता।" अब मान लें कि आत्मा या और कोई सत्त्व नहीं है, किन्तु तब भी नागार्जुन के अपने अनुसार ही व्यवहार है जिसके निषेध का आश्रयण कर हम परमार्थ-लाभ करते हैं। तो हम कहेंगे यही निर्वाण है। वास्तव में यहाँ नागार्जुन का अभिप्राय है कि परमार्थतः व्यवहार कुछ नहीं है और इसलिए परमार्थ भी कुछ नहीं है, परिणामतः निर्वाण भी कुछ नहीं है। इसलिए कहा जा सकता है कि इस प्रकार देखने पर यह मूल प्रतिपत्ति निरापत्तिक है। किन्तु आत्मा की अनिर्वचनीयता के खण्डन में दी गई युक्तियों की इस प्रकार रक्षा सम्भव नहीं है। ऊपर हम स्वयं नागार्जुन को शून्य की अनिर्वचनीयता प्रतिपादित करते देख ही आये हैं। यहाँ चन्द्रकीर्ति द्वारा उद्धृत बुद्ध-वचन का उद्धरण स्थाने होगा : "भगवन्, किसके उपलंभ से सत्त्व संसार का अतिक्रमण नहीं करते? भगवान् ने उत्तर दिया—आत्मा के उपलंभ से सत्त्व संसार का अतिक्रमण नहीं करते।" इस पर मंजुश्री प्रश्न करते हैं, "उसका हेतु क्या है?" "मंजुश्री, जो आत्मा को परम मानता है उसके कर्माभिसंस्कार उत्पन्न होते हैं...।" इस बुद्ध-वचन से स्पष्ट है कि 'आत्मा' उनके लिए संसारगत कोटि है, अतिक्रान्त कोटि के रूप में वे उसका निषेध नहीं कर रहे हैं। अवश्य नागार्जुन और चन्द्रकीर्ति अतिक्रान्त कोटि का भी निषेध करते हैं, किन्तु ऊपर दी गई उनकी युक्तियाँ इसमें समर्थ नहीं हैं।

17. कर्म-फल-परीक्षा

कर्म भी नागार्जुन के अनुसार निस्स्वभाव है और उसके लिए नागार्जुन की वही युक्तियाँ हैं जिन पर हम पीछे विचार कर चुके हैं : "यदि कर्म स्वभाववान् होता तो उसका अन्यथाभाव भी नहीं हो सकता था, और वह अकृत भी होता, क्योंकि जो स्वभावतः है वह शाश्वत रूप से और कारणरहित (स्वतः) होता है और यदि वह अकृत है तो उसके फल का कोई प्रश्न नहीं उठता।

"यदि कहें कि कर्म का हेतु क्लेश है, तो यह सही है, किन्तु क्लेश स्वयं निस्स्वभाव है, अतः निस्स्वभाव हेतु से कोई सस्वभाव फल उत्पन्न नहीं हो सकता।।" तब आपत्ति होगी कि ऐसी अवस्था में कर्त्ता, कर्म और फल की व्यवस्था नहीं हो सकेगी और बुद्ध के वचन का अपवाद होगा।

इसके उत्तर में नागार्जुन कहते हैं कि, "कर्त्ता, कर्म और फल की व्यवस्था होने के लिए कर्म का सस्वभाव होना आवश्यक नहीं है। उदाहरणतः उस उत्पन्न निर्मितिक ने पुनः एक-दूसरे निर्मितिक का निर्माण किया। अपनी ऋद्धि के प्रभाव से भगवान् बुद्ध ने एक निर्मितिक को उत्पन्न किया। वह निर्मितिक तथागत-स्वभाव-शून्य है अतः शून्य और निस्स्वभाव है।" किन्तु यहाँ स्पष्ट है कि प्रथम निर्मितिक का निर्माण निस्स्भाव ने नहीं किया, बुद्ध ने किया, इसलिए प्रथम निर्मितिक निःस्वभाव नहीं है और परिणामतः अनुगामी निर्मितिक भी निस्वभाव नहीं हैं। यदि कहें कि बुद्ध भी निस्स्वभाव हैं तो दिखायें कि कोई निस्स्वभाव किसी निर्मितिक का निर्माण कैसे कर सकता है? इसके अतिरिक्त, यदि बुद्ध निस्स्वभाव हैं तो उन निस्स्वभाव बुद्ध के वचन के अपवाद-निवारण की भी क्यों चिन्ता करते हैं? अस्तु, यहाँ आधारभूत प्रश्न यह है कि क्या प्रथम निर्मितिक भी निस्स्वभाव से निर्मित हो सकता है और इस प्रकार निर्मितिकों का मूल ही निस्स्वभाव हो सकता है? यद्यपि यहाँ बुद्ध का उल्लेख सस्वभाव तत्त्व के रूप में ही है किन्तु आगे तथागत परीक्षा में नागार्जुन बुद्ध को स्पष्टतः निस्स्वभाव कहते हैं। द्वादश-समुत्पाद-चक्र का आरम्भ सभी बौद्ध अविद्या से मानते हैं जिसकी निस्स्वभावता असन्दिग्ध ही है।

किन्तु तब यहाँ आपत्ति होना स्वाभाविक है कि कर्म के प्रवर्तन का प्रयोजन अविद्यामूलक हो सकता है किन्तु यदि अविद्या का अधिष्ठान भी निस्स्वभाव हो तो अविद्या की निस्स्वभावता का कोई अर्थ ही नहीं रह जाता,

अविद्या की निस्स्वभावता अधिष्ठान की सस्वभावता की अपेक्षा से ही हो सकती है अन्यथा उसकी निस्स्वभावता ही प्रतिषिद्ध हो जाती है : तब अविद्या ही स्वाधिष्ठित और इस प्रकार सस्वभाव हो जाती है। कहा जा सकता है कि 'निस्स्वभावता' 'आत्मप्रतिषिद्धता' का ही वाचक है, इस कारण उसकी अधिष्ठानापेक्षा का कोई प्रश्न ही नहीं उठना चाहिए। इसका उत्तर होगा कि आत्म-प्रसिषिद्ध अप्रतिषिद्धवत् प्रकट है, निःस्वभाव सस्वभाववत् प्रकट है, परिणामत: निस्स्वभाव की निस्स्वभावता का प्रकट होना आवश्यक है। अब, यह प्रकटन, अविद्या का निरसन, किसी अधिष्ठान का अपेक्षी है। नागार्जुन इस अपेक्षा को बुद्धि की सीमा कहेंगे। इस प्रश्न पर आगे विचार अपेक्षित है जो हम आगे प्रसंगानुसार करेंगे।

19. काल-परीक्षा

नागार्जुन काल का भी निषेध करते हैं। काल अतीत, वर्तमान और भविष्यत् इन तीन आयामों में विभक्त है। किन्तु वर्तमान (प्रत्युत्पन्न) और भविष्यत (अनागत) अतीत की अपेक्षा कर सिद्ध होते हैं। अब, यदि ऐसा है तो, नागार्जुन के अनुसार, वे अतीत ही होंगे। क्योंकि यदि प्रत्युत्पन्न और अनागत की अतीत में सत्ता नहीं हो तो वे स्वत: होंगे। किन्तु स्वत: वे उसी प्रकार से ही नहीं हो सकते जिस प्रकार तिलों के बिना तेल अथवा अवंध्या के विना पुत्र नहीं हो सकता।

यह युक्ति काल-स्वभाव, आकार और उपमा सभी दृष्टियों से अयुक्त है। इन अयुक्तताओं को यहाँ हम विपरीत क्रम में देखेंगे : (1) व्युत्पन्न में अतीत की अपेक्षा का क्या स्वरूप है इस निर्धारण के लिए पहले यह निश्चित करना आवश्यक है कि हम काल को किस सन्दर्भ में देख रहे हैं : मानस सन्दर्भ में? प्राणिक सन्दर्भ में, या कि भौतिक सन्दर्भ में? मानस सन्दर्भ में कुछ अवस्थाओं में वर्तमान मूल और विगत तथा अनागत उसकी अपेक्षा से होते हैं और कुछ अवस्थाओं में अनागत मूल और वर्तमान तथा अतीत उसमें अपेक्षी होते हैं। प्रथम स्थिति विषय-प्रज्ञप्ति में और दूसरी सप्रयोजन क्रिया में होती है। स्मृति में भी मूल अतीत नहीं होकर वर्तमान अथवा भविष्यत होता है। रोग अथवा आघात से पूर्ण स्मृति-हीनता होने पर अतीत का आयाम ही समाप्त हो जाता है। इस प्रकार मानसिक काल त्रि-आयामात्मक हो, यह आवश्यक नहीं है। जैविक क्षेत्र में यद्यपि बीजांकुर-न्याय से काल अनादि और अनन्त है किन्तु व्यष्टि की उत्पत्ति और मृत्यु में यह सादि और सान्त है : मेरी उत्पत्ति में जनक-जननी अवश्य कारण हैं किन्तु मेरा वैशिष्ट्य मेरे कारण में अशेषत: अपचेय नहीं है। इसी प्रकार, मेरी मृत्यु के बाद का पंचत्व मेरा भविष्यत नहीं होगा, मृत्यु मेरी जैव सत्ता का अन्त होती है। मानस सन्दर्भ में भी वर्तमान-मूलक काल मृत्यु के साथ समाप्त और जन्म के साथ आरम्भ होता है। जहाँ तक भौतिक सन्दर्भ का प्रश्न है उसमें केवल अतीत और वर्तमान ही होता है, उसमें अनागत कुछ नहीं होता। एक-दूसरे अर्थ में उसमें कालिकता कुछ होती ही नहीं, क्योंकि उसमें केवल मात्रात्मक परिवर्तन होते हैं। इस पर कहा जा सकता है कि यदि काल का उपर्युक्त निरूपण सही हो तो भी काल 'तदपेक्ष्य' की प्रतिपत्ति के अनुसार एक ही आयाम में अन्तर्भाव्य होगा और इस प्रकार काल-स्वभाव का निषेध आपन्न होगा। किन्तु ऐसा नहीं है; न तो मानस काल में स्मृति, प्रत्यक्ष और अपेक्षा किसी एक आयाम में अपचेय होते हैं और न जैव-काल में व्यष्टि की उत्पत्ति का क्षण अथवा अनुगामी कोई भी व्युत्पन्न क्षण अतीत में अपचेय होता है—चाहे जीवनकाल का कोई भी व्युत्पन्न क्षण अतीत की अपेक्षा से ही हो। इस निरूपण से स्पष्ट है कि यहाँ तिलों में तेल की सत्ता और सिक्ता में असत्ता विषयक उपमा नितान्त असंगत है।

आकारत: इसमें यह दोष है कि नागार्जुन यहाँ 'अतीत की अपेक्षा कर' और 'अतीतगतत्व' को पर्यायवाची मान रहे हैं। काँच पत्थर के आघात की अपेक्षा कर टूटता है किन्तु इसी कारण काँच की टूटन पत्थर में, अथवा पत्थर की गति में भी, विद्यमान नहीं होती। इसी प्रकार पीड़ा व्रण में और घट कुम्भकार की चाक-क्रिया में नहीं होता। इसके अतिरिक्त वास्तव में 'अपेक्षा कर' का काल के सन्दर्भ में कोई निश्चित अर्थ ही नहीं है जैसाकि हमारे उपर्युक्त विवेचन से स्पष्ट है।

जहाँ तक उपमा की अयुक्तता का सम्बन्ध है, नागार्जुन ने जो उदाहरण चुने हैं वे नितान्त अयुक्तिसंगत हैं : तिलों से तेल और अवन्ध्या से पुत्र परस्परत: भी एक समान नहीं हैं किन्तु काल की दृष्टि से ये दोनों ही अनुपयुक्त हैं : तेल जबकि तिल का अंश है उसका कार्य नहीं है, पुत्र अवंध्या का अंश नहीं है और अवंध्यात्व पुत्र के लिए केवल अनेक में से एक कारण होता है। इसके विपरीत न तो वर्तमान और अनागत अतीतगत होते हैं और न अतीत उनके लिए कारण होता है, वह केवल दायें-बायें के समान उनसे सम्बन्धित होता है।

ठीक बात यह है कि काल-निषेध-विषयक नागार्जुन की यह युक्ति प्रतीत्यसमुत्पाद-विषयक उनकी साधारण अवधारणा के अनुसार वस्तु-स्वभाव-निषेध की सामान्य युक्ति की आवृत्ति मात्र है। किन्तु हमने पीछे देखा कि यह युक्ति समान रूप से सर्वत्र लागू नहीं होती, काल पर तो यह किसी भी तरह लागू नहीं होती। यदि काल को उपर्युक्त विभिन्न सन्दर्भों से पृथक् उसके शुद्ध आकार में देखें तो उसे अध्व अथवा रेखीय प्रगामिता की उपमानुसार कल्पित किया जा सकता है जो आत्मचेतन के अवलोकन-व्यापार द्वारा अतीत, विद्यमान और आगामी इन तीन आयामों में विभक्त हो जाता है। इसमें अतीत वर्तमान में से होकर भविष्यत की ओर प्रवाहित होता है। इसमें 'अतीत की अपेक्षा कर सिद्ध होना' यह निरूपण उपपन्न नहीं होता।

21. सम्भव-विभव-परीक्षा

सम्भव-विभव (उत्पत्ति और नाश) की अवधारणाओं पर विचार करते हुए नागार्जुन उनका भी निषेध करते हैं और इस निषेध को वे काल-त्रय के समूल निषेध के लिए आवश्यक मानते हैं। इसका यह अर्थ भी हो सकता है कि काल-त्रय और वस्तुओं का सम्भव-विभव यह एक ही बात नहीं है, काल-त्रय वस्तुओं के सम्भव-विभव से पृथक् भी सत् है या अवधार्य है और यह भी हो सकता है कि काल-त्रय की अवधारणा वस्तुओं के सम्भव-विभव की वस्तुस्थिति से ही उद्गृहीत है। परिणामत: इस वस्तुस्थिति की अवस्तुता की सिद्धि से इस अवधारणा की अयथार्थता और भी स्पष्ट हो जाती है। इनमें नागार्जुन को कौन-सा विकल्प सम्मत है यह स्पष्ट नहीं है। यहाँ यह भी स्पष्ट नहीं है कि पीछे संस्कृत-परीक्षा के प्रसंग में किये गए उत्पाद-स्थिति-भंग विषयक विचार से इसमें क्या अतिरिक्तता है, सिवाय इसके कि इसमें स्थिति को हटाकर केवल उत्पाद और भंग को ही रखा गया है। किन्तु स्थिति को हटाकर सम्भव-विभव का विचार अपने आपसे ही अयुक्त हो जाता है। वैसे भी जब आप काल-त्रय के साथ इस विचार को सम्बद्ध करते हैं तब स्थिति का आयाम अनिवार्य हो जाता है। इस पर यदि कहें कि सम्भव और विभव के निषेध से स्थिति का स्वयं निषेध हो जाता है तो यह युक्त नहीं है, क्योंकि जैसाकि हम अभी देखेंगे यह निषेध स्थिति का आकलन नहीं करने के कारण ही इतना सरल लगता है अन्यथा नहीं। नागार्जुन सम्भव-विभव के निषेध में इस प्रकार युक्ति करते हैं—

"सभव-विभव एक-दूसरे के साथ-साथ होते हैं या एक-दूसरे से विरहित? सम्भव के बिना विभव नहीं हो सकता। यदि सम्भव के बिना विभव हो तो जन्म के बिना मरण भी हो। सम्भव के साथ भी विभव नहीं होगा, अन्यथा जन्म-मरण एक काल में होंगे। विभव के बिना भी सम्भव नहीं होगा, अन्यथा कोई पदार्थ कभी अनित्य नहीं होगा। विभव के साथ भी सम्भव नहीं होगा क्योंकि तब जन्म-मरण एक काल में ही होगा। सहभाव और असहभाव से भिन्न कोई तीसरा प्रकार नहीं है जिससे सम्भव-विभव की सिद्धि हो।

"पुन:, सम्भव-विभव क्षय-धर्मी भावों का होता है या अक्षय-धर्मी भावों का? दोनों ही प्रकार असिद्ध हैं। क्षयशील पदार्थों का सम्भव नहीं होगा, क्योंकि क्षय का विरोधी सम्भव है। अक्षय पदार्थों का भी सम्भव नहीं होगा क्योंकि अक्षय-धर्म भाव से विलक्षण है। इसी प्रकार क्षय या अक्षय पदार्थों का विभव भी नहीं हो सकता।"

अब यहाँ सम्भव-विभव सम्बन्ध के अनेक विकल्प प्रस्तुत किये गए हैं, किन्तु एक वह विकल्प जो वस्तुस्थिति के अनुरूप है प्रस्तुत नहीं किया गया है और वह है स्थिति-व्यवहित सम्भव-विभव। अब, नागार्जुन प्रश्न करते हैं कि सम्भव-विभव एक-दूसरे से संयुक्त होते हैं या एक-दूसरे से विरहित? इसका उत्तर होगा कि वे

न परस्पर संयुक्त होते हैं और न विरहित, वे स्थिति-व्यवहिततया परस्पर अनुक्रमित होते हैं। किन्तु यदि 'स्थिति' को निकाल भी दें और कहें कि सम्भव-विभव परस्पर सहित और विरहित नहीं होते बल्कि अनुक्रमित होते हैं, तो भी वही बात होगी और नागार्जुन द्वारा ऊपर प्रथम अनुच्छेद में उठायी गई आपत्तियों के लिए कोई अवकाश नहीं रहेगा। इस पर आपत्ति हो सकती है कि सम्भव और विभव यदि दो अवस्थाएँ हैं तो इनके बीच व्यवधान मानना होगा, व्यवधान को उपर्युक्त सुझाव के अनुसार स्थिति मानने पर भी समाधान नहीं होगा, क्योंकि तब सम्भव, स्थिति और विभव के बीच व्यवधान का प्रश्न उठेगा। इसका उत्तर होगा कि ये तीन अनुक्रमित व्यष्टियाँ या अपने में आकुंचित बिंदु नहीं हैं बल्कि अनुगामी अवस्था में संक्रमित होती हुई अवस्थाएँ हैं जिनका त्रित्व केवल उद्ग्रहणात्मक है।

अब दूसरे अनुच्छेद को देखें। वे कहते हैं "क्षय-धर्मी पदार्थों का सम्भव नहीं होगा क्योंकि क्षयधर्मिता और सम्भवता परस्पर विरुद्ध हैं।" द्रष्टव्य है कि 'क्षय' और 'अक्षय' यहाँ 'विभव' और 'सम्भव' के पर्यायों के रूप में ही प्रयुक्त किये गये हैं, अन्यथा क्षय-धर्मिता और 'सम्भवता' में विरुद्धता कैसे है? यह क्यों नहीं कह सकते हैं, जो कि वस्तुस्थिति के भी अनुरूप है, कि सम्भव होने पर ही कुछ क्षय-धर्मी होता है, सम्भव नहीं होने पर वह होता ही नहीं इसलिए वह क्षयधर्मी भी नहीं हो सकता। यदि कहें कि अवश्य वस्तुस्थिति यही है कि जो सम्भव होता है वही क्षयशील होता है, किन्तु यह दिखाना ही तो नागार्जुन का मन्तव्य है कि जो अस्तित्ववान् प्रतीत होता है वह आत्म-बाधित है और अतएव असत् है। किन्तु तब वे जो कहते हैं कि "विभव के बिना सम्भव नहीं हो सकता क्योंकि तब कोई पदार्थ अनित्य नहीं होंगे" तो कहा जा सकता है कि "क्योंकि सम्भव और विभव परस्पर विरुद्ध हैं और एक काल में नहीं हो सकते, और क्योंकि यह भी नहीं हो सकता कि सम्भव के बिना विभव हो, इसलिए यह सम्भव है कि सब सम्भव विभव के बिना हों और विभव केवल प्रातीतिक हो। यदि आप कहते हैं कि, तब कोई पदार्थ अनित्य नहीं होगा, तो कहा जा सकता है कि, नहीं होगा तो न सही, तब अनित्यता केवल प्रातीतिक होगी और सब पदार्थ नित्य होंगे। इस तार्किक प्रस्ताव का आपके पास क्या उत्तर है? नागार्जुन जो एक निरन्तर व्यामिश्र करते हैं वह यह कि वे अनुभवात्मक अवधारणाओं को शुद्ध तार्किक अवधारणाओं में रूपांतरित कर अनुभव को आत्मबाधित कह देते हैं, और जहाँ तार्किक अवधारणाओं में विरोध नहीं बनता वहाँ उनकी अप्रतिष्ठा अनुभव से उनकी संगति नहीं होने के आधार पर सिद्ध कर देते हैं।

22. तथागत-परीक्षा

नागार्जुन तथागत का भी निषेध करते हैं। यह निषेध वास्तव में शून्यवाद को भारतीय परम्परा में नितान्त विलक्षण बनाता है। यों प्रत्येक दर्शन-सम्प्रदाय अन्य सम्प्रदायों से भिन्न होता है किन्तु उनकी परस्पर भिन्नता उतनी आधारभूत नहीं होती जितनी शून्यवाद की है। यहाँ हम नागार्जुन तथा चन्द्रकीर्ति की तत्सम्बन्धी युक्तियों पर विचार करेंगे। उनके अनुसार-

1. तथागत असत् हैं, क्योंकि वे न स्कन्ध-रूप हैं, न अस्कन्ध-रूप। क्योंकि यदि उन्हें स्कन्ध-रूप कहें तो कर्त्ता-कर्म का अभेद आपन्न होगा और उनका उत्पाद-विनाश भी आपन्न होगा, यदि उन्हें स्कन्ध-भिन्न मानें तो वे स्कन्ध के बिना भी हो सकेंगे। इसलिए तथागत न स्कन्धात्मक हैं, न अस्कंधात्मक।

2. इसके उत्तर में आचार्य कहते हैं कि यदि बुद्ध अमल स्कंधों का उत्पादन कर प्रज्ञप्त होते हैं और अवाच्य हैं तो स्पष्ट है कि वे स्वभावत: नहीं हैं, केवल प्रतिबिम्ब के समान प्रज्ञप्त होते हैं। जो स्वभावत: नहीं वह...परभावत: भी नहीं होता। स्वभाव-परभाव के अतिरिक्त तथागत की तृतीय कोटि क्या होगी?

3. आगे वे कहते हैं कि तथागत प्रकृतित: शांत, निस्स्वभाव एवं प्रपंचातीत हैं, किन्तु लोग अपने बुद्धिमान्द्य के कारण उनके सम्बन्ध में शाश्वत-अशाश्वत, शून्य-अशून्य आदि की कल्पनाएँ करते हैं। किन्तु वे यह नहीं समझते कि ये सभी प्रपंच वस्तुमूलक होते हैं और तथागत अवस्तु हैं, अत: प्रपंचातीत और अव्यय हैं।

जैसे तथागत निस्स्वभाव हैं उसी प्रकार जगत् भी है। तथागत की निस्स्वभावता नागार्जुन इस प्रकार निरूपित करते हैं : "तथागत कुशल-अनास्रव धर्मों के प्रतिबिम्ब मात्र हैं। वस्तुत: तो न तथता है न तथागत हैं, केवल बिम्ब ही सर्वलोकों में दिखायी देता है।"[1]

अब यहाँ हम उपर्युक्त निरूपण का विवेचन करेंगे:—

1. प्रथम युक्ति में तथागत को स्कंधात्मक या अस्कंधात्मक किसी भी प्रकार से निरूपित करने की असम्भवता बतायी गई है, किन्तु इसके लिए जो युक्ति दी गई है वह समीचीन नहीं है। वे कहते हैं कि यदि तथागत को स्कन्ध-भिन्न मानते हैं तो वे स्कन्ध के बिना भी हो सकेंगे। यहाँ दो आपत्तियों के लिए अवकाश है : प्रथम, कि तथागत के स्कंधों के बिना होने में क्या कठिनाई है? अनेक भारतीय दर्शन आत्मा को निर्गुण मानते ही हैं। दूसरे, तथागत को स्कन्ध-भिन्न मानने से यह अनिवार्य नहीं हो जाता कि उन्हें स्कन्ध के बिना भी माना जाय, जैसे वर्ण विस्तार से भिन्न है किन्तु वह उससे वियोज्य नहीं है, वह उसके बिना नहीं रह सकता। इसी प्रकार, यदि आप आध्यात्मिक अस्तित्व को स्कन्ध के बिना अकल्पनीय भी पाते हों तो भी उसे स्कंधातिरिक्त मानने में कोई कठिनाई नहीं है, जैसे वर्ण को विस्तार से, उष्णता को प्रकाश से।

2. यह युक्ति अत्यधिक महत्त्वपूर्ण है, क्योंकि इससे यह स्पष्ट होता है कि नागार्जुन 'स्वभाव' पद का क्या अर्थ लेते हैं। यह पद उनके सम्पूर्ण प्रतिपादन में आधारभूत होने से इसके सम्बन्ध में स्पष्ट होना आवश्यक है। 'स्वभाव' पद से उनका अर्थ 'सास्रव' और 'स्कन्धवान्' होना है। इसका अर्थ यह भी लिया जा सकता है कि उनके अनुसार निस्स्वभावता स्वभाव से उत्तर कोटि है और यह अर्थ भी लिया जा सकता है कि यह सब कोटियों का निषेध है और इस निषेध में किसी उत्तर कोटि, अथवा कहें कोट्यतीत किसी सत्ता का संकेत ग्रहण नहीं है। तथागत का स्वरूप, अथवा कहें स्वरूपाभाव, वे इसी प्रकार निरूपित करते हैं। वे तथागत को अनास्रव और कुशल धर्मों का प्रतिबिम्ब मात्र कहते हैं। इससे ऐसा नहीं मान लेना चाहिए कि वे अनास्रव धर्म-संज्ञक किसी वस्तु या अवस्था को स्वीकार करते हैं जिसके वे लोक में प्रतिबिम्ब हैं, जैसे दर्पण में देह प्रतिबिम्बित होता है। यदि प्रतिबिम्बता मानी ही जाती है तो वह उसी प्रकार की होगी जैसे भयभीत मन:स्थिति में अवलोकित दैत्याकृति होती है। किन्तु वास्तव में इतना भी नहीं है। वे कहते हैं कि "तथागत का जो स्वभाव है वही स्वभाव जगत् का है, तथागत जिस प्रकार निस्स्वभावता हैं उसी प्रकार जगत् भी है।" यहाँ ऐसा प्रतीत होता है जैसे जगत् की निस्स्वभावता तथागत की निस्स्वभाव से तुलित की गई है। किन्तु वास्तव में ऐसा नहीं है, क्योंकि वह पूर्वसिद्ध है। यह इस कारिका पर चन्द्रकीर्ति की टीका से भी स्पष्ट है। चन्द्रकीर्ति कहते हैं:—

"जगत् का नैस्स्वाभाव्य प्रत्यय-परीक्षादि द्वारा प्रतिपादित किया जा ही चुका है।" इसके आगे वे प्रज्ञापारमिता सूत्र को उद्धृत करते हैं :..."सम्पूर्ण जगत् मायोपम-स्वप्नोपम है। 'मायोपम' कहने का यह अर्थ नहीं है कि यह मायामय नहीं होकर उसके अनुरूप है, माया और जगत् में अद्वयभाव है, अद्वैधीकार है। अर्हत भी मायोपम-स्वप्नोपम हैं, अर्हत्-फल भी मायोपम है। प्रत्येक बुद्ध भी मायोपम-स्वप्नोपम है, सम्यक् समबुद्ध भी मायोपम-स्वप्नोपम हैं, सम्यक् सम्बुद्धत्व भी मायोपम-स्वप्नोपम है।" सुभूति के इस कथन पर उसको प्रपन्न देवपुत्रों को आश्चर्य होता है। तब सुभूति उन्हें कहते हैं—"देवपुत्रो, निर्वाण को भी मैं मायोपम-स्वप्नोपम कहता हूँ, और किसी धर्म की तो बात ही क्या है।" इस पर उन्हें और आश्चर्य होता है तो सुभूति कहते हैं—देवपुत्रो, यदि निर्वाण से भी आगे कोई धर्म हो तो उसे भी मैं मायोपम-स्वप्नोपम ही कहूँगा। इस प्रकार माया और निर्वाण में अद्वयभाव है।" स्पष्टत: यह आत्यन्तिक निषेधवाद है, निरपेक्ष परतत्त्ववाद नहीं, जैसा कि प्रो. टी.आर.वी. मूर्त्ति और प्रो. गोविन्दचन्द्र जी पाण्डे की मान्यता है। इसमें कोई सन्देह शेष नहीं रह जाये इसलिए यहाँ हम दो और उद्धरण देंगे। आत्म-परीक्षा (प्रकरण 18) में सातवीं कारिका की व्याख्या करते हुए चन्द्रकीर्ति तथागतगुह्य सूत्र

---

1. तथागतोहि प्रतिबिंबभूत: कुशलस्य धर्मस्य अनास्रवस्य।
नैवात्र तथता, न तथागतोऽस्ति, विंबंच संदृश्यति सर्व लोके। (चन्द्रकीर्ति द्वारा उद्धृत प्रज्ञापारमिता सूत्र)

को उद्धृत करते हैं : "जैसे यन्त्रीकृत तूरी वायु के झोंकों से बजती है, उसका कोई वादक नहीं होता और तब भी शब्द निकलते हैं, उसी प्रकार सत्त्वों की वासना से प्रेरित होकर बुद्ध की वाणी निकलती है। जिस प्रकार प्रतिध्वनि के शब्द बाह्य या अन्त:स्थित नहीं होते उसी प्रकार बुद्ध की वाणी भी बाह्य और अत:स्थित नहीं है।"[1]

यह निषेध आत्यन्तिक निषेध ही है, किसी अगम-अवाच्य परतत्त्व का संकेत नहीं। इसके लिए चन्द्रकीर्ति एक और सर्वसन्देहोपशामक प्रमाण माध्यमिक का नास्तिक से भेद करके प्रस्तुत करते हैं। चन्द्रकीर्ति के अनुसार नास्तिक से उनका भेद यह है कि वे जगत् की सांवृतिक सत्ता स्वीकार करते हैं। इस पर स्वभावत: आपत्ति होगी कि, "किन्तु परमार्थत: तो सब स्वप्नोपम-मायोपम है।" इसके उत्तर में वे कहते हैं "हाँ, इस प्रकार तो माध्यमिक की नास्तिक से अनुरूपता ही है, किन्तु प्रतिपादकता में भेद है। नास्तिक का निषेध ज्ञानपूर्वक नहीं है जबकि माध्यमिक का निषेध ज्ञानपूर्वक है।" इस ज्ञानपूर्वकता को वे उपमा से समझाते हैं : "जैसे कोई किसी चोर की चोरी को बिना जाने ही किसी शत्रु की प्रेरणा पर कहे कि उसने चोरी की है, और कोई दूसरा व्यक्ति उस चोर को चोरी करते देखकर वही बात कहे तो दोनों के वचन में तो समानता होगी किन्तु उनमें भाव-भेद होगा। उसी प्रकार माध्यमिक का सर्व-अनस्तित्व का प्रतिपादन और नास्तिक का सर्व अनस्तित्व प्रतिपादन परस्पर भिन्न है।" चन्द्रकीर्ति का यह स्पष्टीकरण भी आत्मपरीक्षा-प्रकरण की सातवीं कारिका की व्याख्या के प्रसंग में ही है। चन्द्रकीर्ति के इस स्पष्टीकरण से नागार्जुन की इस प्रसिद्ध उक्ति का अर्थ भी स्पष्ट हो जाता है कि "निर्वाण और संसार एक ही है।"

नागार्जुन अभाववाद-नास्तिकवाद से माध्यमिक-मत का भेद यह कहकर भी करते हैं कि "शून्यता प्रतीत्यसमुत्पाद है, अभाव नहीं।" किन्तु जैसाकि हम पीछे देख आये हैं, उनके अनुसार प्रतीत्यसमुत्पाद वस्तु-स्वभाव के निषेध का, निरपेक्ष अभाव का, ही द्योतक है, यह सापेक्षतावाद नहीं है, जैसाकि श्चर्बात्स्की कहते हैं।[2] अथवा आप चाहें तो इसे उस विशिष्ट अर्थ में सापेक्षतावाद कह सकते हैं जिस अर्थ में इसका निष्कर्ष नैस्स्वाभाव्य हो। इस भेद के स्पष्टीकरण में भी चन्द्रकीर्ति कहते हैं : "वस्तुओं का पारमार्थिक रूप वह है जो सम्यग्द्रष्टा आर्य के ज्ञान का विषय है, किन्तु उसकी स्वरूप-सत्ता नहीं है। वस्तुओं का सांवृतिक रूप वह है जो पृथग्जन की दृष्टि का विषय है, किन्तु उसका भी स्वरूप असिद्ध है।"

मध्यमकशास्त्र में कुछ ऐसे कथन भी हैं जिनसे लगता है जैसे वहाँ परमार्थ की भाव-रूपता प्रतिपादित हो। जैसे—"जैसे तिमिर रोग से आक्रान्त व्यक्ति अपने हाथ में पकड़े धान्यादि पुंज को केश-रूप में देखता है किन्तु उसे शुद्ध दृष्टि वाला जिस रूप में देखता है वही तत्त्व है, वैसे ही अविद्या-तिमिर से उपहित अतत्त्व-द्रष्टा स्कन्ध, धातु, आयतन का जो सांवृतिक उपलब्ध करता है उसे ही अविद्या-वासना-रहित बुद्ध जिस दृष्टि से देखते हैं वही परमार्थ सत्य है।" (आर्य-सत्य-परीक्षा) और पुन:, "परमार्थ सत्य की देशना किसी भी प्रकार से नहीं की जा सकती, क्योंकि जिसके द्वारा देशित होता है, जिसके लिए देशना करनी है, जिसकी देशना करनी है, ये सभी परमार्थत: अनुत्पन्न हैं। इसलिए अनुत्पन्न धर्मों से ही अनुत्पन्न धर्मों को बताया जा सकता है।" (वही) किन्तु ये प्रतिपादन केवल प्रकटत: ही भावात्मक हैं, वास्तव में ये भावात्मक नहीं हैं। इन प्रतिपादनों की प्रातीतिक भावात्मकता का कारण अशेष अभाव के कथन की असम्भवता है। अब, अनुत्पन्न धर्मों से अनुत्पन्न धर्मों को बताने का अर्थ यही है कि सांवृतिक धर्मों के द्वारा असांवृतिक धर्मों का कथन, और ये दोनों धर्म निस्स्वभाव हैं। उदाहरणत: नागार्जुन घट की "स्वभावत: विद्यमानता" के तात्पर्य की व्याख्या इस प्रकार करते हैं : "यदि पदार्थ स्वभावत: विद्यमान हैं तो वे हेतु-प्रत्यय-निरपेक्ष होंगे। ऐसी स्थिति में कार्य-कारण, करण-कर्त्ता और क्रिया,

1. यथा यंत्रीकृत तूर्यं वाद्यते पवनेरितम्।
न चात्र वादक: कश्चिन्निश्चरन्त्यथ च स्वरा:।।
एवं पूर्व सुशुद्धत्वात् सर्व सत्त्वाशयेरिता।
वाग्निश्चरति बुद्धस्य, न चास्यास्तीह कल्पना।।

2. श्चर्बात्स्की — कंसेप्शन ऑफ बुद्धिस्ट निर्वाण।

उत्पाद-निरोध आदि फल सब बाधित होंगे। क्योंकि यदि घट स्वभावत: है तो उसे मृदादि हेतु-प्रत्ययों से क्या प्रयोजन? फलत: घट का अभाव होगा, क्योंकि घट निर्हेतुक नहीं होता। ऐसी अवस्था में चक्र-चीवरादि करण, कर्त्ता-कुम्भकार तथा घट बनाने की क्रिया का अभाव होगा।" और आगे "इस शून्यता को ही ने उपादान-प्रज्ञप्ति कहते हैं। जैसे चक्रादि (रथ के अंगों) का उपादान कर राय (उपादाय) की प्रज्ञप्ति होती है। जो अपने अंगों का उपादान कर प्रज्ञप्त होता है वह अवश्य ही स्वभावेन अनुत्पन्न होता है। जो स्वभावेन अनुत्पन्न है वही शून्य है।" (वहीं) यहाँ स्मरणीय है कि कोई भी बौद्ध अवयवी को अवयवों से ऊपर सत् नहीं मानता। इसी प्रकार निर्वाण को नागार्जुन 'अप्रवृत्ति मात्र' कहकर परिभाषित करते हैं।

इस सबसे स्पष्ट है कि नागार्जुन का 'शून्यता' से अभिप्राय किसी असांवृतिक निरपेक्ष अद्वयतत्त्व से नहीं है बल्कि सर्वव्यापी शून्यता, निस्स्वभावता, अतत्त्वता से ही है।

25. निर्वाण-परीक्षा

निर्वाण का निरूपण नागार्जुन निम्न प्रकार से करते हैं—

1. अप्रहीणम्—अर्थात् जो रागादि के समान प्रहीण नहीं होता।

2. असंप्राप्तम्—जो श्रामण्य-फल के समान फलित नहीं होता—प्राप्त नहीं होता।

3. अनुच्छिन्नम्—जो स्कंधादि के समान उच्छिन्न नहीं होता।

4. अशाश्वतम्—जो सस्वभाव (अशून्य) पदार्थों के समान नित्य नहीं होता।

5. अनिरुद्धमनुत्पन्नम्—जो स्वभावत: न निरुद्ध होता है, न उत्पन्न होता है।

निर्वाण ऐसे लक्षणों से लक्षित होता है। ऐसी निष्प्रपंचता में क्लेशों की कल्पना करना तथा उनके प्रहाण से निर्वाण कहना, यह सब असिद्ध है। निर्वाण के पहले भी क्लेश नहीं है जिसके परिक्षय से निर्वाण सिद्ध होगा, क्योंकि स्वभावत: विद्यमान का परिक्षय नहीं हो सकेगा। अत: निरवशेष कल्पनाओं का परिक्षय ही निर्वाण है। वे आगे कहते हैं—जैसे अन्धकार में रज्जु में सर्प उपलब्ध होता है किन्तु प्रकाश के उदय के साथ निवृत्त हो जाता है, उसी प्रकार निर्वाण में समस्त धर्म निवृत्त हो जाते हैं। क्योंकि अंधकारावस्था में भी रज्जु रज्जु ही था, सर्प नहीं था। उसी प्रकार क्लेश-कर्मादि समस्त पदार्थ संसारावस्था में भी तत्त्वत: नहीं है।"

यहाँ सर्वप्रथम अन्तिम प्रतिपादन द्रष्टव्य है : रज्जु में सर्पोपलब्धि कल्पनामूलक होने से सर्प वस्तुत: नहीं है, इसी प्रकार क्लेश भी हैं : उनकी कोई वास्तविकता नहीं है। इसलिए उनके परिक्षय का भी कोई प्रश्न उत्पन्न नहीं होता, केवल कल्पना का परिक्षय ही अपेक्षित है। तो क्या जिस प्रकार अन्धकारावस्था में भी रज्जु रज्जु ही था, सर्प कभी कहीं था ही नहीं, उसी प्रकार संसार और निर्वाण हैं? अर्थात् संसार मात्र कल्पनामूलक होने से है ही नहीं, उसी प्रकार संसार और निर्वाण भी हैं और परिणामत: संसार तत्त्वत: निर्वाण ही है जिस प्रकार सर्प तत्त्वत: रज्जु ही है?

यहाँ दो प्रश्न प्रासंगिक हैं : प्रथम यह कि यदि क्लेश असत् है तो क्या कल्पना सत् है? यदि कल्पना भी सत् नहीं है तो उसके परिक्षय का भी कोई प्रश्न नहीं उठता, और यदि वह सत् है तो भी उसके परिक्षय का कोई प्रश्न नहीं उठेगा।

दूसरा प्रश्न है कि रज्जु के तत्त्वत: होने का क्या अर्थ है? क्या यही नहीं कि वह भाव, अभाव, भावाभाव, अभावाभाव कुछ भी नहीं है जिस प्रकार निर्वाण भी नहीं है। अब, यह समझ में आता है कि आप कहें कि 'ये सब कोटियाँ कल्पनात्मक और इस प्रकार अवस्तुपरक है', किन्तु तब इससे यह आपादित होता है कि तत्त्व या निर्वाण इनसे अतिक्रान्त है। क्या आप यह कहने को तैयार है? इसी प्रकार कल्पना के लिए कहा जा सकता है कि वह भी

असत् है, किन्तु कल्पना : अविद्या : की असत्ता कल्पनामूलक विषयों के जैसी नहीं मानी जा सकती, क्योंकि सम्पूर्ण असत् प्रपंच इसी का आश्रय करते हैं और प्रपंच के विपरीत इसका परिक्षय वास्तव में अपेक्षित है। वास्तव में महात्मा बुद्ध द्वारा 'अनादि वासना' और शंकर द्वारा 'मूल विद्या' पदों का प्रयोग इस कल्पना या अविद्या के अतिरिक्त स्वरूप के ही कारण है। किन्तु मान लें कि अविद्या भी स्वरूपत: तन्मूलक विषयों के ही स्वरूप की है और इस सम्बन्ध में जो तार्किक समस्याएँ उत्पन्न होती हैं उनके लिए हम कहते हैं कि वे तर्क की अपनी सीमाएँ हैं जिनका समाधान हम तत्त्वसात् हुए बिना नहीं प्राप्त कर सकते। किन्तु कठिनाई यह है कि नागार्जुन तत्त्व को भी अतत्त्व ही कहते हैं। नागार्जुन इसका उत्तर दे सकते हैं, और वास्तव में वे इसका यही उत्तर देते प्रतीत होते भी हैं, कि हम तत्त्व को भी अतत्त्व इसलिए कहते हैं क्योंकि "तत्त्व कहने में भी एक अतात्त्विक आश्रय की कल्पना निहित है।" किन्तु सम्भवत: नागार्जुन यह नहीं कहते हैं। उदाहरणत: 'विपर्यास-परीक्षा' प्रकरण में वे कहते हैं "आत्मा के सम्बन्ध में जब अस्ति-नास्ति कुछ भी सिद्ध नहीं किया जा सकता तब उसके आश्रित अन्य धर्मों का अस्तित्व-नास्तित्व कैसे सिद्ध किया जा सकता है? क्योंकि क्लेश किसी का आश्रय लेकर सिद्ध होते हैं, वह आश्रय आत्मा ही हो सकता है जिसका पहले ही निषेध किया गया है। ऐसी अवस्था में बिना आश्रय के क्लेश कैसे होंगे? अर्थात् आत्मा अस्तित्व-अनस्तित्व की कोटियों से अतिक्रामी भाव नहीं, अभाव है। अविद्या या अनादि वासना को असत् कहने का कारण, उचित रूप से ही, यह है कि यदि यह सत् हो तो इसके परिक्षय की न सम्भावना रहती है और न औचित्य। इसलिए इसके सम्बन्ध में यह कहा जाता है कि इसका ज्ञान होने के साथ ही यह तिरोहित हो जाती है, जैसे भ्रान्तिमूलक सर्प। वैसे शंकर भी माया को सदसद्-विलक्षण कहते हैं, किन्तु उस प्रसंग की यहाँ उपेक्षा की जा सकती है और दूसरे नागार्जुन उसे ऐसा नहीं कहते हैं। किन्तु यदि अविद्या को असत् कहा जाता है तब यह कहना कि "संसार तत्त्वत: निर्वाण या ब्रह्म ही है" उतना ही उपयुक्त या अनुपयुक्त होगा जितना यह कहना है कि "निर्वाण या ब्रह्म संसार ही है और संसार से ही हम निषेध द्वारा ब्रह्म आदि की कल्पना करते हैं।" हमारे विचार में मुलाविद्या का उसके अधिष्ठान-सहित निषेध करने पर इन दो विकल्पों में से दूसरे को चुनने को ही अधिक युक्तिसंगत कहा जा सकता है, क्योंकि तब संसार के निषेध, या उसकी अप्रवृत्ति के लिए कोई आधार नहीं रहता। किन्तु शंकर का समाधान भी वास्तव में नागार्जुन से बहुत भिन्न नहीं है, क्योंकि ब्रह्म अविद्या का अधिष्ठान नहीं हो सकता, यद्यपि यह महत्त्वपूर्ण भेद अवश्य है कि ब्रह्म असत् प्रपंच का सत् : भावरूप : अधिष्ठान है। इस समस्या का सर्वाधिक युक्त समाधान तैत्तिरीय उपनिषद् ने संसार को चित् का सर्जनात्मक कर्म, अथवा केवल सर्जनात्मक कर्म मात्र ही, कहकर प्रस्तुत किया है। दूसरा समाधान काश्मीर शैव दर्शन द्वारा अधिष्ठान को शिव-शक्ति कहकर प्रस्तुत किया गया है। इनमें कोई मौलिक भेद दिखायी नहीं देता, केवल यह उपनिषद् की तुलना में अधिक चित्रात्मक है।

शून्यता के स्वरूप पर सामान्य टिप्पणी

यहाँ विचारणीय है कि क्या सर्वशून्यता किसी प्रकार से अवधार्य है? इस पर कहा जा सकता है कि सर्वशून्यता को अवधार्य कहना वदतोव्याघात होगा, किन्तु एक-एक कर सब वस्तुओं और सम्बन्धों की शून्यता देखी जा सकती है और इससे सर्वशून्यता निष्कृष्ट की जा सकती है। नागार्जुन ने एक प्रकार से **मध्यमक शास्त्र** में यही किया है। किन्तु इस प्रकार एक-एक कर विभिन्न वस्तुओं की शून्यता की सिद्धि से सर्व की शून्यता सिद्ध नहीं की जा सकती, क्योंकि एक तो प्रत्येक वस्तु का निरूपण असम्भव है और दूसरे 'प्रत्येक' और 'सर्व' ये समान नहीं हैं। यदि जगत् की प्रत्येक वस्तु शून्य हो तो भी यह सम्भव है कि जगत् शून्य नहीं हो, क्योंकि एक-एक कर जगत् की सब वस्तुएँ जगत् के लिए आगन्तुक हैं और उनके नहीं होने से जगत् के तत्त्व या सत्त्व में कोई अन्तर नहीं पड़ता। इसी प्रकार, यदि जगत् असत् हो तो उसकी प्रत्येक वस्तु असत् तो होगी किन्तु इन वस्तुओं की यह असत्ता जगन्मूलक ही होगी, निजमूलक नहीं। उदाहरणत: जगत् को हम चित् का जगद्भाव कह सकते हैं, किन्तु इससे घट-पट आदि के निर्माण के कारण-कार्यभाव को या अग्नि-जल आदि के कारण-कार्य-नियमों को चित् का अग्निभाव या जल-भाव नहीं कह सकते। वेदांतियों और माध्यमिकों ने व्यावहारिक और अलीक के बीच भेद

किया है, किन्तु वास्तव में व्यावहारिक और अलीक के बीच यही भेद है कि प्रथम व्यवहार–जगत् में सत् है जबकि दूसरा व्यवहार–जगत् में भी सत् नहीं है। किन्तु स्वयं व्यवहार–जगत् परमार्थतः अलीक से भिन्न नहीं है क्योंकि ख–पुष्पवत् वह केवल अभिधा है जिसका अभिधेय होना असम्भव है। किन्तु नागार्जुन प्रत्येक वस्तु को : अग्नि और अग्नित्व को, ईंधन और ईंधनत्व को, सबको : एक–एकशः असत् कहते हैं। यहाँ हर्षनारायणजी की एक अत्यन्त सूझपूर्ण प्रपत्ति पर विचार उद्‌बोधक होगा। वे नागार्जुन की हेगल से तुलना और भेद करते हुए कहते हैं—"नागार्जुन हेगल के समान केवल तर्कसंगत (रैशनल)[1] को ही सत् मानते हैं, किन्तु उनके अनुसार कुछ तर्कसंगत ही नहीं है, इसलिए कुछ सत् भी नहीं है।"[2] किन्तु तर्क–संगत को सत् की कसौटी बनाकर एक भेद का निवेश आवश्यक हो जाता है, विशेषतः जब आप सब कुछ को अतर्कसम्मत : अयुक्त : कह रहे हों। किन्तु यदि आप स्वयं तर्क को भी आत्म–असंगत कह रहे हों, जैसाकि नागार्जुन कहते हैं, तब परिस्थिति असाध्य ही हो जाती है। हेगल ने अस्तित्व और सत् के बीच तो भेद नहीं किया किन्तु प्रतीति या प्रतिभास (अपीयरेंस) और सत् के बीच भेद किया है।[3] किन्तु नागार्जुन में यह भेद स्वीकृत नहीं है, क्योंकि उनके अनुसार कुछ सत् है ही नहीं। वास्तव में नागार्जुन में एक दूसरी आधारभूत कठिनाई यह है कि वे प्रखर तार्किक और सूक्ष्म विचारक होते हुए भी तर्क और विचार के अपने स्वरूप पर विचार नहीं करते। उदाहरणतः वे अग्नि में दाहकता का निषेध करते हैं जबकि अग्नि स्पष्टतः दाहक है। तब कहा जा सकता है कि वे वास्तव में यह कहना चाहते हैं कि यद्यपि अग्नि दहन करती है किन्तु अग्नि की दाहकता तर्क–विरुद्ध, युक्ति–विरुद्ध, आत्म–बाधित है। किन्तु यह कहने पर प्रश्न उठेगा कि यह दोष विचार का है या कि इन्द्रिय का, या कि अग्नि का? भारतीय दर्शन के उन सम्प्रदायों का, जो वस्तुस्थिति को इस प्रकार देखते हैं, सामान्यतः उत्तर है कि यह दोष विचार का है, हेगल का उत्तर है कि यह दोष इन्द्रिय का है, किन्तु नागार्जुन का उत्तर है कि यह दोष अग्नि का है। किन्तु नागार्जुन की कठिनाई यह है कि वे स्वयं तर्क को भी तर्कासिद्ध प्रदर्शित करते हैं और उसी प्रकार की युक्तियों से जिस प्रकार की युक्तियों का प्रयोग वे भौतिक वस्तुओं की अतर्क–सम्मतता प्रदर्शित करने के लिए करते हैं। किन्तु तब प्रश्न होगा कि यदि तर्क भी निस्स्वभाव है तब तर्क से असिद्ध होने पर कुछ निस्स्वभाव क्यों–कर होगा? **विग्रहव्यावर्तनी** में वे निस्स्वभावता के प्रतिपादक वाक्य की निस्स्वभावता को स्वीकार कर तज्जन्य परिणामों पर विचार करते हैं। किन्तु यह समस्या इससे भिन्न है कि यदि तर्क स्वयं अप्रतिष्ठित हो तो तर्क–संगति वस्तु–स्वभाव की प्रतिष्ठा कैसे कही जा सकती है? तर्क यदि निस्स्वभाव है तो वह वस्तु–स्वभाव का निर्णायक नहीं हो सकता, वस्तु उसके लिए अगम्य ही रहेगी : 'तर्कानामप्रतिष्ठानात्' कहने वालों का भी एक सीमा तक यही मन्तव्य है। किन्तु यदि वस्तु–निस्स्वभावता–प्रतिपादक वाक्य निस्स्वभाव हो तो इससे वस्तु–स्वभाव का निषेध आपन्न नहीं हो सकता। किन्तु इससे यह भी आपादित नहीं होता कि वस्तु निस्स्वभाव नहीं है, यद्यपि 'तर्कानामप्रतिष्ठानात्' से यही आपन्न होता है कि वस्तु तर्क–प्रतिष्ठित होने से सस्वभाव और अप्रतिष्ठित होने से निस्स्वभाव नहीं होती क्योंकि तर्क आत्म–अप्रतिष्ठित है और अतएव वस्तु–स्वभाव के निर्धारण में असमर्थ है। किन्तु तब भी यह सही है कि नागार्जुन वस्तुओं के स्वभाव का निषेध उनकी अतर्क–सम्मतता के आधार पर ही करते हैं। यदि वे यह निषेध केवल व्यावहारिक वस्तुओं की सस्वभावता का करते तो कहा जा सकता था कि व्यावहारिक वस्तुएँ स्वभावतः तर्कगम्य ही हैं, इस कारण उनकी अतर्कसम्मतता से उनकी निस्स्वभावता सिद्ध होती है। और पुनः, उनकी तर्क–गम्यता उनकी तर्कमूलकता के

1. 'रीज़न' शब्द का कोई एक अर्थ नहीं है, और संस्कृत में इस शब्द का कोई उपयुक्त पर्यायवाची शब्द नहीं है, न हेगल के लिए 'रीयल' का उपादान या लक्षणभूत जो 'रीज़न' है नागार्जुन के लिए वही सत् है। नागार्जुन के लिए यह रीज़न केवल तर्क या युक्ति है। इसलिए हमने 'रीज़न' का अनुवाद यहाँ 'तर्क' किया है।
2. 'शून्यवाद : ए री-इंटर्प्रिटेशन', फिलोसोफी ईस्ट एण्ड वैस्ट, हवाई (यू.एस.ए.) जनवरी, 1964
3. हेगल कांट के प्रसंग में ईश्वर के अस्तित्व के प्रश्न पर विचार करते हुए कहते हैं : यदि जगत् केवल घटनाओं का योग है तो इससे यह आपादित होता है कि यह केवल अस्थायी है और प्रातिभासिक भी है—तत्त्व और शक्ति से रहित। मनस् का (संवेदन से विचार के स्तर पर) यह आरोहण इस बात का संकेत है कि जगत् सत्ता की दृष्टि से केवल प्रतीति है, उसकी कोई वास्तविक सत्ता, कोई निजी सत्य नहीं है। यह इस बात का संकेत है कि इस प्रतिभास से आगे और ऊपर सत्य की प्रतिष्ठा ईश्वर में है। इस प्रकार 'वास्तव सत्' ईश्वर का ही पर्यायवाची है। (लॉजिक : अनुवाद, विलियम वैलेस, ऑक्सफोर्ड यूनीवर्सिटी प्रेस, पृ. 82)

कारण है इसलिए यदि तर्क स्वयं निस्स्वभाव है तो वे परमार्थतः भी निस्स्वभाव हो जाती हैं। किन्तु नागार्जुन केवल व्यावहारिक वस्तुओं की ही सस्वभावता का निषेध नहीं करते, वे निर्वाण, तथता और पारमिता प्रज्ञा की भी सस्वभावता का निषेध करते हैं और तर्क के आधार पर ही, जिससे यह निष्कर्ष निकलता है कि ये वस्तुएँ भी तर्कमूलक ही हैं और तर्क सबके स्वभाव की कसौटी है—स्वयं अपने स्वभाव सहित। इससे समस्या असाध्य हो जाती है : यदि अग्नि और तथता समान रूप से तर्क-प्रतिष्ठित किन्तु अतर्कसम्मत हैं तो ये स्वरूपतः समान हो जाती हैं, और यदि सर्वप्रतिष्ठापक तर्क स्वयं भी अप्रतिष्ठित है तो अवश्य सब वस्तुएँ अपने मूल में ही निस्स्वभाव हो जाएंगी, किन्तु इससे तर्क की अप्रतिष्ठा प्रतिपन्न नहीं हो सकेगी। इस समस्या का नागार्जुन कोई समाधान करते हैं या नहीं इस प्रश्न पर हम **विग्रहव्यावर्तनी** की समीक्षा के प्रसंग में विचार करेंगे। किन्तु दो दूसरे प्रश्न हैं जो यहाँ विचारणीय हैं। प्रथम कि यदि वस्तु-स्वभाव तर्क-रचित है तब वस्तुएँ अतर्कानुसारी कैसे हो सकती हैं? और दूसरे, यदि तर्क स्वयं अप्रतिष्ठित है तो वस्तुएँ तर्क-रचित कैसे हो सकती हैं? इनमें पहले प्रश्न का उत्तर होगा कि वस्तुएँ तर्क-प्रत्यय की अभिव्यक्तियाँ होती हैं और ये अभिव्यंग्य प्रत्ययों के लिए एक सीमा तक ही सम्यक् होती हैं। अभिव्यक्तियों की अपने अभिव्यंग्य प्रत्ययों के लिए सम्यक्ता की यह अपर्याप्तता हम अपनी कृतियों में सदा ही देखते हैं। किन्तु स्पष्टतः वस्तुओं की इस अतर्कानुसारिता से वस्तु-निस्स्वभावता आपादित नहीं होती बल्कि सस्वभावता ही सिद्ध होती है, क्योंकि इनका स्वभाव तब वह प्रत्यय ही होगा जो इनका अभिव्यंग्य है। पर नागार्जुन वस्तुओं को तर्कतः असिद्ध दिखाते हैं, तर्कतः न्यून या अधिक सदोष नहीं दिखाते। किन्तु वस्तुएँ तर्कतः असिद्ध, अपनी तार्किक रचना में आत्मबाधित कैसे हो सकती हैं? यदि कहें कि जैसे ख-पुष्प है, तो उत्तर होगा कि ख-पुष्प आत्म-बाधित नहीं है बल्कि वह वाक्य है जिसमें यह पद घटित होता है। हम जानते हैं कि न ख-पुष्प है और न हो सकता है, होने की इस तार्किक असम्भवता के उदाहरण के रूप में ही यह पद-रचना की गई है, किन्तु नागार्जुन प्रत्यक्षगत अग्नि, ईंधन, जाति, जरा, मरण आदि की भी तार्किक असम्भवता दिखाते हैं, और उस पर से यह कहते हैं कि ये ख-पुषष्पवत् हैं। यदि आप कहें कि ख-पुष्प तो दृष्टिगोचर नहीं है जबकि ये वस्तुएँ या घटनाएँ हैं, तो वे यह सिद्ध करने चलेंगे कि जो दिखायी देता है वह वास्तव में दिखायी नहीं देता, क्योंकि दिखायी देने का जो तर्क है उसके अनुसार दिखायी देना असम्भव है। उदाहरणतः वे कहते हैं—"अतः जब चक्षु में आत्म-दर्शन नहीं है तो पर-दर्शन भी सिद्ध नहीं होगा। इस प्रकार हम देखते हैं कि चक्षुरादि का नीलादि-दर्शन वादियों के स्वप्रसिद्ध अनुमान के ही विरुद्ध है।" (प्रत्यक्ष-परीक्षा) यह प्रतिपादन तर्कतः कहाँ तक युक्त है यह देखना यहाँ प्रासंगिक नहीं है, यह हम पीछे यथास्थान देख आये हैं, यहाँ केवल यह देखना प्रासंगिक है कि अतर्कानुसारिता के आधार पर वे किस प्रकार वस्तुओं की निस्स्वभावता प्रतिपादित करते हैं।

किन्तु यदि वस्तुओं की निःस्वभावता उनकी तार्किक आत्मबाधितता के कारण है तो इससे तर्क का सस्वभाव होना आपादित होता है, क्योंकि यदि तर्क निस्स्वभाव हो तो तार्किक आत्मबाधितता वस्तुओं को निस्स्वभाव नहीं सिद्ध कर सकती चाहे इससे उनकी सस्वभावता भी सिद्ध नहीं होती हो। यहाँ माध्यमिक यह नहीं कह सकता कि "यद्यपि तर्क अनात्मप्रतिष्ठित है किन्तु वस्तुओं की प्रतिष्ठा उसी से हो सकती है, और क्योंकि वे तर्क-प्रतिष्ठित नहीं हैं इसलिए वे निस्स्वभाव है।" कोई यह तो कह सकता है कि वस्तु-जगत् तर्क-प्रतिष्ठित है किन्तु स्वयं तर्क अप्रतिष्ठित है, इसलिए वस्तु-जगत् व्यवहारतः प्रतिष्ठित होने पर भी परमार्थतः अप्रतिष्ठित है, किन्तु यह नहीं कह सकता कि यद्यपि तर्क अप्रतिष्ठित है किन्तु तब भी वस्तुओं की प्रतिष्ठा की यह कसौटी है, और वस्तुएँ उससे रहित हैं इसलिए वे तत्त्व-शून्य, स्वभाव-शून्य हैं। नागार्जुन ने इस आपत्ति का उत्तर **विग्रह-व्यावर्तनी** में दिया है, इसलिए इस पर हम उस पुस्तक पर विचार के प्रसंग में विमर्श करेंगे।

विग्रह–व्यावर्त्तनी

विग्रहव्यावर्तनी का मुख्य प्रतिपाद्य तर्क को अप्रतिष्ठित मानने से उत्पन्न समस्याओं पर विचार करना है। इस प्रश्न के अतिरिक्त इसमें विचारित शेष प्रश्न **मध्यमक शास्त्र** में भी उठाये गये हैं और वहाँ इन पर अधिक गहराई से विचार हुआ है। वास्तव में **मध्यमक शास्त्र** में यह प्रश्न भी उठाया गया है और वहाँ भी उसका वही उत्तर दिया गया है जो विग्रहव्यावर्तनी में दिया गया है, किन्तु विग्रहव्यावर्तनी में यह प्रश्न विस्तार से और प्रथम प्रश्न के रूप में उठाया गया है। मध्यमक शास्त्र में यह प्रश्न 24वें प्रकरण में इस प्रकार उठाया गया है : "मध्यमक सिद्धान्त में जब परमार्थ निष्प्रपंच–स्वभाव है तो भगवान् ने अपरमार्थभूत स्कन्ध, धातु, आयतन, चार आर्यसत्य, प्रतीत्यसमुत्पाद आदि की देशना क्यों की है? अतत्त्व परित्याज्य होता है और परित्याज्य का उपदेश करना व्यर्थ है।" इसका उत्तर दिया गया है कि "व्यवहार (अभिधान अभिधेय, ज्ञान–ज्ञेय आदि) के अभ्युपगम के बिना परमार्थ की देशना असम्भव है" : सत्यमेतदेवम्, किन्तु लौकिक व्यवहारमनभ्युपगम्य अभिधानाभिधेय, ज्ञानज्ञेयादि–लक्षणं अशक्य एव परमार्थो देशयितुम्, अदेशितश्च न शक्योऽधिगन्तुम्, अनधिगम्य च परमार्थ न शक्यं निर्वाणमधिगन्तुमिति।"[1] किन्तु जैसाकि अभी हम देखेंगे, **विग्रहव्यावर्तनी** में उपर्युक्त समस्या अधिक सीधे और अधिक तार्किक स्तर पर उठाई गई है, किन्तु हमारे विचार में वहाँ भी इस समस्या का समाधान सन्तोषजनक नहीं है। पूर्वपक्ष के रूप में समस्या इस प्रकार उठायी गई है : (1) यदि सब पदार्थ शून्य हैं तो उनकी शून्यता का प्रतिपादक वाक्य 'सब पदार्थ शून्य हैं' भी शून्य होगा क्योंकि वह भी सब पदार्थों के अन्तर्गत है और उसके शून्य होने पर सब पदार्थों की अशून्यता अक्षत रहती है और ऐसी स्थिति में 'सब पदार्थ शून्य हैं' यह प्रतिषेध भी अनुपपन्न हो जाता है। (2) दूसरी ओर, यदि यह मान लिया जाय कि सर्वशून्यता की उक्ति उपपन्न है, तो वह उक्ति स्वयं शून्य हो जायगी तथा शून्य उक्ति के द्वारा शून्यता का प्रतिपादन नहीं हो पाएगा। (3) और यदि सब पदार्थ शून्य हैं तथा इसके साथ ही इस शून्यता की उक्ति शून्य नहीं है तो यह उक्ति सर्वत्र असंगृहीत होगी, अर्थात् पदार्थ–समष्टि के बहिर्भूत होगी। पदार्थ अशून्य हो नहीं सकता तथा शून्यता की उक्ति अशून्य है, ये दोनों परस्पर असमंजस हैं। (4) यदि शून्यता की उक्ति को संगृहीत माना जाय और उसके साथ ही सब पदार्थों को शून्य, तो वह उक्ति पुन: शून्य हो जायगी और प्रतिषेध में अक्षम हो जायगी। (5) यदि उक्ति शून्य है किन्तु शून्य होते हुए भी उसके द्वारा अशून्यता का प्रतिषेध किया जा सकता है तो शून्य होते हुए भी सब पदार्थ अर्थक्रिया में समर्थ हो जाएंगे, किन्तु तब शून्यता अस्तिता का नामांतर होगी, जो कि दृष्टान्त–विरुद्ध है। (6) यदि सब पदार्थ शून्य हैं तथा कार्य करने में असमर्थ हैं तो शून्यता की प्रतिपादक उक्ति के शून्य होने के कारण सब पदार्थों के स्वभाव का प्रतिषेध युक्त नहीं है। संक्षेप में, शून्यवाद के समर्थन में सदैव तार्किक विषमता उत्पन्न होना अनिवार्य प्रतीत होता है—सब शून्य मानते हुए अन्ततः कुछ शून्य और कुछ अशून्य मानना पड़ता है और इस प्रकार की विषमता में कोई हेतु नहीं दिया जा सकता।"

इसका उत्तर नागार्जुन इस प्रकार देते हैं—"निश्चय ही मेरा वचन शून्य है क्योंकि यह अन्य सब पदार्थों के समान हेतु–प्रत्यय–सामग्री की अपेक्षा करके उत्पन्न होता है। किन्तु इस हेतु–प्रत्यय सामग्री में, उसे समस्ततः या व्यस्ततः लेते हुए, यह उपलब्ध नहीं होता। किन्तु मेरे वचन की शून्यता से सब भावों की निस्स्वभावता ही सिद्ध होती है, सस्वभावता नहीं।"[2] (कारिका 21)

---

1. 24/9 पर चन्द्रकीर्तिकृत टिप्पणी।
2. युक्तियों का यह प्रस्तुतीकरण प्रोफेसर गोविन्दचन्द्र पाण्डे कृत बौद्ध धर्म के विकास का इतिहास के अनुसार किया गया है। द्र., पृ. 372–74

स्पष्टत: इस उत्तर में पूर्वपक्ष से कन्नी काटी गई है, क्योंकि पूर्वपक्ष सब पदार्थों में उक्ति को भी संगृहीत करने पर शून्यता-प्रतिपादन की असम्भवता दिखा रहा है। दूसरे शब्दों में, उसके अनुसार माध्यमिक द्वारा शून्यता-प्रतिपादन, प्रतिपत्ति ही के शून्य होने से, आत्मबाधित हो जाता है।

आगे 22वीं कारिका में इस समस्या के समाधान का एक दूसरी विधि से प्रयत्न किया गया है। इसमें नागार्जुन कहते हैं—"शून्यता अर्थात् निस्स्वभावता का अर्थ है प्रतीत्य-समुत्पन्नता।" (अभावरूपता नहीं) और प्रतीत्यसमुत्पन्न उनके अनुसार वह है जो क्रियासमर्थ हो। क्योंकि जैसाकि हमने पीछे देखा, नागार्जुन के अनुसार स्वभाववान् वह होता है जो न किसी अन्य से उत्पन्न होता है और न किसी अन्य को उत्पन्न करता है। इस कारिका की वृत्ति में वे कहते हैं "जिस प्रकार प्रतीत्यसमुत्पन्न और इस प्रकार निस्स्वभाव होने पर ही रथ-पट-घट आदि अपने-अपने कार्यों : काष्ठ, तृण, मृत्तिकाहरण, मधूकपय-संधारण, शीतवातातप परित्राणादि कार्य करने में समर्थ होते हैं उसी प्रकार मेरा वचन प्रतीत्यसमुत्पन्न और इस प्रकार निस्स्वभाव होने पर भी भावों के निस्स्वभावत्व-कथन में समर्थ है। आप जो आपत्ति करते हैं कि निस्स्वभाव होने के कारण आपका वचन शून्य है और उसके शून्य होने से उसके द्वारा सर्वभाव-स्वभाव का कथन अनुपपन्न है तो उसका हमारा उत्तर है कि जिस प्रकार कोई निर्मितिक माया-पुरुष माया से सृष्ट किसी अन्य निर्मितिक पुरुष को रोके उसी प्रकार यह प्रतिषेध है।"

किन्तु स्पष्टत: रथ-पट-घट आदि के कार्य निर्मितिक पुरुषों के कार्यों के समान अवास्तविक नहीं हैं। माध्यमिक एक ओर निस्स्वभावता को कार्य-सामर्थ्य कहता है और इसी आधार पर उसका वस्तुओं की अवास्तविकता से भी भेद करता है, दूसरी ओर वह निर्मितिक से उन्हें उपमित कर वस्तुओं और कार्यों की अवास्तविकता का प्रतिपादन करता है। और जैसाकि हम मध्यमकशास्त्र के प्रसंग में देख आये हैं, नागार्जुन के अपने प्रतिपादन के अनुसार वस्तुओं और उनके कार्यों का स्वरूप अतर्कसंगत होने के कारण व्यवहारोचित भी नहीं ठहरता, वह अलीक ही ठहरता है।

किन्तु निर्मितिक की स्थिति दूसरी है। निर्मितिक अवास्तविक तो होता है किन्तु वह न अलीक होता है और न निस्स्वभाव : स्वभाव के उस अर्थ में जिस अर्थ में निर्मितिक अनिर्मितिक से भिन्न होता है। निर्मितिक इसलिए अवास्तविक है क्योंकि वह प्रत्यक्ष रूप से दिखाई देता है किन्तु वह होता नहीं है, और इसी आधार पर नागार्जुन उसे निस्स्वभाव भी कह रहे हैं। किन्तु निर्मितिक को हम सस्वभाव इसलिए कह रहे हैं क्योंकि वह अनिर्मितिक-मूलक होता है। 27वीं कारिका में नागार्जुन कहते हैं : "तथागत ने किसी कामी व्यक्ति की आसक्ति को समाप्त करने के लिए एक माया-स्त्री और एक माया-भिक्षु का निर्माण किया। यह माया भिक्षु उस व्यक्ति को माया-स्त्री की मायारूपता दिखाकर उसे उसकी कामासक्ति से मुक्त करता है।" अब इस व्याख्या में स्पष्टत: तथागत, कामी पुरुष और उसकी कामासक्ति वास्तविक और सस्वभाव हैं और निर्मितिक तथागत में अधिष्ठित है और निर्मितिक स्त्री का कार्य कामी की कामुकता में वास्तविक है। इसलिए निर्मितिक अवास्तविक होने पर भी सस्वभाव हो जाते हैं और उनका कार्य वास्तविक हो जाता है।

किन्तु नागार्जुन को वास्तव में यह अभिप्रेत नहीं है, उन्हें निर्मितिक अनधिष्ठित रूप में ही अभिप्रेत है[1] और इस प्रकार निषेधक, निषेध और निषिद्ध तीनों उनके अनुसार अवास्तविक और निस्स्वभाव हैं। यदि यहाँ उनसे पूछें कि तब निर्मितिकता का प्रयोजन क्या है? तो वे उत्तर देंगे, यह पूछना ही हमारे अभिप्राय को नहीं समझना है, क्योंकि प्रयोजन की माँग ख-पुष्प की सुगन्ध की माँग जैसी है। **मध्यमक-शास्त्र** में हम देख आये हैं कि वे तथागत को भी वास्तविकों और स्वभाववानों की श्रेणी में नहीं रखते। यद्यपि **विग्रहव्यावर्तनी** में ऐसी बात नहीं है किन्तु उनकी व्यवस्था में संगत यही है। किन्तु तब और अधिक मूलगामी समस्या उत्पन्न होती है कि निर्मितिक के नितान्त निर्मितिक : अनधिष्ठित : होने पर निर्मितिक अनिर्मितिक से भिन्न किस आधार पर होगा? यहाँ नागार्जुन

1. यद्यपि इस कारिका की वृत्ति में वे यही कहते हैं कि 'तथागताधिष्ठाने वा स: तस्य तमसद्ग्राह विनिवर्तयेत।'

यदि आपत्ति करें कि 'यह निरपेक्ष अभाव को सापेक्ष बनाना है, क्योंकि केवल सापेक्ष अभाव ही भाव की सापेक्षता में देखा जा सकता है' तो यह ठीक नहीं है, क्योंकि यद्यपि सापेक्ष अभाव सापेक्ष भाव से वस्तुत: ही भिन्न और विरुद्ध होता है किन्तु निरपेक्ष अभाव निरपेक्ष भाव से अभिन्न ही नहीं अविश्लेष्य भी होता है। यही बात निषेधक वचन के सम्बन्ध में है—निषिद्ध स्वभाव-निषिद्ध होता है और निषेधक वचन निस्स्वभावताप्रतिपादक। अब यदि वचन भी निस्स्वभाव हो तो यह आत्मनिषिद्ध होगा। यदि इस आत्मनिषिद्ध को "निषेध का निषेध अतएव भाव ख्याति" ऐसा नहीं भी कहें क्योंकि यह विकल्पमूलक तर्क है और माध्यमिक का प्रतिपादन उससे बाहर है, तो भी आत्मनिषिद्ध निषेध निषेधक नहीं रहेगा, वह विधिरूप चाहे नहीं भी हो। यहाँ विधि और निषेध अभिन्न होंगे। अब निर्मितिक के उदाहरण में निर्मितिक भिक्षु निर्मितिक स्त्री का परिहार कैसे करता है? स्त्री को निर्मितिक दिखाकर; किन्तु उसके स्वयं भी निर्मितिक होने से इस प्रदर्शन के द्वारा वह आत्म-परिहृत भी हो जाता है। किन्तु यदि वह व्यक्ति भी निर्मितिक हो जिसके काम का निवारण निर्मितिक भिक्षु करता है तो यह आत्म-प्रदृष्ट निर्मितिक अनिर्मितिक से भिन्न नहीं हो सकता। निर्मितिकता का यह सम्पूर्ण त्यागार कग रो बम दो व्यक्तियों के अनिर्मितिक होने पर निर्भर है, एक, जिसके लिए निर्मितिकों का प्रवर्तन हुआ है और दूसरा, जो प्रवर्तन करता है।

अब, प्रतीत्यसमुत्पाद के सम्बन्ध में नागार्जुन कहते हैं कि "घट-पट आदि जलाहरण, शीतातपवारण आदि करते ही हैं यद्यपि वे निस्स्वभाव हैं।" किन्तु यहाँ दो प्रश्न हैं : प्रथम यह कि यदि ये ये कार्य करते हैं तो वे निस्स्वभाव किस प्रकार हैं? क्योंकि किसी कार्य-समर्थ वस्तु का स्वभाव उस सामर्थ्य को ही कहा जा सकता है। घट का जल-आहरणयोग्यता और ईंधन का इध्यता यही स्वभाव कहे जाएंगे, अन्यथा आप दूसरे किस स्वभाव की बात करते हैं? दूसरे, प्रतीत्यसमुत्पन्न वस्तु उत्पन्न होने से स्थितिशील भी होगी ही, इस प्रकार वस्तुओं का अस्तित्व भी इससे सिद्ध होता है। यदि स्थिति अत्यल्पकालिक भी हो तो भी इससे कोई अन्तर नहीं पड़ता क्योंकि निरवधिक काल में अवधि वस्तु के स्वभाव को प्रभावित नहीं करती और नागार्जुन अस्तित्ववान को निस्स्वभाव नहीं स्वीकार करते, बल्कि कहें, वे अस्तित्व और स्वभाव में भेद ही नहीं करते। इसी से वास्तव में वे इन वस्तुओं को निस्स्तभात के साथ अरितत्व रहित भी मानते हैं।

किन्तु गम्भीरतम कठिनाई यह है कि वे उत्पत्ति को भी स्वीकार नहीं करते; उनके अनुसार वह भी अयुक्त कल्पना है, जैसाकि **मध्यमक शास्त्र** पर विचार के प्रसंग में हम देख चुके हैं। अब यदि उत्पत्ति असम्भव है तब प्रतीत्यरागुत्पाव बे आधार पर कार्यसामर्थ्य की बात भी नहीं की जा सकती और इस प्रकार यह नहीं कहा जा सकता कि वचन यद्यपि निस्स्वभाव है किन्तु यह निस्स्वभावता प्रतीत्यसमुत्पादनपरक होने से निषेध करने में समर्थ है।

वास्तव में वे प्रतीत्यसमुत्पाद को भी दो प्रकार से प्रस्तुत करते हैं। एक, कि वस्तु हेतु-प्रत्ययों की सापेक्ष होने से निस्स्वभाव है, और दूसरे यह कि वह आगने हेतु-प्रत्ययों में उपलब्ध नहीं होने से निस्स्वभाव है। अब इन दो से संयुक्त रूप से यह आपादित होता है कि यद्यपि वस्तु की उत्पत्ति हेतु-प्रत्ययों के होने पर होती है किन्तु यह वस्तु उन हेतु-प्रत्ययों में अपचेय नहीं होती, क्योंकि वह अपचेय तब होती यदि वह उन हेतु-प्रत्ययों की समस्तता या व्यस्तता में विद्यमान होती। उदाहरणत: हमने अपनी पुस्तक **ज्ञान और सत्** में यह प्रतिपादित किया था कि सत्ता अवधारणा-सापेक्ष होती है, उसका अवधारणा-निरपेक्ष कोई निजी तत्त्व नहीं होता, और इसके लिए युक्ति यह दी थी कि घटनाएँ या वस्तुस्थितियाँ हमें अवधारणात्मक रूप में ही प्रस्तुत होती हैं, निरपेक्ष निजता में नहीं, और इस प्रकार देश-कालगत तथाकथित एक वस्तुस्थिति वास्तव में दो वर्गीकरणों में सर्वथा दो भिन्न वस्तुस्थितियाँ होती हैं। अब, इस सिद्धान्त के अनुसार, यद्यपि कोई वस्तुस्थिति अस्तित्वत: 'एक' होती है किन्तु अर्थत: या स्वरूपत: वह अस्तित्व दो भिन्न वस्तुओं का अधिष्ठान होता है। इस प्रकार वस्तु का यह स्वरूप उस व्याख्या-सन्दर्भ में अपचेय होता है जिस व्याख्या के निष्कर्ष के रूप में वह देखी जाती है। इसके उदाहरण रूप में किसी छटपटा रहे व्यक्ति को लिया जा सकता है जिसे एक देखने वाला प्रेत-बाधाग्रस्त कहता है और दूसरा रोग-

ग्रस्त। इस प्रकार हमने वहाँ वस्तु को 'वस्तु' के बजाय 'वस्त्वर्थ' कहा था और उसका कोई प्रदत्त रूप स्वीकार नहीं किया था। किन्तु नागार्जुन वस्तु को उसके अर्थ या स्वरूप-पक्ष में नहीं बल्कि उसके अस्तित्व पक्ष में ही देखते हैं और इस प्रकार वस्तु का भाव : सत्त्व : उनके लिए उसका अस्तित्वमात्र है। अब इस भाव को वे एक ओर अन्य-सापेक्ष कहकर स्वत्वरहित, स्वभाव-रहित कहते हैं और दूसरी ओर उसे अन्य में : हेतु प्रत्ययों में : नहीं पाकर स्वभाव-रहित कहते हैं। इसका कारण वस्तु के अस्तित्व और स्वरूप में व्यामिश्र है। उदाहरणत: घट मृत्तिका, कुम्भकार, चाक आदि हेतु प्रत्ययों के होने पर होता है, किन्तु उसका घटत्व : जल-धारण-योग्यता : उनमें नहीं होती। अब, यदि यह सही है तो इससे यही आपादित होता है कि घट की उत्पत्ति अपनी पूर्वगामी कुछ विशिष्ट घटनाओं की अपेक्षा कर घटित होती है किन्तु उसका अस्तित्व विशिष्ट होता है, क्योंकि वह आगामी घटना के लिए हेतु बनती है, और घट का स्वरूप : घटत्व : अपने हेतु-प्रत्ययों में अनुपलब्ध होने से नितान्त नव्योत्पन्न होता है। यदि अस्तित्व और स्वरूप में भेद नहीं भी करें तो भी नागार्जुन के प्रतिपादन में यह दोष है कि एक ओर वे वस्तु-स्वभाव को हेतु-प्रत्ययों का सापेक्ष होने से असत् कहते हैं और दूसरी ओर उनमें अविद्यमान होने से असत् कहते हैं। किन्तु वास्तव में वस्तु दोनों प्रकार से निस्स्वभाव सिद्ध नहीं होती, क्योंकि पहली दृष्टि के अनुसार उसका स्वभाव वे हेतु-प्रत्यय होंगे जिनकी सापेक्षता में वह घटित होती है : जैसे छटपटाता हुआ व्यक्ति या तो प्रेतबाधित्व स्वभाववान है अथवा रोग-स्वभाववान : और दूसरी दृष्टि के अनुसार वह निरपेक्ष स्वभाववान होगी। किन्तु कठिनाई यह है कि मध्यमकशास्त्र में नागार्जुन उत्पत्ति को भी अयुक्तिसिद्ध कहते हैं। इससे प्रतीत्यसमुत्पाद का भी कोई अर्थ नहीं रहता, क्योंकि भावों की उत्पत्ति ही नहीं होती : अनुत्पादम् : और न निरोध होता है : अनिरोधम्। किन्तु तब न कुछ प्रतीत्य होगा और न उत्पाद। किन्तु यदि ऐसा है तब इसका क्या अर्थ रह जाता है कि (1) भाव इसलिए स्वत्व से रहित हैं क्योंकि वे अन्यापेक्षी हैं, अथवा (2) वे इसलिए निस्स्वभाव हैं क्योंकि उनके हेतु-प्रत्ययों में उनका कोई भाव उपलब्ध नहीं होता? हमारे विचार में इसका नागार्जुन के पास कोई उत्तर नहीं है।

किन्तु इस प्रतिपत्ति को एक-दूसरे प्रकार से समझा जा सकता है। वह है 'स्वभाव' को 'अस्तित्व' से पृथक् करके, जिसकी ओर हमने पीछे संकेत किया था। मान लें कि मैं अपने से अपने अर्थ, अपने भाव, या स्वरूप के सम्बन्ध में प्रश्न करता हूँ और उसका उत्तर या तो यह पाता हूँ कि मैं या तो पूर्णत: आगन्तुक और अवश हूँ अथवा पूर्णत: पर-तन्त्र, जो पर पूर्णत: यदृच्छावान है। तब मैं अपने अस्तित्व में निषिद्ध नहीं होकर भी स्वभाव में निषिद्ध रहता हूँ। यह स्थिति हेगल की व्यवस्था से ईश्वर को निकाल देने पर अथवा हमारी[1] व्यवस्था से भाव्य या सत् को निकाल देने पर होगी। वास्तव में बुद्ध के "सब्बं खनिकं-खनिकम्, सब्बं दुःखं-दुःखम्" से भी यही अर्थ निकलता है। इसी प्रकार, चिड़िया अपने बच्चों को अगाध प्रेम करती है और बिल्ली उन्हें आकर खा जाती है। यदि ये दोनों बातें एक ही व्यवस्था के अन्तर्गत हैं तो यह एक भीषण निरर्थकता की स्थिति है, यह आत्म-बाधितता और आत्मनिषिद्धता की स्थिति भी है। किन्तु तब भी इसमें उत्पत्ति और अस्तित्व निषिद्ध नहीं हैं। अन्यत्र[2] हमने देखा है कि किस प्रकार पाशव जीवन भाव्यता या अपर्याप्तता-बोध से रहित होने के कारण सत्-रहित अस्तित्व की आवृत्ति और बहुलीकरण मात्र होता है। इस प्रकार सत् और अस्तित्व, कम-से-कम स्वरूप और अस्तित्व, एक ही बात नहीं हैं। अब, नागार्जुन स्वयं व्यवहार और परमार्थ का भेद करते हैं और व्यवहार को अधिगत किन्तु असत् मानते हैं। मान लें कि आप सत् और अस्तित्व में भेद नहीं करते और इस प्रकार परमार्थ को सत् नहीं मानते, केवल निराकृत व्यवहार को ही परमार्थ मानते हैं। किन्तु तब भी व्यवहार-निराकरण एक प्रक्रिया है और इसकी असत्ता इसके अस्तित्व में है और इसका साध्यार्थ : परमार्थ सत् : इसके अनस्तित्व में। इस प्रकार नागार्जुन का स्वभाव, अस्तित्व आदि की परीक्षा का सन्दर्भ नितान्त संकुचित और

1. द्रष्टव्य हमारी पुस्तक 'मनुष्य और जगत्' तथा 'सत्ताविषयक अन्वीक्षा'।
2. सत्ताविषयक अन्वीक्षा में 'सत्ता और अपर्याप्तता' तथा 'इतिहास-तत्त्व' अध्याय।

भ्रान्तिपूर्ण ठहरता है। उनके सन्दर्भ की संकुचितता तब अत्यधिक मुखर हो जाती है जब वे प्रतीत्यसमुत्पाद को समान रूप से भौतिक वस्तुओं, भावनाओं और मूल्यान्वेषणों पर लागू करते हैं। उदाहरणत: वे **मध्यमकशास्त्र** के 23वें प्रकरण 'विपर्यास-परीक्षा' में कहते हैं "राग, द्वेष और मोह संकल्प से उत्पन्न होते हैं। शुभ आकार की अपेक्षा से राग, अशुभ की अपेक्षा से द्वेष और विपर्यास की अपेक्षा से मोह उत्पन्न होता है। इन तीनों की उत्पत्ति में साधारण कारण संकल्प है। इन शुभ, अशुभ और विपर्यासों की अपेक्षा कर उत्पन्न होने के कारण रागादि अकृत्रिम (सस्वभाव) और निरपेक्ष सिद्ध नहीं होंगे।" इसमें राग, द्वेष आदि ठीक उसी रूप में कल्पित हैं जिस रूप में अग्नि, ईंधन आदि कल्पित हैं। ठीक इसी प्रकार आत्मा का निषेध है। पीछे हम देख आये हैं कि वे तथागत और निर्वाण का भी इसी प्रकार निषेध करते हैं। इस प्रकार उनके लिए सम्पूर्ण जगत् एक-स्तरीय है, जबकि वास्तव में जगत् के अनेक स्तर हैं।

शून्यताविषयक कुछ अन्य मतों की समीक्षा

पीछे हमने **मध्यमकशास्त्र** की युक्तियों की परीक्षा की और नागार्जुन के दार्शनिक प्रतिपाद्य पर संक्षेप में विचार किया। उसी प्रसंग में हमने उनकी **विग्रहव्यावर्तनी** की प्रासंगिक युक्तियों और दार्शनिक प्रतिपाद्य पर भी विचार किया। नागार्जुन के दार्शनिक प्रतिपाद्य पर अन्य भी असंख्य आधुनिक विद्वानों ने विचार किया है किन्तु हमने उनमें प्राय: किसी का उल्लेख नहीं किया, सिवाय प्रोफेसर गोविन्दचन्द्र पाण्डे, प्रोफेसर टी.आर.वी. मूर्त्ति और डॉ. हर्षनारायण के। यहाँ हम नागार्जुन के मन्तव्य पर आगे विचार के प्रसंग में इनके मतों पर कुछ और विचार करेंगे और उनके साथ श्चर्बात्स्की के मत पर भी विचार करेंगे। इनमें प्रो. मूर्त्ति और श्चर्बात्स्की में प्राय: ऐकमत्य है कि नागार्जुन न केवल सर्वनिषेधवादी ही नहीं हैं बल्कि अतिक्रान्त भाववादी–वस्तुवादी हैं। श्चर्बात्स्की ने तो यहाँ तक दावा किया है कि नागार्जुन बुद्ध के धर्मकाय को परमार्थ सत् के रूप में स्वीकार करते हैं जो वैदान्तिक ब्रह्म से अभिन्न-स्वरूप है। हमारे विचार में ये दोनों मत निराधार हैं। डॉ. हर्षनारायण का मत हमारे मत के अनुरूप है जैसाकि हम पीछे भी देख आये हैं। यहाँ हम उनके एक–दूसरे लेख की चर्चा करेंगे। श्चर्बात्स्की और मूर्त्ति ने किस प्रकार अपने विचार का नागार्जुन पर बर्बस अध्यारोप किया है इसके उदाहरण-स्वरूप हम उनकी पुस्तकों से एक-एक उद्धरण देंगे। श्चर्बात्स्की नागार्जुन की निर्वाण की अवधारणा की व्याख्या करते हुए कहते हैं : "विश्व–विषयक अपनी अद्वैतवादी अवधारणा (मोनिज़्म) के अनुरूप ही नागार्जुन का यहाँ कहना है कि परमार्थ (एब्सोल्यूट) और व्यवहार (फ़िनामिनल) में कोई अन्तर नहीं है। विश्व अपनी समग्रता में (यूनिवर्स ऐज़ ए होल) परमार्थ है और वही प्रक्रिया के रूप में देखे जाने पर व्यवहार–जगत् है। नागार्जुन कहते हैं कि:—

> य आजवंजवीभाव उपादाय प्रतीत्य वा,
> सोऽप्रतीत्यानुपादाय निर्वाणमुपदिश्यते। 25.9

अर्थात् कारण–कार्य–परम्परा के रूप में देखे जाने पर जो विश्व व्यवहार–जगत् है वही कारण–कार्य–परम्परा से निरपेक्ष देखे जाने पर निर्वाण (एब्सोल्यूट) है।"[1]

अब यहाँ श्चर्बात्स्की ने 'निर्वाण' का अनुवाद 'एब्सोल्यूट' किया है और इसी से सब कुछ बदल जाता है। 'परमार्थ' का अनुवाद भी वे एब्सोल्यूट ही करते हैं जो कि नागार्जुन के मन्तव्य से स्पष्टत: असंगत है, जैसाकि हम पीछे देख आये हैं। 'निर्वाण' शब्द का व्युत्पत्त्यर्थ जबकि कारण–कार्य–परम्परा का उपशम है, नागार्जुन को अभिप्रेत अर्थ क्या है यह हम पीछे देख आये हैं और आगे प्रसंगानुसार पुन: देखेंगे। किन्तु उससे अधिक महत्त्वपूर्ण यह देखना है कि श्चर्बात्स्की ने इस कारिका का अर्थ इसे प्रसंग से हटा कर किया है। चन्द्रकीर्ति इसका अर्थ इस प्रकार करते हैं : "यह आजवंजवीभाव, जन्म–मरण–परम्परा, कभी हेतु–प्रत्यय–सामग्री का आश्रयण कर प्रज्ञप्त होती है—ह्रस्व–दीर्घ के समान, कभी उत्पद्यमान रूप में प्रज्ञप्त होती है—बीजांकुर के समान। यदि हम मानें कि यह सर्वथा भाव का उपादान कर प्रज्ञप्त होती है, अथवा अन्य की अपेक्षा कर : प्रतीत्य : उत्पन्न होती है तो जो जन्म–मरण–परम्परा भाव का उपादान कर अथवा अन्यापेक्षा से व्यवस्थापित की जाती है वही अनन्यापेक्ष्य, अनुपादाय रूप अथवा अप्रवृत्ति रूप से व्यवस्थापित की जाती है। किन्तु निर्वाण अप्रवृत्तिमात्र या भावाभाव रूप में कल्पनीय नहीं है। अर्थात् निर्वाण भाव–रूप या अभाव–रूप नहीं है।"[2] अब, चन्द्रकीर्ति की यह

---

1. दि कंसेप्शन ऑफ बुद्धिस्टिक निर्वाण, द्वितीय संशोधित और परिवर्धित संस्करण, पृ. 56, मोतीलाल बनारसीदास, दिल्ली, 1977
2. स चायमाजवंजवीभाव: कदाचिद्धेतुप्रत्यय-सामग्रीमाश्रित्य अस्तीतिप्रज्ञप्यते—ह्रस्व-दीर्घवत् कदाचिदुत्पद्यत इति प्रज्ञप्यते, प्रदीप-प्रभावत्, बीजांकुरवत्। सर्वथा यद्ययं उपादाय प्रज्ञप्यते, यदि वा प्रतीत्य जायत इति व्यवस्थाप्यते, सर्वथास्य जन्ममरण

व्याख्या पिछली कारिकाओं के प्रसंग के अनुसार है जबकि श्चर्बात्स्की ने इस कारिका के 'य:' और 'स:' को प्रसंग से निकाल कर इसका अपने पूर्वग्रह के अनुसार अर्थ किया है। श्चर्बात्स्की का यह आग्रह उनकी सम्पूर्ण व्याख्या में परिलक्षित होता है। यही बात प्रोफेसर टी.आर.वी. मूर्त्ति के सम्बन्ध में कही जा सकती है। उदाहरणत: उन्होंने कारिका 27.8 को उद्धृत करते हुए यह दिखाने का प्रयत्न किया है कि नागार्जुन आत्मा के अस्तित्व का निषेध नहीं करते। यह कारिका निम्न प्रकार है:—

एवं नान्य उपादानान्न चोपादानमेव स:,
आत्मा नास्त्यनुपादान: नापि नास्त्येव निश्चय:। 27.8

इस कारिका में स्पष्टत: आत्मा के अनस्तित्व-कथन का निषेध प्रतिपादित प्रतीत होता है। किन्तु वास्तव में ऐसा नहीं है। यह प्रसंग वास्तव में दृष्टिविषयक है, और यह हम सम्यक् रूप से जानते हैं कि नागार्जुन ने दृष्टिमात्र का, निषेध-दृष्टि के सहित, निषेध किया है। आत्माविषयक प्रकरण 18वां है जिसमें उनका प्रतिपाद्य पाण्डेजी के अत्यन्त सम्यक् अनुवाद में निम्न प्रकार है:—

"यदि आत्मा स्कन्धों से अभिन्न है तो वह उत्पत्ति-विनाशशील हो जायेगा। यदि आत्मा स्कन्धों से भिन्न है तो विज्ञान आदि स्कन्ध लक्षणों से रहित हो जाएंगे। अर्थात् स्कन्ध-भिन्न आत्मा में रूपण, अनुभव, निमित्तोद्ग्रहण, अभिसंस्करण तथा विषयप्रतिज्ञप्ति का अभाव होगा। आत्मा के अभाव में आत्मीय का अभाव अनिवार्य है। आत्मा और आत्मीय का उपशम होने पर योगी निर्मम और निरहंकार हो जायेगा। किन्तु इस निर्मम और निरहंकार पुरुष की भी वास्तविक सत्ता नहीं है। जो उसे विद्यमान मानता है वह अविद्या में पड़ा है। अहं और मम के क्षीण होने पर पुनर्जन्म क्षीण हो जाता है। कर्म और क्लेश के क्षय से मोक्ष की प्राप्ति होती है। कर्म और क्लेश विकल्प से उत्पन्न होते हैं, विकल्प प्रपंच से। समस्त प्रपंच शून्यता से निरुद्ध हो जाता है। तथागत ने कहीं आत्मा का उपदेश किया है, कहीं अनात्मा का, कहीं आत्मा और अनात्मा दोनों का प्रतिषेध किया है। यह उनका उपाय कौशल है। **चित्त-गोचर के निवृत्त होने पर समस्त अभिधेय भी निवृत्त हो जाता है।** अर्थात् परमार्थ अवाङ्मनसगोचर है। धर्मता निर्वाण के समान अनुत्पन्न एवं अनिरुद्ध है। बुद्ध का अनुशासन यह है कि **सब तथ्य है, सब अतथ्य है, तथ्य एवं अतथ्य दोनों हैं, तथा वस्तुत: न अतथ्य है, न तथ्य है।** तत्त्व का लक्षण यह है कि वह निरपेक्ष, शान्त, निष्प्रपंच, निर्विकल्प तथा नानात्व-रहित है। जो कुछ सापेक्ष है उसका अपना स्वभाव नहीं है, न उसका परभाव हो सकता है।"[1]

यहाँ रेखांकित वाक्यों में नागार्जुन ने दृष्टि, अथवा कहें सर्वदृष्टि-त्याग की ही बात की है जिसकी आवृत्ति ही हमें **मध्यमकशास्त्र** के 27वें और अंतिम प्रकरण में मिलती है जिस प्रकरण में कि आत्मा के अस्तित्व-निषेध के निषेध-विषयक उपर्युक्त कारिका है। इस प्रकरण की 13वीं और 14वीं कारिका में इस का स्पष्ट कथन है जो इस प्रकार है:—

एवं दृष्टिरतीते वा नाभूमहमभूमहम्
उभयं नोभयं चेति नैषा समुपद्यते। 13.
अध्वन्यनागते किं नु भविष्यानीति दर्शनम्,
न भविष्यामि चेत्येतदतीतेनाध्वना समम्। 14.

प्रबन्धस्य, अप्रतीत्य वा अनुपादाय वा अप्रवृत्तिस्तन्निर्वाणमिति व्यवस्थाप्यते, न च अप्रवृत्तिमात्रं भावाभावो वेति परिकल्पितुं पार्यत इति। एवं न भावो नाभावो निर्वाणम्।

1. बौद्ध धर्म के विकास का इतिहास, हिन्दी समिति, उ.प्र. लखनऊ, 1963, पृ. 389 रेखांकन हमारे द्वारा।

इन पर टिप्पणी करते हुए चन्द्रकीर्ति कहते हैं—"नागार्जुन इस प्रकार अतीत और अनागत अध्व में दृष्टि-चतुष्टय : अस्ति, नास्ति, उभय, अनुभय : का परिहार करते हैं? अब यहाँ द्रष्टव्य है कि "अतीत में नहीं था" इसका वे क्यों निषेध करते हैं। इसका वे इसलिए निषेध करते हैं क्योंकि तब अहैतुक उत्पत्ति माननी पड़ेगी। तब क्या हम यह विकल्प स्वीकार कर सकते हैं कि मैं सदैव था? यह भी स्वीकार नहीं किया जा सकता क्योंकि तब शाश्वतवाद को मानना पड़ता है और इससे प्रतीत्यसमुत्पाद का बाध होगा। एक-एक दृष्टि का पृथक्-पृथक् अभाव होने पर इन के समाहार के सत्य होने का प्रश्न ही कहाँ रहता है? उभय का अभाव होने पर उसके निषेध से अनुभयता भी कैसे हो सकती है?" इस टिप्पणी से स्पष्ट है कि नागार्जुन द्वारा अनस्तित्व के निषेध का अर्थ अस्तित्व की स्वीकृति अथवा स्यादात्मक स्वीकृति नहीं है बल्कि केवल सब सम्भव विकल्पों की अस्वीकृति के अन्तर्गत इस विकल्प की भी अस्वीकृति है। इसी क्रम में पाण्डे जी के मत का भी उल्लेख किया जा सकता है जो श्चर्बात्स्की और प्रोफेसर मूर्त्ति के समान नागार्जुन को किसी चित्सत् का प्रतिपादक नहीं कहते हुए भी नितान्त निषेधवादी भी नहीं कहते। उनके अनुसार "मनस् (चित्) विषयिता और विषयता के किसी भी लक्षण से रहित है और व्यक्तियों, विषयियों और विषयों का सम्पूर्ण संसार पूर्णत: काल्पनिक है। मनस् तथा इसकी परिशुद्धता के स्वरूप का किसी भी प्रकार से निर्धारण दुस्साध्य है। इसे पूर्ण रिक्तता अथवा मात्र शून्यता से पृथक् करना कठिन है सिवाय यह कहने के कि यह मात्र नकारात्मकता नहीं है और कि यह अयथार्थ अथवा मिथ्या को प्रकट करने की सम्भावना से गर्भित है। किन्तु तब शून्यता भी शुद्ध नकारात्मकता नहीं है और यह सब वस्तुओं में व्याप्त मानी गई है—"शून्यता रूपं रूपं शून्यता।"[1] पाण्डे जी इसे आगे और स्पष्ट करते हुए कहते हैं कि "यदि शून्यता अनस्तित्व नहीं है और जगद्व्यवहार के सत्य का निषेध नहीं करती, और यदि यह मात्र नकारात्मकता नहीं है, तो इसे शंकर के अद्वैत तत्त्व का नामांतर मात्र भी नहीं कहा जा सकता।"[2]

यहाँ प्रथम उद्धरण का आरम्भिक वाक्य द्रष्टव्य है। इसमें शून्यवाद विज्ञानवाद से अभिन्न हो गया है। किन्तु आगे पाण्डे जी शून्य को रिक्तता से समीकृत कर शून्यवाद के वास्तविक मन्तव्य के निकट आते हैं। किन्तु अनन्तर पुन: उसे इतना अधिक अन्तर्गर्भ बना देते हैं कि शंकर भी उसके सम्मुख निषेधवादी प्रतीत होने लगते हैं, क्योंकि यदि कल्पना-जगत् शून्य की अन्त:शक्ति से उद्भूत या प्रकट (मैनीफैस्ट) होता है तो शून्य वास्तव में काश्मीर शैव दर्शन के शक्तिमय और प्रकाश-विमर्शात्मक शिव का ही नामान्तर हो जाता है। किन्तु नागार्जुन न केवल ऐसा कुछ नहीं कहते हैं बल्कि उनके प्रतिपादन से ऐसा कुछ बहुत क्षीण रूप से भी ध्वनित तक भी नहीं होता है कि वे व्यवहार-जगत् को किसी प्रकार की सृजनात्मक कल्पना से जनित मानते हैं, उनका 'कल्पना' शब्द का प्रयोग केवल जगत् के मिथ्यात्व का ही वाचक है।

उपर्युक्त तीन विद्वानों के अनुरूप ही ठाकुर जयदेव सिंह भी नागार्जुन और चन्दकीर्ति के प्रतिपादनों पर अपनी दृष्टि का आरोप करते हैं। प्रोफेसर टी.आर.वी. मूर्त्ति के समान ही वे नागार्जुन के चतुष्कोटि निषेधात्मक तर्क को कांट के 'क्रिटीक ऑफ डायलेक्टिकल रीज़न' के अनुरूप देखते हैं। सम्भवत: इससे बड़ा अतिचार दूसरा नहीं हो सकता, क्योंकि कांट संवेदमूलक बौद्धिक कोटियों को युक्त स्वीकार करते हुए बौद्धिक कोटियों के कल्पित विषयों को संवेदमूलक कोटियों के विषयों के अनुरूप वस्तुवाचक मानने को भ्रामक कहते हैं। नागार्जुन बौद्धिकता के इन दो स्तरों, या अन्य किसी भी प्रकार के स्तरों में कोई भेद करते दिखायी नहीं देते। इसके विपरीत जैसाकि हमने स्पष्ट रूप से दिखाया है, वे केवल दो ही आयाम देखते हैं—व्यवहार और परमार्थ के, और ज्ञान, अनुभूति तथा कर्म के जितने भी आयाम हैं उन सभी को व्यवहार के अन्तर्गत संगृहीत कर परमार्थ को इस आयाम की शून्यता के बोध के रूप में एक दूसरा आयाम स्वीकार करते हैं। इस कारण नागार्जुन के परमार्थ को नाऊमेना (पर-तत्त्व) नहीं कहा जा सकता।

1. बुद्धिस्ट फिलोसोफी, बुद्धिज़्म में संकलित, पृ. 34-35
2. वही, पृ. 41

यहाँ जयदेव सिंह जी से उदाहरण स्वरूप दो उद्धरण देना उपयुक्त होगा। वे **मध्यमकशास्त्र** की कारिका 22.12 को और उस पर चन्द्रकीर्ति की प्रसन्नपदा को दृष्टांत रूप में प्रस्तुत करते हुए कहते हैं कि "नागार्जुन इस कारिका में महात्मा बुद्ध द्वारा परिगणित चौदह अव्याकृतों का उल्लेख कर यह दिखाने का प्रयत्न करते हैं कि तर्क-बुद्धि जब व्यवहार-जगत् को समझने के अपने उचित व्यापार को छोड़ कर पर-तत्त्वों के वर्जित क्षेत्र में भटक जाती है तब वह अनिवार्य रूप से अस्ति, नास्ति, उभय, अनुभय के ऐसे विग्रहों में फँस जाती है जिसका कोई समाधान सम्भव नहीं है।"[1] यह स्पष्टत: कांट के विचार का नागार्जुन पर आरोप है, और ऐसा सस्ता आरोप जैसा प्रोफेसर मूर्त्ति ने भी नहीं किया। प्रोफेसर मूर्त्ति ने वैसे तो नागार्जुन के चतुष्कोटि-व्यावर्तक तर्क को कांट के डायलेक्टिकल रीज़न से तुलनीय कहा है किन्तु उन्होंने इस प्रकार उनमें समानता नहीं दिखायी जिस प्रकार जयदेव सिंह जी ने दिखायी है। इसी प्रकार नागार्जुन द्वारा कारणता की परीक्षा : प्रत्यय-परीक्षा : के सम्बन्ध में ठाकुर साहिब कहते हैं—"नागार्जुन स्वत:उत्पाद, परत: उत्पाद, द्वाभ्याम् उत्पाद और अहेतुत: उत्पाद चारों की स्वरूपगत विसंगति दिखा कर इस निष्कर्ष पर पहुँचते हैं कि कारण वस्तु-सत्ता के स्वभाव पर विकल्पमूलक अध्यारोप है (कॉज़ालिटी इज ए मीअर थॉट-कंस्ट्रक्शन सुपर-इंपोज़्ड अपॉन दि ऑब्जेक्टिव ऑर्डर ऑफ अग्ज़िस्टेंस), कांट के शब्दों में कारणता केवल एक मानसिक विकल्प (केटगरी ऑफ माइंड) है।"[2]

नागार्जुन का स्पष्टत: ऐसा मत नहीं है। नागार्जुन कारणता को प्रतीत्य-समुत्पाद के रूप में स्वीकार करते हैं, इतना ही नहीं, वे इसे व्यवहार-जगत् का पारमार्थिक स्वरूप कहते हैं, वे केवल कारणता की दूसरी व्याख्याओं की विसंगति दिखाते हैं। अवश्य वे इसे अनिरोधमनुत्पादम्...के रूप में अनिर्वचनीय भी कहते हैं किन्तु न तो यह कारणता का व्यवहार या परमार्थ में निषेध है और न इसमें स्वत:, परत: उत्पाद आदि की अन्तर्गत विसंगति का मूल कांट के समान अनुभवातिक्रामी बुद्धि की आत्मविमर्श की असामर्थ्य में देखने का प्रतिपादन है। नागार्जुन तो वास्तव में इस अतिक्रामी तर्क का उपयोग अनुभवकोटियों के क्षेत्र में ही करते हैं और इस उपयोग के द्वारा इन अनुभवकोटियों की अन्तर्गत विसंगति दिखाते हैं, जैसा कि पीछे यथाप्रसंग हम देख आये हैं। यह सही है कि इधर-उधर कहीं कोई ऐसी कारिकाएँ भी मिल जाती हैं जिनमें वे प्रपंचातीत तत्त्व का प्रतिपादन करते भी दिखायी देते हैं, इस प्रसंग में निम्न कारिका विशेष रूप से द्रष्टव्य है:—

> अपरप्रत्ययं, शान्तं, प्रपंचैरप्रपंचितम्।
> निर्विकल्पं, अनानार्थं, एतत तत्त्वस्य लक्षणम्।[3]

किन्तु हमारे विचार में ऐसी दो-एक कारिकाओं को केवल आलंकारिक रूप में ही लेना उपयुक्त होगा, अभिधार्थक रूप में लेना उपयुक्त नहीं होगा।

इन लब्धप्रतिष्ठ विद्वानों के विपरीत एक-दूसरे प्रतिष्ठित विद्वान् डॉ. हर्षनारायण ने हमारे मत के अनुरूप मत प्रतिपादित किया है। उनके एक लेख का उल्लेख हम पीछे कर आए हैं, यहाँ हम उनके एक दूसरे लेख से एक उद्धरण देना चाहते हैं जो हमारे प्रस्तुत प्रतिपाद्य के लिए विशेष प्रासंगिक है।अपने इस लेख 'दि नेचर ऑफ माध्यमिक थॉट' में वे कहते हैं—"माध्यमिक सम्प्रदाय मिथ्यात्ववादी और निस्स्वभाववादी (इल्यूयनिस्ट एण्ड निहिलिस्ट) है। किन्तु माध्यमिक सम्प्रदाय ऐसा केवल दार्शनिक रूप से ही है। यह वास्तव में प्रज्ञापारमिता के आधार पर धर्म, दर्शन और गुह्य ज्ञान (मिस्टिसिज़्म-ग्नोसिस) के तीन स्तरों की स्थापना करता है...नागार्जुन द्वारा **अष्ट साहस्रिका प्रज्ञापारमिता** के आरम्भ के श्लोकों में दी गई 'प्रज्ञापारमिता-स्तुति' इस बात का एक ज्वलंत उदाहरण है...(माध्यमिक) धार्मिक के रूप में भाववादी और वस्तुवादी (पॉज़िटिविस्ट्स एण्ड रीयलिस्ट्स) हैं,

---

1. श्चर्बात्स्कीकृत दि कंसेप्शन ऑफ बुद्धिस्टिक निर्वाण का 'विषय-प्रवेश', उपर्युक्त संस्करण, पृ. 16
2. वही, पृ. 20
3. म.शा. 18.9

दार्शनिक के रूप में निषेधवादी–निस्स्वभाववादी हैं, किन्तु रहस्यवादी के रूप में वे क्या हैं, यह ईश्वर ही जाने।"[1] वे आगे कहते हैं—"प्रज्ञापारमिता के स्तर पर माध्यमिक दर्शन सब दृष्टियों के, शून्यता–दृष्टि के सहित, निरास अथवा प्रहाण की ओर अग्रसर होता है। माध्यमिक...पहले यह दिखाता है कि सब अपनी उत्पत्ति और अस्तित्व में आगन्तुक और अन्यापेक्षी है और परिणामत: स्वभाव–रहित, सत्त्व–रहित है। इसका अर्थ होता है रीता व्यवहार–जगत्, असत्ता ओर अभाव। परिणामत: इस प्रहत सत्ता का स्थान असत्ता लेने को अग्रसर होती है, किन्तु तब वह इस पर भी प्रहार करता है जिसके निष्कर्षस्वरूप पूर्ण निषेधवाद प्रतिफलित होता है।"[2] इस प्रकार माध्यमिक शून्यता के सम्बन्ध में डॉ. हर्षनारायण का मत हमारे मत के अनुरूप है।

किन्तु यहाँ हमने डॉ. हर्षनारायण के लेख का उल्लेख जिस मंतव्य से किया है वह है नागार्जुन की धार्मिकता की उनके दार्शनिक सिद्धान्त से प्रकट असंगति। यहाँ हमारे लिए विचारणीय है कि क्या इनमें किसी गहरे स्तर पर संगति सम्भव है? वास्तव में अधिकांश व्यक्तियों के जीवन में बहुत–सी विसंगतियाँ रहती हैं और इसमें दार्शनिक भी कोई अपवाद नहीं हैं। किन्तु कुछ स्थितियों में संगति प्रकट असंगतियों का सन्निवेश करके ही प्रतिष्ठित होती है, जैसे रामचरित मानस के सर्वज्ञ–सर्वशक्तिमान् ईश्वरतत्त्व का राम के रूप में विरह और रुदन आदि व्यवहार है। कुछ प्रसंगों में हम विसंगति जानते हुए भी उसे अस्तित्व के अवर स्तर पर अनुमति देते हैं, जैसे सब घटनाओं में ईश्वर का कर्तृत्व स्वीकार करने वाला व्यक्ति भी अपने पुत्र की मृत्यु पर स्वेच्छा से रो सकता है। नागार्जुन द्वारा प्रज्ञापारमिता की स्तुति इस कोटि में भी रखी जा सकती है : वे शून्यता को ही प्रज्ञापारमिता और प्रज्ञापारमिता को शून्यता मानते हुए भी प्रज्ञापारमिता नामाभिधेय पदार्थ का आक्षेप कर अपने को उसके प्रति गद्गद् अनुभव करने की अनुमति दे सकते हैं। किन्तु यहाँ हम यह मानकर कि नागार्जुन के लिए धर्म और दर्शन का यह असामंजस्य केवल प्रकट ही है, वास्तविक नहीं, उनकी धार्मिकता को उनके शून्यवाद की संगति में समझने का प्रयत्न करेंगे। सम्भवत: नागार्जुन के इन दो पक्षों में सामंजस्य इस आधार पर ही हो सकता है कि उनके परमार्थ को शान्त कहने का अर्थ यह लिया जाय कि जबकि प्रपंच, हमारे अपने अस्तित्व के सहित, सब प्रकार से और सब प्रसंगों में आत्मबाधित है, इस प्रपंच का निरसन : प्रपंचातिक्रमण : साध्य है। वास्तव में यही बहुत बड़ा रहस्य है कि जो अपने स्वरूप में ही आत्मबाधित है वह तब भी कैसे? यह अपने आप में एक दुहरी असम्भव स्थिति हो जाती है। किन्तु इसकी आत्मबाधितता और तब भी विद्यमानता ठोसतम तथ्य है। वास्तव में यदि इसकी विद्यमानता हो ही नहीं तो आत्मबाधितता के होने का भी प्रश्न उत्पन्न नहीं होता। किन्तु इसके आत्मबाधित होने से इसे सत् नहीं कहा जा सकता। इसलिए यह हो कर भी असत् है, यह असत्–विद्यमानता है भूत के भय के समान : इस बात की उपेक्षा करते हुए कि भय भ्रान्तिमूलक होने पर भी सत् होता है। इस आत्मबाधित स्थिति का निरास साध्य है, इसमें कोई दो मत नहीं हो सकते, किन्तु इस सिद्धि का फल क्या होगा? इसमें अन्वेष्य क्या है? नागार्जुन का उत्तर हो सकता है कि "मिथ्यात्व का निरास ही क्या कम मूल्यवान् है? फिर, इसके फल की बात, अतिक्रमण से उत्तर स्थिति के स्वरूप की बात, हम जो कि अपने स्वरूप में ही उसी प्रकार प्रपंचात्मक और आत्मबाधित हैं जिस प्रकार कुछ भी अन्य है, विचार ही कैसे कर सकते हैं? इसे ही हम दृष्टियों का अभाव कहते हैं, यही परम साध्य है। किन्तु यह नितान्त दुस्साध्य भी है, उसी प्रकार जिस प्रकार किसी अगायक के लिए युक्त स्वरों की लय पर कंठ को समायोजित करना दुस्साध्य होता है। दृष्टियों का निरास, दृष्टि के मोह का परित्याग, जिसमें अपने स्वरूप की जिज्ञासा का मोह भी सम्मिलित है, अपने अस्तित्व में सिद्ध करने में, इस प्रपंचात्मक आत्मास्तित्व का उससे तादात्म्य साधने में, धर्म–भाव बहुत सहायक हो सकता है।

इस पर प्रश्न हो सकता है कि रीता ठोस के समान क्यों और कैसे भासता है? प्रपंच वास्तविक क्यों और कैसे प्रकट होता है? जब तक कुछ ठोस और वास्तविक नहीं हो तब तक यह कैसे सम्भव है? नागार्जुन द्वारा इन

---

1. माध्यमिक डायलैक्टिक एण्ड फिलोसोफी ऑफ नागार्जुन, संपादक थुपतन छोगडुप, केन्द्रीय उच्च तिब्बती शिक्षा संस्थान, सारनाथ, वाराणसी, 1985, पृ. 231–320.
2. वही, पृ. 234

प्रश्नों का उत्तर हो सकता है कि "ये सब प्रश्न भी प्रपंचात्मक ही हैं : वही प्रयोजन, उपाय, विधि और तर्क आदि, और तब प्रयोजक, उपादाता, विधायक और प्रमाता आदि जिनकी अयुक्तता हम देख ही चुके हैं। यदि आप कहें कि युक्तता युक्ति की पूर्वापेक्षी है और युक्ति युक्त–अयुक्त की, तो यह आपत्ति हमारे पर नहीं हो सकती क्योंकि हम इन अपेक्षाओं को भी निराकरणीय ही मानते हैं।"

यह सही है कि हमने नागार्जुन की युक्तियों को सदोष पाया है और युक्त्यतिक्रमण के प्रयत्न को असाध्य, किन्तु नागार्जुन इसके उत्तर में कह सकते हैं कि "यदि हम यह मान भी लें कि हमारी युक्तियों में वे सब दोष हैं जो आपने बताये हैं और युक्त्यतिक्रमण का प्रयत्न असाध्य और अनेष्य है, तो भी इससे कोई अन्तर नहीं पड़ता, क्योंकि इससे हमारे प्रयत्न की निराधारता सिद्ध नहीं होती। हमारा मन्तव्य यह है कि जगत् की सब वस्तुएँ और जगत्, स्वयं हमारा और हमारी युक्तियों का समावेश करते हुए, आगन्तुक और प्रतिष्ठा–रहित है। क्या आप यह दिखा सकते हैं कि ये ऐसे नहीं हैं? आप कहना चाहते हैं कि इनकी आगन्तुकता किसी अनिवार्यता, किसी स्वभाव की संकेतक है, किन्तु हमारी इस पर आपत्ति है कि यह आप किस आधार पर कहते हैं? इसके लिए कोई आधार नहीं दिया जा सकता सिवाय उसी सापेक्षात्मक तर्क के जो अपनी निस्स्वभावता के लिए स्वयं प्रमाण है। तब जो और जितना आपके सामने स्पष्ट है उतने ही को स्वीकार कर, उसी के सम्मुख नतमस्तक हो, आत्मसमर्पण कर, आप क्यों सन्तुष्ट नहीं रहते? यहाँ डॉ. हर्षनारायण का एक आक्षेप उल्लेखनीय है। वे कहते हैं : "शून्यवाद की सब निरपेक्षतावादी–पूर्णतावादी (एब्सोल्यूटिस्टिक) व्याख्याएँ इस मान्यता पर आधारित हैं कि माध्यमिक रूपकों में बात करता है, किन्तु यदि वस्तु ही इस प्रकार रूपकात्मक हो जाय तब कैसे काम चलेगा?"[1] इस पर नागार्जुन का उत्तर हो सकता है कि "नहीं, रूपक भी नहीं, हमारे मन्तव्य की अभिव्यक्ति की उचित माध्यम उलटबांसियां ही हो सकती हैं। 'निरपेक्षतावाद' आदि शब्द अभिधा या रूपक किसी भी विधि से हमारे अभिप्राय को व्यक्त नहीं कर सकते, शब्द केवल सब सम्भव विकल्पों के निषेध द्वारा ही उसका अनुमान दे सकते हैं। किन्तु हमारा यह निषेध औपनिषद् नेति–नेति के प्रकार का भी नहीं है, क्योंकि हमें निषेध द्वारा किसी अनिषेध्य की ओर संकेत करना अभिप्रेत नहीं है। वास्तव में अतिक्रामी वस्तुएँ ऐहिक वस्तुओं की अनुकृति मात्र हैं और इस प्रकार दुहरी काल्पनिक हैं। उनमें अनुरक्ति उससे भी अधिक भयानक है जितनी ऐहिक वस्तुओं में अनुरक्ति भयावह है। हमें जो बात निश्चित रूप से ज्ञात है वह यह कि ज्ञेय विषयमात्र आगन्तुक और निस्स्वभाव है और उतना ही निस्स्वभाव ओर निष्फल प्रमाण–प्रमेय व्यवहार है। इसलिए जो असत् है उसमें अनुरक्ति कैसी? इसलिए हमारे लिए यह विरक्ति ही साध्य है। यह सिद्ध हो जाने पर सत्य स्वयं ही सिद्ध होगा, किन्तु उसके लिए कोई अनुरक्ति सम्भव नहीं है क्योंकि यह अनुरक्ति का विषय ही नहीं हो सकता। आत्मा की खोज अहंकार की ही खोज का एक छद्म रूप है क्योंकि 'अतिक्रामी' आदि शब्द लगा देने से आत्मा की अहंकारात्मकता पर पर्दा नहीं डाला जा सकता। यही बात ब्रह्म आदि के सम्बन्ध में भी सही है।

"इसका अर्थ यह नहीं है कि हम परमार्थ को व्यवहार के रीतेपन से अभिन्न मानते हैं। हमारा कहना केवल यह है कि हम केवल ज्ञेय और ज्ञान की आत्मबाधितता को और इस प्रकार व्यवहार–जगत् के रीतेपन को ही जान सकते हैं। यह स्वयं विचार के ही स्वभाव में है कि वह अपने विषय के साथ अपनी निस्स्वभावता को भी उद्घाटित कर सकता है। इसलिए हम जैसे ही व्यवहार के आगे परमार्थ को जानने का प्रयत्न करते हैं वह व्यवहार में ही रूपान्तरित हो जाता है। परमार्थ को उसके स्वरूप में पाने का हमारा प्रयत्न वैसा ही है जैसा किसी का दौड़कर अपनी देह की सीमा से बाहर निकलने का प्रयत्न हो सकता है। इस प्रयत्न को सार्थक रूप से साधने वाले को तो पहले अपनी देह का ही परित्याग करना होगा।"

कुछ इस प्रकार का उत्तर है जो दार्शनिक नागार्जुन अपनी धार्मिकता के लिए दे सकते हैं। किन्तु यह उत्तर कहाँ तक समीचीन है, यह एक दूसरी बात है, किन्तु यह निश्चित रूप से कहा जा सकता है कि यह धार्मिकता

1. माध्यमिक डायलैक्टिक एण्ड फिलोसोफी ऑफ नागार्जुन, संपादक थुपतन छोगडुप, केन्द्रीय उच्च तिब्बती शिक्षा संस्थान, सारनाथ, वाराणसी, 1985, पृ. 246

शून्यवाद को एक आध्यात्मिकआयाम दे देती है और इससे यह एक निरर्थकता–बोध और अनास्था में पर्यवसित नहीं होकर अपने आप में आश्रय हो जाती है। यहाँ कवि अज्ञेय की एक कविता का उद्धरण समीचीन होगा:—

शून्य को भजता हुआ भी मैं
पराजय को बरजता हूँ
चेतना मेरी बिना जाने
प्रभा में निमजती है
मैं स्वयं
उस ज्योति से अभिषिक्त
सजता हूँ।

प्रपंच, प्रपंचाभाव और प्रपंचातीत

पिछले अध्याय में हमने देखा कि किस प्रकार कुछ बहुत प्रतिष्ठित बौद्धविद्याविद् नागार्जुन की 'शून्यता' को 'असत्त्व' का पर्यायवाची नहीं मानते। उनका प्रस्ताव है कि 'शून्यता' का अर्थ केवल प्रपंच के पक्ष में ही असत्त्व : रिक्तता : लेना चाहिए, जगदोत्तर तत्त्व के पक्ष में यह अर्थ नहीं लेकर 'अनिर्धार्यता', 'अवाच्यता' ही अर्थ लेना चाहिए। यद्यपि यह समझना कठिन है कि क्यों जिन निर्धारणों के कारण प्रपंच को शून्य कहा गया है उन्हीं निर्धारणों से अतीत तत्त्व को भी इसलिए शून्य कहा जाय क्योंकि वह इन निर्धारणों का विषय नहीं हो सकता, किन्तु मान लें कि नागार्जुन 'शून्य' शब्द का इन दो विरोधी अर्थों में हीप्रयोग करते हैं तो भी क्या यह कहने के लिए कोई औचित्य है कि वे चतुष्कोटि-निषेधक तर्क का प्रयोग कांट के अनुरूप अनुभव-वियुक्त तर्क की अप्रतिष्ठता दिखाने के लिए करते हैं, जैसाकि प्रोफेसर टी.आर.वी. मूर्त्ति और ठाकुर जयदेव सिंह ने सिद्ध करने का प्रयत्न किया है? हमारे विचार में यह सर्वथा अयुक्त है जैसाकि हमारी **मध्यमक-शास्त्र** और **विग्रहव्यावर्तनी** की परीक्षा से स्पष्ट है। जैसाकि हमने देखा है नागार्जुन ने अपने अधिकांश विश्लेषणों में अनुभवमूलक विषयों को अनुभव-वियुक्त अवधारणाओं में उद्गृहीत कर उन विषयों की आत्मविसंगति दिखायी है और इस विसंगति को उनकी शून्यता कहा है। उदाहरणत: वस्तुओं की उत्पत्ति और नाश का, गति और स्थिति का, अग्नि और ईंधन का, कर्मों और संस्कारों का निषेध इसी अनुभव-वियुक्त विश्लेषण के आधार पर किया गया है। यहाँ कहा जा सकता है कि यह अनुभव अपने मूल में ही प्रपंचात्मक है और परिणामत: निषेध्य है। किन्तु यह दिखाने की आवश्यकता है कि ऐसी बात है, क्योंकि दिङ्नाग का निर्विकल्पकता का सिद्धान्त और धर्मकीर्ति का अपोह का सिद्धान्त दोनों इन्द्रियानुभव को अवाग्विषय ही स्वीकार करते हैं, और नागार्जुन ने यह कहीं नहीं दिखाया है कि यह अनुभव वाग्विषय हो सकता है। दूसरे, यदि तद्विषयक वाग्व्यवहार को उस अनुभव का वाग्विषयत्व मान भी लें तो भी वह इससे उत्तरवर्ती तर्क द्वारा परीक्ष्य और अपने भाव में निषेध्य हो सकता है यह स्वीकार्य नहीं जान पड़ता। यहाँ वास्तव में कांट का प्रतिपादन बहुत सहायक हो सकता है जिसने अतिक्रामी तर्क की उसके आनुभविक प्रयोग में भ्रामकता दिखायी है। वास्तव में नागार्जुन ने जो किया है वह यह कि उसने अनुभव-विषयक वाग्व्यवहार को ही अनुभव-निरपेक्षता देकर उसके द्वारा अनुभव को अप्रतिष्ठित दिखाने का प्रयत्न किया है। उदाहरणत: 'राम जाता है' वाक्य लें। इसमें उद्देश्य और विधेय दोनों अनुभव-विषयक पद हैं और इनके बीच सम्बन्ध भी। यहाँ नागार्जुन प्रश्न करते हैं कि "कर्त्ता और क्रिया भिन्न हैं या अभिन्न?" और इसका उत्तर देते हैं कि "ये दोनों पक्ष इसलिए ठीक नहीं हैं क्योंकि यदि गन्ता से गमन-क्रिया अभिन्न मानें तो कर्त्ता और क्रिया का एकत्व मानना होगा, किन्तु कर्त्ता-क्रिया का भेद द्वारा अभिधान भी सम्भव नहीं है।" यहाँ अनुभवविषयक अध्यवसाय को व्याकरणविषयक अध्यवसाय में रूपान्तरित कर उसकी कोटियों को वस्तुविषयक कोटियों के रूप में लेते हुए आनुभविक सम्बन्धों का निर्धारण किया गया है। तब इससे जो भाव और अभाव आदि के चार विकल्प बनते हैं उन्हें उन्होंने कांट के अनुरूप तर्क के अनुभवोत्तर प्रयोग के अनुपयुक्त परिणामों के रूप में नहीं देखकर अनुभव विषय में ही स्वगत दोष के रूप में देखा है। ऐसी अवस्था में नागार्जुन के तर्क की कांट के द्वन्द्वात्मक तर्क से तुलना करना उपयुक्त नहीं कहा जा सकता। यह सही है कि नागार्जुन विकल्प को प्रपंच का कारण और इस प्रकार असदात्मक मानते हैं, किन्तु इसमें अनुभव और विकल्प, तथा अनुभवमूलक विकल्प और तद्वियुक्त विकल्प के भेद का ध्यान नहीं रखा गया है। ऐसा नहीं है कि यह ध्यान रखना आवश्यक है और इस प्रकार कांट की ज्ञानमीमांसा और तत्त्वमीमांसा को स्वीकार करना आवश्यक है। फ़िख्ते और हेगल ने ही यह नहीं किया है। किन्तु नागार्जुन के चतुष्कोटिक विश्लेषण में इस भेद का ध्यान रखना आवश्यक है, अन्यथा आपके चतुष्कोटि या

उभयकोटि–निषेध का कोई आधार नहीं रहता। उदाहरणत: शंकर द्वारा जगत् को प्रतिभास या अध्यास के रूप में देखने पर यह आपत्ति नहीं की जा सकती कि उन्होंने कांट की इस शिक्षा का ध्यान नहीं रखा, क्योंकि उन्होंने रज्जु–सर्प–भ्रम के प्रसंग में रज्जु को सर्प के समान ही भ्रान्ति के रूप में नहीं देखा, जो कि नागार्जुन ने देखा है। हमारी इस आपत्ति का औचित्य नागार्जुन के आत्मा के अस्तित्व पर विचार के प्रसंग में और भी स्पष्टत: देखा जा सकता है। शंकर आत्मा का अस्तित्व आत्म–प्रत्यय के आधार पर अथवा अस्मिता की अप्रत्याख्येयता के आधार पर सिद्ध करते हैं, किन्तु नागार्जुन आत्मा का निषेध करते हैं और उसका आधार उपर्युक्त प्रकार से चतुष्कोटि–रचना को बनाते हैं। वे प्रश्न करते हैं "आत्मा स्कन्धों से भिन्न है या अभिन्न?" और तब उत्तर देते हैं कि "यदि स्कन्ध ही आत्मा हैं तो उसका उदय–व्यय, उत्पाद–विनाश मानना होगा और अनेकता माननी होगी, यदि वह स्कन्ध–व्यतिरिक्त है तो उसका लक्षण स्कन्ध नहीं होगा।" (आत्मपरीक्षा प्रकरण) यहाँ आत्मा को स्कन्ध मानने या नहीं मानने में निहित आपादन बताये गए हैं और दोनों आपादनों को अस्वीकार्य माना गया है। किन्तु इन दोनों में से किसी भी विकल्प के आपादन स्वीकार करने में क्या कठिनाई है, विशेषत: दूसरे विकल्प के? दूसरे, यदि कोई आपत्ति करे कि आत्मा के सम्बन्ध में इस प्रकार प्रश्न की रचना ही अयुक्त है क्योंकि इसका विपरीत प्रश्न भी इसी प्रकार बनाया जा सकता है—'स्कन्ध आत्मरूप हैं या अनात्मरूप?' और यह नहीं कहा जा सकता कि यह दूसरा प्रश्न पहले से अधिक या कम अयुक्त है, अथवा पहला अयुक्त है और दूसरा अयुक्त। क्योंकि आख़िर इन प्रश्नों की युक्तता और अयुक्तता के बीच निर्णय का क्या आधार होगा? इन प्रश्नों के बीच निर्णय की असम्भवता इससे और स्पष्ट हो जाती है कि उनके अनुसार स्कन्धों का अस्तित्व भी इसी प्रकार असिद्ध है। (द्रष्टव्य प्रकरण 4, स्कन्ध–परीक्षा) अब आत्मा स्कन्धरूप है या अस्कन्धरूप, इस प्रश्न के उत्तर के लिए स्कन्धों का अस्तित्व पूर्वस्वीकृत होना आवश्यक है, जैसाकि कांट में है, वह अस्तित्व अस्वीकृत होने पर यह प्रश्न उत्पन्न ही नहीं होता, और यदि वह आकारत: उठना ही हो तो इसका विपरीत प्रश्न भी उसी प्रकार किया जा सकता है।

'प्रपंच' का अर्थ ऐसी अतिक्रामी वाग्रचना या विकल्परचना है जिसे साधारणत: हम वस्तुमात्र के रूप में ग्रहण करते हैं और 'जगत्' या 'संसार' कहते हैं किन्तु जो वस्तुत: सत् नहीं है। सत् निष्प्रपंच है, अर्थात् उसमें विकल्पजन्य भेद, वाग्रचित विषयों और उनके सम्बन्धों का जटिल ताना–बाना नहीं है, वह अद्वय, एकरस और सरल है। इसे तत्त्व या तथता भी कहा गया है, जिसका अर्थ अखण्ड, विषयिता से अप्रभावित वस्तुता है। प्रपंच नितान्त विषयिता है। यों प्राय: सभी विषयिताएँ विषयरूपेण ही गृहीत होती हैं किन्तु कुछ विषयिताएँ वैयक्तिक और तात्कालिक होती हैं और कुछ व्यक्त्यतिक्रामी और कालातीत होती हैं। इन दूसरे प्रकार की विषयिताओं को बौद्ध अनादि वासनाएँ कहते हैं। वास्तव में इस विचार के अनुसार व्यक्तिरूपेण स्वयं हमारा अस्तित्व भी विषयिता में ही प्रतिष्ठित होता है, जिस विषयिता को अहंकार की संज्ञा दी गई है। यह विषयिता अतिक्रामी है। जगत् या प्रपंच का मूल इस विषयिता का यह अतिक्रामी अर्थ लेने पर वाक् के लिए अतीत निर्विकल्पक संवेद भी इस विषयिता के अन्तर्गत ही आ जाते हैं, यद्यपि कुछ दार्शनिक, उदाहरणत: दिङ्नाग और कांट, इस विषयिता को वस्तु–सम्बद्ध मानते हैं। इस प्रकार हम और जगत्, अथवा कहें जगत्, जो व्यक्ति और जाति–रूप में हमें भी सम्मिलित करता है, वस्तु से पृथक् अथवा वस्तु पर अध्यस्त विषयिता है, जिससे मुक्त होकर ही वस्तु–स्वरूप की सिद्धि सम्भव है। यहाँ प्रश्न हो सकता है कि इस वास्तविकता को, जिसमें हमारे भौतिक, भावनात्मक और बौद्धिक सम्पूर्ण अस्तित्व का ही निषेध हो, जिसमें हमारी अस्मिता का ही विसर्जन पूर्वापेक्षित हो, पा कर हम क्या करेंगे? इसे संक्लेश, दु:ख क्यों कहा गया है? इसका उत्तर होगा कि अवस्तु में वस्तुभाव असत्य है, मिथ्यात्व है, इसी कारण यह दु:ख है। अथवा कहें दु:ख का यहाँ यही अर्थ है। असत्य से मुक्ति यह तो परम मूल्य रहेगा ही।

किन्तु इस तत्त्व का क्या स्वरूप है? इसके सम्बन्ध में वेदान्त–दृष्टि है कि यह चिदानन्दात्मक है। किन्तु इस उत्तर पर, और वास्तव में इस प्रश्न पर ही, आपत्ति हो सकती है कि हम, जो अपने अस्तित्व में ही आमूलाग्र

असत् अथवा उपाधिभूत हैं, वस्तु-स्वरूप के सम्बन्ध में कुछ विचार या कल्पना कर ही कैसे सकते हैं? क्या यह अपनी छाया को कूदकर लांघने के प्रयत्न जैसी बात नहीं है? महात्मा बुद्ध द्वारा कुछ प्रश्नों को अप्रष्टव्य और कुछ तत्त्वों को अव्याकृत कहने का यही अर्थ है। कहा जा सकता है कि नागार्जुन यहाँ एक कदम और आगे जाते हैं और कहते हैं कि विषयिता विसर्जनीय है और विषयता विषयिता से अधिक कुछ नहीं है। उदाहरणत: आत्मा का अस्तित्व है या नहीं, निर्वाणोपरान्त बुद्ध रहते हैं या नहीं, इन प्रश्नों को बुद्ध अव्याकृत कहते हैं किन्तु नागार्जुन इन्हें अव्याकृत नहीं कहते, वे इनको व्याकृत कर समान रूप से रिक्त, अवास्तविक, निस्स्वभाव और अतत्त्व कहते हैं। इस प्रकार वे बुद्ध से आगे नहीं जाकर उनसे भिन्न मार्ग का अवलम्बन करते हैं।

अब यहाँ यह प्रश्न विचारणीय है कि क्या शून्यवाद एक तर्कत: सम्भव सिद्धान्त है? वास्तव में पिछले अध्याय में चर्चित विद्वानों ने जो नागार्जुन के 'शून्य' पद का अर्थ निरपेक्ष परतत्त्व किया है वह इसी कारण कि वे नितान्त शून्यवाद, अथवा कहें रिक्तवाद असद्वाद को तर्कत: सम्भव, अथवा कहें अवधार्य, नहीं पाते। पीछे 'प्राक्कथन' में उद्धृत शंकराचार्य की शून्यवाद की आलोचना भी यही है कि प्रपंच किसी निष्प्रपंच तत्त्व के आधार पर ही प्रपंचित हो सकता है, मिथ्यात्व सत्य के बिना मिथ्या नहीं हो सकता। यदि विचार अपने विषय को और अपने को भी निस्स्वभाव पाता है तो वह स्वभाव के आधार पर ही वैसा कर सकता है। निश्चय ही यहाँ नागार्जुन की युक्ति अकाट्य है कि "यह स्थिति तो विचार की सीमा ही प्रकट करती है कि विचार किसी स्थिति को उसके निषेध के बिना नहीं देख सकता।" किन्तु विचार अपनी इस सीमा को भी देख सकता है जो उसके आत्मविचार में अपने को उद्घाटित करती है। किन्तु आत्मस्वरूप-प्रकाशन में समर्थ यह विचार भी अपने विषय और अपने निर्धार्य रूप की कोटि में ही आता है, यह कहना सही नहीं है, क्योंकि 'भाव और अभाव स्वरूपत: सापेक्ष हैं' यह निर्धारण स्वयं भी निर्धारित है, ऐसा कहने का कोई कारण नहीं है। **विग्रहव्यावर्तनी** में नागार्जुन द्वारा शून्यताप्रतिपादक युक्ति की शून्यता की स्वीकृति का औचित्य इसके अनुसार समझा जा सकता है। यदि इस प्रत्यङ्मुखता को अनिर्धार्यता नहीं मानकर अनवस्था-दोष कहा जाय, जैसाकि नागार्जुन[1] और बहुत-से दार्शनिक कहते हैं, तो फिर निर्धारण की निर्धारणात्मकता का, और उससे अधिक शून्यता का, उसके किसी भी अर्थ में, बोध ही सम्भव नहीं हो सकेगा, क्योंकि किसी भी निर्धारण का बोध अनिर्धार्य में पर्यवसित हुए बिना निर्धारणों के अनन्त क्रम को ही उत्पन्न करता है। वास्तव में शून्यता को अन्य दृष्टियों में एक दृष्टि नहीं मानने का नागार्जुन का अनुरोध प्रत्यङ्मुखविचारगम्य इस अनिर्धार्यता की ही स्वीकृति है। अनिर्धार्य निर्धारणों के साथ सन्तत नहीं होता क्योंकि यह निर्धारणों के निषेध से नहीं बल्कि निर्धारणों के अतिक्रमण से प्रकाशित होता है।[2] इसलिए यह निर्धारणों का सापेक्ष नहीं होता। किन्तु जैसाकि स्पष्ट है, यह अनिर्धार्य आत्मप्रत्यङ्मुख विचार या चित् ही है जिसे न तो निर्धार्यों की शून्यता के रूप में प्रतिपादित किया जा सकता है और न ही जिसे स्वयं शून्य कहा जा सकता है, इस अर्थ में भी नहीं कि विचार उसके निर्धारण में असमर्थ है, क्योंकि अनिर्धार्य स्वयं निर्धारणात्मक विचार का ही आत्मसाक्षात्कार है।

अब निर्धारण अनिर्धार्य का ही परिसीमन, अथवा कहें निर्धारण होने से निर्धारण इस अनिर्धार्यता के तत्त्व से रहित नहीं होते, ये अनिर्धार्य में सन्निहित होते हैं। वास्तव में नागार्जुन का प्रतीत्यसमुत्पाद का सिद्धान्त स्वयं इस तथ्य की स्वीकृति है : यदि प्रत्येक वस्तु अथवा घटना अन्य-सापेक्ष है तो इसका अर्थ है कि वह अपने आविर्भाव के साथ अनिर्धार्य का निर्धारण करती है, क्योंकि प्रतीत्यसमुत्पाद के अनुसार वस्तु एक-साथ ही अपने को और इतर को निर्धारित करती है (यद्यपि नागार्जुन यह कहते प्रतीत होते हैं कि वस्तु स्वयं में कुछ हुए बिना इतर से निर्धारित होती है।) किन्तु यदि ये दोनों इतरेतर रूप में नहीं देखे जाकर एकात्मक ही देखे जाते हैं तो ये

1. पीछे 'प्रत्यय परीक्षा' प्रकरण द्रष्टव्य।

2. द्रष्टव्य हमारी पुस्तक — **सत्ताविषयक अन्वीक्षा**, अ. 1 तथा 10.

अनिर्धार्य हो जाते हैं। अथवा यह भी कह सकते हैं कि प्रतीत्यसमुत्पाद यही है : घट और अघट को इतरेतर रूप में नहीं देखकर एक-रूप में ही देखना; और इस प्रकार यह निर्धारणों की अनिर्धार्यता का दर्शन हो जाता है। किन्तु इससे निर्धारणों की निस्स्वभावता प्रकट नहीं होती, अनिर्धार्य की निस्स्वभावता का तो फिर प्रश्न ही कहाँ उत्पन्न होता है, क्योंकि निर्धारित केवल आकारतः ही इतरापेक्षी होता है, वस्तुतः नहीं। उदाहरणतः 'ह्रस्व-दीर्घ', 'ऊपर-नीचे' आदि जितने सहज रूप में इतरेतरता में अपचित प्रतीत होते हैं उतने ही 'रक्त' और 'पीत', 'घट' और 'पट', तथा 'प्रेम' और 'द्वेष' इतरेतरता में अनपचेय प्रतीत होते हैं। अवश्य 'रक्त' संज्ञा 'अरक्त' से निर्धारित हुए बिना अर्थवान् नहीं हो सकती, किन्तु रक्त वर्ण यदि नील, पीत आदि (अरक्त वर्णों) से अस्तित्वतः सापेक्ष भी देखा जाय तो भी वह इतरेतरता में अपचेय नहीं कहा जा सकता। इसी प्रकार यदि प्रेम और द्वेष में अस्तित्वतः भी इतरेतरता हो तो भी ये दो भाव इतरेतरता में अपचेय नहीं हो सकते, केवल इनकी इतरेतरता का लय इनके अस्तित्व को अविशिष्ट कर सकता है।

यहाँ अस्तित्व के इस प्रश्न पर थोड़ा और गहराई से विचार करना उपयुक्त होगा। प्रेम और द्वेष विशिष्ट चैत्त अवस्थाएँ हैं और रक्त तथा पीत विशिष्ट रूप (वर्ण)। ऐसा समझा जाता है कि द्वेष से व्यावृत्त हुए बिना प्रेम और अरक्त से व्यावृत्त हुए बिना रक्त तद्‌रूप में अवगम्य नहीं हो सकते, दूसरे शब्दों में इनका कोई निरपेक्ष स्वरूप नहीं हो सकता। किन्तु यह अयुक्त है, क्योंकि यह व्यावृत्ति शब्दमूलक तो है किन्तु चैत्त या संवेदमूलक या रूपात्मक नहीं। प्रेम-वृत्ति या रक्त वर्ण क्रमशः द्वेष और अरक्त वर्ण से व्यावृत्त होकर गृहीत नहीं होते, यद्यपि यह सही है कि ये चित् के अहंकारोपहित हुए बिना और इस प्रकार भावक और दर्शक के अपने अस्तित्व में व्यावृत्त हुए बिना आविर्भूत नहीं हो सकते। उदाहरणतः किरणों को एक-साथ सब वैकल्पिक किरण-दैर्घ्यों में देख सकने वाली चक्षु कोई वर्ण नहीं देख सकती, न अभिन्न राग-द्वेष का अनुभोक्ता इनसे अतटस्थ रह सकता है। किन्तु यह पूर्णतः सम्भव है कि केवल एक ही वर्ण और द्वेष-रहित प्रेम का ही अस्तित्व हो। तब 'रक्त' और 'प्रेम' ये संज्ञाएँ होंगी या नहीं यह एक पृथक् प्रश्न है। इसलिए इन्हें अस्तित्वतः परस्पर सापेक्ष नहीं कहा जा सकता और परिणामतः 'इतर' के लय में 'स्व' के लय को अन्तर्निहित नहीं कहा जा सकता। किन्तु विचार-विषयभूत रक्त और प्रेम क्रमशः अरक्त और द्वेष से अनिवार्यतः व्यावृत्त होते हैं और इस प्रकार अन्य सापेक्ष होते हैं। किन्तु यह द्रष्टव्य है कि विचार जहाँ विकल्पात्मक है वहाँ सामान्यात्मक भी है। विचारगत घट-व्यष्टि अन्य घट-व्यष्टि से व्यावृत्त भी है और घटत्व में उससे अभिन्न भी। अब यह सामान्योन्मुख उत्क्रमण वस्तुमात्र को सर्वग्राही अनन्यत्व में आत्मसात् अथवा कहें तदात्म कर देता है। इस प्रकार प्रतीत्यात्मक सापेक्षता वस्तु की निस्स्वभावता नहीं उसकी सर्वसमावेशी स्वभावता की द्योतक होती है।

किन्तु नागार्जुन ने प्रतीत्यसमुत्पाद को विचार के स्तर पर नहीं लेकर अस्तित्व के स्तर पर लिया है। यदि प्रतीत्यसमुत्पाद को इस स्तर पर लेकर सापेक्षता को अस्तित्वगत कहा जाता है तब अवश्य वस्तुओं की निस्स्वभावता उपपन्न होती है। किन्तु ऐसा दो स्तरों में व्यामिश्र हुए बिना सम्भव नहीं है। उदाहरणतः इस प्रतिज्ञप्ति को लें कि "रूप और विज्ञान का आश्रय कर चक्षुर्विज्ञान की उत्पत्ति होती है।" अब इसके अस्तित्वविषयक प्रतिज्ञप्ति होने के लिए इसका इस प्रकार आमूल रूपान्तरण आवश्यक होगा : "यह चक्षुर्विज्ञान है, जो उस रूप और इस विज्ञान का (अथवा किसी रूप और किसी विज्ञान का) आश्रय कर उत्पन्न हुआ है।" किन्तु इसमें चक्षुर्विज्ञान प्रस्तुत और मूलभूत है, रूप और विज्ञान अनुमेय है। इसलिए विशिष्ट वर्ण की अन्य प्रत्यय-सापेक्षता उसे उसके अस्तित्व में अपचित नहीं करती क्योंकि उत्पादक या अपेक्षित अन्य प्रत्यय न तो स्वयं में अस्तित्ववान होते हैं और न उनकी प्रत्ययता अस्तित्वगत होती है। इसलिए प्रस्तुत रूप की अन्य-सापेक्षता केवल अनुमेय औरअपने अस्तित्वपूर्वक होती है। स्वयं नागार्जुन ही कहते हैं कि "प्रस्तुत न अपने प्रत्ययों की व्यवस्तता में उपलब्ध होता है और न समस्तता में।" बिल्कुल ठीक, किन्तु इससे प्रस्तुत की अन्य-प्रत्ययसापेक्षता और निस्स्वभावता कैसे आपन्न होगी? वास्तव में भौतिक और चैत्त स्तर पर, जिन्हें हमने अस्तित्व का स्तर कहा है,

घटित वस्तुएँ विशिष्ट और परस्पर पृथक् होती है, इसलिए उनमें किसी भी प्रकार का समुत्पाद-सम्बन्ध और सापेक्षता-सम्बन्ध भी केवल कल्पित ही हो सकता है। इनमें कोई भी सम्बन्ध विचार द्वारा इनके आकलन के क्रम में ही उत्पन्न होता है। नागार्जुन इस प्रथम स्तर को, जिसे स्वलक्षण वस्तुओं का स्तर कहा जाता है, स्वीकार करते प्रतीत नहीं होते। वास्तव में यह स्तर अपने शुद्ध रूप में हमें गम्य होता भी नहीं। गम्य केवल प्रतिविषयाध्यवसायात्मक विषय-जगत् ही होता है जिसमें वस्तुएँ परस्पर सम्बद्ध होती हैं। किन्तु इसमें भी व्यष्टि-वस्तुएँ किसी व्यवस्था में अशेषत: अपचेय नहीं कही जा सकती, जैसाकि हम पीछे भी देख आये हैं। वास्तव में जगत् को नाम-रूपात्मक कहने में भी जगत् की यही द्विविधिता, नाम में रूप की अनपचेयता, स्वीकृत है। अवश्य यह कहा जा सकता है कि घटत्व के अतिरिक्त घट का कोई स्वरूप-स्वभाव नहीं होता। किन्तु जलाहरण कृत्य घट से ही सम्पन्न होता है, घटत्व से नहीं। कारण-कार्य या प्रतीत्यसमुत्पाद-व्यवस्था का आश्रय तो केवल मात्र यह रूपात्मक वस्तु-लोक ही है, चाहे स्वयं में इस व्यवस्था की अपेक्षा हो अथवा नहीं हो। इस प्रकार प्रतीत्यसमुत्पाद अथवा कोई और व्यवस्था वस्तुजगत् की निस्स्वभावता प्रकट नहीं करती।

किन्तु यहाँ यह स्पष्टीकरण स्थाने होगा कि हम नाम-वाच्यता को निस्स्वभावकता का लक्षण नहीं मानते। अवश्य जलाहरण घट-व्यष्टि से ही सम्पन्न होता है, किन्तु उसी व्यष्टि से जो घटत्ववान् है। वास्तव में हमारे मत में रूप और नाम में से रूप सत्ता और स्वभाव की दृष्टि से निम्नतम स्तर है जबकि नाम उससे उच्चतर स्तर।[1] किन्तु एक और अर्थ में वस्तु-जगत् : नाम-रूप या प्रपंच : को निस्स्वभाव कहा जाता है और वह है इसकी आगन्तुकता। आगन्तुकता का अर्थ है प्रत्येक भाव में अभाव और अन्यथाभाव की सम्भावना : जो है वह नहीं भी हो सकता था और अन्यथा भी हो सकता था। किन्तु यहाँ एक प्रश्न हो सकता है कि वस्तुओं की व्यष्टिश: और जगत् की सामान्यत: इस आगन्तुकता का क्या स्रोत है? जो है और जैसा है उसके अभाव और अन्यथाभाव का प्रश्न कैसे उत्पन्न होता है? वास्तव का सम्भाव्य में यह रूपान्तरण विषय के विचार में और विषयात्मक विचार के विषय-पराङ्मुख विचार में अध्याहार से होता है। इस विद्यमान प्रस्तुत घट के नहीं हुए होने अथवा अन्यथारूपेण हुए होने की सम्भावना इस घट के अस्तित्व में नहीं स्वरूप में निहित है, जो स्वरूप, इसके अस्तित्व-सहित, शुद्ध विकल्पात्मक चित् का विषय है। जगत्-प्रपंचवादी इस विकल्प को ही वस्तु और ज्ञान के बीच बाधक मानते हैं। किन्तु इस विकल्प के बिना हमें जगत् की आगन्तुकता का बोध नहीं हो सकता, क्योंकि प्रस्तुत का अभाव और अन्यथाभाव प्रस्तुत के प्रत्यङ्मुख विकल्प को समर्पित होने में ही उपलब्ध होता है। इसके अतिरिक्त, वस्तु-लोक या रूपात्मक लोक भी अहंकारोपहित चित्त के इन्द्रिय-स्तरीय विकल्प का ही प्रत्याक्षेप है, अनुपहित वस्तु-लोक केवल निर्विकल्पक चित्त अथवा उसका विषय है।

किन्तु यह स्वीकार कर लेने पर दो प्रश्न उत्पन्न होते हैं : प्रथम यह कि यह निर्विकल्पक चित्त विकल्पातिक्रमण से अधिगम्य है या कि यह मूल और आद्य विकल्प-शून्यता की स्थिति है? विकल्पातिक्रान्त निर्विकल्पकता विकल्प-गर्भ, प्रपंचोत्सर्जक चित्-स्थिति है जबकि मूल विकल्प-शून्यता की स्थिति अनात्मचेतन, विषयावगुंठित अस्फुट चैत्त स्थिति। वास्तव में निर्माण-काय की अवधारणा में विकल्पोत्सर्जक-विकल्पगर्भ निर्विकल्पकता की स्थिति ही पूर्वगृहीत है। आद्य निर्विकल्पकता की स्थिति चित्त के नितान्त निम्न स्तर पर अवस्थित जीवों में ही परिलक्षित होती है, ब्राह्म चित् इस प्रकार की अस्फुट-अनुद्भिन्न चैतसिकता वाला स्वीकार नहीं किया गया है : "ओं पूर्णमद: पूर्णमिदं पूर्णात् पूर्णमदुच्यते, पूर्णात् पूर्णमादाय पूर्णमेवावशिष्यते" यह वेद मन्त्र इस विकल्पगर्भ निर्विकल्पकता का ही संकीर्तन है। वास्तव में जगत् की आगन्तुकता भी सर्वविकल्प-विद् नितान्त स्वतन्त्र जगत्कर्तृत्व की ही स्वीकृति है, क्योंकि कुछ तभी आगन्तुक हो सकता है यदि वह विभिन्न विकल्पों में से किसी एक का क्रियान्वयन हो। यदि वह अनेक सम्भावनाओं में से एक का क्रियान्वयन नहीं होकर

1. यह सिद्धान्त हमारी पुस्तक सत्ताविषयक अन्वीक्षा के सम्पूर्ण प्रतिपादन के आधार में है।

निर्विकल्पक तथात्व हो तब वह आगन्तुक नहीं कहा जा सकता। इस प्रकार जगत् की आगन्तुकता जबकि इसकी अपनी न्यूनता और भावाभावरूपता की द्योतक है, यह चित् की असीम सम्पन्नता, सर्वविकल्पज्ञता और अबाध सर्जनात्मकता को प्रकट करती है। यह आगन्तुकता जगत् की भी निस्स्वभावता को प्रकट नहीं करती, क्योंकि यह सम्भाव्य विकल्पों में से एक का क्रियान्वयन है। यदि वे विकल्प निस्स्वभाव हों तो सभी विकल्प और विकल्पों का स्रोतभूत चित्त भी निस्स्वभाव हो। वास्तव में बुद्ध के मौन को इसी असीम वाग्मिता और सम्पन्न विकल्पमयता के रूप में देखना चाहिए जिसे नागार्जुन ने रिक्त-शून्य प्रगल्भता में रूपान्तरित कर दिया। इस प्रकार नागार्जुन की शून्यता को अवाग्गोचर सर्वविकल्पज्ञता के युगपद् बोध से जन्य मौन के वाचक रूप में नहीं देखना चाहिए बल्कि नितान्त रिक्तता के रूप में ही देखना चाहिए।

4
समसामयिक चिन्ताएँ

महात्मा गाँधी और हिन्द-स्वराज्य[1]

महात्मा गाँधी का 125वाँ जन्मदिन भारत सरकार और प्रादेशिक सरकारों द्वारा बहुत धूमधाम से मनाया जा रहा है। यह एक विचित्र विडम्बना है कि इस सरकार ने जिस अर्थ-नीति का सूत्रपात किया है वह गाँधी जी की अर्थ-नीति से हमारी पहले की भारत-सरकारों की अर्थ-नीति की तुलना में कोसों दूर है। ऐसा नहीं है कि पहले की भारत-सरकारों की अर्थ-नीति गाँधी जी का लिहाज़ रखते हुए उनकी अर्थ-नीति से अपेक्षाकृत से कम दूर थी। गाँधी जी का लिहाज तो नेहरू जी के नेतृत्व में स्वतन्त्र भारत की सरकार ने उनके देहान्त के साथ ही छोड़ दिया था, इसलिये उनकी नीति से उस सरकार की नीति का कम या अधिक दूर होना केवल साँयोगिक ही था, गाँधी-दृष्टि के प्रति किसी आदर से प्रेरित नहीं था। किन्तु तब भी, यह सरकार जो गाँधी-दृष्टि से सुचिन्तित रूप से और अधिक दूर हटी है उसका उनके नाम-स्मरण में इतनी अधिक रुचि दिखाना क्या विडम्बना नहीं है? इस विडम्बना के कारणों की खोज में जाने का यहाँ कोई लाभ नहीं है, सम्भवत: ये कारण इस सरकार में धर्म-पुरुषार्थ से प्रेरित तो नहीं ही जान पड़ते, केवल अर्थ और काम-पुरुषार्थों से प्रेरित ही जा पड़ते हैं। किन्तु सरकार के संचालकों का अर्थ और काम पुरुषार्थों की दृष्टि से गाँधी जी को प्रासंगिक मानना भी इस बात का द्योतक तो है ही कि गाँधी जी जन-मानस में कहीं जीवित हैं, वे वहाँ पूरी तरह मरे नहीं हैं।

किन्तु क्या इस जन की भी गाँधी जी में वास्तव में कोई रुचि है? यदि इस जन की गाँधी जी में वास्तव में कोई रुचि होती तो कोई सरकार उनकी दृष्टि के विपरीत नहीं जा सकती थी। आज जो हम तथाकथित आर्थिक उदारीकरण की नीति का सभी राजनीतिक दलों द्वारा समर्थन देख रहे हैं वह वास्तव में व्यापक जन-मानस का ही प्रतिबिम्ब है। तब गाँधी जी जन-मानस में किस अर्थ में जीवित हैं? एक रूमानी कल्पना के रूप में या 'आत्मा की आवाज़' के रूप में, जिसका मनुष्य प्राय: ही अनुसरण तो नहीं करता किन्तु तब भी जो उसके भीतर कभी-कभी कुछ बोल कर उसे कचोटती रहती है? जिससे वह चाह कर भी छुट्टी नहीं पा पाता?

किन्तु यह 'गाँधी' है क्या? कुछ लोग कहते सुने जाते हैं कि 'वह आज भी प्रासंगिक है।' जैसे वह कोई हज़ारों वर्ष पहले हुआ हो। वह आज ही की और अभी-अभी की ही तो बात है? बुद्ध की तरह कोई 25 सौ वर्ष पहले की बात नहीं है। तब उसके 'आज भी' प्रासंगिक होने की बात क्यों की जाती है? क्या इसलिए नहीं कि वह वास्तव में कभी अपने जीवन-काल में भी प्रासंगिक नहीं रहा, चाहे वह कितना भी बड़ा जन-नायक क्यों नहीं रहा हो? इसके विपरीत आईंस्टाइन ने कहा था कि "आने वाली पीढ़ियाँ इस बात पर विश्वास करना कठिन पायेंगी कि इस धरती पर और हमारे ही जैसी हाड़-मांस की देह में कोई ऐसा भी व्यक्ति हुआ है जैसा गाँधी था।" ये उद्गार उस व्यक्ति के थे जो विश्व का सबसे बड़ा वैज्ञानिक था, उस व्यक्ति के प्रति, जो सम्पूर्ण दृष्टि का सबसे बड़ा आलोचक था जिसका सूत्रपात विज्ञान के रूप में और विज्ञान के द्वारा हुआ था। किन्तु ये उदार जबकि गाँधी जी के प्रति आदर और श्रद्धा की पराकाष्ठा के द्योतक हैं, ये परोक्षत: यह भी व्यक्त करते हैं कि गाँधी किसी भी युग विशेष के लिए प्रासंगिक नहीं था। वह केवल सार्वकालिक था—आत्मा की आवाज़ की तरह, जिसे हम अक्सर कभी नहीं सुनते, किन्तु जो हमारे भीतर सदैव और समान रूप से बोलती है। यह आवाज़ किसी कंठ से नहीं बोलती, इसलिए उसके लिए न किसी धरती की आवश्यकता होती है और न हाड़-मांस की। बस यह केवल आश्चर्य की बात है कि यह आवाज़ मोहनदास कर्मचन्द गाँधी के रूप में इस धरती पर और हमारे ही जैसी हाड़-मांस की देह के माध्यम से प्रकट हुई।

---

1. मध्यप्रदेश सरकार द्वारा महात्मा गाँधी के 125वें जन्म दिन पर आयोजित सम्मेलन में प्रस्तुत।

यह हाड़-मांस की देह वाला गाँधी क्या था? उसके माध्यम से क्या आवाज़ प्रकट हुई थी? यह हम संक्षेप में उसकी एक छोटी सी पुस्तिका हिन्द-स्वराज्य की समीक्षा के द्वारा देखने का प्रयत्न करेंगे। निश्चय ही यह पुस्तिका महात्मा गाँधी को पूर्ण रूप से समझने के लिये पर्याप्त नहीं हो सकती, किन्तु तब भी संस्कृति, समाज, विज्ञान और राजनीति विषयक उनके विचार बीज रूप में इसमें पर्याप्तत: संगृहीत हैं।

किन्तु हज़ारों पृष्ठों में संगृहीत उनके वाङ्मय से कहीं अधिक विपुल उनका जीवन और उसकी चर्या थी।

* * *

महात्मा गाँधी की तीन विशेषताएँ कही जा सकती हैं जो संयुक्त रूप से उन्हें विलक्षण बनाती हैं। इनमें पहली विशेषता है एक आदर्श मानव-जीवन की कल्पना के अनुसार अपने आन्तर और बाह्य जीवन के नियोजन में नितान्त निर्मम दृढ़ता। दूसरी विशेषता है इस आदर्श-कल्पना के अनुसार आचरण में उनका वैयक्तिक और सामूहिक सन्दर्भों को अलग नहीं रखना, जैसाकि प्रायः सभी रखते हैं, और तीसरी विशेषता है जटिल और भोगपरक जीवन-पद्धति से एक सहज वितृष्णा। यद्यपि यहाँ उनकी प्रथम विशेषता पर विचार अपने-आप में प्रासंगिक नहीं है, किन्तु वास्तव में उनकी इस विशेषता के बिना उनके सामाजिक-राजनीतिक जीवन के निर्माण और उनके स्वरूप-निर्धारण पक्ष को ठीक तरह से नहीं समझा जा सकता। उदाहरण के लिए, उनके जीवन को निर्णायिक मोड़ देने वाली घटना दक्षिण अफ्रीका में एक श्वेत जातीय रेलवे गार्ड द्वारा उनका अपमान करना था। इस अपमान को गाँधी जी एक व्यक्तिगत अपमान के रूप में भी ले सकते थे और अपना ध्येय श्वेतों को भारत में, या सर्वत्र, नीचा दिखाना बना सकते थे। वही स्वाभाविक भी होता। किन्तु उन्होंने इस घटना को एक मूलगामी नैतिक सन्दर्भ में ही देखा, जिस दृष्टि के साथ वे अहंकार-भाव से सदा के लिए उत्तीर्ण हो गए। इस घटना में उन्हें मनुष्य की व्यापक भ्रान्त दृष्टि का और आधुनिक यान्त्रिक-औद्योगिक संस्कृति की दिशा-भ्रष्टता का एक उदाहरण ही दिखायी दिया। यह एक ऐसी प्रतिक्रिया थी जो एक पूर्णत: निरहंकार, अक्लिष्ट और निष्कलुष चेतना में ही घटित हो सकती थी। किन्तु यह प्रतिक्रिया द्विमुखी थी। यह जहाँ एक ओर निरहंकार चित्त में घटित हुई दूसरी ओर इसने गाँधी जी को सदा के लिए निरहंकार, अक्लिष्ट चित्त-भूमि पर प्रतिष्ठित कर दिया। इसके साथ गाँधी जी का आमूल रूपान्तरण हो गया। किन्तु इसके साथ एक और आधारभूत रूप से विलक्षण दृष्टि का भी सूचपात हुआ। वह दृष्टि थी इस नैतिक-आध्यात्मिक बोध का सामाजिक-राजनीतिक सन्दर्भ से जुड़ जाना। यह घटना महात्मा गाँधी के लिए ऐसे आत्मशोधन की प्रेरक बनी जिसका मार्ग राजजीतिक कर्म के क्षेत्र से होकर था। यद्यपि मूलत: उनकी दृष्टि धार्मिक-आध्यात्मिक ही थी, किन्तु इस दृष्टि के चरितार्थन का क्षेत्र न तो एकान्त साधनापरक था और न धार्मिक विचार और अनुष्ठान तक सीमित। इसका क्षेत्र था जिसे धर्म और अध्यात्म दोनों से असम्बद्ध माना जाता है। यहाँ गाँधीजी की मौलिकता द्रष्टव्य है। सब धर्म-प्रवर्तकों ने सामाजिक स्तर पर ही कार्य किया, उनके धार्मिक-नैतिक कार्य का क्षेत्र समाज ही था। बुद्ध ने तो धर्म-शरण जाने के साथ संघ-शरण जाने को भी अपनी धर्म-दीक्षा का मूल सूत्र बनाया था। किन्तु उनका विषय वैयक्तिक जीवन-सन्दर्भ ही रहा, सामाजिक जीवन-सन्दर्भ नहीं। जहाँ धर्म-प्रवर्तकों का क्षेत्र सामाजिक जीवन-सन्दर्भ भी बना वहाँ वह सन्दर्भ धर्म के अन्तरंग के रूप में नहीं बना, वह केवल उनके कर्म-क्षेत्र के अन्तर्गत एक पृथक् विषय के रूप में ही रहा, जैसे स्वामी दयानन्द के लिए अछूतोद्धार और स्त्री-शिक्षा आदि। वास्तव में महात्मा गाँधी अन्य धर्म-प्रवर्त्तकों के समान धर्म-प्रवर्त्तक थे ही नहीं, वे तो केवल धार्मिक थे—शुद्ध और सनातन धर्म के अनुयायी, इसीलिए वे किसी धार्मिक सिद्धान्त के प्रतिपादक नहीं थे, बल्कि धर्म-तत्त्व के ध्यायी थे, और इसी से जीवन का कोई पक्ष उनकी धर्म-साधना से अछूता नहीं रह सकता था। इसी से उनकी राजनीतिक सभा प्रार्थना-सभा भी थी और प्रार्थना-सभा राजनीतिक सभा भी, उनका शस्त्र सत्याग्रह और प्रेम था, और उनकी युद्ध-स्थली राजनीति। ऐसा धर्म-प्रावर्त्तक और ऐसा राजनेता किसी ने दूसरा कभी और कहीं देखा है?

ऐसा व्यक्ति, यदि गाँधी जी को व्यक्ति कहा जा सके तो, जटिल और भोगपरक जीवन-पद्धति एवं उसमें मूलित सामाजिक और आर्थिक व्यवस्था को अस्वीकार ही कर सकता है, उसका समर्थन नहीं कर सकता। किन्तु

आधुनिक यूरोप की ऐन्द्रिक संस्कृति और यान्त्रिक-औद्योगिक सभ्यता का यही स्वरूप था और इसे वह विश्व की सभी संस्कृतियों और सभ्यताओं पर आरोपित करने जा रहा था। इस संस्कृति और सभ्यता के इस रूप को और इसके भयावह परिणामों को गाँधी जी ने उस समय स्पष्ट रूप से देखा जिस समय यह अभी किशोरावस्था में ही थी और इसका केवल आकर्षक रूप ही प्रकट था। **हिन्द-स्वराज्य** का पहला संस्करण 1909 में प्रकाशित हुआ था और इसके मूल विचार लेखों के रूप में इससे पहले प्रकाशित हो चुके थे। यह वह समय था जब इंग्लैंड में बर्ट्रेंड रसल और जी.ई. मूर ने इस संस्कृति के दर्शन की विजय-पताका फहराई थी और आईंस्टाइन ने सापेक्षता-सिद्धान्त के रूप में विज्ञान में नये युग का प्रवर्त्तन किया था। आज इस संस्कृति और सभ्यता का भयावह रूप सब पर प्रकट है किन्तु इसके सामने सब अवश हैं। हमारे देश ने भी स्वतन्त्रता के बाद यही मार्ग चुना और अब हम तथाकथित 'आर्थिक उदारीकरण' के रूप में इसके कुरूपतम परिणाम 'बाज़ारवाद' को अपना रहे हैं। किन्तु महात्मा गाँधी ने इसकी इस कुरूपता को इस शताब्दी के आरम्भ में ही अपनी क्रान्त दृष्टि से देख लिया था।

किन्तु गाँधी जी की इस दृष्टि की मीमांसा अपेक्षित है जो हम यहाँ संकेत रूप में करना चाहेंगे। उनकी इस दृष्टि को प्रायः सभी ने 'आदर पूर्वक' एक तरफ हटाकर वह सब किया है जिसका वे विरोध करते थे, जैसे हम 'आत्मा की आवाज़' के साथ हमेशा करते हैं। जिन विरले लोगों ने इसका थोड़ा-बहुत अनुसरण किया उन्होंने भी अंध भक्ति के साथ ही ऐसा किया, उनमें उसके सम्बन्ध में कोई विचार, कोई मीमांसा का उपक्रम दिखायी नहीं देता।

* * *

यन्त्र स्वरूपत: हमारी ज्ञान और कर्म की इन्द्रियों का विस्तार मात्र है, यह इनकी शक्ति-वृद्धि का साधन है। इस प्रकार चूल्हा, चक्की, चर्खा, इक्का या बैलगाड़ी सब यन्त्र ही हैं, वास्तव में हमारा शरीर और इन्द्रियाँ भी यन्त्र ही हैं। आवश्यकता होने पर हम टांगों से चलते हैं, जल्दी पहुँचने के लिए दौड़ते भी हैं। इसी प्रकार और जल्दी पहुँचने के लिए इक्के से वायुयान तक उपकरण बनाते हैं। भारतीय सभ्यता ने भी अपने आरम्भ काल से यथाशक्ति इन यन्त्रों का आविष्कार किया था, और विमान बना नहीं पायी थी तो उसकी कल्पना तो की ही थी—भगवान राम लंका से अयोध्या रथ से नहीं, पुष्पक विमान से पहुँचे थे। इसी प्रकार युद्ध में संहार के लिए भी हमारी सभ्यता ने गदा और धनुर्बाण आदि शस्त्रास्त्रों का ही आविष्कार नहीं किया, सर्प-बाण, अग्नि-बाण और वज्र तथा ब्रह्मास्त्र जैसे भयानकतम शस्त्रों के बनाये जाने की कल्पना भी की थी। इस प्रकार हमारी सभ्यता भी यन्त्र-कौशल और संहारक हिंस्रता की दृष्टि से पाश्चात्य सभ्यता से भिन्न नहीं कही जा सकती है तो दूसरी कोई तो क्या कही जा सकेगी! पाश्चात्य सभ्यता दूसरी सभ्याताओं से भिन्न स्तर की जन्मदात्री बनी और इस कारण वह संसार की अन्य सभ्याताओं की नेता बन गई। अब इसके नेतृत्व में संसार की अन्य सभ्यताएँ यन्त्र और आयुध की दौड़ में सम्मिलित हैं और इससे उनकी संस्कृतियों के लिए संकट भी उत्पन्न हो रहा है।

किन्तु यह विचारणीय है कि क्या यह नियति सभ्यताओं के लिए वांछनीय भी कही जा सकती है? क्या संस्कृतियों का नेतृत्व ऐसी संस्कृति के हाथों जाना मनुष्य के लिए हितकर है जो ऐन्द्रिक शक्ति और ऐन्द्रिक भोग की सिद्धि को ही लक्षित करे और इस प्रकार ऐन्द्रिकता को मनुष्य की प्रगति और श्रेयस् का मानदण्ड निर्धारित करे?

हिन्द-स्वराज्य में महात्मा गाँधी ने पहली बार, और उतने ही मूलगामी रूप से जितने मूलगामी रूप से पाश्चात्य सभ्यता ने यन्त्र के रूप में ऐन्द्रिकता का उत्कर्ष सिद्ध किया था, इस उत्कर्ष की मनुष्य के लिये वांछनीयता को अस्वीकार किया और इसके विरुद्ध उद्घोषित किया कि मनुष्य की उत्कृष्टता आध्यात्मिकता की सिद्धि में है, ऐन्द्रिक शक्ति की सिद्धि में नहीं, और यह जितना व्यक्ति के लिए सही है उतना ही समाज के लिए भी, उसके राजनीतिक पक्ष के सहित, सही है।

नैतिक बोध और आचरण के दो मूलभूत नियम हैं—सत्य और अहिंसा। इसमें दूसरे नियम को जितना गहराई से भारत ने, विशेषत: जैनों और बौद्धों ने समझा था उतना और किसी धर्म या संस्कृति ने नहीं समझा था। किन्तु ये राजनीतिक संघर्ष में भी उतने ही पालनीय हैं जितने व्यक्तिगत जीवन में, यह महात्मा गाँधी ने ही पहली बार देखा और इस दृष्टि को आचरण में पहली बार क्रियान्वित किया। द्रष्टव्य है कि इस दृष्टि की कठोरतम परीक्षा का युग भी आज ही उपस्थित हुआ था। निश्चय ही महाराजा अशोक ने भी एक सीमा तक इस तत्त्व का, कि नैतिकता : अहिंसा सहित : राजनीति में भी उतनी ही आचरणीय है जितनी व्यक्तिगत जीवन में, साक्षात्कार किया था, किन्तु उनके सम्मुख कोई चुनौती नहीं थी, इसीलिए उस समय इस दृष्टि के एक आधारभूत ऐतिहासिक दृष्टि बनने का भी प्रसंग नहीं था। किन्तु गाँधी जी की मूलगामी नैतिक चेतना ने, और उनके सम्मुख उपस्थित कल्पनातीत सैन्य शक्ति-सम्पन्न साम्राज्यवादी शासन से लोहा लेने की चुनौती ने यह प्रसंग उपस्थित किया और गाँधी जी इसमें पूरे खरे उतरे।

किन्तु खेद की बात है कि गाँधी जी में उनके इस सहज बोध और अडिग साहस के समतुल्य सूक्ष्म और युक्तियुक्त विचार दिखायी नहीं देता। हिन्द-स्वराज्य पुस्तक का महत्त्व इसी बात में है कि इसमें गाँधी जी की क्रान्त दृष्टि अपने बीज रूप में पूरी तरह से मिल जाती है। द्रष्टव्य है कि सूक्ष्म और युक्तियुक्त विचार सत्य भी हो ऐसा कोई आवश्यक नहीं होता। असत्य विचार भी बहुत सूक्ष्म और युक्ति-पूर्ण हो सकता है और सूक्ष्म विचार से रहित सहज दृष्टि बहुत बार सत्य-दर्शी हो सकती है, किन्तु किसी सहज दृष्टि के सूक्ष्म और युक्तियुक्त विचार से व्यवस्थित और पुष्ट हुए बिना वह व्यवहार में, विशेषत: सामाजिक प्रयोग में, सफल नहीं हो सकती, विशेषत: आज के इस बुद्धि-प्रधान युग में। यहाँ हम **हिन्द-स्वराज्य** से कुछ ऐसे उद्धरण देंगे जिनमें दृष्टि की क्रान्त सत्यदर्शिता तो अद्भुत है किन्तु उनमें न केवल कोई युक्ति ही नहीं है बल्कि अयुक्तता भी है। उदाहरण के लिए महात्मा गाँधी ने हिन्द-स्वराज्य में अख़बार और पार्लियामेंट को संस्थागत रूप में अस्वीकार किया। अख़बार के विरुद्ध उनका तर्क है कि ये "अप्रामाणिक होते हैं, एक ही बात को दो शकलें देते हैं। एक दल वाले उसी बात को बड़ी बात बनाकर दिखाते हैं तो दूसरे दल वाले उसी को छोटी करके कहते हैं।...जिस देश में ऐसे अख़बार हैं उस देश के आदमियों की कैसी दुर्दशा होगी?" अब, यह तर्क कितना कमज़ोर है यह देखने की बात है। क्या कोई भी कथन, प्रतिपादन या व्याख्या कभी भी सर्वपक्षीय या सर्वमान्य होते हैं? उदाहरण के लिए **गीता** के असंख्य भाष्य हैं, उनमें एक महात्मा गाँधी का भी है जो शायद सबसे अधिक अमान्य है। तब क्या **गीता** के ये विभिन्न भाष्य, जो एक-दूसरे से अलग बात कहते हैं, अनर्थकारी हैं? इसी प्रकार ब्रिटिश पार्लियामेंट के सम्बन्ध में वे कहते हैं—"पार्लियामेंट में लोग इस आधार पर चुने जाते हैं कि वे विशेष अच्छे और समझदार हैं। ऐसी हालत में पार्लियामेंट को बहुत अच्छे कार्य करने वाली होना चाहिए। किन्तु इससे उलटे इतना तो सब कबूल करते हैं कि पार्लियामेंट के मेम्बर दिखावटी और स्वार्थी पाये जाते हैं। सब अपना मतलब साधने की सोचते हैं।"...आदि। अब, पार्लियामेंट के विरुद्ध यह तर्क कैसे युक्तियुक्त हुआ? यह बात तो ठीक इसी तरह ग्राम-पंचायत पर भी लागू होगी। इसी तरह, जैसाकि हम सब जानते हैं, महात्मा गाँधी के प्राय: सब सहयोगियों ने मन में उन्हें अस्वीकार किया, उनमें बहुत से तो दुराचारी भी थे। तब क्या इस पर से यह कहा जाय कि गाँधी जी की दृष्टि बेकार और बेतुकी थी? यदि इस बात को गाँधी-दृष्टि की व्यावहारिकता के विरुद्ध तर्क कहा जाय तो यह कुछ सीमा तक विचार्य कहा भी जा सकता है किन्तु पार्लियामेंट के विरुद्ध गाँधी जी के तर्क को तो उस सीमा तक भी सही नहीं कहा जा सकता। उसे केवल मानव-प्रकृति की दुर्बलता का एक दृष्टान्त ही कहा जा सकता है। किन्तु पार्लियामेंट प्रजातन्त्रवाद की एक संस्था है और यह वाद मानव-प्रकृति को विवेक-पूर्ण कम और पशुतापूर्ण अधिक मानता है, और यह मान्यता पार्लियामेंट की अवधारणा की एक अंग है न कि मानव की सत्यप्रकृतिपरक मान्यता, जैसाकि गाँधी जी कहते हैं। इसलिए पार्लियामेंट को एक अस्वीकार्य संस्था दिखाने के लिए यह दिखाना होगा कि प्रजातन्त्रवाद ही एक सदोष दर्शन पर आधारित है, जैसाकि प्लेटो ने रिपब्लिक में दिखाया है और गाँधी-दृष्टि की व्याख्या में मैंने कुछेक स्थलों पर दिखाने का प्रयत्न किया है। किन्तु गाँधी जी ने ऐसा कोई व्यवस्थित विचार प्रस्तुत नहीं किया है। यह बात अपने आप में क़ोई दोष नहीं है, दोष यह है कि गाँधी जी के प्रतिपादन और तर्क कुछ विशेष ही स्थूल और

कमज़ोर हैं, विशेषत: **हिन्दस्वाराज्य** में। अब, पार्लियामेंट के समान ही अख़बार के सम्बन्ध में उनकी दृष्टि जबकि पूर्णत: सही है, उनका तर्क अत्यधिक कमज़ोर है। अख़बार निश्चय ही एक अवांछनीय परिस्थिति में उपजी एक अवांछनीय संस्था है, किन्तु गाँधी जी की युक्ति के अनुरूप नहीं बल्कि इसलिए क्योंकि यह राजनीति को हमारी चेतना में केन्द्रीय और अत्यधिक असन्तुलित महत्त्व के पद पर प्रतिष्ठित करती है। इसके अतिरिक्त, यह एक बहुत अधिक सशक्त जनमत-निर्धारक साधन है और ग़लत हाथों में होने पर यह जनमत को भ्रान्त दिशा देकर बहुत हानिकारक सिद्ध हो सकता है, और आज बहुत कुछ ऐसा ही इस साधन के साथ हो भी रहा है। इसी प्रकार, रेलगाड़ी के विरुद्ध उनकी युक्ति है—"रेल से महामारी फैलती है। अगर रेलगाड़ी न हो तो कुछ ही लोग एक जगह से दूसरी जगह जाएंगे और इस कारण संक्रामक रोग सारे देश में नहीं फैल पायेंगे।" आगे वे कहते हैं "बुरी बात ही तेजी से बढ़ सकती है।...इसलिए रेलगाड़ी हमेशा दुष्टता का ही फैलाव करेगी।" आगे वे इसे अकाल की कारक भी कहते हैं। क्योंकि इससे अनाज एक जगह से दूसरी जगह ले जाया जा सकता है। अब, ये युक्तियाँ ऐसी हैं जो देते हुए किसी पिछड़े गाँव की अपढ़ बूढ़ी स्त्री भी शरमायेगी। ज़रा सोचिये, महामारियाँ पहले अधिक फैलती थीं या अब अधिक फैलती हैं? दूसरे, गाँधी जी का प्रभाव जो सब से अधिक फैला वह बुराई से अच्छाई के अधिक और जल्दी फैलने का प्रमाण है या कि अच्छाई से बुराई के? आगे वे एक दूसरी ऐसी ही युक्ति देते हैं। युक्ति है "मनुष्य इस तरह पैदा किया गया है कि उसे अपने हाथ-पैर से बने उतनी ही आने-जाने वग़ैरा की हलचल करनी चाहिए।" अब, यह ग़जब की युक्ति है, क्योंकि एक मात्र मनुष्य ही इस तरह बना है जो यन्त्रों का आविष्कार कर सकता है और इस तरह पैर से चलने तक सीमित रहने के बजाय रेलगाड़ी और वायुयान से चलने को सम्भव कर सकता है। ऐसी अवस्था में, प्रश्न यह नहीं है कि मनुष्य कैसे बना है बल्कि यह है कि उसके वायुयान बना सकने की सामर्थ्य के बावजूद क्या उसे वह बनाना चाहिए, और यदि बनाना चाहिए तो उसका कितना और कैसा उपयोग करना चाहिए?

द्रष्टव्य है कि बाद में गाँधी जी ने यन्त्र विषयक अपने मत में संशोधन किया और बृहद् यन्त्रों की आवश्यकता स्वीकार की, किन्तु उनका स्वामित्व राज्य के पास होना चाहिए यह प्रस्तावित किया। जैसाकि हम जानते हैं, यही मत कार्ल मार्क्स का भी था। किन्तु यह भी हम जानते हैं कि इसके पीछे कार्ल मार्क्स का कितना गहरा चिन्तन था जबकि महात्मा गाँधी के इस चिन्तन के पीछे ऐसा कुछ नहीं था। इधर रूस और चीन में और दूसरे मार्क्सवादी देशों में इस वाद के पतन को दिखा कर लोग कहते हैं कि इससे उस विचार का थोथापन सिद्ध है। किन्तु तब हम भूल जाते हैं कि मार्क्सवाद का कितने ही देशों में प्रयोग तो हुआ? गाँधीवाद के प्रयोग का तो कहीं उपोद्घात भी नहीं देखा गया! अब, विचारणीय है कि गाँधी जी को यदि बृहद् यन्त्र स्वीकार हैं तो मनुष्य की उस प्रकृति की बात तो गई जो मनुष्य को पैरों से चलने और हाथों से करने तक सीमित रखती है! तब यह प्रश्न है कि यह राज्य कैसा होना चाहिए जो इन यन्त्रों का स्वामित्व सँभाले? स्टालिन, हिटलर, क्लिंटन या नरसिंह राव के जैसा? निश्चय ही गाँधी जी इसके संचालक के रूप में अपने जैसे महात्माओं की कल्पना करते होंगे। किन्तु ऐसे महात्मा यह स्वामित्व सँभाल कैसे पायेंगे? लेनिन और स्टालिन को यह स्वामित्व सँभालने के लिए जो दमन-चक्र चलाना पड़ा उसे देखते हुए यह तो आसानी से कहा जा सकता है कि ऐसा राज्य पंचायती राज्य तो नहीं ही हो सकता। दूसरे, जैसा भी वह राज्य हो, उसकी बाग-डोर सही हाथों में ही रहे यह कैसे निश्चित किया जा सकता है?

ऐसी ही कठिनाई गाँधी जी की स्वराज्य की अवधारणा को लेकर है। उन्होंने **हिन्द-स्वराज्य** में कहा, और बिल्कुल ठीक ही कहा, कि "स्वराज्य तो मन का होता है, बाहरी अधिकर-व्यवस्था का नहीं। इसलिए स्वराज्य के लिए सबसे पहली शर्त तो यह है कि हम अंग्रेज़ियत से मुक्त हों। यदि हम अंग्रेज़ को ही आदर्श मानें तो हम मुक्त कैसे हुए? वह तो हमारी आत्मा का ही स्वामी हो गया, केवल शरीर का स्वामी ही नहीं रहा! तब फिर इससे क्या अन्तर पड़ता है कि दिल्ली की गद्दी पर कौन बैठा है?" इसी से गाँधी जी ने भारतीय ग्रामों को स्वतन्त्र कहा और उन्होंने उन्हीं में भावी भारत के लिए आशा देखी। किन्तु तब, भारत के स्वतन्त्रता-आन्दोलन में उनके

जो सहयोगी थे वे तो वही लोग थे जो कम या अधिक मात्रा में भूरे अंग्रेज़ थे। और भारत की राजनीतिक स्वतन्त्रता के बाद गाँधी जी ने जिसे देश की बाग-डोर सौंपी वह अंग्रेज़ियत में सबसे अधिक सराबोर व्यक्ति था, जिसने न केवल भारत के लिए अंग्रेज़ से यन्त्र-कौशल और प्रौद्योगिकी सीखना आवश्यक समझा बल्कि भारत को भाषा, भावना और विचार की शिक्षा भी उसी से दिलाना आवश्यक समझा। आज लोग गौरव से आधुनिक भारत का निर्माता उन्हीं नेहरू जी को ही कहते हैं, गाँधी जी को नहीं, और दुर्भाग्यवश यही सत्य भी है। गाँधी जी में पायी जाने वाली विसंगतियों में सबसे बड़ी विसंगति यही कही जा सकती है कि उन्होंने अपना उत्तराधिकारी नेहरू जी को बनाया।

निश्चय ही इस स्वातन्त्र्योत्तर-दासता के लिए नेहरू जी ही उत्तरदायी नहीं थे बल्कि विश्वविद्यालयों में शिक्षित वह सारा वर्ग भी था जिसे गाँधी जी ने 1909 में ही देश की मानसिक गुलामी के संरक्षक के रूप में पहचान लिया था। किन्तु यह भी निश्चित है कि यह वर्ग नेहरू जी के देश का प्रथम और दीर्घ अवधि तक प्रधानमन्त्री हुए बिना इतना सफल नहीं हुआ होता और भारत की वह दुर्दशा नहीं हुई होती जो आज है।

आज जब हम गाँधी जी का 125वाँ जन्मदिन मनाने जा रहे हैं तब हम उनसे कम से कम एक हज़ार पच्चीस मील दूर हैं और नेहरू जी से एक हज़ार पच्चीस वर्ष आगे। यदि यह बात आँखों से देखनी हो तो हमारे दूरदर्शन पर देखी जा सकती है, अन्यथा तो यह सब जगह और सब तरह से व्याप्त है। आज हम होड़ लगाकर अमरीका की आर्थिक और सांस्कृतिक गुलामी में जा रहे हैं—उन्हीं की असंस्कृति आज हमारा सांस्कृतिक आदर्श है, उन्हीं का सिक्का हमारी दरिद्रता की अधिकता या न्यूनता का मानदण्ड है, उन्हीं के भृकुटि-संकेत हमारी आन्तर-बाह्य राजनीति के निर्धारक हैं, और सबसे बड़ी विडम्बना यह कि वे ही आज हमें कान पकड़ कर मानवाधिकारों की रक्षा का पाठ पढ़ा रहे हैं। और तब भी हम समझते हैं कि हम स्वतन्त्र हैं। महात्मा गाँधी के 125वें जन्म दिन पर हम उन्हें इससे अधिक अच्छी श्रद्धांजलि और क्या दे सकते हैं?

किन्तु ऐसा क्यों है? क्या इसके लिए नेहरू जी ही उत्तरदायी हैं और क्या यह केवल हमारे देश में ही हो रहा है? हम देखते हैं कि पाश्चात्य यन्त्रवाद, दानववाद और शिश्नवाद भारत में ही नहीं पनप रहा है बल्कि विश्व भर में छा रहा है। वास्तव में स्वयं यूरोप भी अपने को इस बदहवास दौड़ में सम्मिलित पा रहा है और अमरीका के सामने घुटने टेक चुका है। रूस में मार्क्सवाद के हटते ही वहाँ के लोगों ने तथाकथित स्वतन्त्रता की सांस अमरीकी पत्रिकाओं के नंगे-चिकने चित्रों की भीड़ में ली है। यही चीन में हो रहा है और जापान में हो चुका है। आज यह अमरीकी शिश्नवाद-उपभोक्तावाद अमरीकी प्रभाव में रैश्नलिज़्म (युक्तियुक्ततावाद) का पर्याय बन रहा है और इसका उत्तर मुस्लिम धर्मान्धता प्रस्तुत कर रही है। यह संसार भर के लिए दुर्भाग्य की बात है। इसका सही उत्तर रूस, जापान या दूसरे किसी देश के पास था भी नहीं, केवल भारत के पास ही था, और एक सीमा तक चीन के पास भी हो सकता था। किन्तु चीन में इसके कोई संकेत नहीं उभरे, बल्कि उसकी सैन्यवादी प्रवृत्तियों ने साम्यवाद से समझौता करके किसी उत्तर की सभी आशाएँ समाप्त कर दीं। भारत ने इस कलयुगीनता का स्पष्टतम उत्तर गाँधीवाद के रूप में प्रस्तुत किया था और रामकृष्ण परमहंस, स्वामी विवेकानन्द, श्री अरविन्द और अन्य अनेक सन्तों और मनीषियों के माध्यम से अपनी सनातन दृष्टि का नव सर्जित रूप निखारा था। किन्तु स्वतन्त्रता के बाद हम क्रमशः उस दृष्टि को भुला रहे हैं। अब तो लगता है कि हम उसका शव-दाह भी कर चुके हैं।

* * *

किन्तु यहाँ यह विचारणीय है कि क्या विज्ञान, यान्त्रिकी और प्रौद्योगिकी अनिवार्य रूप से अवांछनीय हैं और यदि ये अनिवार्यत: अवांछनीय हैं तो भी क्या हम इनसे निजात पा सकते हैं? महात्मा गाँधी का उत्तर था कि ये अनिवार्य रूप से अवांछनीय नहीं हैं, अवांछनीय ये तब हो जाती हैं जब इनकी माया में मनुष्य की आत्मा भुला दी जाती है, जिस मनुष्य की सहायता के लिये ये जन्म लेती हैं। (पृ. 14-15) आगे सभ्यता के स्वरूप विषयक प्रश्न उठाकर वे उत्तर देते हैं कि 'यन्त्र-कौशल में प्रगति को ही सभ्यता माना जाता है, किन्तु इसमें नीति या धर्म

की कोई बात ही सम्मिलित नहीं की जाती। शरीर का सुख कैसे मिले, यही आज की सभ्यता ढूँढ़ती है और यही देने की यह कोशिश करती है।' (पृ. 33–37)

इस पर बहुत सी आपत्तियाँ उठायी जा सकती हैं। यह कहा जा सकता है कि मनुष्य के कल्याण, व्यक्ति के अधिकार और कर्त्तव्य तथा न्याय आदि के सम्बन्ध में जो चेतना आज के इस विज्ञान, यान्त्रिकी और प्रौद्योगिकी की पराकाष्ठा के युग में है वह पहले के युगों में कहीं देखने को नहीं मिलती, यद्यपि यह सही है कि व्यवहार में अधिकारों का हनन, कर्त्तव्य की अवहेलना और अन्याय आज भी उतना ही होता है जितना पहले होता था। किन्तु महत्त्वपूर्ण यह है कि यह चेतना जितनी आज है उतनी पहले कभी नहीं थी और गाँधी जी इस चेतना के अभाव की बात ही कर रहे हैं। वास्तव में गाँधी जी यन्त्र के सम्बन्ध में इतना ही नहीं कह रहे हैं। वे वास्तव में बृहद् यन्त्र को अवांछनीय और अशिव ही मानते हैं, जो इस बात से स्पष्ट है कि वे यह प्रश्न उठा कर कि वैज्ञानिक चिकित्सा–प्रणाली के द्वारा रोग और मृत्यु से बचने के बजाय तो मर जाना ही श्रेयस्कर है! क्यों? इसका उत्तर देते हैं—

1. डाक्टर को दूसरों की चमड़ी चोथने के बाजय उनकी आत्मा को छूना चाहिए और उसके बारे में शेध–खोज करके उन्हें तंदुरूस्त बनाना चाहिए, और उसे समझना चाहिए कि:

2. अंग्रेज़ी फार्मेसियों में जो जीवों पर निर्दयता की जाती है वैसी निर्दयता से बनी दवाइयों से शरीर चंगा करने के बजाय बेहतर है कि शरीर रोगी रहे। (92)

यह अत्यन्त साहसपूर्ण मत की अत्यन्त साहसपूर्ण अभिव्यक्ति है। और द्रष्टव्य है कि गाँधी जी वही मत व्यक्त करते थे जिसे वे पहले अपने आचरण का अंग बना लेते थे। किन्तु यह विचारणीय है कि क्या यह मत युक्तियुक्त भी है? इसकी युक्तता के प्रश्न पर यहाँ गहराई से विचार करना सम्भव नहीं है। किन्तु संक्षेप में इस पर विचार हम करना चाहेंगे।

शरीर का भिषग् होने की तुलना में आत्मा का भिषग् होना निश्चय ही अधिक महत्त्वपूर्ण है और यह भी कहा जा सकता है कि शरीर के भिषग् को साथ ही आत्मा का भिषग् भी, कम से कम कुछ मात्रा में, होना चाहिए, जोकि यूरोपीय चिकित्सा–प्रणाली में नहीं है। किन्तु यूरोपीय दवाइयाँ जीवों पर निर्दयता के आधार पर बनती हैं और कि भिषग् को चमड़ी चोथने के बजाय आत्मा को छूना चाहिए, ये दोनों बातें युक्तियुक्त नहीं जान पडतीं। सर्वप्रथम, बहुत महान् आत्मावन् व्यक्ति भी शरीर से अस्वस्थ हो सकते हैं। उदाहरणत: रामकृष्ण परमहंस का देहान्त कैंसर से हुआ था। दूसरे, यह भी सही नहीं है कि अंग्रेज़ी दवाइयाँ जीवों की हत्या या उन पर अत्याचार से ही बनती हैं। यह सही है कि इन दवाइयों की उपयुक्तता की जाँच के लिए पशुओं पर प्रयोग किये जाते हैं, किन्तु यदि ये प्रयोग दूसरे अन्य जीवों पर नहीं किये जाएँ तो ये मनुष्यों पर करने पड़ेंगे। आयुर्वेद में ऐसे प्रयोग नहीं किये जाते थे, किन्तु तब वे परोक्षत: मनुष्यों पर होते थे। यह कहावत थी कि अच्छा वैद्य वह है जो सौ रोगी मार चुका हो। अब आज इस चिकित्सा–प्रणाली के परिणामस्वरूप प्रायः सब महामारियों का अन्त हो चुका है, इसके कारण बहुत से भयानक और जटिल रोगों के निदान खोजे जा चुके हैं और शल्य–चिकित्सा ने अद्भुत प्रगति की है। यह सब प्रगति अत्यन्त विकसित यान्त्रिकी के आधार पर ही हुई है। अब इसके सम्बन्ध में इस तरह दो टूक कह देना कि इस चिकित्सा से मनुष्य–जीवन की रक्षा करने के बजाय उसे मर जाने देना ही श्रेयस्कर है, सहज में युक्त नहीं जान पड़ता।

किन्तु साथ ही यह भी सही है कि यान्त्रिकी और प्रौद्योगिकी के इस अपार विकास ने जीवन को जटिल बना दिया है और मनुष्य की आसुरी वृत्तियों को मुखर और आसुरी शक्तियों को अत्यधिक प्रखर बना दिया है। इसका रूप कुछ ऐसा है कि 'अपराध रोकने की हमारी शक्ति बढ़ रही है किन्तु उसी अनुपात में अपराध करने की शक्ति भी बढ़ रही है।' इस समय अपराध रोकने की सामर्थ्य अपराधियों की सामर्थ्य की तुलना में पिछले युगों की अपेक्षा अधिक है ऐसा नहीं कहा जा सकता, किन्तु यह अनुपात समान होने पर यह आपादित होता है कि इस

समय अपराध कोटिशः बढ़ गया है। शायद यही रोगों के सम्बन्ध में भी सही है और यही निर्धनता के सम्बन्ध में सही है। सम्पन्नता और विपन्नता आवश्यकता की सापेक्ष भी होती हैं। जिसे दो धोतियों से अधिक कपड़े की आवश्यकता नहीं है वह उस व्यक्ति से अधिक सम्पन्न है जिसके पास 20 पोशाकें हैं और उसे और अधिक की आवश्यकता है। यह दूसरा व्यक्ति विपन्न ही नहीं है, कहीं गहरे में अस्वस्थ भी है, और आज हम यूरोप के नेतृत्व में इसी अस्वास्थ्यकर विपन्नता की ओर तेजी से बढ़ रहे हैं। प्रौद्योगिकी और यान्त्रिकी ने मनुष्य की यह विपन्नता और अस्वास्थ्य असीमत: बढ़ा दिये हैं। महात्मा गाँधी ने यान्त्रिकी को अपना सर्वस्व बना लेने वाली इस सभ्यता के रोग को बहुत पहले पहचान लिया था। निश्चय ही इसके विरुद्ध उनकी प्रतिक्रिया में कुछ अतिशयता थी, इससे उनके बताये उपचार भी वैसे युक्त नहीं थे, किन्तु वह परिस्थिति संत्रासजनक अवश्य थी और आज वह उससे भी कोटिशः अधिक है। यद्यपि उस उपचार की असफलता उसकी अयुक्तता की अकाट्य प्रमाण नहीं है, क्योंकि नैतिक सन्दर्भगत युक्त उपचार भी बहुत बार असफल रहते हैं, किन्तु तब भी असफलता युक्तता में संदेह के लिये अवसर तो उपस्थित करती ही है।

इस सब के ऊपर बात यह है कि महात्मा गाँधी एक अत्यधिक सबल और स्वस्थ व्यक्ति थे—शुभ संकल्प के बल से युक्त और आत्मा में अवस्थिति से युक्त। यह बल और स्वास्थ्य उन्होंने मनुष्य की आत्मोपलब्धि विषयक इस सनातन दृष्टि से तादात्म्य सिद्ध करने की अडिग साधना के द्वारा पाया था कि काम-क्रोधादि, अथवा असत्य, स्तेय और हिंसा आदि ही मनुष्य के वास्तविक रोग हैं। इन रोगों के रहते शारीरिक स्वास्थ्य निरर्थक है, बल्कि कहें अनर्थकारी है और यान्त्रिकी-प्रौद्योगिकी की प्रतिष्ठा इन आध्यात्मिक रोगों में ही है। किन्तु तब यह विचित्र विडम्बना है कि मानव-सभ्यता का आधार भी ये यान्त्रिकी और प्रौद्योगिकी ही हैं और सभ्यता संस्कृति की और संस्कृति मानव-आत्मा की साधक और प्रापक होती है। किन्तु इस प्रकट सत्य के पीछे एक और गुह्य सत्य भी निहित है कि प्रायः ही सभ्यता अपने विकास के क्रम में अपनी संस्कृति खो बैठती है और इस प्रकार अपनी आत्मा भी खो बैठती है। इसी विडम्बना में और प्रकट तथा गुह्य के इस विरोध में ही कहीं शायद महात्मा गाँधी की युक्त दृष्टि की असफलता का रहस्य छिपा है।

भारतीय स्वतन्त्रता-संग्राम और मूल्य-विमर्श

स्वतन्त्रता के लिये संघर्ष अपने इतिहास में अनेक जातियों, सभ्यताओं या संस्कृतियों को करने पड़े हैं, किन्तु उन संघर्षों में उनके द्वारा स्वयं स्वतन्त्रता को ही एक साध्य-मूल्य के रूप में देखा गया, उसमें किसी और मूल्य के निक्षेप का प्रश्न ही नहीं उठा। इसी प्रकार यह प्रश्न हमारे देश के स्वतन्त्रता-संग्राम के क्रम में भी नहीं उठा होता। 'स्वतन्त्रता अपने आप में साध्य है' यह प्रतिज्ञप्ति इतनी स्वत:प्रमाण मानी जाती है कि जब महात्मा गाँधी ने इस साध्य के लिए अपनाये जाने वाले साधनों के भी समान रूप से उचित होने की बात की तब विवाद का विषय यही रहा कि 'उचित साध्य को किन्हीं भी साधनों से सिद्ध करना उचित है या कि साधनों के औचित्य का ध्यान रखना भी उतना भी आवश्यक है?' स्वयं स्वतन्त्रता की साध्यता के औचित्य में तब भी किसी ने कभी संदेह व्यक्त नहीं किया। किन्तु गाँधीजी ने न केवल साध्यभूत स्वतन्त्रता के लिए साधनों के औचित्य को भी उतना ही आवश्यक माना जितना साध्य स्वतन्त्रता को माना, बल्कि उसे एक सापेक्ष साध्य के रूप में ही देखा। सम्भवत: इस परिसंवाद के विषय का मूल हमारे इस इतिहास के सन्दर्भ में ही है। गाँधीजी ने भारत की स्वतन्त्रता को भारत की अपने स्व में प्रतिष्ठा के रूप में देखा था, जिसमें राजनीतिक पराधीनता अनेक में से केवल एक बाधक थी। स्वतन्त्रता-संग्राम विषयक इस दृष्टि के द्रष्टा और इसका सर्वभावेन अनुसरण करने वाले केवल वे ही थे, इसके प्रमाण के रूप में हम रोम्यां रोलां की डायरी (17.01.1924) से एक उद्धरण देंगे। चौरीचौरा के आन्दोलन में हिंसा हो जाने के बाद गाँधी जी द्वारा वह आन्दोलन बंद कर दिया गया था। पर रिचर्ड नामक एक अंग्रेज़ ने, जो अहिंसा का अन्यथा समर्थक था किन्तु उसे राजनीतिक व्यवहार का आधार बनाने के पक्ष में नहीं था, उनसे पूछा, "मान लें कि इंगलैंड में सशस्त्र विद्रोह भड़क उठता है और उससे आपके देश की स्वतन्त्रता का मार्ग प्रशस्त होता है, तब आप क्या करेंगे?" गाँधी जी ने इसका उत्तर दिया, "तब मैं उस विद्रोह को रोकने का प्रयत्न करूँगा।" रोम्य रोलां इसके अगे लिखते हैं, "तब इस क्रम में तिलक ने यह स्पष्टत: कहा है कि वे सत्य के ऊपर अपने देश की स्वतन्त्रता को चुनेंगे जबकि वे (गाँधीजी) स्वतन्त्रता के ऊपर सत्य को चुनेंगे।"[1] आगे 28 जुलाई 1924 की डायरी में वे लाला लाजपतराय के सम्बन्ध में लिखते हैं, "वे एकमात्र भारतीय राजनीतिक नेता है जो गाँधीजी को परामर्श देने की स्थिति में हैं और गाँधीजी जिनकी बात सुनते हैं, जो दास (चितरंजन दास) के अतिरिक्त एकमात्र प्रथम कोटि के भारतीय नेता है, या शायद दास से भी प्रथम हैं। किन्तु जहाँ तक मैं देख सकता हूँ, उनका मानस शुद्ध रूप से राजनीतिक स्तर पर ही क्रियाशील है। यदि उन्होंने गाँधी जी के अहिंसक प्रतिरोध के सिद्धान्त को स्वीकार किया है तो वह केवल राजनीतिक कारणों से ही किया है। लाजपतराय जेल से आने के बाद गाँधी जी के इस विचार से पूर्णत: असहमत हैं और कहते हैं कि यदि वे अपना विचार नहीं छोड़ते हैं तो उन्हें (लाजपतराय को) उनसे अलग होना पड़ेगा।" रोम्या रोलां की डायरी से ये उद्धरण यह स्पष्ट करने के लिए पर्याप्त हैं कि स्वतन्त्रता-संग्राम में जो मूल्य-दृष्टि गाँधी जी की थी वह अन्य किसी की नहीं थी, क्योंकि तिलक और लाजपतराय को निस्संकोच रूप से महात्मा गाँधी से इतर सभी तत्कालीन राजनीतिक नेताओं का प्रतिनिधि कहा सकता है। दूसरी ओर महात्मा गाँधी को सब समयों और देशों के राजनेताओं में एक अपवाद कहा जा सकता है। व्यक्तिगत जीवन में नितान्त असाधारण और साक्षात्कारी मूल्य-दृष्टि वाले और उस दृष्टि के अनुसार देह से मनस् पर्यन्त अपने सत्त्व को ढालने वाले तो संसार के इतिहास में और भी कुछ महात्मा मिल जाएंगे, किन्तु सन्धि, विग्रह, यान, आसन, संशय, द्वैधीभाव की आचार-नीति से परिभाषित राजनीति के सार्वजनिक जीवन को भी धर्म-दृष्टि के अनुसार ढालने वाला उनके अतिरिक्त कोई दूसरा नहीं मिलेगा। रवीन्द्रनाथ ठाकुर ने गाँधी जी को मूर्त्त सत्य कहा है और उनकी तुलना महात्मा बुद्ध से की है, किन्तु सत्य-जीवन को राजनीतिक व्यवहार का भी मेरुदण्ड बनाने के कारण

1. रोम्यां रोलां एण्ड गाँधी : कोरेस्पोंडेस, प्रकाशन विभाग, भारत सरकार, नई दिल्ली, सितम्बर, 1976, पृ. 20

गाँधी जी से बुद्ध की तुलना भी नहीं की जा सकती। गाँधी-दृष्टि का अर्थ व्यक्तिगत ही नहीं सम्पूर्ण सामाजिक व्यवहार को भी पूर्ण रूप से सत्य के अधीन कर देना हैं, जो अन्यत्र कहीं देखने को नहीं मिलता। बुद्ध ने परमार्थान्वेषण की दृष्टि से आर्यजन और पृथग्जन में भेद किया है और व्यवहार-जगत् को पृथग्जन के लिए छोड़ दिया है। राजनीति तो व्यवहार-जगत् में भी निम्नतम स्तर पर आती है। किन्तु गाँधी जी ने व्यवहार को भी परमार्थ का विषय बना दिया।

इस आधार पर से ही महात्मा गाँधी की दृष्टि के और पक्ष भी समझे जा सकते हैं। उनके द्वारा आधुनिक यान्त्रिकी का ही अस्वीकार नहीं बल्कि नागर सभ्यता मात्र का ही अस्वीकार उनकी इसी दृष्टि का अंग है। बीसवीं शताब्दी के आरम्भ में ही लिखे **हिन्द-स्वराज्य** के लेखों में उन्होंने यूरोपीय यान्त्रिक-वैज्ञानिक सभ्यता को मूल से ही अस्वीकार किया था,[1] किन्तु अक्टूबर 1945 में पं. जवाहर लाल नेहरू को लिखे एक पत्र में उन्होंने पुन: लिखा, "मेरा विश्वास है कि यदि भारत को सच्ची स्वतन्त्रता प्राप्त करनी है और उसके माध्यम से संसार को भी स्वातन्त्र्य-लाभ करना है तब देर या सवेर उसे इस तथ्य को स्वीकार करना अनिवार्य होगा कि लोगों का गाँवों में रहना ही उचित है, महलों में नहीं...।"

"मेरा विश्वास है कि सत्य तथा अहिंसा के बिना मनुष्य का विनाश अनिवार्य है। और सत्य तथा अहिंसा को हम ग्राम-जीवन की सरलता में ही साध सकते हैं और ग्राम-जीवन की यह सरलता सही रूप में चरखे के द्वारा और उस भाव के द्वारा ही, जिसे यह प्रतीक व्यक्त करता है, सम्भव हो सकती है।"[2]

यहाँ उस स्पष्टीकरण का उल्लेख आवश्यक है जो महात्मा गाँधी ने इसी पत्र में आगे दिया है, कि 'ग्राम' से उनका आशय वर्तमान भारतीय ग्राम से नहीं है जिसमें अशिक्षा, जहालत, अस्वास्थ्य और गंदगी है बल्कि उस कल्पना के ग्राम से है जिसमें शिक्षा, जागरूकता और स्वस्थ तथा स्वच्छ वातावरण होगा। इस पत्र के उत्तर में नेहरू जी ने स्वतन्त्र भारत की अपनी अवधारणा लिखी। नेहरू जी की अवधारणा आधुनिक नागर तथा वैज्ञानिक एवं तकनीकीय रूप से समुन्नत और संसार के अन्य देशों के साथ कदम मिला कर चलने वाले भारत की थी। स्पष्टत: वह अवधारणा पूर्णत: व्यावहारिक थी, ऐसी जिसमें युग-परिस्थिति और मानव-स्वभाव का ध्यान रखा गया था। निश्चय ही प्राप्त वस्तुस्थिति और प्राप्य आदर्श के बीच अन्तर की, और इस प्रकार मूल्य की बात उनके पत्र में भी थी, किन्तु वह मूल्य व्यवहार-सम्मत और इतिहास-सम्मत था, परमार्थ-सम्मत नहीं। इसी पत्र में, जैसे अन्य जगह भी, गाँधी जी ने 'स्वतन्त्रता' शब्द के साथ 'सच्ची' विशेषण का प्रयोग भी अनिवार्य रूप से किया है और भारत की इस स्वतन्त्रता को विश्व-मानव के स्वातन्त्र्य का प्रवर्तक कहा है। जिसका अर्थ है कि वे भारत की केवल राजनीतिक स्वतन्त्रता की बात नहीं कर रहे थे बल्कि उस समग्र स्वतन्त्रता की बात कर रहे थे जिसमें आत्मा की निर्मलता केन्द्रीय है, जिस स्वतन्त्रता से परतन्त्र भारत से भी अधिक दूसरे स्वतन्त्र देश दूर थे। इसी कारण महात्मा गाँधी केवल भारतीय स्वतन्त्रता-संग्राम के ही नायक नहीं थे बल्कि अन्य देशों के असंख्य प्रबुद्ध लोगों के लिए भी प्रेरणा-स्रोत थे। यह इस बात से देखा जा सकता है कि रोम्यां रोलां द्वारा 1922-23 में लिखी महात्मा गाँधी की जीवनी के यूरोप और रूस की प्राय: सभी भाषाओं में तुरन्त अनुवाद हो गए और उन सबके अनेक संस्करण और आवृत्तियाँ प्रकाशित हुईं। किन्तु यह भी सत्य है कि भारत में उनके राजनीतिक सहयोगियों में किसी को वह दृष्टि उपलब्ध नहीं थी, सम्भवत: अब्दुल गफ़्फ़ार खाँ के अतिरिक्त, और न भारतीय जन-समुदाय की चेतना ही उस दृष्टि से प्रकाशित थी। किन्तु आश्चर्य की बात यह है कि तब भी वे भारतीय स्वतन्त्रता-संग्राम के केवल अनेक में से एक नायक नहीं थे बल्कि एक तरह से एकमात्र नायक थे, अन्य लोग उनके सहयोगी मात्र थे। ऐसा सम्भवत: इसलिए सम्भव हो सका क्योंकि उन्होंने अपने को वास्तविक भारतीय जन की आदर्श प्रतिमा में ढाला, भारत के दीन, दु:खी, दरिद्र जन ने उनमें अपने नारायणीय अवतार को पाया। यदि वे भारतीय

1. द्रष्टव्य **हिन्द स्वराज्य** पर हमारा लेख 'महात्मा गाँधी और हिन्द स्वराज्य'।
2. जी.डी. तेंदुलकर — **महात्मा : लाईफ ऑफ मोहनदास कर्मचन्द गाँधी** (आठ खण्डों में), खण्ड 7, पृ. 1, प्रकाशन विभाग, भारत सरकार, नई दिल्ली, 1962 (2 संस्करण)।

राजनीतिक मंच पर नहीं उतरे होते तो भारतीय स्वतन्त्रता-संग्राम का रूप केवल मध्य वर्ग के असंगठित विद्रोह का ही रहा होता, एक व्यापक और अभूतपूर्व प्रकार की जन-क्रान्ति का रूप उसका नहीं होता।

किन्तु यह परिस्थिति भारतीय स्वतन्त्रता-संग्राम को एक विरोधाभासपूर्ण बना देती है। गाँधी जी जबकि परमार्थ सत्य के अन्वेषी थी, जो सत्य न उनके किसी राजनीतिक सहयोगी को गम्य था और न ही भारतीय जनमानस को, तब भी वे ऐसे एकमात्र राजनीतिक नेता थे जो भारतीय स्वतन्त्रता-संग्राम के नायक थे और अन्य सब उनके पीछे चलने को विवश थे। भारतीय जनमानस के दूसरे पक्ष का, जिसे इसका लौकिक-व्यावहारिक पक्ष कहा जा सकता है, दूसरे नेता प्रतिनिधित्व कर रहे थे, और इसके एक बहुत लघु किन्तु शासक वर्ग द्वारा संरक्षित और प्रवर्द्धित वर्ग का, जो विश्वविद्यालयों में शिक्षित था और जिसके आचार और विचार का परम आदर्श पश्चिम था, उसका प्रतिनिधित्व नेहरू जी कर रहे थे। किन्तु तब भी ये सब गाँधी के आगे विवश थे, जिसमें भारत की सनातन चेतना मूर्त्त हुई थी और इस प्रकार जिसे नहीं समझ कर भी सब उसके पीछे चलने को विवश थे। भारतीय परिस्थिति के इस विरोधाभास को गाँधीजी जानते थे और शायद वे अकेले ही इस बात को जानते थे। इसलिए वे बार-बार उस स्वतन्त्रता के सम्बन्ध में देश को चेताते रहते थे जो केवल गोरे साहिबों के स्थानान्तरण के रूप में हमारे हाथ लगने वाली थी।

किन्तु तब यहाँ एक और बहुत बड़ी पहेली रह जाती है, रहस्यों का रहस्य, कि इसी पारदृष्टि वाले गाँधी जी ने अपने उत्तराधिकारी के रूप में उस नेहरू को ही क्यों चुना[1] जो उनके सब सहयोगियों से अधिक यूरोपाभिभूत था? स्वतन्त्रता के बाद अपने यूरोपीय उत्तराधिकार को स्वयं नेहरू जी ने अत्यन्त सटीक रूप में और सगर्व स्वीकार करते हुए एक अमरीकी राजदूत गैल्ब्रैथ से कहा था, "मैं भारत का अन्तिम ब्रिटिश शासक हूँ।"[2] और वे सचमुच में वही थे, और इस कारण ब्रिटिशों से कहीं अधिक घातक कि वे भारतीय खाल में थे। शायद ऐसा कहना बहुत अधिक होगा कि कहीं गहरे में महात्मा गाँधी स्वयं भी अपनी मूल्य-दृष्टि की व्यावहारिकता के सम्बन्ध में संदेहशील थे। नेहरू जी को उत्तराधिकारी बनाने की बात और किसी प्रकार से समझ में नहीं आती। अन्यथा उनके द्वारा सभी अर्थों में एक भूरे यूरोपीय को स्वतन्त्र भारत के नेतृत्व के लिए मूर्धाभिषिक्त करने का क्या औचित्य हो सकता था? या कि इसका कारण भारत की जन्मपत्री में कहीं खोजना चाहिए?

ऊपर की चर्चा में मूल्यविषयक एक दृष्टि पूर्वगृहीत है। उस चर्चा को आधार देने के लिए उस दृष्टि को स्पष्ट करना आवश्यक है। इसके लिए सर्वप्रथम मूल्य का स्वरूप समझना आवश्यक है। और दूसरा, किन्तु प्रथम से अवियोज्य रूप से सम्बद्ध प्रश्न मूल्य के कर्म में निर्वाह का है।

अब, मूल्य क्या है? साधारणत: किसी भी इच्छा-विषय अथवा प्राप्त लक्ष्य को मूल्य कहा जाता है। 'प्रत्येक व्यक्ति के अपने मूल्य होते हैं', 'मूल्य संस्कृति-सापेक्ष होते हैं' ये आज बहुत प्रचलित धारणाएँ हैं और इन दोनों में यही पूर्वगृहीत है। किन्तु हम यह भी विमर्श करते हैं कि कौन-सा इच्छा-विषय मूल्य होने के योग्य है और कौन-सा इस योग्य नहीं हैं। यों योग्यता का यह प्रश्न मूल्य को इच्छा से पृथक् कर एक वस्तुनिष्ठ सन्दर्भ दे देता है किन्तु तब भी ये सन्दर्भ देश, काल, पात्र की सापेक्षता ले लेते हैं। 'आज मूल्यों में परिवर्तन हो रहा है' इस कथन में देश-काल-सन्दर्भ की सापेक्षता में रुचियों और विचारों को 'मूल्य' पद के वाचक के रूप में देखा जा रहा है। मूल्य-विषयक इस दृष्टि को स्वीकार करने पर मनुष्य के साध्य के निर्णय में तटस्थ विचार और विवेक का कोई स्थान नहीं रह जाता। किन्तु यह नहीं रहने पर मूल्य-विमर्श की बात करना ही निरर्थक हो जाता है और न तब उचित-अनुचित-विवेक का कोई वस्तुनिष्ठ आधार रहता है। किन्तु हमारा विश्वास है कि यहाँ उपस्थित सुधी जन उस समुदाय के भाग नहीं हैं, अन्यथा यह चर्चा यहीं बन्द कर देनी पड़ती, क्योंकि यहाँ इस मूल प्रश्न पर

1. नेहरू जी को गाँधी जी ने अपना उत्तराधिकारी केवल अपने मन में ही नहीं माना था बल्कि बाकायदा नियुक्त किया था, जिसका उल्लेख उनके उपर्युद्धृत पत्र में भी है।

2. गैल्ब्रैथ द्वारा नेहरू जी के इस कथन का उल्लेख हिन्दुस्तान टाइम्स में उनके एक वक्तव्य में प्रकाशित हुआ।

विस्तार से विचार नहीं किया जा सकता है कि मूल्य कैसे वस्तुनिष्ठ विमर्श के विषय हैं।[1] सो, यहाँ हम इस सम्बन्ध में सहमति मान कर 'मूल्य' को परिभाषित करने का प्रयत्न करेंगे। परिभाषा हो सकती है "आत्मा की अपने स्वरूप से अनुरूपता की सिद्धि"। किन्तु इस पर आपत्ति हो सकती है कि इस परिभाषा को सर्वसम्मत मान कर भी विवाद वहीं का वहीं रह जाता है, क्योंकि तब विवाद का विषय आत्मा का स्वरूप हो जाता है। सर्वप्रथम तो आज आत्मा की बात करना ही आदिम, या मध्ययुगीन, या असैक्युलर मनोवृत्ति का परिचायक माना जा सकता है, किन्तु इस आक्षेप को छोड़ भी दिया जाय तो 'आत्मा' तो पुत्र, कलत्र, देह, इन्द्रिय, भाव, विचार से लेकर ब्रह्म तक कुछ भी हो सकता है। जिससे भी आप अपना तादात्म्य स्थापित कर लें वही आत्मा है। अधिकांश में हमारा आत्मा हमारी देह और इन्द्रियाँ ही रहती हैं, अधिक ऊपर उठें तो भाव और विचार हमारे आत्मा-स्थानीय हो जाते हैं। किन्तु बहुतों को कभी, किन्हीं स्थितियों में, इनमें आत्मा के परत्व की झलक भी दृष्टिगोचर होती है, स्वयं आत्मा के अपने स्वरूप की झलक चाहे नहीं भी गोचर होती हो। किन्तु हम इस झलक पर अपना भाव अल्प काल के लिए भी स्थिर कर आत्मा के स्वरूपान्वेषण में प्रवृत्त नहीं हो पाते। जो इस परत्व से मुक्ति का निरन्तर अनुसन्धान करते हैं उन्हीं को हम महात्मा कहते हैं। महात्मा गाँधी का सम्पूर्ण जीवन इसका अनन्य-साधारण उदाहरण है। सामाजिक आदर्श के रूप में उनकी ग्राम-समाज की दृष्टि, भारत की स्वाधीनता के ऊपर सत्य की प्रतिष्ठा उनके इसी आत्म और अनात्म के तत्त्व-बोध से प्रेरित थी। उनका 'ग्राम-जीवन' से अर्थ इसी 'परत्व या अनात्म से मुक्त जीवन' से और 'सत्य' से अर्थ इसी 'आत्मा की अपने स्वरूप से अनुरूपता' से था, जैसाकि उनके 'सत्य' और 'ईश्वर' को पर्यायवाची शब्द कहने से स्पष्ट है। 'सत्य' का साधारण अर्थ है 'कथन का कथ्य के अनुरूप होना।' किन्तु जब 'सत्य' को 'ईश्वर' के पर्यायवाची के रूप में देखा जाता है तब उसका एक ही अर्थ हो सकता है—आत्मा का अपने स्वरूप के अनुरूप होना। अब 'सत्य' का यह अर्थ होने पर देश की स्वतन्त्रता सत्य के ऊपर कैसे प्रतिष्ठा पा सकती है? क्योंकि सत्य को नकार कर तो स्वतन्त्रता ही नकारी जाएगी—यदि स्वतन्त्रता 'स्व की अपने तन्त्र में प्रतिष्ठा, स्व की अपने स्वरूप में प्रतिष्ठा' है तो! अब, गाँधी जी के इस कथन की एक प्राचीन श्लोक में प्रतिध्वनि देखें—

त्यजेदेकं कुलस्यार्थे, ग्रामस्यार्थे कुलं त्यजेत्,
ग्रामं जनपदस्यार्थे आत्मार्थे सर्वं त्यजेत्।

वास्तव में यदि हम देश की स्वतन्त्रता को सत्य के ऊपर प्रतिष्ठित कर देंगे तो किसी भी तर्क से देश की स्वतन्त्रता को अपनी व्यक्तिगत स्वतन्त्रता के ऊपर प्रतिष्ठित नहीं कर सकते। इसलिए, जब हम देश को अपने से ऊपर रखने की श्रेष्ठता की बात करते हैं तब सत्य के तर्क को केवल अंशत: ही देखते हैं, क्योंकि तब देश भी एक विस्तृततर स्वार्थ, विस्तृततर अहंकार ही हो जाता है। गाँधीजी की यही दृष्टि नागर जीवन में परोन्मुखता और ग्राम-जीवन में परत्व से निवृत्ति देखने के पीछे भी थी। नेहरू जी ने अपने पत्र में इसके विरुद्ध ग्रामजीवन में चेतना और संस्कृति के अविकसित रहने और नागर जीवन में इसके विकास-लाभ करने की बात कही है। जिसका अर्थ है कि वे साहित्य, संगीत, विज्ञान और शास्त्र में और उससे भी अधिक प्रौद्योगिकी व्यापार में आत्मा का स्वरूप-लाभ देखते हैं। नेहरू जी को छोड़ते हुए, यहाँ मूल्य-विषयक इन दो दृष्टियों की बात की जा सकती है और कहा जा सकता है कि गाँधी-दृष्टि जबकि जगत्प्रवत्ति में आत्मा की अपने स्वरूप से विमुखता देखती है, नेहरू-दृष्टि जगत् ही में आत्मा का आत्मचरितार्थन देखती है। मनुष्य की सहज प्रवृत्ति वास्तव में इस दूसरी दृष्टि की ही अनुसारी है और यह भी सही है कि सभ्यताओं और संस्कृतियों का विकास इस दूसरी दृष्टि से ही हो सकता है। इसमें पुरुषार्थ भी है—अर्थ और काम-मूलक अर्थों में आत्मा का अनुसन्धान। किन्तु जैसाकि गाँधी जी ने देखा, इसमें हिंसा और असत्य से मुक्ति नहीं है, बल्कि इनका आश्रय इस विकास के लिए अनिवार्य-सा ही है। अपने इस पत्र के अन्त में नेहरू जी ने इसे स्वीकार भी किया है। वे कहते हैं, "आप का यह कहना सही है कि मनुष्य-जगत् अथवा इसका बहुत बड़ा भाग, आत्महत्या पर उतारू है। यह सभ्यता की भूमि में आ पड़े किसी विषबीज के अंकुरित

1. इस सम्बन्ध में हमने **मूल्यतत्त्व-मीमांसा** (दर्शन प्रतिष्ठान, जयपुर, 1995) में विस्तार से विचार किया है।

और पल्लवित हो जाने का अनिवार्य परिणाम हो सकता है। हमारा प्रयत्न इसके घातक परिणामों से बचने का होना चाहिए।" किन्तु इन परिणामों से हम और संसार की दूसरी सभ्यताएँ कहाँ तक बच पायी हैं और इनके बचने की क्या सम्भावनाएँ हैं यह हम देख ही रहे हैं। स्वयं नेहरू जी ने इस विष-बीज के सम्बन्ध में जानते हुए भी इससे बचने के लिए कुछ करना तो दूर इसके प्रभाव को कम करने के लिए भी कोई प्रयत्न नहीं किया। या कि यह इस सभ्यता के विकास की गति का ही अनिवार्य तर्क है कि इससे बचना असम्भव है, अन्यथा नेहरू जी की सदाशयता में तो किसी को संदेह नहीं हो सकता!

यहाँ यह उल्लेखनीय है कि गाँधी जी ने जो देखा वह ऐसा कुछ नहीं था जो पहले किसी ने नहीं देखा हो। वास्तव में हमारे यहाँ कलियुग की कल्पना के रूप में यह दृष्टि स्पष्ट विद्यमान थी, सम्राट् अशोक में राजनीति को सत्य और अहिंसा में प्रतिष्ठित करने की दृष्टि भी दिखायी देती है, किन्तु सत्य और अहिंसा से सम्पूर्ण जनमानस का इस्पातीकरण और गोलियों का मुकाबला खाली छाती से करना और उसे युद्ध-कौशल[1] का रूप दे देना, यह इस देश को और इस देश के माध्यम से सम्पूर्ण संसार को सतयुग में लौटा ले चलने का ऐसा हठ था जिसमें गाँधी-दृष्टि की अपूर्वता थी। वे इसमें बुरी तरह असफल रहे, यह हम देख ही सकते हैं, यद्यपि यह सही है कि यदि स्वतन्त्रता के अवसर पर देश की बागडोर नेहरू जी के बजाय सुभाष या पटेल जैसे किसी व्यक्ति के हाथ में आयी होती तो सम्भव है हम इस अनिवार्य असफलता के बावजूद इतने गहरे और इतने गंदे गर्त्त में नहीं गिरे होते जिसमें हम नेहरू जी के कारण गिरे। नेहरू जी के कारण हम अतिरिक्त गहराई में गिरे, इसका कारण हमारा जातीय स्व-भाव को छोड़कर परभाव का अनुकरण था। दूसरे, नेहरू जी ने भाखड़ा-नंगल और सिंद्री आदि परियोजनाओं को मन्दिर ही घोषित कर दिया और इस प्रकार केवल अर्थ और काम को ही, धर्म और मोक्ष से नितान्त विमुखता के साथ, हमारा पुरुषार्थ बना दिया। निश्चय ही इसमें केवल नेहरूजी को दोष देना अनुचित होगा, क्योंकि नेहरू जी दूसरों के सहयोग के बिना और देश के उस वर्ग के सहयोग के बिना जो वर्ग शक्तिपीठों के निकट था, अकेले ही यह नहीं कर सकते थे। किन्तु वे देश में कलियुग के कुरूपतम रूप के अवतरण में नायक अवश्य बने। उदाहरणः उन्होंने हमारी चेतना का जिस प्रकार पश्चिमीकरण और लोकायतीकरण किया, उन्होंने जिस प्रकार शिक्षा-क्षेत्र की उपेक्षा की, वह सब उन्हीं की विशिष्ट देने है।

ऊपर उद्धृत पत्र में नेहरू जी ने गाँधी जी के ग्राम-आधारित समाज के विचार का प्रत्याख्यान करते हुए लिखा, "मुझे यह बात समझ में नहीं आयी कि क्यों सत्य और अहिंसा का वास ग्राम में ही सम्भव है। साधारणत: ग्राम बौद्धिक और सांस्कृतिक रूप से पिछड़े ही होते हैं और एक पिछड़े हुए वातावरण में प्रगति सम्भव नहीं हो सकती। संकुचित मानसिकता वाले लागों के असत्य और हिंसा-परायण होने की सम्भावना अधिक होती है।"...पत्र में आगे उन्होंने आज के युग में किसी देश के सांस्कृतिक रूप से (और सत्य में प्रतिष्ठा की दृष्टि से भी (?)) उन्नत होने के लिए उसका तकनीकीय और वैज्ञानिक दृष्टि से उन्नत होना आवश्यक बताया है। यहाँ यह उल्लेखनीय है कि नेहरू जी भी कोई नयी बात नहीं कह रहे थे। सभ्यताओं के इतिहास के सभी आधुनिक लेखक सभ्यता और संस्कृति के विकास के लिए नागरता को अनिवार्य मानते हैं और यह भी देखा जा सकता है कि हमारा सम्पूर्ण शिक्षित वर्ग 'वैज्ञानिक' शब्द को युक्ति-सम्मतता और सांस्कृतिकता का पर्याय मानता है और तकनीकी विकास को 'प्रगति' का पर्यायवाची मानता है। यों पुराकाल में भी 'ग्राम्य' शब्द का प्रयोग 'मूढ' के पर्यायवाची के रूप में ही होता था और 'नागर' शब्द का 'परिष्कृत' के पर्यायवाची के रूप में। किन्तु विचार की इस दिशा में यह भुला दिया जाता है कि न वेद और उपनिषद् नागर सभ्यता की देने थे और न कबीर, नानक, तुलसी और सूर आदि ही नागर सभ्यता की देन थे। सुकरात और प्लेटो के होने के लिए भी नागर सभ्यता अनिवार्य नहीं थी। गाँधी जी जब सत्य और अहिंसा-परायण समाज के लिए ग्राम की बात करते हैं तब उनकी दृष्टि में ऐसा ही अन्त:प्रकाशित समाज है, इसी से वे 'कल्पना के ग्राम' की बात करते हैं, तत्कालीन अविकसित

1. यहाँ 'कौशल' शब्द का प्रयोग उस अर्थ में है जिस में इसका प्रयोग बौद्ध धर्म के 'उपायकौशल' पद में और **गीता** के 'योगः कर्मसु कौशलम्' में हुआ है।

ग्राम की नहीं। निश्चय ही भारत में सभ्यता का विकास तो मौर्य साम्राज्य और गुप्त साम्राज्य में ही हुआ, किन्तु वह हिंसा और अन्य लोक-साधारण उपायों से ही हुआ और सत्य वहाँ ब्राह्मणों के माध्यम से ही चरितार्थ किया गया। दर्शन, शास्त्र, कला और शिल्प का विकास ऐसे साम्राज्यों में ही विशेष हुआ। आत्मा को पाने की यह भी एक दिशा है, इसी दिशा में आगे विज्ञान और तकनीकी भी आते हैं, केवल इस अन्तर के साथ कि इनमें आकर आत्मा प्रायः पूर्णतः देह और इन्द्रियों से तदात्म हो जाती है। किन्तु यहाँ यह ध्यातव्य है कि सभ्यता के नागर विकास के बिना आभ्यन्तर अर्थों के विकास की सम्भावना चरितार्थ हो ही, यह आवश्यक नहीं है, उससे भी अधिक सम्भावना इस बात की रहती है कि बाह्यार्थों के विकास से वंचित जन आन्तर अर्थों के विकास से भी वंचित रहें। अधिकांश विकसित संस्कृतियों में ग्राम इसी अविकास के उदाहरण हैं, स्वयं हमारे देश में भी 'ग्राम्य' शब्द इसी बात की ओर संकेत करता है। इसी से जब गाँधी जी ने ग्राम की बात की तब उस ग्राम की बात नहीं की जो हमारे देश में उपलब्ध था बल्कि 'कल्पना के ग्राम' की बात की, उस ग्राम की जिसमें मनुष्य बाह्यार्थों के अन्वेषण में अपनी चरितार्थता नहीं देखता बल्कि आन्तरिक अर्थों के अन्वेषण में देखता है।

किन्तु तब यहाँ अनेक व्यावहारिक प्रश्न खड़े हो जाते हैं। सबसे पहला और प्रमुख प्रश्न तो यही है कि ऐसा समाज उन दूसरे समाजों से अपनी रक्षा कैसे कर पायेगा जो बाह्यतः समृद्ध और इस प्रकार शक्तिशाली हैं, अथवा जो भीतर-बाहर दोनों ओर से विपन्न हैं किन्तु आसुरी शक्ति से सम्पन्न हैं? अतीत में संस्कृति में समुन्नत प्रायः सभी जातियाँ उन बाह्य आक्रान्ताओं से परास्त होती रही हैं जो सांस्कृतिक रूप से अविकसित थे। हमारा देश तो इसका ज्वलंत उदाहरण कहा जा सकता है। आज तो परिस्थिति और भी विकट है। आज सारा संसार यातायात और सम्प्रेषण-यन्त्रों के चामत्कारिक विकास से बहुत कुछ एक समाज और एक बाज़ार जैसा हो गया है, जो समाज और बाज़ार केवल जंगल के नियमों से नियन्त्रित है। गाँधी जी का सपना था कि वे भारत में ग्राम-समाज के रूप में एक वास्तविक मानवीय सभ्यता की प्रतिष्ठा कर सकेंगे और उसके द्वारा सम्पूर्ण विश्व में उस सभ्यता का प्रवर्त्तन कर सकेंगे। किन्तु वे अपनी इस सोच में वास्तविकता से बहुत दूर थे। पाश्चात्य सभ्यता में जो विष-बीज यान्त्रिकी-प्रौद्योगिकीं के रूप में अंकुरित हो गया था और गाँधी जी ने जिसके फलों के रूप-गुण का सम्यक् रूप से अनुमान कर लिया था उसे जड़ से ही उखाड़ने का उपाय तो वही था जो गाँधी जी करना चाहते थे, किन्तु वह उपाय नितान्त अव्यावहारिक था। क्योंकि मनुष्य की जो प्रकृति है उसके रहते, और संसार की जो तत्कालीन परिस्थिति थी उसके रहते, इतिहास की गति को ग्राम-सभ्यता की दिशा में आगे नहीं बढ़ाया जा सकता था। यदि किसी प्रकार हम अपने देश में वैसा करने में सफल हो भी पाते तो अन्य देशों में वह कर पाना सम्भव नहीं था और उसके बिना हमारे देश में भी वह टिका नहीं कर सकता था। इसके अतिरिक्त, मानव-प्रकृति के वैसा रहते जैसी वह है, हमारे देश में भी उसकी स्थायिता सम्भव नहीं थी। अतीत में मनष्य को अपने स्वरूप की ओर उन्मुख करने के अनेक प्रयत्न हुए और मानवसमाज ऐसे मार्गदर्शकों की प्रेरणा से उस दिशा में उन्मुख होता भी रहा, किन्तु प्रेरणा-स्रोत के हट जाने के बाद वह पुनः अपनी पहली दशा में ही लौट आता रहा। गाँधी जी के तो अपने जीवनकाल में ही उनके कम से कम राजनीतिक सहयोगियों ने उनकी मूल्य-दृष्टि को स्वीकार नहीं किया और उनके स्वयं के द्वारा चुने गए उत्तराधिकारी ने उन्हें सबसे अधिक मूलगामी रूप में अस्वीकार किया। ऐसे में उन विषाक्त फलों का फलना तो स्वाभाविक ही था जो फले, और हमारा उस अंधे कुएँ में गिरना भी अनिवार्य था जिसमें आज हम आ पड़े हैं।

किन्तु इसका अर्थ यह नहीं है कि हमारा इस गर्त्त में गिरना हमारी अनिवार्य नियति थी। ग्राम-समाज की ओर यथावत् अग्रसर होना सम्भव नहीं होने पर भी हम उस मूल्य-दृष्टि को अपना आदर्श रख सकते थे। आख़िर महात्मा गाँधी भारत में इसी युग में हुए थे और वे केवल एक व्यक्ति ही नहीं थे बल्कि उस तत्त्व के एक द्रष्टा भी थे जो सनातन भारत का एक तत्त्व है। इसी युग में वह तत्त्व रामकृष्ण परमहंस, दयानन्द, श्री अरविन्द आदि अन्य अनेक महात्माओं में भी उपाधि-भेद से भास्वर देखा जा सकता है। गाँधी उसी तत्त्व की एक व्यापकतर अभिव्यक्ति थे। गाँधी जी ने उस तत्त्व को जो राजनीतिक सन्दर्भ में व्यवहार का रूप दिया उसी में उनका अद्भुत

नावीन्य और सृजनात्मकता थी, अन्यथा तो वह सनातन भारत का ही तत्त्व था। जैसाकि हमने पीछे कहा, इस तत्त्व के इस रूप के काल-भेद से भिन्न लक्षण सम्राट् अशोक में भी देखे जा सकते हैं। यदि व्यवहार के अनुरोध से उक्त तत्त्व को लेकर गाँधी-दृष्टि में कुछ संशोधन की आवश्यकता थी तो उसमें यथोचित संशोधन करना उनके उत्तराधिकारियों का काम था। यों स्वयं गाँधी जी ही अपनी दृष्टि के व्यवहार में निरन्तर संशोधन करते रहे थे। उदाहरणत: वे क्रमशः यन्त्रों को उस सीमा तक स्वीकार करने को राज़ी थे जिस सीमा तक वे मनुष्य के उपकरण रहें। जिस सीमा के आगे मनुष्य उनका उपकरण होने लगे केवल वहाँ ही वे उन्हें स्वीकृति देने को राज़ी नहीं थे। यों भी आख़िर किसी यन्त्र का विरोध कैसे हो सकता है? विरोध तो उस अभिवृत्ति या मानसिकता का ही हो सकता है जो इन यंत्रो के साथ आती है यन्त्र आत्मा का ही बाह्यार्थ है। देहात्म के अनुरोध से बाह्यार्थों में आत्मा का विस्तार यन्त्रों की दिशा में होना स्वभाविक भी है और आवश्यक भी। आख़िर आत्मा एक से अनेक भी अपने बाह्याक्षेप से ही हुआ और इससे इस जगत् का आविर्भाव हुआ। किन्तु यह आत्मा बाह्य अर्थों में अपनी सम्पन्नता का लाभ करे, अपने को चरितार्थ करे, यह तो प्रेय का श्रेयात्मक रूप हो सकता है, किन्तु बाह्य अर्थों में आत्मा आत्मविमुख होने लगे और इस प्रकार विपन्न हो जाय, यह भयावह है। यदि हम इस खतरे को सम्यक् रूप से समझ कर यन्त्र को बाह्य जीवन की बाध्यताओं के रूप में अपनाते तब इस विमुखता से बहुत कुछ बच सकते थे। किन्तु हमने राजनीतिक स्वतन्त्रता के साथ आत्मा का उद्धार आत्मवैमुख्य में ही देखा। इसी का यह परिणाम है कि हम आज सुन्द और उपसुन्द के वंशजों जैसे हो रहे हैं, ऋषियों के या राम के वंशजों जैसे नहीं। दूसरी आधारभूत बात यह है कि आज हम उस सनातन भारत को ही अस्वीकार कर रहे हैं गाँधी जी ने जिसका साक्षात्कार किया था और जो अन्त:सलिला के समान हमारे जातीय जीवन को सौ संकटों के बीच भी बचाये हुए है। उसे हम साम्प्रदायिकता-धर्मान्धता आदि कह रहे हैं। और यह केवल अज्ञानवश नहीं बल्कि स्वार्थ और झूठ के वश ही कह रहे हैं इस कारण हमारी चेतना के और गहरे अंध तमस से आवृत होने की आशंका होती है। तीसरी और भी भयानक बात यह है कि किसी भी मनुष्य के आत्म-लाभ के लिए या व्यक्ति होने के लिए जो पहली शर्त है— आत्मसम्मान, निज के धर्म-स्वभाव में प्रतिष्ठा, अपनी राजनीतिक स्वतन्त्रता के साथ हमने उस को भी खो दिया। गाँधी जी ने इसके खोने की सम्भावना को बहुत पहले ही देख लिया था, जैसाकि हिन्द-स्वराज्य में इसके सम्बन्ध में उनकी चेतावनी से स्पष्ट है। स्वतन्त्रता-संग्राम-काल में भी यूरोप की उत्कृष्टता का भाव हममें इतना अधिक गहरा था कि हम अपने को उन्हीं के पैमाने से तोलते थे। किन्तु तब भी यह अन्तर अवश्य था कि उस समय हम उस तोल से अपने अतीत को गौरवान्वित कर अपनी वर्तमान हीन-भावना से उबरने का प्रयत्न करते थे। स्वतन्त्रता के बाद हमने आत्म-लाभ का यह प्रयत्न भी छोड़ दिया और अपने प्रथम देशी साहिब के साथ साहिबी को ही अपना साध्य मान लिया। इस बात में यदि संदेह के लिए कोई अवकाश था तो उसे अभी पीछे दिल्ली में हुए शिक्षा मन्त्रियों के सम्मेलन ने समाप्त कर दिया[1], यद्यपि हमारे द्वारा आत्मा के इस प्रकार खो दिये जाने के लिए इस प्रमाण की कोई आवश्यकता नहीं थी, क्योंकि यह तो आज हमारे सारे जातीय जीवन में ही देखा जा सकता है।

आज हम जहाँ पहुँच गए हैं वहाँ आशा की कोई किरण दिखायी नहीं देती है। आज हमारी राजनीति में, और बहुत कुछ समाज में भी, मूल्य का कोई बोध नहीं है, न किसी को कोई दिशा-बोध ही है। अवश्य हिन्दुत्व की बात करने वालों के समान-रूप से मूल्यहीन होने पर भी उनके सम्बन्ध में यह सोचा जा सकता है कि सम्भव है उनके हाथों देश की नैया किसी ऐसे किनारे लग जाय जिसके आगे प्रकाश-पथ हो, दूसरों से तो कोई भी आशा नहीं की जा सकती, क्योंकि उनकी तो आँखें ही सिर के पीछे लगी हैं। किन्तु दुर्भाग्यवश हिन्दुत्व की दुहाई देने वाले ये लोग हिन्दुत्व के उस सनातन बोध से उतने ही विमुख हैं जितने इनके विरोधी लोग हैं, जिसका एक और स्पष्ट प्रमाण इनका आज के सबसे अधिक निष्ठावान् हिन्दू महात्मा गाँधी के प्रति विद्वेष है।

1. शिक्षामन्त्रियों का यह सम्मेलन नयी दिल्ली में हुआ। इसके आरम्भ में सरस्वती-वंदना के लिए गीत गाया गया, जिसके विरोध में अपने को सेक्युलरिस्ट कहने वाले दलों के शिक्षामन्त्री उठकर चले गए।

अन्त में हिंसा–अहिंसा के सम्बन्ध में एक स्पष्टीकरण आवश्यक है। गाँधी जी ने अहिंसा को सत्य के साथ ही रखा और इसे हमारे स्वतन्त्रता-संग्राम का आधारभूत आयुध बनाया। संग्राम के आयुध तो मारक होते हैं, तब उन्होंने जो इस विपरीत आयुध को अपनाया उसके लिए तर्क क्या है? इसका वैसे सहज उत्तर होना चाहिए कि इसके लिए तर्क की अपेक्षा ही कहाँ है? अहिंसा सत्य और अस्तेय के समान ही मानव–विवेक के बोध का मूल और सहज विषय है। असत्य और स्तेय के अनौचित्य के लिए कोई तर्क की मांग नहीं करता। इसी प्रकार हिंसा के अनौचित्य के लिए भी किसी तर्क की अपेक्षा नहीं है। हिंसा केवल पशु–सुलभ धर्म है। यदि कहें कि 'यदि यह (अहिंसा) विवेक का मूल बोध है तो यह बोध सर्वत्र दिखायी देना चाहिए' तो इसका उत्तर है कि यह बोध मनुष्य में सर्वत्र लक्षित होता है, किन्तु किसी दूसरे मूल्य की अपेक्षा से इसका स्थगन स्वीकार किया जाता है। यदि कहा जाय कि 'नहीं, बहुत से लोगों में अकारण हिंसकता भी देखी जाती है', तो यह सही है किन्तु अधिकांश लोगों में सत्य और अस्तेय के प्रति भी कोई निष्ठा नहीं देखी जाती।

किन्तु उनमें इनके औचित्य–अनौचित्य का विवेक स्पष्ट होता है। **महाभारत** में दुर्योधन का कथन 'जानामि धर्मं न च मे प्रवृत्ति:' बोध और प्रवृत्ति के बीच सर्वमान्य भेद का ही कथन है। कहा जा सकता है कि राजनीति में सत्य और अहिंसा आदि के लिए कोई स्थान नहीं है। यह सही है, किन्तु वहाँ एक दूसरे मूल्य की अपेक्षा से इन मूल्यों का स्थगन स्वीकार किया जाता है। वह मूल्य है एक समुदाय की आत्म–रक्षा। किन्तु इस आधार पर हिंसा की आचरण में स्वीकृति हृदय में इसकी स्वीकृति को वैध नहीं बनाती। बल्कि विवेकी व्यक्ति आचरण में शस्त्र–प्रयोग के लिए बाध्य होने पर हृदय में और भी अधिक करुण होगा। किन्तु राजनीति ने कभी इस विवेक की ओर ध्यान नहीं दिया और विवेक को अपने क्षेत्र से ही बहिष्कृत कर दिया। इसी से आज भी, महात्मा गाँधी के बावजूद, देशों के बीच परस्पर व्यवहार की नीति का आधार अपने देश के स्वार्थ को ही माना जाता है, किसी धर्म–नीतिमूलक औचित्य को नहीं। किन्तु इससे मनुष्य आत्म–कल्याण के मार्ग पर एक कदम भी आगे नहीं बढ़ सकता। गाँधी जी ने राजनीति को मनुष्य की धर्म–नीति बनाना चाहा और इस सारे सन्दर्भ को उन्होंने जिस क्रान्त दृष्टि से देखा वह मानव–सभ्यता को उनका अद्वितीय योगदान कहा जा सकता है। उन्होंने पाशव बल के सम्मुख भी आत्मरक्षा के लिए शस्त्र का प्रयोग छोड़ कर शुद्ध नैतिक संकल्प के साथ उसका प्रतिरोध करने की जो बात कही वह जबकि प्रतिरोधकर्त्ता को अपार निर्मलता और वीर्य देने वाली है, शत्रु–पक्ष को भी सब मलों से मुक्त करने वाली है। हम इतिहास में पढ़ते हैं कि "सारी राजपूत सेना वीरता से लड़ते हुए निहत हो गई किन्तु शत्रु के सम्मुख आत्म–समर्पण नहीं किया, और राजपूत स्त्रियों ने जौहर से प्राण त्याग दिये।" किन्तु इससे आध्यात्मिक स्तर पर क्या लाभ हुआ? बहुत से पशु भी हैं जो लड़ते–लड़ते जान दे देते हैं, भागते नहीं। अवश्य मनुष्य उन पशुओं में से नहीं है, वह निर्बल होने पर भागने वाला पशु ही है, इसी से जो भागते नहीं वे वीर कहे जाते हैं। किन्तु यह वीरता मनुष्य को पशु के स्तर से ऊपर नहीं उठाती। इस स्तर से तो आत्मा में वीर्य का संचार ही ऊपर उठा सकता है और मानव–तनधारी को पशु से मनुष्य बना सकता है।

यह सही है कि यह मार्ग अत्यधिक दुर्गम है, किन्तु कम से कम राजनीतिक रूप से जिस जंगल–राज में हम आरम्भ से आज तक रहते चले आ रहे हैं उससे उबरने का दूसरा कोई मार्ग नहीं है।

तकनीकी और सामाजिक प्रगति

प्रायः ही ऐसा होता है कि कुछ धारणाएँ बिना सोचे-परखे प्रचलित हो जाती हैं और वे धीरे-धीरे हमारे सारे आचार-विचार को गहराई में जाकर बदल देती हैं। कभी-कभी ऐसा सम्मोहन देश-व्यापी और विश्व-व्यापी स्तरों पर भी होता है। विश्व-व्यापी स्तर पर सम्मोहन की ऐसी ही एक घटना दूसरे महायुद्ध के बाद हुई जब एशिया और अफ्रीका के देश यूरोपीय शक्तियों के राजनीतिक चंगुल से मुक्त होने लगे। इस ऐतिहासिक अवसर पर हमारे और यूरोप के नेताओं ने, मानो एक दुरभिसन्धि कर, पिछड़ेपन की, अविकसितता की अवधारणा गढ़ी और देखते ही देखते इसका सम्मोहन आसुरी माया की तरह फैल गया। सभी देश और समाज बिना किसी प्रश्न और सन्देह के इसके प्रभाव में आ गये और चीन, भारत और हिन्देशिया जैसे सांस्कृतिक दृष्टि से अत्यधिक समृद्ध और विकसित देशों तक ने अपने को पिछड़ा हुआ और अविकसित मान लिया और तब विकसित होने की उत्कंठा में ये सब देश पश्चिम की ओर दौड़े। इन्होंने उनकी भाषा को देवभाषा, उनके हाव-भाव, तौर-तरीके सब को आदर्श मान लिया। इस नयी हवा के अनुसार 'काशी-प्रयाग' के स्थान पर 'भाखड़ा-सिन्द्री' को तीर्थ बना लिया, सामाजिक, आर्थिक, शैक्षिक, दार्शनिक सब दिशाओं में योजना-निर्माण और पथ-प्रदर्शन के लिए उनके विशेषज्ञों को बुलाया और स्वयं उनके यहाँ गये और धन्य हुए।

अब सवाल है कि पिछड़ापन है क्या? क्या हम सचमुच पिछड़े हुए हैं? यदि हैं तो किस अर्थ में और यदि नहीं तो किस अर्थ में?

पिछड़ापन या अविकसितता किसी नाप से, पैमाने से, होती है। हमारे ध्यान में कोई पैमाना होता है जिससे नाप कर हम एक को विकसित और दूसरे को अविकसित कहते हैं। यदि हम पैमाने के बारे में सहमत हो जायें तब यह निर्णय करने में कोई कठिनाई नहीं होगी कि कौन बड़ा है और कौन छोटा। पर असली बात तो यह है कि सही पैमाने का निर्णय कैसे हो? कौन पैमाना सही है, यह निर्धारित कैसे किया जाय? और ये प्रश्न कठिन होने से हम प्रायः इनकी ओर जाते ही नहीं। इस प्रसंग में भी यही हुआ। हमने यूरोप की धारणा के अनुसार ही विज्ञान और तकनीकी को विकास का पैमाना मान लिया। इस पैमाने को प्रामाणिक मान लेने पर इसमें कोई संदेह और विवाद की बात ही नहीं रह जाती कि हम अविकसित हैं और यूरोप विकसित है। पर प्रश्न है कि तकनीकी को किसी समाज के विकास को नापने का सही पैमाना माना ही क्यों जाये? इसके उत्तर के लिए पहले एक और मूलगामी प्रश्न का उत्तर देना आवश्यक होगा—सामाजिक प्रगति का पैमाना निश्चित कैसे किया जाय?

जैसाकि स्पष्ट है, यह प्रश्न बहुत गहरा है। पर इसका एक सरल पक्ष है और वह यह कि यदि प्रश्न किया जा सकता है तो इसका अर्थ है कि यह अपने आप से निश्चित नहीं है कि तकनीकी या विज्ञान सामाजिक प्रगति का पैमाना है। ऐसा भी हो सकता है कि हम पायें कि सामाजिक प्रगति को नापने का सही पैमाना कोई दूसरा है और उस पैमाने के अनुसार कोई समाज तकनीकी और विज्ञान में समुन्नत होकर भी वास्तव में पिछड़ा हुआ ही माना जाये। सो, असली बात पैमाना निश्चित करने की है।

यूरोप ने औद्योगिक क्रान्ति के बाद इस 'महान् सत्य' की खोज की कि सामाजिक प्रगति का एक मात्र पैमाना तकनीकी है और उसने प्रागैतिहासिक और ऐतिहासिक युगों का विभाजन तकनीकी उपकरणों और उपादानों के आधार पर कर दिया। उसके अनुसार ताम्र युग प्रस्तर युग से समुन्नत था और लौह युग ताम्र युग से। यहाँ इससे ठीक विपरीत युग-विभाजन की ओर संकेत करना अयुक्त नहीं होगा जिसके अनुसार युग-क्रम सतयुग, द्वापर, त्रेता और कलयुग का है। मुझे यह दूसरा विभाजन अयुक्त नहीं जान पड़ता। प्रथम विभाजन का आधार कल या यन्त्र है और दूसरे का आधार नैतिक बोध। किन्तु मान लें कि दूसरा विभाजन ऐतिहासिक रूप से

सही नहीं है और प्रथम विभाजन सही है, पर इसका सहीपन आप किस प्रकार सिद्ध करेंगे?यदि उपकरणों और उपादानों के प्रसंग से, तब यह आवृत्ति मात्र है, आपसे वास्तव में जो दिखाने की मांग है वह यह कि क्या उपकरणों की प्रगति मानव की नैतिक चेतना की प्रगति की अनिवार्य हेतु होती है? क्योंकि मानव की या समाज की प्रगति का मानदण्ड स्वयं उपकरणों की प्रगति को नहीं बनाया जा सकता। अब, यह सही है कि उँगलियों का उपकरणों के नियोजन में प्रयोग नहीं होने पर मस्तिष्क के अन्य पक्षों के विकास पर भी प्रभाव पड़ता है, किन्तु उससे भी महत्त्वपूर्ण यह है कि मस्तिष्क में योग्यता नहीं होने पर उँगलियाँ उपकरणों के प्रयोग में प्रवृत्त ही नहीं हो सकतीं। किन्तु इन दोनों से भी अधिक महत्त्वपूर्ण यह है कि उपकरण मनुष्य की विलक्षणता से कोई सम्बन्ध नहीं रखते। मनुष्य का चरमोत्कर्ष हम बुद्ध, ईसा, कबीर और पाणिनि आदि में देखते हैं, इंजीनियरों में नहीं, और बुद्धत्व या कालिदासत्व का कोई भी सम्बन्ध उपकरणों या उपादानों से नहीं है। यहाँ उस सिद्धान्त की ओर ध्यान जाना स्वाभाविक है जिसके अनुसार ये तत्त्व (बुद्धत्व आदि) सामन्त युग की उपज हैं और 'सामन्त युग' उत्पादन-साधनों और तन्मूलक सम्बन्धों का नाम है और सामन्त युग के आधुनिक युग से पिछड़े होने से बुद्धत्व इंजीनियरी से निम्नतर स्तर पर है। वैसे इस प्रकार की धारणाओं का निराकरण युक्ति से करना असम्भव होता है, क्योंकि ये धारणाएँ समग्रात्मक होती हैं और तत्त्वों तथा आयामों की अनेकता स्वीकार नहीं करतीं। किन्तु जो कठमुल्ले नहीं हैं उनके लिये यह युक्ति दी जा सकती है कि प्लेटो पश्चिम का आज भी नियामक दार्शनिक है और पाणिनि आज भी विश्व का उत्कृष्टतम भाषाविज्ञानी। इस पर आक्षेप किया जा सकता है कि ये उदाहरण व्यक्तिगत सन्दर्भ से हैं। किन्तु प्रथम तो ऐसा नहीं है, पाणिनि भाषा-विज्ञान के सामाजिक आधार के बिना नहीं हो सकते थे और प्लेटो दर्शन के, यद्यपि इनके आविर्भाव को परिस्थितियों को कारण-कार्य रूप से निर्धारित नहीं किया जा सकता। यहाँ जो बात विशेष महत्त्व की है वह यह कि ये दोनों व्यक्ति सामाजिक प्रगति के अत्युत्कृष्ट बिन्दु हैं और उसके कारक भी। अवश्य पाणिनि और कालिदास को सामाजिक प्रगति के महत्त्वपूर्ण कारक नहीं कहा जा सकता किन्तु अरस्तु, प्लेटो, बुद्ध, ईसा, शंकर, कबीर और तुलसी आदि सामाजिक प्रगति और परिवर्तनों के बहुत अधिक महत्त्वपूर्ण कारक हुए। कोई कह सकता है कि चक्र का आविष्कार या लोहे का प्रयोग सामाजिक परिवर्तन के जितने बड़े कारक हुए उतने बुद्ध या ईसा नहीं हुए। मैं इनके मात्रात्मक महत्त्व का नाप-तोल यहाँ नहीं करूँगा और न उसका कोई अर्थ ही है, मेरे लिए यहाँ महत्त्वूर्पण यह देखना है कि ये दो, उपकरण और नैतिक-बोध, मनुष्य के दो भिन्न आयामों में सामाजिक परिवर्तन के कारक हैं और इसी प्रकार पाणिनि और कालिदास भी हैं। अब यदि सामाजिक परिवर्तन के ये आयाम, जिनमें बुद्ध-ईसा और प्लेटो-शंकर आदि ने क्रान्ति घटित की, स्थिर और अविकसित रह जायें और केवल कल और उपादान-मूलक आयाम—भैंसा-गाड़ी से वाष्प-इंजन और उससे आकाश-यान—के क्रम से बढ़ते चले जायें तो क्या होगा? यह एक विचारणीय प्रश्न है जिस पर वे लोग विचार करने से इन्कार कर रहे हैं जो मथुरा-काशी के बजाय भाखड़ा-सिन्द्री को तीर्थ बनाने पर तुले हैं और जो सामाजिक परिवर्तन और प्रगति का एकमात्र मानदण्ड तकनीकी को ही मानते हैं।

इस प्रश्न का सम्यक् निर्णय करने के लिए मानव-समाज के स्वरूप पर विचार करना आवश्यक होगा : समाज क्या है? समाज को हम इस प्रकार परिभाषित करना चाहेंगे—'समाज सम्बन्धों की वह व्यवस्था है जिसे मनुष्य अपने स्वरूप की सिद्धि के लिए स्थापित करता है।' इसकी एक पूरक परिभाषा होगी—'संस्कृति वह मूल्य-व्यवस्था है जिसके अनुसार मनुष्य अपने स्वरूप को परिभाषित करता है और समाज इस मूल्य-व्यवस्था को धारण करने वाली सम्बन्ध-व्यवस्था है।' इस पूरक परिभाषा से यह स्पष्ट होगा कि मनुष्य से हमारा अभिप्राय 'व्यक्ति' से नहीं है और सम्बन्ध-व्यवस्था व्यक्तियों की सम्बन्ध व्यवस्था नहीं है। यह व्यक्तियों के ऊपर व्यवस्था है जो व्यक्तियों को संबंधित करती है। इसकी उपमा दिक् से दी जा सकती है जो दैशिक सम्बन्धों से पूर्व है और उनका जनक और धारक है। इस प्रकार 'संस्कृति', 'मानव की स्वरूप-कल्पना' और 'जीवन-दृष्टि' आदि शब्द पर्यायवाची ही हैं। यह संस्कृति उस सामाजिक सम्बन्ध-व्यवस्था की जनक और धारक दिक् है। अब, कोई समाज अपनी स्वरूप-कल्पना किस प्रकार करता है? यह उसकी स्वतन्त्रता है, या उसका भाग्य है, या संयोग है? इनमें से वह क्या है, इस पर यहाँ विचार करना सम्भव नहीं है, किन्तु यह देखना महत्त्वपूर्ण है कि इन सम्बन्धों का

धारण वह मूल दिक् करता है जिसे हम संस्कृति कहते हैं। मानव–समाज मात्र में हमें कुछ सार्वभौम सम्बन्ध और संस्थाएँ मिलती हैं। उदाहरण के लिए परिवार, राज्य आदि। ये सम्बन्ध मूल्यात्मक हैं और इसी से मानवीय और सामाजिक हैं। किन्तु दृष्टि–भेद से सम्बन्धों में अर्थ–भेद और इस प्रकार अन्ततः समाज–भेद होता है। उदाहरण के लिए मातृत्व, पति–पत्नीत्व आदि सम्बन्ध सब समाजों में हैं किन्तु इसके स्वरूप में, या कहें अर्थों में, गम्भीर भेद है। जब बर्ट्रेंड रसल ने विवाह–संस्था पर लिखा तो वह ऐसे लिख रहा था मानो वह किसी सत्य का उद्घाटन और असत्य का निवारण कर रहा हो, और प्रतिष्ठित विवाह–संस्था का इस प्रकार मखौल उड़ा रहा था मानो वह भ्रान्ति हो। किन्तु वास्तव में वह जो कर रहा था वह यह कि वह एक दृष्टि का चुनाव और वरण कर रहा था। यहाँ प्रश्न हो सकता है कि क्या दृष्टियों के वरण में कोई सत्यासत्य नहीं रहता? वास्तव में जब वरण की बात की जाती है तब यही समझा जाता है कि सत्यासत्य नहीं रहता। किन्तु हमारी यह मान्यता नहीं है। हमारी मान्यता है कि दृष्टियाँ भी सत्यासत्य और युक्तायुक्त होती हैं। और हमारी यह भी निश्चित मान्यता है कि रसल की दृष्टि असत्य थी। किन्तु यह प्रश्न बहुत जटिल है और यहाँ इस पर विचार नहीं किया जा सकता। यहाँ हम केवल इतना ही कहना चाहेंगे कि समाज को मूल्यात्मक सम्बन्धों के रूप में परिभाषित करने पर यह सहज ही देखा जा सकता है कि तकनीकी को सामाजिक परिवर्तन का एकमात्र कारक कहना वास्तव में एक मूल्य–संस्थान का चयन करना है, अन्यथा आज तक किसी समाज ने तकनीकी–मूलक परिवर्तन को सामाजिक प्रगति का पर्याय और इस प्रकार मूल्य नहीं माना था, न यह आज ही मानना आवश्यक है। तकनीकी को सामाजिक प्रगति का एकमात्र आधार कहने के पीछे जो आग्रह है वह आधुनिक यूरोपीय संस्कृति की मूल्य–व्यवस्था का है जिसे सोरोकिन ने 'ऐन्द्रिक संस्कृति' की संज्ञा दी है। 'ऐन्द्रिक संस्कृति' का अर्थ है कि इन्द्रियों पर आश्रित ज्ञान को ही ज्ञान मानने वाली और इन्द्रियों से प्राप्त सुखों को ही एकमात्र सुख मानने वाली संस्कृति या मूल्य–व्यवस्था। आधुनिक विज्ञान और तकनीकी इस मूल्य–व्यवस्था की ही उपज या उसके अर्थ की सिद्धि के माध्यम हैं। तब यह कैसे स्वतःसिद्ध माना जा सकता है कि यूरोपीय संस्कृति ही एकमात्र समीचीन संस्कृति है? यदि ऐसा नहीं है तब हम आँखें मूँदकर अन्धों के पीछे क्यों चल पड़े हैं?

इस का अर्थ यह नहीं है कि विज्ञान और तकनीकी के विकास की हमें आवश्यकता नहीं है। अवश्य है, क्योंकि हमारी देह और इन्द्रियाँ भी हैं—अन्नमय कोश भी है। किन्तु हमने अन्न को ब्रह्म नहीं माना था—हमने ऐन्द्रिकता को सांस्कृतिक मूल्य नहीं माना था, और न मुझे इसमें कोई औचित्य दिखाई देता है कि हम अब ऐसा मानें।

किन्तु इधर हुआ यह है कि हमने बिना विचारे पश्चिम के सारे मूल्यों, आदर्शों और चिन्ताओं को अपना लिया है—आज हम वैज्ञानिकता और तकनीकी की परमार्थता के समान ही उसके अन्य मूल्यों, जैसे प्रजातन्त्रवाद या समाजवाद को, स्वयंसिद्ध सत्य मान कर इनके बीच चुनाव और सन्तुलन की बातें कर रहे हैं, बिना यह सोचे–विचारे कि ये मनुष्य और समाज–सम्बन्धी किन पूर्वमान्यताओं पर आधारित हैं! हम यह भी नहीं सोचते कि ये पूर्वमान्यताएँ और सन्दर्भ लॉक, कांट, रूसो, मार्क्स और मिल के और अन्ततः यूरोपीय संस्कृति के आधुनिक चरण के हैं, हमारे नहीं हैं। और न केवल यह कि ये हमारे अनुभव से बहुत दूर हैं बल्कि यह भी कि ये मूलतः ही भ्रामक भी हो सकते हैं। ये भ्रामक हैं, यह निर्णय भी यहाँ हम नहीं दे रहे हैं।

प्रजातन्त्रवाद : पुनरालोचन की आवश्यकता

प्रजातन्त्रवाद आज के युग का लगभग सर्वस्वीकृत राजनैतिक सिद्धान्त है। यह सिद्धान्त आज प्रायः डॉग्मा बन चुका है। नेपाल का राजा और पाकिस्तान का सैनिक शासक भी अपने को प्रजातन्त्रवादी घोषित करने को बाध्य हैं। किन्तु मुझे इस सिद्धान्त में कुछ मौलिक अन्तर्विरोध निहित दिखाई देते हैं। ये अन्तर्विरोध दो कोटियों के हैं : प्रजातन्त्रवाद की परिभाषा है—जनता के द्वारा, जनता के लिए तथा जनता का, राज्य। इस परिभाषा में 'जनता' शब्द का अर्थ समष्टि-जन अथवा संस्कृति-जन (एक संस्कृति में सहभागी जन) नहीं है। यहाँ इस शब्द का अर्थ है प्रत्येक व्यक्ति। क्योंकि अन्यथा तो प्रत्येक संस्था, और सो राज्य-संस्था भी, समष्टि-जन के द्वारा ही होती है। एक समग्र जन के द्वारा संस्था-निर्माण का रूप भिन्न होता है। यह निर्माण व्यक्ति द्वारा वस्तु के निर्माण के अनुरूप नहीं होता, यह निर्माण प्रतीक की उत्पित्त के रूप में होता है। 'राजा' इसी प्रकार का एक प्रतीक था, वास्तव में प्रजातन्त्र-व्यवस्था भी इसी प्रकार का एक प्रतीक है। दोनों समग्र-जन द्वारा प्रतिष्ठित प्रतीक हैं। 'प्रत्येक व्यक्ति द्वारा' आदि प्रजातन्त्र-रूप प्रतीक की आन्तर संरचना के सूत्र हैं : यह समग्र-जन द्वारा अभिप्रेत है, यह उसका संकल्प है, कि प्रत्येक व्यक्ति राज्य के निर्माण में सहभागी हो।

किन्तु यदि हम व्यक्ति-स्वभाव के सम्बन्ध में कुछ तथ्यों को स्वीकार करें तो 'प्रत्येक व्यक्ति के द्वारा राज्य' 'प्रत्येक व्यक्ति के लिए' नहीं हो सकता। ये तथ्य हैं व्यक्तियों में योग्यता-भेद और स्वार्थ-भेद के। अब, कुछ व्यक्तियों की योग्यताएँ दूसरों से अपरिमित रूप से अधिक होती हैं और उनका विकास कम योग्य व्यक्तियों पर प्रभुत्व के माध्यम से ही सम्पन्न हो सकता है। प्रभुत्व का यह सम्बन्ध परोपजीवी लता और उपजीव्य वृक्ष का सा होता है। नृपत्व के युगों में यह सम्बन्ध पर्याप्त सामरस्यपूर्ण था, भारत में चातुर्वर्ण्य व्यवस्था इसका एक उत्कृष्टतम उदाहरण है—उस युग में भी जबकि यह जड़ीभूत हो गई थी। किन्तु यह समरसता प्रजातन्त्र के आविर्भाव के साथ प्रजातन्त्र की अवधारणा में निहित अन्तर्विरोध के कारण नष्ट हो गयी, क्योंकि 'प्रत्येक व्यक्ति के द्वारा' का विचार वास्तव स्थिति में 'समर्थ व्यक्ति के द्वारा' में अपनी पूर्ण अतिशयता के साथ अनूदित हो गया, जबकि अन्य व्यक्ति अपनी अपूर्त्त आकांक्षाओं के लिए संघर्षरत हो गए। 'प्रत्येक व्यक्ति के द्वारा' के विचार की इस परिणति ने प्रतिक्रिया-रूप में प्रजातन्त्र के दूसरे सूत्र—'प्रत्येक व्यक्ति के लिए' को बल दिया। कम्यूनिज़्म इस दूसरे सूत्र का ही विस्तार है। इस प्रकार, वास्तव में कम्यूनिज़्म प्रथम सूत्र से खण्डित दूसरे सूत्र को क्रियान्वित करने का प्रयत्न है। स्वभावत: यह प्रथम सूत्र का निषेध करने को बाध्य है। अब, जो 'प्रत्येक व्यक्ति के द्वारा' हुए बिना 'प्रत्येक व्यक्ति के लिए' होगा वह केवल बलात् आरोपण से ही हो सकता है। किन्तु यह आरोपण कौन करेगा? यह आरोपण समग्र जन भी कर सकता है और कुछ लोग भी। कम्यूनिज़्म इन दोनों का सम्मिलित रूप है। यह नृप-तन्त्र के समान पूर्ण रूपेण समग्र जन द्वारा रचित भी नहीं है और सैनिक तन्त्र के समान एक या कुछ थोड़े से लोगों का आरोपण भी नहीं है, यह दोनों सम्मिलित रूप से है। (सम्भवत: नैपोलियन और हिटलर भी समग्र-जन की रचना थे, एक या कुछ के द्वारा आरोपण नहीं) किन्तु 'प्रत्येक के लिए' होने वाला राज्य न केवल 'प्रत्येक के द्वारा' का ही निषेध करता है बल्कि वह 'प्रत्येक के लिए' भी नहीं हो सकता, क्योंकि 'प्रत्येक के लिए' वाली व्यवस्था में 'व्यक्ति' एक साधारणीकृत कल्पना ही हो सकता है और इस कल्पना को राज्य-शक्ति द्वारा बलात् ही सब पर आरोपित किया जा सकता है, अथवा कहें सब व्यक्तियों को इसके अनुसार ढलने को बाध्य किया जा सकता है। परिणामत: यह व्यवस्था न 'प्रत्येक व्यक्ति के द्वारा' रहती है और न 'प्रत्येक व्यक्ति के लिए' ही रहती है।

* * *

प्रजातन्त्रवाद की अवधारणा में उससे बड़ी कठिनाई 'व्यक्ति' को परिभाषित करने की है। इसमें व्यक्ति मुख्यत: शरीर से परिभाषित हुआ है, उसके मानसिक पक्ष को केवल आयु के द्वारा स्थान दिया गया है। इस वाद के जन्म के समय, और तदुपरांत आज तक, यूरोप में भौतिकवादी-प्रत्यक्षवादी दर्शन का प्राधान्य होने से व्यक्ति की यह धारणा ही सम्भव थी। इस पर यह आपत्ति की जा सकती है कि 'पागल' आदि को मतदान के अधिकार से वंचित करना इस बात का द्योतक है कि व्यक्ति को वयस्क शरीर से कुछ अधिक माना जाता है। किन्तु यह सही नहीं है, क्योंकि पागलपन केवल शारीरिक विकृति ही है, अथवा कम से कम, इसे ऐसा माना जा सकता है।

'व्यक्ति' को अवश्य ही शरीर से परिभाषित किया जा सकता है। किन्तु इस प्रकार से परिभाषित व्यक्ति राज्य-संस्था के निर्माण के लिए पर्याप्त नहीं होगा, न ही इस व्यक्ति को वैसा मूल्य दिया जा सकता है जैसा प्रजातन्त्रवाद के लिए देना अपेक्षित है। व्यक्तित्व को शरीर से परिभाषित करने में और भी कठिनाइयाँ हैं—क्योंकि तब प्राणी मात्र के शारीरिक ऐकिक इस पद के लिए दावा करने लगेंगे।

तब व्यक्तित्व के आधार के रूप में सबसे पहले जिसकी ओर ध्यान जाता है वह है 'विचार'। यह मनुष्य का विच्छेदक गुण भी है। किन्तु विचार की अन्तर्वस्तु (काँटेंट) में कुछ वैयक्तिक नहीं होता, यह स्वरूपत: सार्वभौम होती है। यह स्पष्टतम रूप में इस बात में देखा जा सकता है कि एक विचार अपनी अर्थापत्तियों को अनेक व्यक्तियों और अनेक सन्ततियों में चरितार्थ करता है और तब भी अनेक बार यह कहा जा सकता है कि उन पीढ़ियों ने इस विचार की अनेक अर्थापत्तियों को नहीं समझा। तब अनुभूति और भावना को व्यक्तित्व का आधार कहा जा सकता है। यहाँ 'अनुभूति' के दो अर्थ हो सकते हैं—संवेदानुभव एक, और प्रेम या द्वेष का अनुभव, दूसरा। इनमें दूसरे प्रकार के अनुभव की अन्तर्वस्तु विचार की अन्तर्वस्तु से कम सार्वभौम नहीं होती, यह साहित्य और संगीत में स्पष्ट रूप से देखा जा सकता है। नाटक में अभिनेता शरीर तक में अन्य व्यक्ति की अनुभूति के सूक्ष्मतम प्रभावों को व्यक्त कर अनुभूति की सार्वभौमता सिद्ध करता है। एक अन्य प्रकार से यह सार्वभौमता सामूहिक नृत्य में और मधुमक्खियों के छत्ते में देखी जा सकती है। वहाँ यह कहना अधिक समीचीन लगता है कि 'एक अनुभूति अनेक व्यक्तियों को व्याप्त करती है', बजाय यह कहने के कि 'व्यष्टियों की अनुभूतियाँ समूहित होती हैं।' जहाँ तक संवेदानुभव का प्रश्न है, यदि यह नितान्त व्यष्टिनिष्ठ हो भी तो भी वह 'व्यक्ति' का निर्माण करने के लिए नितान्त अपर्याप्त होता है। किन्तु शिशु की पीड़ा में माता की सह-अनुभूति संवेद की भी नितान्त व्यक्तिगतता पर प्रश्न-चिह्न लगाती है। (यहाँ यह ध्यान रखना आवश्यक है कि यहाँ हम अन्तर्वस्तु की बात कर रहे हैं, घटनात्मकता की नहीं)।

इसका अर्थ यह नहीं है कि मानव-व्यष्टि में कोई व्यक्तित्व होता ही नहीं। स्वयं व्यक्ति के लिए उसके व्यक्तित्व का अधिष्ठान अनुभूत एकत्व में होता है और अन्यों के लिए यह कभी शरीर में होता है और कभी मनोदैहिक लक्षणों के विशिष्ट संस्थान में। प्रजातन्त्रवाद यहाँ पुन: अनिश्चित है कि वह व्यक्ति को बाह्यत: परिभाषित करे या व्यक्ति की अस्मिता से। किन्तु व्यक्ति को बाहर से परिभाषित करना प्रजातन्त्रवाद के लिए वदतोव्याघात होगा, यद्यपि उसे बाहर से परिभाषित करने की प्रवृत्ति ही प्रबलता से पायी जाती है। जहाँ तक भीतर से परिभाषित करने का प्रश्न है, मात्र 'अनुभूत एकत्व' से परिभाषित व्यक्ति एक राज्य-संस्था के निर्माण के लिए बहुत अपर्याप्त है। ऐसे एकत्व आवयविक संहति का निर्माण नहीं कर सकते। संहति के लिए आवश्यक है कि वह घटक अंगों से ऊपर अवस्थित हो और अंगों को अपने भीतर से जन्म दे—जैसे गीत अपने स्वरों को देता है। यह उपमा सामाजिक संस्थाओं के लिए अनुपयुक्त प्रतीत हो सकती है, किन्तु यदि संस्थाओं को एक विचार या 'प्रतीक' के रूप में देखा जाय, न कि व्यक्तियों के समूह के रूप में, तब यह उपमा अनुपयुक्त प्रतीत नहीं होगी। कि संस्थाओं में वस्तुत: वैसी संगति : सामरस्य : नहीं होती, इससे कुछ अन्तर नहीं पड़ता, क्योंकि यह असम्यक् रूप से गाये गीत के जैसी स्थिति ही होगी, कोई और अन्तर यहाँ दिखाई नहीं देता।

इस प्रकार स्पष्ट है कि प्रजातन्त्रवाद की कल्पना में बड़ी कठिनाइयाँ और अन्तर्विरोध हैं। इसका अर्थ यह नहीं है कि नृपतन्त्र में कोई कठिनाइयाँ नहीं हैं। इसमें कम से कम दो कठिनाइयाँ हैं (यद्यपि सम्भवत: अन्तर्विरोध

नहीं हैं)। एक तो यह कि इसमें प्रतीक का अपने धारक (नृप–विशेष) से तादात्म्य हो जाता है और परिणामत: प्रतीक का अर्थ क्षीण होकर एक व्यावहारिक अन्तर्विरोध को जन्म देता है—नृप 'नरों का पालक' के बजाय 'नरों का पान करने वाला' हो जाता है। और दूसरी यह कि इस प्रतीक में अर्थ की समृद्धि और व्यापकता बहुत कम है—'मानव के अनुशासन' के प्रत्यय की सम्भावनाएँ अनन्त हैं और नृप–मूलक प्रतीक इनकी समृद्धि की तुलना में बहुत विपन्न है। प्रजातन्त्र ('व्यक्तियों के द्वारा' प्रकार का) अपेक्षाकृत अधिक समृद्ध प्रत्यय है, कम्यूनिज़्म भी अपेक्षाकृत समृद्ध है, किन्तु ये प्रत्यय अन्तर्विरोधपूर्ण हैं।

इन दोषों का निराकरण गाँधीवाद में अधिक सम्यक् रूप से होता है। इसमें 'व्यक्ति' को एक सांस्कृतिक–सामाजिक सामरस्य के अन्तर्गत परिभाषित किया जाता है, जिस सामरस्य में 'प्रत्येक व्यक्ति' का महत्त्व संस्कृति–प्रत्यय के सुष्ठु क्रियान्वयन के लिए है। इस प्रत्यय का आधार भी सामरस्य है, क्योंकि यह भेदों का निषेध नहीं कर उनका समावेश गीत में विभिन्न स्वरों के समान करता है। किन्तु भेदों का उसमें महत्त्व नहीं है, क्योंकि उसमें मौलिक व्यक्ति नहीं होकर स्वयं सामरस्य ही मौलिक है। इसमें आरोपण भी नहीं है, क्योंकि इसमें व्यक्ति सहभागी है। समाज और राज्य की गाँधीवादी कल्पना की भीतरी संरचना वास्तव में आनुभूतिक प्रत्यय (कला) अथवा तार्किक प्रत्यय (सिद्धान्त) के निकटतम है। इसीलिए इसमें एक आन्तर संगति है।

प्रजातन्त्रवाद : पुनर्विचार के लिए प्रस्ताव

प्रजातन्त्रवाद पश्चिम में हुई औद्योगिक क्रान्ति और उससे बनी पूँजीवादी अर्थ-व्यवस्था से राज्य-संस्था को समंजस करने की बाध्यता से उत्पन्न हुई एक राज्य-व्यवस्था है। औद्योगिक क्रान्ति से पहले सब समाजों की अर्थ-व्यवस्थाएँ और समाज-व्यवस्थाएँ बहुत सरल थीं इसलिए उनकी राज्य-व्यवस्थाएँ भी वैसी ही सरल थीं—एक राजा के अधीन शासन-तन्त्र। इससे भी सरल सामाजिक-आर्थिक स्थितियाँ आदिम समाजों में आज भी मिलती हैं और उन्हीं के अनुसार उनकी राज्य व्यवस्थाएँ भी मिलती हैं। एक राज्य-व्यवस्था महात्मा गाँधी ने भी सुझायी थी, किन्तु तब उसके अनुसार समाज-व्यवस्था और अर्थ-व्यवस्था भी सुझायी थी। इसलिए यह कहना कि प्रजातन्त्रवाद सर्वश्रेष्ठ राज्य-व्यवस्था है, इसका कोई अर्थ नहीं है। यह आर्थिक-सामाजिक परिस्थितिविशेष की उपज है और उस परिस्थिति में अनिवार्य-जैसी है। यह परिस्थिति स्वयं ऐतिहासिक विकास की नियति हो सकती है, किन्तु यह वांछनीय-वरणीय भी है, यह कहना विवादास्पद ही होगा। महात्मा गाँधी ने इसकी अवांछनीयता प्रबलतम शब्दों में प्रतिपादित की ही थी। ऐसी अवस्था में प्रजातन्त्र को निर्विवाद रूप से उत्कृष्ट व्यवस्था कहने का कोई औचित्य दिखायी नहीं देता। इधर हम देखते हैं कि यूरोप और अमरीका प्रजातन्त्रवादी राज्य-व्यवस्था को सब देशों पर नैतिक मूल्य की तरह आरोपित करने का प्रयत्न कर रहे हैं और दूसरे देश भी उनकी इस शास्ति को कोई चुनौती नहीं देते, वे क्षमाप्रार्थीवत् ही प्रस्तुत होते हैं।

प्रजातन्त्रवाद को आरोपित करने के पीछे प्रयोजन खुली बाज़ार-व्यवस्था को आरोपित करना है, कोई नैतिक उद्देश्य नहीं है, इसे प्रस्तुत चाहे ये लोग कितना ही नैतिक पदावली में करें। अन्य देशों में खुली अर्थ-व्यवस्था की मांग इनके लिए उन देशों में खुले बाज़ार की मांग है। जहाँ इस उद्देश्य की पूर्त्ति में, या इनके दूसरे स्वार्थों की रक्षा में तानाशाही या सामन्तशाही उपयोगी सिद्ध होती है वहां ये उसका समर्थन करने से भी नहीं चूकते। इन देशों के द्वारा अब तक भारत के विरुद्ध पाकिस्तान का समर्थन इसका एक प्रमाण है। किन्तु प्रजातन्त्रवाद और खुले बाज़ार की अर्थ-व्यवस्था ये दोनों परस्पर के लिए अनिवार्य हैं और अमरीका और यूरोप की दादागिरी के चलते इन दोनों व्यवस्थाओं से आज बचा नहीं जा सकता। किन्तु आज जो यह प्रचारित किया जा रहा है कि यह राज्यव्यवस्था निरपेक्ष रूप से उत्कृष्टतम है, उसका कोई औचित्य नहीं है। प्लेटो ने तो प्रजातन्त्रवाद के विरुद्ध आज से लगभग 2500 वर्ष पहले अत्यन्त सबल तर्क दिये ही थे, जिसे लक्षित कर कार्ल पौपर ने अपनी पुस्तक **ओपन सोसाइटी एण्ड इट्स एनीमीज़** के दो भागों में से एक पूरे भाग में उसका खण्डन किया है। किन्तु दर्शन को गहराई से समझने वाले जानते हैं कि ऐसे खण्डनात्मक तर्कों से कुछ सिद्ध नहीं होता। हमारे यहाँ के राजनैतिक विचारकों : बृहस्पति, कौटिल्य आदि : ने राजतन्त्रीय राज्य-व्यवस्था का जैसा रूप प्रतिपादित किया है उसके अनुसार चलने पर राजा और राज्य प्रजा के लिये होने के अतिरिक्त और कुछ हो ही नहीं सकते। आज जो हम 'राम-राज्य' की बात करते हैं वह राज्य भी एक राजा को सर्वोपरि रखने वाला ही था। किन्तु वह राजा : राम : ऐसा था जो स्वयं नैतिकता : धर्म : की शास्ति के अधीन था, स्वेच्छाचारी नहीं था, और उस शास्ति का मुख्य सूत्र प्रजा का हित ही था। यदि कहें कि ऐसे राजा कितने होते थे? तो इस पर प्रतिप्रश्न किया जा सकता है कि प्रजातान्त्रिक शासनों में कितने शासन प्रजा के लिये होते हैं? वे प्रजा के द्वारा चाहे कितने भी हों! जहां मतदाता उचित-अनुचित का विवेक छोड़कर केवल व्यक्तिगत या वर्गगत स्वार्थों को आगे रखकर ही मतदान करते हों वहाँ मतदान को एक संकुचित अर्थ में प्रजा के द्वारा तो कहा जा सकता है किन्तु उसे प्रजा के लिए कैसे कहा जा सकता है? क्योंकि उससे तो व्यक्तिगत या वर्गगत स्वार्थ ही पनप सकते हैं और ऐसे स्वार्थ स्वार्थों के संघर्ष को ही जन्म दे सकते हैं, सार्वजनिक हित को नहीं! किन्तु यदि 'हित' को 'मानवीय हित' के अर्थ में लें, पाशव हित के अर्थ में नहीं, तो मनुष्य के लिए स्वार्थ भाव से बढ़कर अहितकर और क्या हो सकता है?

क्योंकि मनुष्य का सुख खाने-पीने की सामग्री की बहुतायत से परिभाषित नहीं होता बल्कि उचित-अनुचित के विवेक : धर्म : से परिभाषित होता है। अब यदि इस दृष्टि में थोड़ा और गहराई में जाएँ तो स्वार्थी से अधिक परतन्त्र दूसरा कौन हो सकता है? क्योंकि ऐसे व्यक्ति को तो यही पता नहीं होता कि उसका वास्तविक हित किसमें है? क्या क्रिमिनल को—कामी, क्रोधी, लालची को—स्व-तन्त्र, अपने हित के लिए काम करने वाला, कह सकते हैं? क्योंकि वह अपना हित उसी में देखता है जो उसके लिए वास्तव में अहित है।

यह एक बड़े आश्चर्य की बात है कि प्रजातन्त्र विषयक विचार में यह दृष्टि पूरी तरह से ग़ायब है। इसमें उचित-अनुचित की बात अप्रासंगिक ही मानी जाती है। इसकी आधारभूत पदावली 'प्रेशर ग्रुप्स', 'एम्पावरमेंट', 'लॉबींग' आदि हैं, 'सर्वहित', 'जन-कल्याण', 'परार्थ' और 'विवेक' आदि नहीं। यहाँ उदाहरणार्थ अभी उठे विवाद 'हड़ताल के अधिकर' को लें। सर्वोच्च न्यायालय ने हड़ताल को 'अधिकार' मानने से मना कर दिया और इसे अनैतिक बताया। न्यायालय का मुख्य तर्क यह है कि कर्मचारियों की शिकायतों पर विचार करने के लिए व्यवस्थाएँ हैं। फिर, उनकी हड़ताल से वे लोग प्रभावित होते हैं जिनका उनकी शिकायतों से कोई सम्बन्ध नहीं होता, जैसे डाक्टरों की हड़ताल से रोगी। यह एकदम उचित बात प्रतीत होती है। किन्तु न्यायालय के इस निर्णय को बहुत लोगों ने सरकारी कर्मचारियों और श्रमिकों आदि के मौलिक अधिकारों पर कुठाराघात माना है। इनमें से एक ने भी यह प्रश्न नहीं उठाया कि सरकारी कर्मचारी अधिकांश में अधिक वेतन के लिए ही हड़ताल करते हैं किन्तु वे कार्य न्यूनतम अपेक्षित भी नहीं करते। यही स्थिति श्रमिकों की है। निश्चय ही उद्योगपति मगरमच्छ ही हैं, किन्तु श्रमिक भी कार्य को कोई कर्त्तव्य मान कर नहीं करते। दोनों के सम्बन्ध शक्ति-सन्तुलनमूलक हैं, उनमें औचित्य और कर्त्तव्य की बात प्रासंगिक ही नहीं है। अब ऐसे दृष्टिहीन राज्य-तन्त्र के 'प्रजा के द्वारा' होने पर भी उसे 'प्रजा के लिए' कैसे कह सकते हैं? किन्तु जैसाकि हमने पीछे देखा, यह तन्त्र वास्तव में 'प्रजा के द्वारा' भी नहीं होता, क्योंकि किसी व्यवस्था के 'किसी के द्वारा' होने के लिए उस 'किसी' का विवेक-युक्त होना आवश्यक होता है। किन्तु यह प्रजा कितनी भयानक रूप से विवेक-हीन हो सकती है इसके प्रमाण यदि देखने हों तो किसी भी प्रजातान्त्रिक देश में देख सकते हैं, किन्तु सबसे अधिक तो हमारे देश में ही देखे जा सकते हैं। यों तथाकथित 'डवेलेप्ड' देश भी इसमें हमारे से कोई बहुत अधिक पीछे नहीं हैं। तो भी जिस प्रकार और जिस संख्या में प्रमाणित अपराधी : हत्यारे, बलात्कारी, लुटेरे : हमारे देश में चुनाव जीत कर आते हैं उसकी तुलना सम्भवत: किसी और देश में नहीं है। अवश्य हमारे यहाँ संचार-माध्यम (मीडिया) स्वतन्त्र है, किन्तु उसका न कोई स्व है और न तन्त्र, यह 'पण्डित सोइ जो गाल बजावा' की उक्ति को उदाहृत करता है। न्यायालय स्वतन्त्र है, किन्तु प्रायः किसी को भी न्याय देने में असमर्थ, लोक-सभा स्वतन्त्र है, किन्तु वाद और विमर्श के अपने प्रयोजन के ठीक विपरीत चिल्लाहट और वाक-आउटों को तत्त्व-बोध का साधन मानने वाली। ये सब इससे भिन्न कुछ हो भी नहीं सकते, क्योंकि जनसाधारण का बौद्धिक और नैतिक स्तर सामान्यत: यही होता है और इसमें निकृष्टतम को ऊपर लाने का काम संचार-माध्यम पूरा कर रहे हैं। आज जिस प्रकार अभिनेता और खिलाड़ी सर्वोपरि हैं विचारक नहीं, विचारकों में भी जिस प्रकार 'प्रचारक' सर्वोपरि हैं चिन्तक और कवि नहीं, उससे यह बात सहज ही देखी जा सकती है। और विचार और आचार का मानदण्ड तय करने वाला हमारा मीडिया इसमें जैसी भूमिका निभा रहा है, जिस प्रकार यह भोंडे और हलके लोगों को राज-नेता, विचार-नेता और आचार-नेताओं के रूप में प्रतिष्ठित कर रहा है, उससे यह आशा करना कि इसकी स्वतन्त्रता प्रजा के हित में होगी, व्यर्थ है। हमारा यहाँ यह अभिप्राय नहीं है कि मीडिया स्वतन्त्र नहीं होना चाहिए क्योंकि इसे शासित करने वाले तो इन्दिरा गाँधी और मुशर्रफ ही होंगे, या यदि उनका बस चले तो लालूप्रसाद, मोदी और शहाबुद्दीन होंगे। किन्तु आज जो इसकी 'स्वतन्त्रता' का रूप है उससे अधिकांश में गाल बजाने वाले ही पण्डित बन कर आगे आ रहे हैं। ऐसे में यह प्रजा का बौद्धिक और आध्यात्मिक स्तर उठा कर प्रजातन्त्र को प्रजा के लिए बनाने का मार्ग प्रशस्त कर सकेगा, इससे बड़ी दुराशा की बात और कोई नहीं हो सकती।

समसामयिक चिन्ताएँ

हमारा तथाकथित प्रबुद्ध वर्ग आज के युग को पिछले युगों से उत्कृष्टतर और प्रजातन्त्र को राजतन्त्र से उत्कृष्टतर कहता है और 'मध्ययुगीन' विशेषण को 'नृशंस', 'धर्मान्ध' आदि के पर्यायवाची के रूप में प्रयुक्त करता है। पहले तो यह दृष्टि ही इस वर्ग की बुद्धिहीनता की द्योतक है, क्योंकि यह यूरोपीय इतिहासकारों की 'दृष्टि' को समर्पित 'दृष्टि' है, और दूसरे, इनमें यूरोप के इतिहास को मानव मात्र का इतिहास मान लेने की दृष्टि-हीनता है। अवश्य आधुनिक चेतना और पूर्व-आधुनिक चेतना में एक सामान्य अन्तर है। आधुनिक चेतना इन्द्रियमूलक तर्क को एकमात्र प्रमाण मानती है और आधुनिक से पूर्ववर्ती चेतना इस तर्क को एकमात्र प्रमाण ही नहीं मुख्य प्रमाण भी नहीं मानती थी। किन्तु यह आधुनिक चेतना अधिक सत्य-दर्शी है, यह मानने के लिए कोई युक्त आधार नहीं है। यह मान्यता स्वयं एक अन्धविश्वास है, ठीक वैसा ही जैसा बाइबिल, कुरान या वेद को एकमात्र प्रमाण मानना है। इधर अब यूरोप में उत्तरआधुनिकता और उत्तर-उत्तरआधुनिकता का अवतरण हुआ है जिसकी नकल पर हम भी उत्तर और उत्तर-उत्तरआधुनिक हो रहे हैं। किन्तु पश्चिम में यह उत्तरआधुनिकता शब्दाडम्बर से आवृत वैचारिक विशृंखलता से अधिक कुछ है और हमारे यहाँ समझ से रहित नकल से अधिक कुछ, इसका हमें पता नहीं है। जहाँ तक नृशंसता का प्रश्न है, पिछले किसी युग ने हिटलर, मुसोलिनी, स्टालिन और ट्रूमन-डलस-मैकार्थी के बराबर नृशंस शासक दिये हों, तो कम से कम मुझे इसकी जानकारी नहीं है। आज का सबसे 'महान' प्रजातन्त्र अमरीका किसी प्रबुद्धतर दृष्टि से आचरण कर रहा है, यह कहना दुःसाहस ही होगा। यदि कहें कि उसका यह व्यवहार दूसरे देशों की प्रजाओं के प्रति है, स्वयं अपने देश की प्रजा के प्रति नहीं, और किसी राज्य-व्यवस्था का क्षेत्र अपना देश होता है दूसरे देशों के साथ व्यवहार के नियम भिन्न होते हैं, तो यह बात युक्तिसंगत नहीं कही जा सकती। इसके अतिरिक्त दूसरों के प्रति ऐसी दृष्टि-हीन प्रजा अपने प्रति दृष्टिवान् कैसे हो सकती है? 14 अगस्त, 2003 के ही एक समाचार पत्र **हिन्दू** के अनुसार फ्रांस में औसत प्रति पाँचवें दिन एक स्त्री की मृत्यु पति की पिटाई से होती है। अब, फ्रांस यूरोप का सबसे अधिक संस्कृत देश माना जाता है।

इसका अर्थ यह नहीं है कि हम प्रजातन्त्र के बजाय राज-तन्त्र या अधिनायकवाद को उत्कृष्टतर कह रहे हैं। हम केवल यह कह रहे हैं कि प्रजातन्त्र निरपेक्ष रूप से उत्कृष्टतर नहीं है। किन्तु दुर्भाग्यवश परिस्थिति यह है कि आज इसका कोई इससे तुलनीय विकल्प नहीं है। यह परिस्थिति बृहत् प्रौद्योगिकीमूलक अर्थ-तन्त्र है। प्रजातन्त्र के विकल्प के रूप में कई देशों में तानाशाही प्रस्तुत हुई है। वह अधिकांशतः इसी कारण प्रस्तुत हुई क्योंकि वहाँ प्रजातन्त्र-प्रणाली शासन देने में असफल रही। यदि तानाशाही-अधिनायकवाद-वहाँ वास्तव में ऐसा दे सकता जैसा प्राचीन राज-तन्त्रों ने बहुत बार दिया—अर्थात् 'प्रजा के लिए शासन', तो यह तन्त्र भी प्रजातन्त्र के विकल्प के रूप में सम्भव है ग्राह्य हो पाता। किन्तु सभी तानाशाह निरपवाद रूप से स्वेच्छाचारी और आततायी ही रहे। सम्भव है इसका कारण आधुनिक औद्योगिकीजन्य अर्थ-व्यवस्था और संचार-माध्यम भी हों, जो अनिवार्यतः खुले बाज़ार और खुले समाज के अपेक्षी हैं और इस खुले समाज को शासन में रखने में तानाशाहों के पास आततायी होने के अतिरिक्त कोई रास्ता ही नहीं हो! किन्तु यदि कोई तानाशाह स्वेच्छाचारी हुए बिना ऐसे समाज को शासन दे सके तो सम्भव है उसका स्वागत भी हो सके। किन्तु खुले बाज़ार और खुले समाज के प्रवक्ता पण्डित अधिनायक रूप में स्वयं भगवान राम को भी स्वीकार कर पायेंगे, यह सम्भव प्रतीत नहीं होता।

प्रजातन्त्रवाद : एक समीक्षा

प्रजातन्त्र का सबसे बड़ा गुण यह कहा जाता है कि इसमें राज्याधिकार किसी एक व्यक्ति के हाथ में नहीं होता। इसमें जनता के द्वारा निर्वाचित अनेक व्यक्ति जनता के प्रतिनिधियों के रूप में राज्य-शासन का संचालन करते हैं। इस तन्त्र में यदृचछा के लिए, मनमानेपन के लिए, कोई अवकाश नहीं होता जो राजतन्त्र या अधिनायकवाद में होता है। इसमें जन-प्रतिनिधियों को जनता के निर्देश के अनुसार कार्य करना होता है। यों तो 'जनता' का अर्थ 'जनसमूह' भी हो सकता है और यह यदृच्छा तथा 'भीड़ का उन्माद' रूप हो सकती है, किन्तु प्रजातन्त्र ऐसे तन्त्र में प्रतिष्ठित होता है जिसमें नियामक किसी भी प्रकार की यदृच्छा नहीं होती बल्कि युक्ति और विवेक, दूसरे शब्दों में धर्म, होता है। इसके लिए युक्ति से नियमित एक तन्त्र की रचना की जाती है और इस तन्त्र से इच्छा, वासना और उन्माद को बाहर रखने के लिए एक विधान बनाया जाता है, जो विधान अपने क्रियान्वयन के लिए लोकसभा, न्यायपालिका और कार्यपालिका की स्थापना करता है। एक अन्य संस्था 'प्रचार माध्यम' होती है, जो राज्य और विधान से स्वतन्त्र निर्मित होती है और इन पर निगाह रखती है। इस प्रकार प्रजातन्त्र में शासक अन्ततः विधान होता है और विधान का आधार युक्ति-तर्क और विवेक (धर्म) होता है।

राज्य की यह अद्भुत रूप से कुशल और श्रेष्ठ व्यवस्था प्रतीत होती है, जिसका मनुष्य ने राज्य-संस्था विषयक चिंतन और प्रयोग के सुदीर्घ इतिहास के अन्त में धरती पर देव-रूप गौरवर्णी जाति के माध्यम से आज से लगभग तीन शताब्दी पहले साक्षात्कार किया था। किन्तु यह विचारणीय है कि क्या प्रजातन्त्रवाद व्यवहार में वास्तव में ऐसा ही है और क्या व्यवहार में इसके ऐसा नहीं होने का कारण इसके सिद्धान्त में ही कहीं कोई बड़ा दोष होना नहीं है? द्रष्टव्य है कि यों सिद्धान्ततः तो राज-तन्त्र भी एक पूर्णतः निर्दोष तन्त्र ही है। उसका आदर्श राम-राज्य है जो पूर्णतः धर्म पर प्रतिष्ठित और प्रजा के हित की ओर ही उद्दिष्ट है। राजनीतिशास्त्र के प्राचीन, कम-से-कम भारतीय, ग्रन्थों में राजा के लिए स्वेच्छाचारिता कहीं भी स्वीकृत नहीं है, बल्कि राजा के लिए यती, धर्म-परायण और उदात्त होने की अपेक्षा है। इतना ही नहीं, उससे धर्म-विरुद्ध कार्य होने पर उसके लिए भी दण्ड की व्यवस्था है (द्रष्टव्य, मनुस्मृति, 8/336)। महाराजा रणजीतसिंह के एक वेश्या के प्रेम में पड़ने पर उन्हें वृक्ष से बाँध कर कोड़ों से मारे जाने की घटना अभी लगभग 250 साल ही पुरानी है। अब, जहाँ तक व्यवहार का सम्बन्ध है, उसमें दोष किस व्यवस्था में कम हो सकते हैं और किस में अधिक, यह एक विवादास्पद बात हो सकती है। किन्तु यहाँ हम इस तुलना में नहीं जाएंगे, क्योंकि आधुनिक प्रौद्योगिकी पर आधारित सभ्यता में राज्य-संस्था का प्रजातन्त्र से अधिक स्वीकार्य दूसरा कोई रूप कल्पनीय भी नहीं है। किन्तु इस सभ्यता ने जिस प्रजातन्त्रवाद को हमारे लिये प्रस्तुत किया है वह क्या है—यहाँ हम उस पर संक्षेप में विचार करेंगे।

प्रजातन्त्रवाद में सबसे आधारभूत सैद्धान्तिक दोष यह है कि यह सब व्यक्तियों की समानता को पूर्वगृहीत करता है, जो व्यक्ति इसके अनुसार स्वभावतः जीव-धर्मी, अहंकेंद्रित, स्व-अर्थान्वेषी और आत्मपर्यन्त-अनतिक्रमणीय (इन्वोयलेबल) होते हैं। किन्तु जैसाकि व्यवहार में हम देखते हैं, न सब व्यक्ति समान होते हैं और न आत्मपर्यन्त ही होते हैं। तब कहा जा सकता है कि यह पूर्वग्रह तथ्यात्मक नहीं है बल्कि मूल्यात्मक है। किन्तु इसके अनुसार मनुष्य स्वभाव से जीवधर्मी और स्वार्थान्वेषी है। तब इसमें मूल्य कैसा? इस मूल्य-दृष्टि को ये सेक्युलर (ऐहिकतावादी) और उदार कहते हैं। अब, इस दृष्टि की ऐहिकता तो स्पष्ट है, और 'धर्म' का अर्थ इस्लामी-क्रिस्तानी 'धर्मान्धता' के पर्यायवाची के रूप में लेते हुए इसे अपेक्षाकृत उदार और वरणीय भी कहा जा सकता है, किन्तु 'धर्म' का अर्थ ऋत और सत्यपरक दृष्टि लेने पर इसकी धर्म-निरपेक्षता को वरणीय कैसे कहा जा सकता है? स्वभावतः यह दृष्टि 'समाज' को 'स्वार्थान्वेषी व्यक्तियों के समझौते पर आधारित सह-अवस्थिति' के रूप में ही देख सकती है। यह दृष्टि 'उदार' किस अर्थ में हो सकती है, यह हम पूँजीवादी और इस सिद्धान्त की

प्रतिपादक जाति के दूसरी जातियों के साथ आज तक के व्यवहार के इतिहास को देखकर अनुमान कर सकते हैं। अब, ऐसी दृष्टि के अनुसार सिद्धान्ततः व्यक्तियों को समान मानने पर व्यक्तियों में विद्यमान वास्तविक गुण-भेद, योग्यता-भेद और सामर्थ्य-भेद को कोई नैतिक आधार नहीं दिया जा सकता। इसके विपरीत जिस वर्ण-व्यवस्था की आज हम इतनी निंदा करते हैं और जो व्यवस्था जाति-परक होकर वास्तव में ही भयानक रूप से निंदनीय हो भी गई थी, वह अपनी मूल दृष्टि में व्यक्तियों में पाये जाने वाले स्वाभाविक भेद की नैतिक व्यवस्था ही थी। यही कारण है कि सामाजिक अन्याय के सबसे उग्र विरोधी महात्मा गाँधी वर्ण-व्यवस्था के समर्थक थे। इस व्यवस्था में राज्य-संचालन और प्रजा की रक्षा के कर्त्तव्य क्षत्रिय के, अर्थोत्पादन के कर्त्तव्य कृषक और व्यापारी के, शिल्प और भृत्यता के कर्म शूद्र के निश्चित किये गए थे और सब से उच्च वर्ण ब्राह्मण के लिए विद्या के अर्जन और उसके दान का कर्त्तव्य निश्चित था और इसके अनुकूल चर्या के लिए उससे यह अपेक्षा थी कि वह धन-सम्पत्ति, भौतिक बल और लौकिक सुखों के पीछे नहीं दौड़ेगा। मनु ने ही सबसे उच्च ब्राह्मण उसे कहा है जिसके पास अगले समय के लिए खाना भी नहीं है। इस प्रकार यह व्यवस्था सर्वोच्च वर्ण को ज्ञान और धर्म को समर्पित रूप में देखती थी और शेष वर्णों को दूसरे सामाजिक कर्मों के कर्त्तव्य-भावना के साथ निर्वाह के रूप में। वर्ण का आधार जन्म नहीं कर्म देखा गया था। इस प्रकार सिद्धान्ततः ब्राह्मण की संतान शूद्र और शूद्र की संतान ब्राह्मण हो सकती थी। व्यवहार में ऐसा नहीं था और व्यवहार में यह वर्ण-व्यवस्था जाति-प्रथा बनी, यह एक दूसरी बात है। किन्तु तब भी क्षत्रिय को ब्राह्मण के ऊपर उत्कर्ष पाने के लिए 'राजा जनक' बनने का अधिकार था—'तू बाम्मन मैं कासि का जुलाहा, बूझहु मोर सियाना।' भगवद्गीता में भी वर्ण-व्यवस्था को इसी रूप में देखा गया है। मूलतः गुण-कर्म-स्वभाव पर आधारित यह वर्ण-व्यवस्था जन्म पर आधारित वर्ण-व्यवस्था 'जन्म पर आधारित जाति-प्रथा' बन गई। इस जाति-प्रथा की निकृष्टतम अभिव्यक्ति महर्षि वाल्मीकी और महाकवि कालिदास द्वारा क्रमशः रामायण और रघुवंश में राम से तपस्या करने की 'अनधिकार चेष्टा' करते शम्बूक का वध करवाने और महर्षि वेदव्यास द्वारा **महाभारत** में द्रोणाचार्य द्वारा एकलव्य का अंगूठा कटवाने में देखी जा सकती है। किन्तु द्रष्टव्य है कि इस जाति-प्रथा में बहुत-सा अन्याय और एक सामाजिक जड़ता होने पर भी इसकी दृष्टि नैतिक ही थी और इस प्रकार व्यवहार में इसमें नैतिक दृष्टि की असफलता थी, प्रजातन्त्रवादी व्यवस्था के समान नीति-निरपेक्षता नहीं थी। प्रजातन्त्रवाद ने पहले की धुँधली और विपर्यस्त नैतिक दृष्टि का विस्थापन जिस दृष्टि से किया वह स्वरूपतः नैतिकता से रहित और शुद्ध रूप से स्वार्थ और बल पर आधारित है। हमारे देश में आज प्रजातन्त्र को श्रेय दिया जा रहा है कि इसके कारण दलित वर्ग ऊपर आ रहे हैं। किन्तु इस 'ऊपर आने में' दृष्टि स्वार्थ और अनैतिक बल की ही है। यह सही है कि उसके बावजूद यह जो-कुछ हो रहा है उसमें यह अच्छा है कि परम्परया दलित वर्ग दलन से मुक्त हो रहा है, किन्तु यह मुक्ति जिस रूप में हो रही है वह जंगल राज का रूप है, मानवोचित व्यवस्था का रूप नहीं है। यह वर्ग आज किसी ऐसी न्याय-व्यवस्था को लाने में प्रयत्नशील नहीं है जो पिछली अन्यायपूर्ण व्यवस्था को विस्थापित करे, बल्कि ऐसे भौतिक बल की खोज में है जो अन्याय कर सकने की पिछली व्यवस्था को अन्याय कर सकने की दूसरी व्यवस्था से विस्थापित कर सके। आज की औद्योगिक-ऐहिकतावादी (सेक्युलर) सभ्यता के पास दूसरी कोई दृष्टि है भी नहीं। इसी से पूँजीवाद का विकल्प मार्क्सवाद आर्थिक अन्याय दूर करने के प्रयास में उससे भी कहीं अधिक दुर्दान्त अन्याय का हेतु सिद्ध हुआ। रोज़मर्रा के जीवन में भी हम आज यही देख रहे हैं—मजदूर संगठित होकर पूँजीपति के अत्याचार का प्रति-अत्याचार से प्रतिकार करते हैं, रिक्शा चालक परिस्थिति का लाभ उठाकर नियत से गई गुणा तक भाड़ा लेते हैं, राज्य-कर्मचारी अपने कर्त्तव्य के प्रति तनिक भी निष्ठा रखे बिना मनमाने अधिकारों के लिए हड़ताल करते हैं। यही प्रजातन्त्रवाद है। नैतिक आध्यात्मिक दृष्टि के बिना, या कहें समाज का आधार स्वार्थों का समझौता मानने पर, यही सब हो सकता है। प्रजातन्त्रवाद की समाज-दृष्टि, व्यक्ति-दृष्टि, मानव-दृष्टि और इस प्रकार मानवाधिकार-दृष्टि आज यही है। यह दृष्टि मनुष्य को पशु से केवल इसी रूप में अलग देखती है, इस दृष्टि से नहीं कि यह मनुष्य का लक्षण धर्म को (इसके 'उचित-अनुचित विवेक' के अर्थ में) देखती है। इसने 'धर्म' को भी आज मताग्रह का वाचक बनाकर इसका दुरुपयोग उसी प्रकार किया है जिस प्रकार जूडो-क्रिस्तानी धर्मान्धिता में होता था—इस

मूल अन्तर के साथ कि तब इसका आधार 'ईश्वर की आज्ञा' के नाम पर अँधियाई दृष्टि थी और आज वर्गमूलक स्वार्थ हैं। ध्यातव्य है कि आज जिस 'सेक्युलर वेल्यूज़' की बात की जाती है वे धर्मान्धता से तो अवश्य मुक्त हैं किन्तु उनमें मूल्यों को आधार देने के लिए कोई दृष्टि नहीं है।

यों मनुष्य में किसी भी दृष्टि के रहते सहज रूप से एक आध्यात्मिक बोध, 'स्व' के ऊपर 'सर्वपरकता' को देखने की और औचित्य-अनौचित्य के निरपेक्ष विवेक की सामर्थ्य रहती है, जिसके कारण ही प्रजातन्त्रवाद की दृष्टि के ऐहिकतावादी रहने पर भी यह सामाजिक न्याय आदि मूल्यों को देख पाता है और ये मूल्य स्वार्थों की अंधी दौड़ के ऊपर किसी-न-किसी प्रकार बने रहते हैं। अपना उत्क्रमण कर सकने की इसी योग्यता के कारण मनुष्य अपनी दृष्टि धार्मिक-आध्यात्मिक और नैतिक होने पर भी ऐसा बहुत-कुछ था जिसके अनौचित्य को वह नहीं देख पाया था। ऊपर हम शंबूक-वध और एकलव्य की कथाओं का उल्लेख कर ही आये हैं। इसी प्रकार ग्रीस के तीन महानतम दार्शनिक और नीति-निपुण ज्ञानी सुकरात, प्लेटो और अरस्तू यह नहीं देख पाए थे कि दास भी मनुष्य होते हैं। किन्तु आज हम यह सहज ही देख सकते हैं कि ये दोनों दृष्टियाँ सत्य देख पाने में असमर्थ थीं। किन्तु यह जो हम देख पा रहे हैं वह किन्हीं सेक्युलर मूल्यों के कारण नहीं है बल्कि मनुष्य में सत्य-गवेषी सहज दृष्टि के विकास के कारण है। इसी कारण यह बुद्ध और महावीर भी देख सके, कबीर और नानक भी देख सके और स्वामी दयानन्द, विवेकानन्द और महात्मा गाँधी भी देख सके। इनमें कोई भी सेक्युलर दृष्टि का कायल नहीं था। दूसरी ओर यह सेक्युलर दृष्टि उन दूसरे प्रकार की असमानताओं और अन्यायों को देख पाने में उसी प्रकार असमर्थ है जिस प्रकार 'सब जग को सियाराममय' देखने वाली युक्त दृष्टि असमर्थ थी। उदाहरणत: प्रजातन्त्रवाद की उद्भावक यह गोरी जाति अगौर जातियों को उसी प्रकार हीन या मानवेतर देखती रही है जिस प्रकार प्राचीन काल में ग्रीक दासों को देखते थे, किन्तु इस प्रजातन्त्रवादी, उदार और सब मनुष्यों को समान देखने वाली जाति ने इन अगौरों पर जो अत्याचार किये हैं वह तो प्राचीनों की पौराणिक कल्पना के लिए भी गम्य नहीं था। इसके अतिरिक्त, आज जो आर्थिक असमानता है और जैसे आज के अर्थ-सम्पन्न लोग इस अर्थ का दुरुपयोग करते हैं, वह भी पुराने समय में अकल्पनीय था। इसी प्रकार राज्य-शक्ति का दुरुपयोग आज के प्रजातन्त्रों में उससे कहीं अधिक होता है जितना पुराने सामंतों में देखा जाता था, क्योंकि उस समय राज्य का कार्य-क्षेत्र समाज में उतना व्यापक नहीं था जितना आज है। यह जो कहा गया है कि 'राजा रूठे, नगरी राखे' वह प्राचीन काल में वास्तविक बात थी। लोग नाराज़ होकर राजा की नगरी छोड़ भी जाते थे और नगरी में रहते हुए भी अधिक मन-मरजी से रहते थे। किन्तु आज ऐसा नहीं हो सकता। इस सबके ऊपर तुर्रा यह कि आज के ये राजा उसी प्रजा को खुल्लमखुल्ला लूटते हैं जिसके ये प्रतिनिधि होने का दावा करते हैं और प्रजा सचमुच में इन्हीं को, और यह सब जानते हुए भी, अपना प्रतिनिधि चुनती है। कहा जा सकता है कि यह प्रजातन्त्रवाद का सैद्धान्तिक दोष नहीं है, व्यावहारिक दोष है। किन्तु प्रजातन्त्रवाद की सिद्धान्त-दृष्टि में ही ये अन्तर्निहित दोष हैं कि यह व्यवहार में उससे बहुत भिन्न कुछ नहीं हो सकता जो वह है। यहाँ उल्लेखनीय है कि महात्मा गाँधी ने पार्लियामेंट को वेश्या कहा था, वह इसके सैद्धान्तिक रूप के कारण ही, क्योंकि यह बहुमत की चेरी होती है और अल्पमत जिस किसी भी प्रकार से बहुमत का विरोध ही करता है। व्यवहार में इसका वेश्या-रूप कितना विकृत हो सकता है यह हम अपनी पार्लियामेंट के व्यवहार से देख सकते हैं।

अब रही प्रजातन्त्र के चौथे पाये प्रचार-माध्यम की बात। यह पाया प्रमुखत: समाज की निकृष्ट प्रवृत्तियों के प्रचार का माध्यम है और इससे इन्हीं को अधिकांश में बढ़ावा मिलता है। इसका प्रथम उद्देश्य अपनी लोक-प्रियता स्थापित करना होता है, जिसे यह लोमहर्षक, आपराधिक, कामोत्तेजक और अन्य सब प्रकार की अनैतिक बातों को समाचार रूप में प्रस्तुत कर सिद्ध करता है। उदाहरणत: इसमें राजनेताओं, अभिनेताओं, खिलाड़ियों और ऐसे ही दूसरे तत्वों को मूर्धाभिषिक्त किया जाता है, चिंतकों, साहित्यिकों या मनीषियों को नहीं। कहा जा सकता है कि इनके लिए दूसरे माध्यम होते हैं—पत्रिकाएँ और पुस्तकें। सही है। किन्तु प्रश्न है कि यह माध्यम, जो प्रजातन्त्र का चौथा पाया है, यह क्या सिद्ध करता है? इस पाए के आविर्भाव से पहले समाज में दार्शनिक,

कवि और संत ही प्रतिष्ठा पाते थे, राजा, अभिनेता, खिलाड़ी और गणिकाएँ नहीं। निश्चय ही समाज में ये सब भी थे, किन्तु सामाजिक दोषों या सहज-प्राकृतिक प्रवृत्तियों के रूप में। प्रतिष्ठितों के रूप में नहीं।

प्रजातन्त्र में कानून के शासन की बात भी की जाती है। किन्तु वास्तव में यह एक दूसरी वेश्या है जो निर्लज्जता से शठों और साधन-सम्पन्नों का ही साथ देती है। अवश्य कभी-कभार कोई साधन-सम्पन्न भी इसके घेरे में आ जाते हैं, किन्तु प्रथम तो इनमें वे ही इसके घेरे में आते हैं जिन्हें इनके इन्हीं के जैसे शत्रु लाते हैं, शेष कोई इसके घेरे में नहीं आते। दूसरे, ये भी इसकी पकड़ में नहीं आते। इतना ही नहीं, कानून के बावजूद ऐसे लोग चुनाव जीतकर पुन: राज्य-पदों पर प्रतिष्ठित हो जाते हैं। इससे देखा जा सकता है कि 'राज्य के प्रजा के द्वारा और प्रजा के लिए होने' का क्या अर्थ है। किन्तु सबसे बड़ी बात यह है कि किसी के पास साधन होने पर ही कानून उसका साथ देता है और तब ग़लत साथ भी दे सकता है, उसके बिना तो यह उसके विपरीत भी जा सकता है।

सो, यह है वह प्रजातन्त्र जिसमें आज हम रह रहे हैं और जिसका गुणगान करते नहीं अघाते। यह सही है कि इसके आज उपलब्ध विकल्प इससे भी बुरे हैं, या कम-से-कम इससे अच्छे नहीं हैं, किन्तु उनके अच्छे नहीं होने और नहीं हो सकने का कारण युग-परिस्थितियाँ ही हैं जो प्रजातान्त्रिक राज्य-प्रणाली की जनक हैं। यह परिस्थितियाँ स्वचालित यन्त्रों के आविष्कार के साथ उपजे पूँजीवाद के साथ आरम्भ हुईं, इन्हीं परिस्थितियों ने पूँजीवाद के प्रतिपक्ष साम्यवाद और जर्मनी तथा इटली आदि की तानाशाहियों को जन्म दिया। आज ये परिस्थितियाँ क्रमशः कुशलतर और व्यापकतर होते यन्त्रों के साथ और उग्र होकर भूमण्डलीकरण और उससे विकसित होते आसुरी प्रजातन्त्र, दानवी प्रतिस्पर्धा और इनके सहगामी उग्रवाद और आपराधिक भोगवाद को जन्म दे रही हैं।

यहाँ पूछा जा सकता है कि इससे निकलने का रास्ता क्या है? सम्भवत: कोई नहीं है। मनुष्य यन्त्रवाद के इस विस्फोट को झेलकर अपने में प्रतिष्ठित हो सकता है, ऐसा हमें नहीं लगता।

हमारी राजनीतिक परिस्थिति[1]

गत वर्ष परिषद् के चण्डीगढ़ अधिवेशन के अवसर पर मैंने समकालीन भारतीय दार्शनिक परिस्थिति पर अपने विचार व्यक्त करते हुए हमारे देश में कुछ ऐसी प्रवृत्तियों की ओर ध्यान आकर्षित किया था जो हमारे वैचारिक, राजनीतिक और सामाजिक गतिरोध या दिग्भ्रम की कारण हैं। इन सब कारणों का मूल कारण मैंने 'विचार को आत्मबोध-पूर्वक नियुक्त नहीं करना' कहा था। मैंने कहा था कि स्वतन्त्रता के बाद से हम यूरोप के अंधानुकरण में प्रवृत्त हो गए हैं और यह बात हमारी बोध-हीनता और जड़ता की द्योतक है। इससे हममें भयानक चरित्रहीनता भी आयी है। हम 1975 में लागू की गई आपातस्थिति के लिए श्रीमती इन्दिरा गाँधी को दोषी ठहरा रहे हैं, जोकि न्यायालय में अभियोग चलाने की दृष्टि से तो ठीक है किन्तु जो विचार के लिए ठीक नहीं है। श्रीमती इन्दिरा गाँधी केवल एक निमित्त थीं, एक उपकरण, इसका कर्त्ता हमारे सम्पूर्ण देश का विकृत मानस था। आपात-स्थिति लागू होने के दो-चार मास बाद मैंने श्री विनोबा भावे को लिखा था कि "उन्होंने आपात-स्थिति को अनुशासन-पर्व कहा है। यह बात सही होती यदि सरकार स्मगलरी और भ्रष्टाचार के लिए कांग्रेस के कम से कम कुछ मन्त्रियों को पहले कैद करती, क्योंकि अधिकांश मन्त्री खुल्लम-खुल्ला भ्रष्टाचार करते रहे हैं और कर रहे हैं।" तब मैंने उनसे अपील की थी कि वे श्रीमती इन्दिरा गाँधी को समझायें कि वे भ्रष्टाचारी मन्त्रियों को कैद करें और आपात स्थिति हटायें। इसी प्रसंग में मैने एक बात और उन्हें लिखी थी और वह यह कि श्रीमती गाँधी ने जो एकाएक बड़े से बड़े नेताओं को पकड़ लिया और जनता का वह सारा प्रकोप ठठरा गया जो श्री जयप्रकाश नारायण के नेतृत्व में दो ही दिन पहले प्रचण्ड दिखाई दे रहा था, उसका कारण था कि इस विरोध के पीछे भी चरित्रबल और विचारबल नहीं था। वह क्रोध भ्रष्टाचार के विरुद्ध था किन्तु वह सदाचारमूलक नहीं था, वह भ्रष्टाचार की सामर्थ्य अपने हाथ में नहीं होने के कारण था। बोधमूलक तो वह था ही नहीं। प्रजातन्त्र की समाप्ति श्रीमती गाँधी ने जून 1975 में की थी, किन्तु उससे पहले तो प्रजातन्त्र ही था! विरोध तो श्रीमती गाँधी का उसी समय हो रहा था! वह किस बात पर हो रहा था? इस बात पर कि सरकार भ्रष्टाचारी थी? किन्तु क्या सरकार जनता के बिना भ्रष्टाचारी थी? और क्या आज जनता सरकार को भ्रष्टाचार से उबरने दे रही है? इसी प्रकार, यह सही है कि श्रीमती इंदिरा गाँधी ने आपातस्थिति घोषित की, किन्तु क्या इसके लिए इसे अनुशासन-पर्व कहने वाले विनोबा भावे, सम्पूर्ण मन्त्रिमण्डल और राष्ट्रपति आदि-आदि भी उत्तरदायी नहीं थे जिन्होंने न केवल इस बात का विरोध नहीं किया कि प्रजातन्त्र का दमन किया गया था बल्कि इस बात का भी विरोध नहीं किया कि श्रीमती गाँधी ने इसकी घोषणा अवैधानिक रूप से की थी?

मेरा निवेदन है कि यह सब परिस्थिति है जिसमें आपातस्थिति की घोषणा हुई और उस परिस्थिति में हम आज भी उतना ही रह रहे हैं जितना जून 1975 के पहले रह रहे थे। यह केवल एक आकस्मिक बात है कि इसके बावजूद हम आपातस्थिति के बंधनों से मुक्त हो गये। इस मुक्ति के कारण आध्यामित्मक नहीं होकर नितान्त आगन्तुक घटनाएँ और अनैतिहासिक संयोग हैं।

किन्तु आपातस्थिति लागू होना अनैतिहासिक संयोग नहीं होकर एक दुर्निवार विकास-क्रम की निष्पत्ति थी, और जैसाकि मैंने ऊपर कहा, हम उस निष्पन्न स्थिति से अब भी मुक्त नहीं हुए हैं। यह और भी भयानक बात है, क्योंकि आपातस्थिति की घोषणा ने हमें भयावह रोग के लक्षण प्रकट कर चेतावनी दी, उससे हम अकस्मात् उबर भी गये, किन्तु तब भी हम चेते नहीं हैं। रोग का एक अत्यन्त स्थूल प्रमाण यह है कि पहले स्वतन्त्रता-प्राप्ति के ऐतिहासिक अवसर पर हमने उसका कोई लाभ नहीं उठाया और उसे चुपचाप तिरोहित हो जाने दिया, उसी

---

1. अखिल भारतीय दर्शन परिषद् के 23वें अधिवेशन (27.11.77) में परिषद् के अध्यक्ष पद से दिया गया व्याख्यान।

प्रकार इस दूसरे अवसर को भी हमने खो दिया और इसकी चरम प्राप्यता जाँच आयोगों की स्थापना को मान लिया। हमारे खोखलेपन का इससे बड़ा प्रमाण अकल्पनीय है।

परिषद् के पूना अधिवेशन के अध्यक्षीय भाषण में और गत वर्ष के अधिवेशन में अपने व्याख्यान में तथा कुछ अन्य सम्बन्धित लेखों में मैंने आज की इस ऐतिहासिक परिस्थिति की ओर ध्यान आकर्षित किया था कि यूरोपीय सभ्यता ने आज संसार के सब समाजों को, भारतीय समाज को विशेष रूप से, दो अन्ध-विश्वास दे दिये हैं, जिनमें एक है ज्ञान और सौख्य के एकमात्र साधन के रूप में तकनीकी और दूसरा है विवेक तथा प्रामाण्य की धातृ के रूप में लोक-साधारण बुद्धि। ये धारणाएँ कोई ऐसी नहीं हैं जैसी 'जल्दी पहुँचने के लिए मोटर-गाड़ी का होना अच्छा है' और कि 'सब मनुष्य समान हैं और सबके जीवन की न्यूनतम आवश्यकताओं की पूर्त्ति होनी चाहिए।' यदि वे मान्यताएँ इस रूप में होतीं तो प्रायः निरापत्तिक होतीं और इनका प्रचार जीवन को निस्सत्व नहीं बना देता। किन्तु ये अन्धविश्वास आज का इतिहास-दर्शन तथा जीवन और जगत् के समग्र पक्षों का आधार हो गयें हैं। उदाहरण के लिए, आज का इतिहास-दर्शन इतिहास की गति को भी यन्त्र पर ही प्रतिष्ठित कर रहा है, तकनीकी को आधुनिकता और सामाजिक गतिशीलता का एकमात्र वाहक मान रहा है।[1] इसी प्रकार, न केवल प्रजातन्त्र को ही एकमात्र वरेण्य तन्त्र माना जा रहा है बल्कि इंग्लैंड और अमरीका में लोक-साधारण-भाषा, अर्थात् लोक-बुद्धि को ही सत्य की एकमात्र धारक माना जा रहा है, जबकि अमरीका में और यूरोप के कुछ दूसरे देशों में यन्त्र को ही प्रमाण भी माना जा रहा है। इस प्रकार प्रत्यक्षवाद अस्तित्ववाद और फिनॉमिनॉलॉजी भी यूरोप के प्रतिष्ठित दर्शन हैं किन्तु इनके अनुसार भी विषयतन्त्र बुद्धि ही मनुष्य का स्वरूप है। हमारे लिए इसमें कोई चिन्ता की बात नहीं होती यदि ये भ्रान्तियाँ यूरोप की ही होतीं। हमारे लिए शोचनीय बात यह है कि हमारे देश के शिक्षा-जगत् के शासक और अग्रणी लोग भी इन अन्धविश्वासों को ही समर्पित हैं। उदाहकरण के लिए लोक-बुद्धि-प्रमाण के राजनीतिक पक्ष प्रजातन्त्र को लें। राष्ट्रीय स्वयंसेवक का प्रतीक 'गुरु रामदास के सम्मुख नतमस्तक शिवाजी' हैं, अर्थात् अध्यात्म के नियमन में शौर्य, किन्तु यह दल भी आज प्रजातन्त्र की ही दुहाई दे रहा है। इसी प्रकार, गाँधी जी भी लोक-बुद्धि के कायल नहीं रहे, वे तप से पूत एक आत्मा[2] की आवाज़ के सामने करोड़ों आवाजों को निरर्थक मानते थे, किन्तु तब भी श्री मोरारजी देसाई और श्री चरणसिंह प्रजातन्त्र को स्वतःसिद्ध सत्य मानते हैं। ये ग्राम-मूलक अर्थ-व्यवस्था में ही गाँधीवाद की इतिश्री मान लेते हैं।

यहाँ मैं यह स्पष्ट कर देना चाहता हूँ कि मेरी राष्ट्रीय स्वयंसेवक संघ से कभी कोई सहानूभुति नहीं रही, क्योंकि इसकी दृष्टि सदैव नितान्त संकुचित रही है और इसने वास्तव में उपर्युक्त प्रतीक में गुरु रामदास को कभी महत्त्व नहीं दिया और न उस हिन्दुत्व के तत्त्वों को कभी समझा जिसकी रक्षा का यह दावा करता है। इसका हिन्दुत्व केवल औरंगज़ेब कालीन परिस्थितियों के सन्दर्भ में ही परिभाषित हुआ है। यहाँ मैंने इसका उल्लेख केवल उस अन्ध-विश्वास के प्रताप की प्रचण्डता दिखाने के लिए किया है जिसे प्रजातन्त्रवाद कहा जाता है।

अवश्य प्रजातन्त्रवाद का लक्षण 'मनमानेपन और व्यक्तिनिष्ठता के विपरीत युक्ति-विवेक सम्मत और विधि-सम्मत शासन' भी किया जाता है। किन्तु क्या विवेक और विधि का अधिष्ठातृत्व जनमत को दिया जा सकता है? दूसरे, विवेक का विवेच्य क्या है और युक्ति किस युक्त को सिद्ध करने के काम लायी जाती है, ये प्रश्न भी कम महत्त्वपूर्ण नहीं हैं। किन्तु विवेक और युक्ति का निर्णय जनमत के हाथ देने से बड़ा वदतोव्याघात दूसरा नहीं हो सकता, और वह भी तब जब यह जनमत केवल तकनीकी द्वारा साध्य सुख की धारणा को ही समर्पित हो।

इधर 'प्रजातन्त्र' के साथ 'समाजवाद' विशेषण भी लगाया जाने लगा है, अर्थात् समानता के आधार पर जनमत का शासन। किन्तु समानता किसकी? समानों की या असमानों की? फिर किस आधार पर समानता? अर्थ

1. इस पर मेरे निम्न लेख द्रष्टव्य — **विषय और आत्म** पुस्तक में 'भारतीय संस्कृतिः जीवित या मृत?' तथा **नया प्रतीक**, जुलाई 1976 में' 'तकनीकी और सामाजिक प्रगति।' दूसरा लेख इस पुस्तक में भी संकलित।

2. वास्तव में तपःपूत आत्मा 'एक' या 'अनेक' नहीं होती, वह 'सार्वभौम' होती है। किन्तु प्रस्तुत प्रसंग में यह अवान्तर है।

के आधार पर? किन्तु अधिकार और अन्याय का आप क्या करेंगे? इनके दुरुपयोगों को रोकने के लिए मार्क्स ने केवल सर्वहारा को शासन देने की बात की, जिसके चरितार्थित रूप हम रूस और अन्य समाजवादी देशों में देख रहे हैं। यदि सर्वहारा का शासन भी केवल शक्ति और अधिकार के दुरुपयोग में ही पर्यवसित होता है तब निरंकुश जनमत के शासन से क्या अपेक्षा हो सकती है?

इस सब का बचाव विधि-सम्मत शासन को बताया जाता है किन्तु 'विधि-सम्मत' में और 'विधि-सम्मत शासन' में बहुत अन्तर है। 'विधि-सम्मत' में विधि का रूप वास्तव में केवल आकार-मूलक रह जाता है। प्रश्न यह है कि आप आकार को किस द्रव्य से, किस वस्तु से, सम्बन्धित करना चाहेंगे? और दूसरे, जहाँ केवल आकार नहीं तथ्य भी प्रासंगिक हों वहाँ आप किस शासक की स्वैरता से मुक्ति पायेंगे? जो लोग कानून की वस्तुस्थिति को जानते हैं उन्हें इस तथाकथित विधि-सम्मत शासन और न्यायपालिका की स्वतन्त्रता की बात में कोई अर्थ दिखाई नहीं दे सकता।

इधर हमारे देश में जनमत के प्रति आदर जनमत-शासन-सिद्धान्त के प्रवर्तक देशों से भी अधिक दिखाई दे रहा है। श्री जयप्रकाश नारायण ने लोक-समितियों और सिटिज़ंस् फार डिमोक्रेसी का विचार दिया है। पता नहीं उन्हें यह क्यों नहीं पता कि प्रजातन्त्र या भीड़तन्त्र में सब संगठन वास्तव में केवल शक्ति और दबाव के संगठन ही होते हैं, इस तन्त्र में वाच डॉग्स वास्तव में केवल हाउंड्स ही होते हैं और वे ऊपर के हाउंड्स को दान्त दिखा कर उन्हें मांस के लोथड़े इनके साथ बाँटकर खाने मात्र को बाध्य करते हैं। इसका एक दूसरा पक्ष भी है और वह यह कि ये सब राजनीतिक संस्थाएँ हैं। पहले राजनीतिक संस्थाएँ विधान सभाओं तक सीमित थीं, नेहरू जी ने ये पंचायत समितियों के द्वारा ग्रामों तक पहुँचा दीं, श्री जयप्रकाश नारायण अब इन्हें हमारे सम्पूर्ण कार्य-कलाप में व्याप्त कर देना चाहते हैं। अर्थात् अब आप एक ही बात सोचें, एक ही करें और एक ही का अनुध्यान करें, और वह एक बात है राजनीति।

ऊपर मैंने केवल निषेधात्मक बातें ही कहीं हैं। प्रश्न हो सकता है कि इसका विकल्प क्या हैं? यहाँ मैं यह स्वीकार करता हूँ कि मैं विकल्प के सम्बन्ध में पर्याप्त स्पष्ट नहीं हूँ। तो भी मैं अभी इतना सुझाव अवश्य देना चाहता हूँ कि इस 'जनमत' और 'राजनीतिक' की परिधि तो तुरन्त ही छोटी कर देनी चाहिये। उदाहरण के लिए, शिक्षण संस्थाओं में विद्यार्थियों और अध्यापकों की यूनियनें बिल्कुल समाप्त कर देनी चाहिएँ, विद्यार्थियों को अपने स्वार्थ केवल अध्ययन तक सीमित देखने चाहिएँ। अध्यापकों के संगठन केवल शिक्षा-संस्था के तन्त्र-मूलक ही होने चाहिएँ और उससे पृथक् केवल अध्ययन-मूलक होने चाहिएँ। इसी प्रकार अन्यत्र भी सामाजिक और धार्मिक संस्थाएँ ही होनी चाहिएँ और राज्य को उनका आदर करना चाहिये। यह द्रष्टव्य है कि इन संस्थाओं पर जैसा कुठाराघात स्वतन्त्रता के बाद हुआ है वैसा उसके पहले कभी भी नहीं हुआ था, सामन्ततन्त्र में तो ज़रा भी नहीं हुआ था। आर्थिक, सामाजिक और धार्मिक सभी प्रकार की संस्थाएँ राज्य से स्वतन्त्र थीं और परिणामत: लोक-जीवन राज्य के नियन्त्रण से स्वतन्त्र था। हमें इन संस्थाओं को स्वतन्त्र विकसित होने देना चाहिए। इस विधि से राजनीति का स्थान और क्षेत्र न्यूनतम करना सुलझाव का एक मार्ग है और पर्याप्त महत्त्वपूर्ण मार्ग।

इसका अर्थ यह नहीं है कि मैं सामन्तवाद का समर्थन कर रहा हूँ। सामन्तवाद की पुन: स्थापना आज सम्भव भी नहीं है। किन्तु उसका उचित विकल्प प्रजातन्त्र (लोक-साधारण बुद्धि का शासन) है, यह भी मुझे ग्राह्य प्रतीत नहीं होता। सच बात तो यह है कि प्रजातन्त्र के मूल में ऐसी अनेक पूर्वमान्यताएँ हैं जो सहजग्राह्य नहीं हैं और जिनके सम्बन्ध में विचार किये बिना ही हम इस वाद को आज राजनीतिक, सामाजिक और धार्मिक जीवन का सर्वोच्च मूल्य माने हुए हैं। इसमें प्रमुख धारणा है कि सत्य और श्रेयस् क्रमशः ऐन्द्रिय संवेदमूलक और वासना-तृप्तिमूलक हैं, इसलिए प्रमातृत्व और विवेक सबको बराबर सुलभ हैं, परिणामत: सत्य का निर्णायक लोकमत ही हो सकता है। यहाँ मैं इस विवाद में नहीं पड़ूँगा कि यह धारणा सही है या नहीं,

मेरा प्रश्न यह है कि क्या हमने इस पर विचार कर लिया है और तब इसे स्वीकार किया है? मैं समझता हूँ कि ऐसा नहीं है। हमारे देश ने इस पर और अन्य सम्बद्ध बातों पर विचार नहीं किया है और इसके बिना ही इनकी प्रशस्ति गानी आरम्भ कर दी है।

इसका अर्थ यह भी नहीं है कि विवेक का अधिकार किसी वंश को सौंप देना चाहिये। मेरा सुझाव इतना ही है कि राज्य को नितान्त गौण स्थान देकर सामाजिक, शैक्षिक तथा आध्यात्मिक संस्थाओं को मुख्य स्थान देना चाहिए और इन संस्थाओं का मेरुदण्ड प्रजातान्त्रिक नहीं होकर ज्ञान और विवेक होना चाहिये।

करगिल युद्ध : एक भारतीय आत्म–मंथन

करगिल युद्ध कई सप्ताह पहले आरम्भ हुआ था और शायद कई महीने बाद तक चलेगा। यों पाकिस्तान के साथ युद्ध पिछले कम से कम 18–20 वर्षों से निरन्तर चल रहा है जिसे हम प्रॉक्सी–वार कहते हैं। यह पाकिस्तान की ही मर्ज़ी थी कि वह उस ढंग से लड़ रहा है, जिसे हम 'युद्ध–जैसा' ढंग कह रहे हैं। यह 'युद्ध–जैसा' इस अर्थ में है कि वह तो हमारी सीमाओं में घुस कर हमारे विरुद्ध लड़ रहा है किन्तु हम उसकी सीमाओं में नहीं जाने की शपथ लिये हुए हैं। यह उल्लेखनीय है कि यों वह भी हमारा ही प्रदेश है—पाकिस्तान द्वारा हथियाया हुआ। हम उस प्रदेश में नहीं जा कर दुनिया के दूसरे देशों से सुशीलता के प्रमाण–पत्र जुटाने में लगे हैं और ये प्रमाण–पत्र हम उन देशों से मांग रहे हैं जो अन्तर्राष्ट्रीय व्यवहार में केवल खुली गुंडागर्दी ही करते हैं। अमरीका और यूरोप के देशों ने वियतनाम, मिश्र (स्वेज़ नहर), क्यूबा, ईराक और योगोस्लाविया आदि–आदि में जो किया वह सर्वविदित है। अपने ढंग से चीन भी खुली गुंडागर्दी करने वाला देश ही है। इन सब के लिए सुशीलता और शान्ति–प्रियता का क्या अर्थ? और हम इन्हीं से सुशीलता का प्रमाण–पत्र मांग रहे हैं और ये हमें बड़ी नपी–तुली भाषा में प्रमाण–पत्र दे भी रहे हैं, बिना पाकिस्तान को दुश्शील कहे। उधर पाकिस्तान हमारी सीमाओं में घुसा हुआ अपनी शर्तों पर अड़ा बैठा है और इसके अतिरिक्त वह हमारे पूरे ही देश में घुस–पैठ कर जहाँ भी कहीं, जिस भी किसी को मार देता है और हम कुछ भी नहीं कर पा रहे हैं। इसके विपरीत इज़राइल है जो अपने विरुद्ध किसी भी घुस–पैठ का उत्तर घुस–पैठ करने वालों के देश के किसी भी भाग में कितना भी ध्वंस करके देता है और हमारी सुशीलता सराहने वाले ये देश उसका समर्थन करते हैं। अभी पीछे अमरीका ने अपने एक दूतावास पर उग्रवादी आक्रमण का उत्तर तीन देशों में यथेच्छ रूप से उनके ठिकानों का यथारुचि निर्णय करके उन्हें ध्वस्त करके दिया था।

ऐसा सब क्यों है? यह केवल इसलिए है क्योंकि हमारा देश दुर्बल है और निरीह है। नहीं तो प्रमाण–पत्रों की गुहार पाकिस्तान लगाता, हम नहीं। अन्तर्राष्ट्रीय सम्बन्ध बड़ी मछली और छोटी मछली के बीच के जैसे हैं। यह हमने संयुक्त राष्ट्र संघ में काश्मीर का प्रश्न ले जा कर देख लिया था। यह बहुत बड़े दुर्भाग्य की बात है कि मनुष्य इस पाशवता के अनुसार व्यवहार करे, किन्तु अभी तक तो व्यवहार का तर्क यही है और इसे बदलने का प्रयत्न कोई महात्मा गाँधी ही कर सकता है, भ्रष्टाचार और दुराचार से खोखला हो गए समाज का रीढ़–हीन प्रधानमन्त्री नहीं। उसे तो अपनी रीढ़ की मजबूत करनी होगी और बड़ी मछली होने का प्रमाण देना होगा। इस समय स्थिति यह है कि हम संसार भर में यह गुहार मचा रहे हैं कि पाकिस्तान हमें पीट रहा है। यदि कोई देश कह देता है कि पाकिस्तान को ऐसा नहीं करना चाहिए तो इसे हम अपनी विजय बताते हैं। किन्तु यह उपहासास्पद है और संसार का कोई भी देश यह भाषा नहीं समझता। न यह भाषा समझने योग्य ही है। हमने मध्यस्थता की बात यह देख कर ही अस्वीकार की थी। अन्यथा मध्यस्थता में क्या अस्वीकार्य है?

अन्य देशों का हमें समर्थन मिले, यह बहुत अच्छा है, किन्तु यह किसी औचित्य के आधार पर मिलता होता तो पहले भी हमें मिल रहा होता! या फिर हम यह स्वीकार करें कि हम पहले उचित नहीं थे! सो, यह किसी औचित्य के आधार पर नहीं मिलता। दूसरे, यह समर्थन हमें इस स्थिति में होकर मांगना चाहिए था कि पाकिस्तान अब तब पछता रहा होता कि यह क्या कर बैठा! अभी कुछ ही वर्ष तक अमरीका और यूरोप के देश चीन का अस्तित्व ही स्वीकार करने को तैयार नहीं थे, किन्तु तब भी क्या आप कल्पना भी कर सकते हैं कि कोई भी पड़ोसी देश कभी भी यह हिम्मत कर पाया होता कि वह चीन में घुसपैठिये भी भेज सकता, आक्रमण करना तो दूर की बात है? उस समय भी, जब अमरीका–यूरोप चीन को ध्वस्त करना चाहते थे और रूस भी उसका कोई मित्र नहीं था, बल्कि भारत का ही मित्र था, चीन ने हमारे पर आक्रमण किया और हमें यथेच्छ पीट कर वहाँ तक लौट

गया जहाँ तक वह लौटना चाहता था और आज तक वह वहीं बैठा है। इसके विपरीत हम पाकिस्तान द्वारा आरम्भ किये गए युद्धों में उसे जीत कर भी वे भाग उसे लौटाने को बाध्य हुए जो हमने अपने हज़ारों जवानों की बलि दे कर जीते थे।

इसका क्या कारण है? क्या इसका कारण हमारा शान्तिप्रिय होना है? यदि हम इतने ही शान्तिप्रिय हैं तो पंजाब और पूर्वोत्तर प्रदेशों के उग्रवादी, बिहार और आन्ध्र प्रदेश के नक्सलवादी, बिहार की निजी सेनाएँ, दहेज के लिए पत्नियों को जिन्दा जला देने वाले पति आदि, बलात्कारी, बलात् मतदान कराने वाले राजनेता और उनके लठैत ये सब क्या किन्हीं दूसरे देशों से आते हैं? या कि ये भी शान्तिप्रिय हैं क्योंकि ये किसी दूसरे देश की सेनाओं के साथ नहीं लड़ते, अपने ही लोगों को मारते हैं?

इसलिए यह कहना कि हम शान्तिप्रिय हैं, इसका कोई अर्थ नहीं है। साफ-सीधी बात यह है कि हम सामाजिक रूप से बल-हीन, चरित्र-हीन और लक्ष्य-हीन हैं। स्वतन्त्रता से पहले हमारे सामने एक लक्ष्य था, उस लक्ष्य के साथ हमारी एक आत्म-कल्पना, अपने स्वरूप की अवधारणा थी जो संयुक्त रूप से स्वामी दयानन्द, स्वामी विवेकानन्द, श्री अरविन्द और सबसे बढ़ कर महात्मा गाँधी ने दी थी। वह बहु-आयामी अवधारणा भारत की उस महान् और सुदीर्घ सांस्कृतिक परम्परा में प्रतिष्ठित थी जो अंग्रेज़ों के राजनीतिक और सांस्कृतिक आक्रमण के बावजूद अखण्ड और अपराजित रही। स्वतन्त्रता के बाद राजनीतिक लक्ष्य की प्राप्ति के साथ हमारी वह आत्मकल्पना खो गई। व्यक्तियों के समान समाज भी अपनी आत्मा खोते हैं और बिखर जाते हैं। इकबाल ने जो कहा था—"यूनानो मिश्र रोमा, सब मिट गए जहाँ से, बाकी मगर है अब तक, नामोनिशां हमारा" वह इसी अर्थ में कहा था। नहीं तो यूनान, मिश्र और रोम तो अब भी हैं—देशों के रूप में भी और उन देशों में रहने वालों के रूप में भी, किन्तु सांस्कृतिक परम्पराओं के रूप में नष्ट हो चुके हैं आज से शताब्दियों पहले। हम जो बचे हुए थे अब हम भी उन्हीं प्रेतों की श्रेणी में सम्मिलित होने की ओर अग्रसर हैं। आज हमारे देश के बस-कंडक्टर, चपरासी और सिपाही से लेकर बड़े से बड़ा ऑफीसर और मन्त्री तक भ्रष्ट हैं, विद्यार्थी पढ़ने से और अध्यापक पढ़ाने से विरत हैं। राजीव गाँधी ने कहा कि सरकारी सहायता का एक रुपये में से केवल सोलह पैसा उस उपयोग में आता है जिसके लिए दिया जाता है। और स्थिति का व्यंग्य देखिये कि यह चौरासी पैसा बीच में लूट ले जाने वाले लोग राजीव गाँधी को ही अपने कुकर्मों के औचित्य के लिए उदाहरण रूप में प्रस्तुत करते थे। बाद में तो और ऐसे उदाहरण बनने वालों की भरमार ही हो गई। किन्तु राजनीतिक नेता वास्तव में केवल दिखायी अधिक देते हैं, अन्यथा तो हमारा पूरा समाज ही आज सड़ गया है। राजनीतिक नेता हों या प्रशासनिक अधिकारी, विद्यार्थी हों या अध्यापक, ये सब समाज-शरीर के अंग हैं। यदि एक अंग ही रोग-ग्रस्त हुआ हो तो उसका उपचार सरल होता है, किन्तु यदि सारी देह ही क्षय-ग्रस्त हो जाय तो वह क्षय सभी अंगों में प्रकट होता है। आज हमारी यही स्थिति हो गई है। कांग्रेस राज्य-सभा का अधिवेशन बुलाकर गुप्तचर एजेंसियों की और उसके द्वारा सरकार की असफलता सिद्ध करना चाहती है। किन्तु गुप्तचर एजेंसियाँ तो इसी समाज की संस्थाएँ हैं जिस समाज के हमारे विश्वविद्यालय हैं, जिस समाज की वह कांग्रेस है जो राजनीतिक भ्रष्टाचार की प्रतीक है, जिसके सब से वाचाल प्रतिनिधि नटवर सिंह जाटों के लिए इस आधार पर संरक्षण मांगने में कोई अनौचित्य नहीं देखते कि यह कांग्रेस के चुनाव जीतने के लिए अनिवार्य है। तो गुप्तचर एजेंसियाँ कैसे कर्त्तव्य-परायणता की आदर्श होंगी, और आप होते कौन हैं उन्हें अयोग्य बताने वाले? यदि आपके प्रधानमन्त्री करोड़ों की रिश्वतें खा और खिला सकते हैं, यदि आप एक के बाद दूसरी सरकारें गिराने के लिए सब तरह के षड्यन्त्र रच सकते हैं तो गुप्तचर एजेंसियों से कर्त्तव्यपरायणता और सदाचार की मांग करने का आपको अधिकार क्या है? यह तो आपका भाग्य कहिये कि अभी सेना उस सीमा तक रोग-ग्रस्त नहीं हुई है, किन्तु आपने तो कोई कसर नहीं छोड़ रखी है। किन्तु यहाँ पुन: स्मरणीय है कि अब यह कोई कांग्रेस की विशेषता हीं नहीं रह गई है, सभी राजनीतिक दल अब एक ही जैसे, एक ही रोग से ग्रस्त हैं। पहले गाँधी-टोपी भ्रष्टाचार की प्रतीक हो गई थी, अब वह बात नहीं रह गई है। अब सभी राजनीतिक दलों का एक ही रूप और रँग हो गया है। उदाहरणत: श्री अटल बिहारी वायपेयी से देश ने बड़ी

आशाएँ लगायी थीं, किन्तु अपनी सब अच्छाइयों के बावजूद वे केवल बुरों में सब से कम बुरे हो कर रह गए हैं। अपनी सरकार बचाने के लिए उन्होंने जिस प्रकार समझौते किये उससे क्या उन्हें कोई आदर्श के रूप में प्रस्तुत कर सकता है? वे इन्दिरा गाँधी, राजीव गाँधी, लालूप्रसाद या हरकिशन सिंह सुरजीत नहीं हैं, किन्तु वे इन सब से समझौता कर किसी भी सत्य की बलि तो चढ़ा ही सकते हैं! क्या आप सुभाषचन्द्र बोस या सरदार पटेल से, यहाँ तक कि नेहरू जी से भी, यह आशा कर सकते थे कि वे जयललिता और सुखराम से समझौता करेंगे, गाँधी जी तो ख़ैर बहुत दूर की बात हैं। आपको ध्यान होगा कि भारतीय जनता पार्टी ने इस बार चुनाव में कहा था कि इस बार चुनाव में भ्रष्टाचार मुद्दा नहीं है। कोई पूछे कि "तब मुद्दा क्या है? स्थिर सरकार?" इस पर तो कांग्रेस ठीक ही कहती है कि वैसी सरकार तो सब से अधिक हमने ही दी थी! किन्तु क्या स्थिरता अपने-आप में मूल्य हो सकती है? दुराचार और अत्याचार की स्थिरता भी स्थिरता ही है। कांग्रेस वह दे ही रही थी और कम्यूनिस्टों ने बंगाल में वह दे ही रखी है। तब आप नया क्या देने जा रहे थे? किन्तु इसमें बात वाजपेयी जी की नहीं है, इसमें बात देश की परिस्थिति की है, उस रोग की है जो इसमें व्याप्त हो गया है और जिसने वाजपेयी को भी 'वाजपेयी' नहीं रहने दिया है—जहाँ तक भी वे 'वाजपेयी' थे। वास्तव में वाजपेयी जी की आत्म-च्युति केवल हमारे समाज में व्याप्त रोग का लक्षण है, एक ऊपरी लक्षण, मूल तो हमारी शिक्षण-संस्थाएँ हैं, या कहें सारे समाज में व्याप्त मूल्य-भ्रष्टता।

आज पाकिस्तान के आक्रमण पर हमारी देश-भक्ति उमड़ी पड़ रही है, किन्तु यह केवल जान पर आ गए सीधे संकट का आतंक और सामूहिक भावावेग का ज्वार है, यह देश-भक्ति नहीं है। आज भी हम एक रुपया बचाने के लिए बस-कंडक्टर को बिना टिकट लिये दो के बजाय एक रुपया दे सकते हैं, खाने की चीज़ों में मिलावट कर सकते हैं, कागज़ पर सड़क बनी दिखा कर लाखों रुपया गटक सकते हैं। तब यह कैसी देश-भक्ति है? पाकिस्तान के आक्रमण से कहीं बड़ा संकट यह है, उससे कहीं बड़ा संकट क्लास में बिना पढ़े पढ़ाना या नहीं पढ़ाना है, कहीं बड़ा संकट पब्लिक स्कूल हैं। इन संकटों के रहते, या ऐसी 'देश-भक्ति' रहते, हमारा यह बृहदाकार देश एक महान् और बलवान देश नहीं बन सकता।

हमारा समय : असहमतियाँ और अपेक्षाएँ

अपने देश की स्वतन्त्रता के पचास साल बाद आज जो प्रश्न हम सब अपने से पूछ रहे हैं वह प्रश्न वास्तव में इसकी स्वतन्त्रता के तुरन्त बाद ही हमारे सामने उठ खड़ा हुआ था, कि क्या यह स्वतन्त्रता यही है जिसके लिए हम संघर्ष कर रहे थे, जिसके लिए असंख्य लोगों ने बलिदान दिये? देश का विभाजन हुआ, निश्चय ही यह बहुत बड़ा आघात था, किन्तु यह आघात उन आघातों की तुलना में नगण्य था जो हमने स्वयं अपनी आत्मा पर किये। स्वतन्त्रता से कुछ ही समय पहले महात्मा गाँधी ने 125 वर्ष की आयु तक जीने की इच्छा की थी, किन्तु स्वतन्त्रता के बाद वे ईश्वर से मांगने लगे थे कि उन्हें जल्दी उठा ले। वह केवल इसलिए नहीं कि उनके सब प्रयत्नों के बावजूद देश का बँटवारा हो गया था, केवल इसलिए भी नहीं कि हमने असुरों को भी लज्जित कर देने वाला हिंसा का कुरूपतम उन्माद दिखाया था, बल्कि इसलिए भी कि उन लोगों ने भी अपनी चरित्र-हीनता प्रदर्शित कर दी थी जिन्हें भावी भारत को नेतृत्व देना था। उन लोगों की चरित्र-हीनता को देखकर ही उन्होंने कांग्रेस को राजनीतिक दल के रूप में समाप्त कर देने की बात कही थी। उनकी भविष्य-दृष्टि कितनी सही थी यह इस बात से देखा जा सकता है कि वह कांग्रेस स्वतन्त्रता के बाद के लगभग पहले ही दशक में भ्रष्टाचार की पर्याय बननी आरम्भ हो गयी थी और इन्दिरा गाँधी के साथ इसने अपने को सत्ता में बनाये रखने के लिए उन सब प्रकार के अपराधों और षड्यन्त्रों का सहारा लिया जिनकी हम कल्पना भी नहीं कर सकते थे।

अंग्रेज़ी राज्य की स्थापना से पहले, हज़ारों वर्षों से, भारत एक अखण्ड देश था, किन्तु राजनीतिक रूप से नहीं, बल्कि सांस्कृतिक रूप से। कालिदास ने अपने कुमारसम्भव महाकाव्य के प्रथम श्लोक में जिस देश के 'उत्तरस्यां दिशि' 'पूर्व और पश्चिम के सागरों को अवगाहन करने वाले पृथ्वी के मानदण्डभूत हिमालय' का उल्लेख किया है और जिस देश के धार्मिक-प्राकृतिक वैभव के भूगोल का उन्होंने मेघदूत काव्य में विवरण दिया है, वह किसी राज्य के विस्तार से परिभाषित देश नहीं था, वह एक सांस्कृतिक चेतना से परिभाषित देश था। उस देश का कोई राजनीतिक अस्तित्व तो था ही नहीं। यह संस्कृति इस देश में काश्मीर से बंगाल-कामरूप तक और अमरनाथ-मानसरोवर से रामेश्वर तक अन्तर्व्याप्त थी और इसके भौगोलिक विस्तार को अपने में अधिष्ठित किये हुए थी। इस देश के भौगोलिक क्षेत्र पर तो बहुत पुराने समय से बहुत आक्रमण होते रहे, कभी सफल, कभी असफल, किन्तु इसके सांस्कृतिक सत्त्व पर पहला सैन्य आक्रमण मुगलों के द्वारा ही हुआ जब उन्होंने यहाँ के मन्दिर ध्वस्त करने आरम्भ किये और जन-साधारण का धार्मिक आधार पर वध करना या धर्मान्तरण करना आरम्भ किया। किन्तु वे भी इसे पराजित नहीं कर पाये। 'यूनानो मिश्र रोमा जहाँ से' ऐसे ही आक्रमणों के कारण मिटे थे, किन्तु यह देश टस से मस नहीं हुआ। इसने भक्ति-आँदोलन के रूप में उन आक्रमणों के सामने अपनी अपराजेयता की घोषणा की। यदि यह देश तब एक राजनीतिक सत्त्व होता तो मुगलों ने इसे अपने अधीन कर लिया होता और समाप्त कर दिया होता। किन्तु यह राजनीतिक अर्थ में कोई देश था ही नहीं, यह तो केवल एक सांस्कृतिक देश था, सांस्कृतिक सत्त्व, और अपनी उस आत्मा की अक्षुण्णता के सम्बन्ध में पूर्णतः आश्वस्त। इसके बाह्य विग्रह को उन्होंने पर्याप्त क्षति पहुँचाई—बहुत से मन्दिर और मूर्तियाँ नष्ट कीं, किन्तु इसकी आत्मा को वे कोई क्षति नहीं पहूँचा सके। यही सांस्कृतिक सत्त्व अंग्रेज़ों के सामने भी खड़ा हुआ था। अधिकांश लोग यहाँ के लोगों और राजाओं को कोसते हैं कि उनमें कोई राष्ट्रीयता की भावना ही नहीं थी, वे एक-दूसरे को हराने के लिए अंग्रेज़ों की सहायता लेते थे और इस तरह वे क्रमशः अंग्रेज़ों के अधीन हो गए और हमारी सेनाओं को हराने के लिए उन्होंने यहीं के लोगों की सेनाएँ बनायीं। किन्तु ये विद्वान् यह नहीं देखते कि हमारा ऐसा कोई देश था ही नहीं। और उस 'देश' के अभाव में देश-भक्ति, राष्ट्रीय भावना कहाँ से आती? राजा लोग अपने-अपने राज्य के लिए लड़ते थे। जब वे अंग्रेजो के विरुद्ध मिल कर भी लड़े तब भी भारत देश की विदेशियों से रक्षा के लिए नहीं लड़े थे

बल्कि अपने-अपने राज्य की एक ऐसे शत्रु से सामूहिक रक्षा के लिए लड़े थे जिसका वे अकेले-अकेले सामना नहीं कर पा रहे थे। इसीलिए जब इस देश पर अंग्रेज़ी राज्य स्थापित हो गया तब बहुत समय तक यहाँ के लोगों में उससे मुक्ति के लिए कोई परेशानी नहीं जागी, यहाँ के लोग कुछ सुविधाएँ ही मांगते रहे। किन्तु सांस्कृतिक स्तर पर एक ज्वार तभी उठा था और उस स्तर पर आत्म-रक्षा, आत्मालोचन की और 'आक्रमण' का साम्मुख्य करने की प्रेरणा जगी थी। आर्यसमाज, ब्रह्मसमाज, स्वामी विवेकानन्द, श्री अरविन्द, आनन्द कुमारस्वामी, **गीताभाष्य** के लेखक लोकमान्य तिलक, गीताप्रेस गोरखपुर के संस्थापक हनुमानप्रसाद पोद्दार, महात्मा गाँधी और वास्तव में अनेक दार्शनिक और साहित्यिक लेखक सब इस सांस्कृतिक जागरण, प्रतिरोध और विजय-घोष के उद्घोषक कहे जा सकते हैं। द्रष्टव्य है कि अंग्रेज़ी राज्य की स्थापना को सांस्कृतिक चुनौती के रूप में देखने की बात लेशमात्र भी मुसलमानों में दिखायी नहीं देती। अवश्य सर सैयद अहमद खाँ द्वारा अलीगढ़ मुस्लिम विश्वविद्यालय की स्थापना मुसलमानों का एक सांस्कृतिक प्रयत्न ही था, किन्तु वह हिन्दुओं का अनुकरण था। दूसरे, उसमें सुधार की दृष्टि तो थी, किन्तु सांस्कृतिक जागरण और सांस्कृतिक साम्मुख्य के कोई लक्षण नहीं थे। मुसलमानों में अन्यत्र भी जहाँ सांस्कृतिक जागरण हुआ, जैसे टर्की में, वह पश्चिमीकरण के रूप में ही हुआ, और जहाँ प्रतिरोध हुआ वह धर्मान्धता और सशस्त्र संघर्ष के रूप में, जिसके उदाहरण ईरान में विशेष रूप से और अन्य बहुत से देशों में सामान्य रूप से देखे जा सकते हैं। निश्चय ही अंग्रेज़ों के आने के बाद भारत का एक राजनीतिक सत्त्व के रूप में भी अविर्भाव हुआ, जो भारतीय इतिहास में एक सर्वथा नवीन घटना थी, और उस सत्त्व की रक्षा के लिए कुछ सशस्त्र प्रयत्न भी हुए। गाँधी जी से पहले का राजनीतिक प्रतिरोध सांस्कृतिक प्रतिरोध से पृथक् इसी प्रकार का था और गाँधी जी के समय में भी प्रतिरोध की उनसे पृथक् एक धारा इसी प्रकार की थी। किन्तु महात्मा गाँधी के साथ इस प्रतिरोध में भी राजनीति संस्कृति के साथ एकाकार हो गई। महात्मा गाँधी की सबसे पहली पुस्तक **हिन्द-स्वराज्य** इस दृष्टि की स्पष्ट द्योतक है। वह उस व्यक्ति का युद्ध-घोष था जिसने राजनीतिक संकट को भी सांस्कृतिक संकट के ही एक अंग के रूप में देखा था। 'देश' की हमारी पिछली कल्पना मूलत: सांस्कृतिक होने के कारण महात्मा गाँधी महात्मा तुलसीदास के और स्वामी दयानन्द महात्मा कबीर के नये और संशोधित और संवर्द्धित संस्करण ही कहे जा सकते हैं।

किन्तु द्रष्टव्य है कि अंग्रेज़ों ने भी हमें राजनीतिक स्तर पर पराजित करने के बाद सांस्कृतिक स्तर पर भी पराजित करने के सब प्रयत्न किये और वे इसमें बहुत दूर तक सफल भी हुए। इस सम्पूर्ण काल में महात्मा गाँधी और स्वामी दयानन्द ही ऐसे दिखायी देते हैं जो यूरोपीय संस्कृति से नितान्त अप्रभावित रहे। निश्चय ही स्वामी विवेकानन्द और श्री अरविन्द में भारतीय संस्कृति की अपराजेयता का ही उद्घोष है, किन्तु उनमें यूरोपीय संस्कृति की प्रबलता का भी एहसास है और वे उस एहसास से चिंतित भी दिखायी देते हैं। उनके प्रतिरोध में एक सबल शत्रु से आत्मरक्षा का प्रयत्न दिखायी देता है, जैसाकि उनकी पुस्तकों **दि सीक्रेट ऑफ दि वेदाज़** तथा **फाउंडेशंस् आफ इंडियन कल्चर** में स्पष्टत: देखा जा सकता है। आनन्द-कुमार स्वामी और दूसरे दार्शनिक और अन्य वैचारिक लेखक तो जैसे पश्चिम से ही जूझते दिखायी देते हैं। किन्तु स्वामी दयानन्द में उससे ताटस्थ्ता और महात्मा गाँधी में उसके प्रति ऐसा करुणा का भाव दिखायी देता है जैसा किसी आध्यात्मिक ज्ञानी महात्मा में अविद्या ग्रस्त जीवों के प्रति होता है।

इसी क्रम में आगे चलकर एक राजनीतिक हिन्दूवाद का बीजारोपण भी हुआ जिसकी धरती राजनीतिक इस्लाम थी। यद्यपि भारत में इस्लाम अंग्रेज़ों के आने पर अपनी राजनीतिक शक्ति खो चुका था, किन्तु अपनी मानसिकता इसने नहीं खोयी थी। इसलिए इस राजनीतिक हिन्दूवाद की मानसिकता वही थी जो राजनीतिक स्तर पर परास्त और आत्मरक्षा के लिए उग्र और अनुदार स्वभाव वाले मुस्लिमवाद की थी। किन्तु दुर्भाग्यवश हिन्दू उग्रवादियों और महात्मा गाँधी दोनों ने इनके स्वरूप को नहीं समझा, उन्होंने अपनी दृष्टि को मुसलमानों से, जिनकी संस्कृति मध्ययुगीन राजनीतिक हिंसा से अवियोज्य थी और जिनके लिए 'भारत' किसी सांस्कृतिक देश या सत्ता की संज्ञा नहीं थी, अवरुद्ध हो जाने दिया। ये हिन्दू राष्ट्रवादी तो सांस्कृतिक भाव के, जो वास्तव में भारत

का एकमात्र सत्त्व था, अस्तित्व तक से नितान्त अनभिज्ञ थे, जैसा इनके प्रतीकों से देखा जा सकता है। इनके प्रतीक शिवाजी और महाराणा प्रताप थे, इसलिए वेद, उपनिषद, पुराण, रामायण, महाभारत, कालिदास, भवभूति, बिहारी, जयशंकर प्रसाद, यहाँ तक कि बुद्ध, महावीर और नानक तक सब इनके लिए अप्रासंगिक थे। यदि किसी कवि का पता था तो एकमात्र भूषण का, इनका अंग्रेज़ों से भी कोई विशेष विरोध नहीं था, ये केवल ग़ज़नवी और औरंगज़ेब की कटु स्मृतियों में रहने के लिए अभिशप्त थे और आजतक उसी में बंदी हैं। किन्तु स्वतन्त्रता से पहले ये लोग कोई प्रतिष्ठा नहीं पा सके, क्योंकि उस समय भारत एक राजनीतिक सत्त्व के साथ एक सांस्कृतिक सत्त्व के रूप में भी अपने आप में प्रतिष्ठित रहने के लिए प्रयत्नशील था और राजनीतिक भारत अपने शत्रु के रूप में अंग्रेज़ों को देख रहा था।

किन्तु स्वतन्त्रता के बाद दुर्भाग्यवश सारी परिस्थिति ने कुछ ऐसी उल्टी करवट ली कि हमारा सम्पूर्ण इतिहास जैसे स्थगित हो गया, सांस्कृतिक परम्परा को जैसे काठ मार गया। हम एक संस्कृतिविहीन शुद्ध राजनीतिक-आर्थिक देश के रूप में परिवर्तित हो गए। रूपान्तरण को सम्भव करने में कम से कम दो कारण संयुक्त हुए—पण्डित नेहरू का प्रधानमन्त्री बनना तथा महात्मा गाँधी का और सरदार पटेल का निधन, जिससे पं. नेहरू का मार्ग निर्बाध हो गया। पण्डित नेहरू की दृष्टि आधुनिक पश्चिम से निर्धारित थी और सांस्कृतिक भारत उनके लिए एक सुदूर परदेस था। उनकी 'भारत की खोज' विदेशी पर्यटकों जैसी एक मनोरंजन-यात्रा जैसी थी। वे भारत को उसी प्रकार, यद्यपि उनसे कम, जानते थे—जैसे विदेशी इतिहासज्ञ जानते हैं। अवश्य उन्हें देश से प्रेम था, किन्तु राजनीतिक देश से, सांस्कृतिक देश से नहीं। उनका सांस्कृतिक देश आधुनिक पश्चिम था—वैज्ञानिक-प्रौद्योगिक संस्कृति का पश्चिम। यह उनके भाखड़ा-नंगल को देश के मन्दिर कहने से ही प्रकट नहीं है बल्कि दर्शन आदि सब के अध्यापकों को शिक्षा के लिए पश्चिम भेजने और वहाँ के शिक्षकों को यहाँ सिखाने के लिए आमन्त्रित करने, और भवन-नगर आदि तक के निर्माण के लिए पश्चिम के स्थपतिकों आदि को नियुक्त करने से भी स्पष्ट है। यह वे पं. नेहरू थे जो स्वतन्त्रता आन्दोलन का प्रतीक चरखे को बनाने वाले गाँधी के उत्तराधिकारी बन कर आये थे। उन्होंने इस देश को विदेशी संस्कृति को आमूल सौंप दिया। निश्चय ही नेहरू जी अपनी दृष्टि के कार्यान्वियन में केवल अपने बूते पर ही सफल नहीं हुए थे, इसके लिए हमारे देश के जन-मानस में भी पर्याप्त बीज थे, किन्तु अन्य प्रकार के बीजों के निष्क्रिय रहने और इस प्रकार के बीजों के अंकुरित और फलित होने के निमित्त वे ही बने। उस समय हिन्दी का हार्दिक रूप से राष्ट्रभाषा नहीं बन पाना इसी परिस्थिति के एक अंग के रूप में देखा जा सकता है।

यहाँ हिन्दी के प्रति रवैये के सम्बन्ध में उपर्युक्त कथन का स्पष्टीकरण आवश्यक भी है और एक व्यापक वस्तुस्थिति को स्पष्ट करने में उपयोगी भी। हिन्दी के लिए कहा जा सकता है कि इसका विरोध श्री राजगोपालाचार्य ने किया था और दक्षिण को वे इसमें अपने पीछे लगाने में सफल हो गये थे। इसका उत्तर है कि श्री राजगोपालाचार्य ने लाइसेंस-परमिट-राज का और वैक्सीनेशन का भी घोर विरोध किया था, किन्तु उनकी उस बात की तो कोई परवाह नहीं की गई। जहाँ तक उनके पीछे दक्षिण के लगने का प्रश्न है, उसका समाधान जिस उपाय से हो सकता था वह करना देश की सांस्कृतिक एकता और सांस्कृतिक समृद्धि के लिए बहुत उपकारक होता, किन्तु वह नहीं किया गया। वह उपाय था उत्तरी भारत के स्कूलों में दक्षिण की भाषाओं का वैकल्पिक अनिवार्य अध्यापन और दक्षिण में हिन्दी का अनिवार्य अध्यापन। इसी में कहीं बँगला के लिए भी व्यवस्था की जा सकती थी। किन्तु नेहरू जी ने यह नहीं करके अंग्रेज़ी को अपनाया, जिसका परिणाम है कि आज सब लोग अपने बच्चों को आरम्भ से अंग्रेज़ी माध्यम के स्कूलों में ही पढ़ाना चाहते हैं और परिणामस्वरूप हमारे बच्चे हमारे कवियों को और हमारे महाकाव्यों और पुराणों आदि की कहानियों को जानना तो दूर, दिनों और संख्याओं तक के हिन्दी नाम नहीं जानते, फल-सब्ज़ियों, पेड़-पौधों और पशु-पक्षियों आदि के हिन्दी नाम जानना तो बहुत दूर की बात है। जब हिन्दी-भाषी प्रदेश में हिन्दी का यह हाल है तो दक्षिणी भाषाओं को सीखने का तो प्रश्न ही कहाँ उठता है! अब तो यह रोग गाँवों तक में संक्रमित हो रहा है। यह उस देश का हाल है जिसकी आज से केवल

डेढ़-सौ वर्ष पहले तक केवल सांस्कृतिक अस्मिता थी, जिसकी देश-व्यापी भाषा संस्कृत थी और जिसके लोगों को परस्पर की भाषाएँ समझने में कोई कठिनाई नहीं आती थी। द्रष्टव्य है कि यह स्थिति स्वतन्त्रता से पहले नहीं थी। अंग्रेज़ों तक ने हमारी स्कूली शिक्षा का माध्यम अंग्रेज़ी को नहीं बनाया था और विचार तथा भाव के सभी क्षेत्रों में हमारी सांस्कृतिक परम्परा जीवित थी। अधिकांश दार्शनिक भारतीय दर्शन का गौरव सिद्ध करने के लिए प्रयत्नशील थे और साहित्यकार अपने ही देश की भाव-भूमि से जुड़े थे। किन्तु स्वतन्त्रता के बाद यह सब एकाएक समाप्त हो गया। विचारक अपनी विचार-भूमि के पाश्चात्यीकरण में जुट गए और साहित्यिकों ने भी अपने को पश्चिमी भाव-भूमि से जोड़ने के प्रयत्न आरम्भ किये। मार्क्सवाद, अस्तित्ववाद, फ्रायडवाद, और आज देरिदा, फूको, आधुनिकता-उत्तरआधुनिकता आदि हमारे साहित्यिक सन्दर्भ के केन्द्र बन रहे हैं। इसके बावजूद हम नेहरू जी को आधुनिक भारत का निर्माता कहते हैं। अवश्य वे आधुनिक भारत के निर्माता थे, किन्तु ऐसे आधुनिक भारत के जिस पर हम केवल लज्जित ही हो सकते हैं। नेहरू जी ने हमें सांस्कृतिक रूप से खोखला कर दिया और उसके बाद बहुराष्ट्रीय कम्पनियों के माध्यम से हमें आर्थिक रूप से खोखला करने की प्रक्रिया आरम्भ हुई है।

आज देश में भयानक आर्थिक भ्रष्टाचार ही व्याप्त नहीं है, अपराध और दुराचार के सभी भद्दे रूप सीमा तक पहुँच चुके हैं जिसके बाद दुर्दान्त अराजकता की सीमा आ जाती है। हमारे पूर्व और पश्चिम दोनों ओर के सीमान्त क्षेत्र और देश के अन्य भाग आतंकवादियों के अधिकार में हैं। इस सब का एकमात्र कारण यह है कि आज हमारे प्रायः सभी नेता और प्रशासनिक अधिकारी जनता की आँखों में समान रूप से दुराचारी और भ्रष्टाचारी हैं। आज हमारे इस प्रजातन्त्र में चुनाव के लिए सभी विकल्पों में केवल अपराधी ही शेष बचे हैं, और लोग उचित-अनुचित-विवेक में सारी आस्था खो चुके हैं। ऐसे में आतंकवाद, अपराध और उत्पात यहीं सब समाज में हो सकता है, क्योंकि मानव-व्यक्ति और मानव-समाज दोनों को धारण करने वाला तत्त्व केवल सत्य और धर्म में आस्था ही होता है।

तब प्रश्न उठता है कि ऐसे में हमारे लिए मार्ग क्या है और क्या सम्भावनाएँ हैं? एक उत्तर हो सकता है कि मार्ग तो स्पष्ट है किन्तु सम्भावनाएँ अधिक दिखायी नहीं देतीं। इस समय सारा संसार ही अमेरीकीकरण की ओर, जोकि आधुनिक यूरोपीय संस्कृति का कुरूपतम रूप है, दौड़ रहा है। यह शुद्ध रूप से एक ऐन्द्रिक और व्यापारिक संस्कृति है। आज हम ही नहीं सारे देश इसके वात्याचक्र में इतने पूर्ण रूप से फँस गए हैं कि इससे बचना सम्भव दिखायी नहीं दे रहा है। क्योंकि इससे निकलने के लिए जो दृष्टि और जितना संकल्प-बल चाहिए उसका लाक्षांश भी इस समय हमारे में नहीं है। ऐसे में मार्ग के बारे में यह कहना कठिन हो जाता है कि वह क्या हो सकता है? आज हम जिस यन्त्र-युग में प्रवेश कर चुके हैं उसकी कल्पना आज से पचास वर्ष पहले तक भी वैज्ञानिक आश्चर्य-कथाकारों ने भी नहीं की थी। ऐसे में इसके भावी विकास की गति तो हमारे लिए और भी अधिक अकल्पनीय होगी। इससे हमारे लोक-जीवन और मानसिक जीवन दोनों ही ग्रस्त हैं। इस शताब्दी के आरम्भ में महात्मा गाँधी ने इस यन्त्र-प्रौद्योगिकीय संस्कृति के भय को देखने में अद्भुत क्रान्त-दर्शिता का परिचय दिया था और साथ ही इसके पूर्ण निषेध का साहस भी दिखाया था। वह साहस अकल्पीय था—किसी भी लौकिक जीव के लिए सम्भव साहसिक कल्पना के भी परे की चीज़। इसीलिए उनकी दृष्टि लोक-व्यवहार में भी नहीं आयी। इसके बावजूद उन्होंने चरखों को हमारे स्वतन्त्रता-संग्राम का प्रतीक बना दिया। यह सफलता केवल उनकी अलौकिक शक्ति की ही द्योतक है, उनकी दृष्टि के हमारी चेतना में संक्रमण की नहीं। वह चरखा केवल ग्रामोद्योग का प्रतीक नहीं था, संस्कृति के पूरे शास्त्र का मूल सूत्र था, जिसका भाष्य उनका अपना जीवन—सत्य, पर-दुःखे दुःखिता, निष्कामता, सरलता, व्रत, उपवास, प्रार्थना और भजन का जीवन था। यों उसमें कुछ नयी बात नहीं थी, आर्य संस्कृति और वैष्णव संस्कृति इसी के दो रूप थे। उन की नवीनता यन्त्र-प्रदत्त भोगों और शक्ति की संस्कृति के असत्यापन के रूप में इसको प्रस्तुत करने और अपने तर्क के प्रमाण के रूप में उस समय के यन्त्र-बल में सब से प्रबल साम्राज्य को इस के बल से ललकारने में थी। यह मार्ग आज भी सुलभ हो सकता है, और

कम-से-कम भारत के लिए यही एक वास्तव सुख का मार्ग है, इसे पाण्डुरंगजी शास्त्री ने गुजरात-काठियावाड़, महाराष्ट्र तथा देश के अन्य कुछेक हिस्सों में जन-जीवन में पर्याप्त विशाल स्तर पर क्रियान्वित कर के फिर से दिखाया है। किन्तु मनुष्य के लिए इन्द्रिय-लोक का तर्क सहज गम्य होने से और उसे आसुरी माया के जैसे यन्त्र-कौशल का समर्थन मिल जाने पर आज उस सत्य का बोध सुलभ नहीं रहा है जिसका बोध अतीत में मनुष्य को सदैव रहा है और जिसे गाँधीजी ने दिव्य दीप्ति के साथ पुन: प्रदर्शित किया था। इस यन्त्र संस्कृति के परिणाम हम मनुष्य के अपने आप से अधिक दूर भटक जाने के रूप में स्पष्ट देख रहे हैं और उससे बुरी तरह त्रस्त हैं। किन्तु जैसे पुराण-कथाओं के असुर राम के हाथों मर कर मोक्ष पाने के लिए असुरता की पर्यन्तता तक जाने को अभिशप्त थे सम्भवत: उसी प्रकार हमारी यह सभ्यता भी अभिशप्त है। आज तथाकथित 'इक्कीसवीं सदी की ओर दौड़' का नारा इसी आत्म-विमुखता के मार्ग पर दौड़ने का नारा है, और परिस्थिति का व्यंग्य देखिये, यह नारा देने के लिए हमने अपना दार्शनिक पथ-दर्शक राजीव गाँधी को बनाया है। इस देश के बौद्धिक दिवालियेपन का इससे बड़ा प्रमाण और क्या होगा? इस दिवालियेपन की उपहासास्पद पराकाष्ठा के रूप में आज सोनिया गाँधी-प्रियंका गाँधी-राहुल गाँधी फिनॉमिनॉ हमारे सामने प्रस्तुत है।

ऐसी परिस्थितियाँ तो घोर निराशा उत्पन्न करती हैं और आशा की कोई किरण मानो दिखायी ही नहीं देती। किन्तु शायद देश की चेतना अभी उतनी जड़ायत नहीं हुई है जितनी समाचार-पत्रों, आकाशवाणी और दूरदर्शन के कारण प्रतीत होती है। हमने ऊपर महाचेता पाण्डुरंगजी आठवले द्वारा प्रवर्तित 'स्वाध्यय दृष्टि' का उल्लेख किया था जिससे पर्याप्त बड़े क्षेत्र के जन-साधारण आलोकित हैं। इसी प्रकार हमारे बुद्धिजीवियों में भी इधर अपने सांस्कृतिक मूल में प्रतिष्ठा पाने की आवश्यकता का भाव थोड़ा जगा है। यद्यपि उसमें अधिक गहराई नहीं है, किन्तु तब भी। इसी प्रकार राजनीतिक स्तर पर एक मंथन परिलक्षित होता है जिसमें भारतीय जनता पार्टी हिन्दू उग्रवाद को छोड़ने की बाध्यता के साथ ऊपर आ रही है और कांग्रेस नेहरू-परिवार के अन्तिम अवशेष का तिनका पकड़ कर उसके साथ डूब रही है। किन्तु अभी राजनीति के क्षेत्र में हम दुर्धर्ष मंथन की स्थिति में ही हैं, इसमें कब और कैसा नवनीत निकलेगा यह कहना कठिन है। स्वयं भारतीय जनता पार्टी की दृष्टि भी अभी सम्यक् नहीं है। इसका मूल उपर्युक्त राजनीतिक हिन्दूवाद में ही अधिक है। यह भारतीय संस्कृति की बात करती है, और यह इसका धनात्मक पक्ष भी है, किन्तु संस्कृति विषयक दृष्टि का इसमें अभी लगभग अभाव है।

अब अन्त में यहाँ भारतीय संस्कृति विषयक एक व्यापक भ्रान्ति पर और हिन्दू-उग्रवाद के स्वरूप पर विचार करना आवश्यक है। भारतीय संस्कृति विषयक भ्रान्त मत दो प्रकार के हैं। एक मत है जो इस देश में कोई एक संस्कृति नहीं देख कर अनेक संस्कृतियाँ देखता है और परिणामत: भारतीय संस्कृति की बात को ही निरर्थक मानता है। इसके अनुसार यह देश छोटे-बड़े अनेक सांस्कृतिक समुदायों का समूह है, जैसे अंग्रेज़ों के आने से पहले यह अनेक राज्यों का भी समूह था। दूसरा मत वह है जो भारत को हिन्दू-मुस्लिम दो सांस्कृतिक समुदायों की सम्मिश्र संस्कृति के रूप में देखता है। ये दोनों मत निपट दृष्टि-हीनता के द्योतक हैं। इनमें पहला मत 'एक सांस्कृतिक धारा' का अर्थ समझने और उसके अनुसार इस देश में वह धारा देख पाने की असामर्थ्य का द्योतक है। इन्हें इस बात का पता होना चाहिए कि यूरोप अनेक राज्यों, राजनीतिक देशों, का समूह है, जैसा भारत कभी नहीं रहा। उन देशों में हाव-भावों, रुचियों और अभिवृत्तियों को लेकर बहुत भिन्नता है, किन्तु तब भी कोई संस्कृति-शास्त्री इन देशों की संस्कृतियों की बात नहीं करता, सब इनमें यूरोपीय संस्कृति' ही देखते हैं, क्योंकि इन सब देशों में आदर्शों और पुरुषार्थों विषयक एक ही दृष्टि है और इस दृष्टि को ही संस्कृति कहते हैं। आज उन देशों में, विशेषत: इंगलैंड में, बहुत से एशियायी और अफ्रीकी समुदाय भी रहते हैं, जो सांस्कृतिक दृष्टि से इस संस्कृति के अन्तर्गत नहीं आते, किन्तु उनके कारण इंगलैंड संस्कृति-बहुल देश नहीं कहा जाता। यही बात, मुस्लिम समुदाय को एक सीमा तक छोड़ते हुए, भारत के सम्बन्ध में भी कही जा सकती है। निश्चय ही भारत में बहुत अधिक वैविध्य है, किन्तु उतनी ही अधिक इस संस्कृति की धारक शक्ति और व्यापक दृष्टि भी है। यह संस्कृति वैदिक और मौनिक धाराओं और असंख्य उपधाराओं को सम्मिलित कर, और साथ ही उनमें विभक्त होकर,

प्रवाहित होने वाली एक नदी के समान है। इसकी दृष्टि 'एकं सद्विप्रा बहुधा वदन्ति' और 'यो यथा माम् प्रपद्यन्ते तांस्तथैव भजाम्यहम्' परक है। तब प्रश्न हो सकता है कि ऐसी अवस्था में मुसलमान इसके पृथक् क्यों हैं? वे भी इसके अंग, या एक उपधारा क्यों नहीं माने जा सकते? इसके दो कारण हैं—एक तो यह कि उनकी धर्म-दृष्टि समावेशी नहीं हो कर बहिष्कारक है, और दूसरा मुख्य कारण राजनीतिक है। यदि यह दूसरा कारण नहीं होता तो यह समुदाय भी क्रमशः अपनी बहिष्कारात्मकता छोड़ चुका होता—बहिष्कारात्मकता इसके मूल सूत्रों में से एक होने के बावजूद। मुसलमानों की सूफी शाखा में तो इस बहिष्कारात्मकता का स्पष्ट ही अभाव है, अन्य जन-साधारण में भी अंग्रेज़ों के आने तक यह क्रमशः क्षीण हो रही थी। किन्तु अंग्रेजो ने आ कर हिन्दुओं और मुसलमानों में भेद को राजनीतिक रूप दे दिया, जो न केवल देश के विभाजन में ही फलित हुआ बल्कि आज तक इनमें विद्वेष के रूप में परिलक्षित हो रहा है। यहाँ यह कहा जा सकता है कि अंग्रेज़ों ने हिन्दू-मुसलमानों के बीच विद्वेष की स्थिति उत्पन्न नहीं की, उन्होंने केवल पूर्व विद्यमान स्थिति को पुष्ट ही किया। अंग्रेज़ों के आने से पहले मुसलमान अपने को शासक समझते थे यद्यपि वे अल्पमत में भी थे और हिन्दुओं से सब प्रकार से पिछड़े हुए भी थे। अंग्रेज़ों के आने पर यह तथ्य उन पर प्रकट हो गया और उन्होंने अपने को असुरक्षित अनुभव करते हुए अंग्रेज़ी राज्य से सुरक्षा की अपेक्षा की। गाँधीजी के सब प्रयत्नों के बावजूद मुसलमानों के आश्वस्त नहीं होने और अन्त में देश का विभाजन होने का कारण शायद यही रहा हो। किन्तु दुर्भाग्यवश हम आज फिर से उसी दुश्चक्र में फँसे हैं और इसका घेरा कठोर से कठोरतर होता जा रहा है। हिन्दू उग्रवाद का सम्बन्ध सीधा इसी से है।

किन्तु क्या यह उग्रवाद इस समस्या का समाधान प्रस्तुत करता है? यदि नहीं, तो क्या वह धर्म-निरपेक्षतावाद इसका समाधन प्रस्तुत है जिसे हमने अपने विधान में और व्यवहार में अपनाया है?

मैं समझता हूँ कि हिन्दू-उग्रवाद का एक विकल्प हमें केवल देश-विभाजन के अवसर पर उपलब्ध था। उस समय हम बहुत बड़ी संख्या में मुसलमानों को पूर्व और पश्चिम पाकिस्तान में धकेल सकते थे और भारत को एक हिन्दू राज्य घोषित कर सकते थे। किन्तु ऐसा करके हमने मुसलमानों को देहत: और अपने को आत्मत: नष्ट कर दिया होता—ठीक उसी प्रकार जिस प्रकार कोई धार्मिक-आध्यात्मिक परम्परा वाले परिवार का सपूत शराब पी कर हिंसक स्वभाव का हो जाय। शस्त्र-धारण हमारी संस्कृति में भी स्वीकृत है, किन्तु केवल राम के लिए, रावण के लिए नहीं। विभाजन के बाद हमारे सामने परीक्षा की कठोरतम घड़ी थी। उसमें अविचल रह कर हमने कोई मुसलमानों पर उपकार नहीं किया, बल्कि अपने रामत्व की ही रक्षा की।

यहाँ यह ध्यातव्य है कि इसमें जो हमारी संस्कृति में मूलित धर्म-दृष्टि थी वह जिस प्रकार गाँधी जी में स्पष्ट थी वैसी अन्य लोगों में नहीं। नेहरू जी इसके विपरीत पाश्चात्य ऐहिक उदारतावाद से निर्दिष्ट थे और परिणामत: गाँधी-दृष्टि का स्थान बहुत शीघ्र ऐहिक उदारतावाद ने ले लिया, जिस के लिए हमने ठीक ही उसी के शब्द 'सेक्यूलरिज़्म' को अपनाया। यह सेक्यूलरिज़्म किस प्रकार नेहरू जी के समय में ही 'वोट की राजनीति' में परिवर्तित हो गया और मुसलमान पुन: अरक्षित और राजनीतिज्ञों के उपयोग के विषय हो गए, यह आज सब जानते हैं।

किन्तु यह वस्तुस्थिति का केवल एक पहलू है। मुसलमान कोई निर्जीव वस्तु नहीं हैं जिनका दूसरे मनचाहा उपयोग कर रहे थे। उनका धर्म, जिसके अनुसार 'एक' को केवल 'एक' ही नाम से पुकारा जा सकता है और केवल एक ही प्रकार से समझा जा सकता है, और विभाजन के लिए उत्तरदायित्व का उनका इतिहास, ये दो उनकी मानसिकता के घटक थे। इस कारण उन्होंने स्वयं भी अपने लाभ के लिए दूसरों का उपयोग करने की राजनीति की। किन्तु इससे भारतीय प्रजातन्त्र को भी भरपूर हानि पहुँची और उससे अधिक उनकी अपनी हानि हुई। वे एक धार्मिक अल्पमत ही नहीं, राजनीतिक अल्पमत भी बन कर रह गए। इस कारण इन दो समुदायों में परस्पर भयावहता के सम्बन्ध स्थिर हो गए और इससे मुसलमानों को वे सब हानियाँ पहुँचीं जो एक सन्देहास्पद अल्पमत को किसी भी राजनीतिक व्यवस्था में पहुंच सकती हैं।

किन्तु हमारे देश को यदि स्वस्थ समाज और स्वस्थ राष्ट्र बनना है तो इस परिस्थिति को समाप्त करना आवश्यक है। इसका एक ही उपाय है कि मुसलमानों को राजनीतिक अल्पमत का दर्जा समाप्त किया जाय और धर्म के सम्बन्ध में भारतीय परम्परा के अनुसार मुस्लिम धर्म : इस्लाम : को ईश्वर को भजने की अनेक विधियों में से एक विधि के रूप में देखते हुए इसे वैष्णव, शैव, बौद्ध, जैन, सिक्ख, आर्य समाज और ब्रह्मसमाज के समान ही एक उपासना-विधि के रूप में देखा जाय। इसके लिए हमें अपनी राजनीतिक पदावली में से 'सेक्युलरिज़्म' शब्द को हटाना होगा, मुसलमानों को समान आर्थिक और सामाजिक अवसर देने होंगे और उन्हें अपने कर्त्तव्यों का बोध देना होगा। इसके लिए उन्हें अन्तर्राष्ट्रीय इस्लाम से अलग होना होगा और भारत सरकार को इसके उपाय करने होंगे। वैचारिक रूप से इन दो समुदायों में संवाद, अर्थात् वाद-विवाद, आलोचना-प्रत्यालोचना के सम्बन्ध स्थापित करने होंगे। यह सब कठिन है, किन्तु एक बार दृष्टि स्पष्ट हो जाने तथा संकल्प शुद्ध और सशक्त हो जाने के बाद यह सब हो सकता है। हमारी मुक्ति का मार्ग केवल यही है, दूसरा कोई नहीं।

अनेकान्तक संवाद : तनाव, संघर्ष और स्वातन्त्र्य

'संवाद' शब्द में एक से अधिक व्यक्तियों या समूहों के बीच पारस्परिकता, सौहार्द और प्रयोजन की एकता का आशय अन्तर्निहित है, किन्तु 'तनाव' और 'संघर्ष' में इनका इन्कार निहित है। 'स्वातन्त्र्य' शब्द से इस परिसंवाद[1] के विषय-प्रस्तावकों को क्या अभिप्रेत है यह कहना तो कठिन है, क्योंकि 'अनेकान्त' और 'मतभेद' एकार्थक जैसे पद हैं और मतभेद के स्वीकार को ही विचार-स्वातन्त्र्य कहते हैं। किन्तु इसमें एक और आशय निहित रहता है जिसकी ओर उतना ध्यान नहीं दिया जाता और वह है भिन्न मत रखने वालों के प्रति अक्रोध-अमत्सर। अब, यदि ऐसा हो तो भी तनाव और संघर्ष के लिए स्थान नहीं रहता। यदि इन शब्दों के अर्थ से आवेग निष्कासित नहीं हो और शुद्ध विचारस्तरीय संघर्ष ही अभिप्रेत नहीं हो, तो बात दूसरी है।

व्यवहार में यही देखने को मिलता है कि मतभेद आवेगात्मक तनावों और संघर्षों को जन्म देते हैं। किन्तु तब वहाँ संवाद नहीं होता, विवाद ही होता है। आज हमारे देश में हिन्दुओं और मुसलमानों के बीच, और बहुत से दूसरे समुदायों के बीच भी, तनाव की स्थिति है। दूसरे बहुत से देशों में या तो तानाशाही है और इस प्रकार राजनीतिक मतभेद और आलोचना के लिए अवकाश नहीं है, या एक धर्म राज्यधर्म के रूप में स्वीकृत है और वहाँ अन्य धर्मों के अनुयायियों के लिए स्थान नहीं है। सो वहाँ ऐकान्तिकता और संवाद-राहित्य की स्थिति है। सम्भवत: इन्हीं सब बातों को स्पष्ट या अस्पष्ट रूप से लक्षित कर इस शीर्षक की पद-योजना की गयी है और इसमें यह आकांक्षा की गयी है कि मतभेद के लिए स्वीकृति रहनी चाहिए और संघर्ष केवल वैचारिक स्तर पर ही रहना चाहिए।

किन्तु 'प्रजातन्त्रवाद' में विचार-भेद के अतिरिक्त स्वार्थ-भेद का आकलन भी अभिप्रेत है। सच पूछा जाय तो, इसमें मनुष्य की अवधारणा ही ऐसी है कि उसका व्यावर्तक लक्षण 'रीज़न' नहीं होकर 'रैशनलाइज़ेशन' अधिक है। इसका प्रमाण देखना हो तो आधुनिक मनोविज्ञान को देखा जा सकता है। तब इसमें अनेकान्तिकता गुहागत सत्य को पाने में मार्गों के अनेक होने की सम्भावना के स्वीकार में नहीं है बल्कि इस व्यवहार-बुद्धि में है कि समाज स्वार्थ-भेदों, या कहें स्वार्थों के बीच संघर्षों की व्यवस्था है और व्यक्ति की समझदारी इसी में है कि वह इस व्यवस्था में समझौता करके चले। इस परिसंवाद के शीर्षक के मूल में शायद, जाने-अनजाने, यह दृष्टि भी निहित है। इस दृष्टि के अनुसार, स्वार्थों की अनेकान्तकता में तनाव और संघर्ष अनिवार्य है, इनमें समझौता और व्यवस्था संवाद का प्रयोजन है, और स्वार्थों के संघर्ष के बीच रास्ता निकालने में ही व्यक्ति की सफलता निहित है। इस अवधारणा में आचरण की शुद्धता, सदसद् के बीच विवेक, निष्कामता से परिभाषित कर्म-कौशल के लिए कोई स्थान नहीं है।

यहाँ प्रजातन्त्रवाद की ओर से कहा जा सकता है कि समाज और राजनीति सदा से स्वार्थों की व्यवस्था के लिए ही रहे हैं, केवल इतना भेद है कि पहले कुछ वर्गों के स्वार्थ ही पोषित होते थे और समाज का बहुत बड़ा भाग दमित और उपेक्षित रहता था, धर्म और अध्यात्म के विचार इस समस्या को अछूती ही छोड़ देते थे। प्रजातन्त्रवादियों की यह आपत्ति बहुत दूर तक सही है, किन्तु तब इसमें संवाद के लिए कोई अवकाश नहीं रहता, केवल तनावों और संघर्षों की व्यवस्था के लिए, सामाजिक अभियान्त्रिकी के लिए ही अवकाश रहता है।

---

1. भारत भवन, भोपाल में आयोजित परिसंवाद में प्रस्तुत।

समसामयिक चिन्ताएँ

प्राचीन भारत और ग्रीस में 'अनेकान्तिकता', 'संवाद' और 'स्वातन्त्र्य' का अर्थ क्या था, इसके लिए निम्न उदाहरण देखना उपयोगी होगा—

श्रुतयोपिभिन्ना, स्मृतयोअपि भिन्ना, नैको मुनिर्यस्य मतः प्रमाणम्
धर्मस्य तत्त्वं निहितं गुहायाम्, महाजनो येन गताः स पन्थः

– महाभारत

श्रुति, स्मृति, सदाचारः, स्वस्य च प्रियमात्मनः।
एतच्चुर्विधं प्राहुः, साक्षाद्धर्मस्य लक्षणम्।

– मनुस्मृति

इति ये ज्ञानमाख्यातं, गुह्याद्गुह्यतरं मया।
विमृश्यैतदशेषेण, यथेच्छसि तथा कुरू।

– श्रीमद्भगवद् गीता) अर्जुन से श्री कृष्ण)

सतां हि सन्देहपदेषु वस्तुषु, प्रमाणमन्तःकरण प्रवृत्तयः।

– अभिज्ञान शाकुन्तलम्

अप्प दीपो भव।

– महात्मा बुद्ध

"जब मैं नद पार करके जा रहा था तब मुझे एक दिव्य संकेत मिला, जो प्रायः ही मुझे मिलता है—वह मुझे उस कर्म से रोकता है जो मैं करना चाहता हूँ...और मुझे लगा जैसे मानो मैंने एक आवाज़ सुनी हो, जिसने मुझे (अनुचित कर्म करने से) रोका।"

– प्लेटो : फीड्रस संवाद में सुकरात का कथन (242 बी)

ऊपर उद्धृत चार श्लोक और बुद्ध-वचन भारतीय, अर्थात् हिन्दू संस्कृति की विचार-स्वातन्त्र्यपरक अभिवृत्ति के द्योतक हैं। यही अभिवृत्ति सुकरात के अन्तर्निनादित दिव्य वाणी-श्रवण के विवरण में और उसकी 'वादे-वादे जायते तत्त्व-बोधः' परक ज्ञानान्वेषण-प्रणाली में परिलक्षित होती है। इस प्रकार ग्रीक संस्कृति में भी यह उदार दृष्टि थी, यद्यपि इसकी जो पराकाष्ठा हिन्दू-संस्कृति में देखी जाती है वह ग्रीक संस्कृति में दिखायी नहीं देती, जैसाकि स्वयं सुकरात को दिये गये मृत्यु-दण्ड से देखा जा सकता है। किन्तु इस अभिवृत्ति का सिद्धान्ततः निषेध केवल ईसाई और इस्लामी धर्मों और उन पर आधारित संस्कृतियों में ही दिखायी देता है। किन्तु ईसाई धर्म पर आधारित संस्कृति में कुछ दूसरे तत्त्व भी थे, विशेषतः ग्रीक और रोमी संस्कृतियों की धरोहर, जिसके कारण आधुनिक पश्चिम में इस निषेध का निषेध कर एक उदारवादी-अनेकान्तवादी संस्कृति का विकास हुआ। इसकी आत्यन्तिक परिणति राज्य की अनेकान्तकता में हुई, यद्यपि यूरोप में ही इसके साथ-साथ पूर्ण अधिनायकवाद और सीमित अधिनायकवाद (मार्क्सवाद) की भी कमी नहीं रही। प्राचीन भारत में यद्यपि प्रजातन्त्रवाद का यह रूप नहीं रहा, रह भी नहीं सकता था, किन्तु हिन्दू राजतन्त्र भी यहाँ कभी पूर्णरूप से राजा की मनमानी का विषय नहीं रहा, कम से कम सिद्धान्ततः।[1] राजा स्मृतियों और धर्मशास्त्रों से, और वर्गों तथा क्षेत्रों की परम्पराओं से शासित होता था। सबसे बढ़कर यह कि उस समय समाज में राजा का हस्तक्षेप बहुत सीमित था और धर्म तथा विचार में पूर्ण स्वतन्त्रता थी।

---

1. राज्य की हिन्दू-अवधारणा के सम्बन्ध में द्रष्टव्य हमारी पुस्तक **समाज : दार्शनिक परिशीलन** में 'राज्य' अध्याय।

किन्तु जैसाकि आधुनिक पाश्चात्य प्रजातान्त्रिक दृष्टि के उपर्युक्त विवेचन और भारतीय तथा ग्रीक दृष्टियों के द्योतक उद्धरणों से स्पष्ट है, इन दो दृष्टियों में व्यक्ति-स्वातन्त्र्य के सम्बन्ध में कोई भी अनुरूपता नहीं है। यों गहराई में जाकर भारतीय और ग्रीक अवधारणाएँ भी कोई एक ही नहीं हैं, किन्तु तब भी उनमें बहुत दूर तक समानता है जो इन्हें एक परिवार के, कुछ सुदूरवर्ती ही सही, सदस्य बनाती है। सुकरात बुद्धि का मुख्य उपयोग सदसद्-विवेक में देखते हैं और प्लेटो सत्य और शिव दोनों का स्रोत एक ही देखते हैं। भारतीय दृष्टि के द्योतक उपर्युक्त सभी उद्धरणों में भी सद् के बोध और सत्य के ज्ञान को अन्तश्चक्षुगम्य ही देखा गया है और यह साक्षात्कार व्यक्ति को स्वयं ही करना होता है। श्रेष्ठतर लोग सहायता कर सकते हैं किन्तु प्रमाण नहीं हो सकते। किन्तु व्यक्ति इस साक्षात्कार का अधिकार तभी पाता है जब वह अहंकार का अतिक्रमण कर सार्वभौम हो जाता है। किन्तु आधुनिक पाश्चात्य संस्कृति स्पिनोज़ा, काण्ट, कीर्केगार्द, बर्गसाँ और जर्मन आदर्शवाद के तथा रूमानि कवियों और अस्तित्ववादी दार्शनिकों-उपन्यासकारों के बावजूद अपनी मूल अभिवृत्ति में उपयोगार्थवादी (प्रेग्मेटिस्ट) और इन्द्रियार्थवादी ही है, जिसकी स्वाभाविक परिणति उपयोगवाद और व्यवसायवाद में ही हो सकती थी। इसे संस्कृति के बजाय सभ्यता की परिणति भी कह सकते हैं, क्योंकि यूरोप में इसके विरोधी विचार और भाव के भी इतने स्वर हैं कि यह कहना युक्त प्रतीत नहीं होता कि इस संस्कृति की दृष्टि पूर्णत: उपयोगार्थवादी-इन्द्रियार्थवादी ही है। अपने आप से इतनी अन्तर्संघर्षरत या तो प्राचीन भारतीय संस्कृति थी या फिर यह आधुनिक पाश्चात्य संस्कृति है। किन्तु ये सब स्वर अधिकांश में अभिजात चिन्तन और भावना के स्तर पर ही हैं, सामाजिक जीवन और व्यवहार के स्तर पर नहीं हैं, और यह कहा जा सकता है कि ये स्वर निर्णयात्मक नहीं हैं, केवल प्रश्नात्मक हैं, ऊह के नहीं, अपोह के हैं।

भारतीय परम्परा की अनेकान्तिकता का मूल परम तत्त्व को अन्तर्गुहागत, इन्द्रिय-अन्त:करण और बुद्धि से अतीत देखने और जगत् को तथा ज्ञान के उपकरणों को औपाधिक देखने में है। इस प्रकार यदि आप तत्त्व के प्रति यह दृष्टि रखते हैं तो फिर आप जिस भी किसी प्रकार से उसका अनुसंधान कर सकते हैं—यो यथा माम् प्रपद्यन्ते तांस्तथैव भजाम्यहम्। इसके अनुषंगी कुछ और विचार भी थे: जैसे अनेक चित्त-भूमियों का विचार और कर्म-फलवाद आदि। इसी कारण बुद्ध आर्य-जन के लिए अलग उपदेश करते थे और पृथग्जन के लिए अलग उपदेश करते थे। या, उनके एक ही उपदेश को विभिन्न जन अपनी-अपनी चित्त-भूमि के अनुसार अलग-अलग समझते थे। इसका बहुत सुन्दर निरूपण अज्ञेय जी ने अपनी कविता 'असाध्य वीणा' में किया है। इसके अनुसार यदि आप बुद्ध के उपदेश को भी अश्रवणीय मानते हैं, यदि आप ईश्वर के प्रति प्रपन्न ही नहीं होना चाहते, तो भी कोई बात नहीं, तब आप चेतना के सही विकास की प्रतीक्षा में हैं। कोई दिन आपका भी आयेगा। किन्तु वह या तो भगवत्कृपा से आयेगा या फिर आपके अपने भीतर से। किन्तु इसमें उपदेश या भगवत्कृपा भी केवल इसी रूप में सहायक हो सकते हैं कि आपकी आत्मा पर से आवरण हटाकर आपको विमर्श के योग्य बना दें। किन्तु अन्तत: निरावृत तो आप ही को होना है।

अब इस विचार-व्यवस्था में उच्छृंखलता और स्वार्थ के लिए कोई अवकाश नहीं है। आपका कर्म तभी उचित हो सकता है यदि आप उपाधियों से, आवरणों से मुक्त हो सकते हैं। जब तक आप इस प्रकार मुक्त नहीं हैं तब तक आपको उन महाजनों का उदाहरण समक्ष रखना चाहिए जो इस प्रकार आवरण-मुक्त और आत्मस्थ हैं। किन्तु ऐसा महाजन कोई एक नहीं है, अनेक और विभिन्न हैं, स्वयं ईश्वर के ही दस अवतार हैं। और उनमें यदि एक राम के समान मर्यादा पुरुषोत्तम और एकपत्नीव्रत हैं तो दूसरे कृष्ण के समान परकीया-प्रेमी, और ये दोनों यदि संसार-मार्गी हैं तो बुद्ध पूर्ण निवृत्त, पूर्ण मुक्त। सो, आप किसी का भी अनुसरण कर सकते हैं—चाहे राम का, चाहे कृष्ण का और चाहे बुद्ध का, शर्त केवल यह है कि उसे ईश्वरावतार या महाजन होना चाहिए और आपको आत्मान्वेषी।

इस दृष्टि में तनाव और संघर्ष के लिए कोई अवकाश नहीं है[1] किन्तु तब भी अनन्त वैविध्य और इस प्रकार परिवर्तन और प्रगति के लिए असीम अवकाश है। यह दृष्टि अन्य प्राचीन दृष्टियों से, विशेषत: मुस्लिम और ईसाई दृष्टियों से तो नितान्त भिन्न है ही, आधुनिक यूरोपीय दृष्टि से भी नितान्त भिन्न है, जिसमें आत्मा के लिए तो कोई स्थान है ही नहीं, केवल वैयक्तिक अभिमान : अस्मिता-भाव : ही आत्मास्थानीय है! मुस्लिम और ईसाई धर्मों में आत्मा का स्वीकार है किन्तु वहाँ 'आत्मा में अवस्थिति' का कोई अर्थ नहीं है। यूरोपीय अनात्मवाद का बहुत अच्छा निदर्श नास्तिक अस्तित्ववाद प्रस्तुत करता है जो इन्द्रियार्थवाद और उपयोगार्थवाद को अस्वीकार करते हुए और चेतना-स्वातन्त्र्य को मनुष्य का स्वरूप मानते हुए भी आध्यात्मिकता से रहित है। उसके अनुसार "मनुष्य स्वतन्त्र है क्योंकि वह किसी पौर्वापर्य से रहित अतत्त्व और आगन्तुक घटना है। उसका अपर : भविष्य : पूर्णत: उसके अपने अधीन होता है, उस अपने के जो अपूर्व और अतत्त्व होने से केवल भविष्य-योजना (प्रॉजेक्ट) है।" किन्तु तब भी अस्तित्ववाद स्वतन्त्र संकल्प (विल) को स्वीकार करता है, जिसका स्वातन्त्र्य काण्ट के समान उसकी श्रेयोमयता में नहीं है बल्कि जिसकी श्रेयोमयता उसके स्वतन्त्र : अपूर्व और आगन्तुक : होने में है। बिल्कुल ठीक! किन्तु तब उचित-अनुचित, सद्-असद् और सत्य-मिथ्या के बीच विवेक के लिए क्या कसौटी होगी? बल्कि कहें सद्-असद् ही का क्या अर्थ होगा? सिवाय इसके कि वह कर्म किसी संस्कार के अधीन : पूर्वता के अधीन : किया गया है या नहीं? यदि वह किसी संस्कार की अधीनता में किया गया है तो वह कर्म अप्रामाणिक (इनाथण्टिक) होगा, यदि संस्कार-मुक्त रूप में किया गया है तो प्रामाणिक होगा। यहाँ कहा जा सकता है कि यहाँ 'संस्कार' पद 'आवरण' का ही वाचक है और 'संस्कार-राहित्य' 'आत्मस्थता' का। यह बात सही होती यदि अस्तित्ववाद के पास 'आत्मा' और 'आवरण' जैसी कोई अवधारणा होती। किन्तु वह उसके पास नहीं है। उसके लिए बहन या कुतिया से सम्भोग प्रामाणिक कर्म होगा और पर दारा से सम्भोग में उचित-अनुचित के संस्कारों के अधीन इन्कार अप्रामाणिक। संन्यास, ब्रह्मचर्य आदि की बात तो उसके अनुसार अप्रामाणिकता की पराकाष्ठा होगी। ऐसा नहीं है कि उसकी युक्ति में कोई युक्तता है ही नहीं। उल्लेखनीय है इसकी युक्ति और जड़ कृष्णमूर्ति की इस विषयक युक्तियों में बहुत दूर तक बहुत समानता है। किन्तु इन दो के अभिनिवेशों में आधारभूत अन्तर है।

उल्लेखनीय है कि अस्तित्ववाद आधुनिक यूरोप की यन्त्रवादी-विज्ञानवादी दृष्टि के विरोध में उपजी विचारधारा है। यन्त्रवाद-विज्ञानवाद का अन्त:सार जबकि निर्धारितता और गाणतिकता में है, अस्तित्ववाद का आगन्तुकता-आकस्मिकता, कल्पनाशीलता और उद्वेगात्मकता में। किन्तु महाद्वीपीय यूरोप में इस दर्शन के विचार

1. यहाँ उल्लेखनीय है कि यह भारतीय 'दृष्टि' थी जो व्यवहार को निर्दिष्ट तो करती थी किन्तु पूर्णतः नियन्त्रित नहीं करती थी। परिणामतः कलह और विवाद भी होते थे। शैवों और वैष्णवों के संघर्ष प्रसिद्ध ही हैं। इसी प्रकार वैदिकों में एक परामर्श प्रसिद्ध है—हस्तिना ताड्यमानोऽपि जैन मन्दिरं न गच्छेत्। इसी प्रकार एक जैन कथा भी यहाँ उल्लेखनीय है—आचार्य श्री हरिभद्र सूरि के दो भगिनी-पुत्र थे—हंस और परमहंस। दोनों ने आचार्य से शास्त्र ज्ञान प्राप्त कर उनसे अनुमति मांगी कि वे किसी बौद्ध पाठशाला में जाकर बौद्धमत का साम्प्रदायिक अध्ययन करें, जिससे उनके मत का यथोचित खण्डन कर सकें। इन शिष्यों ने बौद्ध मठ में जाकर और उनका वेष धारण कर बौद्ध शास्त्रों का अध्ययन आरम्भ किया। ये प्रतिदिन बौद्ध सिद्धान्त के समर्थन में जिन तर्कों का प्रयोग करते थे उनके खण्डन-परक प्रतिकूल तर्क भोजपत्र पर लिखते जाते थे। एक दिन एक भोजपत्र बौद्धाचार्य के पास पहुँच गया। खोज करने पर उसे गुप्त रूप से रहने वाले इन दोनों शिष्यों का पता चल गया और उसने इनके वध की योजना बनायी। जब इन शिष्यों को यह पता चला तो वे वहाँ से भागे। पीछे बौद्ध भागे और वे इनमें से एक को पकड़ कर मारने में समर्थ हो गये और दूसरे ने श्री सूरि को इसकी सूचना दी। सूरि यह जानकर क्रोधाग्नि की प्रचण्ड ज्वाला से तमतमा उठे और राजसभा में पहुँचकर शास्त्रार्थ के लिए बौद्धों को इस शर्त के साथ ललकारा कि इसमें जो हार जायेगा उसे उबलते तेल के कड़ाहे में डाल दिया जायेगा। शास्त्रार्थ में सूरि ने 1444 बौद्धों को हरा दिया। उन्हें तेल में डालने की तैयारी होने लगी तो सूरि के गुरु को इसका पता चला। तब उन्होंने उसे क्षमा का उपदेश दिया, जिससे उन्होंने उन्हें क्षमा कर दिया।

— द्रष्टव्य शास्त्रवार्ता-समुच्चय और स्याद्वाद कल्पलता

(चौखम्भा ओरियण्टालिया, वाराणसी, 1977, भूमिका, पृ. 6-7)

किन्तु यहाँ दो बातें द्रष्टव्य हैं—जैन-कथा में बल-प्रयोक्ता बौद्ध हैं जैन नहीं। जैन शास्त्रार्थ में पराजित करते हैं। अन्त में क्षमाशीलता का उपदेश है।

चिन्तन और साहित्य के क्षेत्रों में पर्याप्त प्रभावशाली होने पर भी वहाँ के मनोविज्ञान और सामाजिक विज्ञानों में यन्त्रवादी दृष्टि का ही साम्राज्य है, जो इसे उस संस्कृति के अपोह पक्ष में डाल देता है।

* * *

अतीत में भारतीय संस्कृति का सम्पर्क तो अनेक संस्कृतियों से हुआ किन्तु इसे चुनौती केवल दो संस्कृतियों से ही मिली—मुस्लिम से और आधुनिक यूरोपीय से! यह चुनौती इसे मुख्यत: तलवार के बल पर ही मिली, यद्यपि पीछे यूरोपीय संस्कृति ने इसे अपने गुणों से भी प्रभावित किया। यहाँ चुनौती के दो रूपों में भेद करना उचित होगा। इसका एक रूप वह है जो भारतीय संस्कृति के चीनी और अन्य देशों की संस्कृतियों पर प्रभाव में दिखायी देता है और दूसरा रूप वह है जो हमारे और विश्व के अन्य अनेक देशों पर पाश्चात्य संस्कृति के प्रभाव में दिखायी देता है। दूसरी चुनौती भी तलवार के बल पर नहीं है बल्कि विचार और अन्य आकर्षणों के बल पर ही है। द्रष्टव्य है कि तलवार के बल पर आयी मुस्लिम और ईसाई धर्मों–संस्कृतियों की चुनौतियाँ हमारे लिए सांस्कृतिक रूप से उतनी प्रभावशाली सिद्ध नहीं हुईं जितनी ये राजनीतिक समस्याएँ बनीं, विशेषरूप से मुस्लिम। तलवार के बल पर या आर्थिक कारणों से निम्न वर्गों के बहुत से हिन्दु मुसलमान या ईसाई हो गये और इनमें सांस्कृतिक रूपान्तरण भी हुआ, किन्तु शेष हिन्दुओं पर आचार, विचार या साहित्य के स्तरों पर इन धर्मों–संस्कृतियों ने कोई विशेष प्रभाव डाला हो, ऐसा प्रतीत नहीं होता। इसलिए इस बात में अधिक बल नहीं है कि भारत में सम्मिश्र संस्कृति है। खड़ी बोली को ही लें। इसका व्याकरण मिश्रण के प्रभाव में विकसित होने पर भी अपने दैनन्दिन व्यवहार की पदावली में यह देशज और तद्भव पदों से अधिक निर्मित है और साहित्य तथा शास्त्र में यह संस्कृत के तत्सम पदों से। उत्तरप्रदेश के कुछ साहित्यिक अवश्य अपनी भाषा में नावीन्य लाने के लिए अरबी–फारसी के कुछ शब्दों का प्रयोग करने लगे हैं, किन्तु एक तो यह इधर के कुछ दशकों में ही हुआ है, दूसरे वे भी अवधारणाओं के स्तर पर अंग्रेज़ी पदों का प्रयोग करने में अधिक गौरव का अनुभव करते हैं बजाय अरबी–फारसी पदों के। जो थोड़ा मुगल प्रभाव लक्षित होता भी है वह केवल पश्चिमी उत्तरप्रदेश के उन समुदायों पर ही लक्षित होता है जो दरबारों के अधिक निकट रहे हैं। मुसलमान बने हिन्दू जहाँ तक मुस्लिम संस्कृति में रँग पाये वहाँ तक वे हिन्दुओं से सांस्कृतिक रूप से अलग ही रहे, जहाँ तक वे नहीं रँग पाये वहाँ तक उनमें यहाँ की सभ्यता और संस्कृति की रंगत भी दिखायी देती है। इस प्रकार, भारत के मुस्लिम सम्प्रदाय की संस्कृति अवश्य सम्मिश्र संस्कृति कही जा सकती है, कुछ क्षेत्रों के हिन्दुओं की भी, किन्तु देश की सामान्य रूप से नहीं। इस प्रकार सांस्कृतिक चुनौती भारतीय संस्कृति को केवल आधुनिक पश्चिम से ही मिली, और यह चुनौती झंझावात की तरह आयी।

जैसाकि हमने कहा, यह चुनौती तलवार और विचार दोनों के बल पर प्रस्तुत हुई। हमारी राजनीतिक स्वतन्त्रता के बाद जबकि तलवार बिल्कुल हट गयी थी तब उसके विचार का बल और अधिक प्रखरता से हमारे पर हावी हुआ, और अब उसके साथ व्यापार का बल भी सम्मिलित हो गया है। यह हम अपने अनेक लेखों में दिखा चुके हैं कि विचार से हम जितना प्रभावित हुए हैं उतने प्रभाव का कारण उस प्रभाव की श्रेष्ठता नहीं है जितना हमारी दुर्बलता। हमारी राजनीतिक पराधीनता के काल में यूरोपीय संस्कृति इस रूप में तलवार के बल पर आयी कि इसने हमारी शिक्षा–संस्थाओं और आर्थिक व्यवस्था को छिन्न–भिन्न कर दिया और अपनी शिक्षा–व्यवस्था और भाषा हम पर आरोपित की। किन्तु यह भी सच है कि इसके विज्ञान और यान्त्रिकी ने हमें मानसिक स्तर पर भी पराभूत किया और तब हमने इसके दर्शन और काव्य तथा अन्य कलाओं को भी अनुकरणीय माना। 'जादू वह जो सिर चढ़ कर बोले' इस कहावत के अनुसार, हम आज तक भारतीय दर्शन, साहित्य या कलाओं से परिचय या अभिज्ञता को उतना गौरवास्पद नहीं मानते हैं जितना पाश्चात्य दर्शन, साहित्य या कलाओं से अभिज्ञता को।

किन्तु यह सम्पर्क केवल जय–पराजय में ही प्रतिफलित हुआ, ऐसी बात नहीं है। आरम्भ में इस सम्पर्क ने एक ऐसी मानसिक–बौद्धिक चुनौती का काम भी किया जिससे इस देश में एक सांस्कृतिक पुनर्जागरण घटित

हुआ। हमने अपनी अतीत उपलब्धियों को पहचाना और साम्प्रतिक मूढ़ताओं को देखा, जैसाकि आर्यसमाज, ब्रह्मसमाज, राजा राममोहन राय और स्वामी विवेकानन्द में एक ओर और श्री अरविन्द के **दि सीक्रेट ऑफ दि वेदाज़ तथा फाउण्डेशन ऑफ इण्डियन कल्चर**, कुमारस्वामी के भारतीय धर्म और कला विषयक ग्रन्थों और तिलक के **गीता–भाष्य** आदि में दूसरी ओर देखा जा सकता है। किन्तु सबसे अधिक मूलगामी और प्रबल आत्मप्रतिष्ठापक सांस्कृतिक दृष्टि हमने महात्मा गाँधी के रूप में पायी। इसी प्रकार साहित्य में सारे भारत में नव साहित्यिक आन्दोलनों का सूत्रपात और दर्शन में अपने प्राचीन दार्शनिकों की पुनर्व्याख्या ये सब इस बात के स्पष्ट प्रमाण हैं कि इस सम्पर्क का आरम्भ केवल हमारे सांस्कृतिक पराभव के रूप में ही नहीं हुआ, हमारे पुनर्जागरण के रूप में भी हुआ। किन्तु तब भी, विचार के क्षेत्र में हमने साधारण रूप से पराजय ही स्वीकार की, विशेष सृजनात्मकता का परिचय नहीं दिया। दर्शन में श्री अरविन्द और डा. भगवानदास को अपवाद छोड़कर, हमने या तो पाश्चात्य दार्शनिकों को ही स्वीकार किया या अपने प्राचीन दार्शनिकों की पश्चिम के दार्शनिकों से अनुरूपताएँ दिखाने का प्रयत्न किया। समाजशास्त्र, राजनीतिशास्त्र और मनोविज्ञान आदि में हमने पूर्ण रूप से हथियार डाल दिये। साहित्य में ऐसा नहीं होने और शास्त्रों में ऐसा होने का कारण शायद यह हो सकता है कि साहित्यकार अधिकांश में विश्वविद्यालयों से बाहर के लोग थे और उनकी भाषा भारतीय थी जबकि शास्त्रकार अधिकांश में विश्वविद्यालयों के अध्यापक थे और उनकी भाषा अंग्रेज़ी थी। उल्लेखनीय है कि प्रसिद्ध दार्शनिक कृष्णचन्द्र भट्टाचार्य ने 1929 में 'स्वराज इन आइडियाज़' शीर्षक एक लेख लिखा[1] और उसमें यह स्वीकार किया कि अवधारणाएँ भाषा से अवियोज्य होने से वैचारिक स्वराज के लिए अपनी भाषाओं में लिखना आवश्यक है। किन्तु तब भी उन्होंने अपना लेखन बँगला या हिन्दी में नहीं किया, अंग्रेज़ी में ही किया और मौलिक चिन्तन की योग्यता रहते हुए भी वे एक व्याख्याकार से अधिक कुछ नहीं बन पाये। अवश्य श्री अरविन्द और डॉ. भगवानदास ने भी अंग्रेज़ी में ही लिखा, किन्तु वे ऐसे अपवाद हैं जिन्होंने अंग्रेज़ी को भारतीय अवधारणाओं का धारक होने को बाध्य किया। ऐसा कुछ प्रयत्न भट्टाचार्य जी ने भी किया, किन्तु इस प्रयत्न में वे कुछ अबूझ पद–रचनाओं से अधिक कुछ नहीं कर पाये। यही कारण है कि स्वतन्त्रता से पहले दर्शन के क्षेत्र में जहाँ भारतीय दार्शनिकों की पाश्चात्य दार्शनिकों से अनुरूपता दिखाकर अपना अतीत–गौरव सिद्ध करने का प्रयत्न था, स्वतन्त्रता के बाद वहाँ पश्चिम का अनुकरण मात्र रह गया। साहित्य में भी अब प्रेरणा–स्रोत पश्चिम में स्थानान्तरित होने लगे। हिन्दी में छायावाद पर यदि आंग्ल रूमानीवाद का प्रभाव पड़ा भी हो तो वह बहुत परोक्ष ही कहा जा सकता है। इन कवियों ने कभी किसी आंग्ल कवि से अपनी अनुरूपता नहीं देखी–दिखायी, केवल कुछ आलोचकों ने सुमित्रानन्दन पन्त की कुछ कविताओं में वर्डस्वर्थ की छाया देखी, न इन कवियों ने किसी यूरोपीय चिन्तक का नाम लेकर अपने को गौरवान्वित करने का प्रयत्न किया। किन्तु स्वतन्त्रता के बाद हिन्दी साहित्यकारों के मार्क्सवाद, अस्तित्ववाद, फ्रायड और इधर देरिदा आदि प्रत्यक्ष प्रेरणा–स्रोत हो गये और उन्हें अपने को गौरवान्वित करने के लिए उनके नाम लेना आवश्यक प्रतीत होने लगा। इसके बावजूद इस क्षेत्र में यदि कुछ सृजनात्मकता शेष है तो वह इस कारण कि हमारे साहित्य की भाषा भारतीय है और दूसरे यह कि अधिकांश कवि और कथाकार उतनी अच्छी अंग्रेज़ी नहीं जानते, और तीसरे यह कि भावना के आकार और वस्तु उतनी सरलता से आयातित नहीं किये जा सकते। यदि उसके खाँचे उधार ले भी लिये जायें, जैसे कुछ कथा–साहित्य–लेखकों ने लिये हैं, तो भी उनकी अन्तर्वस्तु उतनी पूरी उधारी की नहीं हो सकती। किन्तु कला के अन्य क्षेत्रों में, संगीत को अपवाद छोड़कर, अनुकरण की प्रवृत्ति पर्याप्त मात्रा में परिलक्षित होती है। किन्तु ध्यातव्य है कि अनुकरण को संवाद नहीं, उसका वैपरीत्य ही कहा जा सकता है। किन्तु पश्चिम से सम्पर्क को 'संवाद' नहीं कह सकने का आधारभूत कारण एक और भी है और वह यह कि यह ग्रहण पूर्णत: एकतरफा है। अवश्य 18वीं–19वीं शताब्दियों में कुछ जर्मन दार्शनिकों और आंग्ल कवियों पर उपनिषद् शांकर वेदान्त और महायान बौद्ध चिन्तन का

1. यह लेख **इण्डियन फिलॉसफीकल क्वार्टरली** (पूना वि.वि) पत्रिका के 1975 के किसी अंक में इस पर कुछ लोगों से प्रतिक्रियाएँ लिखवाकर पुनः प्रकाशित किया गया। इस विषय पर हमने भी **उन्मीलन** के प्रथम अंक (अगस्त 1955) सम्पादकीय में लिखा और उस पर कुछ प्रतिक्रियाएँ और उनके उत्तर जनवरी 1996 अंक में प्रकाशित किये।

कुछ प्रभाव पड़ा, किन्तु वह प्रभाव सीमित और सृजनात्म था। इसके विपरीत हम अधिकांशत: अनुकरणात्मक ही रहे। इस प्रकार पश्चिम के साथ हमारा सम्बन्ध संवाद का नहीं है, केवल एकतरफा प्रभाव का है। इसका यदि नितान्त असन्दिग्ध और भोंडा प्रमाण देखना हो तो वह स्वतन्त्रता के बाद के 'एक्सचेंज प्रोग्रामों' में देखा जा सकता है, जिनमें भारत के तथाकथित विचारक पश्चिम में सीखने जाते थे और पश्चिम के विचारक यहाँ सिखाने आते थे। आज हम पश्चिम के साथ उससे भी अधिक आक्रान्तता के सम्बन्ध में हैं जितने स्वतन्त्रता से पहले थे। इस समय यह पूरा खतरा है कि हम पश्चिम के आर्थिक और सांस्कृतिक उपनिवेश बन जाएँ। यदि भविष्य में हम आर्थिक औपनिवेशिकता से उबर भी पाये तो भी सांस्कृतिक उबार की कोई सम्भावना दिखायी नहीं देती– जब तब ईश्वर की कृपा से कोई युग-पुरुष अवतीर्ण नहीं होता।

हमारा दूसरा बड़ा संकट हिन्दुओं और मुसलमानों के बीच विसंवाद की स्थिति का होना है जिसका उल्लेख हमने ऊपर किया। इस परिस्थिति का कारण ऐतिहासिक भी है और राजनैतिक भी, और इन दो कारणों के अतिरिक्त एक आधारभूत कारण मुस्लिम धर्म में अनेकान्तिकता के लिए सिद्धान्तत: अवकाश का नहीं होना है। किन्तु इन तीन कारणों में से प्रथम और तृतीय कारणों के रहते हुए भी इन दो सम्प्रदायों के बीच विसंवाद और असंवाद बना नहीं रहता यदि पहले अंग्रेज़ों ने राजनीतिक स्वार्थवश और पीछे हमारे राजनीतिक दलों और मुस्लिम नेताओं ने इन कारणों का लाभ नहीं उठाया होता। जिस प्रकार हिन्दू धर्म में ऐसा कुछ भी नहीं होने पर भी कि हिन्दू मुसलमानों का प्रतिषेध करें, बहुत से हिन्दू मुसलमानों से द्वेष करते हैं उसी प्रकार यह भी सम्भव है कि मुस्लिम धर्म में हिन्दू धर्म का व्यवस्थित रूप से प्रतिषेध रहने पर भी मुसलमान हिन्दुओं के साथ सामरस्य से रहें, क्योंकि मुसलमान हिन्दुओं में से ही बने हैं इस कारण इन दो में कुछ साझापन भी है, और दूसरे, क्योंकि मनुष्य बाह्य अनुशासनों से पूर्णत: प्रतिबद्ध नहीं रहकर व्यक्ति, विवेक और भावना से, अथवा पूर्वाग्रहों, अविवेक और दुर्भावनाओं से भी परिचालित होता है। बहुत से मुसलमान हैं जो व्यक्तिगत स्तर पर हिन्दुओं के प्रति सौमनस्य रखते हैं, बहुत से मुसलमान अपने धर्म के सिद्धान्तों का विरोध करते हैं, बहुत से मुस्लिम देशों में उदारतावादियों और उग्रतावादियों के बीच संघर्ष है। भारत में तो अंग्रेज़ों के आने के पूर्व सामाजिक और राजनीतिक दोनों स्तरों पर सौमनस्य क्रमशः बढ़ रहा था, हमारे स्वतत्रन्ता-संग्राम में मौलाना आज़ाद और अब्दुल गफ़्फ़ार खाँ जैसे नितान्त धर्मपरायण मुसलमान महात्मा गाँधी जैसे वैष्णव हिन्दू के सहयोगी और हिन्दू-विरोधी मुसलमानों के विरोधी थे। इसलिए आज आवश्यकता केवल इन दोनों समुदायों द्वारा इनमें सौमनस्य के बाधक राजनीतिक स्वार्थों को समझ लेने की है।

यह होना सरल नहीं है यह स्पष्ट है, बल्कि असम्भव जैसा ही दिखायी देता है, क्योंकि प्रजातन्त्रवाद वैयक्तिक विवेक के ऊपर वैयक्तिक और सामूहिक स्वार्थों को और वैयक्तिकता के ऊपर सामूहिकता को स्थापित करता है और आज के प्रचार-साधन और आर्थिक शक्तियाँ समूहों के ऊपर अतिमानवीय सामर्थ्यवाली अमानवीय शक्तियों को स्थापित कर रही हैं। और इनके सहयोग में वैज्ञानिक दृष्टि है जो उस बोध को व्यवस्थित रूप से आधार-हीन बना देती है जो असत् और सत् में विवेक करता और सत् की वरणीयता में आस्था उत्पन्न करता है। ऐसी अवस्था में सत् की विजय की केवल प्रतीक्षा ही की जा सकती है—हाथ पर हाथ रखकर नहीं, प्रयत्न करते हुए, किन्तु यह मानते हुए कि यह ठीक होना या तो इतिहास-विधाता के अधीन है या ईश्वर के। 'इतिहास-विधाता' से हमारा क्या तात्पर्य है, इसके लिए हमारे आगामी लोकसभा चुनावों के परिदृश्य को देखना उपयुक्त होगा। इसमें सब व्यक्ति और दल विवश हैं और भयानक उथल-पुथल है। यह उथल-पुथल चुनावों के बाद ऐसे समीकरणों को भी सम्भव कर सकती है जिसमें यह साम्प्रदायिक विद्वेष भी प्रभावित हो जाय।

समकालीन भारतीय परिवेश की पतनोन्मुखता[1]

इस विषय-प्रस्ताव में यह पूर्वगृहीत है कि समकालीन भारतीय परिवेश पतनोन्मुख है। वास्तव में किसी सामाजिक परिवेश को उत्थानोन्मुख या पतनोन्मुख कहने के लिए कोई मानदण्ड अपेक्षित होता है जो प्रकट या अप्रकट रूप में हमारे मस्तिष्क में रहता है, चाहे हम उसके सम्बन्ध में स्पष्ट नहीं हों। इसमें एक और बात भी निहित रहती है, जिसे हम मान कर तो चलते हैं किन्तु जिसके सम्बन्ध में हम प्रायः कुछ जानते नहीं होते। यह दूसरी बात यह होती है कि वर्तमान से पहले अतीत में, समाज वर्तमान की अपेक्षा उस मानदण्ड पर उन्नततर स्थिति में था और वर्तमान में वह निम्नतर स्थिति में है और निम्नतर जाने की यह प्रक्रिया आगे जारी रहने वाली है। किन्तु सच पूछें तो न हम मानदण्ड के सम्बन्ध में कोई विशेष स्पष्ट होते हैं और न ही हमें अपने समाज के अतीत और वर्तमान की कोई जानकारी होती है। उदाहरण के लिए मानदण्ड की बात को ही लें। आजकल एक बड़ी प्रचलित पदावली है- विकसित और अविकसित देश। आजकल शिष्टतावश इन दूसरे वर्ग के देशों को 'विकासमान' कहा जाने लगा है, किन्तु बात वही है। अब, इन विशेषणों के लिए मानदण्ड निश्चित हैं। ये मानदण्ड आर्थिक हैं। विज्ञान, प्रौद्योगिकी, शिक्षा, सामाजिक प्रबन्धन ये सब भी इस आकलन में घटकों के रूप के लिये जाते हैं, किन्तु ये घटक आर्थिक उत्पादन और आर्थिक प्रगति के ही हैं। उदाहरणत: आज 'शिक्षा' के स्थान पर 'मानव-संसाधन' के पद का प्रयोग होने लगा है जिसका मूल इस आर्थिक दृष्टि में ही है। इसके ठीक विपरीत वह दृष्टि है जो इस अर्थपरक दृष्टि को ही मनुष्य के, और इस प्रकार मनुष्य-समाज के भी, पतन का द्योतक मानती है। इस आयोजन के आयोजकों का, और दूसरे बहुत से लोगों का भी, ऐसा ही मत है जिस कारण वे आज के सामाजिक अभ्युदय को, उसका आधार और साध्य अर्थ होने से, पतन का पर्याय ही मानते हैं। इसलिए पहले समाज या देश की उन्नति-अवनति को मापने के लिए एक मानदण्ड निश्चित करना आवश्यक है। उसके बिना किसी समाज के उत्थान या पतन की बात करना व्यर्थ है।

यों यह मानदण्ड निश्चित करना उतना सरल नहीं है, किन्तु तब भी आरम्भिक रूप से यह कहा जा सकता है कि व्यवस्था और अनुशासन, न्यायशीलता, आर्थिक सम्पन्नता, नैतिक बोध और कलाओं तथा शास्त्रों का अनुशीलन ये संयुक्त रूप से सामाजिक उत्कर्ष का मानदण्ड बनते हैं। कोई समाज इन सब गुणों में समान रूप से कभी उन्नत या अवनत अवस्था में नहीं पाया जाता। किन्तु तब भी कहा जा सकता है कि इन गुणों में से मनुष्य के चारित्रिक गुण—अनुशासन, न्यायशीलता और नैतिक बोध—अधिक आधारभूत हैं और ये होने पर समाज शेष गुणों या उपलब्धियों में भी उत्कर्ष की स्थिति में प्रायः होता ही है। किन्तु ऐसा सदैव आवश्यक नहीं होता। उदाहरण के लिए आर्थिक सम्पन्नता या विपन्नता इन चारित्रिक गुणों से स्वतन्त्र रूप से किन्हीं बाह्य कारणों से भी हो सकती है और विपन्नता तो इन गुणों के कारण भी हो सकती है। वैयक्तिक स्तर पर तो यह माना ही जाता है कि अर्थ का अर्जन प्रायः ही अनुचित उपायों से होता है, यही बात सदैव नहीं तो कई बार सामाजिक स्तर पर भी हो सकती है, आधुनिक युग के समृद्ध और विकसित कहे जाने वाले सब समाज साम्राज्यवादी लूट-खसोट के आधार पर ही मुख्यत: आर्थिक रूप से सम्पन्न हुए। इसी प्रकार कोई समाज रूढ़िपरायणता के कारण अनुशासित हो सकता है किन्तु वह नैतिक बोध और न्यायशीलता से रहित ही होगा। इन सब प्रकार के अन्तर्विरोधों के उदाहरण वर्तमान समाजों में भी देखे जा सकते हैं, इतिहास तो इनसे भरा पड़ा है। ऊपर हमने साम्राज्यवादी यूरोप का उदाहरण दिया। किन्तु यूरोप ने साम्राज्यवाद के रूप में केवल अन्य देशों का शोषण नहीं किया स्वयं उनके अपने समाजों में भी पूँजीवाद का क्रूरतम और वीभत्सतम रूप उसी समय विद्यमान था जिसे लक्षित कर कार्ल-मार्क्स ने साम्यवाद का सिद्धान्त दिया था। अब यहाँ यह प्रश्न करना उद्बोधक हो सकता है कि तत्कालीन यूरोप

1. यह लेख म. प्र. राष्ट्रभाषा प्रचार समिति, भोपाल के इस विषयक आयोजन में पढ़ा गया था।

पतनोन्मुख था या कि उत्थानोन्मुख? यदि यह प्रश्न शुद्ध रूप से उन समाजों की आन्तरिक परिस्थिति को दृष्टि में रख कर भी करें तो भी इसका उत्तर 'पतनोन्मुख' नहीं हो सकता, 'पतित' चाहे उन समाजों को कहा जा भी सके। किन्तु यदि इन समाजों को 'उत्थानोन्मुख' कहा जाय तो वह किस अर्थ में कहेंगे? दूसरी ओर इनके समानान्तर तत्कालीन रूसी समाज को रख कर देखें जो एक रूढ़िग्रस्त सामन्तवादी समाज था। स्पष्टत: इस समाज को जड़ और पतनोन्मुख समाज कह सकते हैं। किन्तु इसी समाज में टाल्स्टाय, दोस्तोयेव्स्की, चैख़व और गोर्की जैसे कथा-साहित्य के अद्वितीय सर्जक हुए जो इस बात के द्योतक हैं कि उस समाज की चेतना जड़ और पतनोन्मुख नहीं थी, उसमें गहरे में कहीं अद्‌भुत सृजनशीलता और प्रकाश भी था। इसी सृजनशीलता और उस प्रकाश ने जो जड़ता के आवरण के नीचे आलोडित हो रहा था, साम्यवादी क्रान्ति को जन्म दिया और प्रतिरोधक जड़ता ने इस क्रान्ति को क्रूरतम अधिनायकवाद के दलदल में डाल दिया।

इस प्रकार वास्तव में एक समाज एक अत्यन्त जटिल तन्त्र होता है जिसकी उत्थानोन्मुखता और पतनोन्मुखता का निर्धारण बड़ा कठिन होता है। इस तरह से यदि हम अपने देश की वर्तमान परिस्थिति पर विचार करें तो कोई बात कहना, कोई एक फतवा देना कठिन होगा। आज हमारे देश में भयानक अनुशासनहीनता, भ्रष्टाचार और विघटनशीलता दृष्टिगत होते हैं जिन्हें लक्षित कर इसे आसानी से पतनोन्मुख कहा जा सकता है, किन्तु साथ ही यह देश आर्थिक और सैन्य दृष्टि से प्रगति भी कर रहा है। प्रौद्योगिकी और विज्ञान में भी हम प्रगति-पथ पर हैं। एक ओर भयानक आपराधिकता और अत्याचार है, दूसरी ओर अनेक संस्थाएँ और संगठन इसका प्रतिरोध करने वाले भी हैं। भ्रष्टाचार के साथ संचार-माध्यमों की स्वतन्त्रता, कानून के दुरुपयोग के बावजूद कानून-तन्त्र की स्वतन्त्रता राजनीति में भ्रष्टाचार और चुनावों में धाँधली के बावजूद चुनावों के परिणामों के सामने सब की विवशता ये सब ऐसी बातें हैं जो हमारी सामाजिक परिस्थिति को पूर्णत: पतनोन्मुख घोषित करने से हमें रोकती हैं। यह ऐसे व्यक्ति के जैसी परिस्थिति है जिसमें दोषों के साथ अपनी सदोषता का बोध और उससे मुक्त होने की इच्छा भी है। ऐसे व्यक्ति को आप एकदम 'पतित' नहीं कह सकते।

हमारी वर्तमान स्थिति पर विचार का एक और दृष्टिकोण भी हो सकता है। प्रश्न हो सकता है कि हम इससे पहले उत्थानोन्मुख कब थे? स्वतन्त्रता से पहले हम स्वतन्त्रता-प्राप्ति के लिए संघर्ष-रत थे। उस स्थिति में हम दासता को अपनी नियति मान कर निष्क्रिय भी पड़े रह सकते थे, वह नहीं कर हमने स्वतन्त्रता के लिए संघर्ष किया यह इस बात का द्योतक अवश्य है कि हम एक निर्जीव समाज और सभ्यता नहीं हैं। किन्तु उस समय हमारे सामने दूसरी कोई चुनौती नहीं होने से हमारे पतनोन्मुख या उत्थानोन्मुख होने का कोई अवसर नहीं था। तो भी उस परिस्थिति में हममें उत्थान की सम्भावना के अनेक लक्षण दृष्टिगोचर होते हैं। किन्तु अंग्रेज़ी राज्य स्थापित होने से पहले और उसके काफी बाद तक हमारा समाज बहुत रूढ़िग्रस्त, जड़ और पतित हो चुका था। अंग्रेज़ों के सम्पर्क में आने से हमारे देश में एक जागृति आयी, बहुत से सुधार-आन्दोलन हुए, हमने अपने इतिहास और परम्परा को भी पुन: परिभाषित किया। वह अवश्य एक ऐसा समय था जिसे उत्थान-काल कहा जा सकता है। यही उत्थान आगे हमारे स्वतन्त्रता-संघर्ष में परिणत हुआ। किन्तु वह उत्थान एक बाह्य परिस्थिति-जन्य था। यदि यह गति और दिशा इस परिस्थिति के समाप्त होने के बाद भी बनी रहती तब तो यह कहा जा सकता था कि पहले हम उत्थानोन्मुख थे और आज पतनोन्मुख हैं, अन्यथा तो यह कैसे कहा जा सकता है कि आज हम पतनोन्मुख हैं? क्योंकि हमने तो आरम्भ ही उस मार्ग से किया जिस पर हम आज चल रहे हैं और जिससे अपने को पतनोन्मुख कह रहे हैं!

अंग्रेज़ी राज्य ने हमारे देश की संस्कृति और सभ्यता को बहुत गहराई से प्रभावित किया। उन्होंने हमारी शिक्षा-व्यवस्था और राज्य-व्यवस्था को आधार से ही बदल दिया। हमारे विचारक वर्ग ने हमारे सम्पूर्ण इतिहास में पहली बार किसी दूसरी जाति की सभ्यता और संस्कृति को अपने से उत्कृष्टतर स्वीकार किया था। हमारे साहित्यिक, दार्शनिक और अन्य शास्त्रों के अध्येता स्वतन्त्रता-संग्राम काल में भी पाश्चात्य साहित्य, दर्शन और अन्य शास्त्रों को अनुकरणीय मानते थे। गाँधी जी के बावजूद हमारे राजनैतिक नेता भी पश्चिम की राजनैतिक

विचारधारा को ही विचारधारा मानते थे। हमारे कालिदास शेक्सपीयर से, शंकराचार्य हेगल से और चाणक्य मेकिअवेली से तुलना के द्वारा ही हमारे लिए ग्राह्य हो पाते थे। गाँधी जी बार-बार चेतावनी दे रहे थे कि हम स्वतन्त्रता के रूप में गोरे साहिबों को हटा कर उनके स्थान पर भूरे साहिबों को ही बैठाना चाहते हैं, जो हमारी सच्ची स्वतन्त्रता नहीं होगी, किन्तु उसका हमारे पर कोई प्रभाव नहीं हो रहा था। बल्कि स्वयं गाँधी जी ने भी अपने उत्तराधिकारी के रूप में सबसे बड़े भूरे साहिब को ही चुना। इस मन:स्थिति के साथ हमने राजनैतिक स्वतन्त्रता प्राप्त की थी और इस स्वतन्त्रता के साथ, अर्थात् अपनी इच्छा से, हमने सांस्कृतिक परतन्त्रता के युग में प्रवेश किया था। हमें कैसी शिक्षा-व्यवस्था का निर्माण करना है, कैसी राज्य-व्यवस्था बनानी है, हमारे जीवन-आदर्श क्या होने चाहिएँ, इनमें से किसी के भी सम्बन्ध में हमारे पास कोई भी विचार नहीं था। स्वतन्त्रता-संघर्ष काल में कुछ विचार आगे आये, महात्मा गाँधी के पास तो पूरी सामाजिक-सांस्कृतिक और राजनीतिक-आर्थिक व्यवस्था के लिए अपने सुनिश्चित और सुचिन्तित विचार थे, किन्तु वे स्वतन्त्र भारत के हमारे प्रभुवर्ग को स्वीकार्य नहीं थे इसलिए वे विचार और उनके साथ विचार की पूरी भारतीय परम्परा अप्रासंगिक हो गए। राजनीतिक स्वतन्त्रता के साथ सांस्कृतिक स्वतन्त्रता को हमने कितना अप्रासंगिक माना इसका प्रमाण हमारा अंग्रेज़ी को राज-भाषा, और वास्तव में तो राष्ट्रभाषा के रूप में भी, रखना है। सम्भवत: सारे संसार में हमारा देश एकमात्र ऐसा देश है जिसने अपनी राजभाषा और राष्ट्रभाषा के रूप में एक विदेशी भाषा को रखा। इस सब से स्पष्ट है कि हम अब से पहले भी कभी उत्थानोन्मुख नहीं थे। यदि कहा जाय कि आज हमारी दृष्टि भोगवादी हो गयी है जो पहले नहीं थी, तो यह तो आज सारे संसार की ही मन:स्थिति है, किन्तु संसार के दूसरे देश तो इस कारण अपने को पतनोन्मुख नहीं मानते, न हम ही यह कह सकते हैं कि अमरीका, जर्मनी या जापान पतनोन्मुख हैं, यद्यपि वे हमारे से कहीं अधिक भोगवादी हैं। (यों व्यक्तिगत रूप से मैं यही कहना चाहूँगा कि वे भी पतनोन्मुख ही हैं क्योंकि वे भोगवादी हैं। किन्तु तब उसके लिए एक पूरी विचार-व्यवस्था प्रस्तुत करनी पड़ेगी, जो यहाँ हम नहीं कर सकते।)[1] तब क्या हम सामाजिक विघटन और भ्रष्टाचार के कारण अपने को पतनोन्मुख कहें? निश्चय ही स्वतन्त्रता के समय हम अधिक सुगठित, सुव्यवस्थित और भ्रष्टाचार से मुक्त थे, किन्तु उसके पीछे तो हमारा पराधीनता और उसके विरुद्ध संघर्ष का इतिहास था, वह कोई साधारण स्थिति नहीं थी। और स्वतन्त्रता के साथ हमने स्वेच्छया इस भोगवाद को ही अपने आदर्श के रूप में चुना, जिसका प्रमाण नेहरू जी द्वारा भाखड़ा-नांगल और सिन्द्री परियोजना आदि को हमारे भावी मन्दिर घोषित करना और दर्शन तथा मानव-जीवन विषयक अन्य शास्त्रों की शिक्षा के लिए भी विद्यार्थियों को शोध-वृत्तियाँ देकर विदेश भेजना और विदेश से इनके लौटने पर नियुक्तियों में इन्हें वरीयता देना था। ऐसे में भोगवाद को तो आना ही था। इस भोगवाद को सामाजिक स्तर पर झेल सकने के लिए हम ऐतिहासिक रूप से तैयार नहीं थे इसलिए इसके साथ भ्रष्टाचार और उच्छृंखलता को भी आना ही था।

किन्तु यहाँ आपत्ति हो सकती है कि हमारे पास इसका विकल्प भी क्या था? ऊपर हमने गाँधी जी का उल्लेख किया। किन्तु उस विकल्प के सम्बन्ध में कहा जा सकता है कि वह केवल नेहरू जी सरीखे पश्चिमीकृत लोगों को ही अस्वीकार्य नहीं था, वह रवीन्द्रनाथ ठाकुर और श्री अरविन्द सरीखे भारतीय सांस्कृतिक परम्परा में सराबोर लोगों को भी अस्वीकार्य था। उस दृष्टि के सम्बन्ध में कहा जा सकता है कि वह दृष्टि इस युग में, जिसमें वैज्ञानिक तकनीकी ने किसी एक देश के लिए अपने को अलग रख पाना असम्भव बना दिया है, कोई व्यावहारिक दृष्टि भी नहीं कही जा सकती। इसलिए यदि हम नेहरू जी की दृष्टि नहीं अपनाते तो हम केवल पिछड़े हुए देश के रूप में ही रह सकते थे, आर्थिक, सामाजिक, सांस्कृतिक और आध्यात्मिक रूप से सम्पन्न देश के रूप में नहीं रह सकते थे। इसके प्रमाण रूप में रूस और चीन में साम्यवाद की असफलता को भी प्रस्तुत किया जा

---

1. इस विचार-व्यवस्था के लिए द्रष्टव्य हमारी पुस्तक **समाज : दार्शनिक परिशीलन**, रावत प्रकाशन, जयपुर तथा इस पुस्तक में संकलित कुछ लेख।

सकता है, जो विज्ञान-भक्ति में पश्चिम के समान होने पर भी भोगवाद से समंजस नहीं था। यदि हम भोगवाद के साथ विज्ञान-भक्ति का भी परित्याग करते तो हमें हमारे पड़ोसी देश ही रौंद देते।

इसका उत्तर हम देना चाहेंगे कि हम गाँधीवाद की वकालत प्रौद्योगिक-तकनीकीय प्रगति के विरोध के रूप में नहीं कर रहे हैं। तकनीकीय प्रगति को यद्यपि हम मनुष्य का ऐतिहासिक दुर्भाग्य ही मानते हैं किन्तु यह दुर्भाग्य विश्वमानव की नियति है, इससे कोई एक देश नहीं बच सकता था। किन्तु तकनीकी विकास हमारी जीवन-दृष्टि को भी अनिवार्य रूप से भोगवादी ही बनाये, हमें अपनी सामाजिक-सांस्कृतिक परम्परा से उन्मूलित ही करें, यहाँ तक कि हमें अपनी भाषा तक त्यागने को बाध्य करे, यह किसी भी प्रकार से आवश्यक नहीं था। इस नियति से हम बच सकते थे, इसकी सम्भावनाएँ हमारे समाज में विद्यमान थीं। स्वामी दयानन्द, विवेकानन्द, श्री अरविन्द, तिलक, अनेक साहित्यिक और अन्य विचारक, पटेल, राजेन्द्र प्रसाद आदि राजनीतिक नेता इसके संकेत हैं कि हमारे देश में बहुत बड़ा प्रबुद्ध वर्ग ऐसी दृष्टि से युक्त था जो हमें इससे बचा सकती थी, और फिर हमारे राजनीतिक-सांस्कृतिक आंदोलन में महात्मा गाँधी का सर्वोपरि होना इस बात का स्पष्ट द्योतक है कि हमारे समाज की चेतना इस सीमा तक अपने में अप्रतिष्ठित नहीं थी कि स्वतन्त्रता के बाद हम अनिवार्य रूप से उसी मार्ग पर चलते जिस पर हम चले। इस पर चलने को हमार दुर्भाग्य ही कहा जा सकता है; या यह भी कहा जा सकता है कि यह एक सम्भावना थी, किन्तु एक दूसरी और उतनी ही प्रबल सम्भावना यह भी थी कि हम अपनी परम्परा में प्रतिष्ठा पूर्वक भविष्य की ओर बढ़ते। यह सम्भावना चरितार्थ नहीं हुई, दूसरी सम्भावना ही चरितार्थ हुई, यह हमारा दुर्भाग्य है।

यहाँ आपत्ति हो सकती है कि हम यहाँ मान कर चल रहे हैं कि तकनीकी-प्रौद्योगिकीय प्रगति और उससे परिणत भोगवाद आवश्यक रूप से एक भ्रान्त दिशा के ही लक्षण हैं। सांसारिक जीवन तो संसाराभिमुख होकर ही सफल हो सकता है, संसार-वैमुख्य से नहीं। फिर, कुछ व्यक्तियों के लिए संसार से विमुखता का मार्ग भी श्रेयस्कर, और प्रिय भी, हो सकता है, किन्तु किसी समाज के लिए उसकी समग्रता में तो यह मार्ग श्रेयस्कर नहीं ही कहा जा सकता। संन्यासियों और धर्म-कर्मियों के सन्धारण के लिए भी आर्थिक रूप से एक समृद्ध समाज का होना आवश्यक है जो बिना किसी आर्थिक रूप से उत्पादक कार्य किये बिना रहने वाले ऐसे अनेक लोगों का भरण-पोषण कर सके। जिस युग में हमारे देश में विशाल भिक्षु-संघ थे उन दिनों यहाँ समाज निश्चय ही बहुत अर्थ-सम्पन्न रहा होगा, नहीं तो इन आर्थिक रूप से अनुत्पादक भिक्षुओं का बैठे-बैठाये भरण-पोषण कैसे होता? यह सही है। किन्तु किसी सभ्यता का उत्कर्ष अर्थ और काम को परम पुरुषार्थों के रूप में स्थापित करके नहीं होता। इस उत्कर्ष के लिए समाजों को काम और अर्थ का भी इनके पाशव रूप से मानवीय रूप में परिष्कार सिद्ध करना होता है, जिसके लिए वे कलाओं और राजनीति-अर्थनीति आदि का आविष्कार करते हैं और जीवन और जगत् का अर्थ समझने के लिए धर्म और मोक्ष-शास्त्रों और दृष्टियों का आविष्कार करते हैं। मनुष्य जगत् और जीवन के अर्थ की जिज्ञासा करता है और इसकी खोज में वह जगत् को और जीवित बने रहने भर को अपर्याप्त पाता है। संस्कृति इसी अर्थान्वेषण का नाम है, जो सब समाजों में उनको धारण करने वाली आत्मा के समान और इनमें व्यक्त होने वाले व्यक्तित्व के समान रहती है। संस्कृतियों का अध्ययन करने वाले नृतत्त्वशास्त्रियों और इतिहासशास्त्रियों का कहना है कि ऐसा कोई भी समाज नहीं है जो किसी अलौकिक सत्ता में विश्वास नहीं करता हो। अलौकिक सत्ता में विश्वास का स्रोत मनुष्य का पार्थिव जीवन और पार्थिव सत्ता को अपर्याप्त पाने में ही है। इसके अतिरिक्त भी,समाज का आधार नैतिकता में, सदसद् विवेक में और उस विवेक के अनुसार आचरण में होता है। अर्थ और काम मनुष्य के लिए परिष्कार्य और परिष्कारपूर्वक साध्य भी होते हैं, किन्तु तब भी इनकी साध्यता निम्नतर स्तर की साध्यता ही मानी जाती है। इसी से समाज में तात्कालिक रूप से प्रभाव चाहे राजा या धनाढ्यों को होता है किन्तु व्यापक, गम्भीर और स्थायी प्रभाव विचारकों और सन्तों का ही होता है। अन्यथा भी, समाज के अर्थोत्पादन करने वाले वर्ग अर्थोत्पान से दूर रहने वाले विचारकों और संन्यासियों का सम्मान कर अपने को कृतार्थ मानते हैं। इससे सिद्ध होता है कि वे वर्ग अपने जीवन को अपने आप मे सार्थक नहीं मानते।

किन्तु यदि कोई समाज जीवन-दृष्टि के रूप में ही अर्थ और काम को परम पुरुषार्थ के रूप में अपना ले, या कम से कम उसका मुख्य अभिनिवेश ये पुरुषार्थ ही हो जायें, जैसाकि आज एक सीमा तक हो रहा है, तब समाज को पथ-भ्रष्ट और पतनोन्मुख तो कहा ही जायगा।

किन्तु आज भी परिस्थिति वास्तव में उतनी निराशाजनक नहीं है जितनी सामान्यत: हम समझते हैं। अवश्य आज समाज में भोगवाद का प्राधान्य हो रहा है किन्तु उसके साथ, इसी के अंग रूप में, दूसरे आदर्श भी हैं जो प्राथमिकता का दावा कर रहे हैं और जो स्वार्थ के बजाय परार्थमूलक हैं। जैसे, सामाजिक न्याय, मानव-एकता, मानवाधिकार विषयक व्यापक दृष्टि, जनकल्याण आदि। उदाहरणत: अभी पीछे पाकिस्तान में सेना द्वारा शासन हथिया लेने पर लगभग विश्व भर में उसकी निन्दा हुई, अब परवेज़ मुशर्रफ द्वारा स्वयं को राष्ट्रपति घोषित कर देने पर उसकी घोर निन्दा हुई। यह वैश्व स्तर पर न्याय-बोध और उसके प्रति निष्ठा का द्योतक है। इस सबसे यह आशा की जा सकती है कि आज भोगवादी दृष्टि प्रधान होने पर भी आत्यंतिक रूप से स्वीकृत दृष्टि नहीं है और इसके गौण पड़ने की अनति दूर भविष्य में आशा की जा सकती है। यूँ अभी भी इसका पहले की तुलना में ह्रास ही हुआ है। उदाहरण के लिए यूरोप में भौतिकवाद और विज्ञान-भक्ति की जो अतिशयता 19वीं शताब्दी और 20वीं शताब्दी के पूर्वार्ध में थी वह द्वितीय महायुद्ध के बाद कम हुई है और पिछले दशकों से तो यह वहाँ विश्व-दृष्टि के रूप में प्रायः पूर्णत: ही अस्वीकृत हो चुकी है। दर्शन-में अब वहाँ पॉज़िविज़्म का स्थान पूर्ण रूप से फिनॉमिनलॉजी ने ले लिया है जो भौतिकवाद का चेतनान्वेषण से स्थानान्तरण है। यद्यपि आचरण में अब भी वहाँ भोगवाद का ही प्राधान्य है किन्तु वह अब केवल आर्थिक-व्यापारिक परिस्थितियों की ओर मानव की सहज भोगपरकता की प्रवृत्ति के कारण ही है, उसके पीछे दर्शन का समर्थन नहीं है जो पहले था।

किन्तु हमारी परिस्थिति दूसरी है। हमरा समाज स्वतन्त्रता के बाद उस नये युग में प्रवेश कर रहा है जिसकी विश्व-दृष्टि का मूल यूरोप के इतिहास में है, हमारे इतिहास में नहीं। जैसाकि हमने ऊपर कहा, स्वतन्त्रता के पहले के हमारे नेता—स्वामी दयानन्द, श्रद्धानन्द, विवेकानन्द, श्री अरविन्द, तिलक और गाँधी—भारतीय आधुनिकता को भारतीय परम्परा के सातत्य में ही देख और रच रहे थे और स्वतन्त्रता के समय इस दृष्टि के अनुयायियों की कमी नहीं थी। किन्तु एक तो स्वतन्त्रता लगभग एकाएक और प्रायः भेंट की तरह मिल जाने से और दूसरे, देश के विभाजन और विभाजन के कारण उत्पन्न दौर्मनस्य से, और इस दौर्मनस्य के परिणामस्वरूप ही महात्मा गाँधी की हत्या से, और इस सारी पृष्ठभूमि में देश का नेतृत्व यूरोपीयता से अभिभूत पण्डित नेहरू के हाथ में आ जाने से, हमने अपनी परम्परा से विच्छिन्न यूरोपीय आधुनिकता को ही आधुनिकता स्वीकार किया। अब इस प्रकार स्वीकार की गई कोई दृष्टि किसी भी समाज को आधारहीन तो बनाती ही है। इसका स्पष्टतम प्रमाण प्रजातन्त्रवाद है। अब, प्रजातन्त्रवाद में स्वयं में कोई दोष नहीं है, और यह उस प्रकार भारतीय परम्परा के एकदम विपरीत भी नहीं है जिस प्रकार एशिया-अफ्रीका के दूसरे बहुत से देशों की परम्परा के विपरीत है, किन्तु हमारे द्वारा स्वीकृत प्रजातन्त्र-प्रणाली हमें हमारी परम्परा के क्रम में नहीं मिली है। इसके विरोध में कहा जा सकता है कि इस बात में दोष क्या है? इस प्रश्न के इस उत्तर पर कि 'इसके दोष हमारी वर्तमान राजनीति की व्यापक भ्रष्टता से देखे जा सकते हैं', यह कहा जा सकता है कि यह भ्रष्टता प्रजातन्त्र-सिद्धान्त के कारण नहीं है, यह तो हमारी अपनी परम्परा से बने हमारे जातीय चरित्र के कारण ही है। आख़िर महाभारत में चित्रित हमारा चरित्र किसी बाहरी राजनैतिक या सामाजिक व्यवस्था को अपनाने के कारण नहीं था। इसी प्रकार हमारे इतिहास में पतन और भ्रष्टता के और भी अनेक युग देखे जा सकते हैं जो हमारे स्वयं के इतिहास से बने युग थे। स्वतन्त्रता के आरम्भिक काल में यही प्रजातन्त्र पर्याप्त सुचारु रूप में ही था। यदि हमारा चरित्र हमारी परम्परा में ही भ्रष्ट नहीं होता, अर्थात् चरित्र-भ्रष्टता की हमारी अपनी परम्परा नहीं होती, तो यही प्रजातन्त्र बड़ी सफल व्यवस्था सिद्ध हो सकता था। पाश्चात्य प्रजातन्त्रवाद के विरुद्ध दो सैद्धान्तिक आपत्तियाँ उठायी जा सकती हैं—एक तो इसके भीड़तन्त्रपरक होने की, दूसरी इसके व्यक्तिस्वार्थमूलक होने की, जिन दोनों के प्रति प्लेटो ने अपने **रिपब्लिक** ग्रन्थ में चेताया था। यह सही है। किन्तु जहाँ तक प्रथम दोष का सम्बन्ध है, इसकी भयावहता कम करने के लिए हम अपनी बुद्धि का

उपयोग भी कर सकते थे, किन्तु हमने अपनी बुद्धि का उपयोग भीड़तन्त्र की भयावहता को और बढ़ाने की दिशा में किया, जब विश्वनाथप्रताप सिंह की सरकार ने मताधिकार की आयु 21 वर्ष से घटा कर 18 वर्ष कर दी और मण्डल समिति की रिपोर्ट को इस तरह लागू किया कि राजसत्ता में शिक्षा और संस्कार के लिए कोई अवकाश ही नहीं रह गया। ये दोनों कार्य कोई विदेशियों ने नहीं किये थे और न विश्वनाथप्रताप सिंह कोई पाश्चात्य संस्कारों के व्यक्ति थे।

किन्तु, जैसाकि हमने पीछे कहा, प्रजातन्त्रवाद के इस भ्रष्ट रूप के बावजूद हमारा देश इस बात के लिए प्रशंसा का पात्र है कि हमारे यहाँ यह प्रणाली चल रही है जबकि एशिया और अफ्रीका के अधिकांश देशों में इस प्रणाली को स्वेच्छाचारपरक शासनव्यवस्थाओं ने विस्थापित कर दिया है। इसी प्रकार, हमें इस बात का श्रेय दिया जा सकता है कि हमारी इस प्रणाली में दोष भी एक व्यवस्था का शासन मानते हुए ही चल रहे हैं और इस प्रकार पूर्ण निरंकुशता नहीं है। गुंडे शक्तिशाली हैं और उनका बल बढ़ ही रहा है, किन्तु तब भी यदि कोई निर्बल व्यवस्था का संबल ले कर गुंडे के सामने खड़ा होता है तो गुंडे की पराजय अन्ततः होती ही है। इतना ही नहीं, ग़लत निर्णय भी यहाँ एक व्यवस्था के अधीन ही लिये जा सकते हैं। उदाहरणतः विश्वनाथप्रताप सिंह को अपने निर्णय लोकसभा से स्वीकृत कराने पड़े और इस प्रकार उन निर्णयों का कर्त्ता अन्ततः भारतीय जनमत ही बना। प्रजातन्त्रवाद की यह प्रक्रिया वैचारिक घात-प्रतिघात की प्रक्रिया है, भले ही अन्ततः ये विचार निहित स्वार्थों के अधीन ही हो। किन्तु इसमें आत्म-संशोधन और आत्म-परिष्कार की सम्भावनाएँ निहित रहती हैं।

यहाँ एक और तथ्य की ओर भी ध्यान आकर्षित करना स्थाने होगा। हमारे देश में एक प्रकट भ्रष्टता और पतनोन्मुखता की सतह के नीचे और भी बहुत से आन्दोलन चल रहे हैं जो असद् के विरुद्ध सद् के प्रतिघात की परिस्थिति उत्पन्न करते हैं। उदाहरण के लिए शिक्षा-व्यवस्था में परिवर्तन के लिए, स्त्रियों के विरुद्ध अत्याचार के उपचार के लिए, ऐतिहासिक रूप से समाज के कमज़ोर वर्गों को समान स्तर पर लाने के लिए, अनेक आन्दोलन समाज में चल रहे हैं। दूसरी ओर भोगवाद के विरोध में भी अनेक प्रकार के धार्मिक-आध्यात्मिक आन्दोलन चल रहे हैं। इस सबसे यह कहा जा सकता है कि हम केवल पतनोन्मुख ही नहीं हैं। पतनोन्मुखता केवल अनेक में से एक पक्ष मात्र है। इसलिए यह आशा करना कि यह परिस्थिति बदलेगी और हमारा समाज सम्यक् मार्ग पर अग्रसर होगा, कोई दिवास्वप्न जैसी बात नहीं है।

हमारी संस्कृति की रक्षा

इधर 'हमारी संस्कृति के अनुरूप' और 'हमारी संस्कृति के विपरीत' की बात बहुत होने लगी है और इन प्रयोगों में 'श्लाघ्य' और 'निन्दनीय' का भाव स्वत:सिद्ध सत्य के रूप में अन्तर्निहित रहता है, जबकि इसमें कोई युक्ति नहीं है। क्योंकि हमारी संस्कृति में बहुत कुछ दोषपूर्ण भी हो सकता है और पर-संस्कृति में अच्छा और ग्राह्य भी हो सकता है।

आत्म-पर की यह बात अक्सर फैशन-शो, सौन्दर्य-प्रतियोगिताओं, जन्म-दिन-आयोजनों, वैडिंग-डे आदि के आयोजनों को लेकर और विज्ञापनों में स्त्रियों के अंग-प्रदर्शन आदि को लेकर की जाती है। आत्म-पर की चर्चा एक दूसरे प्रसंग, किन्हीं शब्दों या अवधारणाओं में प्रयोग के प्रसंग में भी होती है। जैसे अमुक शब्द या अवधारणा—हमारी भाषा, या विचार-परम्परा में इस प्रकार नहीं है (इसलिए इसका प्रयोग वर्जित है।) 'संस्कृति' और 'मूल्य' ऐसे शब्द हैं। यद्यपि मैं स्वयं भी 'हमारी सांस्कृतिक परम्परा में प्रतिष्ठा' की बात करता हूँ किन्तु तब भी उपर्युक्त दो प्रकार के 'संस्कृति-रक्षकों' को भ्रान्त और भ्रामक मानता हूँ। इनमें प्रथम वर्ग के प्रवक्ताओं के प्रवचन में यह ध्वनि रहती है कि पाश्चात्य संस्कृति ऐन्द्रिक और फूहड़ है और हमारी संस्कृति आध्यात्मिक और सुरुचिपूर्ण है। दूसरे वर्ग के संस्कृति-रक्षकों की बात में अनिवार्य रूप से हमारी संस्कृति की उत्कृष्टता और यूरोपीय संस्कृति की निकृष्टता का भाव निहित नहीं होता, किन्तु उनमें शुद्धता की दृष्टि रहती है, जो हमारे विचार से भ्रान्त दृष्टि है। इनमें प्रथम वर्ग के लोग न तो 'संस्कृति' का अर्थ ठीक तरह से समझते हैं और न भारतीय संस्कृति के सम्बन्ध में कुछ जानते-समझते हैं। ये लोग 'संस्कृति' को 'रुचि' के पर्यायवाची के रूप में ही समझते हैं और उन रुचियों को ही भारतीयता के अनुकूल मानते हैं जो वैष्णव धर्म और आर्य समाज इन दो लगभग विरोधी सम्प्रदायों के विचारों के प्रभावों में बनी हैं। किन्तु भारत का इतिहास तो बहुत लम्बा है और इसमें धर्म-मत, सामाजिक व्यवहार और रुचियाँ अनेकानेक प्रकार की रही हैं। इनमें से कुछ को चुन कर ही आप भारतीय कैसे कह देते हैं? और फिर संस्कृतियों की उत्कृष्टता-निकृष्टता के निर्धारण के लिए आप मानदण्ड कैसे बनाते हैं? जिस ऐन्द्रिकता और नग्नता को ये लोग कुरुचिपूर्ण बताते हैं (और जिसे हम भी कुरुचिपूर्ण ही मानते हैं) वह जितनी हमारे काव्य और कलाओं में, विशेषत: मूर्तियों में मिलती है, पश्चिम उसके कभी कहीं आस-पास भी फटका होगा, ऐसा हमें नहीं लगता। हमारा कामसूत्र, बहुत से काव्यों और काव्यशास्त्रियों द्वारा प्रतिपादित नायिका-भेद और उनके उदाहरणों के रूप में प्रस्तुत श्लोक या दोहे, इन्हें यदि भारतीय संस्कृति के ये धर्मध्वजी देख लें तो उन्हें कहीं मुँह छिपाने को ठौर नहीं मिले। यहाँ तक कि कालिदास के कुमारसम्भव महाकाव्य के ग्यारहवें सर्ग में शिव-पार्वती के सम्भोगादि का वर्णन और जयदेव की गीतगोविन्द में राधाकृष्ण की काम-केलियों का वर्णन ऐसा है जो ऐन्द्रिकता की पराकाष्ठा तक पहुँचने में कोई कसर नहीं रखता। यहाँ हम हमारे एक प्रमुख काव्य-शास्त्री राजशेखर का आत्म-कथात्मक श्लोक अनुवाद में उद्धृत करना चाहेंगे—

"कर्नाटक की रमणियों के दाँतों से अंकित, महाराष्ट्र की रमणियों के कटाक्षों से घायल, आन्ध्र प्रदेश की प्रौढ़ाओं के स्तनों से पीड़ित, प्रेमिकाओं की भ्रू-भंगियों से त्रासित, लारियों (गुजरातियों) के बाहु-पाश में छटपटाया हुआ और मलयालम की स्त्रियों की तर्जनियों से तर्जित किया गया हुआ यह राजशेखर कवि अब वाराणसी में जा कर बसना चाहता है।"

इस श्लोक से दो बातें स्पष्ट हैं—एक यह कि राजशेखर को अपनी इन 'उपलब्धियों' को सार्वजनिक रूप से कहने में कोई संकोच नहीं है बल्कि गर्व ही है, और दूसरे कि भारतीय नारियों की आदर्श सीता और सावित्री नहीं थीं। द्रष्टव्य है कि राजशेखर कोई शूद्र नहीं थे—(अद्विज, शास्त्र और मोक्ष या स्वर्ग के अनधिकारी) बल्कि विद्वान् ब्राह्मण थे और उनका इस प्रकार अपनी 'उपलब्धियों' का सगर्व बखान इस बात का द्योतक है कि उस

समय ऐसा व्यवहार कोई निन्दा का विषय नहीं समझा जाता था। इसके विपरीत विक्टोरिया के काल तक इंगलैण्ड में काम-मूलक नैतिकता उससे कहीं अधिक कठोर थी जितनी चालीस-पचास साल पहले भारत के कस्बों में थी। इसलिए कामुक-भड़काऊ दृश्यों और सौन्दर्य-प्रतियोगिताओं जैसे 'असुन्दर' आयोजनों को 'हमारी संस्कृति के विपरीत' कह कर उनका विरोध युक्ति-संगत नहीं कहा जा सकता। अवश्य हम ऐसे आयोजनों का विरोध कर सकते हैं, किन्तु औचित्य-अनौचित्य-विचार के आधार पर। जैसे, मुझे स्त्रियों के ऐसे 'प्रदर्शनों' में उनके प्रति : स्त्री मात्र के प्रति : पुरुष का अपमानजनक व्यवहार दिखायी देता है और यही ऊपर उद्धृत राजशेखर के श्लोक में भी दिखायी देता है। इसलिए इसमें हमें पश्चिम का नाम जोड़कर और पूरब पर गर्व करने की बात छोड़कर इसे 'हमारे व्यवहार' के रूप में ही देखने की आवश्यकता है। यदि हम यह पश्चिम के अनुसार कर रहे हैं तो इसमें निन्दनीय बात इन कामुक प्रदर्शनों के अनौचित्य की नहीं रह जाती बल्कि हमारे नकलचीपन की रह जाती है, उसके लिए इन आयोजनों पर प्रतिबन्ध लगाने का कोई औचित्य नहीं बनता, केवल समझाने का औचित्य ही बनता है।

इस प्रकार 'अपनी संस्कृति के अनुसार और विपरीत' की बात का अर्थ बदल जाता है और हमारे लिए यह सचमुच एक शर्म की बात हो जाती है। यह शर्मनाक इस कारण है क्योंकि यह नकलचीपन हमारी आत्म-हीनता को प्रदर्शित करता है और इस आत्म-हीनता ने हमारा अहित केवल स्त्री के प्रति इस व्यवहार के रूप में ही नहीं किया है (जोकि वास्तव में किया नहीं है) बल्कि बहुत व्यापक रूप में किया है। आत्म-हीनता की यह मनोवृत्ति हमारे पिछले अंग्रेज़ी-शासन के इतिहास से जुड़ी है। अंग्रेज़ों से सम्पर्क ने हममें जाति के स्तर पर एक आत्म-हीनता की मनोवृत्ति को जन्म दिया। इस मनोवृत्ति का सम्बन्ध उतना उनकी सैनिक विजय और हमारी पराजय से नहीं था जितना हमारे उनके सम्पर्क में आने पर हमारे उनसे अपने को मनोबौद्धिक रूप से हीन देखने से था। यदि इसका सम्बन्ध सैनिक पराजय से होता तो हमने अपने को मुगलों से भी हीन देखा होता, जो हमने नहीं देखा, बल्कि अंग्रेज़ों के यहाँ से बाध्य हो कर चले जाने, हमारे देश को विभाजित कर देने और उसके बाद हमारे विरुद्ध पाकिस्तान का समर्थन करने पर भी हमारा उनके प्रति अभिभूतता और अपनी आत्म-हीनता का भाव समाप्त नहीं हुआ, ज्यों का त्यों बना रहा। इंगलैण्ड ही नहीं, यूरोप मात्र के सम्मुख अपनी हीनता की मनोवृत्ति हममें इतनी गहरी प्रविष्ट हो चुकी है कि उसकी कोई सीमा नहीं है, और उससे वे ही लोग ग्रस्त नहीं हैं जो अंग्रेज़ी और अंग्रेज़ियत के प्रभाव में पले-बढ़े हैं बल्कि वे भी हैं जो उससे दूर हैं, क्योंकि वे उससे तटस्थ नहीं हैं बल्कि अपने को वंचित मानते हैं। इसी मनोवृत्ति का दूसरा पक्ष उपर्युक्त सांस्कृतिक शुद्धतावाद है। ऊपर हमने दो शब्दों— 'मूल्य' और 'संस्कृति' का उल्लेख किया। ये शब्द अवधारणाओं से सम्बन्धित हैं। अब यदि ये अवधारणाएँ हमारे यहाँ थीं और इनके लिए हमारे यहाँ कोई दूसरे शब्द थे तब तो ठीक है, तब वे ही शब्द हमें प्रयोग में लाने चाहिएँ, किन्तु यदि ये अवधारणाएँ हमारे यहाँ नहीं थीं तो हमारे पास दूसरा कोई रास्ता नहीं है कि हम इन शब्दों को अपना लें, क्योंकि ये अवधारणाएँ हमारे अवधारणा-संस्थान में अब स्थान पा चुकी हैं। व्यक्तियों के समान समाजों में भी सांस्कृतिक आदान-प्रदान होते हैं और ये आदाताओं के लिए तब उपकारक ही होते हैं यदि आदाता मानसिक रूप से स्व-स्थ हो। महात्मा गाँधी तक अपने पर टाल्स्टाय और थोरो का प्रभाव स्वीकार करते हैं, अनेक भारतीयों के प्रभाव तो उन पर थे ही। माँ, नानी, दादी का प्रभाव किस पर नहीं होता? जहाँ तक विदेशी प्रभाव की बात है, चीन ने बौद्ध धर्म और दर्शन को उनकी समग्रता में भारत से लिया, इसी प्रकार हिन्दचीन और कम्बोडिया आदि ने भारत से हिन्दू धर्म का बहुत कुछ लिया। यूरोप ने भी बहुत कुछ लिया, विशेषत: 18वीं-19वीं शताब्दी के जर्मनी ने और उससे शेष यूरोप ने। इससे उनकी कोई हानि नहीं हुई, लाभ ही हुआ। अवांछनीय जो होता है वह आदान नहीं अनुकरण, नकल होती है क्योंकि वह व्यक्तित्व-हीनता—आत्म-हीनता की द्योतक होती है। आदान में स्वस्थ व्यक्ति या समाज दूसरे के विचार या आचरण का आशय समझ कर और उसकी युक्तता देख कर अपने विचार या आचार का परिष्कार करता है, उसे समृद्ध या दोष-मुक्त बनाता है, जबकि नकल में वह अविचारपूर्वक अन्य के गुण दोष दोनों से आत्म-दूषण करता है। यह अन्य से अपने में आदान नहीं करता, अपने को अन्यता को प्रदान करता है। आज हम जो नाच, गाना, फैशन, फैशन-परेड, जन्म-दिन (हैप्पी

बर्थ डे), वेलेन्टाईन डे, वैडिंग एनीवर्सरी आदि अपना रहे हैं उनका दोष इनमें अपने में नहीं है (यदि है तो यह बात अलग से विचारणीय है), इनका दोष इनके प्रति हमारे नकलचीपन में है और नकलचीपन आत्म-हीनता का द्योतक होता है। यह आत्म-हीनता हमारे में किस सीमा तक है इसका एक उदाहरण देखना समीचीन होगा। यह स्वतन्त्रता के शीघ्र ही बाद की घटना है- मैं एक गर्म सूट का कपड़ा खरीदने कपड़े की दुकान पर गया तो दुकानदार ने एक कपड़ा दिखाते हुए उसके रँग की प्रशंसा में कहा "देखिये कितना सुन्दर है, बिल्कुल इंगलिश कलर!" इस पर मैंने कहा 'क्यों भई, रँग में इंगलिश क्या है और इंगलिश होने से यह सुन्दर कैसे हो गया?" पर ऐसा वह केवल अपनी ओर से नहीं कह रहा था, वह सारे देश की मानसिकता प्रकट कर रहा था जो मानसिकता हमारे भारतीय भाषाओं की तुलना में अंग्रेज़ी में लिखे को श्रेष्ठ मानने, भारतीय पत्रिकाओं से यूरोपीय पत्रिकाओं में प्रकाशित को श्रेष्ठतर मानने और भारतीय के लिखे से यूरोपीय के लिखे को श्रेष्ठतम मानने में उससे भी अधिक भयावह रूप में अपने को प्रकट करती है। हमारी इस मनोवृत्ति ने हमें अपने विचार, भाव और रुचियों सब में आत्म-हीन बना दिया है। अभी कल (31.1.02) की ही बात है कि दूरदर्शन के एक चैनल पर जयपुर विकास प्राधिकरण की एक 'उपलब्धि' विज्ञापित की जा रही थी कि 'उसने एक नयी बस्ती बनायी है जो पूरी यूरोपीय वास्तुकला के अनुसार है और जिसमें अन्तर्राष्ट्रीय स्तर की सुविधाएँ हैं।' (यह और द्रष्टव्य है कि हमारे यहाँ 'अन्तर्राष्ट्रीय' 'यूरोपीय' का पर्यायवाची है।) यह उस देश में हो रहा है जिसे अपनी वास्तुकला पर गर्व है और वह गर्व उचित है। इस मनोवृत्ति का परिणाम यह हुआ है कि आज हमारे समाजशास्त्र, अर्थशास्त्र और राजनीतिशास्त्र ही नहीं, नीतिशास्त्र और धर्मशास्त्र तक हमारे अपने जीवन के यथार्थ से कटे हुए हैं। इन विषयों के हमारे लेखक शुद्ध रूप से विदेशी विचार-परम्परा में लिखते हैं जिनके शब्दों के वाच्य कोई अर्थ नहीं होते बल्कि शब्द ही होते हैं और विद्यार्थी उन शब्दों को पास होने के लिए रटते हैं। इससे हममें अपना विचार करने की शक्ति समाप्तप्राय हो गयी है। 15 जनवरी की **जनसत्ता** में प्रकाशित अपने लेख—'अपनी दृष्टि में पिछड़े हम' में हमने समकालीन भारतीय दर्शन की स्थिति को ले कर लिखा था। उस स्थिति का कारण हमारी यही आत्म-हीनता है और परिणामत: यह स्थिति जितनी दर्शन में है उससे भी कहीं अधिक अन्य शास्त्रों में है।

भारत में भारतीय भाषाएँ ही क्यों हों?[1]

मेरे द्वारा हिन्दी में यह चौथी दार्शनिक पत्रिका के प्रकाश का उपक्रम है। इससे पहले मैंने **दार्शनिक त्रैमासिक, तत्त्वचिन्तन** तथा **दर्शन–समीक्षा** पत्रिकाओं का क्रमशः 1924, 1968, 1971 में प्रकाशन–सम्पादन आरम्भ किया था। **दर्शन–समीक्षा** एक सरकारी पत्रिका थी और वह चार वर्ष बाद सरकारी कुतन्त्र के ही बलि चढ़ गई, **तत्त्वचिन्तन** तीन वर्ष बाद कुछ व्यावहारिक कारणों से बन्द कर दी गई। **दार्शनिक त्रैमासिक** देर तक चली, जिसका सम्पादन–कार्य मैंने अन्तिम रूप से 1978 में छोड़ा। इन तीनों पत्रिकाओं में मेरा एकमात्र उद्देश्य हिन्दी भाषा का उत्कर्ष करना, उसे राष्ट्रभाषा होने के योग्य बनाना था। किन्तु प्रश्न हो सकता है, केवल हिन्दी–भाषा के उत्कर्ष से ही क्या प्रयोजन सिद्ध होता है? क्या यह अपने–आप में प्रयोजन होने, साध्य होने, के लिए पर्याप्त है? इस पर तब न मैंने कभी विचार किया था और न उन दूसरे सहयोगियों ने जो **अखिल भारतीय दर्शन परिषद्** के निर्माण में मेरे साथ सम्मिलित हुए थे। किन्तु आज लगता है कि यह स्वयं में उद्देश्य होने योग्य बात नहीं है। यह एक व्यापक उद्देश्य का अंग मात्र, अथवा कहें उसका एक चरण मात्र, हो सकता है। **उन्मीलन**, जिसका यहाँ अभिष्ट अर्थ है 'चित्त–दृगों का भीतर की ओर खुलना', का आरम्भ 'हिन्दी का उत्कर्ष' पद में निहित गम्भीर और व्यापक तात्पर्य के सम्यक् मनन के साथ किया जा रहा है। यद्यपि इस मनन से उपलब्ध अर्थ में कोई नयी बात नहीं है, यह अर्थ वही है जो हिन्दी को राष्ट्रभाषा के पद पर प्रतिष्ठित करने में गाँधी जी का था : भारत को उसकी अपनी आत्मा में, अपने स्वरूप में प्रतिष्ठित करना। किन्तु **दार्शनिक त्रैमासिक** तथा **दर्शन परिषद्** में वह अर्थ भुला दिया गया था। उनमें यह मान लिया था जैसे हिन्दी भाषा का प्रचलन ही अपने–आप में उद्देश्य होने के लिए पर्याप्त है। उसमें क्या लिखा जाता है, इससे जैसे कोई अन्तर नहीं पड़ता। यह भूल इसके बावजूद थी कि 'हिन्दी–प्रेम' जैसे शब्द उस समय भी मेरे लिए उपहासास्पद थे। वास्तव में मैंने स्वयं उस समय हिन्दी में **दार्शनिक विश्लेषण** पुस्तक तथा अन्य बहुत कुछ लिखकर इसका स्पष्टतम उदाहरण प्रस्तुत कर दिया था कि मैं और दूसरे अधिकांश लोग 'हिन्दी के उत्कर्ष' के वास्तविक अर्थ के सम्बन्ध में कितने भ्रान्त हैं। (किसी भारतवासी द्वारा पाश्चात्य दर्शन पर परिचयात्मक या आलोचनात्मक पुस्तक लिखना एक बात है, उसके विचार–प्रवाह में एक वीचि बनने का प्रयत्न एक सर्वथा दूसरी बात है।)

किन्तु यह भ्रान्ति आकस्मिक और केवल मेरी, या कुछ लोगों की ही, नहीं थी, इसके पीछे एक बहुत गहरी वस्तुस्थिति थी। वस्तुस्थिति यह थी कि स्वामी दयानन्द या महात्मा गाँधी ने जिन परिस्थितियों में हिन्दी को राष्ट्रभाषा घोषित किया था उसका सन्दर्भ बिल्कुल बदल गया था : उन घोषणाओं के समय हम राजनीतिक पराधीनता में थे और **दर्शन परिषद्** के स्थापना वर्ष (1954) में राजनीतिक स्वाधीनता पाने की स्मृति अभी ताजा थी और हम अपने भूतपूर्व स्वामियों की बराबरी पा लेने के लिए उतावले थे। यहाँ इस सर्वसम्मत वस्तुस्थिति की चर्चा का विस्तार नहीं कर हम इतना ही कहना चाहेंगे कि इसका मूल बहुत गहरी पैठी हीनता-ग्रंथि में था जो प्रायः–प्रायः अंग्रेज़ों द्वारा भारत–विजय के साथ ही भारतीय मानस में घर कर गई थी और राजनीतिक स्वाधीनता-प्राप्ति के बाद और अधिक व्यापक और गहरी हुई थी, घटी नहीं थी।

किन्तु यहाँ कहा जा सकता है कि 'अंग्रेज़ों के आने तक भारतीय संस्कृति भी कोई जीवित मानसिकता नहीं रही थी, यह बहुत कुछ मृत परम्परा हो चुकी थी। यूरोपीय संस्कृति की चुनौती ने भारतीय समाज को झकझोर कर नयी चेतना ही दी थी जिसके परिणामस्वरूप इस देश में वैचारिक, सामाजिक और राजनीतिक आंदोलनों का सूत्रपात हुआ। उसी प्रक्रिया में आज भी हम हैं। यदि इस प्रक्रिया के परिणामस्वरूप हम आगे पाश्चात्य

1. **दर्शन समीक्षा** पत्रिका के प्रथम अंक का सम्पादकीय।

मानसिकता को अधिकाधिक अपना लेते हैं और तथाकथित भारतीय मानसिकता को छोड़ देते हैं तो इसमें बुराई भी क्या है?'

मैं समझता हूँ कि यह मूल प्रश्न है जो जाने-अनजाने उन लोगों के चेतन-अवचेतन में विद्यमान है जो भारतीय परम्परा को उससे बड़े खतरे के रूप में देखते हैं जितना बड़ा खतरा उनके विचार में हमें विदेशी सांस्कृतिक दासता से है। यहाँ पहले 'अपनी परम्परा की दासता के खतरे' का प्रश्न लेना उपयुक्त होगा। इसका पहला उत्तर है कि जब कोई भारतीय परम्परा से सम्बन्धित रहने की बात करता है तब अधिकांशत: उसका आशय उस परम्परा से नहीं होता जिसकी दासता से खतरे की बात ये लोग करते हैं। इसका प्रमाण वे सब सामाजिक, धार्मिक, राजनीतिक आंदोलन हैं जो भारतीय चेतना को जागृत करने के लिए पिछली शताब्दी में हुए। इन आंदोलनों के प्रवर्त्तकों में से किसी ने भी अपने को उस परम्परा से नहीं जोड़ा जो उस समय विचार और व्यवहार में थी और इस प्रकार जिससे वे सहज रूप में जुड़े हुए थे: उन्होंने उसे सड़ा हुआ पाया था और उसी के विरुद्ध आवाज़ उठायी थी : उन्होंने उस परम्परा से अपने को जोड़ा था जो शताब्दियों पहले लुप्त हो चुकी थी और परिणामस्वरूप जिसके देह से (बाहरी व्यवहार से) नहीं बल्कि केवल आत्मा से सृजनात्मक कल्पना के द्वारा ही सम्बन्ध स्थापित किया जा सकता था। अपने सांस्कृतिक आत्म-तत्त्व से सृजनात्मक कल्पना के द्वारा इस प्रकार सम्बन्ध की स्थापना बहुत कुछ उसी प्रकार का कर्म है जिस प्रकार का कर्म व्यक्ति अपने अविचारित जीवन-क्रम में किसी ठेस से जागकर अपने स्वरूप से, अपनी सच्ची निजता से, अपनी ऑथंटिक बींग से, सम्बन्धित होने के रूप में करता है: जैसा बुद्ध ने रोग और मृत्यु के 'साक्षात्कार' से उद्बुद्ध होकर किया था, अथवा स्वामी दयानन्द ने देव-मूर्ति पर चढ़े चूहे के 'दर्शन' से जागकर किया था, या महात्मा गाँधी ने रेलगाड़ी में एक अंग्रेज़ रेल-गार्ड से पिटने पर 'अपमान' से जागकर किया था। एक दूसरे प्रकार के जागरण का उदाहरण अपने एक लेख में प्रोफेसर राजेन्द्र प्रसाद ने आनन्दमूर्ति लिखित एक नाटक **संस्कार** के नायक प्राणेशाचार्य के उदाहरण द्वारा दिया है[1] वह वास्तव में बहुत अच्छा प्रति-उदाहरण है जो उस मानसिकता को प्रकट करता है जो आज के दृष्टिविहीन परम्परा-त्याग के मूल में निहित है। प्राणेशाचार्य अपनी शूद्र कामुकता के सुख को निर्विघ्न भोगने के लिए अपनी शास्त्र द्वारा बन्द दृष्टि को अब कामुकता द्वारा बन्द करता है। इस प्रकार यह आवरण का हटना नहीं है बल्कि एक दूसरे और कहीं अधिक भयानक आवरण का पड़ना है, क्योंकि पहले आवरण में केवल जड़ता थी, दूसरे में सक्रिय अन्धता है। हमारे देश में वास्तव में यही हुआ है: आदर्श- विहीन चतुर वर्ग ने विदेशी स्वामियों से पुरस्कार पाने और देशी लोगों पर रौब जमाने के लिए देशी शास्त्र छोड़ कर विदेशी शास्त्र उसी मनोवृत्ति से अपनाया है जिससे प्राणेशाचार्य ने चन्द्री को।[2]

यहाँ अवान्तरत: इसका उत्तर भी दिया गया कि कौन सी भारतीय संस्कृति अभीप्स्य है। वास्तव में 'भारतीय संस्कृति' का अर्थ आज सामान्यत: उस मृत परम्परा को मान लिया गया है जिसका प्रतिनिधित्व गाँठ बँधी चोटी, ढोरों द्वारा चरे गए घास जैसी दाढ़ी, और घुटनों तक उठी मैली धोती वाले वे पण्डित करते हैं जो पुराने ग्रन्थों के पाठ से आगे कुछ नहीं जानते। इस प्रकार 'भारतीय दर्शन' का अर्थ हो गया है, जो कुछ शताब्दियों पहले लिखा गया था। इसका अर्थ हो जाता है कि हम आज भारतीय संस्कृति से प्राणेशाचार्य की तरह ही सम्बन्धित हो सकते हैं और परिणामत: जिससे मुक्ति उससे भी अधिक आवश्यक है जितनी विदेशी पराधीनता से। किन्तु यह संस्कृति नहीं है। संस्कृति परम्परा अवश्य होती है किन्तु केवल भविष्योन्मुख, सृजनात्मक परम्परा ही; ठीक उसी

1. द्रष्टव्य इण्डियन फिलासफीकल क्वार्टरली, वर्ष 11, अंक 4, 'स्वराज इन आइडियाज' विशेषांक में डॉ. राजेन्द्र प्रसाद का लेख। यह लेख बहुत विचारपूर्ण और बहुत सुन्दर लिखित है। इस लेख में प्रोफेसर प्रसाद ने कृष्णमूर्ति के नाटक संस्कार का उल्लेख किया है, जिसका नायक प्राणेशाचार्य सब कुछ शास्त्रानुसार ही करता है। एक बार उसके सामने एक सामाजिक-नैतिक विद्रोही के दाह-संस्कार का प्रश्न आता है कि वह किस विधि से किया जाय। वह शास्त्र-ग्रन्थ देखता है किन्तु वहाँ उसे कोई निर्देश नहीं दे पाता। पीछे यही ब्राह्मण उस विद्रोही की रखेल शूद्र जातीया चन्द्री के प्रति कामासक्त होता है और उससे मैथुन करता है। तब उसे पिछले अन्ध शास्त्रानुसरण की मूर्खता का ज्ञान होता है।

2. डॉ. राजेन्द्रप्रसाद भी इसी दृष्टि के अनुयायी हैं।

प्रकार जिस प्रकार प्राणी वही होता है जो बीज से और जातिता के सहित उत्पन्न होता है किन्तु साथ ही जो स्वयं उत्पादन-समर्थ और विशिष्ट व्यष्टि भी होता है। इस प्रकार कालिदास, शंकर या भरतमुनि के ग्रन्थों में अभिव्यक्त काव्य, विचार या विधिशास्त्र तभी सांस्कृतिक परम्परा के अंग हैं यदि वे आज मेरे सर्जनात्मक कर्म में खाद का काम कर सकते हैं। इस प्रकार अपनी सांस्कृतिक परम्परा से सम्बन्धित होने का अर्थ है एक जीवित समाज की मानसिकता में, जीवित मूल्यों के सनातन बोध में, प्रतिष्ठित होना। और सौभाग्यवश अभी काफी लोग इस देश में हैं जो इस प्रकार परम्परा में प्रतिष्ठित हैं। काव्य में भारतेन्दु हरिश्चन्द्र, रवीन्द्रनाथ ठाकुर, प्रसाद, निराला, महादेवी, अज्ञेय आदि जितने नाम चाहें, दर्शन में श्री अरविन्द, भगवान दास, कृष्णचन्द्र भट्टाचार्य, गोविन्दचन्द्र पाण्डे, और कुछ दूसरे यद्यपि बहुत कम लोग, जो विदेशी विचार-परम्परा से स्वतन्त्र दार्शनिक चिन्तन करते हैं। धार्मिक, सामाजिक और राजनीतिक क्षेत्रों में तो बहुत से नाम हैं, और कुछ ऐसे जिन पर कोई भी समाज गर्व कर सकता है।

ऐतिहासिक रूप से एक सांस्कृतिक मानसिकता प्रायः अभ्यस्त सरिणयों में गतानुगतिक रूप में प्रवाहित रहती है, जब तक कि अनुगतिकता प्रवाह से बहुत विसंगत होकर बहुत अखरने नहीं लगती। तब कोई क्रान्त-चेता प्रकट होता है जो परम्परा का नवसर्जन करता है। यह सांस्कृतिक नेता इतना अलग होता है कि उसके समकालीन प्रायः ही उसे अधर्मी, अनैतिक आदि के रूप में देखते हैं, किन्तु साथ ही वह इतना परम्परानुसारी होता है कि बाद वालों को उसमें प्राचीन से कुछ भी भिन्न दिखायी नहीं देता। महात्मा बुद्ध की उपनिषदों से अनुरूपता और शंकर की महायान दार्शनिकों से अनुरूपता सर्वविदित है। वास्तव में क्रान्तदर्शियों में ये दोनों पक्ष ठीक ही देखे जाते हैं। किन्तु उनमें प्राचीन से अनुरूपता में एक बहुत महत्त्वपूर्ण विशेषता होती है और वह यह कि उनका प्राचीन परम्परागत नहीं होकर वह मूल होता है जिससे साम्प्रतिक परम्परा उद्‌गत तो हुई होती है किन्तु जिसका अर्थ खोकर वह उसका आकार-शेष रह गई होती है। वह मूल साक्षात्कारात्मक होता है जबकि परम्परा उपाधिभूत होती है। क्रान्त द्रष्टा उस मूल में अपने को सृजनात्मक कल्पना द्वारा पुनः प्रतिष्ठित करता है और नयी परम्परा के लिए नयी उपाधियों का आविष्कार करता है। यह दृष्टि-परम्परा ही सनातन सांस्कृतिक परम्परा होती है, वह नहीं जो दृष्टि-विहीन गतानुगतिकता में प्राप्त होती है। इसमें बाहर के प्रभाव भी आते हैं, कभी चुनौती के रूप में और कभी पूरक के रूप में, कभी-कभी सांस्कृतिक अस्मिता के विनाशक के रूप में भी—'यूनानो मिश्र रोमा, सब मिट गए जहाँ से'—किन्तु सभी समाज इन आक्रमणों से अपनी संस्कृति या अस्मिता की रक्षा के लिए भरसक जूझते हैं।

अब यहाँ प्रश्न है : जो प्रश्न हमने आरम्भ में उठाया था : कि सांस्कृतिक अस्मिता को बचाना क्या अपने-आप में मूल्य है या कि संस्कृति विशेष के मूल्यवान् होने से ही सांस्कृतिक अस्मिता मूल्यवान् या रक्षणीय होती है? इसका उतने संक्षेप में उत्तर नहीं दिया जा सकता जितने के लिए यहाँ स्थान है, यद्यपि सब प्राणि-जातियों और आदिम जीवन-विधियों को अक्षुण्ण बनाये रखने को अपने-आप में मूल्यवान् मानने वाले इस युग में इसका उत्तर एक ही वाक्य में देने में कोई दुविधा नहीं होनी चाहिए। किन्तु जहाँ तक भारतीय अस्मिता की रक्षा का प्रश्न है, इसका उत्तर सहज है। यह उत्तर है कि कोई समाज किसी संस्कृति से ही परिभाषित होता है और वही उसे अस्मिता के रूप में धारण करता है। जहाँ तक यह अस्मिता जीवन्त और सप्राण होती है वहाँ तक वह समाज अन्तर्गठित और अन्तर्व्यवस्थित होता है और जहाँ तक यह क्षीण होती है वहीं तक वह गठन और व्यवस्था से रहित होता है। इस प्रकार भारतीय अस्मिता की रक्षा के लिए यह मानना अपेक्षित नहीं है कि भारतीय संस्कृति अन्य संस्कृतियों से श्रेष्ठ है, ऐसी बात का कोई अर्थ नहीं है। जैसे मेरी व्यक्तिगत अस्मिता इसलिए रक्षणीय नहीं है कि मैं अन्य सब से श्रेष्ठतर हूँ बल्कि इसलिए रक्षणीय है कि में अन्य के अनुकरण से केवल अपने को खो सकता हूँ, अन्य की श्रेष्ठता को पा नहीं सकता। और श्रेष्ठता प्रत्येक अस्मिता की अपनी सम्भावनाओं के क्रियान्वयन में ही होती है, जो सम्भावनाएँ किसी अन्य अस्मितागत सम्भावनाओं से न्यूनतर नहीं होतीं।

भारत की वर्तमान स्थिति यह है कि इसमें अभी भी एक उच्च सांस्कृतिक परम्परा जीवित है और इसने बाहरी सांस्कृतिक चुनौतियों का सामना करने की सामर्थ्य भी दिखायी है। इस संस्कृति को कोई दूसरी संस्कृति

विस्थापित कर सकेगी, ऐसा समाजवैज्ञानिक रूप से सम्भव प्रतीत नहीं होता। तुर्की जैसे सरल, छोटे और प्रस्तुत समाज में भी, और मुस्तफा कमाल पाशा जैसा प्रभावशाली शासक भी, यह नहीं कर सका, भारत तो फिर बहुत जटिल, बहुत विशाल और सांस्कृतिक रूप से पर्याप्त बद्धमूल समाज है। किन्तु हम इसकी अस्मिता को, इसकी चेतनाधारा को, इसके चिन्तन को घपला अवश्य सकते हैं, इसके मार्ग को विषम-कुटिल अवश्य बना सकते हैं, अथवा विषम बने मार्ग को पुन: सरल भी बना सकते हैं। यह अकार्य और कार्य दोनों किसी समाज के अग्रणी ही कर सकते हैं। हमारे देश में अंग्रेज़ी राज्य ने शिक्षा-पद्धति द्वारा ऐसी व्यवस्था कर दी थी कि अग्रणी पैदा ही अकार्य करने के लिए हों। अवश्य उनकी इस व्यवस्था का तत्कालीन भारत ने कुछ प्रतिरोध भी किया था : महात्मा गाँधी ने आध्यात्मिक और बौद्धिक सब स्तरों पर स्वदेशी के स्वीकार और विदेशी के बहिष्कार का आह्वान किया था। किन्तु स्वतन्त्रता-प्राप्ति के बाद गाँधी जी और उनकी दृष्टि दोनों का गला घोट दिया गया और यूरोपीय संस्कृति के बजाय अमरीकी अपसंस्कृति की बाढ़ ही आ गई। **संस्कार** नाटक का प्राणेशाचार्य हमारे मानस में उतर कर छा रही इस अपसंस्कृति का बहुत सटीक प्रतीक है।

यहाँ महात्मा गाँधी के स्वदेशी-आन्दोलन की मूल दृष्टि का स्मरण स्थाने होगा। गाँधीजी से अधिक सार्वभौम व्यक्ति इस युग ने कोई दूसरा उत्पन्न नहीं किया होगा। किन्तु सार्वभौमता का तत्त्व व्यक्तित्व-हीनता नहीं है, निरहंकारता है। दुर्भाग्यवश हमारे तथाकथित अन्तर्राष्ट्रीयतावादी लोग व्यक्तित्व-हीनता, आत्म-शून्यता को ही सार्वभौमता समझते हैं। ख़ैर, स्वदेशी-आंदोलन उस गाँधी ने चलाया था जिसके लिए वास्तव में स्वदेश-परदेश का कोई भेद नहीं था। इसलिए उस आंदोलन का उद्देश्य न स्वदेशाहंकार था और न स्वार्थ, बल्कि उस व्यष्टि को व्यक्तित्व देना, उसकी अस्मिता को लौटाना था जिसकी अस्मिता और व्यक्तित्व पददलित कर दिये गए थे। व्यक्तित्व-विहीन, अस्मिता-विहीन व्यक्ति जहाँ एक ओर अपने को अयुक्त रूप से बुद्धि-बलहीन समझता है वहीं दूसरे के बुद्धि-बल को अपार रूप से बढ़ा कर भी आँकता है। यही हम पहले भी कर रहे थे और आज भी कर रहे हैं। हम अंग्रेज़ी में लिखने-बोलने मात्र से किसी बात और व्यक्ति को किसी भारतीय भाषा में लिखी-बोली बात और उसके लेखक-वक्ता से उत्कृष्टतर मान लेते हैं, यदि वह बात लिखी-कही भी किसी यूरोपीय द्वारा गई हो तब तो बात की क्या है! इसके लिए कोई प्रमाण देने की आवश्यकता नहीं है। जिसमें अपने भीतर झाँक कर देखने का साहस हो वह यह आसानी से देख सकता है। आज हम इस साहस में कितने क्षीण हो चुके हैं इसका कुछ अनुमान इस बात से लगाया जा सकता है कि **इंडियन फिलासीफिकल क्वार्टली** के 'स्वराज इन आइडियाज़' विशेषांक में डॉ. सत्यपाल गौतम के अतिरिक्त किसी ने यह नहीं लिखा कि वैचारिक स्वराज के लिए भाषिक स्वराज अनिवार्य है। कृष्णचंद्र भट्टाचार्य ने यह कहा अवश्य, किन्तु बहुत झिझक के साथ, अन्यथा उन्होंने प्रत्ययात्मक स्वराज (स्वराज इन काँसेप्ट्स) की ही बात की है, मानो प्रत्यय भाषा से असम्बद्ध हों। तब भी, उन्होंने वैचारिक स्वराज के सन्दर्भ में भाषा के सम्बन्ध में जो कहा है वह भी उनके बंगला या हिन्दी में नहीं लिखने की जवाबदेही के लिए पर्याप्त है। किन्तु उनका इस जवाबदेही से बचने का प्रयत्न स्पष्ट है, और उससे कहीं अधिक प्रगल्भ इस अंक के अन्य लेखकों का इस पर मौन है जिन्होंने भट्टाचार्य के लेख को आधार बनाकर लिखा है।

स्वतन्त्रता के बाद अंग्रेज़ी भाषा को यह कहकर रखा गया था कि वह अन्तर्राष्ट्रीय खिड़की है। किन्तु यह खिड़की रखने का परिणाम यह हुआ कि हम इस पर ही आकर खड़े हो गए और भीतर देखना बन्द ही कर दिया। और फिर बाहर के लिए भी खिड़की एक ही क्यों हो? चीनी, रूसी, जर्मन, फ्रेंच तथा अरबी ये भाषाएँ कम से कम हैं जिन्हें हमें खिड़कियाँ बनाना चाहिए था। इसका अर्थ यह नहीं है कि सब लोग ये भाषाएँ सीखें। इसका अर्थ है कि भिन्न-भिन्न लोग भिन्न-भिन्न भाषाएँ सीखें। और यह सीखना लिखने-बोलने के लिए नहीं, बल्कि पढ़ने के लिए ही वांछनीय है। किन्तु हमने अंग्रेज़ी को ही खिड़की बनाकर जहाँ भीतर देखना बन्द किया वहाँ बाहर भी वही देखा जो इस खिड़की से दीख सकता था, और इस पर यह और कि यह भी माना कि 'यही है, जो सब है।' किसी जाति द्वारा अपना दिमाग गहने रखने का इससे बड़ा सौदा शायद दूसरा नहीं हुआ होगा। यही कारण है कि हम

'प्रत्यक्ष–सम्मत' या 'विज्ञान–सम्मत' या 'लोक–बुद्धि सम्मत' जैसे इंगलैण्ड या अमरीका में प्रचलित तात्कालिक वैचारिक फैशनों को विचार के विश्व–इतिहास पर अमिट छाप समझते हैं और वहाँ के घटिया से घटिया लेखक को विचारणीय और अनुकरणीय मानते हैं।

उन्मीलन का उद्देश्य इस मनोवृत्ति को बदलना है। हम जानते हैं कि यह प्रयत्न समय की दिशा के विरुद्ध है और परिणामत: इसकी थोड़ी भी सफलता संदिग्ध है। किन्तु औचित्य, युक्तता या मूल्य की कसौटी समयानुकूलता नहीं होती: आज आत्म–संयम, प्रेम, मैत्री, सम्बन्धों में सच्चाई और सादगी आदि की बात भी समय की दिशा के विपरीत है और इनकी रक्षा के प्रयत्नों की असफलता प्रायः निश्चित है, किन्तु इसी से इनकी युक्तता संदिग्ध नहीं हो जाती और न इनके लिए प्रयत्न अकरणीय हो जाता है।

इन शब्दों के साथ हम दार्शनिक बन्धुओं का इस प्रयत्न में सम्मिलित होने के लिए आह्वान करते हैं।

हिन्दी के विश्वभाषा के रूप में उन्नयन की सम्भावनाएँ

कोई भाषा विश्व-भाषा अधिकांशत: उस भाषा के बोलने वालों के राजनैतिक-सैनिक विस्तार के द्वारा बनती है। कभी-कभी कोई भाषा उसमें रचे गए वाङ्मय की समृद्धि के आधार पर भी विश्वभाषा बन सकती है, पर अधिकांशत: ऐसा होता नहीं है। उदाहरणत: बौद्ध धर्म और दर्शन से समृद्ध संस्कृत भाषा से चीनियों और तिब्बतियों ने उस वाङ्मय का अनुवाद अपनी भाषाओं में कर लिया किन्तु संस्कृत कभी उनकी भाषा नहीं बनी। इसी प्रकार रूसी उपन्यासों और जर्मनी के दर्शन-ग्रन्थों या काव्य-ग्रन्थों के दूसरी भाषाओं में अनुवाद ही हुए, ये भाषाएँ अन्य भाषा-भाषियों की भाषाएँ नहीं बनीं। आज अंग्रेज़ी विश्वभाषा है, उससे कुछ कम फ्रांसीसी है, ये दोनों इनके बोलने वालों के साम्राज्यों के कारण विश्वभाषाएँ बनी हैं। अन्यथा वाङ्मय की दृष्टि से ये दोनों भाषाएँ, विशेषत: अंग्रेज़ी 18वीं शताब्दी तक कोई सर्वाधिक समृद्ध नहीं थी। इंगलैंड द्वारा भारत-विजय के बाद यूरोप के लोगों का संस्कृत की ओर भी ध्यान गया, क्योंकि यह भाषा वाङ्मय की दृष्टि से बहुत समृद्ध थी, उनके कुछ विद्वानों ने यह सीखी और इसमें पारंगत भी हुए, किन्तु उन्होंने न तो इसे अपनी भाषा के रूप में अपनाया और न इसके वाङ्मय को अपने वाङ्मय के रूप में अपनाया। इसके वाङ्मय को उन्होंने भारत-विद्या (इंडोलोजी) के नाम से अन्य के वाङ्मय के रूप में ही देखा। इसके विपरीत इंग्लैंड और फ्रांस के उपनिवेशों के वासियों ने इनकी भाषाओं को अपनी भाषाओं के रूप में ही अपनाया और इनके वाङ्मय को आत्मसात् करने, या उससे तत्सात् होने का अपना आदर्श बनाया। इतना ही नहीं, उन्होंने वेश-भूषा और रंग-ढंग आदि को भी अपनाने का प्रयत्न किया। इससे भारतीय भाषाएँ भारत के प्रतिष्ठित वर्ग की भाषाएँ होने से रह गईं और इनमें साहित्यिक लेखन के अतिरिक्त अन्य प्रकार के वाङ्मय की रचना नहीं हो पायी। यों इससे पहले की कुछ शताब्दियों से, सम्भवत: मुस्लिम शासन के कारण, भारत में सामान्यत: ही साहित्येतर वाङ्मय की रचना बहुत कम हो रही थी, किन्तु तब भी जो रचना हो रही थी वह संस्कृत में ही हो रही थी, जन-भाषाओं में नहीं हो रही थी। अंग्रेज़ी शासन-काल में संस्कृत का स्थान अंग्रेज़ी ने ले लिया। संस्कृत से अंग्रेज़ी की ओर संक्रमण केवल भाषा तक ही सीमित नहीं रहा, यह संक्रमण वाङ्मय में भी हुआ। अब अध्ययन और लेखन का विषय पाश्चात्य विचार हो गया। स्वतन्त्रता-संग्राम-काल में राष्ट्रीयता की अवधारणा के उदय के साथ भारत की राष्ट्रभाषा की अवधारणा भी बनी और इस रूप में हिन्दी को भारत की राष्ट्रभाषा के रूप में स्वीकार किया गया, किन्तु गाँधी जी और कुछ अन्य इने-गिने नेताओं के अतिरिक्त किसी भी राजनीतिक नेता ने पूरे मन से हिन्दी को 'आर्यजन' की भाषा के रूप में स्वीकार नहीं किया। राज्य की ओर से विश्वविद्यालयों की भाषा और राज-काज की भाषा अंग्रेज़ी बनायी गयी और हमारे पृथग्जन और आर्यजन दोनों के मन में प्रकट रूप से या अप्रकट रूप से अंग्रेज़ी और अंग्रेज़ियत की श्रेष्ठता का भाव घर कर गया। ऐसे में हमारे लिए भाषा ही आयातित नहीं हुई, विचार भी हुआ। हमारे सुधीजन पाश्चात्य विचारों में पाण्डित्य सिद्ध कर स्वयं विचार करने की सामर्थ्य खो रहे थे। इस प्रकार हिन्दी और अन्य भारतीय भाषाओं में काव्य-लेखन के अतिरिक्त अन्य कुछ नहीं लिखा जा रहा था। इस प्रकार हमारी भाषाएँ, हिन्दी सहित, अपने ही देश की भाषा के रूप में कभी स्वीकृत नहीं हुईं। इस मानसिकता के कारण ही स्वतन्त्रता के बाद भी भारतीय भाषाएँ कभी अपनायी नहीं गईं। प्रधानमन्त्री के रूप में पं. नेहरू ने लोकसभा में जो प्रथम भाषण दिया वह अंग्रेज़ी में ही दिया, हमारा संविधान जो बना यह यूरोप के संविधानों के आधार पर ही बना, इतना ही नहीं, स्वतन्त्रता के बाद सरकार ने अध्यापकों को अध्यापन में उत्कृष्ट बनाने के लिए केवल विज्ञान-विषयों में ही नहीं मानविकी और समाजशास्त्रीय विषयों में भी यूरोप के विचारों में कौशल प्राप्त करने के लिए विदेश भिजवाया। यह एक ऐसा सांस्कृतिक आत्मघाती कृत्य था जिससे बड़े सांस्कृतिक आत्मघाती कृत्य की कल्पना भी नहीं की जा सकती। इसे समझने के लिए निम्न तीन प्रश्न देखें? 1. कर्त्तव्य क्या है और अकर्त्तव्य क्या है? 2. समाज क्या है और व्यक्ति क्या है और इनका पारस्परिक सम्बन्ध क्या है? 3. मन क्या है? ये तीन प्रश्न क्रमशः दर्शन,

समाजशास्त्र और मनोविज्ञान के आरम्भिक प्रश्न कहे जा सकते हैं। अब इनके उत्तर क्या संस्कृति-निरपेक्ष हो सकते हैं? उदाहरणत: तीसरे प्रश्न के उत्तर के रूप में पाश्चात्य-मनोविज्ञान के अनुरूप हमारे विद्यार्थियों को पढ़ाया जाता है कि- 'मन शरीर-व्यवहार है।' अब यह परिभाषा एक पूरी तत्त्वमीमांसा को पूर्वगृहीत करती है, जो तत्त्वमीमांसा आधुनिक पश्चिम के सांस्कृतिक इतिहास में मूलित है। अब इस उत्तर को स्वीकार करने का अर्थ है अपनी सांस्कृतिक परम्परा से उन्मूलित होना। किन्तु स्वतन्त्रता के बाद हमने स्वयं ही इस उन्मूलन को अपने लिए चूना। हमारे अध्यापक पश्चिम की ओर दौड़ाये गये कि वे वहाँ से यह सब सीख कर आयें और स्वयं उन्मूलित होकर विद्यार्थियों को भी उन्मूलित करें।

मैं जब 1952 में साहित्य का क्षेत्र छोड़कर दर्शन के क्षेत्र में आया तो मैंने पाया कि हिन्दी में दर्शन की कोई पत्रिका ही नहीं है और न हिन्दी में कोई इस विषय की पुस्तकें हैं। उस समय मेरे में यह सांस्कृतिक विवेक तो नहीं था जिसकी चर्चा अभी मैंने ऊपर की है, किन्तु यह समझ तब मेरे में जगी कि हिन्दी ऐसे राष्ट्र की भाषा कैसे हो सकती है जो संस्कृति और सभ्यता में मूर्धन्य होने की बात करता हो? तब मैंने इस सम्बन्ध में राजकमल प्रकाशन की विज्ञापन-पत्रिका **प्रकाशन समाचार** में एक लेख लिखा और उसके बाद इस स्थिति को बदलने के लिए प्रयत्न आरम्भ किया। किन्तु तब मैंने पाया कि हिन्दी राष्ट्रभाषा बनाने के लिए निरन्तर संघर्षरत राजनीतिक और सांस्कृतिक नेताओं में इसका कोई बोध ही नहीं है। इस पर मैंने लिखा कि हिन्दी की सब संस्थाओं को साहित्य की बात छोड़ कर अन्य विषयों में वाङ्मय रचना की ओर ही ध्यान देना चाहिए, क्योंकि हिन्दी में साहित्य-रचना तो स्वत: ही हो रही है। किन्तु मेरी इस बात की ओर कोई ध्यान नहीं दिया गया। तब मैंने अकेले ही दार्शनिक पत्रिका और दर्शन परिषद् स्थापित करने का बीड़ा उठाया। इस पर डॉ. सम्पूर्णानन्द जी ने मुझे चेताया कि मेरा यह प्रयत्न सफल होना असम्भव है क्योंकि वे समाजशास्त्रीय पत्रिका **समाज** का प्रकाशन आरम्भ कर उसे दो बार बन्द करने को बाध्य हुए थे। किन्तु उनकी चेतावनी के बाद भी मैंने वह पत्रिका और परिषद् आरम्भ कर दी और उसमें सफल रहा, यह एक अलग किस्सा है, किन्तु इससे देश की चेतना में कोई अन्तर नहीं पड़ा। पीछे 1960 के बाद जब लोकसभा में भारतीय भाषाओं को विश्वविद्यालय स्तर पर शिक्षा की माध्यम बनाने के लिए दबाव बढ़ा तो सब को यही पता चला कि इन भाषाओं में तो किसी विषय की कोई पुस्तकें ही नहीं हैं! तब इन विषयों में अंग्रेज़ी से पुस्तकें अनुवाद करने की योजना बनायी गयी, पारिभाषिक शब्दावली आयोग की स्थापना की गई और सांस्कृतिक आत्मघात की पूरी व्यवस्था कर ली गई। तब यहाँ प्रश्न होगा कि ऐसी अवस्था में और किया भी क्या जा सकता था? इस पर मेरा उत्तर है कि हमें अपने अध्यापकों से कहना चाहिए था कि वे अपनी भाषाएँ सीखें और विभिन्न विषयों में लिखने के लिए अपनी परम्परा को और अपने अनुभव को देखें। अवश्य यह लेखन आरम्भ में अनगढ़ होता किन्तु ऐसे सुघड़ लेखन का क्या अर्थ जो अपने अनुभव के ही निषेध पर प्रतिष्ठित हो? किन्तु इस सुघड़ लेखन के पीछे हमने अनुवादों के कारखाने खोल दिये, जिनमें हमारे विद्यार्थियों के लिए अप्रासंगिक विचार अबूझ शब्दावली में प्रस्तुत किये गये। यह शब्दावली अबूझ इसलिए थी क्योंकि इन शब्दों का हमारी अपनी भाषा में कोई प्रयोग नहीं था, वे उन विदेशी शब्दों के पर्यायवाची मात्र थे जिनके अर्थ उन शब्दों से ही जुड़े थे जिनके अर्थ बताने के लिए ये शब्द घड़े गये थे। इससे यह आशा की गई थी कि इन अनुवादों के द्वारा यह ज्ञान-भण्डार हिन्दी में आ जाने पर क्रमशः हिन्दी में मौलिक लेखन होने लगेगा। किन्तु आशा से बड़ी दुराशा क्या हो सकती थी? यही कारण है कि हमारे देश में विचार के क्षेत्र में मौलिक लेखन हिन्दी में या अन्य भारतीय भाषाओं में ही नहीं, अंग्रेज़ी में भी नहीं हो रहा है, सिवाय ऐसे कुछ अपवादों के जिन्होंने हठ ठाना है कि वे किसी की नकल नहीं ही करेंगे। ऐसी परिस्थिति में हम दूसरों के लिए सम्माननीय नहीं हो सकते। दूसरों के लिए सम्माननीय होने के लिए पहली पूर्वापेक्षा आत्मसम्मान का होना है जो हममें नहीं है। स्वतन्त्रता से पहले हम इसकी रक्षा का कुछ प्रयत्न करते थे, बाद में हमें इसकी रक्षा की भी आवश्यकता नहीं रही और यह हममें निरन्तर घट ही रहा है, बढ़ नहीं रहा है। आप लोग अधिकांशत: साहित्यिक क्षेत्र से सम्बन्धित हैं इसलिए मैं इसी का उदाहरण दूँगा। इस क्षेत्र को मैं लगभग 1948 से देख रहा हूँ। इस क्षेत्र के लोग फ्रायड, एड्लर, मार्क्स-एंजल्स, सार्त्र आदि के नाम लेकर एक-दूसरे पर रौब डालने का प्रयत्न करते रहे हैं, वह आप सबको भी पता है। आज

उनके स्थान पर दूसरे नाम आ गए हैं। पीछे किसी संस्था ने देरिदा को आमन्त्रित किया (वे आज हमारे नये देवता हैं) तो दूर-दूर से हमारे साहित्यिक उनके दर्शन और श्रवण के लिए दिल्ली पहुँचे। इस मानसिकता के बहुत से और उदाहरण भी दिये जा सकते हैं। इस मानसिकता के रहते हिन्दी के विश्वभाषा होने की बात सोचना हास्यास्पद ही लगता है, क्योंकि इस मानसिकता के रहते तो यह हमारे देश की भाषा भी नहीं बन सकती।

किन्तु हिन्दी को विश्वभाषा बनाने की अभिलाषा का औचित्य भी हमें समझ में नहीं आया। यह अभिलाषा दूसरों पर आरोपित होने की है। कोई व्यक्ति दो प्रकार से दूसरों पर प्रभाव स्थापित कर सकता है। एक तो भौतिक बल से दूसरों पर अपनी प्रभुता स्थापित करके और दूसरे इतनी सुदृढ़ता से आत्मप्रतिष्ठ होकर कि दूसरे स्वयं उसकी ओर आकर्षित हों। अब जैसाकि हमने पीछे कहा, कोई भाषा विश्वभाषा बलात् आरोपण से ही बनती है। हाँ, उसमें यदि वाङ्मय उत्कृष्ट हो तो उसके ग्रन्थों का लोग अपनी भाषाओं में अनुवाद करने को स्वयं प्रेरित होते हैं। किन्तु हमारे पास न तो बल है और न वाङ्मय। स्वतन्त्रता के पहले पी.एल. 480 योजना के अन्तर्गत अमरीका के साथ अध्यापकों की एक तथाकथित विनिमय की व्यवस्था बनी थी। तब एक बड़े वरिष्ठ अध्यापक ने बताया कि वे उसके अन्तर्गत अमरीका जा रहे हैं। इस पर मैंने उन्हें कहा कि इसमें विनिमय की बात कहाँ है? यहाँ से अध्यापक सीखने जाते हैं और वहाँ से सिखाने आते हैं। इसका उनके पास कोई उत्तर नहीं था। यही बात अनुवाद की है। भारतीय लेखक स्वयं अपने ग्रन्थों का अंग्रेज़ी में अनुवाद करते या करवाते हैं, अंग्रेज़ तो हमारे ग्रन्थों का अनुवाद नहीं करते। वे केवल हमारे प्रचीन ग्रन्थों का अनुवाद करते हैं। कुछेक बार मुझे भी कहा गया कि मेरे ग्रन्थों का अंग्रेज़ी में अनुवाद होना चाहिए। मैंने उत्तर दिया, मुझे इसमें कोई रुचि नहीं है। यदि कभी अंग्रेज़ों को होगी तो वे स्वयं कर लेंगे। अन्तर्राष्ट्रीय हिन्दी विश्वविद्यालय एक 'हिन्दी' नामक पत्रिका अंग्रेज़ी में प्रकाशित करता है, हमारी अनुसंधान परिषदें अपनी पत्रिकाएँ केवल अंग्रेज़ी में ही प्रकाशित करती हैं। यह हमारे आत्म-अप्रतिष्ठ होने का द्योतक है। हमें आवश्यकता आत्मप्रतिष्ठ होने की है जो परापेक्षी होने के विपरीत भाव है। विश्व-विजय की अभिलाषा में भी एक प्रकार की परापेक्षा ही है। वह कोई वांछनीय स्थिति नहीं है। सहज स्थिति आत्म-प्रतिष्ठा की है और हमें वही अर्जित करनी चाहिए। हिन्दी को दूसरों पर थोप कर हमें क्या मिलेगा? किन्तु ख़ैर, हमारे पास यह सामर्थ्य कभी आने वाली भी नहीं है कि हम दूसरों पर अपनी भाषा थोप सकें। इसलिए भाषा द्वारा विश्व-विजय की यह आकांक्षा केवल झूठी दुराशा पालने की बात ही है।

किन्तु एक बात है जो करने की है और जो हमें करनी चाहिए। वह है विदेशों में रहने वाले भारतीयों को हिन्दी पढ़ने के लिए प्रेरित करना। किन्तु अभी तो हम भारत में ही भारतीयों को हिन्दी पढ़ने के लिए प्रेरित नहीं कर पा रहे हैं। हिन्दी में साहित्येतर विषयों की उत्कृष्ट पुस्तकों की 500 प्रतियाँ भी बरसों तक नहीं बिकतीं, इसलिए उन्हें कोई प्रकाशक प्रकाशित नहीं करना चाहता। पुस्तकालय भी पहले अंग्रेज़ी की पुस्तकें ही खरीदते हैं। कम से कम हिन्दी-क्षेत्र में यही स्थिति है। कहते हैं बँगला, तमिल आदि में स्थिति उतनी बुरी नहीं है। तो यदि हिन्दी के लिए कुछ करना है तो पहले हिन्दी भाषा-भाषियों की मानसिकता बदलें, पीछे अपने शेष देश की।

क्या भारतीय संस्कृति सम्मिश्र संस्कृति है?

हर्षनारायण जी का लेख[1] हमारे देश की वर्तमान परिस्थिति में प्रकाश के साथ ताप को भी जन्म दे सकता है। किन्तु तब भी हमने इसे प्रकाशनार्ह समझा, क्योंकि ताप-जनक परिस्थितियों या मनःस्थितियों की उपेक्षा करके नहीं बल्कि उन्हें सामने लाकर ही उनका शमन किया जा सकता है, और विचारकों का यही कर्त्तव्य है।

हर्षनारायण जी ने अपने लेख में ऐसे अनेक उद्धरण दिये हैं जिनसे यह निष्कर्ष निकलता है कि मुसलमानों में हिन्दुओं के प्रति भयानक विद्वेष और घृणा थी और उनके शासकों ने हिन्दुओं पर दुर्दान्त अत्याचार किये थे। दूसरी ओर श्री बी.डी. पाण्डे ने अपनी पुस्तक **इस्लाम एण्ड इंडियन कल्चर**[2] में ऐसे तथ्य संकलित किये हैं जिनसे यह सिद्ध होता है कि मुसलमान हिन्दुओं के प्रति बहुत प्रेम रखते थे और वे इस देश को अपना देश मानते थे। उन्होंने तथा अनेकों ने यह भी दिखाने का प्रयत्न किया है कि हिन्दू और मुसलमान अंग्रेज़ों के आने से पहले सांस्कृतिक स्तर पर बहुत निकट आ चुके थे और भारत में एक सम्मिश्र संस्कृति का निर्माण हो रहा था।

वास्तव में इतिहास का चित्रपट इतना विशाल होता है उसे निकट से और अंशो में देखने पर सब प्रकार के दृश्य लक्षित हो सकते हैं और हम अपनी अपेक्षाओं के अनुसार जैसे भी चाहें चुनकर उन्हें इस इतिहास के निरूपक कह सकते हैं। किन्तु इतिहास का सही स्वरूप वास्तव में चित्रपट को दूर से और उसकी समग्रता में देखकर ही उपलब्ध होता है। दूसरें शब्दों में, इतिहास के स्वरूप-ज्ञान के लिए घटनाओं और व्यक्तियों को नहीं देख कर जन-मानस को देखना उपयुक्त होता है, जो मानस कलाओं, वाङ्मय और लोक-व्यवहार में अपने को अभिव्यक्त करता है। परिणामतः हर्षनारायण जी का तथ्य-प्रस्तुतीकरण हिन्दू-मुस्लिम सम्बन्धों का सही निरूपक नहीं कहा जा सकता, उनकी तुलना में पाण्डेजी का प्रस्तुतीकरण अधिक समीचीन कहा जा सकता है और उनसे भी अधिक प्रोफेसर धूर्जटी प्रसाद मुखर्जी का कहा जा सकता है।[3] किन्तु वास्तव में ये भी बहुत कुछ एक-तरफा ही हैं। ऐसा प्रतीत होता है कि यह चित्रपट द्वाभात्मक है जिसके सुनहरे रँग अपेक्षाकृत फीके हैं और काले रँग गहरे।

किन्तु हर्षनारायण जी के लेख का उद्देश्य इतिहास-निरूपण नहीं है, भविष्यत् है, इसका विषय वैज्ञानिक नहीं होकर मनुष्य होने से इसका कार्य यथातथ का प्रस्तुतीकरण नहीं होकर भाव्य का निर्णय और निर्धारण है। इसलिए यहाँ हमें इस प्रश्न पर अतीत-संग्रही दृष्टि के बजाय भाव्योन्मुख दृष्टि के साथ ही विचार करना चाहिए। और इस दृष्टि के लिए अतीत से निर्धारण नहीं अतीत से स्वातन्त्र्य अपेक्षित होता है।

यहाँ आपत्ति की जा सकती है कि यह स्वातन्त्र्य वैयक्तिक स्तर पर तो सम्भव है किन्तु सामाजिक स्तर पर सम्भव नहीं है। समाज अपने अतीत से, अपने निर्धारणों से मुक्त नहीं हो सकता, परिणामतः सामाजिक कर्म सामाजिक यथार्थ की उपेक्षा नहीं कर सकता। किन्तु यह सही नहीं है, समाज-सुधारक और क्रान्तिकारी प्रस्तुत स्थिति के निषेध के साथ ही आरम्भ करते हैं। स्वयं स्वातन्त्र्योत्तर भारत ने भी अपने भविष्यत् की आधारशिला, कम से कम प्रस्तुत प्रश्न की दृष्टि से, प्रदत्त अतीत के निषेध, उससे स्वातन्त्र्य पर ही प्रतिष्ठित की थी। उसका प्रस्तुत यथार्थ यह था कि हिन्दुओं के सब प्रयत्नों के बावजूद मुसलमानों ने हिन्दुओं से अलग रहने का निर्णय किया था और परिणामतः उनके रहने के लिए पाकिस्तान का निर्माण हुआ था। ऐसी परिस्थिति में हिन्दू भावी

---

1. उन्मीलन, वर्ष 3, अंक 1-2, द्रष्टव्य।
2. बी.एन. पाण्डे — **इस्लाम एण्ड इण्डियन कल्चर,** खुदा बक्श मैमोरियल एनुअल लेक्चर, पटना 1985.
3. डी.पी. मुखर्जी — **सोश्योलोजी ऑफ इण्डियन कल्चर,** द्वितीय संस्करण, 1948 (1997 में रावत पब्लिकेशंस, जयपुर द्वारा पुनर्मुद्रित)।

भारत की प्रतिष्ठा हिन्दू-राष्ट्रवाद की आधारशिला पर भी कर सकते थे। किन्तु हिन्दुओं ने वह नहीं किया। यहाँ मैं कहना चाहूँगा, ऐसा वे कर भी नहीं सकते थे, क्योंकि यह उनकी सांस्कृतिक प्रकृति के प्रतिकूल होता। ऐसा नहीं है कि हिन्दुओं में कठमुल्ले नहीं हैं, सब समुदायों में सब प्रकार के लोग होते हैं, आज भी राष्ट्रीय स्वयंसेवक संघ की शाखाओं में 'वीर शिवाजी' और 'महाराणा प्रताप' के नाम की उठक-बैठकें लगायी जाती हैं, सती-प्रथा के समर्थक आपको मिल सकते हैं। किन्तु ये उसी प्रकार हिन्दू-मानस के प्रतिनिधि नहीं हैं जिस प्रकार खान अब्दुल गफ्फ़ार खाँ, ज़ाकिर हुसैन, शेख अब्दुल्ला और मौलाना आज़ाद मुस्लिम मानस के प्रतिनिधि नहीं थे। इसलिए जो लोग हिन्दुत्व पर गर्व करते हैं उन्हें हिन्दुत्व के उस ऐतिहासिक निर्णय पर गर्व करना चाहिए जो उसने 1947 की विपरीत परिस्थितियों के बावजूद लिया था और यह समझना चाहिए कि कर्त्तव्य-विषयक कोई भी निर्णय उस मनुष्य के लिए सर्वदा के लिए प्रतिबन्धक होता है जो स्वातन्त्र्य का मूल नैतिकता में देखता है। यहाँ कोई आपत्ति कर सकता है कि हमने उपर्युक्त निर्णय को हिन्दू-निर्णय क्यों कहा, जबकि देश की जन-संख्या का बहुत बड़ा भाग अहिन्दू था। इसका उत्तर यह है कि मुस्लिम-भारत उस समय इस निर्णय में सहभागी होने का अधिकार खो चुका था, ईसाई आदि की संख्या नगण्य थी, शेष सब-बौद्ध, जैन, सिक्ख आदि- उतने ही हिन्दू हैं जितने यज्ञोपवीत और चोटी-धारी ब्राह्मण हिन्दू हैं। हिन्दू की हमारी परिभाषा है- जिसकी सांस्कृतिक परम्परा भारत-मूलीय है, वह मूल चाहे प्रतिज्ञा के रूप में हो, चाहे प्रति-प्रतिज्ञा के रूप में। इस प्रकार लोकायत उतने ही हिन्दू हैं जितने मीमांसक, तब बौद्धों-जैनों आदि की तो बात ही क्या है। हिन्दू की इस परिभाषा में हर्षनारायण जी के इस प्रतिपादन का भी सहज निराकरण हो जाता है कि लोकायतों, बौद्धों आदि की कोई अपनी आचार-संहिता नहीं होने से उनकी कोई अपनी संस्कृति नहीं बन पायी। इस बात का कोई अर्थ नहीं है। आचार-संहिता हिन्दू-समाज की थी जिसमें वैदिक, बौद्ध आदि मत-मतान्तर थे। वास्तव में इस मूल को वैदिक नहीं कह कर भारतीय कहने का औचित्य यही है कि बहुत से लोग श्रमण-परम्परा को अवैदिक मानते हैं। ब्राहमण और श्रामण्य धाराओं को परस्पर प्रतिज्ञा-प्रतिप्रतिज्ञा के रूप में एक मूल में भी संगृहीत किया जा सकता है, और वास्तव में कोई भी जीवित संस्कृति इस प्रकार द्वन्द्वात्मक होती ही है और यह द्वन्द्व क्रमशः असंख्य धाराओं-उपधाराओं को जन्म देता है। बाहरी प्रभाव भी इस प्रक्रिया में अपना स्थान ग्रहण कर लेते हैं और एक ही मूल धारा की उपधारा बन जाते हैं। जो समुदाय मूल धारा में समंजस नहीं हो पाते वे पृथक् और अवरुद्ध पड़े रहते हैं क्योंकि वे अपनी मूल धारा में से भी कट जाते हैं। भारतीय मुस्लिम समुदाय के बहुत विशाल होने के बावजूद इसके साथ भी यही हुआ है, चाहे पार्सियों के जितना नहीं भी हुआ हो। यह समुदाय जब तक भारतीय मूल से अपने को एक प्रतिज्ञा अथवा प्रतिप्रतिज्ञा के रूप में सम्बद्ध नहीं करता यह सांस्कृतिक रूप से प्रवहमान धारा नहीं बन सकता।

इसका अर्थ हुआ कि हम भी यह स्वीकार करते हैं कि भारत में हिन्दू-मुस्लिम सम्मिश्र संस्कृति का निर्माण नहीं हुआ है। किन्तु इसके साथ हम एक दूसरी बात भी कह रहे हैं और वह यह कि वह सम्मिश्र संस्कृति भारतीय परम्परा के अन्तर्गत ही बन सकती है, और यदि यह नहीं बनती तो यह भारतीय मुस्लिम समुदाय के हितों के भयानक रूप से विरुद्ध होगा, और इस प्रकार भारत के हितों के भी विरुद्ध होगा। किन्तु दूसरी ओर हिन्दुओं को भी यह समझना है कि कठमुल्लापन, अनुदारता, वीर शिवाजी के नाम की उठक-बैठकें न केवल उनके सांस्कृतिक विकास में अवरोधक होंगी, न केवल मुस्लिम समुदाय के उनके निकट आने में बाधक होंगी, बल्कि ये स्वयं हिन्दुत्व की अपनी प्रकृति के, अपनी परम्परा के भी विरुद्ध होंगी। ये एक ओर मुस्लिम-मानस को उसकी निकृष्ट मानिकसता में दृढ़ करेंगी, दूसरी ओर स्वयं हिन्दुओं को भी निकृष्ट मानसिकता में स्थापित करेंगी।

यहाँ संक्षेप में यूरोपीय संस्कृति के प्रभाव के सम्बन्ध में कुछ कहना भी अस्थाने नहीं होगा। अंग्रेज़ों ने भारतीयों के साथ कोई कम अत्याचार नहीं किये, हिन्दुओं के साथ सम्भवतः मुसलमानों से अधिक ही किये। किन्तु यूरोपीय संस्कृति से हम केवल संवाद स्थापित करने को ही तैयार नहीं थे, हमने यूरोप की सांस्कृतिक दासता भी सहर्ष स्वीकार की और अंग्रेज़ों के चले जाने के बाद भी उत्साह से कर रहे हैं। यहाँ तक कि हम हिन्दुत्व और मुस्लिमत्व में लज्जा और अंग्रेज़ियत में गर्व का अनुभव करते हैं, उनके फूहड़पन को भी संस्कृति मानते हैं। तब

हिन्दुओं का मुस्लिमों के प्रति और मुस्लिमों का हिन्दुओं के प्रति विपरीत–भाव केवल अस्वस्थ मानसिकता का ही द्योतक कहा जा सकता है। इसलिए हमें इस मानसिकता का त्याग कर एक स्वस्थ भारतीयता के विकास में सम्मिलित होना चाहिए न कि प्रतिगामी कठमुल्लापन को अपनाना चाहिए। यदि हिन्दुओं ने उर्दू–शायरी को और मुसलमानों ने भारतीय शास्त्रीय संगीत को अपनाया है तो इससे भारतीय साहित्य और संगीत समृद्ध ही हुए हैं, विपन्न नहीं। किन्तु यह सम्मिश्रण सम्भव केवल तभी है यदि मुसलमान कुरान को हिन्दुओं को सौंप दें और हिन्दू उसे अपने वाङ्मय का अंग बना लें और दोनों कुरान और गीता पर विचार–वितर्क करें, जैसे भारतीय लोकायत वैदिक ग्रन्थों पर और ब्राह्मण लोकोयतिक और बौद्ध ग्रन्थों पर विचार–वितर्क करते थे, और तब एक ही परिवार में कुरान और गीता के वैसे ही अनुयायी और आलोचक हो सकें। यह बात आज स्वप्न जैसी लगती है क्योंकि हम परस्पर वैमनस्य की आग में जल रहे हैं, नहीं तो यह नितान्त स्वाभाविक बात है। अधिकांश हिन्दुओं (बौद्ध, जैन, सिक्ख सहित) के घरों में माता–पिता राम–कृष्ण के भक्त मिलेंगे और बच्चे यूरोपीय संस्कृति या असंस्कृति के अनुयायी, कुछ मुस्लिम घरों में भी ऐसा होगा। हममें अधिकांश अपने बच्चों को ईसाइयों के अंग्रेज़ी–माध्यम वाले स्कूलों में पढ़ाने में गर्व करते हैं, स्वयं चाहे गीता और रामायण का पाठ ही करें। सच बात तो यह है कि अंग्रेज़ियत का यह आकर्षण भी हमारी जड़ता के कारण ही है, यह एक दूसरे प्रकार का कठमुल्लापन है जिसके सम्बन्ध में मैं अनेक लेखों में लिख चुका हूँ। अथवा यह भी कह सकते हैं कि हिन्दू–मुस्लिम वैमनस्य और अंग्रेज़ियतानुराग दोनों का मूल हमारी एक ही जड़ मानसिकता में है। इसका यह अर्थ नहीं है कि मैं यूरोपीय संस्कृति का विरोध कर रहा हूँ, मैं वास्तव में उसे तीन उत्कृष्टतम जीवित संस्कृतियों (भारतीय, चीनी और यूरोपीय) में से एक और सम्प्रति शेष दो की अपेक्षा कहीं अधिक जीवंत और प्रगतिशील मानता हूँ। विरोध केवल उसके प्रति हमारे अंधानुसरण का कर रहा हूँ। अस्तु।

मुससमानों और हिन्दुओं के एकीकरण में एक मुख्य बाधा उनकी आचार–संहिताओं में अन्तर है। आचार–संहिता का मूल परम्परा होती है जो पीछे शास्त्र का रूप भी ले लेती है। किन्तु शास्त्र के समान परम्परा का कोई प्रतिष्ठापक नहीं होता और इस अर्थ में वह अनादि होती है। स्वभावतः व्यवहार में इसका रूप गतानुगतिकता, यथापूर्वता का होता है। इस कारण इसमें सृजनात्मकता और विचार के लिए कोई स्थान नहीं होता। किन्तु आचार का सम्बन्ध औचित्य और नैतिकता से भी उतना ही होता है जितना विचार, बोध और युक्ति से होता है। आचार का यह पक्ष ही परम्परा को भी सृजनात्मक और विकाससमान् बनाता है। परम्परा और संहिता को औचित्य से विरोध होने पर उन्हें ही त्याज्य माना जाता है। यह बात दूसरी है कि अधिकांशतः हम इस बोध का ग्रहण नहीं करते और जागृत रहने का जोखिम नहीं उठाना चाहते। किन्तु वास्तव में आचार का विधान परम्परा और संहिता को सौंपने के पीछे धारणा यही होती है कि उचित–अनुचित का तत्त्व साधारण मानव–बुद्धि के अगम्य है—निहितं गुहायाम्—इसलिए असाधारण बुद्धि–सम्पन्नों के द्वारा रचित शास्त्र और परिशोधित परम्परा का अनुसरण अपनी बुद्धि के अनुसरण से अधिक निरापत्तिक है।' यह बात बहुत कुछ ठीक भी है, किन्तु उसी सीमा तक जिस तक हम स्वयं विचार के अयोग्य हों। विचारवान् तो परम्परा को विचार के साथ ही स्वीकार या अस्वीकार करते हैं। अवश्य व्यक्ति सदैव केवल अपने विवेक से सम्यक् निर्णय नहीं कर सकता, उसमें परम्परा और अन्यों से परामर्श सहायक होते हैं, किन्तु परम्परा भी अपरीक्ष्य रूप से स्वीकार्य नहीं हो सकती। परम्परा की स्वतःप्रामाणिकता इसी बात से असिद्ध है कि परम्पराएँ अनेक और बहुत बार परस्पर विरुद्ध भी होती हैं। इस पर कहा जा सकता है कि विचार भी अनेक और परस्पर विरुद्ध पाये जाते हैं। इसका यहाँ इतना ही उत्तर देने के लिए अवकाश है कि परस्पर विचारविमर्श और वितर्क की सम्भावना विचार की सार्वभौमिक प्रकृति की द्योतक है, यह बात दूसरी है कि उसमें हम व्यक्तिगत सीमाओं का कहाँ तक अतिक्रमण कर पाते हैं। इस प्रकार आचार का अनुशास्ता वास्तव में निर्वैयक्तिक औचित्य–विचार ही है और स्वयं परम्परा भी इस विचार की परम्परा के रूप में ही ग्राह्य होनी चाहिए। किन्तु यदि हम परम्परा को विचार छोड़ कर अपनाते हैं तो हम न केवल परम्परा को सृजन–हीन, जड़ और साम्प्रदायिक ही बनाते हैं बल्कि स्वयं परम्परा के अपने तत्त्व के विरुद्ध भी जाते हैं।

हिन्दुओं में विचार की यह प्रवृत्ति रही है। अवश्य यहाँ श्रुति को प्रमाण मानने वाले लोग भी रहे हैं, किन्तु वे सब देशों और सब कालों में रहते हैं। किन्तु यहाँ श्रुति-प्रमाण की चर्चा वास्तव में उसे युक्ति-तर्क द्वारा परीक्ष्य बनाने के लिए थी : श्रुति-प्रमाण-समर्थक इसे इस रूप में ही प्रस्तुत करते थे कि 'यह प्रमाण है तो क्यों?' और तब स्वभावत: दूारों के लिए यह अवकाश था कि वे इसे चुनौती दे सकें। किन्तु यदि हम कुरान, बाइबिल या विट्गिंस्टाईन को इस प्रश्न के बिना ही प्रमाण मान कर चलें तो उसकी परीक्षा के लिए अवकाश कहाँ रह जाता है? मुसलमानों और ईसाइयों में, मुसलमानों में विशेष, इस आलोचना के लिए कोई स्थान नहीं है। यह मानसिकता उन्हें अन्य किसी भी बात से अधिक अभारतीय बनाती है। (यहाँ हिन्दुओं के ही एक सम्प्रदाय सिक्ख-पंथ को और बजरंग दलों को चेतने की आवश्यकता है जो इधर विचार के प्रति असहिष्णु हो रहे हैं।) किन्तु यह मानसिकता स्वयं उनके अपने लिए घातक है। यह इन सम्प्रदायों को कभी विकसित नहीं होने देगी। किन्तु कोई कारण नहीं है कि भारतीय प्रशासन, जोकि भारतीय राज्य का प्रतिनिधि और निष्पादक है, इस मानसिकता को संरक्षण दे और दूसरों को स्वतन्त्र आलोचना के अधिकार से इसलिए वंचित करे कि कोई सम्प्रदाय इस स्वतन्त्रता के प्रति असहिष्णु है। उसका कर्त्तव्य इस सम्प्रदाय या सम्प्रदायों को शिक्षित करना है, दूसरों को उनकी शिक्षा से वंचित करना नहीं।

यहाँ प्रश्न हो सकता है कि क्या कोई व्यक्ति कुरान, विनयपिटक या ग्रन्थ-साहिब की आलोचना करके भी मुसलमान, बौद्ध या सिक्ख रह सकता है? इसका एक उत्तर यह है कि यदि राणा सांगा दाहिनी ओर की आँख, बाँह और टांग कट जाने पर, अथवा देवदत्त अपने विचारों में आमूल परिवर्तन हो जाने पर भी वही व्यक्ति रह सकते हैं तो कोई कारण नहीं कि क्यों मुसलमान कुरान की और बौद्ध विनयपिटक की कुछ बातें अस्वीकार कर मुसलमान आदि नहीं रह सकते! किन्तु इससे अधिक महत्त्वपूर्ण बात यह है कि किसी भी धर्म या संस्कृति के दो पक्ष होते हैं, जिनमें से एक को निरपेक्ष और मौलिक कहा जा सकता है और दूसरे को सापेक्ष और बाह्य। निरपेक्ष पक्ष विश्वदृष्टि-विषयक, अथवा कहें ईश्वर, मनुष्य और प्रकृति के स्वरूप और सम्बन्ध-विषयक होता है और बाह्य पक्ष सामाजिक सम्बन्धों विषयक होता है। इसका स्पष्टतम उदाहरण वेदान्ती हैं जो मनुष्य का स्वरूप निरुपाधिक चैतन्य मानते हैं और इस प्रकार वर्ण, कुल आदि को उपाधियों की भी उपाधियाँ मानते हैं किन्तु तब भी वर्णव्यवस्था का कट्टरता से पालन करते हैं। अब, यदि कोई इस आचार-संहिता का औचित्य की दृष्टि से निषेध करता है तो उसके वेदांती होने पर न केवल कोई आँच नहीं आती बल्कि यह निषेध उसकी मूल दृष्टि से अधिक संगत भी होता है। यही बात मुसलमानों के सम्बन्ध में भी है। वे यदि स्त्री को रूह और व्यक्तित्व से युक्त मान कर उसके प्रति तदनुरूप व्यवहार करें तो उनका वह आचरण स्वयं कुरान की मूल दृष्टि से अधिक संगत होगा, चाहे कुरान की आचार-संहिता के अनुसार नहीं भी हो। कुरान से विसंगत वास्तव में कुरान-प्रतिपादित आचार-संहिता है जिसमें स्त्री को उसका व्यक्तित्व, उसकी विषयिता, उसकी रूह से वंचित किया गया है।[1] यह वैदिकों द्वारा कुछ व्यक्तियों को शूद्र घोषित करने और स्त्रियों के लिए विधवा-विवाह-निषेध, और सबसे बढ़कर मृत पति के बजाय जीवित पत्नी को जला डालने के जैसा ही जघन्य है, चाहे उनके बराबर जघन्य नहीं भी हो।

किन्तु यहाँ प्रसंग आचार-संहिताओं पर विचार करने का नहीं है, यहाँ केवल यह देखना अभिप्रेत है कि आचार-संहिता किसी धर्म या संस्कृति की न केवल आत्मा नहीं होती, वह उसकी आत्मा के विसंगत भी हो सकती है। सबसे आधारभूत बात है अपने धर्म-सम्प्रदाय के निरपेक्ष और सापेक्ष दोनों पक्षों के सम्बन्ध में औचित्य और अनुभव के आधार पर युक्ति-तर्क को स्वीकार करना। और दूसरे, आचार-संहिता को धर्म का तत्त्व नहीं मानकर उसके प्रति निराग्रही होना। यह मूलभूत बात यदि हम समझ सकते हैं तब कोई दिक्कत ही नहीं है, यदि नहीं समझ सकते तो खूद खुदा भी हमारी रक्षा नहीं कर सकता। किन्तु ऐसे लोगों को एक बात और समझ

1. यहाँ यह स्पष्टीकरण आवश्यक है कि मैंने कुरान का अध्ययन नहीं किया है और न ही उसकी आचार-संहिता से परिचित हूँ। यहाँ मैं पुरुष के बहु विवाह की अनुमति और तलाक आदि विषयक उन विधानों की ओर ही संकेत कर रहा हूँ जिनकी इधर बहुत चर्चा है। वे कहाँ तक कुरान-सम्मत हैं, यह उनके प्रतिपादक जानें।

लेनी चाहिए—हमारा राज्य (स्टेट) औचित्य और युक्ति-मूलक दृष्टि पर ही प्रतिष्ठित है। प्रजातन्त्र, ऐतिहासिक रूप से वंचित जातियों को विशेष सुविधाएँ, और धर्म-निरपेक्षता आदि इसी दृष्टि की अभिव्यक्तियाँ हैं। ऐसी अवस्था में यदि कोई इस दृष्टि को स्वीकार नहीं करता तो उसे राज्य से उन सुविधाओं की अपेक्षा करने का भी कोई अधिकार नहीं रहता जो इस दृष्टि से ही निस्सृत होती हैं। भारतीय राज्य के इस दृष्टि पर आधारित होने पर सम्प्रदाय-भेद और इस प्रकार अल्पसंख्यकता-बहुसंख्यकता का भी कोई अर्थ नहीं रहता। इसके लिए वर्गीकरण के केवल दो ही आधार रह जाते हैं: एक दृष्ट्यनुसारिता-दृष्ट्यननुसारिता का और दूसरा शोषक-शोषितता का। किन्तु खेद है कि हम इस दृष्टि का अनुसरण नहीं कर रहे हैं। वास्तव में राजनीतिज्ञ और प्रशासक लोग इस दृष्टि से उतने ही विपरीतगामी हैं जितने जनसाधारण।

हिन्दू–मुस्लिम वैमनस्य की विवेक–हीनता

(राम मन्दिर–बाबरी मस्जिद–विवाद)

भारत में मुस्लिम समुदाय काफी बड़ा है और हिन्दुओं (बौद्धों, जैनों, सिक्खों आदि को इसमें सम्मिलित करते हुए) से इसके वैमनस्य की परम्परा लम्बी है। इसी वैमनस्य के कारण इस देश का विभाजन भी हुआ। किन्तु दुर्भाग्यवश इसके बाद भी राष्ट्रपिता के बलिदान के बावजूद, यह वैमनस्य ज्यों का त्यों बना हुआ है। यह वैमनस्य बना रहना देश के लिए तो घातक है ही, यह मुस्लिम सम्प्रदाय के लिए भी घातक है और हिन्दू सम्प्रदाय की तुलना में अधिक घातक है। किन्तु हिन्दुओं के लिए भी यह घातक तो है ही, और नहीं तो कम से कम नैतिक रूप से ही। और मनुष्य के लिए नैतिक हानि, आर्थिक और राजनीतिक हानि से वास्तव में अधिक घातक होती है। इस बात को हिन्दू–परम्परा से अधिक कोई नहीं जानता, जिसने रावण को स्वर्णिम लंका का अधिपति कल्पित किया और श्रीराम को एक तपस्वी। इसलिए इस वैमनस्य की समाप्ति दोनों सम्प्रदायों के लिए आवश्यक है।

यह वैमनस्य इन समुदायों में बहुत कुछ पारम्परिक है, किन्तु बहुत कुछ अंग्रेज़ी राज्य के और स्वातन्त्र्योत्तरकालीन भारत के राजनीतिज्ञों के स्वार्थ भी इसके लिए उत्तरदायी हैं। किन्तु एक और परिस्थिति भी है जो इस देश के मुस्लिम समुदाय को इस देश में असमरस और विसंगत बनाती है। वह परिस्थिति है इस समुदाय द्वारा भारतीय सांस्कृतिक परम्परा का अस्वीकार। यह एक अत्यन्त आधारभूत बात है और इसकी भयावहता को यह सम्प्रदाय और इस देश के दूसरे नेता भी समझ नहीं रहे हैं। इस स्वीकार के बिना यह सम्प्रदाय इस देश के लिए, और देश में स्वयं के लिए भी, विदेशी ही बना रह सकता है।

भारतीय सांस्कृतिक परम्परा कोई शुद्ध वैदिक परम्परा ही नहीं है, यह अनेक विचारधाराओं को समेटती हुई और अनेक व्याख्याओं में अपने को व्याख्यायित करती हुई वैदिक परम्परा है, जिसमें एक जगत् को आनन्द भी अभिव्यक्ति कहता है तो दूसरा 'सब दु:खमय है' कहता है, और ये दोनों समान रूप से आदर के साथ ही नहीं देखे जाते, बल्कि एक ही बात को दो तरह से कहने के ढंग के रूप में देखे जाते हैं। कोई भी हिन्दू, इस शब्द के व्यापक अर्थ में, अपने को इस परम्परा का उत्तराधिकारी मानता है। इस प्रकार 'हिन्दू' संज्ञा वास्तव में उस सम्पूर्ण समुदाय की वाचक हो जाती है जो इस देश में विदेशी नहीं है। मुस्लिम अपने को इस परम्परा के अन्तर्गत नहीं मानते। ईसाई भी नहीं मानते, किन्तु मुस्लिम उग्रता के साथ इसका निषेध करते हैं। किन्तु वे ऐसा करें यह कोई आवश्यक नहीं है, और आवश्यक नहीं होने से ही उनका यह मानना दुर्भाग्यपूर्ण है।

*इस समस्या के समाधान के रूप में कुछ लोगों ने, जिनमें पण्डित जवाहर लाल नेहरू प्रमुख हैं, भारत में सम्मिश्र संस्कृति के विकास का सुझाव दिया। यहाँ यह उल्लेख करना महत्त्वपूर्ण है कि महात्मा गाँधी ने ऐसा कभी नहीं कहा, सिवाय भाषा के सम्मिश्रण के। किन्तु सम्मिश्र संस्कृति की बात बहुत बचकानेपन की द्योतक है और दुर्भाग्यवश हमारे अनेक नेता आज तक इस बचकानेपन का अनुसरण कर रहे है। धर्म–निरपेक्षता अथवा सर्वधर्मसमभाव की अवधारणा को इस अवधारणा के साथ मिला दिया गया है जो उचित नहीं है। वास्तव में धर्मनिरपेक्षता (सर्वधर्मसमभाव के अर्थ में भी और सब धर्मों से तटस्थता के अर्थ में भी) भारतीय सांस्कृतिक परम्परा के साथ पूर्णत: संगत है, यह कोई नेहरू जी के द्वारा भारत को दो दी गयी आधुनिक दृष्टि नहीं है। सम्मिश्र संस्कृति की बात को हमने इसलिए बचकानापन कहा क्यों कि संस्कृतियाँ कोई नुस्खे नहीं हैं जो जब और जैसे

चाहे मिला दी जायें। दूसरे, आधुनिक भारत के सामने सांस्कृतिक चुनौती यूरोप की ओर से थी इस्लाम की ओर से नहीं, और न वह हो सकती थी। इस्लाम से जो सम्मिश्रण होना था वह हो चुका था, इस नयी चुनौती के सामने तो यह संस्कृति अपने आधार की खोज में अपनी ओर ही लौट सकती थी, इस्लामी संस्कृति के साथ घालमेल की ओर अग्रसर नहीं हो सकती थी। स्वयं नेहरू जी भी यूरोपीय संस्कृति के ही वैतालिक थे, इस्लामी संस्कृति के नहीं।

किन्तु इसका यह अर्थ नहीं है कि मुसलमानों और ईसाइयों को इस देश से निकाल दिया जाय या उन्हें वैष्णव, शैव या आर्यसमाजी धर्म-सम्प्रदायों में परिवर्तित कर दिया जाय। यह न सम्भव है और न उचित ही। धार्मिक मत के रूप में इस्लाम और ईसाइयत में कुछ भी ऐसा नहीं है जो भारतीय परम्परा की सरगम से स्वयं के रूप में समंजस नहीं हो सके। वास्तव में इस्लाम को वैदिक धर्म के भागवत धर्म की अपेक्षा अधिक निकट कहा जा सकता है, और स्वामी दयानन्द ने वैदिक धर्म की जो व्याख्या की है वह तो इसको और भी निकट बना देती है। भागवत धर्म के ही समान बौद्ध और जैन दोनों धर्म वैदिक धर्म से बहुत भिन्न हैं और वैदिक से भी अधिक भागवत धर्म से भिन्न हैं। इसलिए इस्लाम और ईसाई धर्मों के इनमें से किसी धर्म अथवा धर्मों से भिन्न होने में कोई नयी बात नहीं है। यदि कोई कहे कि वैदिक, बौद्ध और भागवत धर्मों के प्रवर्तक भारत देश के ही हैं जबकि इस्लाम और ईसाई धर्मों के नहीं हैं, तो यह एक अप्रासंगिक बात को केन्द्रीय महत्त्व देना होगा। सिक्खों और दूसरे हिन्दुओं के बहुत से तीर्थस्थल पाकिस्तान में चले गये हैं, किन्तु इससे ये सम्प्रदाय अभारतीय नहीं हो गये, इसी प्रकार पाकिस्तानी मुसलमानों के कुछ तीर्थ भारत में हैं, इससे वे अपाकिस्तानी नहीं हो गये। चीन, जापान आदि के बौद्ध तो इसके स्पष्ट प्रमाण हैं ही, स्वयं मुसलमानों के सम्बन्ध में भी यह द्रष्टव्य है कि हिन्देशिया के मुसलमान रामायण और महाभारत को अपनी परम्परा में मानते हैं। स्वयं हमारे देश में रहीम और रसखान को कोई कम मुसलमान नहीं कह सकता और न समकालीन भारतीय शास्त्रीय संगीत के मुस्लिम संगीतज्ञों को कम मुसलमान कह सकता है।

अंग्रेज़ों के चले जाने के बाद यह सम्भावना हो सकती थी कि भारतीय मुसलमान क्रमशः भारतीय परम्परा को अपना उत्तराधिकार मानने लगते। उन्हें इससे रोकने के सन्दर्भ में पुन: नेहरू जी का ही ध्यान आता है। उन्होंने भारतीय कोड बिल नहीं बनाकर हिन्दू कोड बिल बनाया। धर्म-निरपेक्षता की और आधुनिकता की इतनी दुआई देने वाले हमारे ये नेता लोग मुसलमानों से यह नहीं कह सके कि सामाजिक व्यवहार-विषयक नियमों का धर्म से कोई सम्बन्ध नहीं है, उनके आधार सामाजिक परिस्थितियाँ और न्याय-दृष्टि होती है। किन्तु हमारे इन भाग्य-विधाताओं ने ऐसा नहीं किया और मुस्लिम सम्प्रदाय को न केवल भारतीय समाज में एक पृथक् समुदाय ही रख दिया, बल्कि मानसिक गतिहीनता में सड़ने के लिए भी छोड़ दिया। आज जो मुस्लिम समुदाय सामाजिक और आर्थिक रूप से पिछड़ा हुआ है उसका बहुत बड़ा उत्तरदायित्व इस समुदाय के इन 'हितैषियों' और स्वयं इस समुदाय के स्वार्थी नेताओं पर ही है। ऐसे में इस समुदाय के नेतओं द्वारा इस समुदाय के पिछड़ेपन की दुहाई देकर संरक्षण देने की बात करना पूर्णत: अनुचित है। उन्हें पहले मुसलमानों की इस नियम-संहिता के परिवर्तन की बात करनी चाहिए। अस्तु।

अब इस सब के प्रकाश में रामजन्मभूमि-बाबरी मस्जिद-विवाद को देखा जाना चाहिए। मुसलमानों को पहले अपने से यह पूछना चाहिए कि इस मस्जिद का महत्त्व उनके लिए बाबर के कारण है या कि धार्मिक कारणों से है? यदि बाबर के कारण है तो इसमें वही अनौचित्य और भ्रान्ति है : अपनी वास्तविक परम्परा को अपनी परम्परा नहीं मानने की। बाबर भारतीय मुसलमानों का न तो जैव पूर्वज था और न उनका धार्मिक नेता, वह उनका उतना ही पूर्वज और नेता है जितना ईसाइयों का नेता इंग्लैंड का जार्ज पंचम हो सकता है। इसके बावजूद यदि मुसलमान बाबर द्वारा राम मन्दिर-भंजन पर गर्व करते हैं तो वे स्वयं ही अपने को इस देश में विदेशी बना लेते हैं और यह बात स्वयं उनके लिए भी हानिकारक है—सामाजिक रूप से भी और मानसिक रूप से भी। यदि इस मस्जिद का महत्त्व उनके लिए धार्मिक है तब मस्जिद को वहाँ से हटाने से उन्हें कोई अन्तर नहीं पड़ना चाहिए,

क्योंकि मस्जिद तो कहीं भी हो सकती है! ऐसी अवस्था में इस मस्जिद को वहाँ से नहीं हटाने के लिए उनका अड़ना केवल उन्हें दुराग्राही ही सिद्ध करेगा।

किन्तु दूसरी ओर, हिन्दुओं के लिए भी यह विचारणीय है कि यदि राम ईश्वर हैं तो धार्मिक प्रतीकों में सीमित नहीं किये जा सकते। उनके लिए मन्दिर और मस्जिद में कोई भेद नहीं हो सकता। बल्कि मन्दिर के साथ मस्जिद का भी होना उनकी उपासना-विधि के वैविध्य का और इस प्रकार उनके स्वरूप की अनन्तरूप अभिव्यक्ति का ही द्योतक होगा। जहाँ तक उनके अवतारी और इस प्रकार ऐतिहासिक रूप का सम्बन्ध है, वहाँ यह द्रष्टव्य है कि न तो शबरी हिन्दू थी और न किष्किन्धा-निवासी लोग ही हिन्दू थे, और जिस धोबी के सीता-विषयक प्रवाद को महत्त्व देकर श्रीराम ने अपने राज्य-धर्म को निश्चित किया वह कथित नीची जाति का था। ऐसे में यह कैसे हो सकता है कि राम के राज्य में भाजपा के नेताओं की तुलना में मुसलमानों के लिए कम स्थान हो?

इस प्रकार स्पष्टत: इस विवाद के पीछे प्रश्न राम और रहीम का नहीं है, बल्कि हिन्दू-मुस्लिम वैमनस्य का और इसे भड़काने वाले राजनीतिक स्वार्थों का ही है। यहाँ हमारी एक और मानसिकता का उल्लेख भी अस्थाने नहीं होगा: यह सबको पता है कि आर्यसमाजियों ने, जो अधिक उग्र रूप से हिन्दू हैं, ऐंग्लोवैदिक डी.ए.वी. कालेज बनाये। यह नाम वास्तव में पूरे भारतीय समाज की मानसिकता का द्योतक है: प्रायः सभी भारतीय अंग्रेज़ का बच्चा होने में गर्व करते हैं, वे चाहे गाँधी जी का नाम लें चाहे स्वामी दयानन्द का, वैष्णव हों या शैव, गुरु नानक के पूजक हों या पैगम्बर मुहम्मद के। इसलिए ऐंग्लोवैदिक कालेज होने में किसी को कोई दिक्कत नहीं है, किन्तु अरबी-वैदिक कालेज सबके लिए अकल्पनीय होगा।

यदि मस्जिद-समर्थकों में थोड़ा भी विवेक शेष होता तो वे यह पता लगते ही कि वह स्थान रामजन्म का है, या वहाँ बने मन्दिर पर जबरदस्ती बाबर ने मस्जिद बनवायी थी, स्वयं ही वहाँ से मस्जिद हटाते और बाबर की इस बात के लिए निन्दा करते। इसी प्रकार मन्दिर-समर्थकों में यदि थोड़ी भी उदारता और विवेकशीलता होती तो वे उन्हें कहते कि राम के लिए मन्दिर और मस्जिद में कोई अन्तर नहीं हो सकता, इसलिए दोनों के यहाँ रहने में कोई बुराई नहीं है। किन्तु यह देश के लिए दुर्भाग्य की बात है कि दोनों समुदायों में काफी लोग इस विवेक से बहुत दूर हैं और राजनीतिक नेता, जिनका न राम से कुछ लेना-देना है और न रहीम से, इनकी इस विवेकहीनता का अपने निष्कृष्ट स्वार्थों के लिए उपयोग कर रहे हैं।

हमारे सेक्युलरिस्ट

भारत में हिन्दुओं और मुसलमानों के बीच एक असामंजस्य की स्थिति मुस्लिम शासन-काल से ही चली आ रही है। बहुत बार यह वैमनस्य का रूप भी लेती रही है। किन्तु कभी-कभी, या कहें कुछ अवस्थाओं में, इनमें सौमनस्य भी रहा है। बहुत से मुस्लिम शासकों ने हिन्दुओं के मन्दिर गिराए, हत्याएँ कीं, किन्तु उन्हीं के समय में कुछ मुसलमान कवि भी हुए जिन्होंने ब्रज भाषा में कृष्ण की भक्ति में काव्य की रचना की। मलिक मुहम्मद जायसी ने हिन्दू राजा और राजकुमारी रत्नसेन और पद्मावती को प्रतीक बना कर एक आध्यात्मिक महाकाव्य की रचना की। पंजाब में वारिस शाह ने ऐसे 'हीर-रांझा' प्रेम-काव्य की रचना की जो पंजाब के लोकजीवन की भाव-धारा में रच-बस गया। बुल्लेशाह, फ़रीद और कबीर हुए जो भारतीय भक्तिधारा में उतनी ही महत्त्वपूर्ण लहरें हैं जितनी तुलसी, सूर और नन्ददास आदि हैं। औरंगज़ेब के विरुद्ध लड़ने वाले शिवाजी और गुरुगोविन्द सिंह की सेनाओं में मुसलमान सैनिक और मुसलमान शासकों की सेनाओं में हिन्दू सैनिक अपने धर्मावलम्बी राजाओं के विरुद्ध, या कहें परधर्मावालम्बी राजाओं के पक्ष में, लड़ते रहे हैं। औरंगज़ेब जबकि हिन्दू-घाती मुस्लिम राजा था, उसी का भाई दारा शिकोह उपनिषदों और गीता के अनुवाद करा रहा था।

इस तरह इन दो सम्प्रदायों में प्रेम और वैर की विपरीत धाराएँ प्रवाहित हो रही थीं जो भारत में अंग्रेज़ों के न आने पर धीरे-धीरे एक सहज साहचर्य-भाव में परिणत हो जातीं। लेकिन अंग्रेज़ों के आने के बाद इस स्थिति में एक आधारभूत अन्तर आया। अब ये दोनों वर्ग शासक के स्थान पर शासित हो गए, जिन्हें समान रूप से इस नए और बाहरी शासक से निपटना था। इन नए शासकों ने इन दो सम्प्रदायों के वैमनस्य में ही अपना लाभ देखा और पूरा प्रयत्न किया कि इनमें परस्पर विरोध बढ़े। अंग्रेज़ों के विरुद्ध स्वतन्त्रता-आन्दोलन के संचालकों ने उनकी इस नीति को समझा और प्रयत्न किया कि इनमें सौमनस्य बने जिससे अंग्रेज़ों के विरुद्ध लड़ा जा सके। किन्तु वे इसमें सफल नहीं हुए और अन्ततः देश का साम्प्रदायिक आधार पर विभाजन हुआ।

स्वतन्त्रता-आंदोलन के ये नेता पूरी तरह असफल ही रहे, यह भी नहीं कहा जा सकता, क्योंकि मुसलमानों में बहुत ने नेता और उनके अनुयायी इस वैमनस्य को अनुचित मानने वाले भी थे। इसके सबसे अच्छे उदाहरण खान अब्दुल गफ्फ़ार खाँ—जिन्हें उचित ही सरहदी गाँधी कहा जाता था- और उनके असंख्य 'खुदाई खिदमतगार' हैं जो अपने प्रदेश—सीमान्त प्रान्त—में सदैव बहुत बड़े बहुमत में रहे। इसी तरह काश्मीरी मुसलमानों ने भी शेख अब्दुल्ला के नेतृत्व में पाकिस्तान के विरुद्ध भारत में रहने का चुनाव किया था। वहाँ आज के उग्रवाद का मूल तो इंदिरा गाँधी के छल-छद्म और वहाँ के नेताओं के भयानक भ्रष्टाचार में है।

यह सब याद दिलाना इसलिए ज़रूरी है कि बहुत से हिन्दू मुसलमानों के विरुद्ध अपनी सहज घृणा के अनौचित्य को स्वयं अपने से भी छिपाने और अपने को उदार समझते रहने के लिए यह तर्क देते हैं कि मुसलमानों के तो धर्म में ही अन्य धर्मों के प्रति विद्वेष का प्रतिपादन है जबकि हिन्दू-धर्म-सम्प्रदायों में अन्य धर्मों के प्रति अद्वेष-दृष्टि है। यदि यह बात सही भी हो तो भी न तो अधिकांश हिन्दू अपना जीवन वेदों, आगमों या गुरुग्रन्थ साहिब के अनुसार जीते हैं और न मुसलमान कुरान के अनुसार। वास्तव में वैदिक हिन्दुओं का व्यवहार तो सबसे अधिक वेद और वेदान्त के विपरीत है, जिसके अनुसार वर्ण व्यवसाय से तय होते हैं जन्म से नहीं, और तत्त्वतः यह भेद-दृष्टि मिथ्या है। लेकिन इन हिन्दुओं में वर्ण जातियाँ बन गए हैं और जातिभेद परम सत्य बना हुआ है। दूसरी ओर मुसलमानों में कृष्ण-भक्ति काव्य के रचयिता हुए हैं, उपनिषद्, गीता और रामायण-महाभारत के अनुवादक हुए हैं, भारतीय शास्त्रीय संगीत के उत्कृष्टतम गायक हैं। इसलिए व्यावहारिक स्तर पर हिन्दुओं को न तो अपनी उदारता पर अतिरिक्त गर्व करने का अधिकार है और न मुसलमानों की अनुदारता का ढिंढोरा पीटने का। इसलिए हम सबके लिए समझने की ज़रूरत यह है कि इस समय व्यावहारिक रूप से हमारे लिए क्या लाभप्रद है

और सैद्धान्तिक रूप से क्या उचित है और क्योंकि भारत में हिन्दू बहुत बड़े बहुमत में हैं इसलिए उनका उत्तरदायित्व पहले बनता है कि वे इस बात को समझें और यह समझने में अल्पसंख्यकों की सहायता करें।

लेकिन दुर्भाग्यवश हिन्दू ही मुसलमानों को यह नहीं समझने दे रहे हैं। उनकी यह समझ बनने देने में बाधक तथाकथित हिन्दुत्ववादी कठमुल्ले नहीं हैं बल्कि वे हिन्दू हैं जो अपने को 'सेक्युलरिस्ट' कहते हैं। इसका प्रमाण यह है कि अभी पिछले ही चुनावों से पहले ये हिन्दुत्ववादी बहुत अल्पमत में थे। जो मत तब उन्हें मिलते भी थे वे अनिवार्य रूप से उनके हिन्दुत्ववाद के कारण नहीं मिलते थे। स्वयं मैंने दो चुनावों में मतदान भारतीय जनता पार्टी के पक्ष में किया, जो उनके विचारों से सहमत होने के कारण नहीं, कांग्रेस के दुराचरणों से क्षुब्ध हो कर किया। यह ठीक वैसी ही बात थी जैसी श्री जयप्रकाश नारायण द्वारा 1976 में इंदिरा गाँधी के आसुरी बल का मुकाबला करने के लिए भारतीय जनता पार्टी को साथ लेने में थी। कांग्रेस के अनेक दुराचरणों में से एक उसका मुसलमानों के प्रति धोखाधड़ी का व्यवहार था, जिसमें आज उनके साथ सेक्युलरिज़्म का ढिंढोरा पीटने वाले सब दल सम्मिलित हैं। इन दलों ने मुस्लिम वर्ग को, इनके वोट अपने लिए सुरक्षित रखने के लिए, निरन्तर असुरक्षा की मानसिकता में रखा है। ये लोग अविद्यमान हिन्दू-कट्टरवाद के विरुद्ध चिल्लाते रहे हैं और मुस्लिम कट्टरवाद को ये समर्थन देते रहे हैं। जबकि ज़रूरत इस बात की थी कि ये मुसलमानों को अपने समाजवाद के नारे के अनुसार एक सामान्य नागरिक मानते हुए इनका आर्थिक शैक्षिक स्तर उठाने का प्रयत्न करते।

यह ठीक है कि मुसलमानों में एक वैचारिक संकुचितता भी है, जिसका एक बड़ा कारण धार्मिक आधार पर सामाजिक हदबंदी है और इस हदबंदी का एक बड़ा कारण असुरक्षा की भावना है। सेक्युलरिस्टो को चाहिए था कि वे इस हदबंदी को हटाने का प्रयत्न करते। इन दलों ने इसके ठीक विपरीत किया क्योंकि यह उनकी वोट की राजनीति के लिए उपयोगी था। इसमें भारतीय जनता पार्टी का माईनॉरिटीवाद का और असमान सामाजिक संहिता का विरोध यद्यपि स्वयं इस पार्टी के अस्तित्व के आधार के ही विपरीत है किन्तु वह विरोध मुसलमानों के हित में है, क्योंकि ठीक यही सूत्र हैं जिन्होंने मुसलमानों को पिछड़ेपन में अलग पड़े रहने दिया है। यदि हमारी इस बात के विरुद्ध यह कहा जाए कि यह मुसलमानों की अलग पहचान बनाए रखने के लिए आवश्यक है तो इस तर्क से जैनों, बौद्धों, वैष्णवों, शैवों और सिक्खों आदि सब धर्म-सम्प्रदायों की पहचान बनाए रखने के भी उपाय करने चाहिएँ थे। मुस्लिम सम्प्रदाय को अपनी धार्मिक पहचान की आवश्यकता है या कि सामाजिक पहचान की? यद्यपि जैन, सिख आदि हिन्दू-धर्म सम्प्रदाय भी बहुत कुछ अपनी सामाजिक पहचान या पार्थक्य बनाये ही हुए हैं किन्तु इस सामाजिक पार्थक्य को तो कम करने की ही ज़रूरत है न कि संहिता-बद्ध कर बढ़ाने की।

प्रश्न उठता है कि यदि आप सामाजिक रूप से भी पार्थक्य को संहिता-बद्ध करते हैं तब आप सेक्युलज्मि की बात क्यों करते हैं? यह तो सम्प्रदायवाद को पुष्ट करना हुआ! किन्तु इन सेक्युलरिस्टों ने मुसलमानों को सामाजिक रूप से ही पृथक् और इस प्रकार असुरक्षित मानसिकता में नहीं रखा बल्कि वैचारिक युक्ति-वितर्क और आलोचना-प्रत्यालोचना के खुलेपन से भी अलग रखा और वह भी धार्मिक स्वतन्त्रता के नाम पर। यदि राम और कृष्ण की, असवर्णों और विधवाओं के प्रति हिन्दुओं के व्यवहार की आलोचना से हिन्दू धर्म का कुछ नहीं बिगड़ता तो कुरान की आलोचना करने से मुसलमानों को खतरा कैसे उत्पन्न हो सकता है? यदि कहें कि 'किन्तु मुसलमानों को यह सह्य नहीं है' तो यह उनका दोष है, इसमें उन्हें बढ़ावा क्यों दिया जाए? इसमें स्वामी दयानन्द का **सत्यार्थप्रकाश** एक आदर्श उदाहरण प्रस्तुत करता है जिसमें उन्होंने मुस्लिम धर्म-मत की उसी भाव से आलोचना की है जिस भाव से विभिन्न हिन्दू-मतों और अन्य मतों की। उससे हिन्दुओं में प्रखर तर्क-वितर्क और खण्डन-मण्डन का सिलसिला चला, मुसलमान उसमें सम्मिलित नहीं हुए किन्तु उन्होंने कोई दंगा भी नहीं किया।

यदि सरकार यह स्पष्ट घोषणा कर दे कि शुद्ध वैचारिक आलोचना पर दंगा नहीं किया जाएगा, और दगा करने वालों को कानून भंग करने वालों के रूप में दण्डित करे तो जल्दी ही एक स्वस्थ वैचारिक वातावरण बनने लगेगा, जो मुसलमानों के लिए भी हितकर ही होगा। किन्तु हमारे तथाकथित सेक्युलरिस्टों ने मुसलमानों को खुली हवा से दूर रखने में ही अपना लाभ समझा है। सरकार ने सलमान रश्दी के 'सैटेनिक वर्सेज़' (शैतानी आयतें)

उपन्यास पर पाकिस्तान से भी पहले और बिना कुछ सोचे-समझे, प्रतिबंध लगा दिया था और शाहबानो केस पर उच्चतम न्यायालय के निर्णय को लोकसभा में पलट कर अपना सेक्युलरिज़्म सिद्ध किया था। ये दो घटनाएँ वास्तव में उस साधारण व्यवहार के दो उदाहरण हैं जो स्वतन्त्रता के बाद हमारे इन तथाकथित सेक्युलरिस्टों ने मुस्लिम कठमुल्लापन बनाए रखने के लिए अपनाया। इसका परिणाम हुआ हिन्दुओं में बजरंग दल और विश्व हिन्दू परिषद् जैसी नितान्त अहिन्दू मानसिकताओं का उदय। इसका अर्थ यह नहीं है कि हिन्दुओं में इससे पहले और इससे अलग कठमुल्लापन नहीं था, किन्तु वह दूसरी तरह का था जिसकी चर्चा यहाँ अप्रासंगिक है।

अपनी आलोचना पर आक्रामक व्यवहार करना, यह एक नया कठमुल्लापन है जो हिन्दुओं में सेक्युलरिस्टों द्वारा मुस्लिम कठमुल्लापन की रक्षा के परिणामस्वरूप बजरंगदल आदि के रूप में पनपा। ऐसे व्यवहार के लिए हमेशा इन हिन्दुओं का यही तर्क होता है कि 'तुम ऐसी आलोचना मुसलमानों की करके दिखाओ।' यानी, बजाय मुसलमानों के दोष को दूर करने के हिन्दू भी इस दोष को अपना लें। किन्तु यह तो दोष है जिससे किसी की भी केवल हानि ही हो सकती है। और फिर यह प्रवृत्ति तो सेक्युलरिज़्म और प्रजातन्त्रवाद दोनों के ही मूल रूप से विपरीत है। अब आप सोचिए, यदि यही प्रवृत्ति मध्य युग में भी होती, जिस युग को ये तथाकथित उदारवादी लोग पश्चिम के अनुकरण पर अंधकार-युग कहते हैं, तब तो भारत में न दर्शन का विकास हुआ होता और न वे अनेकानेक धर्म-मत बन और रह पाए होते जो 'हिन्दू' नाम के चँदोए के नीचे बने और पनपे, यहाँ तक कि आर्यसमाज और ब्रह्म समाज भी नहीं होते।

अब जो परिस्थिति उत्पन्न हो गई है वह इस देश के लिए बहुत घातक है। एक ओर यह उस भारतीय दृष्टि के विपरीत है जो सचमुच ही उदार थी, जिसके अनुसार 'विद्वान् एक ही तत्त्व को अनेक नामों से पुकारते हैं— '(एकं सद्विप्रा बहुधा वदंति), जिसके अनुसार श्रुतियाँ भी अनेक हैं, स्मृतियाँ भी अनेक हैं और कोई ऋषि या मुनि प्रमाण नहीं है, केवल अपना शुद्ध अन्त:करण ही प्रमाण है या उन महाजनों का मत जो शुद्ध अन्त:करण वाले हैं', और दूसरी ओर यह दृष्टि हमारे समाज को विखण्डित कर रही है। ईश्वर ही जानता है कि इससे हम कब और कैसे उबर पाएंगे!

भारतीय सेक्युलरिज़्म और सर्वधर्मसमभाव

'सेक्युलरिज़्म' का अर्थ सर्वधर्मसमभाव नहीं होकर 'लौकिकता', 'ऐहिकता' होता है। यह इस शब्द के मूल प्रयोग को जानने वाले जानते हैं। किन्तु हमने अपने राज्य को ऐहिकतावादी स्वीकार नहीं करना चाहा, बल्कि धर्म-सम्मत ही रखना चाहा, इसलिए इसे 'सर्वधर्गसमभाव' यह अर्थ दिया। यों भी हमारी परम्परा में 'धर्म' शब्द का जो इतिहास है वह पश्चिम के 'रिलिज्यन' शब्द के इतिहास से बहुत भिन्न है। किन्तु दुर्भाग्यवश हमारे शासक वर्ग और तथाकथित प्रबुद्ध वर्ग के लिए 'धर्म' शब्द 'रिलिज्यन' का पर्यायवाची अधिक है भारतीय परम्परा के 'धर्म' शब्द का पर्यायवाची ज़रा नहीं। इसलिए सेक्युलरिज़्म शब्द का प्रयोग अधिकांशत: राज्य की धर्म-निरपेक्षता के अर्थ में ही किया गया। यों हमारे देश की राजनैतिक परिस्थिति भी ऐसी थी कि उसमें अर्थों का घालमेल ही हो गया। इसी घालमेल के चलते हमने 'सेक्युलरिज़्म' शब्द को 'राज्य की सब धर्म-सम्प्रदायों के प्रति सम दृष्टि' के अर्थ में लेते हुए भी भारत में दो ही धर्म-सम्प्रदाय मान लिये- हिन्दू और मुस्लिम। अवश्य इसके पीछे हमारा अंग्रेज़ी शासन द्वारा रचा गया इतिहास भी था, जिसने पाकिस्तान बनाया। किन्तु पाकिस्तान बन जाने पर हमें उस इतिहास को पूरी तरह भुला देना चाहिए था और भारतीय धर्म-सम्प्रदायों के रूप में वैष्णव, शैव, आर्यसमाजी, सिक्ख, जैन, बौद्ध, शिया, सुन्नी, कैथोलिक, प्रोटेस्टेंट इस प्रकार देखना चाहिए था न कि 'हिन्दू बहुमत' और 'मुस्लिम अल्पमत' इस रूप में। इस रूप में इन्हें देखने का कोई औचित्य नहीं था। यदि कहें कि ऐसा करने का औचित्य यह था कि मुस्लिम सम्प्रदाय अभारतीय मूल का है और हिन्दुओं के सब धर्मसम्प्रदाय भारतीय मूल के हैं इसलिए इस आधार पर ये दो वर्ग बनाये जा सकते हैं, तो यह कोई तर्क नहीं है। इस तर्क को मानते हुए और स्वतन्त्रतापूर्व के इतिहास को ध्यान में रखते हुए तो हमें भारत को हिन्दू-राष्ट्र ही घोषित कर देना चाहिए था, जो सौभाग्यवश हमने नहीं करने की बुद्धिमत्ता दिखायी। किन्तु तब इसी कारण हमें भारतीय मूल और अभारतीय मूल की बात भी नहीं करनी चाहिए थी। यदि किसी धर्म-सम्प्रदाय का मूल बाहर होना उस सम्प्रदाय को बाहरी बना देता है, जैसाकि दुर्भाग्यवश हमारे बहुत-से हिन्दू और मुसलमान भी, मान बैठे हैं, तो जापान, चीन, श्रीलंका आदि सब के बौद्धों को अपने को बाहरी ही मानना चाहिए, हिन्दचीन के मुसलमानों को भी वहाँ के अन्य धर्मावलम्बियों को बाहरी ही मानना चाहिए। किन्तु ऐसा तो नहीं माना जाता। इसलिए बहुत-से भारतीय मुसलमानों की जो इस देश या 'हिन्दू' नाम के अन्तर्गत वर्गीकृत सम्प्रदायों के प्रति मानसिकता है और उनके प्रति हिन्दुओं की जो मानसिकता है उसका कारण मुस्लिम धर्म-सम्प्रदायों का मूल अभारतीय होना नहीं है बल्कि अंग्रेज़ी शासन द्वारा रचा गया हमारा इतिहास है। इस इतिहास को लेकर आगे चलना हमने पता नहीं क्यों आवश्यक समझा! इसमें दोषी केवल हिन्दू ही नहीं हैं, सच पूछा जाय तो इसमें मुसलमान अधिक दोषी हैं, जिन्होंने देश के विभाजन के बाद अपने को पृथक् हुए भाग का शेष मानते हुए उस रूप में अपने को अलग रखा और हिन्दुओं से बच कर रहने की मानसिकता बनाये रखी। इस मानसिकता ने उनमें असुरक्षा की भावना पनपायी जिसका लाभ राजनीतिक नेताओं ने उन्हें वोट बैंक के रूप में प्रयुक्त करके उठाया। इस परिस्थिति ने धीरे-धीरे हिन्दू-सम्प्रदायवाद को पनपाया। यह सम्प्रदायवाद आज जो घिनौना रूप ले रहा है उसने सारे देश का वातावरण ऐसा विषाक्त बना दिया है कि उसे देख कर मन त्रस्त हो जाता है। ऐसा नहीं है कि यह हिन्दू-सम्प्रदायवाद आज भी कोई बहुत व्यापक और गहरा हो पाया है, बिल्कुल भी नहीं, किन्तु यह जितना भी है उतना वातावरण को विषाक्त करने के लिए पर्याप्त और यह जड़ रखता है। ऐसी भाषा जैसी तोगड़िया और कम्पनी बोलते हैं और जिस तेवर के साथ बोलते हैं, वैसी पहले कभी नहीं सुनी गई थी। एक हिन्दू को अत्याचार के विरुद्ध कैसे खड़ा होना चाहिए इसका उत्कृष्टतम उदाहरण गुरु गोविन्द सिंह और महात्मा गाँधी प्रस्तुत करते हैं, जिनके ठीक विपरीत ये तोगड़िये और सिंघल हैं, जो कल्पित अत्याचार को भुना रहे हैं। क्योंकि जिस मुस्लिम वर्ग के विरुद्ध ये त्रिशूल उठा रहे हैं वह तो उस असुरक्षितता की मानसिकता का शिकार है जो स्वतन्त्रता से पहले अंग्रेज़ ने उसे दी

और फिर पाकिस्तान बनने से उपजे अपराध-बोध ने दी, और फिर इसे हमारे सेक्युलरिस्टों ने भुनाया और अब तथाकथित हिन्दुत्ववादी दल पनपा रहे हैं।

इसे रोकने का यदि कोई व्यवस्थात्मक उपाय करना हो तो उसकी दिशा वही हो सकती है जिसका हमने ऊपर संकेत किया। किन्तु यह, या कोई भी दूसरा व्यवस्थात्मक उपाय कर पाना असम्भव जैसा है, क्योंकि सब उपाय अन्त में हमारे प्रजातन्त्र की शिला पर आकर चकनाचूर हो जाते हैं। जिस देश के नेता यह व्यवस्था तक करने को तैयार नहीं हैं कि अपराधी लोग चुनाव नहीं लड़ सकें, या कोई भी ठीक व्यवस्था कर देने पर उसे विफल कर देते हैं, वे और क्या व्यवस्थात्मक सुधार होने देंगे? ये लोग किसी भी व्यवस्था का अपना अपराधवृत्ति के लिए उपयोग करने के उपाय खोज निकालने में कुशल हैं। इनका जो एक प्रतिरोधक इन्हें चुनने वाला समाज हो सकता था वह भी अब इस परिस्थिति के सामने आत्मसमर्पण कर चुका है। इस समाज ने पहले कभी इन्दिरा गाँधी पर भ्रष्टाचार के आरोप के आधार पर श्री जयप्रकाश नारायण के नेतृत्व में सरकार को हिला दिया था और इन्दिरा गाँधी को आपातकाल घोषित करना पड़ा था, और अन्त में उसकी सरकार धराशायी हो गयी थी। किन्तु उसे हरा कर बनी सरकार उससे भी घटिया सिद्ध हुई। उसके बाद भ्रष्टाचार के आरोप के ही आधार पर पराजित की गई राजीव गाँधी सरकार को हराकर बनायी गई सरकार भी ठीक उसी प्रकार असफल हुई और उसने शुद्ध व्यक्तिगत स्वार्थों से प्रेरित होकर दलितवाद के एक और रोग को जन्म दिया। इसके बाद जनता ने भ्रष्टाचार को एक अनिवार्यता ही मान लिया और बोफोर्स काण्ड के 64 करोड़ के घोटाले के बजाय बाद के अरबों रुपये के घोटाले भी इस जनता के लिए नगण्य हो गए। यही कारण है कि सैंकड़ों करोड़ के चारा घोटाले के आरोप में कैद हुए लालू प्रसाद यादव और इतने ही बड़े घोटाले की दोषी पायी गयी जयललिता और इनके दल धड़ल्ले के साथ विजयी हुए। इसी प्रकार इधर गुजरात में हत्याकाण्ड की विभीषिका के लिए प्राय: सर्वसम्मति से गर्हित सरकार पहले से भी अधिक बहुमत के साथ विजयी हुई और उसके मुख्यमन्त्री मोदी को राजधर्म का पालन नहीं करने के लिए प्रताड़ित करने वाले वाजपेयी जी के प्रधानमन्त्री रहते भी भाजपा की जीत अन्यत्र निश्चित करने के उद्देश्य से उसे हिमाचल प्रदेश में चुनाव-प्रचार का नेतृत्व करने के लिए भेजा गया।[1] ऐसे में व्यवस्थात्मक सुधार की बात कोई क्या सोच सकता है, क्योंकि व्यवस्था तो अन्त में व्यवस्था को लागू करने वालों पर ही निर्भर करती है! यदि आप कानून में सुधार कर दें किन्तु वकील, जज और पुलिस भ्रष्ट हों तो कानून के सुधार से क्या होगा? स्त्रियों सम्बन्धी कानूनों में निरन्तर सुधार के बावजूद स्त्रियों पर अत्याचार बढ़ रहे हैं। इन अपराधों का जो थोड़ा बहुत प्रतिकार हो रहा है वह प्रचार-माध्यमों में शोर मचने के कारण और कुछ गैर सरकारी संगठनों के प्रयत्नों के कारण। अवश्य इन्हें भी अन्ततः कानून सहायता करने में असफल ही रहता है। यही बात साम्प्रदायिकता के लिए भी सही है। तोगड़िया की त्रिशूल-दीक्षा पर राजस्थान ने प्रतिबंध लगाया। किन्तु कानून उसमें बाधक से अधिक सहायक ही बना। उस पर शस्त्र रखने या वितरण करने के लिए प्रतिबंध लगाया गया और वह ज़मानत पर इसी व्यवस्था के अधीन छूट गया और उसने फिर त्रिशूल बाँटने आरम्भ कर दिये! प्रतिबंध उस पर साम्प्रदायिकता फैलाने के अपराध के लिए लगाना चाहिए था और ग़ैर ज़मानती कारावास होनी चाहिए थी, किन्तु यह नहीं हो सका। दूसरे प्रान्तों में उसके विरुद्ध कुछ भी नहीं हुआ। किन्तु सबसे बड़ी बात प्रजातान्त्रिक व्यवस्था के होने और उसके असफल रहने की है—जनता को उस व्यक्ति की आपराधिकता को समझना चाहिए था और उससे त्रिशूल लेने के बजाय उसका बाहर निकलना असम्भव होना चाहिए था। किन्तु लोग उसका स्वागत कर रहे हैं और त्रिशूल ले रहे हैं। यह सब एक व्यवस्था के अधीन ही हो रहा है जो अन्यथा एक अच्छी व्यवस्था है।

तो भी यदि हमें व्यवस्थात्मक सुधार करने ही हैं तो आधारभूत सुधार यही है कि मुसलमानों को हिन्दुओं से भिन्न एक समुदाय के रूप में नहीं देखकर दो-तीन धर्म-सम्प्रदायों (शिया-सुन्नी) के रूप में देखा जाय और हिन्दुओं को दूसरा समुदाय नहीं देख कर अनेक धर्म-सम्प्रदायों के रूप में देखा जाय और तदनुसार ही कानून

1. अब (2014 में) श्री मोदी प्रधानमन्त्री हैं।

बनाये जाँय। अयोध्या के मन्दिर–मस्जिद विवाद को न्यायालय के द्वारा शीघ्र निपटाया जाय और ऐसा अन्य कोई विवाद नहीं उठे इसके लिए कानून बनाये जाएँ।

इस समय एक बहुत दुर्भाग्यपूर्ण परिस्थिति यह है कि मुसलमान सहज रूप में अपने को देश का अंग नहीं मानते हैं, इसी प्रकार हिन्दू भी उन्हें बाहरी ही मानते हैं। मुसलमानों की इस मानसिकता के लिए यदि प्रमाण चाहिए तो काश्मीर समस्या एक प्रमाण हो सकती है। अवश्य वहाँ उग्रवाद इस कारण पनपा क्योंकि वहाँ सरकारें भयानक रूप से भ्रष्ट थीं और चुनाव–प्रक्रिया भी इनके ही हाथों में थी। इसलिए वहाँ की जनता का मोह–भंग हो गया था। पाकिस्तान ने इसका लाभ उठाया। किन्तु पाकिस्तान तो इसका लाभ इसीलिए उठा सका न क्योंकि वहाँ मुसलमान अधिसंख्य हैं? यदि वहाँ अधिसंख्य हिन्दू होते तब तो ऐसा नहीं हो सकता था! वे सरकार के विरुद्ध विद्रोह तो करते किन्तु पाकिस्तान को उसमें कोई स्थान नहीं मिल सकता था। उनके विद्रोह का रूप बंगाल या दूसरे स्थानों के नक्सलवाद जैसा होता, पाकिस्तान में सम्मिलित होने या स्वतन्त्र रहने की बात नहीं होती। इस पर उन मुस्लिम राजनीतिक नेताओं और बौद्धिक नेताओं को विचार करना चाहिए जो मुस्लिम साम्प्रदायिकता से मुक्त हैं। निश्चय ही ऐसे नेता और बुद्धिजीवी भी काफी संख्या में होंगे, ऐसा मेरा विश्वास है, किन्तु उनकी आवाज़ उतनी सुनायी नहीं पड़ती, इसके विपरीत हिन्दू–सम्प्रदायवाद के विरुद्ध हिन्दू राजनीतिक नेताओं और बौद्धिक नेताओं की आवाज़ें हिन्दू–सम्प्रदायवादियों की तुलना में सैकड़ों गुणा अधिक सुनायी पड़ती हैं। 'हिन्दुत्ववाद' और 'भगवाकरण' लगभग निन्दात्मक शब्दों की तरह संचार–माध्यमों में प्रयुक्त होते हैं। इसी प्रकार यदि सम्प्रदायवाद–विरोधी मुस्लिम नेताओं की आवाज़ साम्प्रदायिकतावादी नेताओं के बराबर भी सुनायी देती तो भी हिन्दू–सम्प्रदायवाद उतना सिर नहीं उठा पाता जितना वह उठा पाया है।

निवेदन — राष्ट्रीय स्वयंसेवक संघ से

राष्ट्रीय स्वयंसेवक संघ अपने को एक राष्ट्रीय और सांस्कृतिक संस्था कहता है। कहा जा सकता है कि यह संस्था ऐसी ही है—कम से कम यह अपने को इसी रूप में देखती है। किन्तु मनुष्य की यह एक सामान्य नियति है कि जबकि उसे यह बोध है कि उसके आत्मा भी है, वह आत्मज्ञान से अधिकांशत: वंचित ही रहता है। इसी से भारत में उपनिषद् आत्मा के स्वरूप का ही निरन्तर अनुसन्धान करते मिलते हैं और ग्रीस में सुकरात और प्लेटो आत्मा को ही दर्शन का मुख्य अनुसन्धेय मानते हैं। किन्तु आत्मा सम्बन्धी अज्ञान हमें केवल उसी प्रकार का नहीं होता जैसा श्वेतकेतु को था और उद्दालक आरुणी द्वारा दूर किया गया था, बल्कि ऐसा भी होता है जैसा अपनी किसी इच्छा को लेकर कि वह वास्तव में क्या है? या अपने किसी ध्येय को लेकर। इसमें सबसे स्पष्ट उदाहरण अपने लाभ के विचार का हो सकता है—कोई कहता है कि "मैं तो अपने लाभ को ही सर्वोपरि रखता हूँ, दूसरे की उसमें चिन्ता नहीं करता।" अब यह स्वार्थपरता है और स्वार्थपरता से बढ़कर स्व के अर्थ की हानि दूसरी किसी बात में नहीं सोची जा सकती। ऐसा अज्ञान मनुष्य में हम पदे पदे देखते हैं और ऐसे अज्ञान के अनेक रूप और स्तर होते हैं। हम समझते हैं कि **राष्ट्रीय स्वयं सेवक संघ** आत्मा विषयक ऐसे ही अज्ञान का शिकार है। संघ के सदस्य बड़े निष्ठावान् देशभक्त होते हैं और भारतीय संस्कृति की रक्षा में ही देश की रक्षा देखते हैं। किन्तु भारतीय संस्कृति क्या है, इसकी रक्षा का क्या अर्थ है, देश क्या है और इसकी रक्षा किस बात में है, इन बातों को लेकर वे आधारभूत भ्रान्तियों में हैं। सबसे पहले, ये भारत को हिन्दुओं तक ही सीमित करते हैं, दूसरे, ये हिन्दुत्व को उसके अपने गुण-धर्म से नहीं बल्कि मुस्लिम-ईसाई के विरोध से परिभाषित करते हैं। ये दोनों ऐसी भ्रान्तियाँ हैं जिन्होंने इस अच्छे उद्देश्यों वाली संस्था को पथ-भ्रष्ट कर रखा है। अब, क्योंकि **भारतीय जनता पार्टी** और **विश्व हिन्दू परिषद्** के द्वारा इस दल के हाथ में राजनैतिक शक्ति भी आ गई है इसलिए इसकी ये भ्रान्तियाँ हमारे देश के लिए, और स्वयं हिन्दुत्व के लिए भी, बहुत अधिक घातक सिद्ध हो रही हैं, और यह बात स्वयं इस दल के अपने उद्देश्यों के विरुद्ध जाती है।

अब इस दल की भ्रान्तियों के सम्बन्ध में। भारत में बड़ी संख्या में हिन्दू ही रहते हैं यह ठीक है, किन्तु तब भी लगभग 18 प्रतिशत तक इसमें अहिन्दू भी रहते हैं। संघ उन 18 प्रतिशत के प्रति उदासीन ही नहीं है बल्कि उन्हें हिन्दुत्व का, बल्कि कहें भारत का, शत्रु मानता है। अब यदि किसी देश में इतना बड़ा वर्ग उसके शत्रुओं का हो तो वह देश कैसे बचेगा? कम से कम उसमें निरन्तर अशान्ति, निरन्तर अन्तर्संघर्ष की स्थिति तो बनी रहेगी ही। क्या इस संघ को भारत के लिए यह स्थिति तो बनी रहेगी ही। क्या इस संघ को भारत के लिए यह स्थिति अभीष्ट है? यह स्थिति इस देशभक्त संस्था को अभीष्ट नहीं हो सकती, यह स्पष्ट है। तब वह इसका उपाय इन 18 प्रतिशत की समाप्ति, इसके दलन में देखता है। किन्तु क्या यह सम्भव है? इतने बड़े वर्ग को ऐसे दबा कर रखना कि वह मृतवत् रहे, यह प्रथम तो सम्भव नहीं है और यदि यह सम्भव हो तो क्या यह देश के शरीर में पक्षाघात के जैसा नहीं होगा? अब, क्या यह बात अपने को राष्ट्रीय कहने वाली और देश के हित को सर्वोपरि मानने वाली संस्था को अभीष्ट हो सकती हैं? इस प्रकार संघ की विचारधारा का यह पक्ष-और यही वास्तव में इसका मुख्य और मूल पक्ष है—स्पष्टत: उसमें आत्मज्ञान के अभाव का सूचक है। संघ यदि भारत की उन्नति चाहता है तो उसे ऐसी विचारधारा और ऐसी कार्य-प्रणाली अपनानी चाहिए कि देश के सभी वर्ग परस्पर सामरस्य में रहें। सभी उन्नति करें और देश की उन्नति में अपनी उन्नति देखें। संघ की कार्य-प्रणाली से तो ये वर्ग इस बात में ही संदेह में रहते हैं कि क्या यह देश उनका है भी?

अब हिन्दुत्व के सम्बन्ध में। संघ हिन्दुत्व के प्रतीकों के रूप में ऋषियों, मुनियों और सन्तों को, वाल्मीकि, वेदव्यास और कालिदास को, मर्यादा पुरुषोत्तम राम, श्रीमद्भगवद्गीता के उपदेष्टा श्री कृष्ण और राधावल्लभ एवं

गोपीवल्लभ श्री कृष्ण को नहीं देखता बल्कि शिवाजी और राणा प्रताप को देखता है जो इसके द्वारा हिन्दुत्व को मुस्लिमत्व की सापेक्षता में परिभाषित करने का ही द्योतक है। यहाँ आपत्ति की जा सकती है कि संघ राम-जन्मभूमि-मन्दिर के राम को हिन्दुत्व का प्रतीक मान कर ही तो लड़ रहा है! किन्तु यह सच नहीं है। उसके लिए यह मुसलमानों के ऐतिहासिक अत्याचार के विरुद्ध खड़े होने के लिए एक मुद्दा है, अन्यथा संघ के लोगों की धर्म और धार्मिक भावना में उतनी ही रुचि है जितनी मुस्लिम कठमुल्लों की बाबरी मस्जिद में नमाज़ पढ़ने, या नमाज़ की भावना मात्र में हो सकती है। अब यदि हिन्दुत्व को शिवाजी और राणा प्रताप से परिभाषित करने वाले हिन्दुत्व के रक्षक हों तो हिन्दुत्व को दूसरे शत्रुओं की क्या आवश्यकता हो सकती है? किन्तु संघ इन्हीं को हिन्दुत्व के प्रतीक के रूप में देखता है और श्रीराम और श्री कृष्ण को यदि कुछ समझता है तो इन्हीं के प्राचीन और बृहद् पूर्वज समझता है, इससे आगे इसकी कोई दृष्टि नहीं है। संघ यह नहीं देखता कि मुसलमान भारत में आ कर बस गए थे। उन्होंने इस देश को अपना देश मान लिया था। मुस्लिम राजाओं में बहुत से अच्छे राजा भी थे और बहुत से बुरे भी थे, जैसे हिन्दू राजाओं में भी थे। यह भी ठीक है कि इनमें कुछ राजाओं ने मन्दिर भी तुड़वाये थे, कुछ ने हिन्दुओं पर हिन्दू होने के नाते भयानक अत्याचार भी किये थे, किन्तु ऐसे राजा बहुत अल्पसंख्यक ही कहा जा सकते हैं। अकबर से बहादुरशाह ज़फ़र तक की शृंखला में एकमात्र औरंगज़ेब ही ऐसा था जिसने हिन्दुओं पर हिन्दू होने के नाते भयानक अत्याचार किये, शेष ने ऐसा कुछ नहीं किया। सबसे बड़ी बात कि उन्होंने भारतीय सांस्कृतिक परम्परा से कोई बड़ी छेड़छाड़ नहीं की। यह छेड़छाड़ पहली बार अंग्रेज़ों ने की और इस सीमा तक की कि इस संस्कृति के आधारों को ही खोखला करके रख दिया। उन्होंने यहाँ की शिक्षा-व्यवस्था बदल दी, भारतीय भाषाओं को विस्थापित कर दिया और इतना अधिक कि आज हमारे देश की सबसे महत्त्वपूर्ण, बल्कि कहें एकमात्र महत्त्वपूर्ण भाषा अंग्रेज़ी हो गई है और स्वतन्त्रता के बाद भी उसका वर्चस्व बढ़ता ही चला जा रहा है। संघ को इसमें कोई आपत्ति नहीं है। आज भारतीय जनता पार्टी की सरकार में भी विश्वविद्यालय अनुदान आयोग भारतीय भाषाओं में प्रस्तुत शोध-प्रस्ताव स्वीकार नहीं करता। शायद संघ वालों को यह पता नहीं है कि भाषा का प्रश्न देश की शान का प्रश्न नहीं है बल्कि देश की मानसिक रचना का और इस प्रकार सांस्कृतिक आधारों का प्रश्न है। इस भाषा के ही कारण आज हमारे विचारक और कवि हमारे देश के विचारक और कवि नहीं हैं बल्कि यूरोप और अमरीका के विचारक और कवि हमारे विचारक और कवि हैं। हम उन्हें भारतीय इसलिए नहीं कहते क्योंकि वे भारत के नागरिक नहीं हैं किन्तु आदर्श हम उन्हीं को मानते हैं और राष्ट्रीय स्वयंसेवक संघ का अंग्रेज़ तथा अंग्रेज़ी से कोई विरोध नहीं है, बल्कि स्वतन्त्रता आन्दोलन काल तक इसका अंग्रेज़ी सरकार के प्रति अनुकूल भाव ही रहा।

राष्ट्रीय स्वयंसेवक संघ को यदि वास्तव में हिन्दुओं की रक्षा की चिन्ता हो तो उसे अपने स्वयंसेवकों को मुसलमानों के विरुद्ध लाठियाँ चलाना या त्रिशूल चमकाना सिखाने के बजाय हिन्दुओं के अपने भीतर व्याप्त रोगों का उपचार करना चाहिए, क्योंकि प्रथम तो मुसलमान कोई शत्रु नहीं हैं, दूसरे वे शत्रु हों भी तो उनका एकमात्र इलाज उनका शत्रुभाव दूर करने में है, उनका दमन करने में नहीं है, क्योंकि वे भी इस देश के नागरिक हैं।

यहाँ यह नहीं कहना पक्षपात होगा कि राष्ट्रीय स्वयंसेवक संघ का मुसलमानों के प्रति यह रवैया एकतरफा नहीं है। मुसलमानों में बहुत बड़ा वर्ग है जो उग्र धर्मान्धता से ग्रस्त है और इस उग्र धर्मान्धता का इतिहास मुस्लिम शासन-काल से आरम्भ होकर अंग्रेज़ी शासन-काल तक विस्तृत है, जिसका अंग्रेज़ों ने अपने स्वार्थ के लिए उपयोग किया। पाकिस्तान बन जाने के बाद भी यह वर्ग शान्त नहीं हुआ और इसने काश्मीर के मुसलमानों में, जो मुस्लिम धर्मान्धता से मुक्त थे, इस विष का संचार किया। बाबरी मस्जिद का दुराग्रह, जिसने हिन्दू कठमुल्लापन की आग को हवा दी, इसी मुस्लिम कठमुल्ला वर्ग की थाती है। किन्तु कठमुल्लापन का उत्तर कठमुल्लापन नहीं है। उसमें तो अपना चरित्र, अपना आत्मा ही चला जाता है। उसका उत्तर तो विरोधी के कठमुल्लापन को दूर करने या वैसा नहीं कर पाने पर, अपना चरित्र खोये बिना उसका हनन करने में है, जैसा राम को रावण के साथ करना पड़ा। किन्तु संघ के लिए यह दूसरा विकल्प खुला नहीं है, केवल पहला ही विकल्प खुला है। किन्तु कठिनाई यह

है कि अभी तो यह संघ स्वयं हिन्दुओं के कठमुल्लापन का ही अवतार है जो हिन्दुओं ने अपनी आत्मा खो कर पाया है। हिन्दुओं के चरित्र के अनुकूल अवतार 19वीं शताब्दी में अवतरित हुए आर्यसमाज और ब्रह्मसमाज थे। ये हिन्दू समाज की अपनी आत्मा में आ गए दोषों के निवारण के लिए अवतरित हुए थे और हिन्दू समाज को सब से बड़ा खतरा उस समय उन दोषों से ही था। आज वैसा ही खतरा हिन्दू-समाज को विशेष रूप से और सारे भारतीय समाज को सामान्य रूप से है। यदि संघ को हिन्दुओं की और भारत की वास्तव में चिन्ता है तो उसे इन दोषों के निवारण के लिए प्रयत्न करना चाहिए। ये दोष इस समय ऐसा भयानक रूप ले चुके हैं कि इनसे हमारा समाज क्षय-ग्रस्त हो चला है।

ये दोष हैं- पूरे सरकारी तन्त्र में भ्रष्टाचार का कैंसर की तरह व्याप्त हो जाना, शिक्षा-व्यवस्था का पूरी तरह विशृंखल और दिशा-भ्रष्ट हो जाना, स्त्रियों पर अत्याचार—दहेज-हत्या, बलात्कार और हत्या, भ्रूण-हत्या तथा शिशु-हत्या। इसी प्रकार, निम्न कही जाने वाली जातियों पर अत्याचार, भारतीय भाषाओं पर अब तक बनी अंग्रेज़ी की प्रभुता, और वैचारिक असहिष्णुता की निरन्तर वृद्धि।

इनमें शिक्षा-व्यवस्था और वैचारिक असहिष्णुता के सम्बन्ध में थोड़ा स्पष्टीकरण आवश्यक है। आज हमारी शिक्षा को एक ओर बाज़ार नियन्त्रित कर रहा है जो स्वयं अनियन्त्रित है और दूसरी ओर व्यापक भ्रष्टाचार इसे नष्ट कर रहा है। आज राजकीय विद्यालय, महाविद्यालय और विश्वविद्यालय एकदम चौपट हो गए हैं, इनमें न अध्यापक पढ़ाते हैं और न विद्यार्थी पढ़ते हैं, और निजी विद्यालय बनियों की दुकानें बने हुए हैं।

जहाँ तक वैचारिक असहिष्णुता का सम्बन्ध है, वह तो हिन्दू परम्परा के नितान्त विपरीत है : और इस समय संघ परिवार के ही कुछ दल—विश्व हिन्दू परिषद् और बजरंग दल आदि—इस घटियापन के नायक हैं। यह घटियापन ईसाई और मुस्लिम परम्पराओं की विशेषता रही है, हिन्दू-परम्परा इससे ठीक विपरीत रही है। यहाँ पुराने ज़माने से वेदों के रचयिताओं को भंड, धूर्त, निशाचर कहने वाले रहे हैं, असंख्य मार्ग, असंख्य धर्म-मत, धर्म-विरोधी मत, घोर भौतिकवादी, भोगवादी मत रहे हैं। किसी भी मतावलम्बी या मत-विरोधी को यहाँ राज्य या समाज ने दण्डित नहीं किया। अभी हाल में स्वामी दयानन्द ने हिन्दुओं की समकालीन व्यापकतम परम्परा—पौराणिक परम्परा—को घोर विरोध किया, छूआ-छूत, विधवा के विवाह का वर्जन आदि अनेक कुरीतियों का विरोध किया। पौराणिक मतावलम्बियों ने उनका विरोध किया, किन्तु तर्क से, लाठी से नहीं। आज ये हिन्दुओं के रक्षक बुद्धि-हीनता की रक्षा लाठियों से करते हैं। राष्ट्रीय स्वयंसेवक संघ को यदि हिन्दुत्व की रक्षा करनी है तो इन सब आत्मा में आ बैठे दोषों की ओर ध्यान देना चाहिए, और क्योंकि यह संघ अपने को देश का भी रक्षक कहता है इसलिए इस सब में मुसलमानों और ईसाइयों को भी साथ लेना चाहिए।

सर्जना, स्वातन्त्र्य और शिक्षा

'सीखना' और 'सिखाना' क्रियाओं से जुड़ी भाववाचक संज्ञा 'शिक्षा' केवल मनुष्य के सीखने-सिखाने के अर्थ में ही रूढ़ है, यद्यपि सीखना और सिखाना पशुओं में भी होता है और दोनों के सीखने और सिखाने में काफी दूर तक अनुरूपता भी रहती है। मनुष्य की शिक्षा में एक अत्यन्त महत्त्वपूर्ण भाग, अथवा कहें आयाम, ऐसा होता है जो पशु की 'शिक्षा' से आधारभूत रूप में भिन्न होता है। यह आयाम है प्रदत्त स्थिति का अतिक्रमण करने, उपलब्ध स्थिति में अधूरापन, कमी, यथोचितता का अभाव देखने, की योग्यता देना या अर्जित करना। इसे सृजनात्मकता भी कहते हैं।

सृजनात्मकता का विशिष्ट लक्षण है ऐसी नव्यता का दर्शन या खोज जो सत्य भी हो। यहाँ 'सत्य' शब्द समस्यात्मक है, क्योंकि अधिकांशतः इसका प्रयोग बिना समझे किया जाता है। यहाँ सत्य शब्द का प्रयोग न तो पारमार्थिक है और न 'जस को तस कहना' है, बल्कि व्यावहारिक, भावनात्मक, नैतिक, धार्मिक, वैचारिक आदि परक है। उदाहरण के लिए एक राजनेता तब सृजनात्मक होता है जब वह अपने देश पर आए किसी घोर राजनैतिक संकट में उसका ऐसा समाधान देखता है जो सब को आश्वस्त कर दे और देश को उस संकट से निकाल दे। महात्मा गाँधी द्वारा भारत के स्वतन्त्रता-आन्दोलन काल में सत्याग्रह व्यवहार, धर्म और परमार्थ सबके किनारों का स्पर्श करता था, रूज़वेल्ट द्वारा दीवालिया हुए अमेरिका को संकट से निकालने के लिए प्रस्तुत समाधान, पण्डित नेहरू द्वारा अन्तर्राष्ट्रीय राजनीति में दो स्पर्धी महाशक्तियों के बीच तटस्थता का सिद्धान्त, ये सब ऐसी ही सृजनात्मकता के उदाहरण कहे जा सकते हैं। इसी प्रकार कवि की और दार्शनिक या अन्य क्षेत्रों के विचारकों की सृजनात्मकता होती है जो उपलब्ध शब्द-राशि से आगे जाकर नई शब्द-राशि के आविष्कार द्वारा भावनात्मक या वैचारिक सत्य का दर्शन करती है। मनुष्य की शिक्षा का विशिष्ट प्रयोजन इसी सृजनात्मकता को प्रेरित करना होना चाहिए।

कुछ विचारक शिक्षा का प्रयोजन 'व्यक्ति में स्वातन्त्र्य-वृत्ति जागृत करना' मानते हैं। किन्तु ऐसा कहने वाले अधिकांश लोग 'स्वतन्त्रता' शब्द का अर्थ नहीं जानते। वे इस शब्द का प्रयोग इसका अर्थ बिना समझे केवल पाठकों की भावुकता जगा कर प्रभाव जगाने के उद्देश्य से करते हैं। किन्तु एक गहरे अर्थ में यह शब्द 'सृजनात्मकता' का पर्यायवाची भी कहा जा सकता है, यद्यपि अधिकांश प्रयोगों में हमने इसे निरर्थक रूप से प्रयुक्त ही देखा है। इस प्रसंग में इसका सार्थक प्रयोग 'प्रस्तुत-प्रदत्त की जकड़न से मुक्त होकर अप्रस्तुत सत्य का साक्षात्कार करने' के अर्थ में होगा। 'शिक्षा का प्रयोजन ऐसा ही स्वातन्त्र्य देना, चेतना में स्वातन्त्र्य प्रकाशित करना है, समझ के साथ ऐसा प्रतिपादित करने वालों में जड्डु कृष्णमूर्ति और ज्याँ पॉल सार्त्र प्रमुख कहे जा सकते हैं। उनका स्वतन्त्रता से अर्थ 'संस्कारों से मुक्ति' है, यद्यपि इस 'मुक्ति' का अर्थ ये अपने-अपने ढंग से समझते हैं, इनमें कृष्णमूर्ति का सन्दर्भ आध्यात्मिक है जबकि सार्त्र का सन्दर्भ लौकिक।

कृष्णमूर्ति स्वतन्त्रता को 'समझ' के अर्थ में भी परिभाषित करते हैं—संस्कारों की समझ, धारणाओं की समझ, स्वयं की समझ, अन्य की समझ, समझ की समझ। स्वतन्त्रता की यह एकदम सही परिभाषा कही जा सकती है, क्योंकि यह समझ ही मनुष्य को 'स्व' देती है। यह स्व अभिमान या अहंकार से मुक्त होता है, इसलिए यह अन्य के 'स्व' का भी समावेशी होता है। यह जो कहा जाता है कि 'जो सब प्राणि-जगत् में अपनी समानता, या कहें अपने से सब प्राणि-जगत् की समानता, देखता है वही पण्डित है—आत्मवत् सर्वभूतेषु यः पश्यति सः पण्डितः—उसके आधार में स्व का यही रूप है—अपने स्थान पर अन्य को और अन्य के स्थान पर स्वयं को रख सकने की योग्यता। इस स्व की सिद्धि ही मनुष्य को स्वातन्त्र्य देती है। यों योग्यता के रूप में स्व की यह व्यापकता मनुष्य मात्र में सहज भी होती है, किन्तु उसका विकास अपेक्षित होता है। शिक्षा का एक उचित लक्ष्य

यह भी होना चाहिए—स्व की अहंकार से मुक्ति, स्व की उपलब्धि। इस प्रकार स्वातन्त्र्य की प्रथम और अनिवार्य शर्त स्व की अन्य से स्थानान्तरणीयता का बोध, अहंकार-मुक्ति, है।

संस्कारों, रीतियों आदि का विचार और युक्ति के बिना स्वीकार दूसरा बड़ा बंधन होता है। समाज यह बंधन व्यक्ति पर प्रायः ही आरोपित करना चाहता है और इसके लिए शिक्षा का व्यवस्थित उपयोग भी करता है। किन्तु इस बंधन और इससे मुक्ति की बात उतनी सरल और स्पष्ट नहीं है जितनी प्रथम दृष्टि में प्रतीत होती है। हम बचपन से ही एक पूर्व रचित मानसिक परिवेश में जन्म लेते हैं जिसे सांस्कृतिक परिवेश भी कह सकते हैं। सबसे व्यापक और एकदम सहज जैसा परिवेश तो भाषा ही होता है जो हमारे देखने-समझने तक के मूल आकारों-प्रकारों का निर्धारण करता है। यह भाषा हमें पूर्वप्रदत्त रूप में ही मिलती है, हम इसमें जन्म लेते हैं। उसके बाद पारिवारिक सम्बन्ध, फिर सदसद्-विचार, ये सब भी हमें पूर्वप्रदत्त मिलते हैं। इसी तरह और बहुत कुछ।

यही नहीं, हमारी आनुवंशिकता भी हमें अपने होने की पूर्वपीठिका के रूप में मिलती है, जो हमारे स्वभाव और समझ, यहाँ तक कि स्वातन्त्र्य साध सकने की योग्यता की भी बहुत दूर तक निर्धारक होती है। इस तरह संसार में इतना कुछ है जो हमें हमारे होने की पूर्वपीठिका के रूप में मिलता है। तब इसके बाहर बचता क्या है जो हम स्वयं निर्धारित कर सकते हैं? इसका उत्तर हो सकता है- द्रष्टाभाव। यह ऐसा भाव है जो किसी से निर्धारित नहीं होता और मनुष्य का विशिष्ट लक्षण है। किन्तु आनुवंशिकता को छोड़ कर, शेष सब निर्धारक ऐसे हैं जिनका होना हमारे स्वातन्त्र्य-लाभ के योग्य होने के लिए अनिवार्य होता है।

भाषा हमें विचार और भाव दोनों के आकार-प्रकार देती है और यह हमें बाहर से मिलती है, किन्तु भाषा के बिना हम न विचार कर सकते हैं, न भावन कर सकते हैं, बल्कि इसके बिना हमारा मनुष्य होना भी सम्भव नहीं होता, जो होना स्वातन्त्र्य की पूर्वापेक्षा है। प्रकटतः यह एक अन्तर्विरुद्ध स्थिति है, किन्तु वास्तव में यह ऐसी नहीं है। उदाहरण के लिए सद्-असद् के भेद की शिक्षा हमें तब मिलनी आरम्भ होती है जब हम इस भेद को समझने के योग्य नहीं होते। बाद में हम इसका अर्थ समझने की योग्यता प्राप्त कर भी सकते हैं, नहीं भी कर सकते। अब इस भेद की अन्यों से मिली धारणा बंध है (यद्यपि अधिकांश के लिए धर्म-नीति का प्रशस्त मार्ग यही बनती है) और इसी भेद के युक्ति-पूर्वक या आत्मसाक्षात् पूर्वक निर्णय की योग्यता स्वतन्त्रता है। किन्तु यह योग्यता पहले मिली धारणाओं, संस्कारों की पीठिका पर ही मिल सकती है। अब शिक्षा का कार्य ये संस्कार देना भी है इनका अतिक्रमण करने की योग्यता देना भी।

यहाँ प्रश्न हो सकता है कि शिक्षा का यह उद्देश्य क्यों होना चाहिए? क्यों गतानुगतिकता देना ही लक्ष्य नहीं होना चाहिए? इसका उत्तर होगा कि इसके बिना मनुष्य पशु के समान मानसिकता की पहली सीढ़ी पर ही पड़ा रहता और तब न उसकी सभ्यताएँ होतीं और न संस्कृतियाँ। मनुष्य ने जो इतनी समृद्ध संस्कृतियों और सभ्यताओं का विकास किया वह उसकी सृजनात्मकता ही के कारण तो है! अथवा कहें, ये उसके स्वातन्त्र्य की ही अभिव्यक्तियाँ तो हैं!

यहाँ फिर प्रश्न हो सकता है कि, तो क्या यह मनुष्य की शिक्षा-व्यवस्था के कारण है कि वह प्रायः सृजनशील रहा है? इसका उत्तर नकारात्मक ही हो सकता है। प्राचीन शिक्षा-व्यवस्थाएँ अधिकांश में ऐसी ही रही प्रतीत होती हैं जो पहले से चली आ रही धारणाओं को ही पुष्ट करती थीं—महाजनो येन गताः सः पंथः। हमारे देश में श्रुति-परम्परा, जो वेद के शब्दों के ही नहीं, स्वरों और व्यंजनों के भी यथावत् स्मरण करने को शिक्षा का मुख्य और अनिवार्य कार्य मानती थी, इसकी प्रमाण कही जा सकती है। आज की शिक्षा-व्यवस्था भी कम यान्त्रिक नहीं है। अन्यथा भी शिक्षा में दिये तो संस्कार ही जा सकते हैं। संस्कृति को 'परम्परा' का पर्याय भी माना जाता है और 'परम्परा' का अर्थ प्राचीनकाल से चली आ रही ऐसी धारणाओं का पोषण और संवर्धन होता है जिनकी प्राचीनतर कड़ियाँ श्रेष्ठतर मानी जाती हैं। किन्तु तब भी मनुष्य सदैव नवीन का सृजन करता रहा है, संस्कृतियों में कभी स्थिरता नहीं रहती, उनमें नवनिर्माण, नवचिंतन होते ही रहते हैं। किन्तु यह भी सही है कि सभी

संस्कृतियाँ क्रमशः पुरानी भी पड़ती हैं, उनमें सृजनात्मकता की परम्पराएँ क्रमशः क्षीण होती हैं और अन्त में वे मृतवत् पड़ी रहती हैं। किन्तु परम्पराओं की स्थिरता ही नहीं, उनकी गतिशीलता भी यान्त्रिक हो सकती है और समाज को अस्थिरचित्तता दे सकती है। आधुनिक यूरोप और अमेरिका इसके स्पष्ट उदाहरण प्रस्तुत करते हैं। यह दूसरी स्थिति सृजनशीलता और स्वातन्त्र्य के उतनी ही प्रतिकूल कही जा सकती है जितनी पहली।

लेकिन सृजनशीलता और स्वातन्त्र्य वांछनीय हैं और इसलिए शिक्षा–व्यवस्था ऐसी ही होनी चाहिए जो इनको प्रेरित करे, इसमें विवाद के लिए कोई अवकाश नहीं हो सकता। पर यह व्यवस्था कैसी हो, यही निश्चित करना समस्यात्मक है। संस्कार, प्रतिष्ठित मत, रीति–रूढ़ियाँ विद्यार्थी के ऊपर लादी नहीं जाएँ, यह ठीक है, किन्तु बच्चे की शिक्षा का आरम्भ तो इन्हीं के साथ होगा! भाषा का ही उदाहरण लें। पहले तो बच्चे को भाषा के शुद्ध प्रयोग को ही सीखना पड़ेगा। शिक्षक आगे जाकर भी विद्यार्थी को भाषा के प्रतिष्ठित व्याकरण के साथ खिलवाड़ करना नहीं सिखा सकता। इस 'खिलवाड़' का अधिकार तो ऐसे विरले लोगों को ही मिलता है जो भाषा के प्रचलित प्रयोग के विज्ञ हों। किन्तु यह 'खिलवाड़' सिखाना शिक्षण–संस्थाओं का कार्य नहीं हो सकता। फिर इसका उपाय क्या है? वास्तव में इसका सबसे कारगर उपाय तो समाज की मानसिकता होता है। इसका बड़ा विचित्र प्रकार का उदाहरण आधुनिक काल से पहले तक का भारत प्रस्तुत करता है।

भारत में किसी भी मत का विरोध करने की स्वतन्त्रता थी। वैदिक कर्मकाँड का तिरस्कार उपनिषद्–काल में ही आरम्भ हो गया था, उसके तुरन्त बाद ही बौद्धों और जैनों के द्वारा वैदिक–औपनिषद मत का खण्डन आरम्भ हो गया था। किन्तु इस स्वतन्त्रता के साथ ही अपनी–अपनी विचार–परम्पराओं में पारम्परिक निष्ठा भी थी, यहाँ तक कि बौद्ध के घर में बौद्ध, जैन के घर में जैन और वैदिक के घर में वैदिक ही जन्म लेता और मरता था। इस तरह यह परम्परा–बंधन और परम्परा–मुक्ति का विचित्र मिश्रण था। इन्हीं परम्पराओं में अपनी परम्परा छोड़ कर दूसरी परम्पराओं में जाने वाले भी पैदा होते थे। आज के भारत में यूरोप के अनुरूप परम्परा–हीनता की प्रवृत्ति क्रमशः बढ़ रही है। यह प्रवृत्ति स्वतन्त्रता–दायिनी है, सृजनात्मकता–दायिनी है, ऐसा तो शायद कोई नहीं कहगा। किन्तु तब क्या उपाय है?

शिक्षा का अर्थ और उद्देश्य

'शिक्षा' शब्द मनुष्य के सीखने-सिखाने के अर्थ में ही रूढ़ है, यद्यपि सीखना-सिखाना पशुओं में भी होता है। पशुओं का सीखना-सिखाना शारीरिक या सांवेगिक अभ्यासमूलक होता है जबकि मनुष्य की शिक्षा मन और बुद्धिमूलक होती है। चेतना के ये दो बहुत भिन्न स्तर हैं। ऐसा नहीं है कि पशुओं में बुद्धि नहीं होती, बहुत होती है, किन्तु वह जैव प्रयोजनमूलक उपाय-बुद्धिमात्र होती है, और वह भी अधिकांशत: आनुवंशिक होती है, स्वतन्त्र विचारमूलक नहीं होती। मनुष्य की चेतना का वैशिष्ट्य उसके आत्मचेतन होने में है और यह वैशिष्ट्य उसकी बुद्धि को भी नितान्त भिन्न रूप दे देता है। इस चेतना और इस बुद्धि के कारण ही मनुष्य में भाषा का आविर्भाव हुआ और भाषा के माध्यम से ऐसी अर्थ-राशियों का जिनसे सदसद्-विवेक, शास्त्र और विज्ञान तथा काव्य और कलाएँ ये सब सम्भव हुए। अब, कहा जा सकता है कि शिक्षा का उद्देश्य मनुष्य को इन सब में दक्षता देना है। शिक्षण संस्थाएँ यही करने का प्रयत्न करती भी हैं। किन्तु तब भी शिक्षा के उद्देश्य को लेकर कोई ऐकमत्य नहीं है। कुछ लोग शिक्षा का उद्देश्य तीन आर्स (रीडिंग, राइटिंग, रिथमैटिक- पढ़ना, लिखना और गणित) सिखाना ही मानते हैं, कुछ दूसरे इसका उद्देश्य चरित्र-निर्माण मानते हैं। यहाँ आपत्ति हो सकती है कि यद्यपि लिखना, पढ़ना, गणित और चरित्र (सदसद्) आत्मचेतना को पूर्वमान्य करते हैं : चेतना के आत्मचेतन होने पर ही ये सब सम्भव हो सकते हैं : किन्तु ये सब सिखाये इस प्रकार भी जा सकते हैं जैसे पशु को सिखाया जाता है—अभ्यास के द्वारा। कहते हैं कौरव-पाण्डव जब शिक्षा के लिए द्रोणाचार्य के आश्रम में गए तो उन्हें पहले दिन पढ़ाया गया—सत्यं वद, धर्मं चर, स्वाध्यान्मा प्रमदः—सत्य बोलो, धर्मपूर्वक आचरण करो और स्वाध्याय में कभी आलस्य नहीं करो। अगले दिन युधिष्ठिर के सिवाय यह पाठ सब ने सुना दिया। युधिष्ठिर यह पाठ जब आगे तीन दिन भी नहीं सुना पाये तो गुरु ने उन्हें डांटा। इस पर युधिष्ठिर ने उत्तर दिया कि "ये वाक्य याद करने के लिए थोड़े ही हैं, ये तो जीवन में अपनाने के लिए हैं। मैं अभी तक अपने को इसके लिए तैयार नहीं कर पाया था, इसलिए आपको नहीं सुना सका।" यह ठीक है। विधि-वाक्य सीखने-सिखाने का तो यही अर्थ होना चाहिए। किन्तु इसका एक और पक्ष भी है जो इससे भी पहले आना चाहिए, और वह है यह जिज्ञासा कि 'क्यों सत्य ही बोलना चाहिए, असत्य नहीं बोलना चाहिए?' आदि। सदसद्-विवेक में दो पक्ष हैं—'क्या सद् है और क्या असद्' यह भेद-ज्ञान, और 'क्यों सद् सद् है और असद् असद्' यह विमर्श। इनमें पहला पक्ष जबकि दूसरे पक्ष के ज्ञान : विमर्श से निर्णय : को पूर्वगृहीत करता है, शिक्षा में दूसरा पक्ष बाद में सीखने के लिए स्थगित रखा जाता है और वास्तव में तो यह कुछ थोड़े से लोगों, जिन्हें दार्शनिक कहते हैं, के लिए छोड़ दिया जाता है और शेष लोग इस पर अपनी शक्ति का 'अपव्यय' नहीं करते। किन्तु मात्र अभ्यास और मात्र विमर्श के बीच की भी एक स्थिति होती है—सहज समझ या सहज ज्ञान की, जिसमें हम मूलगामी तर्क-वितर्क के बिना भी सद् और असद् को पहचान सकते हैं। कहा जा सकता है कि शिक्षा का कार्य विमर्श-बुद्धि का विकास भी होना चाहिए, किन्तु उससे अधिक इनको पहचानने वाली सहज बुद्धि का उद्‌बुद्ध करना होना चाहिए। इस सहज बोध के बिना तो धर्म और औचित्य जैसे विषयों में हमें विमर्श भी कुछ नहीं दे सकता, वह केवल भटका ही सकता है। यही बात पढ़ने, लिखने और गणित के सम्बन्ध में भी सही है। इनके ज्ञान का अर्थ अभ्यास से आरम्भ कर इनसे व्यंग्य अर्थ-राशियों को 'देख सकने' और नयी अर्थ-राशियों को सरजने की योग्यता प्राप्त करना होता है।

किन्तु शिक्षा इस प्रकार भी दी जा सकती है कि विद्यार्थियों में अभ्यास-वृत्ति बढ़े और इस प्रकार भी कि उनमें दृष्टि : तत्त्वों को देखने की योग्यता : उद्‌बुद्ध हो। हमारे देश में शिक्षा का रूप अधिकांशत: प्रथम प्रकार का ही रहा है। अन्य देशों में इससे कोई भिन्नता है, यह कहना कठिन है। यह बात दूसरी है कि पहले के और आज के समाजों में गति और अभिवृत्ति का अन्तर है—पहले के समाजों में एक स्थिरता और पारम्परिकता अधिक थी

और आज के समाजों में परिवर्तन बहुत तीव्र गति से हो रहे हैं। इसी के अनुरूप पहले की शिक्षा ओर आज की शिक्षा में एक अन्तर भी दिखाई देता है। आज शिक्षा में भी परिवर्तन की गति तीव्र है। किन्तु आज समाज में परिवर्तन की गति का मूल चेतना में नहीं हो कर बाह्य उपकरणों के आविष्कारों में है, इसी से शिक्षा में भी परिवर्तन नयी दृष्टि के रूप में नहीं होकर पाठ्य-विषयों में परिवर्तन के रूप में ही हो रहा है—कभी डॉक्टरी के लिए अधिक दौड़ लगती है तो कभी इंजीनियरी के लिए, कभी कम्प्यूटर के लिए तो कभी लोक-प्रशासन के लिए। किन्तु यदि कहें कि समाज और शिक्षा में इस गतिशीलता से समाज में और शिक्षा में अभ्यास-वृत्ति के बजाय दृष्टि की सृजनात्मकता भी अधिक बढ़ रही है तो यह एकदम ग़लत होगा। यों तो पारम्परिकता से आभ्यासिकता की ही वृद्धि होनी चाहिए और परिवर्तनशीलता से आभ्यासिकता में कमी, किन्तु इससे दृष्टि का पैनापन भी बढ़े, ऐसा कोई नियम नहीं है। इससे समाज के पैर भी उखड़ सकते हैं और एक बदहवासी उत्पन्न हो सकती है। आज वास्तव में यही हो रहा है। दृष्टि की उद्‌बुद्धता के लिए चेतना में आत्मोन्मुखता, आत्म-मनन, आत्म-विमर्श की वृत्ति की अपेक्षा है जो वृत्ति मनुष्य को पशु से अलग करती है, मात्र पारम्परिकता और गतिशीलता का भेद तो वैसा ही है जैसा जुगाली करने वाली पाशव चेतना और झटपट मांस चबा लेने वाली पाशव चेतना का। एक बार मेरे एक मित्र अमरीका हो कर आये तो वहाँ के समाज की प्रशंसा में कहने लगे कि वहाँ लोग दफ्तरों और फैक्ट्रियों आदि में सप्ताह के पाँच दिन 12-12 घंटे कड़ी मेहनत करते हैं और फिर दो दिन क्लबों, पिकनिक स्थलों में मौजमस्ती करते हैं। इस पर मैंने उनसे पूछा, "वे सोचते कब हैं?" इसका वे कोई उत्तर नहीं दे पाये। किन्तु यह प्रश्न उन्हें निरर्थक नहीं लगा। मुझे उनके उस जीवन-विधि के वर्णन से सचमुच बड़ा आतंक महसूस हुआ था, यद्यपि जुगाली-वृत्ति के हमारे समाज से भी मुझे भयानक कोफ्त होती है। आज के समाज अमरीका के अनुकरण पर इसी बदहवास गतिशीलता की ओर जा रहे हैं—कार्य-कार्य-कार्य और आविष्कारों पर आविष्कार। किन्तु यह कार्यपरायणता किसलिए? अधिक मौज-मस्ती का सामान पैदा करने के लिए? कार्य-परायणता तो पहले भी थी, कर्मठता का ही आदर था। विद्यार्थी के लिए कठोर ब्रह्मचर्य का जीवन कठोर कार्यपरायणता का जीवन भी था। लोग कूलरों और हीटरों के बिना काव्यों, कलाकृतियों और शास्त्रों की रचना कठोर परिश्रम से ही करते थे, स्त्रियाँ चूल्हे-चौके के अतिरिक्त चरखा, चक्की, ओखली आदि के कार्य भी करती थीं। वह सब कार्य ही था और कठोर कार्य। किन्तु कार्य का वह रूप आत्ममननात्मकता के विपरीत वृत्ति का नहीं था। इसके अतिरिक्त वह मनोरंजन के तारतम्य में भी था, उससे कटा हुआ नहीं था। आज के कार्य का रूप मननात्मकता से एकदम विपरीत वृत्ति का है और मनोरंजन से कटा हुआ है। इसलिए इसमें सृजनात्मकता के लिए भी वैसा अवकाश नहीं है।

इस पर आपत्ति की जा सकती है कि हमारा उपर्युक्त विवेचन अंशतः तो ठीक है किन्तु अधिकांशतः ठीक नहीं है, क्योंकि पारम्परिकता चिन्तन को भी स्थिर सरणियों में डाल देती है। पहले जैनों के घर जैन, बौद्धों के बौद्ध और वैष्णवों के वैष्णव ही पैदा होते थे। इतना ही नहीं, नैयायिकों के शिष्य नैयायिक, वेदान्तियों के वेदान्ती और शैवों के शैव ही होते थे। इसी प्रकार, काव्य में वही उपमाएँ और रूपक प्रयुक्त होते रहते थे। आज ऐसा नहीं है। यह सही है, किन्तु आज पश्चिम में प्रत्येक दशक में नये सिद्धान्त पुराने पड़ जाते हैं और काव्य में अभिव्यक्ति-रूप और वर्ण्य विषय पुराने पड़ जाते हैं। भारतीय काव्य तक में युग दशकों में आ कर सीमित हो गए हैं। यह परिस्थिति सृजनात्मकता की सूचक नहीं है बल्कि जड़ गति की सूचक है, क्योंकि इसमें नया किसी अन्तर्दृष्टि से उद्भूत या दृष्ट नहीं हो कर बाह्य परिस्थितिजन्य और अनास्थाजन्य है। आज की नित्य नवीनता एक ओर यान्त्रिकीय आविष्कारों से जनित है और दूसरी ओर स्वयं नवीनता को ही मूल्य मान लेने की भ्रान्ति से जनित। इस पर कहा जा सकता है कि वैज्ञानिक आविष्कारों का मूल भी तो चेतना में ही होता है, ये कोई चेतना से स्वतन्त्र बाह्य प्राकृतिक आयोजन नहीं होते! यह सही है, किन्तु यहाँ यह द्रष्टव्य है कि यह चेतना स्वयं बाह्यतः नियोजित चेतना है, नवीन सत्य की साक्षात्कारी चेतना नहीं है। अवश्य विज्ञान के आरम्भिक आविष्कारों में चेतना की वृत्ति नये सत्य के दर्शन की ही थी, किन्तु पीछे यह वृत्ति निरन्तर यन्त्राश्रित ही होती चली गई। आज आविष्कार स्वयं प्रौद्योगिकी का रूप ले चुके हैं इसके अतिरिक्त कि ये अब प्रतिभामूलक नहीं रह कर विशाल प्रयोगशालाओं में

अस्तित्व में आते हैं जिनमें व्यक्ति पुर्जों के जैसे काम करते हैं। जहाँ तक नवीनता का प्रश्न है, यह आज स्वयं में मूल्य और प्रमाण बन चुकी है। आज आपको यदि जीना है तो दूसरों से भिन्न कुछ घड़ कर ही जी सकते हैं। स्वभावत: इस नयेपन में अन्वेष्य सत्य नहीं होता बल्कि प्रतीति ही होती है। साहित्य तक में आज नये प्रयोगों की बात सुनते हैं, जिनका साध्य वैचित्र्य ही होता है, नये अर्थ-लोकों का उद्घाटन या पूर्व दृष्ट अर्थों में गहनतर अन्तर्दृष्टि नहीं होती। यही बात दर्शन या अन्य शास्त्रों-विज्ञानों में भी देखी जा सकती है। किन्तु यह गतिशीलता किस प्रकार आध्यात्मिक गति-हीनता या अधोगति की प्रापक है यह हम आज के मनुष्य के अनुसरणों और अभीप्साओं को देख कर अनुमान कर सकते हैं। विज्ञान और यान्त्रिकी के क्षेत्र में अवश्य आज निरन्तर और तीव्र गति से प्रगति हो रही है, किन्तु यह एक बहुत बड़ी कीमत चुका कर– मनुष्य द्वारा अपने को अपने से बाहर रखने की कीमत पर। गति प्राचीन युगों में भी थी, किन्तु उसका क्षेत्र दूसरा था। उसके क्षेत्र अतिप्राकृतिक-अलौकिक विज्ञान और आध्यात्मिक विद्याएँ और साधनाएँ थीं। यह हम यद्यपि प्राय: सभी प्राचीन संस्कृतियों में देख सकते हैं किन्तु कम से कम भारत में तन्त्र, फलित ज्योतिष और योग की विभिन्न शाखाओं के विकास के रूप में एक ओर और धार्मिक तथा आध्यात्मिक दृष्टियों के रूप में दूसरी ओर यह गतिशीलता निरन्तर देखी जा सकती है। किन्तु क्योंकि गतिशीलता के ये क्षेत्र बाह्य नहीं होकर अलौकिक और भीतरी हैं इसलिए उन युगों में हमें समाज में बाहरी पक्षों में गति-हीनता जैसी ही दिखायी देती है। किन्तु उसे गति-हीनता कहना केवल एक प्रकार की दृष्टि-हीनता का द्योतक ही कहा जायेगा।

मनुष्य के इन अन्वेषणों और पर्येषणाओं में दिशा-भेद के अनुसार उसकी शिक्षा की धारणा में भी भेद दिखायी देता है। प्राचीन युगों में शिक्षा अनिवार्यत: लिखने-पढ़ने से सम्बन्धित नहीं थी और इस प्रकार विद्यालय उसके एकमात्र केन्द्र नहीं थे जिस प्रकार आज हैं। उदाहरण के लिए व्यावसायिक शिक्षा के लिए विद्यालय नहीं थे। उस प्रकार की शिक्षा के लिए दूसरी व्यवस्थाएँ थीं और वे कोई कम कुशल-व्यवस्थाएँ नहीं थीं। यही बात कलाओं की शिक्षा के सम्बन्ध में कही जा सकती है। आज शिक्षा जैसे व्यवसाय से जुड़ गई है वैसा पहले कभी नहीं था। इसके प्रमाण रूप में स्त्रियों को पढ़ाने के विरुद्ध दी जाने वाली यह युक्ति प्रस्तुत की जा सकती है कि 'उन्हें कोई सर्विस नहीं करानी है तो उन्हें पढ़ाने की क्या आवश्यकता है?' आज उन्हें 'शिक्षा' इसलिए दी जा रही है कि वे आर्थिक रूप से आत्मनिर्भर हो सकें। किन्तु क्या शिक्षा का यह उद्देश्य और अर्थ 'मनुष्य की शिक्षा' का व्यावर्तक लक्षण कहा जा सकता है? चिड़िया अपने बच्चों को उड़ना सिखाती है, इसी प्रकार वह भोजन की व्यवस्था करना और जीवन-रक्षा के दूसरे उपाय भी सिखाती होगी—जहाँ तक उन्हें ये सिखाने की आवश्यकता होती है। मनुष्य की शिक्षा की यह विषयवस्तु जटिल और विकसित है इसलिए उसके लिए उसे जटिल व्यवस्थाएँ करनी पड़ती हैं। किन्तु शिक्षा के इन दोनों रूपों में उद्देश्य की दृष्टि से, या इनकी प्रकृति की दृष्टि से, कोई अन्तर नहीं कहा जा सकता। यह शिक्षा उन्हें जीवन के संघर्ष के योग्य बनाने के लिए ही होती है, जो उद्देश्य कि पशुओं की 'शिक्षा' में भी रहता है। तब मनुष्य की शिक्षा के उद्देश्य का वैशिष्ट्य क्या हो सकता है? यह वैशिष्ट्य मनुष्य के पशु से वैशिष्ट्य के अनुसार ही होना चाहिए। मनुष्य का वैशिष्ट्य धर्म-बोध, औचित्यानौचित्य-विवेक और काव्य तथा शास्त्र में प्राज्ञता का अर्जन आदि में देखा जाता है, इसी में मानव-शिक्षा का वैशिष्ट्य हो सकता है—मनुष्य को मनुष्यता में श्रेष्ठतर बनाना। इस पर आपत्ति हो सकती है कि धर्माधर्म-विवेक सिखाना विशेष रूप से विद्यालयों का कार्य नहीं हो सकता, यह तो सबसे पहले माता-पिता का और पीछे सभी का परस्पर है! जब शिक्षा की बात की जाती है तब तो विद्यालयी शिक्षा की बात ही की जाती है और विद्यालयों में तो काव्य-शास्त्र और विज्ञान-व्यवसाय आदि में प्राज्ञता देना ही लक्ष्य हो सकता है।

यह सही है, किन्तु धर्माधर्म-बोध, औचित्यानौचित्य-विचार भी साधारण स्तर से लेकर उच्च से उच्चतर स्तरों का हो सकता है। इस बोध में उत्कर्ष देना भी शिक्षा का एक ऐसा उद्देश्य होना चाहिए जो अन्य सब प्रकार की शिक्षा का सहगामी हो, क्योंकि कोई अच्छा वैज्ञानिक, अच्छा काव्यशास्त्री, अच्छा दार्शनिक आदि होने के साथ धर्म-बोध और औचित्य-बोध में बहुत क्षीण हो सकता है और क्षीणता उसे बहुत हीन स्तर का मनुष्य बना

देती है। इसे शिक्षा का आधारभूत उद्देश्य कहा जा सकता है। एक शिक्षा का 'आधारभूत गुण' कहा जा सकता है जो सब विषयों की शिक्षा में रहना चाहिए। वह है 'आत्मचेतना का गुण'। इससे यहाँ हमारा अभिप्राय है- सब प्रतिपादनों, स्थापनाओं, कथनों को स्वीकार करने से पहले उनके लिए युक्ति की जिज्ञासा करना। जैसे-विज्ञान के सम्बन्ध में यह जिज्ञासा कि विज्ञान क्या है? फिर इसके उत्तर के सम्बन्ध में यह जिज्ञासा कि यह क्यों ठीक है? आदि!

इन दो—आधारभूत उद्देश्य और आधारभूत गुण—में प्रथम के सम्बन्ध में यहाँ प्रश्न हो सकता है कि यह विद्यालयीय शिक्षा का भाग कैसे हो सकता है? इस शिक्षा का प्रथम पाठ तो आचरणमूलक होता है, तर्क और विमर्शमूलक नहीं। आचरण 'पढ़ाया' नहीं जा सकता। अवश्य कथा-कहानियों के माध्यम से यह एक सीमा तक पढ़ाया भी जा सकता है, किन्तु यदि घर के बड़ों का और शिक्षकों का आचरण उसके विरुद्ध होगा तो बच्चा क्या सीखेगा? इसका उत्तर हो सकता है कि यदि शिक्षक पढ़ाने में कुछ और बताता है, या कहानियों में विद्यार्थी कुछ और पढ़ता है, और आचरण शिक्षक कुछ और करता है तो पहले तो शिक्षक स्वयं से ही गर्हित हो जायगा, और फिर शिष्य यह देख सकेगा कि शिक्षक गर्हणीय है। इसलिए धर्माधर्म और औचित्यानौचित्य के विवेक की शिक्षा विद्यालयीय शिक्षा का भी महत्त्वपूर्ण भाग होना चाहिए। किन्तु इसके लिए धर्म-शिक्षा की अलग से घंटी नहीं होनी चाहिए, बल्कि यह पाठ्य-क्रम में बहुत सूक्ष्म रूप से अन्तर्गत बोध के रूप में रहना चाहिए। किन्तु यहाँ यह चेतावनी आवश्यक है कि यह शिक्षा आलोचना-बुद्धि को कुंठित करने वाले विश्वास के रूप में नहीं देकर इस बुद्धि को जगाते रहने के साथ देनी चाहिए। धर्म और औचित्य-विचार में यह बड़ा दोष रहा है कि इन्हें आलोचना-बुद्धि से दूर आस्था के साथ जोड़ा जाता रहा है। यह बहुत बड़ी भ्रान्ति है। धर्म से अधिक तर्क-सम्मत दूसरा कुछ क्या हो सकता है? जिस तर्क से धर्म की आचरणीयता और अधर्म की अनाचरणीयता सिद्ध नहीं होती तो यह दोष उस तर्क का ही कहा जाएगा। दूसरी ओर, जो धर्म-मत तर्क से सम्मत नहीं है उस धर्म-मत में कोई दृष्टि-दोष है, यह मानना चाहिए।

संस्कृति, शिक्षा और राजनीति

मनुष्य का सामाजिक व्यवहार अधिकांशतः स्वार्थमूलक उपयोगिताओं से नियोजित होता है, यद्यपि यह साधारणतः विधि-निषेधों के दो तटों के बीच ही प्रवाहित होता है, जो सार्वजनिक हिताहित की विचार-परम्परा से निर्मित होते हैं। किन्तु इन विधि-निषेधों के प्रति उसकी कोई प्रतिबद्धता नहीं होती, वह यथावसर इनका उल्लंघन भी करता रहता है, यह जानते हुए कि ऐसा वह अनुचित कर रहा है। विधि-निषेधों के तट सामाजिक परम्परा कहे जा सकते हैं। इनका मूल अन्ततः समाज की उस तत्त्व-दृष्टि में होता है जो उस समाज की सांस्कृतिक परम्परा की आधार होती है। 'सामाजिक परम्परा' और 'सांस्कृतिक परम्परा' में यह भेद है कि प्रथम परम्परा येन-केन-प्रकारेण अस्तित्व में आए व्यवहार के नियमों से निर्मित होती है जो रूढ़ि बन जाते हैं, हालांकि इनका रूप-गुण समाज की उस चेतना से ही निर्धारित होता है जिसे उस समाज की सांस्कृतिक दृष्टि कहा जाता है। इसके विपरीत सांस्कृतिक परम्परा सृजनात्मक विचार और आत्म परामर्श की परम्परा होती है, किन्तु यह परम्परा किसी समाज के इतिहास में सतत प्रवहमान नहीं रहती, उसमें अवरोध के सुदीर्घ अन्तराल भी आते हैं और पुनः गतिमानता के युग भी। इन अवरोधों और अवरोध-भंगों के क्या कारण रहते हैं इस पर यहाँ विचार अवांतर होगा, किन्तु ऐसा होता है यह निर्विवाद है। ये अवरोध और अवरोध-भंग सामाजिक रूढ़ियों में भी परिलक्षित होते हैं। सांस्कृतिक अवरोध-भंग के युगों में सामाजिक रूढ़ियाँ भी आलोच्य बनती हैं और इससे उनमें भी परिवर्तन घटित होते हैं। कई बार इसके विपरीत सामाजिक रूढ़ियों में आ गई सड़ाँध की प्रतिक्रिया भी सांस्कृतिक अवरोध-भंग और गतिशीलता की कारण बनती है और तब सामाजिक आत्मालोचन सांस्कृतिक परिवर्तन को भी प्रेरित करता है। कोई समाज सजीव है, इसका पता अवरोध-भंगो से विशेष चलता है, किन्तु सामाजिक रूढ़ियों का भंग सांस्कृतिक क्षय से भी होता है और सामाजिक विशृंखलता का हेतु बनता है। सामाजिक क्षय का यह रूप सांस्कृतिक तंद्रा-जन्य क्षय से अधिक भयावह होता है, क्योंकि यह सन्निपात या स्नायविक ज्वर जैसी स्थिति है।

हम मानव-व्यक्तियों के अनेक रूप और अनेक स्तर देखते हैं। जबकि कुछ व्यक्ति दैहिक-ऐंद्रिक अर्थों तक ही सीमित मिलते हैं और इस प्रकार आजीविकोपार्जन आदि में ही व्यस्त रहते हैं, दूसरे कला, विज्ञान, दर्शन या अध्यात्म-साधना आदि के उच्च शिखरों पर आरूढ़ दिखाई देते हैं। ये चेतना के ही विकास के रूप और सोपान हैं। विकास के ये ही सोपान सहस्त्रों वर्षों से आदिम स्तर पर रुकी सभ्यताओं से लेकर अन्तःप्रज्ञा और सम्बोधि के आर्ष-शिखरों पर आरूढ़ अथवा यन्त्र-कौशल से ग्रहों-नक्षत्रों तक विचरण करती सभ्यताओं के रूप में लक्षित होते हैं। किन्तु इस विकास से कहीं अधिक महत्त्वपूर्ण चेतना में एक और आयाम का विकास है जो अन्य आयामों और विकासों का मूल्यांकन करता है। इसे विवेक कहते हैं—सदसद् का विवेक, युक्तायुक्त का विवेक, उच्चावच का विवेक। इस विवेक का विषय बाह्य नहीं होकर स्वयं अपनी ही प्रवृत्तियाँ और अभीप्साएँ होती हैं। इस कारण दैहिक के अतिरिक्त चेतना का अन्य कोई आयाम भी है, यह देखने में असमर्थ लोग इसे निराधार और कल्पना मात्र मानते हैं। किन्तु यह विवेक उसी चेतना में उद्भूत होता है जिससे उपकरण, यन्त्र और भवन आदि उद्भूत होते हैं, जिससे इनके निर्माण का तर्क उद्भूत होता है। इस तरह या तो यह सम्पूर्ण मनुष्यरचित लोक ही कल्पना है या यह विवेक भी कल्पना नहीं है, यह वास्तविक दर्शन है। इस दर्शन में ग़लती हो सकती है और इसके विकास के स्तरों में भी भेद हो सकता है, किन्तु यह दर्शन, विवेक की योग्यता, चेतना की उतनी ही वास्तविक उपलब्धि है जितनी वास्तविक यन्त्र-विज्ञानपरक उपलब्धियाँ। केवल यह उपलब्धि अधिक आधारभूत और इसकी प्रामाणिकता अधिक दुस्साध्य होती है, क्योंकि इसका विषय उस मनुष्य का अपने स्वरूप का अनुसंधान और अपनी वृत्तियों का नियोजन होता है जो यन्त्रों का निर्माण करता है और साधन-सम्पदा का संग्रह करता है। सब साधन-सम्पत्, सब यन्त्र और उपकरण तब व्यर्थ या विपरीत हो सकते हैं यदि वे मनुष्य की

उस अभीप्सा के विपरीत हों जिसकी पूर्त्ति के लिए वह इनका आयोजन और संग्रह करता है, और स्वयं यह अभीप्सा भी अपने स्वयं के विपरीत हो सकती है, कलिंग विजय के बाद अशोक ने यह जाना था। इसी आधारभूत विवेक में प्रतिष्ठित होकर यन्त्र-विज्ञान को मनुष्य की महानतम उपलब्धि मानने वाली सभ्यता को गाँधी जी ने चेताया था। किन्तु कौनसी अभीप्सा यथा-अर्थ है और कौनसी अयथा-अर्थ, यह मनुष्य के लिए सहजगम्य नहीं होता। यह परम गुह्य तत्त्व है और विवेक के लिए सबसे बड़ी चुनोती। किन्तु विवेक की यह चूक मनुष्य के लिए बड़ी महंगी हो सकती है, क्योंकि यह उसके सम्पूर्ण जीवन को ही लक्ष्य-भ्रष्ट रख सकती है। अब, व्यक्ति-जीवन जहाँ प्रायः ही इस प्रश्न को टालकर प्रवृत्त रहता है, संस्कृतियाँ इसी प्रश्न के साथ प्रवृत्त होती हैं और इसके उत्तर का अनुसंधान करती हैं। वास्तव में विभिन्न संस्कृतियों को यथा-अर्थ अभीप्सा के अनुसंधान के विभिन्न प्रयोग और प्रयत्न भी कहा जा सकता है। इन प्रयोगों में कौन-सा सही है या ग़लत है, अथवा अधिक सही है या कम सही है, यह निर्णय करना उतना दुष्कर नहीं होने पर भी जितना यह प्रतीत होता है, इस कारण तो दुष्कर होता ही है कि इसके तर्क को देख पाने की दृष्टि अन्न-प्राण-मनोमय कोशों से विज्ञानमय कोशाभिमुख होने की अपेक्षा रखती है, जो अभिमुखीनता अत्यंत दुस्साध्य होती है।

यहाँ यह ध्यातव्य है कि यद्यपि संस्कृतियाँ परिभाषित अपनी तत्त्व-दृष्टि, या कहें परमार्थ-दृष्टि, से ही होती हैं, किन्तु वे उतनी मात्र नहीं होतीं, क्योंकि उनका अस्तित्व मनोमयस्तरीय होता है और उस स्तर का आत्मविमर्श भी, ऊर्ध्वाभिमुख नहीं रहने पर भी, सांस्कृतिक ही होता है। इस प्रकार शास्त्र, साहित्य और कलाएँ इसी की अंग होती हैं, यदि वे अन्न-प्राणमय कोशाभिमुख होती हैं तो भी। और कलाओं में बहुत बार ऐसी वृत्ति देखी जाती है। इसमें काम और अर्थ का विमर्श अधिकांशतः पौरुषिक अर्थता को खोकर अपुरुषोचित अर्थान्वेषी हो जाता है। इसे आप अपसंस्कृति कह सकते हैं, किन्तु परिगणित यह संस्कृति के अन्तर्गत ही होता है। हमारे इतिहास के काव्य और कलाओं में तो बहुत बार ऐसे चरण आए हैं, धर्म और दर्शन में भी आए हैं, तन्त्र के कुछ सम्प्रदाय और वाम मार्ग इसके उदाहरण रूप में देखे जा सकते हैं। इधर पश्चिम के कला-क्षेत्रों में यह दृष्टि या दृष्टिहीनता पर्याप्त मात्रा में परिलक्षित हो रही है और उसके पीछे वैसी तत्त्व-दृष्टि का समर्थन भी है। उदाहरणतः अभी पीछे इंग्लैण्ड की एक चित्रकला-प्रदर्शनी में प्रयोग किये हुए कोंडोम और मैथुन के रक्त और वीर्य से लिथड़ी चादरें कला-कृतियों के रूप में रखी गई थीं। इसे वे 'कला में याथार्थ्य' कहते हैं, जो उनके यथार्थ विषयक सिद्धान्त का कला में अनुवाद है। इसके उदाहरण सिनेमा में भी भरपूर देखने को मिलते हैं। किन्तु द्रष्टव्य है कि पाश्चात्य कला में ये प्रवृत्तियाँ भारतीय कला और धर्म में ऐसी प्रवृत्तियों के अनुरूप नहीं हैं, बल्कि उनसे आधारभूत रूप में भिन्न हैं। भारत में जबकि इनके पीछे आध्यात्म-दृष्टि का ही विकृतीकरण या क्षरण था, पश्चिम में यह अध्यात्म-दृष्टि के भौतिक दृष्टि के पक्ष में परित्याग का परिणाम है। इसलिए भारतीय वाममार्ग जबकि अध्यात्म दृष्टिविषयक प्रयोग है, यद्यपि भ्रान्त प्रयोग ही, पाश्चात्य वाममार्ग उस संस्कृति में वाममार्ग ही नहीं है बल्कि उसकी सांस्कृतिक दृष्टि की एक स्वाभाविक तार्किक परिणति है- हालांकि निश्चय ही अनेक सम्भाव्य तार्किक परिणतियों में से केवल एक सम्भव तार्किक परिणति। किन्तु यहाँ यह उल्लेखनीय है कि मनुष्य अपनी समग्रता में किन्हीं एक सांस्कृतिक दृष्टि में निश्शेष नहीं होता। वह उसके आदर्श से न्यून और उसकी एकाँगिता से बहुत अधिक होता है। उदाहरणतः भारत में वेदांती सबसे अधिक विषयानुरक्त प्रसिद्ध हैं और यूरोप में भौतिकवाद-व्यवसायवाद के अनेक अपवाद मिलते हैं। इसी प्रकार, कोई भौतिकवाद का समर्थक होते हुए भी बहुत स्नेहशील या नैतिक हो सकता है। किन्तु तब भी प्रत्येक समाज के रूप और गुण, उसकी प्रवृत्तियाँ और अभिनिवेश, उसकी संस्कृति, अर्थात् उसकी तत्त्व-दृष्टि और पुरुषार्थ विषयक बोध, से ही निर्धारित होते हैं और उसी के अनुसार उसकी असफलताएँ, विकृतियाँ और पथ-भ्रष्टताएँ होती हैं। इस बोध-परम्परा के साथ अपना तादात्म्य स्थापित करके समाज अस्मितावान् होते हैं। निश्चय ही समाज बहुत से अन्य प्रतीकों के साथ तादात्म्य के द्वारा भी अस्मितावान् होते हैं, जैसे भू-खण्ड के साथ गुरु या धर्म-प्रवर्तक के साथ या सामुदायिक नाम आदि के साथ। किन्तु यह अस्मिता का निम्न स्तर है, वैसे ही जैसे कोई व्यक्ति देह के साथ अपना तादात्म्य देखे। अधिकांश व्यक्ति तो अधिकांशतः देह या चित्त के साथ ही अपना तादात्म्य देखते हैं। किन्तु यह आत्मा का अस्थाने दर्शन है यह कुछ व्यक्ति देख पाते हैं

और अन्य व्यक्ति उनमें विश्वास कर, उन्हें आदर्श रूप में स्थापित कर अपनी अज्ञता को स्वीकार करते हैं। महात्मा गाँधी ने भारत की आत्मा जिसमें देखी, श्री अरविन्द या विवेकानन्द ने जिसमें देखी, या श्री रामकृष्ण परमहंस और रमण महर्षि ने जिसमें देखी, हम-आप लोग उसमें नहीं देखते हैं। स्वतन्त्रता-संग्राम-काल में इस आत्मा का 'भारत माता' के रूप में मूर्त्तीकरण हुआ और अधिकांश ने इसे भौगोलिक क्षेत्र का ही मूर्त्तीकरण माना। प्रायः सभी अपनी सामाजिक और सांस्कृतिक परम्पराओं से भी गहरे में अवश्य जुड़े होते हैं और उनमें अपनी आत्मा का आधान करते हैं, जैसे राम और कृष्ण, वाल्मीकी, वेदव्यास, कालिदास और तुलसीदास एक सामान्य भारतीय के मानस में एक सहज आत्मीयता जगाते हैं, उसे उनकी बात अपनी बात लगती है, उनके सम्बन्ध में अपशब्द हमें हमारे अपने सम्बन्ध में अपशब्द लगते हैं। और वे केवल नाम नहीं हैं बल्कि बृहत् और गम्भीर अर्थों से गर्भित प्रतीक हैं। यह आत्मीयता हमारी सामाजिक आत्मा की द्योतक होती है।

यहाँ कहा जा सकता है कि यह बात हमारे मुस्लिम और ईसाई सम्प्रदायों के सम्बन्ध में नहीं कही जा सकती, न ही यह बात 'आधुनिक' कहे जाने वाले बहुत बड़े हिन्दू समुदाय के लिए कही जा सकती है, और न ही राजनीतिक नारों से उकसाये हिन्दुओं के असवर्ण समुदाय के लिए कही जा सकती है। यह सही है, किन्तु यह स्थिति इस बात की ही द्योतक है कि भारत अब एक समाज की संज्ञा नहीं है, केवल एक राजनीतिक भूखण्ड की संज्ञा है। अंग्रेज़ हमारे पर अहसान जताते हैं कि उन्होंने हमें एक अखिल भारतीय सरकार दी और हमारे विश्वविद्यालयों में अपशिक्षित बहुत-से भारतीय भी यह समझते हैं कि भारत को एकता तो अंग्रेज़ों ने ही दी है, उससे पहले भारत कोई एक देश नहीं था, छोटे-छोटे रजवाड़ों का समूह था। किन्तु वे यह नहीं देख पाते कि भारत वास्तव में तभी एक था, आज वह एक नहीं है; बल्कि तब इसका भौगोलिक विस्तार बहुत अधिक था और इसकी एकता बहुत वास्तविक थी। केवल वह एकता सांस्कृतिक थी, राज्यिकीय नहीं थी। आज राज्यिकीय रूप से अवश्य भारत एक है, जितना भी विस्तार इसका शेष बचा है, किन्तु सांस्कृतिक, दूसरे शब्दों में मानसिक और आध्यात्मिक रूप से यह खण्डखण्ड हो चुका है और आगे यह निरन्तर हो रहा है। क्या कारण है कि एक ही राज्यशासन के अधीन एकीकृत होने से पहले जो देश लगभग एक था, जिसमें मुसलमान भी क्रमशः समीकृत हो रहे थे, वह देश एक राज्यशासन के अधीन मानसिक और आध्यात्मिक रूप से क्रमशः बँट गया है और स्वतन्त्रता के बाद यह आगे और बँटता चला जा रहा है?

यहाँ कुछ लोग आपत्ति कर सकते हैं कि हम केवल हिन्दू-संस्कृति को ही देश की संस्कृति मानकर चल रहे हैं, जबकि इस देश की कोई एक संस्कृति नहीं है। इसे वे लोग 'अनेकता में एकता' और 'गंगा-यमुनी संस्कृति' जैसे नाम भी देते हैं। यह बहुत भ्रान्तिपूर्ण है। सर्वप्रथम यह द्रष्टव्य है कि मुस्लिम शासन-काल में भी बहुत-से मुसलमानों ने ब्रजभाषा में कविता करते हुए हिन्दू-सांस्कृतिक परम्परा में ही नहीं बल्कि कृष्ण-भक्ति-परम्परा में भी काव्य-रचना की थी। पाकिस्तान-समर्थक बनने से पहले मुहम्मद इकबाल ने राम की स्तुति में कविता लिखी थी, और न केवल 'हिन्दोस्तान को सारे जहाँ से अच्छा' कहते हुए गीत लिखा था बल्कि विश्वविजयी इस्लाम के 'गंगा के दहाने में डूबने' की बात भी कही थी। इसी प्रकार भारतीय शास्त्रीय संगीत के एक से एक उत्कृष्ट मुस्लिम गायक हिन्दू-देवी-देवताओं का स्तुति-गान करते संकोच नहीं करते। ये सब कोई कम मुस्लिम नहीं हैं, न ये मुस्लिम-द्रोही हैं। भारतीय मुसलमान या ईसाई धर्मनिष्ठ मुस्लिम या ईसाई रहते हुए भी भारतीय परम्परा में उसी प्रकार सम्मिलित हो सकते हैं जिस प्रकार चीन या जापान आदि के बौद्ध चीन, जापान आदि की सांस्कृतिक परम्पराओं में सम्मिलित हैं। अन्यथा आज तो कुछ सिक्ख और कुछ पिछड़ी जातियों के कहे जाने वाले हिन्दू भी अपने को अहिन्दू घोषित कर रहे हैं। इधर तो अल्पसंख्यक आयोग ने जैनों को भी अल्पसंख्यक घोषित कर हिन्दुओं से अलग करने का प्रयत्न किया था, जिसे जैनों ने अस्वीकार कर दिया। मुसलमानों और ईसाइयों के सम्बन्ध में यह तर्क दिया जाता है कि उन धर्मों के मूल सिद्धान्त में ही अन्य धर्मों की वैधता का अस्वीकार घोषित है। यह सही है और यह दुर्भाग्य की बात है, किन्तु उन धर्मों में और बहुत कुछ भी है जो मनुष्य को उदात्त बनाता है। वास्तव में किसी भी धर्म में ऐसी प्रतिपत्तियाँ आनुषंगिक होती हैं, मूलगामी नहीं

होतीं। इसी कारण रहीम, रसखान, जायसी, इकबाल और नज़रुल इस्लाम, बड़े और छोटे गुलाम अली खाँ या बिस्मिल्ला खाँ, सरहद्दी गाँधी और मौलाना आज़ाद किसी से कम मुसलमान नहीं थे।

यहाँ यह ध्यातव्य है कि कोई सही अर्थों में मार्क्सवादी होने पर बौद्ध, जैन, वैष्णव या सिक्ख नहीं हो सकता, किन्तु वह हिन्दू हो सकता है, होता ही है। यहाँ संक्षेप में हिन्दू की परिभाषा करना स्थाने होगा। यह परिभाषा निम्न श्लोक में सर्वोत्तम रूप में प्रस्तुत की जा सकती है—

> श्रुतियोऽपि भिन्ना स्मृतयोऽपि भिन्ना, नैको मुनिर्यस्य मतः प्रमाणम्
> धर्मस्य तत्त्वं निहितं गुहायां, महाजनो येन गताः सः पंथः।

पर महाजन तो श्रुतिकार और स्मृतिकार भी हैं और कुछ अधिक ही महान् हैं, और वे या दूसरे भी महाजन किसी एक ही पंथ से नहीं गए, तब उनके गमन का पंथ कहाँ से मिलेगा? ऐसे में एक ही बात शेष रह जाती है और वह है कि धर्म का तत्त्व गुहा में निहित है, गुहा अर्थात् आत्मा का अतल। इसी से अन्तिम और परं उपदेश है—आत्मपूतं समाचरेत्। इसलिए कहा जा सकता है कि वैष्णव, जैन, बौद्ध, सिक्ख आदि ही हिन्दू नहीं हैं, मुसलमान, ईसाई, जरथुस्त्री आदि भी हो सकते हैं—अपने-अपने सम्प्रदायों में रहते हुए ही, यदि वे केवल इस उदार दृष्टि को स्वीकार करके चलें। मैथिलीशरण गुप्त ने लिखा था—

> धनुर्बाण या वेणु लो श्याम रूप के संग।
> मुझ पर चढ़ने से रहा, राम, दूसरा रंग।।

और तुलसी ने कहा था—राम और श्याम तो एक ही हैं, बस मुझे उनका यह धनुर्धर रूप ही अच्छा लगता है। यही बात और आगे जाकर मुहम्मद और ईसा के प्रिय परिधानों के सम्बन्ध में भी कही जा सकती है, देखने-समझने की बात केवल यही है कि इन परिधानों को धारण करने वाला गुहा में निहित एक ही तत्त्व है। यदि आप कहें कि यदि इस बात को मुसलमान या ईसाई भाई नहीं मानें तो? हिन्दू इसका उत्तर देगा कि तो भी कोई बात नहीं, यह भी आख़िर एक पंथ ही हुआ, केवल वे यह मानें कि इस धरती पर सबको अपने-अपने ढंग से रहने का अधिकार है और प्रेम से रहें।

किन्तु इधर अपने को हिन्दुओं का प्रतिनिधि कहने वाले कुछ लोग हिन्दुत्व की यह आधारभूत बात छोड़ रहे हैं और वही मनोवृत्ति अपना रहे हैं जो मुस्लिम और ईसाई धर्मों में व्याप्त दृष्टि-दोष की कारण है। इसके लिए उनका तर्क है कि हिन्दुओं को इस उदारतावाद ने ही नष्ट किया है। अब इसमें पहली बात तो यही ग़लत है कि हिन्दू नष्ट हुए हैं। प्राचीन सभ्यताओं में चीनी के अतिरिक्त केवल हिन्दू सभ्यता ही बची है। हिन्दू पराजित केवल सैनिक पक्ष में ही हुए हैं और इसका कारण उनकी यह सांस्कृतिक दृष्टि नहीं कही जा सकती। यहाँ मैं कहना चाहूँगा कि यदि यह सांस्कृतिक दृष्टि इसकी सैनिक पराजयों की कारण हो भी तो वह पराजय भी भली। यदि दर्शन पढ़ने के कारण मैं किसी पहलवान से कुश्ती नहीं लड़ सकता तो मेरे लिए इसमें खेद की बात नहीं है। किन्तु हिन्दुओं की सैनिक पराजयों का कारण हिन्दुओं की सांस्कृतिक दृष्टि को कहने में कोई औचित्य नहीं है। महत्त्वपूर्ण बात यह है कि यह संस्कृति आज भी जीवित है, यह आज भी रामकृष्ण परमहंस, रमण महर्षि, स्वामी दयानन्द और महात्मा गाँधी जैसे अद्वितीय महात्माओं को जन्म दे सकती है।

किन्तु अपने को हिन्दुओं का रक्षक कहने वालों के लिए एक दूसरी बात है जो अधिक शोचनीय है और जिसकी ओर वे न केवल आँखें मूँदे हुए हैं बल्कि स्वयं भी उसमें सम्मिलित हैं, और वह है अंध पश्चिम-भक्ति। हम यह पहले भी अनेक बार लिख चुके हैं कि यदि कोई बाहरी जाति भारतीय संस्कृति की जड़ों पर आघात कर पाई है तो वह है यूरोप। अंग्रेज़ों ने भारत पर चौतरफा प्रहार किया—उन्होंने हमारी आर्थिक, सामाजिक और सांस्कृतिक सभी संस्थाओं को नष्ट किया और हमने न केवल वह खुशी-खुशी नष्ट होने दिया बल्कि स्वयं भी उस अभिमान में सम्मिलित हो गए। उन्होंने हमारे मन्दिर नहीं तोड़े, उन्होंने मन्दिरों के प्रति हमारी दृष्टि को बदल दिया। इसका प्रमाण यह है कि हमने उनके हमारे देश से चले जाने के बाद अपनी खुशी से उस सब को कई गुणा उत्साह

और उत्कंठा से अपनाया जितना उनके अपने प्रयत्न से नहीं हो पाया था। इस अभियान में आज अपने को हिन्दुओं का प्रतिनिधि कहने वाले उतने ही उत्साह से सम्मिलित हैं जितने उत्साह से अपने को इनका विरोधी कहने वाले सम्मिलित हैं। इन दो के आज नए नाम सेक्युलर और नॉन् सेक्युलर हैं। इन दोनों को भारतीय संस्कृति और समाज-परम्परा से कोई लेना-देना नहीं है, यदि है तो वह केवल अवांतर रूप से। उनका लेना-देना केवल उस राजनीतिक अखाड़ेबाजी से है जो आज दुराचार की पर्याय बन चुकी है। इसका प्रमाण यह है कि इन तथाकथित हिन्दू-रक्षकों के भी बच्चे अंग्रेज़ी-माध्यम विद्यालयों में ही पढ़ते हैं और ये स्वयं भी विद्यालय खोलते हैं तो अंग्रेज़ी-माध्यम विद्यालय ही खोलते हैं, और जिनका बस चलता है वे अपने बच्चों को अमरीका में ही पढ़ाना चाहते हैं। आज भी दूरदर्शन के प्रसारण उसी दिशा में अग्रसर हैं जिस दिशा में ये पहले अग्रसर थे। शिक्षा को हमने 'मानव-संसाधन' में रूपांतरित कर दिया है। स्वतन्त्रता से पहले हम अंग्रेज़ों को कोसते थे कि उन्होंने हमारे पर बाबू उत्पन्न करने वाली शिक्षा-नीति लाद दी है। हम तो उसे बदल नहीं पाए, किन्तु वह अमेरिकी प्रभाव में अपने आप से व्यापार और फैक्ट्री के लिए उपयोगी मानव-संसाधन उत्पन्न करने की दिशा में मुड़ गई है।

यह सही है कि इस तथाकथित प्रजातन्त्रवाद में कोई भी विचार लागू करने के लिए भारी बहुमत की आवश्यकता है और वह बहुमत उन लोगों का ही है जो विचारहीन हैं और जिनके संस्कार अविचार से आसानी से मिटाए जा सकते हैं। सेक्युलरिज़्म, जनवाद, मनुवाद, माइनॉरिटीवाद, वैज्ञानिक दृष्टि आदि-आदि शब्द आज हमारे पर शासन करते हैं, जिनके पीछे कोई विचार नहीं होकर स्वार्थ से सुनियोजित प्रचार मात्र है। जिस प्रकार पीछे शिक्षामन्त्रियों की सभा में सरस्वती-वंदना को लेकर हंगामा हुआ था, जिस प्रकार इधर महात्मा कबीर का जनवादीकरण हुआ और अब कुछ लोगों ने उनमें गर्हणीय ब्राह्मणवाद ढूँढ़ निकाला है, वह सब इस सारे वातावरण के रूप-गुण का द्योतक है। किन्तु इससे यह सिद्ध नहीं होता कि इनके विरुद्ध तथाकथित हिन्दू-रक्षकों के पास कोई विचार या आचार है। अवश्य व्यक्तिगत स्तर पर कुछ बहुत अच्छे और विचारशील लोग भी राजनीति में हैं, किन्तु सब मिलाकर परिस्थिति इतनी विकट हो गई है, दुर्बुद्धि और अनाचार इतने बलशाली हो गए हैं कि इसमें विचार-आचारवान् व्यक्ति नितान्त असहाय अनुभव करते हैं। जिस भयावह दलदल में आज हम बहुत गहरे धँस गए हैं उसका वास्तविक विकल्प हमारे इस नए युग में प्रवेश के आरम्भ में ही महात्मा गाँधी ने अत्यंत ठोस रूप में प्रस्तुत किया था। यूं कुछ और विकल्प भी रखे गए, जैसे स्वामी श्रद्धानन्द द्वारा गुरुकुल के रूप में, रवीन्द्रनाथ ठाकुर द्वारा शान्तिनिकेतन के रूप में और श्री अरविन्द द्वारा अरविन्द आश्रम में स्थापित शिक्षा-प्रणाली के रूप में। किन्तु ये सब उस चुनौती के सम्पूर्ण उत्तर के रूप में कल्पित नहीं थे जैसी सम्पूर्ण कल्पना महात्मा गाँधी ने की थी। वह कल्पना प्रौद्योगिकीवाद के सामने कैसे ध्वस्त हो गई, यह हम देख ही सकते हैं। शायद गाँधी जी के विकल्प में मनुष्य की पशुता के लिए उतना अवकाश नहीं है और आधुनिक प्रौद्योगिकी केवल उसे ही लक्षित कर चलती है। इस प्रकार गाँधी जी की कल्पना की असफलता उसके अन्तर्गत किसी दोष के कारण नहीं थी, बल्कि इतिहास ने जो दिशा ली है उसके विपरीत होने के कारण थी। मुझे इसमें तनिक भी संदेह नहीं है कि सभ्यता की यह दिशा मूलगामी रूप से दोष-ग्रस्त है। यह काम और अर्थ के पीछे अपुरुषोचित अनुधावन है, मोक्ष पुरुषार्थ के लिए इसमें कोई अवकाश ही नहीं है और ऐसे में धर्म केवल अर्थ और काम का अनुचर ही हो सकता है। व्यक्तियों के बीच करार (कॉंट्रैक्ट) के रूप में समाज की कल्पना में धर्म का यही अर्थ रह जाता है। निश्चय ही मानवाधिकार और सामाजिक न्याय आदि के प्रति भी आज कुछ जागृति है और ये शुभ लक्षण हैं, किन्तु इनके आधार के रूप में इस संस्कृति के पास तत्त्व-दृष्टि कोई नहीं है। भारत के पास इसके लिए तत्त्व-दृष्टि थी, अद्भुत दृष्टि, जो ईशोपनिषद् के प्रथम मन्त्र 'ईशावास्यमिदं सर्वं यत्किंच जगत्यां जगत्, तेन त्यक्तेन भुंजीथा मा गृधः कस्यस्विद्धनम्' में देखी जा सकती है और जो वास्तव में इस संस्कृति में और इसके सामाजिक व्यवहार के आदर्श में सर्वत्र व्याप्त थी। आज इसका आधार किसी तत्त्व-दृष्टि से रहित, बल्कि कहें उसके विपरीत, केवल मनुष्य का सहज विवेक है। किन्तु यह सहज विवेक व्यक्ति या समाज का संकट के अवसर पर साथ नहीं दे सकता। यही कारण है कि मानवाधिकार की बात आज पश्चिम के हाथ में एक राजनीतिक शस्त्र का कार्य भी करती है।

समसामयिक चिन्ताएँ

भारत का बहुत बड़ा दुर्भाग्य है कि इसके पास यह दृष्टि युग-युगाँतर से रही है और पश्चिम के दिग्विजय-अभियान के आरम्भ में इसने रामकृष्ण परमहंस, स्वामी विवेकानन्द, श्री अरविन्द और महात्मा गाँधी आदि अनेक प्रकाश-स्तंभों के द्वारा इस दृष्टि को इस देश में पुनः उज्जीवित भी किया, किन्तु तब भी यह देश अपने को बचा नहीं सका है। निश्चय ही आज भी कुछ ज्योति-पुरुष हमारे मार्ग को पूर्णतः लुप्त होने से बचाने में प्रयत्नरत हैं, किन्तु उस प्रकाश को ढक देने वाली शक्तियाँ आज इतनी प्रबल हैं कि उनसे निस्तार की कोई आशा दिखाई नहीं दे रही है। यूँ तो राजनीतिक स्वतन्त्रता के आरम्भ में हमने परम्परा के अन्तर्गत किसी नये विचार और नये प्रयत्न की सम्भावनाएँ समाप्त कर दी थीं, किन्तु तब भी यदि दिवास्वप्न के लिए भी कोई अवकाश बचा था वह अब अर्थ-तन्त्र के अन्तरराष्ट्रीयकरण के साथ समाप्त हो गया है। क्योंकि यह तन्त्र शुद्ध रूप से वाणिज्यिक तन्त्र है और यह असुरों के लिए भी अकल्पनीय यन्त्र-शक्ति द्वारा शुद्ध रूप से पाशव स्वार्थों के लिए परिचालित है। ख़ैर, तब भी काल निरवधि है, पृथ्वी चाहे अब विपुला नहीं भी रही हो, इसलिए मनुष्य के उद्धार के लिए प्रार्थना तो की जा ही सकती है।

हिन्दू–धर्म : जीवन में सनातन की खोज

धर्म के दो अवियोज्य पक्ष होते हैं, दृष्टि और इस दृष्टि के अनुसार जीवन को साधने का प्रयत्न। यह दृष्टि अनेक प्रकार की, अथवा कहें अनेक कोणों से उन्मुख हो सकती है और इसकी स्पष्टता और प्रखरता भी व्यक्तियों और संस्कृतियों के अनुसार भिन्न–भिन्न हो सकती है। इन भेदों के अनुसार धर्म–विषयक विभिन्न सम्प्रदायों का आविर्भाव होता है। किन्तु इन भिन्नताओं के नीचे इनमें एक गुण सामान्य रहता है और वह है इसके सम्मुख प्राकृतिक लोक की स्वयं में अपर्याप्तता प्रकट होना और परिणामत: सत्य और मूल्य को इससे परे, इसके आगे अनुसन्धेय देखना। इस बोध और आस्था के दो कारण कहे जा सकते हैं : एक तो यह कि मनुष्य की चेतना स्वरूपत: इस लोक का अतिक्रमण करती है, वह दर्शक और कर्त्ता के रूप में अपने को इस लोक से बाहर पाता है; और दूसरे, उसकी मृत्यु उसे अपने अस्तित्व का मूल अन्यत्र खोजने को बाध्य करती है, क्योंकि देह के अन्त को अपना अन्त मान लेने का अर्थ है अपने को देह से अभिन्न मान लेना, जोकि वह अपने भीतर से साक्षात् रूप में देखता है कि वह नहीं है। इस अन्त:प्रत्यक्ष में ही धर्म का बीज निहित है। द्रष्टृत्व और कर्त्तृत्व का, और अपनी देहोत्तरता के इस बोध का, स्रोत मानव–चेतना के आत्म–चेतन होने में है। आत्म–चेतना मनुष्य का अवच्छेदक लक्षण होने से धार्मिक बोध को भी मनुष्य का अवच्छेदक कहा जा सकता है। यही कारण है कि अधिकांश समाज–अध्येताओं ने पाया है कि कोई मानव–समाज ऐसा नहीं है जिसमें धर्म–बोध नहीं हो। निश्चय ही अधार्मिक व्यक्ति भी होते हैं, किन्तु वे धर्म का निषेध कर अधार्मिक होते हैं, सहज रूप में नहीं।

किन्तु इस बोध का विकास सब संस्कृतियों में एक–सा नहीं मिलता। इस बोध की मानव–पर्येषणा के सभी पक्षों के केन्द्र के रूप में अवस्थिति और इसके तत्त्व के अनंसुधान का सम्पूर्ण सांस्कृतिक प्रयत्न में अभियोजक बन जाना, यह केवल भारतीय संस्कृति की ही विशेषता रही है। मैं यहाँ 'हिन्दू' के बजाय 'भारतीय' शब्द का प्रयोग इसलिए कर रहा हूँ क्योंकि बहुत से लोग बौद्धों और जैनों को हिन्दू नहीं मानते और अब इधर सिक्ख भी अपने को 'अहिन्दू' कहने लगे हैं। किन्तु इस दृष्टि में ये हिन्दुओं से भिन्न नहीं हैं, महायानी बौद्धों को तो इसमें और भी आगे कहा जा सकता है।

इस बोध के इसका केन्द्रीय अभियोजक होने से यह इसके विचार का भी केन्द्र रहा और साधना का भी। ऐसा इसलिए सम्भव हुआ क्योंकि इसने मनुष्य के और जगत् के तत्त्व को पृथक् नहीं माना, और जहाँ माना भी वहाँ भी अनुसन्धेय जगत् के तत्त्व को नहीं माना, बल्कि मनुष्य के तत्त्व को ही माना। यहाँ उपनिषद् का मन्त्र 'आत्मनस्तु कामाय सर्वं प्रियं भवति' व्याख्येय है। प्राय: सभी अभारतीय चिन्तनों में जहाँ मूल्य को कामनामूलक या सुखमूलक देखा गया है, वहाँ कामनाओं और सुखों को ही अनुसन्धेय माना गया है। इसलिए आज बहुत से लोग इस मन्त्र का अर्थ भी इसी प्रकार करते हैं कि क्योंकि पुत्र, कलत्र आदि सबको हम अपने सुख के लिए ही प्रेम करते हैं इसलिए अपना सुख, अपनी कामनाओं की पूर्त्ति ही मूल्य है, पुत्र कलत्र आदि का सुख, उनका हित मूल्य नहीं है। किन्तु वास्तव में उपनिषद् का आशय यहाँ न मूल्य की स्वार्थपरकता से है न परार्थपरकता से, उसका आशय उस आत्मा से है जो स्व और पर दोनों सम्बन्धों से परे सत्तामात्र का आश्रय है, जिस आत्मा के लिए स्वत्व एक संकेत बनता है। उस आत्मा के लिए ऋषि कहता है कि वही श्रोतव्य, मन्तव्य और निदिध्यासितव्य है। यही विचार मुँडक उपनिषद् में और भी प्रखरता के साथ प्रस्तुत हुआ है :

यं यं लोकं मनसा संविभाति, विशुद्धः सत्त्वः कामयते यांश्च कामान्।
तं तं लोकं जयते तांश्च कामान्स्तस्मादात्मज्ञं ह्यर्चयेद् भूति कामः।।3.01.10।।

अर्थात् विशुद्ध अन्तःकरण वाला मनुष्य जिन-जिन लोकों का चिन्तन और कामना करता है वह उन-उन लोकों और उन-उन कामनाओं को विजित कर लेता है। इसलिए ऐश्वर्य की कामना करने वाले मनुष्य को आत्मज्ञ की ही आराधना करनी चाहिए। दूसरे शब्दों में, लोक और कामनाओं दोनों की सिद्धि इन्हें आत्मा के अधीन और आत्माभिमुख करने में ही है।

ऐसा नहीं है कि आत्मा का अन्वेषण अन्य किसी संस्कृति में उच्चतम आदर्श के रूप में नहीं देखा गया, सुकरात में यह दृष्टि स्पष्टतः बहुत स्पष्ट देखी जा सकती है, किन्तु उसमें आत्मा का स्वरूप मुख्यतः बौद्धिक है। इसके विपरीत भारतीय दृष्टि में आत्मा परम सत्, अद्वय, अन्तर्गुहावासी भी है और साथ ही जगत् रूप में व्याकृत भी।[1] इसी से इसका ज्ञान लोकों पर विजय का प्रदायक होता है।

किन्तु लोकों पर विजयी होने का एक दूसरा मार्ग भी है, लोकोन्मुख होकर। आधुनिक पश्चिम की वैज्ञानिक संस्कृति इसी प्रकार लोक-विजय को लक्षित करती है। किन्तु लोक पर यह विजय स्वयं विजेता द्वारा अपने को लोक के अधीन समर्पित करके ही होती है : लोक, जो मरणधर्मा है, जो आत्मा के बिना प्रतिष्ठा-विहीन गति मात्र (जगत्) है। इसलिए हिन्दू संस्कृति इसे पर्येष्य के रूप में देखती ही नहीं। लोक पर्गेष्य केवल जीवन के सबसे महत् रहस्य, सबसे गुह्य प्रश्न मृत्यु को भुला कर ही हो सकता है। किन्तु इसकी यह विमुखता लोक से नहीं है, लोक-परकता से है, इसकी मूल्यवत्ता से है, क्योंकि लोक को आत्मा के ही आत्म-विजृंभण, आत्मा की ही अभिव्यक्ति, उसी की शक्ति के प्रकाश और उसी के वैभव के विस्तार, उसी के भीतर निहित ऋत के व्यापार के रूप में भी देखा जा सकता है। किन्तु लोक-परकता इस सम्बन्ध को विपर्यस्त रूप में देखना है, इसमें पुत्र, दारा, धन को ही मूल और आत्मा को इनके आश्रित के रूप में देखना है।

'यह जो सब है वह ब्रह्म ही है' और 'वह (ब्रह्म) तू ही है', 'ब्रह्म में वास ही मृत्यु पर विजय देता है' यह भी उपनिषद्-दृष्टि है। जो तत्कालीन भारतीय संस्कृति की नवनीत थी और जिसने पश्चाद्वर्ती सम्पूर्ण भारत की सांस्कृतिक चेतना को उपरंजित किया हुआ था। बौद्ध और जैन धर्म भी इससे पृथक् नहीं रहे, बल्कि बौद्ध इसमें और आगे गये। बौद्धों को नैरात्म्यवादी कहा जाता है, किन्तु वास्तव में वह नैरात्म्य जगत् का है, जिसका मूल अविद्या है, परमार्थ का नैरात्म्य नहीं है।

इसका यह अर्थ नहीं है कि भारत के सभी दर्शन-सम्प्रदाय अद्वैतवादी थे। प्रकृति को पृथक् तत्त्व माननेवाले, ईश्वर और जीव को पृथक् तत्त्व मानने वाले, जीव और जगत् को ईश्वर-द्रव्य का गुण माननेवाले आदि आदि सभी प्रकार के दार्शनिक दृष्टिकोण यहाँ प्रथित हुए। किन्तु एक तो सभी दर्शनों ने मनुष्य के लिए अमृतत्व की खोज को ही लक्षित किया और दूसरे इस अमृतत्व की सिद्धि आत्मज्ञान में ही देखी। किन्तु सबसे बड़ी बात यह है कि ये अन्यान्य दर्शन-सम्प्रदाय (न्याय, वैशेषिक, मीमांसा, हीनयानी बौद्ध सम्प्रदाय) कोई भी भारतीय सांस्कृतिक मनीषा के लिए ग्राह्य नहीं हो पाये। इतना ही नहीं, राम को ईश्वर के अवतार रूप में देखने वाले तुलसी जैसे सन्तों ने भी 'सिया-राममय सब जग जानी' और 'सगुनहिं निगुनहिं नहिं कुछ भेदा' के रूप में इसी दृष्टि को विस्तार दिया, इससे वे पृथक् नहीं हुए।

भारतीय संस्कृति का सबसे बड़ा वैशिष्ट्य सत् को चिन्मय और चित् को निस्सीम तथा अनिर्धार्य देखना और इस तत्त्व को मनुष्य की आत्मा से अभिन्न रूप में देखना है। परम सत् और आत्मा के एक ही होने से मनुष्य के लिए अनुसन्धेय और प्राप्य केवल आत्मा ही रह जाता है, जोकि एक-साथ एक भी है और सर्व भी। इसीलिए इस संस्कृति ने धार्मिकता के लिए ईश्वर की सगुण रूप में प्रतिष्ठा कर उसे आराध्य बना दिया। ये परस्पर नितान्त विरोधी दीखने वाली बातें वास्तव में एक ही बोध के दो रूप हैं। इसे वह प्रत्येक हिन्दू जानता है जो भारतीय सांस्कृतिक परम्परा से कटा नहीं है। तत्त्व की इस अनिर्धार्यता की पराकाष्ठा शून्यवाद में देखी जा सकती है जो बुद्ध

1. अवश्य पीछे प्लोटाइनस में इस दृष्टि की अनुरूपता मिलती है, किन्तु वह भारतीय प्रभाव ही माना जाता है, ग्रीक दृष्टि का विकास नहीं।

और निर्वाण तक की अवधारणाओं को भावरूप होने से निर्धार्य देखता है और परिणामतः इनकी भी शून्यता का प्रतिपादन करता है और 'शून्यता' के रूप में इनके भी अतिक्रमण को लक्षित करता है। द्रष्टव्य है कि वैदिक दार्शनिकों ने नागार्जुन को उच्छेदवादी कहा है। किन्तु वास्तव में वे उच्छेदवादी नहीं थे (कोई भारतीय चिन्तक उच्छेदवादी नहीं हो सकता), जिसका प्रमाण है कि वे साधक, धार्मिक, श्रद्धावान् और योगी थे। नागार्जुन ही नहीं, उपनिषद् ने भी आद्य अथवा परात्पर अवस्था को असत् ही कहा है (असद्वा इदमग्र आसीत्, ततो वै सदजायत)। आद्य तत्त्व को असत् कहने का अर्थ भी वही सब निर्धारणों और निर्धार्यताओं से अतीत कहना ही है यद्यपि यह नागार्जुन के शून्य से तुलनीय नहीं है, क्योंकि नागार्जुन शून्य से सत् या अशून्य की उत्पत्ति नहीं देखते। तत्त्व-दृष्टि की इतनी सूक्ष्मता अन्य किसी संस्कृति के दार्शनिक चिन्तन में उपलब्ध नहीं होती, और दार्शनिक चिन्तन के निष्कर्षों को जीवन के साध्य के रूप में प्रतिष्ठित करना यह तो केवल इसी संस्कृति की विशेषता है। चार आश्रमों की व्यवस्था के आधार में यह दृष्टि ही है। वर्ण-व्यवस्था की अनुरूपता तो प्लेटो की रिपब्लिक में भी मिलती है, क्योंकि उसका सम्बन्ध सामाजिक संगठन से है, किन्तु आश्रम-व्यवस्था इसी संस्कृति की विशेषता है। इस व्यवस्था के अनुसार गार्हस्थ्य के अनन्तर अरण्यवास का विधान शास्त्र-विहित धार्मिक अनुष्ठानों में अपने को पूर्णतः समर्पित करने के लिए है और संन्यास इन विधानों का भी अतिक्रमण कर अपने निस्सीम और अनिर्धार्य स्वरूप में प्रतिष्ठित होने की साधना के लिए है।

किन्तु तत्त्व अथवा परमार्थ के सम्बन्ध में इस दृष्टि का अनिवार्य अर्थ जगत् के प्रति निषेधात्मक होना नहीं है। उपनिषद् ने ब्रह्म को रस-स्वरूप और आनन्द-स्वरूप माना है और इस आनन्द से ही जगत् की उत्पत्ति मानी है। एक दूसरे स्थल पर इसे उसकी एक से बहु हो जाने की इच्छा का परिणाम कहा है। अनन्तर इसकी व्याख्या के रूप में मायावाद और लीलावाद दो सिद्धान्त प्रतिपादित हुए जिनमें लीलावाद को स्पष्टतः बहु होने की इच्छा और आनन्द-सृष्टि की कल्पना के क्रम में ही देखा जा सकता है। किन्तु माया का भी अर्थ मिथ्यात्व नहीं है बल्कि ब्रह्म की शक्ति है। काश्मीर शैवों ने तो 'माया' शब्द को हटाकर 'शक्ति' को ही अपना लिया और उसे परतत्त्व (शिव) के आधे अंग के रूप में प्रतिष्ठित कर दिया। ऐसा नहीं है कि जगत् को मिथ्या रूप में देखा ही नहीं गया, निश्चय ही देखा गया, किन्तु यह मिथ्यात्व जगत् को ब्रह्म से भिन्न रूप में स्वयं में सत्य रूप में, दूसरे शब्दों में पर्येष्य मूल्य के रूप में, देखने में है। अथवा कहें, मिथ्यात्व जगत् में नहीं, दृष्टि में है। इस दृष्टि का और भी स्पष्ट रूप सांख्य में मिलता है जिसके अनुसार जगत् तत्त्वतः मिथ्या नहीं होकर पर्येष्य रूप में : अहम् एतत् रूप में : मिथ्या है। यहाँ प्रश्न हो सकता है कि जगत् को पर्येष्य रूप में भी मिथ्या क्यों कहा जाय? इसके दो कारण हैं : एक तो यह कि इसमें कुछ भी स्थिर नहीं है, जगत् रूप में स्वयं हम भी स्थिर नहीं हैं, और दूसरे, इसके सुख केवल प्रातीतिक रूप में ही सुख हैं, वास्तव में सुख नहीं हैं। ये सुख वास्तविक क्यों नहीं है? इसके अनेक उत्तरों में से तीन और सबसे अधिक महत्त्वपूर्ण उत्तर ये हैं कि ये हमें विषय-परतन्त्र बनाते हैं, दूसरे, इनकी उपलब्धि हमारे प्रयत्न के अधीन नहीं होती, और सबसे बढ़कर, ये शाश्वतिक नहीं हैं, सनातन नहीं हैं। तब शाश्वतिक सुख कौन से हैं? एक ही, जो अमरता दे। किन्तु अमरता कैसे सम्भव है? मरण-धर्मा वस्तुओं की मरण-धर्मता समझ लेने से। किन्तु हम स्वयं भी तो मरण-धर्मा ही हैं? इस बात को समझ लेना ही मुक्ति है, अमरता है, आनन्द है :

> जा मरने से जग डरे, मेरे मन आनन्द,
> कब मरि हौं कब पाइहौं, पूरन परमानन्द।

यह बुद्धि सिद्ध हो जाने पर, यह समझ मिल जाने पर, जगत् से कोई परहेज की बात नहीं रहती—समझ झरोखे बैठिकै जग का मुजरा देख।

अब यहाँ चार पुरुषार्थों का अर्थ भी समझा जा सकता है। धर्म, अर्थ, काम, मोक्ष को यदि चार प्रकार के पुरुषार्थ मानें, यह मानें कि कुछ लोग धर्म का, कुछ अन्य अर्थ का, तीसरे काम का और चौथे मोक्ष का काम्य के रूप में अन्वेषण करते हैं, तब यह एक वर्णनात्मक प्रतिज्ञप्ति है, तब इसमें कोई करणीयता की, औचित्य की बात नहीं रह जाती। किन्तु यदि इसे इस दृष्टि के रूप में देखें कि मोक्ष की वृत्ति बनाकर और धर्म को लोक-नीति का

मानदण्ड बनाकर अर्थ और काम के उपभोग का आचरण करना चाहिए, तब ये वास्तव में ही पुरुषार्थ हो जाते हैं वे अर्थ जिनका अनुसरण पुरुष के लिए उसकी सार्थकता का प्रापक होता है। पुरुषार्थ-विषयक इस तात्पर्य की पुष्टि **महाभारत** की इस गुहार से भी होती है कि 'जब धर्म से ही अर्थ और काम की वास्तव सिद्धि होती है तब लोग उसकी उपासना क्यों नहीं करते?' स्पष्ट है कि धर्म अर्थ और काम का प्रदायक नहीं हो सकता, वह केवल इन्हें मनुष्य के लिए वस्तुतः सुखकारी बना सकता है। 'पुरुषार्थ' के इस तात्पर्य की पुष्टि **महाभारत** के निम्न दो श्लोकों से भी होती है—

सुखं वा यदि वा दुःखं, प्रियं वा यदि वाप्रियम्।
प्राप्तमप्राप्तमुपासीत हृदयेनापराजितः।। शां.प.154/39।

अमृतं चैव मृत्युश्च द्वयं देहे प्रतिष्ठितम्
मृत्युरापद्यते मोहात्सत्येनापद्यतेऽमृतम्। शा.पं.278/29-30

अब, मोह से मृत्यु को और सत्य से अमृत को कैसे प्राप्त होते हैं? लौकिक विषयों में आत्मभाव की प्रतिष्ठा मोह है और अनात्मभाव का दर्शन, उन्हें उनसे विमुक्त होकर, उनसे स्वतन्त्र होकर उनके याथातथ्य में देखना, यही सत्य है। इस सत्य में प्रतिष्ठित हो जाने पर फिर मृत्यु के लिए कहाँ अवकाश रहेगा? क्योंकि मृत्यु और अमरता तो भाव में है न कि देह में? और यह भाव सिद्ध हो जाने पर सुख और दुःख, जय और पराजय दोनों में से कोई भी उद्विग्न नहीं कर सकता और यह भाव सिद्ध नहीं होने पर दोनों मन को उद्विग्न रखते हैं, क्योंकि सुख सदैव दुःख की सम्भावना से और जय पराजय की सम्भावना से त्रस्त रखती है। नहीं तो मृत्यु तो सदैव उपस्थित है ही, जो भोक्ता के अस्तित्व ही को आगन्तुक बना देती है और इस प्रकार सुख और जय में मुदित होने को उपहासास्पद बना देती है। इसी से सांख्यकारिका भी केवल आत्यंतिक सुख को ही सुख मानती है, अस्थायी सुख तो वास्तव में दुःख है, इसलिए वह अनुसन्धेय नहीं है।

यहाँ एक बार फिर यह स्मरण करा देना आवश्यक है कि इसका अर्थ जगत्-निषेधवाद नहीं है। ईसाइयों में दैहिक सुखों के आत्यन्तिक त्याग को, काय-क्लेश को, आदर्श माना जाता है। निश्चय ही हिन्दुओं में भी कुछ सम्प्रदाय इसी प्रकार के हैं, किन्तु यह हिन्दू-धर्म की आत्मा के अनुकूल नहीं है। मैत्रेयी अर्थ और काम का परित्याग नहीं करती, वह केवल उन्हें ब्रह्म-ज्ञान की कीमत पर स्वीकार करने को तैयार नहीं है, न वह इन्हें स्वयं में मूल्य की श्रेणी में रखने को तैयार है। किन्तु ये स्वयं में पाप हैं, उसकी यह दृष्टि भी नहीं है। इसी से न औपनिषद ऋषि गृह-त्यागी थे और न भक्ति-मार्गी सन्त ही। राजा जनक, सम्राट् अशोक और महात्मा कबीर के उदाहरण यहाँ ध्यातव्य हैं जो अपवाद के उदाहरण नहीं होकर सामान्य नियम के ही उदाहरण हैं। कबीर न केवल गृहस्थ थे बल्कि जीविकोपार्जन के लिए कपड़ा भी बुनते थे। किन्तु वे अपने पुत्र कमाल से खिन्न थे कि वह जीविकोपार्जन तक सीमित नहीं रहकर 'घर माल लाता है।' राजा जनक को 'विदेह' होने के लिए राज्य का परित्याग करना आवश्यक प्रतीत नहीं हुआ, न सम्राट् अशोक के लिए हिंसा पर पश्चात्ताप के लिए 'बुद्ध-शरण' जाने पर राज्य का परित्याग करना अनिवार्य हुआ। यह केवल सनातनता के प्रति (देश-काल से अनवच्छिन्न के प्रति) दृष्टि की नितान्त स्पष्टता के कारण और केवल उसी को अनुसन्धेय मानने के कारण ही सम्भव हुआ।

आधुनिक युग में इसका प्रकृष्टतम उदाहरण हम महात्मा गाँधी में पाते हैं, जिन्होंने इस सांस्कृतिक दृष्टि को वैयक्तिक और सामाजिक दोनों स्तरों पर और जीवन के सभी पक्षों को व्याप्त करते हुए कार्यान्वित करने का विचार दिया और उसे कार्य रूप में परिणत किया। उनकी यह दृष्टि इस देश में भी ग्राह्य नहीं हो पायी, इससे उसकी अयुक्तता सिद्ध नहीं होती, क्योंकि यह ग्राह्यता-अग्राह्यता ऐतिहासिक परिस्थिति-सापेक्ष होती है जबकि वे सनातन सत्य के, कहें सनातन भारतीय आत्मा के, वैतालिक थे।

किन्तु इसका अर्थ यह नहीं है कि भारतीय समाज का आचरण अतीत में भी सदैव अधिकांश में इसके अनुसार रहा है। वैसा किसी भी समाज का अपनी सांस्कृतिक दृष्टि के अनुसार पूर्णतः, या पर्याप्ततः भी, नहीं रहता।

इतना ही नहीं, बहुत बार समाजों के इतिहास में उनकी सांस्कृतिक दृष्टि भी धुँधला जाती है, उस दृष्टि की व्याख्याएँ भ्रान्त और विकृत होती हैं, विशेषत: तब जब समाज में उसकी प्राण-शक्ति का ह्रास हो जाता है। किन्तु भारत की राजनीतिक स्वतन्त्रता के साथ एक सर्वथा नया मोड़ इस समाज के जीवन में आया जो भारत के सम्पूर्ण इतिहास में अभूतपूर्व था। हमारे देश के शासन की बागडोर उस वर्ग के हाथ में आयी जो अपनी संस्कृति से अपरिचित और आधुनिक यूरोपीय संस्कृति के प्रति लगभग अंध भक्ति से परिपूर्ण था। इससे चौंधयाया तो वह वर्ग भी हुआ था जो अपनी शिक्षा-दीक्षा के कारण इससे अपना सामंजस्य नहीं बैठा पाया था। इस परिस्थिति ने हमारी सम्पूर्ण सांस्कृतिक दृष्टि को केन्द्रच्युत और दिशाहीन बना दिया। आज हमारा अनुसन्धेय सनातन सत्य नहीं रहकर आर्थिक समृद्धि और सैन्य बल हो गया है। निश्चय ही ये समृद्धि और बल भी किसी भी समाज के लिए अनिवार्य होते हैं। किन्तु ये परमार्थस्थानीय हो जाएँ, यह एक सर्वथा दूसरी बात है। राम और रावण एक ओर और महाभारत में श्री कृष्ण की भूमिका दूसरी ओर भारतीय दृष्टि के प्रकृष्टतम उदाहरण प्रस्तुत करते हैं। न तो राम की अयोध्या ही स्वर्णमयी थी और न उनके पास सैन्य-बल ही था। रावण से जब उनका साम्मुख्य हुआ तब भी वे तापस ही थे। रावण के अमित शक्तिशाली सैन्यबल से लड़ने के लिए उन्होंने जिस सेना को एकत्र किया उसका एकमात्र बल सत्य में आस्था थी। इसी प्रकार श्री कृष्ण पाण्डवों के साथ नि:शस्त्र और केवल सत्य दृष्टि के साथ थे जबकि कौरवों के साथ उनकी सशस्त्र सेना थी। भारत की यही सनातन दृष्टि थी जो महात्मा गाँधी के साथ हमारे देश और इस काल में पुनरुन्मीलित हुई। किन्तु सम्भवत: यह भी विधाता का एक क्रूर व्यंग्य ही था कि यह दृष्टि उन्मीलित होकर उसके प्रति हमारी नितान्त विमुखता को उजागर कर निमीलित हो गई और रह गए हम उस राम के गर्भ-गृह की खोज में जिसके सम्बन्ध में इस संस्कृति के एक दूसरे महान् भाष्यकार महात्मा तुलसीदास ने कहा था :

अगुन सुगन दुइ ब्रह्म सरूपा। अकथ अगाध अनादि अनूपा।
मोत मत बड़ नाम दुहूँ ते। किये जेहि जुग निज बस बूते।

1.23. 1-2।

बैठे सुर सब करहिं बिचारा। कहं पाइअ प्रभु करिअ पुकारा।
पुर बैकुँठ जान कह कोई। कोउ कह पयनिधि बस प्रभु सोई।
जाके हृदय भगति जस प्रीति। प्रभु तहँ प्रगट सदा तेहि रीति।

1.185. 1-3।

स्वाध्याय–दृष्टि का मर्म

कुछ वर्ष पहले की यह बात है। एक बार अकेले बैठे, अकस्मात् मेरे मनश्चक्षुओं के सामने एक दृश्य कौंध गया था– जैसे सारा देश कीर्तन में तल्लीन झूम रहा है। मेरे जैसे, इस भाव–सम्पदा से नितान्त वंचित, व्यक्ति के हृदय–पटल पर ऐसा दृश्य स्वत:, न जाने कैसे और कहाँ से, प्रकट होना बड़े आश्चर्य की बात थी। मुझे तब लगा था कि जैसे यही एक भाव है जो इस देश को सब आपदाओं से मुक्त कर सकता है।...इसी प्रकार एक बार, यह 1974–75 की बात होगी, हमारे देश के एक प्रमुख वैज्ञानिक डॉ. साठना ने और प्रधानमन्त्री इन्दिरा गाँधी ने कहा था कि सामाजिक परिवर्तन के लिए तकनीकी–प्रौद्योगिकी का विकास आवश्यक है। मुझे ये वक्तव्य बहुत ही अविचारपूर्ण लगे थे कि सब लोग सामाजिक परिवर्तन मात्र को, दिशा से निरपेक्ष रूप से, साध्य कैसे मान रहे हैं? क्या सामाजिक परिवर्तन बुद्ध और मध्ययुगीन सन्तों से नहीं हुआ था? अपने इस मानस—प्रत्यक्ष को, और विज्ञान–भक्तों के अविचार की प्रतिक्रिया में उपजे विचार को, मैंने वर्षों बाद अपने चर्म–चक्षुओं के सामने तब प्रत्यक्ष देखा जब सौराष्ट्र, गुजरात और महाराष्ट्र में मैंने 'स्वाध्याय' की दृष्टि के प्रभाव से रूपान्तरित गाँव देखे और नगरों की वे बस्तियाँ देखीं जो कभी अशिक्षा, कदाचार और अन्तर्बाह्य मल और दुर्गन्ध से सराबोर रही होंगी। उन लोगों ने हमें बताया कि स्वाध्याय–दृष्टि के प्रकट होने से पहले वे क्या थे और अब क्या हैं! सबने शराब, सिगरेट और मादक द्रव्यों का सेवन छोड़ दिया था, गाली–गलौच आदि छोड़ दिया था। उनके घर और गली–कूचे स्वच्छ थे और वे सब त्रिकाल संध्या करते थे। उन्हें गीता और उपनिषदों के मन्त्र और श्लोक न केवल कंठस्थ थे बल्कि वे उनका शुद्ध उच्चारण के साथ नियमित रूप से पाठ करते थे। यह आध्यात्मिक रूपान्तरण प्रौद्योगिकी के फलस्वरूप हुए बाह्य परिवर्तन से स्पष्टत: भिन्न था क्योंकि प्रौद्योगिकी के पास केवल बाह्य विषयक दृष्टि है, आभ्यन्तर विषयक कोई दृष्टि नहीं है। प्रौद्योगिकी द्वारा लाया गया परिवर्तन हम प्रतिपल दूरदर्शन, सिनेमाघर और समाचार पत्रों आदि से, तथा सामने अपने गली–कूचों में, देख रहे हैं। उग्रवाद, दुराचार, बलात्कार आदि की वृद्धि चाहे इस परिवर्तन का अनिवार्य परिणाम नहीं हो किन्तु प्रौद्योगिकी–जनित दृष्टि में ऐसा कुछ नहीं है जो परिवर्तन को इस दिशा में जाने से रोक सके, बल्कि भोगवाद और भौतिकवाद के द्वारा इस दिशा में ले जाने वाला सभी कुछ है। इधर कुछ दिन पहले समाचार–पत्रों में एक समाचार प्रकाशित हुआ था कि इंग्लैंड के प्रधानमन्त्री जॉन मेजर, जो पहले एक नीरस भाव के व्यक्ति समझे जाते थे, उनके एक पर–स्त्री से प्रेम–सम्बन्ध में रहे होने की बात प्रकाश में आयी है और इससे उनकी स्त्री–मतदाताओं में प्रतिष्ठा में वृद्धि हुई है। और बातों के अतिरिक्त, इससे वहाँ के प्रजातन्त्र के स्वरूप पर भी प्रकाश पड़ता है। अपने देश में हम अर्थ और कामपरक भ्रष्टाचार की प्रतिदिन तीव्रतर होती हुई गति देख ही रहे हैं। दूसरी ओर स्वाध्याय की ज्योति से प्रकाशित इन क्षेत्रों में जाकर हमने पाया कि वहाँ मद्य, लम्पटता और लोलुपता आदि नाम मात्र को भी शेष नहीं बचे हैं। अर्थ और काम वहाँ न केवल नैतिक रूप से व्यवस्थित हैं, जैसाकि हमारा प्राचीन आदर्श था, बल्कि वे धर्ममूलक हो गये हैं, और 'धर्म' का अर्थ वहाँ कर्त्तव्याकर्त्तव्य की विधि–व्यवस्था मात्र नहीं है बल्कि मनुष्य से देव तक और देव से ईश्वर तक प्रवहमान प्रेम–रस है। जरायमपेशा और अनुसूचित कही जाने वाली जातियों के लोग, जिन्हें हमारी राजनीति तथाकथित ऊँची जाति वालों से अधिकार और शक्ति छीनना सिखा रही है, यहाँ ऊँची जाति वालों के लिए मानवीय उच्चता का आदर्श प्रस्तुत कर रहे हैं। मुझे यह कहते हुए तनिक भी संकोच का अनुभव नहीं होता कि मैंने अपने को उन तथाकथित बाघरियों, शूद्रों, मछियारों और चाँडालों के सम्मुख क्षुद्र अनुभव किया। ऊपर मैंने देश–व्यापी कीर्तन के मानस प्रत्यक्ष का उल्लेख किया है। वह मैंने 'स्वाध्याय' की आत्मा पाण्डुरंग आठवले जी के 75वें जन्मदिन पर एकत्र विशाल जनसमूह के रूप में इन चर्म–चक्षुओं से देखा। लाखों की संख्या में एकत्र जनसमुदाय मोमबत्तियाँ हाथ में लिये मन्त्र–पाठ और श्लोक–पाठ कर रहा था। इस जनसमुदाय के बीच सैकड़ों मंचों पर भक्ति–संगीत और पूजा–नृत्य हो रहा था। इन लाखों लोगों की रसाप्लावित–आत्मानुशासित सभा पाँच

सौ से कम सदस्यों की अनुशासन-विहीन हमारी लोक-सभा का अद्भुत प्रतीप प्रस्तुत कर रही थी। लोक-सभा भी परिवर्तन का एक उदाहरण कही जा सकती है—प्रौद्योगिकी के विकास के द्वारा लाया गया 1948 की लोकसभा से 1999 की लोकसभ तक हुआ परिवर्तन। दूसरी ओर यह भी एक परिवर्तन का उदाहरण था—दिशा-हीन, आत्मा-विहीन, सामाजिकता-विहीन असंख्य जन का ईश्वरोन्मुख, आत्मप्रतिष्ठ, सामाजिक सामंजस्य में परिवर्तन। इस परिवर्तन के, जिसे रूपान्तरण कहना अधिक उपयुक्त होगा, आधार में एक विचार है जिसे समझना आवश्यक है। किन्तु यहाँ यह स्पष्ट कर देना भी आवश्यक है कि केवल विचार कुछ घटित नहीं करता, कम से कम ऐसा और इतना बड़ा जादू तो कभी भी नहीं जो हमने प्रत्यक्ष घटित देखा। मात्र विचार तो स्वयं विचार करने वाले व्यक्ति तक को बदलने में असमर्थ दिखाई देता है। बड़े-बड़े दार्शनिक, नीतिशास्त्री और धर्मशास्त्री घोर पतित देखे जाते हैं। "धर्म को जानता हूँ किन्तु उसमें मेरी प्रवृत्ति नहीं है, अधर्म को भी जानता हूँ किन्तु उसके प्रति मेरे में निवृत्ति नहीं है"—महाभारत में दुर्योधन की यह प्रसिद्ध उक्ति है। तब लाखों लोगों को धर्म में प्रवृत्त और अधर्म से निवृत्त करने की शक्ति मात्र विचार से कैसे आयेगी? यह संकल्प से होता है। किन्तु संकल्प कहाँ से आता है? इसे यदि ईश्वरीय अवतार के माध्यम से घटित कहें तो यह कैसे ग़लत होगा? इस पर यदि कहें कि ईश्वर के लिए प्रमाण क्या है? तो ज़रा गहराई से सोचकर देखें कि यह 'संकल्प' नाम की चीज़ भी क्या कोई कम रहस्यमय वस्तु है? इसकी रहस्यमता इसके अपेक्षाकृत साधारण रूप से उपलब्ध होने से कम नहीं हो जाती।

ख़ैर इस सब में हम अभी नहीं जाएंगे। यहाँ प्रसंग उस विचार का है जो इस अनुपम रूपान्तरण का दिशा-निर्धारक है। द्रष्टव्य है कि ऊपर जो हमने डॉ. साठना और इन्दिरा गाँधी के कथनों का उल्लेख किया उसके पीछे भी एक विचार ही है और उसके कारण उसमें एक दिशा का निर्देश भी निहित है। इन दोनों से पहले हमारे स्वातन्त्र्योत्तरकालीन देश के निर्माता कहे जाने वाले पण्डित जवाहरलाल नेहरू ने हमारे देश का आह्वान किया था कि स्वतन्त्र भारत के तीर्थ भाखड़ा, नंगल और सिंद्री जैसी परियोजनाएँ हैं। इस पर डॉ. सम्पूर्णानन्द जी ने प्रश्न उठाया था कि जिस मनुष्य के लिए ये प्रायोजित हैं उसके सम्बन्ध में तो कोई विचार ही नहीं किया जा रहा है! यह एक आधारभूत प्रश्न था जिसे भुला दिया गया था। किन्तु हमारे भुला देने पर भी प्रश्न अपने को नहीं भूलते, वे तो बने रहते ही हैं और उन्हें भूलने का परिणाम भुगतने के लिए हमें बाध्य करते हैं। इसमें तीर्थ को पतितों को पावन करने वाले स्थल मानने के विचार का निषेध कर उसके स्थान पर भौतिक समृद्धि के प्रापक उपक्रमस्थल को तीर्थ मानने, भौतिक समृद्धि को परमार्थ मानकर उसका अनुधावन करने के विचार की, आभ्यान्तरिक समृद्धि के अन्वेषी मनुष्य को आगे लाने वाले विचार की दिशा निर्दिष्ट थी। यह बात दूसरी है कि इस अनुधावन में यह बात हम भूल गये कि इसकी सफलता भी धर्म के आधार की अपेक्षा करती है और उसके बिना हम केवल सुन्द-उपसुन्द की तरह परस्पर का हनन ही कर सकते हैं, कुछ प्राप्त नहीं कर सकते।

निश्चय ही भौतिक समृद्धि की आवश्यकता भी है। हमारा शरीर भौतिक है तो उसके अर्थ भी भौतिक ही होंगे, किन्तु इसके अर्थों को परम मान लेना और इन अर्थों के साधनों को तीर्थ मान लेना तो ऐसा विपर्यास है जो पैर को सिर का स्थान देने में हो सकता है। भौतिक सुख-साधनों को तीर्थ और भौतिक सुखों को काष्ठा और परागति मानने पर तो मानवता की न्यूनतम शर्त सामाजिकता भी नहीं बचेगी, क्योंकि परिवार, मैत्री, राज्य-संस्था, न्याय, ये सब तो व्यक्ति से अपने स्वार्थ को परार्थ के साथ संगत और कभी-कभी उसका अनुषंगी बनाने पर ही निर्भर करते हैं। वास्तव में थोड़ा गहराई से देखें तो यह परार्थ स्वयं स्वार्थ की सिद्धि के लिए भी अनिवार्य है। इस तरह मनुष्य का स्वार्थ अन्ततः परार्थ के माध्यम से ही सिद्ध होता है। किन्तु यह स्वार्थ और परार्थ की शब्दावली भी मनुष्य को समझने के लिए पर्याप्त नहीं है। आधुनिक पाश्चात्य सभ्यता इस स्वार्थ से संगत परार्थ की व्यवस्था को ही मनुष्यविषयक समग्र दृष्टि और पूर्ण सिद्धान्त के रूप में मान बैठी है और उसने मानवविषयक विभिन्न विज्ञान—समाज-विज्ञान, इतिहास-विज्ञान, राजनीति-विज्ञान और अर्थ-विज्ञान आदि रच डाले हैं। किन्तु मनुष्य के तो मन भी है और आत्मा भी, इनका क्या होगा? उस सभ्यता ने इन्हें नकार दिया है। उसके लिए 'मन' का अर्थ केवल आवेग और कल्पना है और 'आत्मा' का अर्थ है 'आदि मानव की प्रकृति का स्वरूप नहीं समझ पाने से बनी भ्रान्त धारणाओं से जनित कल्पना का एक विषय'। दुर्भाग्यवश स्वतन्त्र भारत के निर्माता कहे जाने वाले हमारे नेता ने हमें

यही मार्ग अपनाने का परामर्श दिया था, किन्तु इस दृष्टि से जिस मनुष्य का निर्माण होता है और इस मार्ग पर चलकर वह जहाँ पहुँचता है उसके परिणाम हम सम्पूर्ण संसार में ही देख रहे हैं और अपने देश में वे भोग रहे हैं।

दृष्टि के इस विपर्यास को पाण्डुरंग जी से पहले महात्मा गाँधी ने भी स्पष्ट देखा था और इस सभ्यता को शैतानी सभ्यता कहा था। उन्होंने भी भक्ति और धर्म–नीति को ही मानव–जीवन का उचित आधार माना था। किन्तु उनका कर्म–क्षेत्र राजनीति होने से वे इस दृष्टि को वैयक्तिक और सामाजिक जीवन में प्रतिष्ठित नहीं कर पाये। उन्होंने इसे राजनीति में प्रतिष्ठित करने का प्रयत्न किया, जो उनकी नितान्त मूलगामी और पारदर्शी दृष्टि का द्योतक था, किन्तु उनकी दृष्टि को समाज अपना नहीं पाया। इसका कारण था। उनका कार्य–क्षेत्र एकसाथ सम्पूर्ण भारतीय समाज था जबकि इतनी क्रान्तिकारी दृष्टि क्रमशः और निजी सम्पर्क के द्वारा ही संक्रमित की जा सकती है। महात्मा पाण्डुरंग ने यही किया और एक–एक गाँव और एक–एक बस्ती, एक–एक व्यक्ति, परिवार और समुदाय से वे अनेक गाँवों, बस्तियों, व्यक्तियों, परिवारों और समुदायों तक पहुँचे।

यहाँ यह स्पष्टीकरण आवश्यक है कि महात्मा पाण्डुरंग की दृष्टि गाँधी–दृष्टि से मूलतः अनुरूप होने पर भी उससे बहुत कुछ स्वतन्त्र भी है। इसमें वैदिक जीवनवाद, गीता का भगवद्–निमित्तमात्रता–भाव, और वैष्णव रागात्मक भक्तिवाद इन तीनों का अद्भुत समन्वय है। इनकी वृत्ति सैद्धान्तिक नहीं होने से इनकी रागात्मक भक्ति ईशावास्य उपनिषद् की अद्वैत दृष्टि को भी अपने विरुद्ध नहीं पाती। आख़िर ईशावास्योपनिषद् का 'तेन त्येक्तन भुंजीथाः' भाव 'निमित्तमात्रं भव सव्यसाची' भाव से भिन्न भी तो नहीं है! और यही महत्त्वपूर्ण बात है। यही बात गाँधी जी और पाण्डुरंग जी की भिन्नता के सम्बन्ध में भी कही जा सकती है। उनमें कुछ भी ऐसा नहीं है जो एक का दूसरे को स्वीकार्य नहीं होगा।

वास्तव में इन दोनों महात्माओं ने जो भी कुछ कहा है वह सब बहुत पुराना कहा हुआ है। यह वास्तव में भारत के वायुमण्डल में ही है और उसमें सर्वत्र व्याप्त है। किन्तु यह उनकी कमज़ोरी नहीं, उनका बल है, क्योंकि उन्होंने इस पुरातनता में इसकी सनातनता के तत्त्व का साक्षात्कार किया है और अपने आत्मबल से इसमें एक अदम्य शक्ति और सप्राणता का संचार कर दिया है। पाण्डुरंग जी ने तो इस दृष्टि को जन–जन के दैनिक जीवन के सब पक्षों के व्यवहार का अंग बनाने के लिए नयी–नयी युक्तियों और नयी–नयी परिभाषाओं का आविष्कार भी कर डाला है जो भारतीय संस्कृति की सृजनात्मकता और पाण्डुरंग जी की प्रतिभा की नवोन्मेषशालिता का द्योतक है। उदाहरण के लिए 'वासुदेव–कृषि', 'मत्स्यगन्धा', 'अमृतालयम्', 'वृक्ष–मन्दिर', 'श्री–दर्शनम्', 'सागर–पुत्र', 'भाव–लक्ष्मी', आदि पुराने शब्द नितान्त नयी परिभाषाओं और अत्यन्त समृद्ध अर्थों के धारक बन गये हैं, इनके मूल में अत्यन्त क्रान्तिकारी सिद्धान्त और व्यापक जीवन–दृष्टि है। इनकी प्रेरक शक्ति भक्ति और कर्ममूलक दृष्टि और भावना है और ये व्यवहार के सब क्षेत्रों को व्याप्त करते हैं। उदाहरणतः 'वासुदेव–कृषि' कुछ गाँवों के बीच रखी ऐसी भूमि की संज्ञा है जो उन गाँवों के सब लोगों की साँझी है, उसकी सामूहिक बुवाई और कटाई होती है और उस पर उन गाँवों के सब दम्पती बारी–बारी से काम करते हैं। इसकी उपज उन लोगों की सहायता के काम आती है जिन्हें किसी प्रकार की आर्थिक सहायता की आवश्यकता होती है और वे उस ली गई सहायता को यथासुविधा लौटा भी सकते हैं, और वे लौटाने को उत्सुक रहते हैं, क्योंकि वह वासुदेश का कोष है। भक्ति का व्यवहार से और व्यवहार का भक्ति से, अर्थ का धर्म से और धर्म का अर्थ से ऐसा समन्वय वैयक्तिक और सांस्कृतिक सृजनात्मकता के बिना सम्भव नहीं हो सकता। इसी प्रकार 'सागर–पुत्र' मछुआरों को दिया गया नाम है। यह नाम मछुआरों और उनके कार्य के बीच के सम्बन्ध को रूपान्तरित कर देता है। किन्तु यह रूपान्तरण नामान्तरण मात्र से नहीं होता, इसके लिए दृष्टि का भावना से अनुप्राणित होना भी आवश्यक होता है। वे लोग। किस सीमा तक इससे अनुप्राणित हैं यह उनमें जाकर देखे ही बनता है। मछुआरों में जाति–गत उच्चता–नीचता का भेद है, शराब पीकर पत्नी और बच्चों को पीटना जैसे उनमें एक रीति ही है। इसी प्रकार के और भी अनेक दुर्गुण हैं। किन्तु ये सागर–पुत्र इन सबसे मुक्त हैं। उनमें कोई जाति–गत भेदभाव नहीं है और न व्यक्तिगत कलह है, वे शराब पीकर पत्नियों और बच्चों को नहीं पीटते बल्कि त्रिकाल संध्या द्वारा ईश्वर–भाव में सम्मिलित होते हैं, अब वे अपनी आय के अपव्यय से विपन्न नहीं रहते बल्कि इतने सम्पन्न हैं कि बड़ी–बड़ी 'मत्स्यगंधा' सामुदायिक नावें बनाकर और उनके द्वारा समुदाय के लिए धनार्जन कर वासुदेव का कार्य भी सम्पादित कर सकते हैं। सागर से अब

उनका सम्बन्ध व्यवसाय और उपयोगिता का नहीं है, बल्कि आत्मीयता का है। इसी प्रकार भंगी अब मल उठाने वाले और अछूत नहीं हैं बल्कि आपका परिवेश स्वच्छ करने में सहायक अतएव आपके आभार के योग्य हैं। किन्तु वे आपसे कृतज्ञता की अपेक्षा नहीं कर प्रेम की अपेक्षा करते हैं। इससे इनको 'भाव-लक्ष्मी' कहा गया है। महात्मा गाँधी ने इन्हें एक दूसरा भक्ति-शोधित नाम दिया था—'हरिजन'। किन्तु यह शब्द अपना अर्थ खोकर एक रूढ़ शब्दान्तर मात्र हो गया था, अंधे के 'नयन-सुख' नाम की तरह। क्योंकि न तो इस नाम से नामितों में कोई परिवर्तन आ पाया था और न इस नाम का प्रयोग करने वालों के भाव में इनके प्रति कोई परिवर्तन हो पाया था। महात्मा गाँधी को इन्हें मन्दिरों में प्रवेश दिलाने तक के लिए आमरण अनशन रखना पड़ा था और इस प्रकार इन्हें शुद्ध रूप से बाह्य दबाव के द्वारा वह प्रवेश मिल पाया था। स्वाभाविक था कि ऐसा प्रवेश स्थायी नहीं होता। महात्मा पाण्डुरंग को यह सब नहीं करना पड़ा, क्योंकि उन्होंने पहले भंगियों के अन्तर और बाह्य से उनका भंगीपन समाप्त किया, उन्हें यज्ञोपवीत दिया, त्रिकाल संध्या दी, गीता के श्लोक और उपनिषद् के मन्त्र दिये और इस प्रकार उन्हें आत्म-सम्मान दिया। उन्होंने तथाकथित मनुवादी व्यवस्था समाप्त नहीं की, इस व्यवस्था को उसके मूल अर्थ में प्रतिष्ठित कर इन्हें ब्राह्मण का पद और नाम दिया। अब वे सच्चे अर्थों में हरिजन हो गये, ऐसे मनुष्य जिन्हें हरि को भी अपना कहने में गर्व का अनुभव हो। उन्होंने यद्यपि उन्हें 'भाव-लक्ष्मी' नाम दिया, किन्तु यदि उन्हें अब 'भंगी' नाम से पुकारा जाय तो भी क्या अन्तर पड़ेगा? क्योंकि अब इसी शब्द का अर्थ बदल जायेगा। अभी तो ब्राह्मण-कुलोत्पन्न स्वाध्यायी ही उनके घर साथ सहर्ष बैठकर भोजन-पान आदि करते हैं, पीछे किसी को भी इसमें कोई संकोच नहीं रहेगा। इस रूपान्तरण के परिणामतस्वरूप अब इन 'भंगियों' में भी उच्च कुलोत्पन्नों के प्रति कोई आक्रोश नहीं है, न मनु के प्रति ही कोई आक्रोश है।

यह सब इसलिए सम्भव हो सका क्योंकि इस भेदभाव का मूल अहंकार में है और अहंकार के लिए भक्ति में कोई स्थान नहीं है और पाण्डुरंग जी ने इन लोगों के मन में अवरुद्ध पड़ी भक्ति की अन्त:सलिला के अवरोध हटा दिये और उसे सतह के ऊपर ला दिया। इस भक्ति का तत्त्व इस महात्मा ने इतना गहराई से समझा और अपने सहयोगी स्वाध्यायियों को समझाया है कि उन्होंने अपने इस भाव-प्रसार के साथ 'आन्दोलन', 'सुधार' आदि शब्दों के प्रयोग को भी असंगत और अस्वीकार्य पाया है। आन्दोलन बाह्यत: प्रवर्तित होता है, सुधार सुधरे हुए के द्वारा बिगड़े हुए का होता है। इस प्रकार इन दोनों में अहंकार-भाव, उच्च-नीच का भाव निहित है। सबसे बड़ा दोष तो अहंकार ही है। जिसमें यह है वह दूसरों को क्या सुधारेगा? वह तो स्वयं ही सुधरने की अपेक्षा रखता है। मनुष्य-मनुष्य के बीच सम्बन्ध का सूत्र तो भाव ही है। इसी को अपने में और दूसरों में जगाने की आवश्यकता है। जब वह जग गया तो सब दोष स्वयं ही दूर हो जाते हैं। और सब भावों का भाव अपने भीतर विद्यमान वासुदेव के स्नेह का, प्रेम का, ऊष्मा का अनुभव करना है। वह अनुभव होते ही दिखने लगता है कि वही वासुदेव सब हृदयों में अन्तर्व्याप्त हैं। ऐसे में अपने भीतर वे मल कैसे रखे जा सकते हैं जो अन्तश्चक्षुओं को धुँधला करें? अन्य के प्रति दुराव कैसे रखा जा सकता है जो अन्य के भीतर विद्यमान वासुदेव के दर्शन में बाधक बने? इसी से पाण्डुरंग जी ने अपने दर्शन को 'स्वाध्याय' कहा है, अर्थात् 'स्व' का, आत्मा का मनन, उसका निदिध्यासन, उसी का भावन। किन्तु यह ध्यातव्य है कि यह आत्मा 'मैं' पद-वाच्य नहीं होता, यह सर्वत्र व्याप्त ईश्वर से अभिन्न है। यह 'मैं' भी है, 'तू' भी है और 'वह' भी है। ये सब अलग अलग नहीं, सब संयुक्त, सब एकसाथ। ये तीन सर्वनाम तो एक ही नाम के तीन स्थानों से वचन हैं और यह एक आत्मा है, इसे ईश नाम से भी अभिहित कर सकते हैं। इसी से स्वाध्यायी सुधार करने नहीं निकलता, वह भक्तिफेरी द्वारा सर्वत्र आत्म-भाव की स्रोतस्विनी प्रवाहित करना चाहता है—सबको ईश-भाव में सम्मिलित करने के लिए, आत्मा को ममत्व-परत्व की उपाधियों से मुक्त कर ईशत्व में निर्बाध व्यापकता पाने के लिए।

इसके विरुद्ध बहुत से लोग यह युक्ति देने के लिए प्रेरित हो सकते हैं कि सहकारिता के समान 'वासुदेव कृषि' और 'श्री-दर्शनम्' भी सामाजिक-आर्थिक आयोजन की विधियाँ ही हैं। यदि ये अधिक सफल रही हैं तो इसके कारणों को वैज्ञानिक विधि से समझना आवश्यक है, इनके साथ अतिप्राकृतिक पदावली का प्रयोग केवल भ्रम ही फैला सकता है। किन्तु ऐसी बात आधारभूत रूप से भ्रान्तिपूर्ण होगी। क्योंकि योगेश्वर-कृषि का उद्देश्य उपज अधिक बढ़ाना और वितरण की अधिक कारगर व्यवस्था करना नहीं है। उसके पीछे मौलिक रूप से भिन्न

दृष्टि है। उसके पीछे 'तेन त्यक्तेन भुंजीथाः' की दृष्टि, सब उपज को ईश्वर के प्रसाद के रूप में ग्रहण करने की दृष्टि है। उपज भी बढ़नी ही चाहिए, सबको सुखी और निरामय भी होनी ही चाहिए, किन्तु यह अन्तिम साध्य नहीं होना चाहिए, इसे केवल दैहिक और मानसिक अप्रमाद के अनुषंगी के रूप में ही होना चाहिए। स्वाध्याय ने यह दृष्टि दी है। पाण्डुरंग जी ने इसे संन्यासवाद-निवृत्तिवाद से भिन्न 'विजगीषु जीवनवाद' कहा है। इस दृष्टि के अनुसार सांसारिक सुखों का परित्याग आवश्यक नहीं है, केवल इन्हें परमार्थ नहीं मानना आवश्यक है। यहाँ कालिदास की उक्ति- 'शरीरमाद्यं खलु धर्म-साधनम्' का स्मरण भी स्थाने होगा। 'विजिगीषा' का अर्थ दूसरे लोगों पर या प्रकृति पर विजय की आकांक्षा नहीं है, क्योंकि अन्य मनुष्य या प्रकृति कोई शत्रु नहीं हैं—जिन्हें जीतना है, न ये उपादान या उपकरण हैं जिनका उपयोग करना है। क्योंकि मनुष्य और प्रकृति सब ईश्वर से अधिवसित हैं। इसलिए 'विजिगीषा' का अर्थ जीवन के प्रति उत्साह है, उस सौंदर्य के प्रति उत्साह है जो प्रकृति के माध्यम से ईश्वर को व्यंजित करता है। 'सब सुखी हों, सब निरामय हों, सर्वत्र श्रेयस् ही फलित हो और कोई दुःखी नहीं हो' यह उपनिषद् की प्रार्थना है। इसे चरितार्थ करना, यही विजिगीषा है।

यहाँ कहा जा सकता है कि जीवनवाद तो समझ में आया, प्रकृति के प्रति मैत्रीभाव भी समझ में आया, किन्तु 'उसका दिया हुआ खा रहे हैं' यह भाव समझ में नहीं आया। यदि यह भाव सामाजिक सामरस्य के लिए लाभकर भी हो तो भी इसके युक्तियुक्त, सत्य होने के लिए क्या प्रमाण है? जो धन मैंने कमाया है वह मेरा है, जो वस्तुएँ मैंने अपने धन से खरीदी हैं वे मेरी हैं, यह बात स्पष्टतः सत्य है, यह वासुदेव का है यह कैसे सत्य है? इसका क्या अर्थ और क्या प्रमाण है? इससे तो प्रॉपर्टी राइट्स, पर्सनल राइट्स, राइट्स फॉर लाइफ, ह्यूमन राइट्स इस सबकी बात ही समाप्त हो जायेगी! जबकि ये राइट्स सामाजिक सम्बन्धों के लिए आधारभूत हैं!

अब ज़रा देखें कि ये सब अधिकार मेरे हैं—व्यक्ति होने के नाते, मनुष्य होने के नाते, इसके लिए क्या प्रमाण है? 'मैं' का क्या अर्थ है और इस 'मैं' के अधिकारों का क्या अर्थ और प्रमाण है? जब तक दूसरे अपना कोई कर्त्तव्य नहीं मानें तब तक मेरा अधिकार कहाँ पर ठहरेगा? और यदि मेरा कोई कर्त्तव्य नहीं होगा तब दूसरों का कोई कर्त्तव्य कैसे बनेगा? इस तरह अधिकारों की यह सब बात एक विडम्बना, दृष्टि का एक औंधापन नहीं हो जाती? पश्चिम की यह औंधी दृष्टि आज हमारी दृष्टि भी बन गई है। या कहें हमने अपनी आँखें फोड़कर रास्ता दिखाने का काम पश्चिम को सौंप दिया है। अब, यदि इस औंधेपन को हम समझ लें तो 'मैं' और 'मेरे' की भ्रान्ति की बात भी समझ में आ जाएगी। 'मेरे अधिकार' और 'अन्य के अधिकार', 'मेरे कर्त्तव्य' और 'अन्य के कर्त्तव्य' यह सब परस्पर के प्रति विपरीतता की दृष्टि है जो दृष्टि 'अन्य' को 'मेरे' लिए भयावह बनाती है। यह विपरीतता और भयावहता का भान 'अधिकार' की बात में निहित है, क्योंकि अधिकार-दृष्टि से अन्य से मेरा सम्बन्ध छीनने वाले का, एन्क्रोचर का ही बनता है। यह बात हम केवल आकारिक तर्क के रूप में ही नहीं कह रहे हैं, पश्चिम की वास्तव में आज यही दृष्टि है जो उनके दार्शनिक और कथा-साहित्य में प्रतिपादित हो रही है। किन्तु यदि इस 'मैं-पर' के भेद को एक ही तत्त्व के अपने से प्रेमालाप के उपाय के रूप में, एकोऽहं बहु स्याम के रूप में देखा जाय तो अधिकार की उपर्युक्त आत्मव्याघातकता स्वतः समाप्त हो जाती है। वासुदेव अधिकार की सिद्धि के माध्यम हो जाते हैं। 'वासुदेवाय-भाव' की सत्यता के लिए यही प्रमाण है। अधिकारमूलक व्यवस्था तो केवल छीनाझपटी के आधार पर प्रतिष्ठित है, और इसकी व्यवस्थात्मकता इसके परिणामों से बचने की उपायता में है।

यहाँ प्रश्न किया जा सकता है कि ऐसा कहने के पीछे आधार क्या है? यह सही है कि मनुष्य में स्वार्थपरता भी प्रभूत है, वास्तव में सहजरूप में यही उसकी प्रवृत्ति है, किन्तु उसमें परार्थ भाव, प्रेम, मैत्री, कर्त्तव्य-बोध, अपरिग्रह और अत्म-त्याग भी देखा जाता है। पिता-पुत्र, भई, मित्र आदि सम्बन्धों के आधार में ये भाव ही हैं। मनुष्य में स्वार्थ और अकर्त्तव्य आदि को असत् देखने का बोध भी सार्वभौम है, इसलिए इस बोध को अयथार्थ कहने का कोई औचित्य नहीं बनता। स्वयं रैश्नैलिटी के आधार में औचित्य-निर्णय और इस निर्णय में आत्म-पर की समानता की स्वीकृति निहित है। सारा कानून इसी समानता की स्वीकृति पर आधारित है। इस प्रकार मनुष्य में दोनों प्रवृत्तियाँ हैं जो परस्पर विरुद्ध होने से एक सद् और दूसरी असद् कही जाती है। अब यह अधिकार-मूलक सम्पूर्ण चिन्तन इस बोध से असंगत है। इसके संगततम रूप का दर्शन 'स्वाध्याय-दर्शन' में मिलता है।

अब एक अन्तिम बात ईश्वर के अस्तित्व की रह जाती है। उसके होने का प्रमाण क्या है? और यदि उसके लिए कोई प्रमाण ही नहीं है तब फिर भक्ति के लिए कोई औचित्य नहीं रह जाता, और वह नहीं रहने पर इस 'आन्दोलन' का कोई आधार ही नहीं रहता।

वास्तव में थोड़ा गहराई से विचार करें तो ईश्वर के अस्तित्व के प्रमाण की यह मांग बहुत बड़ी भ्रान्ति पर आधारित है, क्योंकि इस मांग में यह धारणा निहित है कि यदि ईश्वर है तो या तो उसे आँखों से सीधे दिखायी देना चाहिए, या फिर अपने किसी प्रभाव के द्वारा परोक्ष रूप से दिखायी देना चाहिए। एक तरह से यह मांग ऐसी ही मूर्खतापूर्ण है जैसी ध्वनि को आँखों से दिखाने की मांग और रँग को ध्वनि के रूप में सुनाने की मांग होगी। ध्वनि दृश्य नहीं हो सकती और रँग श्रव्य नहीं हो सकते। इसी प्रकार ईश्वर किसी भी इन्द्रिय का विषय नहीं हो सकता। इसलिए उसके इन्द्रिय-प्रमाण की मांग का कोई औचित्य नहीं है। ईश्वर के अस्तित्व के लिए प्रमाण मनुष्य में ईश्वर-भाव का होना ही है। प्राणि-देह में मनुष्यत्व के आविर्भाव के साथ दो बोधों को भी अवतरण हुआ है—सदसद्-विवेक का और ईश्वर का। मनुष्यत्व चेतना की एक अवस्था का ही नाम है, इसी प्रकार पशुत्व भी चेतना की अवस्था का नाम ही है। अब मानव-चेतना में बोध के इन विषयों को कल्पना कह कर झुठलाने के पीछे कोई युक्ति-तर्क नहीं है। वास्तव में कल्पना भी कोई अनिवार्य रूप से अयथार्थ की सर्जक नहीं होती। मेज़, कुर्सी, घट, पट, मकान, विज्ञान, दर्शन, काव्य, उपनिषद्, गीता ये सब कल्पना की ही सृष्टियाँ हैं किन्तु ये 'काल्पनिक' नहीं हैं, ये उपयोगी यथार्थ से लेकर परम यथार्थ तक की सृष्टियाँ हैं, इनमें महत् यथार्थ जन्म लेता है। इसलिए ईश्वर को कल्पना कह कर आप कुछ भी सिद्ध नहीं करते। ईश्वर उसी अर्थ में बोध है जिस अर्थ में विज्ञान बोध है, केवल यह महत्तर बोध है, ऐसा बोध जो जीवन को उसकी समग्रता में अर्थ और आधार देता है। इसे यदि यों कहें कि विज्ञानात्मक बोध इन्द्रिय-ग्राह्य को उसके याथार्थ्य में प्रतिष्ठित करता है तो ईश्वर-बोध इन्द्रिय-ग्राह्य से बुद्धि-ग्राह्य तक के सब आयामों को एक समग्रात्मक याथार्थ में प्रतिष्ठित करता है, तो यह ग़लत नहीं होगा। इसी प्रकार ईश्वरत्व-बोध का याथार्थ्य अतिक्रामी याथार्थ है—भावना और बुद्धिपर्यन्त के अर्थों को धारण करने वाला याथार्थ्य। इस ईश्वर संज्ञक वस्तु, इस सत्त्व के लिए वैसे प्रमाण की मांग जैसे प्रमाण की मांग हम घट-पट के लिए करते हैं, केवल विचार-शून्यता की परिचायक ही कही जा सकती है। अब, ईश्वर की सत्ता का प्रमाण पाण्डुरंग जी जैसे महाप्राण, महामहिम व्यक्तियों का जीवन भी कहा जा सकता है और उस अद्भुत रूपान्तर को भी कहा जा सकता है जो उनके दिव्य संस्पर्श से असंख्य लोगों के जीवन में घटित हुआ है। यदि पाण्डुरंग जी के यह बताने पर कि "तुम्हारे हस्तमूल में ईश्वर का वास है इसलिए इस हाथ से तंबाकू-जर्दा आदि का स्पर्श मत करो" असंख्य लोग इनका उपयोग करना बन्द कर देते हैं तो ईश्वर के अस्तित्व के लिए यह कैसे प्रमाण नहीं है? यदि रामकृष्ण परमहंस के नरेन्द्र (भावी विवेकानन्द) को यह कहने पर कि उन्हें "ईश्वर उसी प्रकार सामने प्रत्यक्ष दिखायी दे रहा है जैसे नरेन्द्र तू दिखायी दे रहा है!" नरेन्द्र स्वामी विवेकानन्द के रूप में रूपान्तरित हो जाता है तो ईश्वर के अस्तित्व के लिए और क्या प्रमाण चाहिए?

अब यदि किसी को हँसने के लिए कुछ सामग्री चाहिए तो उसे रैश्नलिस्ट के पास जाना चाहिए। वह उसे बतायेगा कि परमहंस और पाण्डुरंग जी हिप्नोटिज़्म का प्रयोग करते होंगे। यहाँ इस उपहासास्पद जीव से हम केवल इतना ही कहेंगे कि पहले तो स्वयं हिप्नोटिज़्म भी रैश्नलिज़्म की पदावली में व्याख्येय नहीं है, उसकी पदावली में यह उतना ही अव्याख्येय है जितना ईश्वर है, और दूसरे, स्पष्ट रूप से यह हिप्नोटिज़्म नहीं है। यह कुछ और है। यह मानव-चेतना में अन्तर्गर्भ बोध का विकास है।

समकालीन भारतीय दर्शन

इधर 'समकालीन भारतीय दर्शन' नाम से डॉ. के. सच्चिदानन्द मूर्ति, डॉ. नन्दकिशोर देवराज तथा डॉ. मार्गरेट चटर्जी द्वारा सम्पादित तीन संकलन-ग्रन्थ प्रकाशित हुए हैं। इन तीनों सम्पादकों की पूर्वधारणा के अनुसार 'भारतीयता' का अर्थ 'भारत की भौगालिक परिधि में होना' है और इस प्रकार 'भारतीय दर्शन' एक परिधि के विश्वविद्यालयों के दर्शन विभागों के वरिष्ठ अध्यापकों द्वारा लिखी गई शब्दावली है। 'भारतीयता' सम्बन्धी इस धारणा की प्रतिष्ठा इधर के कुछ वर्षों में ही हुई है जब यूरोपीय शैली पर लिखने वाले कुछ उच्च पदासीन लोगों ने अपने पद के अनुरूप दार्शनिक प्रतिष्ठा का दावा किया। किन्तु मेरी मान्यता है कि 'भारतीयता' अथवा 'भारत का तत्त्व' किसी एक भौगोलिक क्षेत्र में घटित होना नहीं है,[1] यह तत्त्व एक विशिष्ट जीवन-दृष्टि अथवा सांस्कृतिक मूल्य-सन्दर्भ है, इस तत्त्व का नामकरण चाहे भौगोलिक प्रसंग से ही हुआ हो। किन्तु नामकरण के प्रसंग को कभी तत्त्व नहीं बनाया जा सकता, वह आगन्तुक संयोग ही रहता है। किन्तु उपर्युक्त पूर्वमान्यता में इस आगन्तुक प्रसंग को ही तत्त्व कल्पित किया गया है, जो अयुक्त है।

इस पर प्रतिवाद किया जा सकता है कि, 'यदि यह सही भी हो तो क्या? हम इस भारतीयता से मुक्ति पाना चाहते हैं और नयी भारतीयता की प्रतिष्ठा करना चाहते हैं!' मैं स्वीकार करता हूँ कि यह प्रतिवाद युक्ति की दृष्टि से विचारणीय ही नहीं है, बहुत महत्त्वपूर्ण और गम्भीर भी है। यद्यपि इसका उत्तर मैंने अपने दो-तीन लेखों[2] में देने का प्रयत्न किया है किन्तु इस पर और विचार की आवश्यकता है। किन्तु यहाँ उसके लिए स्थान नहीं है। यहाँ मुझे केवल इतना ही निवेदन करना है कि, यद्यपि उपर्युक्त संकलनों के सम्पादकों में कम से कम दो (डॉ. मूर्ति तथा डॉ. देवराज) को यह प्रतिवाद स्वीकार्य नहीं होगा, किन्तु वे इसको अनजाने में स्वीकार कर रहे हैं। इस प्रकार उनका यह सम्पादन-कार्य आत्म-चेतन कार्य नहीं है।

वास्तव में स्वतन्त्रता के बाद हमारे बुद्धिजीवी वर्ग ने राजनेता-वर्ग के निर्देशन में, बिल्कुल अचेत में, पश्चिम के अनुसरण का निर्णय कर लिया। कहा जा सकता है कि राजनेता-वर्ग भी वास्तव में इस दृष्टि से केवल एक व्यक्ति पं. जवाहर लाल नेहरू, के निर्देशन में ही था और इस प्रकार इस नयी उन्मुखता के लिए कुछ सीमा तक यह एक ही महाप्राण व्यक्ति (या कहें अन्य बहुत से व्यक्तियों की प्राण-हीनता) ही उत्तरदायी है। यद्यपि यह सही है कि एक व्यक्ति परिस्थितियों की अनुकूलता के बिना इस प्रकार निर्णायक नहीं हो सकता, और इसके समर्थन में कहीं अधिक महत्तर व्यक्तित्व महात्मा गाँधी की असफलता का उदाहरण दिया जा सकता है, किन्तु मेरे विचार में यह भी सही है कि संक्रमण-काल में अनिश्चित परिस्थिति को निश्चित दिशा देने में, परिस्थिति में निहित एक से अधिक तत्त्वों में से एक को महत्त्व देकर आगे बढ़ाने के निर्णायक कार्य में, एक व्यक्ति का महत्त्व हो सकता है और नेहरू जी ने यह महत्त्वपूर्ण कार्य किया। नेहरू जी अवश्य अपने कार्य के सम्बन्ध में एक सीमा तक आत्मचेतन थे, किन्तु उनकी आत्मा पर्याप्त रूप से स्वरूपवान् नहीं थी, वह अधिकांश में प्रतिक्रियाओं और प्रभावों से बनती-बदलती रहती थी। उसमें केवल एक ही अंश स्थायी था—यूरोपीय (यूरोपीयता नहीं) के प्रति अभिभूतता का। यदि उनकी यूरोपीयता में आस्था होती तो वह इतनी घातक नहीं होती, क्योंकि उस तत्त्व का बोध आत्मबोध में ही प्रतिष्ठा देता—वह आत्मा के निर्माण का ही प्रयत्न होता जो भारतीयता के अभ्युदय में निष्पन्न होता, किन्तु यूरोपीय के आकर्षण ने यूरोप की बाहरी चकाचौंध को साध्य बना दिया। परिषद् के 1964 के वार्षिक अधिवेशन के उद्घाटन-भाषण में डॉ. सम्पूर्णानन्द जी ने कहा था कि उनके पास जब प्रथम पंचवर्षीय

---

1. द्रष्टव्य यशदेव शल्य — **संस्कृति : मानव-कर्त्तृत्व की व्याख्या** अ-2 : 'संस्कृति का अधिष्ठान' तथा **विषय और आत्म** अ-11 : 'भारतीय संस्कृति, जीवित या मृत?' तथा 'हमारा जातीय अनुभव' **दार्शनिक त्रैमासिक**, वर्ष 20, अंक 3।
2. द्र. भारतीय संस्कृति, जीवित या मृत? (वहीं) तथा 'तकनीकी और सामाजिक प्रगति', (इस पुस्तक में संकलित)।

योजना का प्रारूप सम्मति के लिए आया तो उन्होंने उस पर लिखा कि 'इसमें बाँधों और कारखानों के निर्माण की योजना तो है किन्तु जिस मनुष्य के लिए ये सब बनाने हैं उसके स्वरूप की कोई कल्पना नहीं हैं।' यह बड़ी सूझ की और महत्त्वपूर्ण बात थी, किन्तु उससे भी गहरी बात यह है कि मनुष्य का कोई अभियोजन ऐसा नहीं होता जिसमें उसके स्वरूप की कल्पना निहित नहीं हो। यदि आप भाखड़ा नंगल को तीर्थ घोषित करते हैं तो स्पष्ट है कि आप राम की अयोध्या का नहीं सोने की लंका का निर्माण करना चाहते हैं और इस प्रकार आपकी मनुष्य की स्वरूप-कल्पना राम की नहीं रावण की है।

इधर कुछ मित्र तर्क करते हैं कि दर्शन संस्कृति-सापेक्ष नहीं होता, सार्वभौम होता है। किन्तु यह कथन संस्कृति और दर्शन दोनों की समझ के अभाव का द्योतक है। दर्शन वास्तव में संस्कृति की आत्म-चेतना ही होता है, उसके शेष सभी पक्ष गौण और इसके अनुवर्ती होते हैं, इसे संस्कृति का सार भी कह सकते हैं। इस पर कहा जा सकता है कि चार्वाक या हॉब्स का लेखन क्या दार्शनिक लेखन नहीं है? हमारा उत्तर होगा कि अवश्य है, किन्तु इसी अर्थ में कि यह आत्म-चेतना के क्रम में ऊहापोह को व्यक्त करता है। अवश्य हॉब्स यूरोप की संस्कृति के वर्तमान चरण की एक बलवती धारा का प्रतिनिधित्व करता है, किन्तु चार्वाक भारतीय सांस्कृतिक आत्मचेतना के अधिगमन के क्रम में वह पक्ष है जो निराकृत है। हॉब्स, लॉक, ह्यूम, मार्क्स, वाट्सन, पावलोव और रसल निराकृत नहीं हैं और इस प्रकार वे यूरोप की वर्तमान आत्मचेतना को, जिसे उचित ही ऐन्द्रिक कहा गया है, व्यक्त करते हैं। इस प्रकार दर्शन को इस अर्थ में सार्वभौम नहीं कहा जा सकता कि वह संस्कृति-सापेक्ष नहीं होता, केवल इस अर्थ में कहा जा सकता है कि उसे कौन विचारता है यह उसके लिए अप्रासंगिक होता है। इसी प्रकार संस्कृति के लिए भी कहा जा कसता है। किसी संस्कृति के स्वरूप के लिए यह अप्रासंगिक होगा कि वह किस देश, काल और जाति के माध्यम से प्रकट हुई है। किन्तु संस्कृतियाँ विशिष्ट होती हैं और परिणाम तथा उसी प्रकार, दर्शन भी होते हैं। इस प्रकार संस्कृतियाँ और दर्शन सार्वभौम और विशिष्ट दोनों होते हैं। इस प्रकार यह कहना कि दार्शनिक के रूप में हम अपना उपजीव्य शंकर को बनाये या ह्यूम को, इससे कोई अन्तर नहीं पड़ता, युक्तियुक्त नहीं है।

इसका अर्थ यह नहीं है कि हम दूसरी संस्कृतियों को जानें-गुनें नहीं। वैसा नहीं करना वास्तव में घातक ही होगा, क्योंकि अन्य विचार का साम्मुख्य आत्मालोचन की दृष्टि से उपकारक होता है। वास्तव में हमें दूसरी संस्कृतियों का, उनकी समग्रता में, अत्यन्त सहानुभूतिपूर्वक अवगाहन करना चाहिए। किन्तु 'अन्य' को तो हम तभी जानेंगे न यदि हमारा अपना कोई आत्म होगा! उसके बिना तो हम केवल नकलची ही रह जायेंगे।

दर्शन को सार्वभौम कहने के पीछे एक अनालोचित पूर्वमान्यता है कि दर्शन शुद्ध रूप से युक्तिवितर्क है, उसका अनुभव से कोई सम्बन्ध नहीं है। किन्तु दर्शन का इससे अधिक अवमूल्यन और किसी बात से नहीं हो सकता। वास्तव में दर्शन-विषयक इस धारणा का आयात भी समकालीन इंग्लैंड-अमेरीका से ही हुआ है, इसके बावजूद कि उन देशों का वर्तमान दर्शन उनकी परम्परा और वर्तमान मूल्यों को ही व्यक्त कर रहा है।

अवश्य ही दर्शन का एक विच्छेदक गुण सार्वभौम विचारमूलक युक्ति-वितर्क भी है, किन्तु अकेला युक्ति-वितर्क एक प्रकार के कौशल को तो दिखाता है किन्तु वह कभी गम्भीर और महत् दर्शन का स्थानापन्न नहीं हो सकता। शंकर या नागार्जुन या कांट युक्ति-कौशल के कारण महान् दार्शनिक नहीं माने जाते, यह कौशल उनके भाष्यकारों में अधिक मिलता है। उनकी महत्ता इस बात में है कि उन्होंने अपनी संस्कृति की दृष्टि का अत्यधिक व्यापकता और गहराई में जाकर अवगाहन किया, उसे जिया और उसे जीवन्त अभिव्यक्ति दी। जो भी हो, यदि दर्शन भौतिक विज्ञान और अर्थशास्त्र के समान संस्कृति-तटस्थ हो तब 'भारतीय दर्शन' और 'पाश्चात्य दर्शन' आदि विशेषण-विशेष्य-योग का कोई अर्थ नहीं होगा। किन्तु यह योग नितान्त सार्थक है और इसीलिए इन संकलनों के साथ इसका प्रयोग युक्तिसंगत नहीं है, क्योंकि इनमें संकलित अधिकांश लेख भारत के तत्त्व को व्यक्त नहीं करते।

* * *

वास्तव में इस समय देश की दार्शनिक परिस्थिति बहुत विचित्र है। यद्यपि यह सही है कि तीन–चार शताब्दी पूर्व हमारी दार्शनिक परम्परा क्षीण पड़ गई थी, किन्तु वह चिन्ता की बात नहीं थी। जातियों की रचनाशीलता इतिहास–क्रम में सदैव एक–सी जीवन्त नहीं रहती। किन्तु सांस्कृतिक क्षीणता में एक नवीन जीवन्तता से स्फूर्त जाति के इस देश में आगमन ने भारतीय मानस को अत्यधिक विचलित कर दिया। मुस्लिम आक्रमण को इस संस्कृति ने रामानुज, वल्लभ आदि के द्वारा और निर्गुणिये–सगुणिये कवियों के द्वारा, विशेषत: तुलसी और सूर के द्वारा, उत्तर दिया था; वैसा उत्तर यह पश्चिमी आक्रमण को नहीं दे सकी—श्री अरविन्द और महात्मा गाँधी के बावजूद। इसका सबसे बड़ा प्रमाण यही है कि, श्री अरविन्द के अपवाद के साथ, भारतीय दर्शन को हमने भी अतीत और समाप्त परम्परा मान लिया और इस प्रकार उसे स्मरण करना ही अपना कर्त्तव्य बना लिया। इस जाति के जिस भाग या वर्ग में कुछ रचनात्मकता शेष थी वह राज्याश्रय में पश्चिम का अध्येता हो गया। निस्सन्देह इस बीच ब्रह्मसमाज, आर्यसमाज आदि के द्वारा बाह्य आक्रमण को भारतीय उत्तर देने के प्रयत्न भी हुए और अन्यान्य साधना–मार्गों के द्वारा भारतीय सांस्कृतिक धारा प्रवहमान भी रही, किन्तु इसकी रचना–शक्ति क्षीण हो गयी और इस देश का वह वर्ग इससे क्रमशः दूर हटता चला गया जो शिक्षण–संस्थाओं और प्रशासन में पदासीन है। किन्तु तब भी कई स्तरों पर भारतीय सांस्कृतिक धारा का प्रवाह अक्षुण्ण होने से और इसमें वे तत्त्व होने से जिनकी प्रासंगिकता शाश्वतिक है, इसके पुनरुज्जीवन की सम्भावनाएँ बनी ही रहेंगी।

यहाँ संक्षेप में 'पुनरुज्जीवन' के तात्पर्य का स्पष्टीकरण स्थाने होगा। संस्कृति अपने तत्त्व में एक समग्रात्मक मूल्य–दृष्टि होती है जो लोक में मानवीय कृतियों के माध्यम से न्यूनाधिक अपूर्ण और असम्यक् रूप से अभिव्यक्त होती है। सभ्यताओं के इतिहास इन मूल्य–दृष्टियों के भौतिक माध्यम में चरितार्थन की प्रक्रियाएँ होते हैं। इस प्रक्रिया में कृतियों या अभिव्यक्तियों के रूप बदलते रह सकते हैं, किन्तु जब तक दृष्टि या तत्त्व वही है तब तक संस्कृति वही रहती है। अब, यदि यह स्वीकार कर लिया जाय तो पुनरुज्जीवन का अर्थ इस दृष्टि का नवजागरण होगा, अभिव्यक्ति–प्रकारों का पुनरावर्तन नहीं। उदाहरणत:, सांख्य की मूल दृष्टि 'स्वरूपत: पूर्ण आत्म के साथ अनात्म की विद्यमानता की पहली' को समझना है न कि 'प्रकृति–नटी के पुरुष के सामने नाचने और लजाने' की उपमा इसकी मूल दृष्टि है। यदि यह उपमा उस दृष्टि को समझने में बाधक है तो यह त्याज्य है और उसका निवारण उस दृष्टि के लिए उपकारक ही हो सकता है, अपकारक नहीं।

जैसाकि हमने ऊपर कहा, हमारा वर्तमान दार्शनिक लेखन या तो अतीतोन्मुखी है या पश्चिमानुयायी, इस प्रकार यह संस्कृति–मूलक नहीं है, और यदि हमारी दर्शन की यह परिभाषा स्वीकार की जाय कि यह संस्कृति की आत्मचेतना है, तो कहा जायगा कि यह लेखन दार्शनिक लेखन नहीं है। अवश्य किसी अन्य के दर्शन पर विचार भी दर्शन ही होता है, किन्तु वह तब जब वह अपनी खोज का साधन हो, जैसे हेगल का इतिहास–लेखन था, अन्यथा वह या तो सूचना–संग्रह है या अन्य की बात को दूसरे शब्दों में कहने का प्रयत्न, जैसाकि आज हम अधिकांशत: कर रहे हैं। इधर अब दर्शन के क्षेत्र में कुछ सीमा तक इस बात की चेतना परिलक्षित हो रही है, किन्तु अन्य क्षेत्रों, जैसे मनोविज्ञान, समाजशास्त्र, राजनीतिशास्त्र आदि में यह परिलक्षित नहीं है, बल्कि उनमें पश्चिम के पीछे दौड़ने की प्रवृत्ति क्रमशः बढ़ रही है। वैसे ये क्षेत्र वास्तव में दर्शन से ही दृष्टि–भ्रम पाते हैं। इस प्रकार यह स्पष्ट है कि हमारा शिक्षा और प्रशासन–क्षेत्रों का अग्रणी वर्ग इंद्रियार्थ–मूलक संस्कृति का ही अनुसरण कर रहा है। किन्तु भारत का जनमानस इस वर्ग का अनुसरण करने को तैयार नहीं है, यह स्पष्ट है। इस कारण यह वर्ग सन्दर्भ–विच्छिन्न और निराधार ही रह सकता है। इसलिए मुझे इसके लिए कोई भविष्य दिखायी नहीं देता।

भारत संक्रान्ति में : सन्दर्भ – दार्शनिक परिस्थिति

आज के भारत को संक्रान्ति में कहने के पीछे यह पूर्वकल्पना प्रतीत होती है कि संक्रमण की दृष्टि से यह युग दूसरे युगों से विशेष है और पिछले युग मानो अधिकांशत: स्थितिशील रहे हैं। किन्तु यह ठीक नहीं है। मनुष्य, वह व्यक्ति हो या समाज, आत्मावलोकन में कभी अपने को स्थिर नहीं पा सकता, वह अनिवार्यत: अपने को संक्रान्ति में ही पाता है, किन्तु समाज अपने को विशेषरूप से संक्रान्ति में पाता है, क्योंकि उसका 'वर्तमान' बीतते हुए और आ–रहे के बीच तनाव से बना होता है। यह बात सब देशों और कालों के लिए सही है। किन्तु जातियों के इतिहास में कुछ युग ऐसे भी आते हैं जब उनका स्वरूप, उनका सत्त्व, ही खतरे में पड़ जाता है।

यहाँ संक्षेप में 'किसी जाति के सत्त्व के खतरे में पड़ने' का अर्थ स्पष्ट करना प्रासंगिक होगा। किसी जाति का सत्त्व उसकी संस्कृति कही जा सकती है और सामाजिक संस्थाएँ उसकी धारक कही जा सकती हैं। संस्कृति को उस प्रत्यय–संस्थान से परिभाषित किया जा सकता है जो किसी जन–समूह की कृतियों—कला, शास्त्र, शिल्प और संस्थाओं आदि—के माध्यम से अपने को व्यक्त और चरितार्थ करता है। इस प्रकार संस्कृति और जन–समूह आन्तर और बाह्य दो पक्षों के समान हैं। जिस प्रकार आत्मगत एकता के बिना किसी व्यक्ति के कार्यों और कृतियों में कोई एकसूत्रता नहीं हो सकती[1] उसी प्रकार सांस्कृतिक एकसूत्रता के बिना किसी समाज में एकसूत्रता नहीं हो सकती। परिणामः किसी जाति के सत्त्व के खतरे में पड़ने का अर्थ है उसके आन्तर पक्ष का क्षीण होना, अथवा कहें उस जन–समूह में, जो उसका बाह्य विग्रह कहा जा सकता है, उसकी संस्कृति का क्षीण होना। मानव–इतिहास में जातियों को पूर्ण क्षय के अनेक उदाहरण हैं—'यूनानोमिश्र रोमा' जहाँ से इसी अर्थ में मिटे थे, यद्यपि ये तीनों देश भूमि पर अभी भी हैं और उनमें मानव–संतति की एकता उतनी ही अक्षुण्ण बनी हुई है जितनी चीन और भारत में है। किन्तु संक्रान्ति अपने–आपसे संकट नहीं है, वास्तव में तो संक्रान्ति नहीं होना ही संकट है, क्योंकि संक्रान्ति नहीं होने का अर्थ होगा निर्जीवता होना। इसलिए यदि भारत संक्रान्ति की अवस्था में है तो यह कोई ऐसी बात नहीं है जिसकी चर्चा की जाय। इसकी चर्चा दो अवस्थाओं में ही युक्त कही जा सकती है—या तो सांस्कृतिक विघटन की स्थिति उत्पन्न होने पर या संक्रान्ति के दिशा–भ्रष्ट हो जाने पर। सो, आज हम जो संक्रान्ति के सम्बन्ध में इतने सचेत हुए हैं उसका कारण वास्तव में यह है कि हम भारत में सांस्कृतिक विघटन और दिशाहीनता के लक्षण देख रहे हैं, यद्यपि यह भी बहुत सम्भव है कि हम साधारण संक्रान्ति को ही, उसके नितान्त निकट होने के कारण, विघटन समझ रहे हों। यहाँ हम वर्तमान भारत की दार्शनिक परिस्थिति पर सिंहावलोकन के माध्यम से आधुनिक भारत की संक्राति के स्वरूप को समझने का प्रयत्न करेंगे।

दर्शन और साहित्य किसी संस्कृति के विचार और भाव पक्ष की अभिव्यक्ति कहे जा सकते हैं, और क्योंकि विचार विमर्श और विवेक का ही दूसरा नाम है इसलिए यह ज्ञान, कर्म और भाव तीनों का नियामक और नियोजक होता है। इस प्रकार दर्शन को संस्कृति की आत्मा भी कह सकते हैं। किसी संस्कृति को समझने का अर्थ है उसका दर्शन समझना। इसका यह अर्थ है कि किसी समाज के दर्शन में परिवर्तन उसकी संस्कृति में परिवर्तन का द्योतक होता है।

इस स्थापना पर कुछ आपत्तियाँ हो सकती हैं किन्तु यहाँ उनकी चर्चा और उनका समाधान प्रासंगिक नहीं होंगे। निश्चय ही उपर्युक्त प्रतिपत्ति में एक सरलीकरण है, किन्तु यह सारत: सही है। इस सरलीकरण का निवारण प्रस्तुत प्रश्न की परीक्षा के साथ ही हो जायगा। प्रश्न है, आज हमारा दर्शन क्या है?

---

1. द्रष्टव्य : यशदेव शल्य — **संस्कृति : मानव कर्त्तव्य की व्याख्या,** अध्याय 12, राजस्थान हिन्दी ग्रंथ अकादमी, जयपुर 4।

किन्तु यह प्रश्न स्पष्ट नहीं है। इस अस्पष्टता का कारण यह है कि इस समय हमारा दार्शनिक लेखन और भारतीय जन का दार्शनिक दृष्टिकोण एक नहीं हैं; दूसरे शब्दों में, इस समय का हमारा दार्शनिक लेखन हमारी संस्कृति का प्रतिनिधि या प्रतिबिम्ब नहीं है। इस पर प्रश्न हो सकता है कि ऐसा क्यों नहीं है, आख़िर दार्शनिक लेखक तो भारतीय ही हैं, इसलिए वे जो सोचते-विचारते हैं वह भारतीय तो होगा ही, यह बात दूसरी है कि यह विचारक वर्ग अभी एक छोटा वर्ग है। दूसरे, यह एक प्रबुद्ध वर्ग है, इसलिए यह सामाजिक वस्तुस्थिति का प्रतिबिम्ब नहीं होकर उसका नेता और निर्माता है, जिस प्रकार पश्चिम में डेकार्ट और कांट थे, जिन्होंने पाश्चात्य संस्कृति को नई दिशा दी, उसको मात्र प्रतिनिम्बित नहीं किया।

किन्तु दुर्भाग्यवश हमारे देश में यह स्थिति नहीं है। यदि होती तो हमारा दार्शनिक लेखन सचमुच संक्रमण का नायक होता। इस शताब्दी का हमारा दार्शनिक लेखन किसी सन्दर्भ और मूल से रहित है और इसका प्रेरणा-स्रोत पश्चिमी दर्शन है। यह सही है कि कुछ लोग प्राचीन भारतीय दार्शनिकों पर भी चर्चा करते हैं, किन्तु उसकी प्रेरणा भी पश्चिम से ही मिलती है। हेगल और ब्रैड्ले की प्रतिष्ठा के युग में शंकर को प्रमुखता मिली, प्रतीकात्मक तर्कशास्त्र की प्रतिष्ठा ने गंगेश और नव्यन्याय को गौरवान्वित किया, अनुभववाद के सम्मान के साथ बौद्ध दर्शन के स्वलक्षण प्रत्यक्ष तथा प्रतीत्यसमुत्पाद के सिद्धान्तों का सम्मान बढ़ा, प्रेग्मेटिज़्म ने अर्थक्रिया के बौद्ध सिद्धान्त को पुनरुज्जीवित किया। इस प्रकार हमें भारतीय दर्शन की चर्चा के प्रसंग भी वास्तव में पश्चिम से ही मिलते हैं।

प्राचीन भारतीय दर्शन के सन्दर्भ में लिखने वाला एक दूसरा वर्ग है। किन्तु इस वर्ग की उपेक्षा की जा सकती है, क्योंकि यह प्रभावहीन और जीवनहीन है। इसका कृतित्व केवल दुहराने में है।

स्वतन्त्रता से पहले हमारा दार्शनिक लेखन तुलना-प्रधान था : किसी प्राचीन भारतीय दार्शनिक की किसी पश्चिमी दार्शनिक के सन्दर्भ में व्याख्या की जाती थी। यद्यपि श्री अरविन्द, डॉ. भगवानदास और एक सीमा तक के.सी. भट्टाचार्य भी इसके अपवाद थे, और वे बहुत ही उत्कृष्ट दार्शनिक थे, किन्तु यह द्रष्टव्य है कि प्रथम दोनों विश्वविद्यालयीय क्षेत्रों से बाहर थे। तो भी, यह एक महत्त्वपूर्ण बात है कि उस युग ने इस कोटि के, और सच्चे अर्थों में भारतीय, दार्शनिकों को जन्म दिया। यहाँ प्रश्न हो सकता है कि क्या ये दार्शनिक तत्कालीन भारतीय मानस् को प्रतिबिम्बित करते हैं? इसका निस्संदिग्ध उत्तर होगा 'हाँ', यद्यपि इसकी व्याख्या हम यहाँ नहीं करेंगे और आगे प्रसंगत: इसका परोक्ष उत्तर देंगे।

किन्तु स्वतन्त्रता के बाद दार्शनिक परिस्थिति में बहुत परिवर्तन आया। स्वतन्त्रता ने हमारे लिये अपने अतीत से प्रेरणा ग्रहण करने की आवश्यकता समाप्त कर दी और इससे पश्चिम के प्रतिरोध की भावना भी जाती रही। भारत से अधिकाधिक संख्या में विद्यार्थी और अध्यापक 'शिक्षा' के लिए इंग्लैंड और अमरीका जाने लगे और उनकी भाषा में उनकी बात कहने के अभ्यास के साथ लौटने लगे। कुछ समय तक इस वर्ग का हमारे देश के दार्शनिक क्षेत्रों में बहुत आतंक रहा। इधर इस वर्ग का आतंक कुछ कम हुआ है किन्तु स्थिति में मौलिक परिवर्तन नहीं आया है। इस स्वातन्त्र्योत्तर युग में इंग्लैंड-अमरीका के प्रमुख-गौण दार्शनिकों और इनसे प्रेरित 'मौलिक चिन्तन' की काफी चर्चा रही है। इन दो दशाब्दों में आंग्ल-अमरीकी दार्शनिकों की रुचि के विषयों और दार्शनिकों पर बहुत सी गोष्ठियाँ आयोजित होती रही हैं। **अखिल भारतीय दर्शन परिषद्** तक के अधिवेशनों में और उसकी पत्रिका **दार्शनिक त्रैमासिक** में ऐसे लेखों की भरमार रहती रही है जिनके विषय आंग्ल-अमरीकी पत्रिकाओं में प्रकाशित लेखों से लिये गए होते थे। इसके लिए मेरा उत्तरदायित्व भी कम नहीं रहा, क्योंकि एक समय मैं भी इस प्रकार स्वानुभव-शून्य उथली युक्ति-रचना को ही दर्शन मानता था और परिषद् का मन्त्री तथा दार्शनिक त्रैमासिक का सम्पादक होने से मेरा भ्रामक प्रभाव भी कुछ तो पड़ा ही होगा। किन्तु मैं न कभी दूसरे प्रकार के विचारों के लिए बन्द था और न मैंने कभी अपने मताग्रह को दार्शनिक त्रैमासिक की नीति ही बनाया था। इसलिए मुझे इस प्रकार प्रवृत्तियों के प्रोत्साहन में कोई महत्त्वपूर्ण कारण नहीं माना जा सकता। वास्तव में तो इन प्रवृत्तियों के प्रसार का कारण हमारे दर्शन के विद्यार्थियों-अध्यापकों का विदेश-गमन ही था। इसका प्रमाण यह है कि अंग्रेज़ी में प्रकाशित होने वाली दर्शन की पत्रिकाओं में इस प्रकार के लेखों की भरमार रहती है। इंडियन फिलॉसाफिकल

एसोसियेशन अपने वार्षिक अधिवेशनों के अवसर पर जो गोष्ठियाँ रखती है उनके विषय आंग्ल-अमरीकी दर्शन से ही लिये गए होते हैं। उदाहरण के लिए इसके 19 वें अधिवेशन (1971) में पढ़े गए लेख निम्न प्रकार हैं : ऑन फिलॉसाफीकल डिस्क्रिप्शन, यूनीवर्सल्स एण्ड फेमिली रिज़ेंब्लेंसिस्, (गोष्ठी) कैन दि एग्जिस्टेंस ऑफ गॉड बी डिस्प्रूव्ड (गोष्ठी), दि आइडेंटिटी ऑफ इंडिस्सर्निबल्स, नेसेस्सिटी एण्ड एँटेल्मेंट, सार्त्र एण्ड लेंगर : ए क्रिटिकल एग्ज़ामिनेशन, मूर्ज आर्गूमेंट्स फॉर दि इंडिफाइनेबिलिटी ऑफ गुडनेस, ए नोट ऑन मूर एण्ड साक्रेटीज़, ऑन मैथड।

पीछे 1961 में मुम्बई से एक **'इंडियन जर्नल ऑफ फिलॉसफी'** पत्रिका का प्रकाशन आरम्भ हुआ था जिसके सम्पादक लेख-संग्रह के लिए पहले विदेश में फेरी देते और तब देखते कि स्थान भरने के लिए और कितने लेखों की आवश्यकता होगी, और उनकी पूर्त्ति देशी लेखकों से करते। क्योंकि उनका मत था कि उच्च स्तर का चिन्तन तो पश्चिम के लोग ही कर सकते हैं और अपने लोगों की चिन्तन-क्षमता वे उनकी अनुकरण-क्षमता के अनुपात से ही स्वीकार करते थे। मेरे एक दार्शनिक मित्र के लिए किसी भारतीय की दार्शनिक उपलब्धि का मानदण्ड यूरोपीय पत्रिकाओं में (जिन्हें वे 'अन्तर्राष्ट्रीय'—अर्थात् विश्व के बौद्धिक स्तर की मापक-पत्रिकाएँ कहते हैं) उसके लेखों का प्रकाशित होना ही है। और यह मान्यता केवल उन्हीं की नहीं है, यह प्रायः सभी सत्ताधारियों की है।[1]

*　　　*　　　*

हमारी उपर्युक्त आलोचना में यह पूर्वमान्यता है कि दर्शन जातीय अनुभव में प्रतिष्ठित होता है, या होना चाहिए। इसके विपरीत, जिन लोगों की ऊपर चर्चा की गई है उनकी धारणा है कि दर्शन के प्रश्न सार्वभौम, अथवा कहें देश-कालातीत, होते हैं, इसलिए दार्शनिक चर्चा में पूर्व-पश्चिम की विभेदक रेखाएँ नहीं लगानी चाहिएँ।

इस दूसरी मान्यता में निश्चय ही कुछ सत्य है, किन्तु यह मूलत: भ्रामक है। इसके अनुसार दर्शन का तत्त्व युक्ति-तर्क है, अनुभव दर्शन के लिए अप्रासंगिक है। किन्तु यह सही नहीं है, यह समझने के लिए यहाँ सार्वभौमता की दृष्टि से दर्शन का विज्ञान और गणित से भेद और काव्य-कलाओं से साम्य देखना स्थाने होगा। दर्शन और काव्य तथा अन्य कलाएँ एक अर्थ में सार्वकालिक और सार्वदैशिक होती हैं। विज्ञान और गणित सार्वदैशिक होते हैं किन्तु सार्वकालिक नहीं होते। यहाँ हमने अपने प्रतिपादन को 'एक अर्थ में' से परिसीमित किया है। इसका आशय यह है कि कोई दार्शनिक कृति और कला-कृति कालांतर और देशान्तर में असत्यापित नहीं होती। इस प्रकार काव्य और कलाएँ सार्वभौम होती हैं और उनके कालान्तर और देशातर दोनों में असत्यापित न होने से आपादित होता है कि वे विज्ञान और गणित से अधिक सार्वभौम होती हैं। किन्तु काव्य और कलाओं के सम्बन्ध में यह सिद्ध करने के लिए विशेष प्रयत्न की आवश्यकता नहीं है कि वे व्यक्ति के सांस्कृतिक अनुभव में प्रतिष्ठित होती हैं, और इसी प्रकार दर्शन के लिए भी यह देखने में कठिनाई नहीं होनी चाहिए। दर्शन की सार्वभौमता इस बात में होती है कि इसका प्रत्ययन सर्वव्यापी होता है, यह जिस भी दृष्टिकोण पर अपने को प्रतिष्ठित करता है उसमें समग्र को आकलित करता है। इसे एक तरह से संसार-रचना से उपमित किया जा सकता है—संसार एक समग्रता है, किन्तु यह असंख्य सम्भाव्य समग्रताओं में से एक है। ठीक इसी अर्थ में दर्शन सार्वभौम होता है। उदाहरण के लिए मार्क्स का द्वन्द्वात्मक भौतिकवाद उतना ही सार्वभौम है जितना हेगल का द्वन्द्वात्मक प्रत्ययवाद। ये दोनों एक बृहत्तर समग्रता, यूरोपीय सांस्कृतिक परिवेश, के अंग हैं। यह समग्रता पुन: अन्याय समग्रताओं में से एक है। इस प्रकार दर्शन की सार्वभौमता और संकीर्णता में कोई विरोध नहीं है।

इस पर कहा जा सकता है कि भले ही दर्शन की सार्वभौमता उसकी सांस्कृतिक संकीर्णता से विसंगत नहीं हो किन्तु इससे यह भी आपादित नहीं होता कि वह संस्कृति-संकीर्ण हो, दर्शन सार्वभौम और सार्व-सांस्कृतिक भी हो सकता है। किन्तु यह सही नहीं है, ठीक उसी प्रकार जिस प्रकार कोई संसार सब संसारों का समावेशी नहीं

1. यह लेख 1973-74 में लिखा गया था, यह तब की बात है। आज ये लोग भारतीय दर्शन की बात करने लगे हैं।

हो सकता। इसके विरुद्ध कहा जा सकता है कि विज्ञान और गणित संस्कृति-मूलक नहीं होते, उसी प्रकार दर्शन के लिए भी यह सम्भव है कि वह संस्कृति-निरपेक्ष हो। किन्तु यह भी सही नहीं है। विज्ञान का विषय संवेद्य अनुभव और व्यवहार के विनियोजन तक सीमित होता है, गणित का शुद्ध आकार तक, इसलिए ये संस्कृति-निरपेक्ष होते हैं, किन्तु दर्शन सार्थकता, मूल्य और परमार्थ के सन्दर्भ में विचरण करता है, इसलिए यह सांस्कृतिक अनुभव में बहुत गहरे प्रतिष्ठित होता है।

तब प्रश्न हो सकता है कि आज हमारा दार्शनिक लेखन, कुछ अपवादों को छोड़कर, हमारी संस्कृति से विच्छिन्न कैसे हो सका? इसका सरल उत्तर है कि हमारे दार्शनिक लेखकों के अपने अनुभव के प्रति झूठा होने के कारण। अपने अनुभव के प्रति झूठा होना कोई दुर्लभ बात नहीं है, वास्तव में यही स्थिति अधिक सुलभ है। हम सहज रूप से बाह्य प्रभावों के लिए खुले रहते हैं और इस प्रकार आत्म-बहिष्कृत रहते हैं। मैं एक व्यक्ति के सम्बन्ध में कहा करता हूँ कि वह सदैव किसी उपन्यास या नाटक के पात्र की भूमिका में ही रहता है। यह उसमें बहुत अधिक स्पष्ट रूप से दृष्टिगत होता है, किन्तु अधिकांश में हम सभी किन्हीं कल्पित भूमिकाओं में रहते हैं, यह दूसरी बात है कि वे किसी उपन्यास या नाटक के पात्रों की नहीं होकर हमारी गढ़ी हुई होती हैं। किन्तु यहाँ प्रसंग सांस्कृतिक आत्मा का है। हमारा यह आत्मा अत्यन्त क्षीण हो गया है और परिणामत: हम कल्पित भूमिकाओं में ही जी रहे हैं। उदाहरण के लिए गाँधी और नेहरू को देखा जा सकता है। गाँधी जी का सांस्कृतिक आत्मानुभव सहज था जबकि नेहरू जी आरोपित भूमिका में थे।

यहाँ प्रश्न हो सकता है कि क्या सांस्कृतिक सन्दर्भ में आत्मानुभव के प्रति सच्चा होने की बात उसी प्रकार की जा सकती है जिस प्रकार वैयक्तिक आत्मानुभव के प्रति सच्चा होने की? क्योंकि संस्कृति को व्यक्ति का संस्कार-परिवेश कह सकते हैं और संस्कार-परिवेश कैसा भी हो सकता है। इस प्रकार नेहरू जी का संस्कार-परिवेश इंग्लैंड से प्राप्त था और गाँधीजी का भारत से। यह उत्तर कुछ सीमा तक सही है, किन्तु यह अधिकांशत: सही नहीं है। नेहरू जी को छोड़ते हुए (क्योंकि उनके सम्बन्ध में कहा जा सकता है कि वे बचपन से ही इंग्लैंड में रहे), हमारे दार्शनिक बन्धु आज जो लिख रहे हैं उसका कोई औचित्य नहीं है क्योंकि वे यूरोपीय परिवेश में नहीं पले हैं। वे पुस्तकें पढ़कर रटी हुई बातें लिख रहे हैं। यहाँ प्रश्न हो सकता है कि क्या यही बात उनके सम्बन्ध में नहीं कही जा सकती जो प्राचीन भारतीय दर्शन के सन्दर्भ में लिख रहे हैं? हमारे विचार में यह उनके लिए भी कम सही नहीं है, क्योंकि अपने सन्दर्भ से वे भी उतने ही विच्छिन्न हैं, दूसरे शब्दों में, दोनों का अनुभव बराबर कुंठित है, अथवा और भी अधिक उपयुक्त शब्दों में, दोनों अनुभव के लिए बराबर कुंठित हैं।

यहाँ एक महत्त्वपूर्ण प्रश्न हो सकता है, ऐसा क्यों है? किन्तु सम्भवत: इसका कोई बुद्धिगम्य उत्तर सम्भव नहीं है। किसी जाति की आत्मा (संस्कृति, मूल्य-बोध) किसी समय क्यों क्षीण हो जाती है, यह एक रहस्य है। जैसाकि हमने पीछे कहा, कुछ जातियाँ कई बार सर्वथा आत्म-सत्त्व-शून्य भी हो जाती हैं और शताब्दियों तक उसी अवस्था में रहती हैं। किन्तु सम्भवत: हम उस दिशा में अग्रसर नहीं हैं, सम्भवत: यह अचिरस्थायी अवस्था है जिससे हम उबर सकेंगे।

तब यहाँ कहा जाएगा कि यदि हमारा उपर्युक्त विवेचन सही है तो हम सांस्कृतिक सम्मोह की अवस्था में हैं, संक्रान्ति की अवस्था में नहीं। यह बहुत दूर तक सही है। स्वामी विवेकानन्द और दयानन्द द्वारा प्रवर्तित और श्री अरविन्द, रवीन्द्रनाथ ठाकुर तथा गाँधी द्वारा उत्तानीकृत संक्रान्ति प्रबुद्ध संक्रान्ति थी, आज अवश और व्यामोहग्रस्त जाति की संक्रमणात्मक स्थिति है। किन्तु यह संक्रमण आत्मा की एक अवस्था से दूसरी अवस्था में नहीं है, यह आत्मा से आत्मक्षय की अवस्था में संक्रमण है और इसके लिए हमारे विश्वविद्यालय और राज्य सबसे अधिक सबल उपकरण बन रहे हैं।

यहाँ हमारी स्थापना पर कुछ संदेह प्रकट किये जा सकते हैं। एक यह कि भारत केवल एक राजनैतिक-भौगोलिक एकक की संज्ञा है, यह किसी सांस्कृतिक एकक की संज्ञा नहीं है, दूसरा यह कि, यदि यह मान भी

लिया जाय कि भारत एक सांस्कृतिक एकत्व भी है, अर्थात् कि कोई संस्कृति है जो उपयुक्त रूप से 'भारतीय' से विशेषित की जा सकती है, तो भी इससे यह सिद्ध नीं होता कि भारतीय समाज द्वारा अपनी संस्कृति में अन्य संस्कृति के तत्त्वों का स्वीकार कोई खेद या चिन्ता की बात है। हम स्वयं यह बहुत अभिमान से कहते हैं कि चीन तथा पूर्वी और दक्षिण पूर्वी एशिया के देशों ने भारतीय संस्कृति को अपनाया। उनके द्वारा भारतीय संस्कृति को अपनाना उनके लिए खेद और चिन्ता की बात थी, यह नहीं कहा जा सकता।

इन प्रश्नों के उत्तर बहुत कठिन हैं और हमारे लिए इनका उत्तर देना आवश्यक भी नहीं है। यहाँ हम जो कह रहे हैं उसमें न यह पूर्वमान्यता है कि भारत की कोई एक संस्कृति है और न यही कि यदि है तो उसको छोड़कर किसी अन्य संस्कृति का ग्रहण अहितकर है। यदि हम स्वस्थ भाव से यूरोपीय संस्कृति के तत्त्वों को ग्रहण कर रहे होते तो यह विवाद प्रासंगिक होता कि यह ग्रहण उपयुक्त है या नहीं। किन्तु जैसाकि हमने ऊपर कहा, यह स्वस्थ ग्रहण नहीं है। इसलिए यूरोपीय संस्कृति के ग्रहण की उपयुक्तता का प्रश्न भी प्रासंगिक नहीं है।

किन्तु तब भी हम यहाँ इन दो महत्त्वपूर्ण प्रश्नों पर संक्षेप में अपने विचार रखेंगे, क्योंकि इन दो, विशेषत: पिछले प्रश्न पर, भ्रामक विचार हमारे लिए बहुत घातक सिद्ध हो रहे हैं।

यह सही है कि भारत में कम से कम दो बड़े समुदाय—हिन्दू और मुसलमान हैं और इन दो की एक ही संस्कृति नहीं है। किन्तु यहाँ यह द्रष्टव्य है कि सब समुदाय संस्कृति-सम्पन्न समुदाय नहीं होते। हमारा मुस्लिम समुदाय इसी प्रकार का है। अवश्य ही यह अपने को मध्य एशियायी मुस्लिम संस्कृति से जोड़ना चाहता है, किन्तु एक तो यह संस्कृति भी कभी स्फुट विकसित रूप नहीं ले सकी—इसके वाहक समुदाय अधिकांशत: आक्रमण और विजयोन्माद में ही खोये रहे, और दूसरे, अब वह अविकसित संस्कृति भी उन जातियों में निष्प्राण हो चुकी है। इस समय यह पूर्णत: सार्थक रूप से नहीं कहा जा सकता कि मध्य एशिया के समाज संस्कृति-सम्पन्न समाज हैं।

जहाँ तब दूसरे प्रश्न का सम्बन्ध है, इसके उत्तर के लिए पहले यूरोपीय और भारतीय संस्कृति को परिभाषित करना होगा और तब यह देखना होगा कि क्या यूरोपीय संस्कृति अपेक्षाकृत अपर्याप्त संस्कृति है?

यूरोपीय संस्कृति को परिभाषित करने के लिए मध्य युगों की उपेक्षा करनी होगी। तब इस संस्कृति को वैज्ञानिकविमर्शात्मक संस्कृति कहा जा सकता है। अपने वर्तमान चरण में यह ऐहिक भी है। भारतीय संस्कृति आध्यात्मिक संस्कृति है। 'आध्यात्मिक' शब्द 'धार्मिक' से भिन्नार्थक है। धर्म ऐहिक नहीं होता किन्तु एक अर्थ में लौकिक होता है—जिस अर्थ में वेदान्त का ईश्वर मायागत है। अध्यात्म अतिक्रामी होता है। यह अतिक्रामिता सर्वसमावेशी होती है। इस प्रकार यह अध्यात्म अवस्था और तर्क दोनों का अपने में निम्न स्तरों पर समावेश करता है। इस समावेश से तर्क की अपर्याप्तता आपादित होती है।

समकालीन भारतीय दर्शन : स्थिति और परिस्थिति

सब वैचारिक लेखन स्थूल रूप से तीन वर्गों में बाँटा जा सकता है—1. आपदेखी-आपबीती की कथा कहने वाला और उसके अर्थ की गहराइयों में उतरने का प्रयत्न करने वाला, 2. दूसरों की देखी के अर्थ को समझने और उसका विवेचन करने वाला, और 3. उपर्युक्त दोनों की कही का लेखा-जोखा प्रस्तुत करने वाला। किसी भी समाज में विचार का आरम्भ स्वभावत: पहले प्रकार के लोगों से ही होता है, इसी से वे द्रष्टा, ऋषि, नबी आदि कहे जाते हैं। उसके बाद उनकी कही बात के विवेचन का, उसका अर्थ समझने के प्रयत्न का आरम्भ होता है। इसे उस समाज की विचार-परम्परा कहा जाता है। उसके बाद और साथ-साथ इस परम्परा का लेखा-जोखा रखने वाले लोग आते हैं। सामान्यत: अध्यापक, विद्वान्, शास्त्रविद् ये तीसरे प्रकार के लोग होते हैं। ऐसा नहीं है कि दूसरे प्रकार के लोगों में अपना कुछ देखने वाले होते ही नहीं, इनमें कुछ इन मूल द्रष्टाओं की बात को अपनी देखी-महसूसी बात पर परखने वाले भी होते हैं, किन्तु अधिकांश केवल शाब्दिक विचार-परम्परा में ही आगे कड़ियाँ जोड़ते और शब्दार्थों की गहराई में ही आगे से आगे उतरते हैं। प्रायः ही यह शाब्दी परम्परा कुछ समय बाद अनुभव से बहुत दूर चली जाती है और दृष्ट अर्थ के विवेचन की सम्भावनाएँ भी चुक जाती हैं, और तब शुद्ध शाब्दिक रचनाएँ या पिष्ट-पेषण ही शेष रह जाता है। ऐसे में कोई लीक पीटने की स्थिति से बाहर निकल कर अनुभव का, वस्तु का, तत्त्व का साक्षात्कार करता है और तब एक नयी विचार-परम्परा का आरम्भ होता है। ऐसा नहीं है कि एक समाज में एक समय में एक ही विचार-परम्परा रहती है। ऋषि या द्रष्टा अनेक होते हैं और इस प्रकार उनसे प्रवर्तित विचार-परम्पराएँ भी अनेक होती हैं। इन परम्पराओं में परस्पर वाद-विवाद चलता है जो इन परम्पराओं को आत्मालोचन के लिए विवश करता है जिससे उनमें परिष्कार और विस्तार होता है, गहराई आती है। इनका यह पारस्परिक विवाद इनमें पारस्परिकता भी लाता है जिससे ये एक परिवार के अंग बनते हैं। जैसे एक व्यक्ति विचार करते हुए अपने में ऊहापोह करता है उसी प्रकार ये विचारधाराएँ एक समाज के विचार में ऊहापोह जैसी बनती हैं—1. 'ब्रह्म सत्य है, जगत् मिथ्या है', (अद्वैत वेदान्त) 2. 'यह कैसे ठीक हो सकता है? जगत् तो सामने दिखायी देता सत्य है! इसलिए यह क्यों नहीं कहा जाय कि जगत् ही सत्य है? ब्रह्म केवल कल्पना है?' (चारवाक) इनमें पहली प्रतिपत्ति हमारी संस्कृति की मूल प्रतिपत्ति है, हमारी संस्कृति इसे लगभग मान कर चली। किन्तु यदि उसकी इस मान्यता पर कोई आक्षेप नहीं उठता तो यह एक मान्यता मात्र रह जाती, यह विचार के स्तर पर नहीं उठ पाती। तब किसी तीसरे को दोनों प्रतिपत्तियों में एकांगिता लगी और उसने तीसरी प्रतिपत्ति दी कि 'जगत् और ब्रह्म दोनों सत्य हैं।' (द्वैतवाद) वैचारिक रूप से जीवंत किसी भी समाज में इस प्रकार का ऊहापोह, वाद-विवाद चलता रहता है और यह जितना ही चलता है उतना ही उस समाज की विचार-परम्परा समृद्ध होती है। इस दृष्टि से भारत की विचार-परम्परा सम्भवत: सब से समृद्ध कही जा सकती है। यहाँ वेदों के रचना-काल में ही वेद-विरुद्ध मत भी थे, महावीर और बुद्ध ने तो इनसे स्वतन्त्र बहुत बड़े वैचारिक आन्दोलन ही खड़े किये, कुछ ने तो वेदों के रचयिताओं को 'भंड, धूर्त, निशाचर' तक कहा। मुझे किसी ने बताया था कि एक बार मुस्लिम विद्वानों की सभा हुई और उसमें 'हिन्दू-धर्म' को परिभाषित करने का प्रयत्न किया गया। इस प्रयत्न के अन्त में वे इस निष्कर्ष पर पहुँचे कि 'हिन्दू वे हैं जो आपस में बहस करते रहते हैं।' किसी विचार-परम्परा या समाज को इससे बड़ी प्रशस्ति नहीं मिल सकती। ईसाइयों को हिन्दुओं को धार्मिक कहने में सबसे बड़ी कठिनाई यह होती है कि इनमें असंख्य मतमतान्तर ही नहीं हैं बल्कि इनके अधिकांश दर्शन निरीश्वरवादी भी हैं। हिन्दुओं की केन्द्रीय विचार-धारा एक-साथ बहुदेववादी और अद्वैतवादी है। इसका बहुत ही सुन्दर निरूपण अज्ञेय की निम्न पंक्तियों में हुआ है—

शिखर शिखर पर देवल
ऊपर निराकार है केवल

अस्तु, भारत की यह विचार–परम्परा असंख्य नदों–कुल्याओं में बँटती और बँटते हुए सिमटती हज़ारों वर्षों से अंग्रेज़ों के आगमन तक अप्रतिहत जारी रही। ऐसा नहीं है कि यह परम्परा पूरा समय एक समान ही उर्वर रही। सभी समाजों में वैचारिक उर्वरता और बंजरता के युग अनुक्रमशः आते–जाते रहते हैं, किन्तु जब तक यह अनुक्रम चलता है तब तक उस परम्परा को एक जीवित परम्परा कहा जा सकता है। अंग्रेज़ों के आने पर जो एक नयी बात हुई वह यह थी कि हमारे प्रबुद्ध वर्ग को वैचारिक स्तर पर और सामान्य जन को व्यावहारिक स्तर पर यह बाहर से आयी जाति अपने से बहुत उत्कृष्ट प्रतीत हुई। हमारे में सामान्य रूप से एक आत्म–हीनता का भाव जगा। मैंने बड़े–बड़े प्रबुद्ध जनों को इस हीन भाव से ग्रस्त देखा है, सामान्य जन की तो फिर बात ही क्या है। तो भी हमीं में एक बहुत बड़ा वर्ग ऐसा भी था जिसने इस अभ्यागत संस्कृति को एक सांस्कृतिक चुनौती के रूप में लिया और अपनी परम्परा का नवीकरण किया। स्वामी दयानन्द, राजा राममोहन राय, स्वामी विवेकानन्द, श्री अरविन्द, लोकमान्य बालगंगाधर तिलक, महात्मा गाँधी, डॉ. भगवानदास, पं. रामावतार शर्मा आदि इस वर्ग में रखे जा सकते हैं। काव्य–क्षेत्र तो पूरा का पूरा परम्परा के नवीकरण के रूप में ही देखा जा सकता है और इस प्रकार इसे काव्य में भारतीय नवजागरण का युग कहा जा सकता है। किन्तु वैचारिक क्षेत्र में ऊपर गिनाये गए इन थोड़े से नामों को छोड़ कर कोई और दिखायी नहीं देता और ये भी परस्पर असम्बद्ध और छोटे–बड़े विस्फोटों जैसे ही दिखायी देते हैं। अंग्रेज़ों ने आकर अपनी नयी शिक्षा–प्रणाली भी लागू की और विश्वविद्यालयों की स्थापना की, जिनमें पाश्चात्य दर्शन और अन्य अनुशासनों का अध्यापन आरम्भ किया। अध्यापकों का तो कार्य ही दूसरों के विचार बताना–समझाना होता है, हमारे अध्यापक पूरी तरह दूसरों के विचारों के अध्यापन तक ही सीमित रहे, अपना विचार करना उन्हें अपने अस्तित्व के स्तर से बहुत ऊपर की बात लगी। ये अध्यापक अपना जो अधिक से अधिक कर पाये वह था देश–भक्ति के रूप में यह दिखाना कि पश्चिम के चिन्तक तो निश्चय ही महान् हैं किन्तु कुछ चिन्तक हमारे यहाँ भी हुए हैं जो बहुत कुछ वैसी ही बातें कहते हैं। सो, इन लोगों ने तुलनात्मक लेखन किया, इसे तुलनात्मक दर्शन कहना अनुचित होगा। इस वर्ग के लोगों में जिस एकमात्र व्यक्ति का नाम मौलिक चिन्तक के रूप में लिया जाता है, और उचित रूप से ही—कृष्णचन्द्र भट्टाचार्य—उनका भी लेखन मुख्यत: कांट और वेदान्त का सम्मिश्र रूप ही है यद्यपि वह तुलनात्मक नहीं है, उनकी अपनी प्रतिपत्ति के रूप में ही है। निश्चय ही इन अध्यापकों में कुछ बहुत विद्वान् और विदग्ध भी थे, किन्तु यह उत्कृष्ट प्रतिपन्नता अन्यों के विचारों के प्रस्तुतीकरण में ही थी। जैसे सर्वेपल्लि राधाकृष्णन्, प्रो. जड़ाऊलाल महता, प्रो. जितेन्द्रनाथ मोहन्ती, प्रो. देवीप्रसाद चट्टोपाध्याय आदि। ये सब बहुत अच्छे विद्वान्, सूझ पूर्ण और वाग्विदग्ध लोग थे/हैं। यदि ये पाश्चात्य या पौर्वात्य दर्शन के अध्यापक नहीं होते तो निश्चय ही ये भारतीय दार्शनिक परम्परा में योगदान करने वाले होते, किन्तु एक परम्परा के दर्शनिकों की अन्य परम्परा के दार्शनिकों से तुलना करने वाले तो किसी परम्परा को आगे नहीं बढ़ाते। कुछ ने तुलना नहीं कर भारतीय दार्शनिकों पर पाश्चात्य दार्शनिकों के प्रकाश में लिखा। निश्चय ही यह व्यापार एक विचार–सन्दर्भ को व्यापकता दे सकता है, किन्तु इसमें स्वयं उस सन्दर्भ के निरूपण की विश्वसनीयता सन्देहास्पद हो जाती है। जहाँ तक हमें ज्ञात है, इसका उल्लेखनीय अपवाद केवल प्रोफेसर गोविन्दचन्द्र पाण्डे प्रस्तुत करते हैं, जिन्होंने इस तुलना या सन्दर्भान्तर के प्रकाश में लिखने के प्रचलन से हट कर स्वयं भारतीय परम्परा के ही विवेचन और व्याख्या का अत्यन्त श्लाघ्य और सफल प्रयत्न किया। उन्होंने पहले बौद्ध दर्शन का विवेचन–अवगाहन किया और पीछे शंकर का। किन्तु उनका सम्पूर्ण लेखन स्वतन्त्रता के बाद के काल का है। शंकर पर तो उनकी पुस्तक 1994 में ही पहली बार आयी।

किन्तु हमारी राजनैतिक स्वतन्त्रता के बाद हमारी मानसिकता में एक बड़ा आधारभूत मोड़ आया। स्वतन्त्रता से पहले हममें एक आत्महीनता का गहरा भाव था जिससे हम राजनैतिक परतन्त्रता के समान ही मुक्त होना चाहते थे। उस मुक्ति के लिए हम पश्चिम के कवियों, विचारकों आदि से अपने कवियों, विचारकों आदि की

तुलनीयता या श्रेष्ठता स्थापित कर मुक्ति पाते थे। किन्तु स्वयं को हमने कभी इन दोनों में से किसी से तुलनीय नहीं माना था। हमने एक ओर अपने अतीत आचार्यों से अपनी हीनता सहज स्वीकार कर ली और दूसरी ओर पश्चिम के अतीत और वर्तमान आचार्यों से अपने को हीन स्वीकार कर लिया। यही स्थिति स्वतन्त्रता के बाद भी बनी रही—केवल इस अन्तर के साथ कि अब हमने अपने अतीत को छोड़ कर पश्चिम के वर्तमान को ही अपना आदर्श मान लिया। स्वतन्त्रता के बाद पश्चिम की अनुकरणीयता अबाध हो गई और यह अब विचार के क्षेत्र तक ही सीमित नहीं रही बल्कि, काव्य और संगीत को छोड़ कर, अन्य कलाओं में भी व्याप्त हो गई। यह स्वाभाविक ही था, क्योंकि स्वतन्त्रता के बाद हमें भविष्योन्मुख होना था और हमारा भविष्य तो पहले भी पश्चिम ही था। दुर्भाग्यवश स्वतन्त्रता के साथ हमें प्रधानमन्त्री के रूप में पं. नेहरू मिले जो हमारे नेताओं में पश्चिम की श्रेष्ठता से सबसे अधिक अभिभूत थे। उन्होंने स्वतन्त्रता के साथ ही भारत के निर्माण के लिए विज्ञान के विद्यार्थियों और अध्यापकों को ही नहीं दर्शन और अन्य वैचारिक अनुशासनों के विद्यार्थियों और अध्यापकों को भी पश्चिम से सीखने के लिए दौड़ाया। किन्तु यहाँ यह स्वीकार नहीं करना भ्रामक होगा कि हमारा सम्पूर्ण जन–मानस भी इसी भाव में था। हम सब ने भी स्वतन्त्रता के बाद अपना भविष्य अपने पश्चिमीकरण में ही देखा। इसलिए स्वतन्त्रता के बाद जो हमारे अध्यापक पश्चिम की बोली बोलते वे मौलिक चिन्तक–दार्शनिक माने जाते थे। कुछ अध्यापक अब भी पिछली परम्परा के अनुसार तुलनात्मक लेखन या प्रतिबिम्बात्मक लेखन करते ही रहे।

इस स्थिति से मुक्ति का क्या अर्थ है, इसके लिए एक आदर्श उदाहरण महात्मा गाँधी हो सकते हैं। महात्मा गाँधी विचार के लिए भारत के अतीत की ओर 'मुड़कर' नहीं देखते थे, भारत का अतीत दादी की लोरियों और सब परिजनों तथा महाजनों से मिले संस्कारों के रूप में उनकी सहज मनोभूमि था। किन्तु वर्तमान को देखने के लिए उनके पास 'अपनी' आँख थी जो इन संस्कारों और पश्चिम में पायी शिक्षा के परे जा कर देख सकती थी। ऐसा व्यक्ति दूसरे से भरपूर सीखता है, किन्तु उतना और वैसा ही जितना दूसरा उस व्यक्ति की जागरूक चेतना से अपनी अनुकूलता बना पाता है, वह उससे अपनी अनुरूपता साधने के रूप में नहीं सीखता। किन्तु स्वतन्त्र भारत ने गाँधी जी से अपने को जितना दूर रखा उतना किसी और से नहीं।

इस सारी परिस्थिति में सहायक बना अंग्रेज़ी भाषा को उसी रूप में अपनाये रखना जिस रूप में यह अंग्रेज़ों के राज्य–काल में थी। उसके बाद तो यह हमारे ऊपर और भी गहरी छा गयी। वास्तव में अंग्रेज़ी को बनाये रखने के निर्णय के पीछे उस पूरी मानसिकता को देखा जा सकता है जो स्वातन्त्र्योत्तर काल के भारत के चरित्र को लक्षित करती है। इसमें राजगोपालाचार्य की हिन्दी–भाषी भारत से अहिन्दी–भाषी भारत के हानि में रहने की युक्ति तो वास्तव में उन लोगों की दुरभिसन्धि का आविष्कार मात्र थी जो ज्ञान का स्रोत केवल यूरोप में ही देखते थे। उनकी युक्ति थी कि ज्ञान जब केवल यूरोप के पास ही है तो अंग्रेज़ी के बिना हम वह सीखेंगे कैसे? उसके बिना तो हम पिछड़ ही जाएंगे! इस तरह हम यूरोप के कहने से ही नहीं, स्वयं अपनी दृष्टि में भी पिछड़े देश हो गए। हमने इतनी सी बात नहीं समझी कि ज्ञान तो अपनी आँखें खुली होने पर ही मिलता है, अपनी आँखे खुली होने पर ही दूसरों की बतायी बात अपने उपयोग की हो सकती है। इस नासमझी से हमारी चेतना में जो विकृति उत्पन्न हुई उससे हम अब कभी मुक्त हो पायेंगे इसकी हमें कोई सम्भावना दिखायी नहीं देती। इस विकृति के कारण आज किसी भी विचार के साथ 'भारतीय' विशेषण का अर्थ है 'प्राचीन भारतीय विचार' और 'आधुनिक' विशेषण का अर्थ है 'सुकरात से लेकर आज तक के पश्चिम का विचार'। इसलिए 'भारतीय' के साथ 'आधुनिक' या 'समकालीन' विशेषण का प्रयोग 'वन्ध्या' के साथ 'पुत्र' शब्द के प्रयोग के जैसा ही है। इसका अर्थ यह नहीं है कि समकालीन भारत में समकालीन भारतीय अनुभव में प्रतिष्ठित कोई विचार हो ही नहीं रहा है। किन्तु व्यापक मानसिकता इसके विपरीत होने से उसकी कोई पहचान और स्वीकृति नहीं है।

अखिल भारतीय दर्शन परिषद् का जन्म और उसके दो आरम्भिक वर्ष

अखिल भारतीय दर्शन परिषद् का अस्तित्व आज स्वतन्त्रता के तिरेपन वर्ष बाद भी सम्भवत: एक अपवाद-रूप ही बना हुआ है। क्योंकि, जहाँ तक मेरी जानकारी है, साहित्य के अतिरिक्त किसी और शास्त्र या विज्ञान के क्षेत्र में हिन्दी, या किसी और भारतीय भाषा को भी, माध्यम बनाने वाली यही एक संस्था है। इससे भी बड़ा अपवाद इस संस्था के अस्तित्व में आने के ढंग में है। इसके जन्म का ही नहीं, इसके गर्भाधान का भी न कोई समय बताया जा सकता है न कोई दिन। क्योंकि वास्तव में ऐसा कोई दिन या घड़ी थी ही नहीं। इसका अस्तित्व में आना अनादि प्रक्रिया के जैसा था।

1948 से 1950 तक मैं हिन्दी साहित्य का एक विद्यार्थी था। इस अवधि में मेरे कुछ लेख और कविताएँ प्रकाशित हुईं और लगभग जून 1950 में मैंने एक पुस्तक—**पन्त का काव्य और युग** प्रकाशनार्थ दी जो जनवरी 1951 में प्रकाशित हुई। यह पुस्तक प्रकाशनार्थ देने के सम्भवत: साथ ही मेरे हाथ हेनरी बर्गसाँ की पुस्तक **क्रियेटिव एवोल्यूशन** लगी जिसका मैंने अत्यन्त निष्ठा के साथ अध्ययन आरम्भ किया। दर्शन की हिन्दी में लिखी पुस्तकें इससे पहले मैंने केवल राहुल सांकृत्यायन की **दर्शन दिग्दर्शन** और पं. बलदेव उपाध्याय की **भारतीय दर्शन** ही कभी पढ़ी थीं। इन्हें उचित रूप से दर्शन की पुस्तकें नहीं कहा जा सकता। इस प्रकार दर्शन में मेरा प्रवेश अंग्रेज़ी की, या कहें अंग्रेज़ी में अनूदित, पुस्तक के द्वार से ही हुआ। किन्तु यह बात मेरे मन में कभी नहीं आयी कि मुझे लिखना भी अंग्रेज़ी में ही चाहिए। सो, मैंने दार्शनिक लेखन भी हिन्दी में ही आरम्भ किया और पहला दार्शनिक, या दार्शनिक जैसा लेख 'व्यष्टि और समष्टि' शीर्षक से लिखा जो **प्रतीक** पत्रिका के फरवरी और मार्च 1952 के अंकों में क्रमशः प्रकाशित हुआ। तब मेरे ध्यान में यह बात भी आयी कि 'हिन्दी में दर्शन और दूसरे शास्त्रीय विषयों में लेखन ही नहीं हो रहा है और परिणामत: कोई पत्रिकाएँ भी नहीं हैं। तब फिर हिन्दी राष्ट्र भाषा कैसे हो सकती है?' इस बात को लेकर मैंने राजकमल प्रकाशन की विज्ञापन-पत्रिका **प्रकाशन-समाचार** के 1952 के ही किसी अंक में एक लेख लिखा और उसके साथ ही हिन्दी की प्रमुख संस्थाओं, डॉ. सम्पूर्णानन्द जी और राजर्षि टंडन आदि जैसे प्रबुद्ध राजनीतिज्ञों और कुछ प्रकाशकों को पत्र लिखे कि हिन्दी में ऐसी पत्रिकाएँ होनी चाहिए और दर्शन से इसका आरम्भ होना चाहिए। किन्तु किसी ने इसका कोई सकारात्मक उत्तर नहीं दिया, सिवाय किताब महल, इलाहाबाद के, जो मेरी प्रथम पुस्तक **पन्त का काव्य और युग** का प्रकाशक था। उसने मुझे लिखा कि "यदि आप इसका सम्पादन करना स्वीकार करें तो हम इसका प्रकाशन हाथ में ले सकते हैं।" मेरे लिए इससे अधिक हर्ष की बात क्या हो सकती थी? मैंने यह स्वीकार कर लिया। किन्तु मैं तो एक हाई स्कूल में अध्यापक मात्र था, किसी विश्वविद्यालय तो क्या, किसी महाविद्यालय में भी कभी नहीं पढ़ा था और ऐसे नगर में रहता था जिसकी लगभग तीन सौ मील की परिधि में दर्शन का कोई नामलेवा तक नहीं था। सो, मेरा किसी दर्शन जानने या लिखने वाले से परिचय या उसके सम्बन्ध में कोई जानकारी कैसे होती? किन्तु बीच-बीच में पुस्तकें खरीदने दिल्ली जाता रहता था। इसी क्रम में मैं दिल्ली गया और कनाट प्लेस में पुस्तकों की दुकान खोजते हुए मुझे साहित्य अकादमी का कार्यालय दिखायी दिया। मैं उसमें गया तो अकस्मात् मेरी भेंट श्री प्रभाकर माचवे से हुई। उन्हें जब मैंने अपना नाम बताया तो वे बड़े प्रसन्न हुए, क्योंकि उन्होंने मेरी **पन्त का काव्य और युग** पुस्तक देखी थी और उन्हें वह बहुत अच्छी लगी थी। उन्होंने बड़े उत्साह से उनके पास बैठे लोगों को मेरी पुस्तक के बारे बताया। तब बात-बात में मैंने उन्हें अपनी दर्शन-पत्रिका की योजना के बारे में बताया। संयोगवश वे दर्शन के एम.ए. भी थे और नारदी वृत्ति के भी थे, उन्हें दर्शन के कुछ लोगों की जानकारी थी। सो, उन्होंने मुझे दर्शन के कुछ लोगों के नाम-पते दिये जिनमें प्रोफेसर पी.टी. राजू, श्री श्रीराम माधव चिंगले, श्री

संगललाल पाण्डेय तथा प्रोफेसर भीखनलाल आत्रेय प्रमुख थे। तब मैंने इन लोगों से इस आयोजित पत्रिका के लिए लेख मांगे जिनमें से कुछ के लेख मुझे मिले। किन्तु तब किताब महल ने मना कर दिया। अब इससे मेरे लिए संकट की स्थिति उत्पन्न हो गई—इन लेखों का क्या किया जाय? यों लेख लौटाना एकमात्र रास्ता था, किन्तु मैंने अंग्रेज़ी की उस उक्ति का उदाहरण बनते हुए कि "जिस रास्ते पर देवता भी चलने से घबराते हैं उस पर मूर्ख चल निकलते हैं" दार्शनिक संस्था स्थापित करने का निश्चय किया, जिसके अंग के रूप में यह पत्रिका निकले। मात्र 24 वर्ष का एक बी.ए. फेल हिन्दी-स्कूल-मास्टर इस प्रकार की बात सोचे और फिर छलांग लगा दे, यह तो शायद उपर्युक्त मुहावरे के मूर्ख की हिम्मत से भी बाहर की बात होती, किन्तु शायद विधाता मेरे द्वारा अपना "पंगु गिरि लंघै" वाला चमत्कार दिखाना चाहता था। सो, मैंने छलांग लगा दी। इस सम्बन्ध में और लोगों के साथ मैंने डॉ. सम्पूर्णानन्द जी को भी लिखा। उन्होंने मुझे लिखा कि हिन्दी में दर्शन की पत्रिका चलना असम्भव है, संस्था की तो बात दूर। उन्होंने लिखा कि उन्होंने दो बार समाजशास्त्र की पत्रिका आरम्भ की, किन्तु उन्हें वह दोनों बार बन्द करनी पड़ी। अभी उन्हें मेरी 'योग्यताओं' की कोई जानकारी नहीं थी, क्योंकि यदि उन्हें तब वह होती तो वे मेरे पत्र को फाड़ कर ही फेंक देते। उन्होंने मुझे परामर्श दिया कि मैं **इण्डियन फिलासफी कांग्रेस** के मन्त्री से सम्पर्क करूँ और उनसे अनुरोध करूँ कि वे अपनी संस्था में हिन्दी को भी थोड़ा स्थान दे दें—अपने विशाल साम्राज्य में कुछ गाँव। मुझे उनकी यह बात एकदम अव्यावहारिक लगी, किन्तु उनके संतोष के लिए मैंने उनके बताये पते के अनुसार कांग्रेस के मन्त्री प्रो. एन.के. निकम को लिखा। आशा के अनुसार ही उन्होंने इसे अव्यावहारिक बताया जिसकी सूचना मैंने सम्पूर्णानन्द जी को दे दी और तब प्रो. निकम से कांग्रेस के विधान की प्रति मँगवा कर अखिल भारतीय दर्शन परिषद् का विधान बनाया, 10/- साधारण और 100/- आजीवन सदस्यता शुल्क रखा और जिनके लेख मिले थे उन्हें, और कुछ और लोगों को सदस्य बनने के लिए लिखा। जहाँ तक मुझे अब ध्यान है, उस पत्र के केवल दो सकारात्मक उत्तर मिले, एक इलाहाबाद के लोगों की ओर से श्री संगमलाल पाण्डेय का और एक श्री श्रीराम माधव चिंगले का। किन्तु संगमलाल जी ने सदस्यता शुल्क भिजवाने का केवल आश्वासन दिया, कि पत्रिका का पहला अंक प्रकाशन होने के बाद वे तीन-चार लोगों के साधारण सदस्यता शुल्क भिजवा देंगे। किन्तु चिंगले जी ने तत्त्वज्ञान मन्दिर, अमलनेर (महाराष्ट्र) की ओर से 100/- आजीवन सदस्यता शुल्क भिजवाया। मेरे स्वयं के पास तो केवल निर्धनता ही थी। घर पर कुछ ऋण था और पाँच जनों के परिवार में कमाने वाला केवल मैं ही था। जिसका वेतन उस समय 110/- रू. के लगभग था। किन्तु पता नहीं किस भरोसे, क्योंकि ईश्वर को तब मैं बिल्कुल नहीं मानता था, मैंने अमलनेर से मिले 100/- रू. में से 25/- के लेटर-पैड छपवाये और 75/- रू. अग्रिम के रूप में प्रेस को देकर पत्रिका प्रकाशनार्थ दे दी। पत्रिका का नाम **दार्शनिक त्रैमासिक** रखा। यह अंक जून 1954 में प्रकाशित हुआ। इसके प्रकाशित हो जाने पर संगमलाल जी ने अपना तथा अपने कुछ अन्य सहयोगियों का शुल्क भिजवाया। इसके बाद मैंने राष्ट्रपति डॉ. राजेन्द्र प्रसाद जी तथा राजर्षि पुरुषोत्तमदास जी टंडन को पुन: लिखा। उन्होंने क्रमशः 100/- और 50/- रू. भिजवाये। डॉ. सम्पूर्णानन्द जी को तो पत्रिका का अंक भिजवाना ही था। उनका अनुग्रह तो मेरे प्रति था ही, जो अधिक बड़े रूप में पीछे फलित होने वाला था। अब, परिषद् का आरम्भ चिंगले जी द्वारा भेजे गए शुल्क से माना जाय या दार्शनिक त्रैमासिक के प्रकाशन से, या संगमलाल जी द्वारा भेजे गए शुल्क से, याकि प्रकाशन-समाचार में लिखे गए मेरे लेख से, यह केवल इतिहास-चिंतकों के लिए विचारणीय विषय है। किन्तु इस संस्था का जन्म नितान्त अभाव की स्थिति में, भूख-प्यास के बीच हुआ, यह निर्विवाद है। किन्तु यहाँ यह भी उल्लेखनीय है कि आगे चल कर मैंने परिषद् से कई पुस्तकें भी प्रकाशित कीं जो इण्डियन फिलासफी कांग्रेस भी नहीं कर पायी।

जब परिषद् के लेटर-पैड छपे तब उस पर अध्यक्ष और मन्त्री का नाम प्रकाशित करने की आवश्यकता भी हुई। तब इलाहाबाद के लोगों के परामर्श से उस विश्वविद्यालय में दर्शन विभाग के अध्यक्ष या भूतपूर्व अध्यक्ष प्रोफेसर रामचन्द्र दत्तात्रेय रानाडे का नाम अध्यक्ष के रूप में रखा गया और मेरा मन्त्री के रूप में। दार्शनिक त्रैमासिक का पहला अंक कागज़ और मुद्रण की दृष्टि से अच्छा नहीं था इसलिए, और इसलिए भी कि वर्ष के आरम्भ से अंक-संख्या रखना अधिक उपयुक्त समझा गया, इस अंक को अंक-संख्या से बाहर रखा गया।

इसके बाद के अंक मैंने फरीदकोट से बाहर एक बड़ी संस्था—वैदिक शोध संस्थान, होशियारपुर—के मुद्रणालय में मुद्रित कराने का विचार किया, जिसने वे अंक बहुत सुन्दर तो मुद्रित किये ही, तुरन्त पैसे की मांग भी नहीं की। यदि तुरन्त भुगतान के बिना मुद्रण की यह व्यवस्था नहीं होती तो पत्रिका पहले अंक के साथ ही बन्द हो जाती और पहले अंक के लिए भी मुझे उस जेब से पैसा देना पड़ता जो न केवल खाली थी, बल्कि ऋण में थी। इस प्रेस ने दो अंक मुद्रित करके पैसे की मांग की तो, किन्तु भुगतान को तीसरा अंक प्रकाशित करने के लिए शर्त नहीं बनाया। उन्हें इसकी कोई जानकारी भी नहीं थी कि इस संस्था की आर्थिक स्थिति कोई नहीं है। जुलाई, 1955 का अंक प्रकाशित हो जाने के बाद रूप–सज्जा में सुन्दर और सामग्री की दृष्टि से अत्यन्त उच्च स्तर के ये दो अंक मैंने अनुदान के लिए प्रार्थना–पत्र के साथ साहित्य–अकादमी को भिजवाये। नेहरू जी उसके अध्यक्ष थे। उन्होंने ये अंक सम्मति के लिए आचार्य नरेन्द्रदेव जी को भिजवाये। उन्होंने पत्रिका की प्रशंसा करते हुए अनुशंसा की कि आरम्भ में इस संस्था को 1500/– रू. वार्षिक दिया जाय और लिख दिया जाय कि कार्य देख कर यह राशि बढ़ा दी जायगी। आचार्य जी का यह पत्र अकादमी की कार्यसमिति में जब निर्णयार्थ प्रस्तुत हुआ तब नेहरू जी ने पूछा, इस संस्था का कार्यालय कहाँ है? जब बताया गया कि फरीदकोट में है, तब उन्होंने उसे हटाते हुए कहा—"फरीदकोट में? वहाँ क्या कोई संस्था होगी!" ग़नीमत यह रही कि उन्होंने इसके मन्त्री और सम्पादक के रूप–गुण के बारे में नहीं पूछा, क्योंकि यदि उन्हें इसका पता चलता कि वह केवल हिन्दी का स्कूल मास्टर है तो वे उसे धोखा–धड़ी में जेल भेजने का हुक्म भी दे देते। इसके विपरीत बाद में इस मन्त्री के रूप–गुण को जानते हुए भी सम्पूर्णानन्द जी ने परिषद् को चार–हज़ार रुपया दिया और श्री बालकृष्ण राव ने **इण्डियन एक्सप्रेस** में परिषद् की प्रशंसा में एक लेख लिखा। आचार्य नरेन्द्रदेव का यह पत्र मुझे श्री प्रभाकर माधवे ने दिखाया था और नेहरू जी की इस टिप्पणी की जानकारी दी थी। उस समय वे साहित्य अकादमी में उपसचिव थे। अस्तु। इन अंकों के बिलों का भुगतान कब और कैसे हुआ, यह मुझे ठीक से याद नहीं है। हो सकता है प्रथम वर्ष के चारों अंक इस दुस्साहसी व्यक्ति ने इस निराधार विश्वास में ही प्रकाशित कर दिये हों कि पैसा कहीं से आ ही जायेगा! और पैसा आया। डॉ. सम्पूर्णानन्द जी उस समय उत्तर–प्रदेश के शिक्षा मन्त्री थे, उन्होंने 4000/– रू. अनुदान के रूप में भिजवाया। किन्तु यह अनुदान 1955 में ही मिल गया था या 1956 में मिला, या और बाद में, यह मुझे याद नहीं है। किन्तु यह अनुदान नहीं मिलता तो मेरा क्या होता, यह कल्पना भी आज भयावह लगती है। सम्पूर्णानन्द जी इसके बाद भी परिषद् को तब तक अनुदान भिजवाते रहे जब तक वे उत्तर प्रदेश के शिक्षा मन्त्री और अनन्तर मुख्यमन्त्री रहे। वहाँ से राजस्थान के राज्यपाल के पद पर आ जाने के बाद भी उन्होंने एक बार उत्तर प्रदेश के शिक्षा मन्त्री को पत्र लिखकर वहाँ से अनुदान दिलाया। इस प्रकार परिषद् के रक्त और मज्जा सम्पूर्णानन्द जी को ही कहा जा सकता है।

दार्शनिक त्रैमासिक का प्रकाशन आरम्भ हो जाने के बाद संगमलाल जी और उनके द्वारा इलाहाबाद के दर्शन विभाग ने परिषद् में गहरी रुचि लेना आरम्भ किया और जनवरी 1956 में उस विश्वविद्यालय में परिषद् का पहला अधिवेशन हुआ। मैंने उन्हें परिषद् का सह–संस्थापक तक कहा। शायद यह कहना ग़लत नहीं होगा कि यदि इन लोगों का आरम्भ से प्रोत्साहन नहीं होता और इन्होंने परिषद् का प्रथम अधिवेशन आयोजित नहीं किया होता तो भी परिषद् नहीं चल पायी होती। उनका सहयोग परिषद् के होने में एक महत्त्वपूर्ण और अनिवार्य सहकारी कारण बना, इसमें कोई सन्देह की बात नहीं है।

इस अधिवेशन में इलाहाबाद से बाहर से मेरे अतिरिक्त केवल हिन्दू विश्वविद्यालय में उस समय दर्शन के आचार्य डॉ. भीखनलाल जी आत्रेय और जबलपुर के महाकोशल महाविद्यालय के प्राचार्य डॉ. शिवनारायण लाल श्रीवास्तव ही आये थे। उस अवसर पर परिषद् के पदाधिकारियों का विधिवत् चयन हुआ। उस चयन में इलाहाबाद के ये लोग जिसे चाहे चुनते। शिवनारायणलाल जी, जोकि इस विभाग के भूतपूर्व छात्र भी थे और एक राजकीय स्नातकोत्तर महाविद्यालय के प्राचार्य भी, उन्होंने इस स्कूल मास्टर को मन्त्री पद से हटा कर स्वयं को मन्त्री बनाने की इच्छा प्रकट की। उन्हें मन्त्री नहीं बनाया जाता तो संगमलाल जी को भी बनाया जा सकता था!

और नहीं तो दार्शनिक का सम्पादन ही मेरे से लिया जा सकता था! किन्तु इसे उन लोगों का औचित्य-बोध कहें या व्यवहार-बोध, या विधाता की योजना, ऐसा कुछ नहीं हुआ। मन्त्री और सम्पादक मुझे ही रहने दिया गया और आत्रेय जी को अध्यक्ष चुना गया। संगमलाल जी को सम्भवत: सहायक मन्त्री चुना गया। इसे विधाता की योजना कहना ही इसलिए ठीक लगता है क्योंकि इसकी दूसरी कोई व्याख्या उतनी युक्तिसंगत नहीं लगती। मैं प्रकटत:, और इस दृष्टि से वास्तव में भी कि मैं हिन्दी का एक स्कूल मास्टर मात्र था इस कारण इस पद के अयोग्य ही नहीं इस सारी व्यवस्था में विसंगत भी था, दूसरे, इलाहाबाद की भूमि पर इलाहाबाद के लोग सर्वशक्तिमान् थे, और सबसे बढ़ कर यह कि उनमें महत्त्वाकांक्षा की कोई कमी नहीं थी जैसाकि हम आगे अभी देखेंगे, ऐसे में यदि यह नहीं कहा जाय कि विधाता मेरा सव्यसाची के समान उपयोग कर रहा था तो और क्या कहा जाय? अस्तु। इससे अगला अधिवेशन वैष्णव शोध संस्थान, वृन्दावन में हुआ। इसमें कुछ लोग बिहार से और कुछ उत्तर प्रदेश के दूसरे नगरों से भी आये थे और वे सब मेरे प्रयत्नों से ही आये थे। अब अध्यक्ष प्रो. आत्रेय थे जो इलाहाबाद के लोगों के प्रति कोई सौहार्द भाव नहीं रखते थे। इस अधिवेशन में कार्य समिति की बैठक में संगमलाल जी पाण्डेय ने प्रोफेसर रामनाथ कौल की ओर से इच्छा प्रकट की कि **दार्शनिक त्रैमासिक** के सम्पादन का कार्य उन लोगों को दे दिया जाय, मेरे पास दोनों कार्य रहना उचित नहीं है। उनके इस प्रस्ताव का सम्भवत: एक व्यक्ति के सिवाय सबने विरोध किया। उस एक व्यक्ति ने समर्थन किया और मैं चुप रहा। किन्तु संगमलाल जी का आग्रह इतना प्रबल था कि काफी चख चख के बाद उन्हें यह पद सौंप दिया गया। सो, 1957 से **दार्शनिक त्रैमासिक** के सम्पादक प्रोफेसर रामनाथ कौल हुए और सहायक संगमलाल जी पाण्डेय हुए, यद्यपि वास्तव में सम्पादक तो पाण्डेय जी ही थे। किन्तु ये लोग यह कार्य नहीं सँभाल पाये और 1959 से सम्पादन का कार्य मुझे लौटा दिया गया, जो इस बात की सन्देहातीत रूप से पुष्टि करता है कि मैं वासुदेव का निमित्त मात्र था और उसने लोक में अपनी महिमा की प्रतिष्ठा के लिए मुझ पंगु को गिरि पर उसे लांघने के लिए चढ़ा दिया था।

सो, इस प्रकार बनी अखिल भारतीय दर्शन परिषद्, जिससे 1980 तक मैं क्रमशः मन्त्री और अध्यक्ष के रूप में सम्बन्धित रहा। यह संस्था अब भी अस्तित्व में है और फलफूल रही है। उत्तर भारत में इसके अधिवेशन जम्मू से शान्ति निकेतन तक प्रायः सभी विश्वविद्यालयों में हो चुके हैं, गुजरात तथा महाराष्ट्र के भी प्रायः सभी विश्वविद्यालयों में हो चुके हैं और आगे दक्षिण में कन्याकुमारी और पाँडिचेरि में हो चुके हैं। पत्रिका अवश्य मेरे छोड़ने के बाद लड़खड़ा कर एक बार गिर गयी थी, जिस कारण मुझे **उन्मीलन** आरम्भ करनी पड़ी, किन्तु अब वह पुन: खड़ा होने का प्रयत्न कर रही है, यद्यपि अभी एक ही टांग पर हो पायी है।

पुस्तक और मैं

पढ़ने वालों में बहुत कम ही ऐसे होते होंगे जिनका कभी किसी पुस्तक से साक्षात्कार होता हो, लिखने वालों में ऐसे और भी कम होते हैं। यही बात पुस्तकों के साथ भी होती है : बहुत कम पुस्तकें होती हैं जो किसी पाठक में साक्षात्कार का रूप लेती हैं। मेरा ऐसा संवाद किसी पुस्तक से स्थापित हुआ या नहीं, यह ठीक से कहना तो कठिन है किन्तु कुछ पुस्तकों से बहुत गहरा संवाद स्थापित हुआ और कुछ से संवाद क्रान्तिकारी सिद्ध हुआ यह अवश्य कहा जा सकता है।

यहाँ द्रष्टव्य है कि 'पुस्तक से साक्षात्कार' साक्षात्कार के कुछ प्रकारों में से केवल एक प्रकार ही है, और उसके श्रेष्ठतम, अथवा श्रेष्ठतर भी, होने का दावा नहीं किया जा सकता। इसके लिए यहाँ महात्मा कबीर के 'पोथी पढ़-पढ़ जग मुआ, पण्डित भया न कोय' दोहे का स्मरण कराना समीचीन होगा। यह भी ध्यातव्य है कि अधिकांश विचार-तन्त्रों के मूल सूत्रपात उन युगों में हुए जिनमें पुस्तकें लिखा जाना अभी आरम्भ नहीं हुआ था। उपनिषदों से प्रभावित होने की बात बहुत लोग करते हैं किन्तु स्वयं उपनिषद् के ऋषियों ने कोई और उपनिषद् या ग्रन्थ नहीं पढ़े थे। सुकरात और कन्फ्यूशियस भी किसी 'पुस्तक और मैं' लेख के लेखक नहीं थे। 'पुस्तकमूलक बोध' बोध का कोई बहुत ऊँचा रूप है, यह कहना कठिन होगा।

वास्तव में किसी पुस्तक या कुछ पुस्तकों से साक्षात्कार करने वाले भी ऐसे ही लोग होते हैं जो किसी अर्थ में 'पुस्तकी' नहीं होते, जो किसी अर्थ में प्रेम के 'ढाई अक्षर' पढ़ पाते हैं। इस अर्थ में पुस्तकों से मेरे दो प्रकार के साक्षात्कार हुए—एक इस अर्थ में कि किसी या किन्हीं पुस्तकों ने मुझे 'जीवन की एक धारणा' दी, मेरी कल्पना को अभिभूत किया, दूसरा इस अर्थ में कि उसने या उन्होंने मेरे विचार को नया मोड़ दिया। मेरे जीवन में पहले वर्ग में राम-कथा रखी जा सकती है। मैं जब चौथी कक्षा में पढ़ता था तब मेरे हाथ उर्दू में लिखी, लगभग डेढ़-सौ पृष्ठों की, रामायण पुस्तक लगी। वह मैंने लगभग सात बार तो पढ़ी ही होगी। वह उर्दू में लिखी थी और उस समय पंजाब में माध्यमिक विद्यालय तक शिक्षा का माध्यम उर्दू ही था। पाठ्यक्रम से बाहर वह एकमात्र पुस्तक थी जो मैंने तब पढ़ी थी। सम्भवत: उपलब्ध ही वही एक हुई होगी। किन्तु उसके इतनी बार पाठ का कारण यह नहीं था, यह राम-कथा में रस की अतलता थी जो कितना ही गहरे उतरने पर भी अपनी थाह नहीं देती थी। चतुर्थ कक्षा के बीच ही मैं फरीदकोट का स्कूल छोड़कर एक गुरुकुल में शिक्षा के लिए चला गया। वहाँ भी संयोगवश पाठ्यक्रम की पुस्तकों के बाहर पहला साम्मुख्य रामायण से ही हुआ। यह हिन्दी में लिखी पद्यात्मक रामायण थी—जसवंत सिंह की रामायण, जिसका हम कोई सात-आठ विद्यार्थी सामूहिक पाठ करते थे। उससे धनुर्धर राम सब समय मेरी कल्पना में छाये रहते थे।

यह क्रम शायद दो-एक वर्ष ही चला। गुरुकल के किसी विद्यार्थी या अध्यापक को मैंने कभी और कोई पुस्तक पढ़ते नहीं देखा था। किन्तु मुझे शायद घर से, पिता जी द्वारा खरीद कर दी हुई कुछ परी-लोक की कथाएँ और **विशाल भारत** पत्रिका के सम्पादक श्रीराम शर्मा की लिखी पुस्तक शिकार मिली। इस पुस्तक में श्रीराम शर्मा के अपने द्वारा किये गये शेरों के शिकार के विवरण थे। उसके बाद सम्भवत: दो-तीन वर्षों तक पाठ्यक्रम से बाहर किसी पुस्तक से सम्पर्क नहीं हुआ। उस गुरुकुल में पुस्तकालय नाम की कोई चीज़ नहीं थी, केवल दो छोटी-छोटी आलमारियों में पचास-साठ पुस्तकें बंद पड़ी थीं। ये आलमारियाँ मैंने कभी खुलती नहीं देखी थीं इसलिए यह पता भी नहीं था कि उनमें क्या है। किन्तु एक दिन, पता नहीं कैसे, मुझे आलमारियों में पुस्तकें होने का पता चला और उनमें से मैंने राहुल सांकृत्यायन की **मानव-समाज** और **वोल्गा से गंगा** पुस्तकें निकालीं और पढ़ी।

पुस्तकों के प्रति मेरी इस जागृति का श्रेय एक युवा और अत्यन्त ओजस्वी तथा प्रतिभासम्पन्न अध्यापक को जाता है जो 1943 में 21 वर्ष की आयु में डलहौज़ी में अपने पिता की कपड़े की दुकान से उठकर गुरुकुल में आया था। घर पर उसने कपड़ा बेचते हुए प्रभाकर परीक्षा उत्तीर्ण की थी, वेद–उपनिषद् के प्रति श्रद्धा थी, **गीता** पढ़ रखी थी। ऐसे में गुरुकुल के आचार्य जी का डलहौजी में व्याख्यान सुनने के बाद वह उन आचार्य जी से मिला, उन्होंने उसे गुरुकुल आने को कहा। वह वहाँ आया और मुझे बहुत प्रेम करने लगा। गुरुकुल में इसे प्रभाकर कक्षा पढ़ाने के लिए दी गई। तब मैं उसे कविता पढ़ाते हुए दूसरी कक्षा में कुछ दूरी पर बैठा सुनता था। कविता का ऐसा अध्यापन मैंने आज तक दूसरा कोई नहीं देखा। अध्यापन से प्रभावित होकर मैंने उसके जाने के दो–तीन वर्ष बाद प्रसाद की **लहर** और **कामायनी** और महादेवी की कविताओं का **आधुनिक कवि** नाम से प्रकाशित संग्रह गुरुकुल में रहते डाक से मँगवाकर पढ़े। किन्तु उससे पहले गुरुकुल की पुस्तकों की बंद आलमारी खुलवाकर राहुल सांकृत्यायन की उपर्युक्त पुस्तकें पढ़ने के लिए चेतना की जागृति उसी अध्यापक के कारण हुई और उसके कुछ ही समय बाद छुट्टियों में घर पर पिता जी के द्वारा किसी पुस्तकालय से लाकर दिया गया तिलक का **गीता भाष्य** हिन्दी अनुवाद में पढ़ा।

किन्तु यहाँ इस व्यक्ति का उल्लेख मैंने पुस्तक विषयक एक–दूसरे 'अनुभव' के प्रसंग से किया है। पीछे इसने जीवन का अर्थ जानने के लिए दर्शन पढ़ा, किन्तु दर्शन की पुस्तकों में उसे केवल शब्द–जाल दिखाई दिया। उसने कुछ वर्ष किसी कॉलेज में दर्शन पढ़ाया। उसकी कक्षाओं में दूसरे विद्यार्थियों की भीड़ लग जाती। किन्तु पुस्तकों को इसने हाथ लगाना भी छोड़ दिया और बाद में अध्यापन भी छोड़ दिया। इससे निश्चय ही इसने वह खोया जो पुस्तकों के साहचर्य में इसे मिलता, किन्तु दूसरा ऐसा कुछ पाया जो उस साहचर्य में रहने पर नहीं मिलता। और मैं देखता हूँ कि यह व्यक्ति पुस्तकों के विद्वानों और पुस्तक–लेखकों से अधिक बड़ा 'पण्डित' है। अस्तु!

1945–46 के आस–पास, अर्थात् 17–18 वर्ष की आयु में, मैं गुरुकुल की 7वीं कक्षा का और अनन्तर साहित्योपाध्याय कक्षा का, जिसकी परीक्षा महाराजा संस्कृत कालेज, जयपुर द्वारा ली जाती थी, विद्यार्थी रहा। इन कक्षाओं में कालिदास के **रघुवंशम्, कुमारसम्भवम्, मेघदूतम्** और **अभिज्ञान शाकुन्तलम्** काव्य और नाटक, भवभूति का उत्तररामचरितम् नाटक भी पढ़ाए जाते थे। इन काव्यों को मैंने कभी परीक्षा की तैयारी के रूप में नहीं पढ़ा था। इनके कारण मेरी दूसरे पेपरों की तैयारी उपेक्षित रहती। व्याकरण की पुस्तक **मध्यसिद्धान्त कौमुदी** तो देखना भी मेरे लिए बोझ था। सो, परीक्षा में मैंने बड़ी कठिनाई से व्याकरण का पेपर 33 अंक का किया। किन्तु जब परिणाम निकला तो मैं केवल उस पेपर में अनुत्तीर्ण था जिसमें कालिदास–भवभूति के ग्रन्थ थे। और अनुत्तीर्ण भी ऐसा कि मुझे केवल 22 अंक इसमें मिले। यही आगे चलकर प्रभाकर परीक्षा में हुआ। उसमें मैं कविता के पेपर में अनुत्तीर्ण रहा जबकि उसके एक–डेढ़ वर्ष, नहीं शायद 10–12 महीने बाद ही, मैंने कुछ लेखों के अतिरिक्त **पन्त का काव्य और युग** पुस्तक लिखी जिसकी काफी प्रशंसा हुई। इन दो परीक्षा–परिणामों ने पुस्तकों के साथ मेरे भावी सम्बन्ध का रूप और अच्छी तरह स्थिर कर दिया, जैसाकि आगे के विवरण से स्पष्ट होगा।

साहित्यिक लेखक बनना मेरी महत्त्वाकांक्षा बहुत जल्दी बन गई थी। परीक्षाओं में अनुत्तीर्ण रहकर मैंने उसकी क्षतिपूर्त्ति लेखन में उत्कर्ष प्राप्त करने के द्वारा करने का निश्चय किया और इस प्रकार पुस्तकों से मेरा सम्बन्ध साधारण पाठक का नहीं रहकर लेखक का हो गया। उन दिनों मैंने प्राचीन और समकालीन हिंदी साहित्य का भरपूर अध्ययन किया। यद्यपि पाठक के रूप में मेरी आलोचक बुद्धि सतत जागृत रहती किन्तु उनके लेखक मेरी कल्पना में काफी बड़े आकार के मानव दिखते। उनके दर्शनार्थ मैंने इलाहाबाद की दो–तीन यात्राएँ कीं और महादेवी जी और कुछ दूसरे लेखकों के 'दर्शन' कर अपने को धन्य माना। यह भेद तो मेरे पर काफी देर बाद खुला कि कोई व्यक्ति लेखक के रूप में काफी बड़ा होकर भी एक साधारण व्यक्ति से भी अदना हो सकता है। यहाँ 'काफी देर' का अर्थ तीनेक वर्ष की अवधि ही है।

1950 में **पन्त का काव्य और युग** पुस्तक लिखने के बाद मैं किसी समय दिल्ली गया। उस समय मेरे 1943–45 में गुरुकुल में रहे उपर्युक्त अध्यापक दिल्ली में रहकर दर्शन की एम.ए. परीक्षा देने के लिए रह रहे थे। मैंने इनकी पुस्तकें देखीं और उनमें से मैं हेनरी बर्गसाँ की एक पुस्तक **क्रिएटिव एवोल्यूशन** पढ़ने के लिए ले आया। यह दुस्साहस की पराकाष्ठा थी कि 'केवल अंग्रेज़ी' की मैट्रिक परीक्षा देने के लिए तीन महीने घर पर पढ़ी अंग्रेज़ी के ज्ञान के बल पर अत्यन्त उत्कृष्ट गद्य में लिखी गई फ्रेंच से अंग्रेज़ी में अनूदित इस अत्यन्त मौलिक और सूक्ष्म दार्शनिक कृति को मैंने पढ़ने का निश्चय किया। अंग्रेज़ी के शब्द–कोश के सहारे मैंने वह पुस्तक पढ़ी और इसने मेरे वैचारिक–लेखकीय जीवन का मार्ग ही बदल दिया।

वास्तव में वह कोई विचारपूर्वक लिया गया निर्णय नहीं था। फरीदकोट, जो मेरी जन्म–भूमि और तब कर्म–भूमि भी थी, उसकी चारों, या कहें आठों दिशाओं में अढ़ाई–तीन सौ मील तक दर्शन का कोई नामलेवा नहीं था। देश में कौन और कैसे दार्शनिक हैं, इसकी कोई भी जानकारी नहीं थी। राहुल सांकृत्यायन की **दर्शन दिग्दर्शन** और पं. बलदेव उपाध्याय की **भारतीय दर्शन** तथा कुछ उपनिषद् पढ़े थे किन्तु उन्होंने दर्शन में कोई रुचि नहीं जगाई थी। तब **क्रिएटिव एवोल्यूशन** ने ऐसी रुचि जगाई कि सब बदलकर रख दिया। इसके बाद मैंने बर्गसाँ की ही दो पुस्तकें—**मैटर एण्ड मेमरी** तथा **टाईम एण्ड फ्री विल** खरीदकर पढ़ीं। पुस्तकें खरीदना भी कोई सरल कार्य नहीं था। निकटतम स्थान तीन सौ कि.मी. दूर दिल्ली था। वेतन तो रोटी खाने लायक भी नहीं था, तो भी दूसरा कोई उपाय नहीं था। या कहें, यह बात मन में ही कभी नहीं आयी कि सोचा जाए कि यह मार्ग अपनाना भी चाहिए या नहीं? इतना ही नहीं, जब बर्गसाँ की और उसके बाद दूसरी पुस्तकें पढ़नी आरम्भ कीं तब यह भी बात कभी ध्यान में नहीं आई कि यदि पढ़ना अंग्रेज़ी में है और वह भी यूरोपीय साहित्य तो लिखना भी अंग्रेज़ी में ही चाहिए। जैसे लिखने के लिए कोई और विकल्प हो ही नहीं सकता हो। नितान्त निगुरा जो था! गुरु बिन ज्ञान कहाँ ये मिलता? इस निगुरेपन ने एक और ग़ज़ब ढाया। बर्गसाँ ने अपने दार्शनिक विवेचन के लिए जैव सहज–बोध (इन्ट्यूशन) को आधार बनाया था, प्राण (एलान् वाइटल) और कालच्छंद (ड्यूरी) उसके लिए क्रमशः परमार्थ–ज्ञापक और परमार्थ थे। पाश्चात्य वैज्ञानिक दृष्टि उसके अनुसार नितान्त भ्रामक थी। अब यदि मैं बर्गसाँ से प्रभावित हुआ था तो मेरे लिए यही युक्त मार्ग था कि मैं वैसी ही, या उससे मिलती–जुलती दृष्टि वाले दार्शनिकों की पुस्तकें पढ़ता। किन्तु मैं इसके विपरीत उल्टी दिशा में चल दिया। मैंने जीवविज्ञान, जीव–मनोविज्ञान और भौतिक विज्ञान पढ़ने की दिशा पकड़ी—बर्गसाँ के प्रतिपादन का सत्य जानने के लिए। यह मूर्खता की पराकाष्ठता थी, किन्तु कह नहीं सकता कि यह मूर्खता मेरे लिए लाभकर सिद्ध हुई या हानिकारक? यह तब तक कहा जा भी नहीं सकता जब तक मैं इस जीवन को यहीं रोककर उसी आयु और स्थिति में लौटकर दूसरे मार्ग पर चलकर नहीं देखूँ, जो ईश्वर की कम–से–कम इस जगद्व्यवस्था में सम्भव नहीं है। अस्तु, बर्गसाँ की इन पुस्तकों के बाद मैंने जो पुस्तकें पढ़ीं उनमें से कुछ के नाम इस प्रकार हैं—डार्विन की **ऑरिजिन ऑफ स्पीसीज**, सिन्नट और डन की **जेनेटिक्स**, डॉब्जहेंस्काई की **जेनेटिक्स फिजियोलॉजिकल साइकॉलोजी**, पावलाव की **सेलेक्टेड वर्क्स**, टिन्बर्जन की दि **स्टडी ऑफ इंस्टिंक्ट**, आर्थर एडिंगटन की न्यू **पाथवेज़ इन साइंस** तथा **फिलॉसफी आफ फ़िज़िकल साइंस**, और इसी तरह की दूसरी कुछ पुस्तकें जिनके नाम मेरी पहली दर्शन विषयक पुस्तक **मनस्तत्त्व** में देखे जा सकते हैं। ये पुस्तकें मैंने कुछ समझे और कुछ बिना समझे पढ़ीं और बर्गसाँ की दार्शनिक दृष्टि–दिशा से ठीक विपरीत दृष्टि–दिशा में चल पड़ा। सो, यह हुआ मेरा साहित्यिक क्षेत्र छुड़ाकर दार्शनिक क्षेत्र में लाने वाले परोक्ष गुरु की शिक्षा का हश्र।

शायद इडिंग्टन की पुस्तकों से मुझे बर्ट्रेंड रसल की पुस्तकों का पता चला, या शायद वैसे ही आत्माराम एण्ड संस की दुकान पर दर्शन की पुस्तकें टटोलते पता चला और मैंने उसकी दो पुस्तकें खरीदीं और पढ़ीं। ये पुस्तकें थीं **एन आउटलाइन ऑफ फिलॉसफी** तथा **फिलॉसफिकल एनेलेसिस**। इन पुस्तकों ने रसल को मेरे लिए आप्त पुरुष बना दिया। इंडिग्टन भी मेरे लिए लगभग आप्त पुरुष ही थे। विडम्बना देखिए कि जो व्यक्ति 14–

15 वर्ष की आयु में वेदों को आप्त वाक्य मानने को तैयार नहीं था और अपने मुख्याध्यापक से घंटों वाद-विवाद करता था, उसने बिना किसी झिझक के रसल को आप्त पुरुष मान लिया।

अस्तु! ये जवानी के दिन थे। उसमें यह पुस्तक-चर्या अपने तक ही सीमित नहीं रही, इसने मेरी जीवन-दृष्टि और कुछ सीमा तक जीवन-चर्या को भी गहरे में बदल दिया। इसमें रसल का अध्ययन विशेष रूप से हेतु बना, यद्यपि जीव-विज्ञान और भौतिक विज्ञान के अध्ययन की ओर पहले हुई प्रवृत्ति ने इसके लिए भूमिका पहले ही तैयार कर दी थी। रसल ने मुझे बहकाया कि वैज्ञानिक दृष्टि ही एकमात्र सत्य दृष्टि है, और मैंने माँस तक खाना आरम्भ किया, जोकि मेरे लिए पहले बहुत ही कठिन था और बाद में तब तक एक अप्रिय कर्म रहा जब तक अन्त में मैंने इसे छोड़ नहीं दिया। यह माँस-भक्षण आरम्भ इस प्रश्न के सामने अपने को अनुत्तर पाते हुए किया कि यह क्यों नहीं खाना चाहिए? और बाद में यह खाना इस युक्ति को स्वीकार करते हुए छोड़ा कि 'क्योंकि यह असुंदर है।' स्पष्ट है कि यह दूसरी युक्ति—'वैज्ञानिक दृष्टि की परमार्थदर्शकता' में निष्ठा से मुक्ति के बाद ही स्वीकार्य हो सकती है, जो मुक्ति मुझे कुछ ही वर्षों बाद मिल गईं थी, जबकि असंख्य लोगों को यह आजीवन नहीं मिलती।

अनर्गल, और समझ से कुछ-कुछ परे भी, पुस्तकों से जूझने का यह क्रम लगभग 1964 तक चला। कौन-सी पुस्तक पढ़नी चाहिए, इसका 'ज्ञान' या तो पढ़ी जा रही पुस्तकों की पादटिप्पणियों से मिलता या तीन सौ मील दूर दिल्ली की पुस्तकों की दुकानों से। और इसके लिए अपेक्षित पैसे की स्थिति यह कि घर पर ऋण था और वेतन 80 रुपये से धीरे-धीरे चल कर कोई डेढ़ेक सौ तक पहुँचा था।

पुस्तकों के साथ इस निगुरी जूझन से मेरी समझ, या नासमझी कहें, विकसित हुई जिसे 'समानान्तर समझ' भी कह सकते हैं। मेरे 'मौलिक दार्शनिक' (जैसा कुछ लोग मुझे कहते हैं) होने का शायद यही एक रहस्य हो। इस 'समानान्तर समझ' की यात्रा का प्रथम चरण प्राचीन भारतीय दार्शनिक ग्रन्थों के सम्पर्क में आने के साथ समाप्त हुआ। इन ग्रन्थों का अध्ययन आरम्भ करने पर मुझे लगा कि इनके लेखकों की पदावली और इनके मन्तव्य में एक मौलिक अन्तर है। तब मैंने प्रयत्नपूर्वक एक दूसरी पदावली की रचना की जो मेरे द्वारा कल्पित उनके (सांख्य और वेदान्त के) वास्तव मन्तव्यों के अनुरूप हो सकती थी। इस यात्रा के दूसरे चरण की जूझन मेरी **चिद्विमर्श** और **सत्ताविषयक अन्वीक्षा** पुस्तकों में देखी जा सकती है।

इन पुस्तकों में पाश्चात्य और पौर्वात्य दर्शनों के परामर्श, विश्लेषण, विवेचन, विखण्डन आदि को उपजीव्य बनाते हुए अपना मत प्रस्तुत करने का प्रयत्न किया गया था।

उसके अनन्तर (ये पुस्तकें 1978-84 के बीच लिखी गईं) एक पुस्तक शून्यवादी बौद्ध दार्शनिक नागार्जुन की **मध्यमक शास्त्र** में प्रस्तुत युक्तियों के खण्डन में लिखने के बाद, पुस्तकों से मेरे सम्बन्ध में एक आधारभूत परिवर्तन आया। इस परिवर्तन का रूप मैंने अपनी 1992 में प्रकाशित पुस्तक **समाज : दार्शनिक परिशीलन** के प्राक्कथन में इस प्रकार व्याख्यायित किया है "किसी वस्तुस्थिति पर विचार दो प्रकार से हो सकता है, एक, सीधे वस्तुस्थिति के साम्मुख्य में और दूसरे, अन्यों के विचारों की आलोचना-विवेचना के माध्यम से। अधिकांशत: विचारक इस दूसरे प्रकार का ही अवलम्बन करते हैं (विचार-परम्परा में विचार करते हुए) और इस प्रकार उनके विचार के लिए वस्तुस्थिति परोक्ष रहती है। मैंने (यहाँ) वस्तुस्थिति को सम्मुखत: ही देखा है, शास्त्र के माध्यम से नहीं।" ऐसा नहीं है कि वस्तुस्थिति के सम्मुखत: दर्शन में पुस्तकों की भूमिका बिल्कुल समाप्त हो जाती है, केवल मौलिक रूप से बदल जाती है। यह अब चक्षु में अंजन या लेंस की जैसी हो जाती है, इंद्रिय पर चक्षु-गोलक जैसी या चक्षु-गोलक पर गॉगल जैसी, या आँखों पर पीलिया रोग के प्रभाव जैसी नहीं रहती।

पुस्तकों से पाठकों का सम्बन्ध एक-जैसा ही नहीं रहता। ये परोक्ष लोगों से संवाद की साधन देती हैं यद्यपि अधिकांशत: ये अपने लेखक की स्थानापन्न जैसी भी हो जाती हैं। संवाद में दो व्यक्तियों के बीच सम्बन्ध कैसा बनता है यह निर्धारण, या कहें सम्बन्ध की यह नव्योत्क्रांति, संवाद-कर्त्ताओं के व्यक्तित्व का संयुक्त फल होती

है। यद्यपि पुस्तकें जीवित व्यक्ति नहीं होतीं, इस कारण इनमें चेहरे की ओजस्विता या निस्तेजता रहती है वह अर्थगत विपुलता, गहनता और विस्तार, या इनकी न्यूनता से कुछ अलग रहती है। पाठक इनसे किस प्रकार प्रभावित होता है यह उसके व्यक्तित्व और बोध की और पुस्तक की अभिव्यक्ति-भंगिमा और उसके वाच्य की परस्परता के रूप और प्रकार पर निर्भर करता है। मैं आरम्भ से ही स्वतन्त्र स्वभाव का था। पन्द्रह वर्ष का था जब शिखा के लिए गुरुकुल के विधि-विधानों और 'वेद सब सत्य विद्याओं की पुस्तक है' आदि मान्यताओं को चुनौती देनी आरम्भ कर दी थी। एक घंटी में मुख्याध्यापक हमारी कक्षा को (जिसमें चार-पाँच विद्यार्थी होते) पढ़ाने आते तो कई बार मैं उन्हें किसी वाद-विवाद में उलझा लेता और यह वाद-विवाद हमारे बीच दो-तीन घंटियों तक चलता। शेष विद्यार्थी मूक-मूढ़ भाव से बैठे रहते। इसी क्रम में मैंने सन्ध्या-हवन आरम्भ होने से पहले गायत्री मन्त्र के साथ चोटी बाँधनपे के नियम का पालन बन्द कर दिया। मुझे कुछ नहीं कहा गया। किन्तु कुछ दिन बाद जब एक दूसरे विद्यार्थी ने ऐसा किया तो उसे ज़ोर का थप्पड़ पड़ा। मेरा यही स्वभाव बाद में पुस्तकों से मेरे संवाद के रूप को भी तय करता रहा। फ्रायड और एड्लर को, तथा राहुल सांकृत्यायन की उपर्युक्त पुस्तकों को मैंने 17-18-19 वर्ष की आयु में ही पढ़ा होगा किन्तु उन्हें मैंने अस्वीकार किया, सुमित्रानन्दन पंत सर्वत्र अभिनन्दित थे किन्तु मैंने उनकी तीव्र आलोचना की। उसी पुस्तक में 'पंत के आलोचक' अध्याय में इस 22 वर्ष के समीक्षक ने नगेन्द्र आदि जैसे प्रतिष्ठित आलोचकों की आलोचना के ढंग को चुनौती दी। हेनरी बर्गसाँ जैसे दार्शनिक की अत्यंत सम्मोहक पुस्तक के अत्यन्त सम्मोहक प्रतिपादनों की प्रामाणिकता परखने चला। यद्यपि बर्गसाँ के प्रतिपादनों की प्रामाणिकता की जाँच के लिए देखे गए प्रमाणों को भी मुझे कम-से-कम संदेह से देखना चाहिए था किन्तु कुछ समय तक, कुछ वर्षों तक, मुझे उनमें कोई संदेह नहीं हुआ। किन्तु अन्ततः उन प्रमाणों की प्रामाणिकता को भी मैंने अस्वीकार कर दिया। यह संदेह मेरी दूसरी ही पुस्तक **दार्शनिक विश्लेषण** के अन्तिम अध्याय में उभर आया जो आगे मेरे दृष्टि-परिवर्तन का हेतु बना। इससे एक समय आया जब मेरा पुस्तकों के उस पूरे वर्ग या समाज (आधुनिक पाश्चात्य दर्शन) से ही संवाद बन्द हो गया। इसके बाद मेरा दूसरे पुस्तक-समाज : चेतनावगाही भारतीय और पाश्चात्य दार्शनिक वाङ्मय : से सम्बन्ध स्थापित हुआ, किन्तु अब मैं उसकी सदस्यता पूरी तरह स्वीकार नहीं कर उससे सहानुभूति रखने वाला बाहरी सदस्य बना। इस कारण अब मुझे इस वर्ग से संवाद के लिए अपनी ऐसी पदावली गढ़नी पड़ी जिससे मैं इससे अपनी शर्तों पर संवाद कर सकूँ। यह सम्बन्ध कैसा था और है यह इस बात से देखा जा सकता है कि एक बार एक अध्येता-वृत्ति देने वाली संस्था (भारतीय दार्शनिक अनुसंधान परिषद्, नयी दिल्ली) ने मुझे अपनी प्रस्तावित पुस्तक लिखने में सहायक होने वाली पुस्तकों की सूची (बिब्लियोग्राफी) देने को कहा तो मैंने उसे उत्तर दिया कि 'मेरे लिखने और पढ़ने के बीच कोई सम्बन्ध नहीं है, इसलिए मैं कोई पुस्तक-सूची नहीं दे सकता।' सौभाग्यवश उस संस्था के अधिकारी ब्यूरोक्रेट नहीं थे अन्यथा वे मेरी अध्येता-वृत्ति समाप्त कर देते। किन्तु उन्होंने कृपा कर मेरी यह स्वतन्त्रता स्वीकार कर ली।

द्रष्टव्य है कि पुस्तकों से मेरे सम्बन्ध की उपर्युक्त कथा दर्शन के विद्यार्थी के रूप में ही है, साहित्यिक कृतियों से मेरे सम्बन्ध का रूप बहुत कुछ दूसरा रहा। या शायद पहले साहित्यिक लेखक के रूप में सम्बन्ध वैसा ही रहा किन्तु लेखक की भूमिका छोड़कर शुद्ध पाठक की भूमिका पर अपने पर सम्बन्ध बदल गया। यों भी वैचारिक पुस्तकों से पाठक के सम्बन्ध का रूप परामर्श, वाद-विवाद, आलोचना, असहमति या सहमति परक होता है किन्तु साहित्यिक कृतियों से मैत्री, प्रियता, चमत्कृति आदि परक होता है—जब तक पाठक आलोचक नहीं हो। साहित्यिक पाठक-काल में मैं महादेवी की कविताओं का, विशेषतः **दीपशिखा** की कविताओं का, और प्रसाद की **कामायनी** का बहुत प्रशंसक था, पंत की केवल **ग्राम्या** की कविताएँ कुछ पसन्द थीं और अज्ञेय की **हरी घास पर क्षण भर** की। उपन्यासों में शरच्चन्द्र के **श्रीकान्त**, प्रेमचन्द के **गोदान**, अज्ञेय के **शेखर : एक**

जीवनी और यशपाल के **झूठा सच** उपन्यास मेरे लिए विशेष स्मरणीय रहे। साहित्य से दर्शन की ओर आ जाने के बाद लम्बे व्यवधान के बाद जो कुछ थोड़े से उपन्यास पढ़े उनमें ताल्स्ताय का **वार एण्ड पीस** तथा शोलोख़ोव का **एण्ड क्वायट्‌ फ़्लोज़ दि डॉन** अद्वितीय लगे। भारतीय उपन्यासों में ताराशंकर वन्द्योपाध्याय का **आरोग्य निकेतन**, रमेशचन्द्र शाह का **पूर्वापर** और निर्मल वर्मा का **अन्तिम अरण्य** बहुत अच्छे लगे, कुछ प्रशंसा अज्ञेय के **नदी के द्वीप** की भी करना चाहूँगा। किन्तु अन्य अच्छे उपन्यासों के नाम नहीं लेने का कारण यह है कि मैं इनके अतिरिक्त बहुत कम ही और उपन्यास पढ पाया हूं। कुछ कविताएँ भी पढ़ीं- अज्ञेय की **आँगन के पार द्वार** और **सागर मुद्रा** की कविताएँ मुझे अद्भुत लगीं, गोविन्दचन्द्र पाण्डे के इधर प्रकाशित दो संग्रहों—**हँसिका** और **जया** तथा रमेशचंद्र शाह की **नदी भागती आयी** संग्रहों पर मैंने समीक्षाएँ भी लिखीं। यहाँ फिर यह कहना आवश्यक है कि काव्य का मेरा वर्तमान अध्ययन बहुत सीमित है। तो भी, जो कुछ कविताएँ देख पाता हूँ उनमें अधिकांश मुझे निस्तेज ही लगती हैं।

पाठकीय–लेखकीय अनुभव की इस लम्बी यात्रा के बाद आज मुझे लगाता है कि विद्वत्ता अपनी जगह है, किन्तु पुस्तक–पाठ से पण्डित वही बन सकता है जो उसमें प्रेम–पाठी होकर प्रविष्ट हो पाता है।

आत्म और भ्रष्टाचार

आत्म केवल आत्मचेतन प्राणी में ही होता है और वह प्राणी केवल मनुष्य ही है। जो प्राणी आत्मचेतन नहीं होते उनमें आत्म होने का प्रश्न ही नहीं उठता, और जिस प्राणी में आत्म-चेतना नहीं है और इस प्रकार आत्म नहीं है उसमें भ्रष्टता होने की बात भी नहीं हो सकती। संस्कृत में एक बहुत प्रसिद्ध श्लोक है—

> आहार, निद्रा, भय, मैथुनं च, सामान्यमेतत् पशुभिर्नराणाम्।
> धर्मो हि तेषामधिकोविशेष:, धर्मेण हीना: पशुभि: समाना:।।

हम देखते ही हैं कि पशु को हम दुराचारी या सदाचारी नहीं कहते, केवल मनुष्य को ही ये विशेषण देते हैं। किन्तु आत्मचेतना के साथ किसी कर्म को सत् और किसी कर्म को असत् आँकने का आधार क्या है? एक अंग्रेज़ कवि मैथ्यू आर्नल्ड का कहना है कि अपने-आप में कुछ अच्छा या बुरा नहीं होता, केवल हमारी सोच ही किसी कर्म को अच्छा या बुरा बनाती है। यूरोपीय पॉज़िटिविस्ट (इन्द्रियकप्रामाण्यवादी) और हमारे चारवाक दार्शनिक भी ऐसा ही कहते हैं। किन्तु यह ठीक नहीं है। यह ठीक है कि अच्छे और बुरे—सत् और असत्—विशेषणों के विशेष्य साधारण रूप से अलग-अलग समाजों में अलग-अलग होते हैं, किन्तु कुछ विशेष्य ऐसे भी हैं जो सब समाजों में असत् ही कहे जाएंगे—जैसे असत्य बोलना, विश्वासघात और दुराचार आदि। यदि ऐसा नहीं भी होता तो भी यह मूलबोध कि कुछ अच्छा है और कुछ बुरा, यह मनुष्य में सर्वव्यापक होना आवश्यक था। इस बोध का मूल मनुष्य के आत्मचेतन होने में ही है। आत्मचेतना मनुष्य में 'आत्मा' को प्रतिष्ठित करती है और इस आत्मा का स्व-रूप होता है, जिसे मनुष्य को जानना-समझना होता है। इसी से हमारे यहाँ 'आत्मानं विद्धि' (आत्मा को, अपने को, जानो) कहा गया है। कहते हैं कि प्लेटो की अकादमी के द्वार पर भी यही लिखा हुआ था।

किन्तु 'आत्मा का स्वरूप क्या है, यह कैसे निश्चित हो?' यद्यपि इस प्रश्न का उत्तर बहुत कठिन है किन्तु इसका उत्तर हो ही नहीं, ऐसा नहीं है। यदि कोई उत्तर होता ही नहीं तो 'आत्मा को जानो' न तो ऐसा कहा जा सकता था और न ही 'सदाचार' और 'भ्रष्टाचार' जैसे शब्द ही हो सकते थे। यहाँ **महाभारत** में दुर्योधन के शब्द—"धर्म को जानता हूँ किन्तु उसमें मेरी प्रवृत्ति नहीं है और अधर्म को भी जानता हूँ किन्तु उससे अपने को रोक नहीं पाता"—ध्यातव्य हैं। ऐसा हमारे सबके साथ है। हम यह सहज रूप से ही जानते होते हैं कि 'यह कर्म उचित नहीं है', किन्तु लोभ या क्रोधवश होकर हम अपने को उससे रोक नहीं पाते, या कोई ग़लत युक्ति देकर वह कार्य कर लेते हैं। अंग्रेज़ी में इसे रैश्नलाइज़ेशन कहते हैं। कभी-कभी किंकर्त्तव्यविमूढ़ता की स्थिति भी होती है जिसे लक्षित कर **गीता** में कहा गया है 'किं कर्त्तव्यं किमकर्त्तव्यं कवयोऽप्यत्रमोहिता:।' कहते हैं महात्मा गाँधी ऐसी स्थिति होने पर उपवास रखकर एकान्त में बैठते थे और 'आत्मा की आवाज़' सुनने का प्रयत्न करते थे। यदि गाँधीजी जैसे महात्मा, या कहें शुद्धात्मा, की यह स्थिति थी तो हमारे जैसे सामान्य व्यक्तियों की तो फिर बात ही क्या है! किन्तु ऐसी स्थिति में किये गए अनुपयुक्त कर्म को भी अनुचित या भ्रष्ट कर्म नहीं कहा जाता। किसी कर्म को भ्रष्ट केवल तभी कहा जाता है जब कोई यह जानते हुए भी कि यह कर्म अनुचित है, किसी स्वार्थवश करता है।

यहाँ 'स्वार्थ' शब्द पर विचार आवश्यक है। 'स्वार्थ' अर्थात् 'पर के हित-अहित की उपेक्षा कर अपने ही हित की चिन्ता करना।' इसे भी सब समाजों में अनुचित ही माना जायगा। इस सम्बन्ध में भी एक उक्ति है—'आत्मन: प्रतिकूलानि परेषां न समाचरेत्।' अर्थात् जो कर्म अपने हित के विपरीत हो उसे दूसरों के साथ नहीं करना चाहिए। यहाँ पुन: मनुष्य की सामाजिकता को उसकी वैयक्तिकता के ऊपर प्रतिष्ठित किया गया है। इस प्रकार, इस विचार के अनुसार, और वास्तव में सभी नैतिक विचार के अनुसार, मनुष्य की आत्मा का तत्त्व व्यक्तिमूलक नहीं होकर सार्वभौम है।

अब, मनुष्य की आत्मा का स्वरूप 'सार्वभौम' कहने पर माँस-भक्षण भी अनुचित ठहरता है, किन्तु मनुष्य सामान्यत: ही माँस-भक्षी है। रामायण में भगवान् राम तक के हरिण का शिकार करने का उल्लेख है। भारत में माँस-भक्षण का निषेध केवल जैनों में, और अंशत: बौद्धों में मिलता है, बाद में वैष्णव धर्म में, जो एक मध्यकालीन मूल का धर्म है, मिलता है। शेष विश्व में सर्वत्र मनुष्य माँस-भक्षी है। इस प्रकार 'परेषां' का अर्थ 'अन्य मनुष्यों में' ही ठहरता है, पशु-पक्षियों में नहीं। इधर इस बोध में अन्य प्राणियों का भी समावेश किया गया है और खाने के लिए पशुओं का वध करते हुए पहले इंजेक्शन लगाकर उन्हें अचेत कर दिया जाता है। किन्तु ये केवल आंशिक उपाय ही हैं, क्योंकि खाने के लिए पशुओं का वध तो किया जाता ही है, मनुष्य का वध तो नहीं किया जाता। अब युद्ध को ही लें। युद्ध मनुष्य-समाजों में आदिकाल से होते रहे हैं और आज भी हो रहे हैं। इनमें जो विरोधी सेना के जितने अधिक सैनिकों का वध करता है उतना ही वीर माना जाता है, और वीरता मनुष्य का बहुत बड़ा गुण माना जाता है। मनुष्य के सम्पूर्ण इतिहास में सम्राट् अशोक ही एक अपवाद हैं जो शत्रु-सैनिकों को मरे पड़े देख कर द्रवित हुए थे और उन्होंने बौद्ध धर्म स्वीकार किया था। उनके बाद इधर महात्मा गाँधी हुए जिन्होंने भारतीय स्वतन्त्रता-संग्राम के लिए अहिंसा को सार्वजनिक आचरण के रूप में स्वीकार किया था। अन्यथा अहिंसा को इस प्रकार कभी स्वीकार नहीं किया गया। इस प्रकार कह सकते हैं कि हिंसा को किसी ने आत्मा की भ्रष्टता के रूप में नहीं देखा। यों हिन्दू धर्म में आचरण के नियमों में अहिंसा को सब से प्रथम आचार-नियम के रूप में रखा गया है—अहिंसा परमोधर्म:।

तब क्या इसका अर्थ है कि मनुष्य अधिकांश में आत्मा में भ्रष्ट होने पर भी इस तथ्य को देख नहीं पाता, केवल स्थूल रूप में ही देख पाता है? ऐसा कहने में कोई ग़लती नहीं होगी। यहाँ पुन: **गीता** के इस श्लोक का स्मरण स्थाने होगा कि 'किं कर्म किमकर्मेति कवयोऽप्यत्र मोहिता:।' अर्थात् कौन-सा कर्म करना उचित है और कौन-सा कर्म करना अनुचित, इस विवेक में बड़े-बड़े सुधीजन भी भ्रमित हो जाते हैं।

किन्तु यहाँ यह विचारणीय हो जाता है कि क्या ऐसे कर्म को भ्रष्टाचार कहा जा सकता है जो किसी प्रकार अनुचित तो हो किन्तु वह ज्ञानपूर्वक नहीं किया गया हो? समाजों में ऐसी बहुत-सी प्रथाएँ होती हैं जिन्हें अनुचित कहा जा सकता है, किन्तु वे चलती हैं और व्यक्ति उनका सहज भाव से अनुसरण करते हैं। जैसे मध्यकाल में हिन्दुओं में बाल-विवाह की प्रथा थी और पति के मर जाने पर लड़कियाँ छोटी आयु में ही विधवा हो जाती थीं और आजीवन इस शाप को झेलती थीं। इसके विपरीत पुरुष पत्नी के मरते ही दूसरा विवाह कर लेते थे, कभी-कभी तो पत्नी की शव-यात्रा में ही दूसरी किसी लड़की के पिता अपनी लड़की के विवाह का प्रस्ताव रख देते थे। इन प्रथाओं को सहज ही अनुचित कहा जा सकता है और इस प्रकार इन्हें सामाजिक भ्रष्टाचार कहा जा सकता है। किन्तु साधारणत: 'भ्रष्टाचार' शब्द का प्रयोग व्यक्तियों के आचरण को लेकर ही होता है। इस लेख के शीर्षक में भी यही निहित है। इन दिनों 'भ्रष्टाचार' शब्द साधारणत: राजकीय कर्मचारियों द्वारा किसी कार्य के लिए अनुचित पैसा लेने के लिए ही प्रयुक्त होता है। इन दूसरे प्रकार के कार्यों के लिए 'भाई-भतीजावाद' जैसे कुछ शब्द भी प्रचलित हैं।

अब यहाँ 'आत्म' शब्द के अर्थ और इसके प्रयोग पर विचार करना भी स्थाने होगा। साधारणत: 'आत्म' शब्द मनुष्य के अपनेपन के लिए होता है, किन्तु यहाँ यह शब्द 'आत्म-बोध' का वाचक है। यों भी आत्म-बोध के बिना आत्म नहीं होता, जैसाकि हमने लेख के आरम्भ में ही कहा। यह आत्म-बोध ही मनुष्य में सदसद् विवेक का मूल है। यदि व्यक्ति कार्य करते हुए यह देखे कि क्या यह कार्य करना मेरे स्वरूप के अनुकूल है, 'अपनी आत्मा की आवाज़' को सुने, तो वह सहज ही यह देख पायेगा कि वह कार्य उसे करना चाहिए या नहीं? तब यदि वह किसी लोभ या क्रोध आदि वश वह कार्य करता भी है तो वह उसे उतनी लगन से, उतने सहज भाव से नहीं कर पायेगा और धीरे-धीरे वह ऐसे कार्यों से बचने लगेगा। 'आत्म और भ्रष्टाचार' इस शब्द-युगल में ही यह निहित है कि कुछ आचरण ऐसे होते हैं जो मनुष्य को उसके अपने स्वरूप से दूर करने वाले होते हैं। अर्थात्, मनुष्य का कुछ स्वरूप है और वह शुद्ध और महत् है। उस स्वरूप को हम अपने भीतर देख सकते हैं। इस दृष्टि के

कारण ही मनुष्य का समाज पशु-पक्षियों से भिन्न होता है। मनुष्य-समाज एक नैतिक सत्ता है, यह समूह मात्र नहीं है। इसे लेकर एक बहुत सुन्दर श्लोक है—

त्यजेदेकं कुलस्यार्थे, ग्रामस्यार्थे कुलं त्यजेत्।
ग्रामं जनपदस्यार्थे, आत्मार्थे सर्वं त्यजेत्।।

यहाँ 'आत्मा' का अर्थ व्यक्ति नहीं है बल्कि आत्म-तत्त्व है, जो सर्वव्यापक चैतन्य है। महात्मा गाँधी या रामकृष्ण परमहंस व्यक्ति नहीं थे, वे मानव-तत्त्व के मूर्त्त स्वरूप थे। यों बहुत सीमा तक हम सभी अपने को पर की सापेक्षता में ही देखते हैं, किन्तु जो जितना ही पर को प्राथमिकता देता है और स्व को गौण रखता है वह उतना ही श्रेष्ठ माना जाता है। भ्रष्टाचार का मूल यह आत्मपरकता, स्वार्थता ही है। मनुष्य को 'सामाजिक प्राणी' कहा जाता है। अधिकांश जीव व्यक्तिपरक (आत्मपरक) ही होते हैं, किन्तु अपने बच्चों के प्रति वात्सल्य में प्राय: सभी जीव अपने बच्चों को अपने ऊपर वरीयता देते हैं। कुछ पशु-पक्षी और कुछ कृमि-कीट भी सहज रूप से समूहपरक ही होते हैं, उन्हें 'सामाजिक' भी कह सकते हैं। चींटियाँ, दीमक और मधुमक्खियाँ ऐसे ही कृमि हैं। कहा जा सकता है कि इन जीवों में समूहपरकता होती है किन्तु इन जीवों में आत्मपरकता होती ही नहीं है। किन्तु उनकी इस समूहपरकता को परार्थभाव नहीं कहा जा सकता। परार्थभाव वहाँ कहा जाता है जहाँ व्यक्ति में स्वार्थपरकता सहज हो और इस सहजभाव को हटाकर व्यक्ति पर को अपने ऊपर प्राथमिकता दे। संस्कृत में एक नीति-वचन है—आत्मन: प्रतिकूलानि परेषां न समाचरेत्। अर्थात् दूसरे द्वारा अपने प्रति किया गया जैसा व्यवहार अपने को बुरा लगे वैसा व्यवहार हमें दूसरे के साथ नहीं करना चाहिए। यहाँ पुन: व्यक्ति के लिए अपना अतिक्रमण करने का परामर्श है, किन्तु यह अपना अतिक्रमण मनुष्य के आत्म-लाभ के लिए ही होता है। इसमें व्यक्ति का अपना विस्तार होता है, वह 'भूमा' होता है। इसके उदाहरण रूप में भगवान् राम और भगवान् कृष्ण को देखा जा सकता है। इनके व्यक्तित्व की महत्ता इनकी पर-परकता में ही थी। इसके विपरीत भाव में आत्म की क्षुद्रता होती है। किसी व्यक्ति के लिए 'स्वार्थी' से बड़ा निन्दात्मक विशेषण दूसरा कोई नहीं होता। वास्तव में अधिकांश दुर्गुणों का मूल स्वार्थ ही होता है। रिश्वत, भाई-भतीजावाद, काममूलक अमर्यादा ये सब अन्य दुर्गुणों के अतिरिक्त स्वार्थमूलक भी हैं। इसके अतिरिक्त इनमें आत्मा की व्यापक भ्रष्टता भी होती है।

तो क्या आत्मा, या आत्म ही कहें, अपने-आप में शुद्ध है और उसमें दुर्गुण उस पर आरोप होते हैं? 'आत्मा की भ्रष्टता' पद में यह विचार निहित भी है, क्योंकि 'आत्मा की भ्रष्टता' का अर्थ है 'आत्मा की स्वरूप से च्युति', 'आत्मा का स्वरूप खोना।' किन्तु यदि मनुष्य प्राणी-विकास में सबसे ऊपर है और केवल उसी में आत्म-बोध है, तो अन्य जीवों को पूर्ण रूप से भ्रष्ट भी कहा जा सकता है। किन्तु ऐसा कहा नहीं जाता और ठीक ही नहीं कहा जाता। क्योंकि जहाँ आत्मा है ही नहीं वहाँ भ्रष्टता का कोई अर्थ नहीं हो सकता। आत्मा केवल मनुष्य में ही है, इसलिए उसी में आत्मा की भ्रष्टता-अभ्रष्टता और उच्चता-नीचता का प्रसंग हो सकता है। किन्तु आत्मा की उच्चता और भ्रष्टता के लक्षण क्या हैं और वे कैसे निश्चित किये जा सकते हैं।

जैसा कि हमने पीछे कहा, सत्य-असत्य, उचित-अनुचित का बोध केवल मनुष्य में ही है और इस बोध को मनुष्यता का लक्षण भी कहा जा सकता है। मनुष्यता का दूसरा और आधारभूत लक्षण आत्म-चेतना है। 'आत्म-चेतना' का अर्थ है विषय से भिन्न विषयी के रूप में अपना बोध। इस चेतना का विषय विषयी स्वयं होता है। 'यह मैं हूँ', 'मैं लिख रहा हूँ' इन वाक्यों में विषयी ही अपना विषय है। किन्तु इस विषयीभूत विषय का एक और विषयी भी हो सकता है, होता ही है, पर पुन: अपने विषयी के साथ। इस प्रकार आत्म-चेतना की विषयिता अनन्त अन्तर्मुखीनता (प्रत्यङ्मुखता) वाली होती है। यह अन्तर्मुखीनता ही आत्मा का लक्षण कही जा सकती है। किन्तु इसका स्वरूप क्या है? इस स्वरूप का लक्षण क्या है? इसका लक्षण मेरे विचार में उचित-अनुचित में विवेक का विवेकी होना ही कहा जा सकता है, इस बोध के अतिरिक्त कि यह आत्म विषय भी होता है। किन्तु यह विषयद्भूत विषयी आत्म आत्मपूर्वक ही होता है।

अब, यह विषयी-आत्म (विषयभूत आत्म) न तो सामने खड़े पेड़ जैसा या किसी प्राणी जैसा होता है और न पत्थर जैसा। यह सामने खड़े मेरे जैसा ही होता है—विषयीमूलक विषय। इसी से यह विषय बैल आदि से भिन्न सत् और असत् गुण और बोध से युक्त होता है। दूसरे शब्दों में, यह मेरे समान ही आत्माधिष्ठित होता है।

अब, इस आत्मा का स्वरूप क्या है? हमारे यहाँ वेदान्त और साँख्य में आत्मा को निर्गुण कहा गया है। किन्तु यहाँ हम जिस आत्म की बात कर रहे हैं वह प्रकृति-संवलित आत्म है। यह आत्म प्रकृति-परायण और आत्म-परायण दोनों हो सकता है। प्रकृति-परायण आत्म प्रकृति-परायणता की अतिशयता में पाशव होता है और आत्म-परायणता की अतिशयता में महत्। इसका अर्थ है कि आत्मा के निज स्वरूप को शुद्ध और श्रेष्ठ माना गया है। 'आत्मानं विद्धि' उपदेश इसी मान्यता के कारण है। अन्य प्राणियों से भिन्न मनुष्य में नैतिक बोध का कारण यह आत्म-बोध होना ही है, जिस बोध से अन्य जीव नितान्त रहित होते हैं। यों पशुओं में भी स्वभाव-भेद होता है। गाय को हम भली कहते हैं, अच्छे व्यक्ति को 'गाय' कहते हैं। किन्तु यह 'गोत्व' गुण गाय में नैतिक गुण नहीं होता, यह उसमें प्राकृतिक गुण है। इसके विपरीत मनुष्य में सहज गुण भी उत्कृष्ट-निकृष्ट कहे जाते हैं, क्योंकि वे गुण उसमें प्राय: ही अर्जित होते हैं। उसमें सहज हो गए गुण या तो शिक्षा से आये होते हैं या अपने संकल्प से। शिक्षा समाज से मिलती है और समाज एक नीतिमूलक समूह है। मानव-समूह की यह नीतिमूलकता है। यही उसे 'समूह' से भिन्न 'समाज' बनाती है।

इस प्रकार समाज, और उसका अंग व्यक्ति, ये दोनों नैतिक अस्तित्व हैं, इसलिए उनके आचरण सत् और उचित तथा भ्रष्ट और अनुचित कहे जाते हैं। इन विशेषणों के लक्षण क्या हैं? इनका एक लक्षण तो सामाजिक प्रथामूलक होता है। उदाहरणत: हिन्दू-समाज में पीछे कुछ कालों में बाल-विवाह का पर्याप्त प्रचलन था। यह सामाजिक भ्रष्टाचार कहा जा सकता है, वैयक्तिक भ्रष्टाचार नहीं। किन्तु पर-स्त्री या पर-पुरुष-गमन, असत्य-भाषण आदि वैयक्तिक भ्रष्टाचार हैं। ये भ्रष्टाचार इसलिए ही नहीं हैं कि ये सामाजिक व्यवस्था के विरुद्ध हैं, ये इसलिए भी भ्रष्टाचार हैं क्योंकि ये ऐसी प्रवृत्तियाँ हैं जो मनुष्य को परोन्मुख रखती हैं, उसे अपने से दूर रखती हैं। इस प्रकार भ्रष्टाचार आत्मा के स्वरूप से विपरीत होने को कहा जा सकता है और इसी अर्थ में लोभ, मोह, क्रोध और अहंकार आदि भ्रष्टाचरण या स्वभाव-भ्रष्टताएँ हैं।

भारतीयता का नवसर्जन

भारत की राजनीतिक स्वतन्त्रता के लगभग सातवें दशक में भी आज हम इसकी मानसिक परतन्त्रता को लेकर चिन्तित हैं। 1985 में मैंने इस दार्शनिक पत्रिका 'उन्मीलन' का प्रकाशन-सम्पादन आरम्भ किया था तब उसके मूल में मेरी यही चिन्ता थी। वह चिन्ता आज भी वैसी ही बनी हुई है। उसके कम होने का कोई कारण भी दिखाई नहीं देता। निश्चय ही आज यूरोप भी मानसिक रूप से विघटन की ओर ही अग्रसर है, किन्तु हमारे विचारकों के लिए उसका वह रूप भी अनुकरणीय है, जैसे किसी समय अंग्रेज़ी कवि लॉर्ड बायरन की एक टाँग में कुछ दोष होने से लंगड़ा कर चलना वहाँ के युवकों के लिए अनुकरणीय था।

भारतीय सांस्कृतिक परम्परा बहुत प्राचीन है, जिसका मूल वेदकालीन दृष्टि और धारणाओं में माना जाता है। वह परम्परा इस अर्थ में आज भी जीवन्त और अटूट कही जा सकती है कि इसमें कोई क्रम-भंग नहीं है, यद्यपि वैदिक दृष्टि और आज की हमारी दृष्टि में उतना ही साम्य और भेद है जितना वैदिक भाषा और हमारी आज की भाषाओं में है। किसी समाज की सांस्कृतिक परम्परा की निरन्तरता उस समाज के अस्मिता-बोध के नैरन्तर्य और मूल्य-दृष्टि की सृजनात्मकता में कही जा सकती है। भारतीय संस्कृति इसी अर्थ में आज भी जीवित कही जा सकती है। 'यूनानोमिश्र रोमा, सब मिट गए जहाँ से, बाकी मगर है अब तक, नामो निशाँ हमारा' इसी अर्थ में ठीक है। यूनान, मिश्र और रोम आदि देशों के निवासियों की आनुवंशिकता तो हमारी तरह ही अटूट है किन्तु उनकी देहों में अन्य आत्माओं का प्रवेश हो गया है, उनकी अपनी आत्माएँ उन्हें छोड़कर चली गई हैं, जबकि हमारे साथ ऐसा नहीं हुआ है। किन्तु इधर वैसा होने की सम्भावना बनने लगी है।

द्रष्टव्य है कि उल्लिखित कविता मुहम्मद इकबाल की है, जिसका नाम ही इस देश की सांस्कृतिक परम्परा से बाहर रखता है। किन्तु तब भी वह यदि अपने को इस परम्परा में देखता है, जैसाकि इस कविता का 'हमारा' सर्वनाम बताता है कि वह देखता है, तब निश्चय ही वह इस परम्परा का हो जाता है। द्रष्टव्य है कि पाकिस्तान के विचार का जनक बाद में नहीं हुआ। भारत में बहुत-सी जातियाँ बाहर से आईं और यहाँ की ही हो गईं। इसके विपरीत काश्मीर के बहुत बड़े जन-समुदाय को उसका अतीत विस्मृत हो गया और उसने दूसरी परम्परा की स्मृतियों को अपना मान लिया। ऐसा हमारे शेष देश के बड़े समुदायों के साथ भी हुआ है। जिसे हम पश्चिमीकरण कहते हैं वह भी यही हमारी देह में अन्य आत्मा के प्रवेश की प्रक्रिया है।

यहाँ प्रश्न हो सकता है कि इसमें हानि ही क्या है? यूनान, मिश्र, रोम, बेबीलोन, ईरान की पहली परम्पराएँ समाप्त हो गईं और वे नई संस्कृतियाँ बन गईं, इसमें उनकी क्या हानि हुई? ये अब अपनी नई संस्कृतियों की रक्षा के लिए मरने-मारने को तैयार हैं। स्वयं हमारे ही यहाँ अधिकांश लोग अपनी भाषाएँ भूलकर अंग्रेज़ी अपना रहे हैं और जो ऐसा नहीं कर पा रहे हैं वे अपने को पिछड़ा हुआ समझते हैं। इसमें बुराई क्या है? इसका उत्तर है कि अपने को खोना, आत्मा का नाश, यह निरपेक्ष रूप से और सबसे बड़ी हानि होती है। इसका अर्थ यह नहीं है कि हमें अन्य से सीखना नहीं चाहिए, अन्य के आदर्श से आत्म-परिष्कार नहीं करना चाहिए! यह कहने पर तो 'बुद्धं शरणं गच्छामि', 'महाजनो येन गता: स: पंथ:' भी अनुचित हो जाएगा। किन्तु बुद्ध की शरण जाने के वही योग्य होता है जो सदसद् का विवेक कर सकता है, और यह विवेक करने के लिए उसमें संकल्प-बल होना अपेक्षित होता है, और संकल्प-बल होने के लिए आत्म-बल होना आवश्यक होता है। बुद्ध की शरण जाने और बुद्ध का अनुकरण करने में आधारभूत अन्तर है। अनुकरण करने के लिए आत्मा और संकल्प की आवश्यकता नहीं होती, बल्कि इनके नहीं होने की आवश्यकता होती है। यूरोप से साम्मुख्य होने पर भारत में जो प्रथम प्रतिक्रिया हुई थी

वह एक आत्मवान् जाति की प्रतिक्रिया ही थी। भारत ने एक नवीन, उदीयमान्, ऊर्जस्वी संस्कृति का सामना होने पर अपने आपको देखा था, आत्म-विवेचन किया था, अपने में जड़ता और तज्जन्य दोषों को पहचाना और अपने को प्रबोधित किया था। आर्यसमाज, ब्रह्मसमाज, ज्योतिबा फुले, श्री अरविन्द, कुमारस्वामी, विवेकानन्द, तिलक और सबसे बढ़कर महात्मा गाँधी इस साम्मुख्य-जन्य आत्म-प्राप्ति के परिणाम थे। भारत की आत्मिक ऊर्जा का वह अद्भुत स्फार था। यही स्फार मुस्लिम आक्रमण के बाद भक्ति-काव्यधारा के रूप में भी प्रकट हुआ था। किन्तु वह एक सांस्कृतिक चुनौती के साम्मुख्य का रूप नहीं ले सका था जो इसने इस नई चुनौती के सम्मुख लिया।

किन्तु इस साम्मुख्य का यह केवल एक पक्ष ही था। इसका एक दूसरा पक्ष भी था। भारतीय मानस यूरोप के विज्ञान, यन्त्र और बौद्धिक ऊर्जा से चमत्कृत भी हुआ और यथासम्भव उसमें अपने को अभिसंस्कृत करने को भी तत्पर हुआ। राजा राममोहन राय इसके एक उदाहरण हैं तथा श्री अरविन्द और जवाहरलाल नेहरू आदि को जिस प्रकार बचपन में उनके माता-पिता ने भारतीय परिवेश की छूत से अलग रखा, वह इसका दूसरा उदाहरण है। नये कॉलेजों में पढ़ने-पढ़ाने वाले युवक तथाकथित वैज्ञानिक दृष्टि को सन्देहातीत प्रामाणिक दृष्टि मानकर भारतीय दृष्टि को अंधविश्वास मानने लगे थे। इसका प्रभाव स्वयं आर्यसमाज और ब्रह्मसमाज में भी स्पष्ट देखा जा सकता है। नया शिक्षित और अर्धशिक्षित वर्ग इसी दृष्टि में अभिसंस्कृत हो रहा था। यह वर्ग अपनी अस्मिता भारत में देखते हुए भी बुद्धि की श्रेष्ठता पश्चिम में ही देखता था। इस अस्मिता-बोध और आत्महीनता का समन्वय वह प्राचीन भारत में नवीन यूरोप की तुल्यता देखकर करने लगा। आर्यसमाज ने वेदों में यन्त्र-विद्या को देखा और शास्त्रों के अध्येताओं ने भारतीय शास्त्रों में पश्चिम की तुल्यता देखनी आरम्भ की। किन्तु उनके लिए भी शेक्सपीयर कालिदास के और हेगल शंकर के तुल्य होकर बड़े नहीं थे बल्कि कालिदास शेक्सपीयर के ओर शंकर हेगल के तुल्य होकर बड़े थे। अभी कुछ ही दिन पहले मैंने दर्शन के एक प्रतिष्ठित प्रोफेसर डॉ. नन्दकिशोर देवराज का एक लेख देखा। उसमें वे इस बात पर चमत्कृत हैं कि बौद्ध अपोहवाद में बहुत कुछ वैसी ही दृष्टि है जैसी सास्योर नाम के एक नाम-विहीन यूरोपीय के लेख में उन्होंने देखी। उन्हें उस दृष्टि की युक्तता और सम्यक्ता से कुछ लेना-देना नहीं है, उनके लिए तो महत्त्व इस बात का है कि हमारे यहाँ के किसी दार्शनिक को भी वैसी बात सूझी जैसी आधुनिक पश्चिम के किसी लेखक को सूझी। वह लेखक मनीषी तो होगा ही, क्योंकि पश्चिम का है। इसमें भारतीय अस्मिता तो स्पष्ट है किन्तु उतना ही स्पष्ट आत्म-सम्मान का अभाव भी है। यहाँ कहा जा सकता है कि यदि कोई हम से श्रेष्ठ है तो उसकी श्रेष्ठता हमें स्वीकार करनी ही चाहिए, उसे अपना आदर्श बनाना चाहिए। यह ठीक है, किन्तु यह एक तो आत्म-प्रतिष्ठ होकर किया जाता है और एक आत्म-च्युत होकर। हमारे इस स्वीकार में आत्म-च्युति है। देवराज जी यदि अपना भाषा-विचार करते हुए, या बौद्धों के भाषा-सिद्धान्त का विवेचन करते हुए यह सूचना देते कि सास्योर के भाषा-विचार में भी इसके जैसी दृष्टि है, तो वह दूसरी बात होती, वे तो भाषा-विचार के किसी प्रसंग के बिना केवल इस समानता में अतीत भारत का गौरव देख रहे हैं। स्वतन्त्रता के पूर्व दर्शन-विषयक सब लेखक यही करते रहे। वे भारतीय दार्शनिकों में पाश्चात्य दार्शनिकों की अनुरूपता ही खोजते या गाते रहे। दूसरे विषयों में किसी ने भारत को देखा ही नहीं, सीधे पश्चिम को ही अपना लिया। स्वतन्त्रता के बाद दर्शन में भी यही हुआ। ऐसा होने का मुख्य कारण भाषा कही जा सकती है, किन्तु उससे बड़ा और अधिक मूल कारण आत्म-हीनता और बौद्धिक जर्जरता ही कही जानी चाहिए। यूरोप से प्रथम साम्मुख्य में देश में जो ऊर्जा दिखाई दी थी वह स्वतन्त्रता तक पहुँचते-पहुँचते क्षीण दिखाई देती है। स्वतन्त्रता से पहले स्वतन्त्रता-संग्राम राजनैतिक क्षेत्र में ही नहीं, शिक्षा, साहित्य, विचार सभी क्षेत्रों में दिखाई देता है। उदाहरणत: सरकारी शिक्षा-प्रणाली से पृथक् और उसके विपरीत कितनी ही शिक्षण-संस्थाएँ बनीं और पनपीं, साहित्य पूर्णत: विदेशी प्रभाव से स्वतन्त्र और राष्ट्रीय भावना से भावित रूप में विकसित हुआ। निश्चय ही साहित्य-विचार में कोई सृजनात्मकता दिखाई नहीं देती, किन्तु जहाँ तक वह विश्वविद्यालयों से बाहर रहा वहाँ तक उसने भारत की अतीत परम्परा की ओर ही देखा। संगीत तो ख़ैर अभी तक स्वतन्त्र है किन्तु चित्र और मूर्ति-कला भी स्वतन्त्र

रहीं और इनमें भरपूर सृजनात्मकता भी परिलक्षित होती है। किन्तु स्वतन्त्रता तक पहुँचते-पहुँचते सब क्षेत्रों में, संगीत को छोड़कर, एक ह्रास दिखाई देता है जो स्वतन्त्रता के बाद अपनी पराकाष्ठा पर पहुँच गया। यह भारत की शिक्षण-संस्थाओं में स्पष्ट देखा जा सकता है।

स्वतन्त्रता के बाद ये सभी शिक्षण-संस्थाएँ अपनी आत्मा खो बैठीं, कुछ तो सदेह ही नष्ट हो गईं। यह परिवर्तन हमारे सामान्य परिवर्तन का निदर्श कहा जा सकता है। स्वतन्त्रता के बाद सब विषयों के विद्यार्थी और अध्यापक यूरोप और अमरीका भेजे जाने लगे, अमरीका से मिली गेहूँ का मूल्य अमरीकी संस्कृति में दीक्षा के रूप में चुकाया गया। 'पी.एल. 480' का पैसा ऐसे तथाकथित विनिमय-कार्यक्रम में लगाया गया जिसमें हमारे अध्यापक बाहर सीखने जाते और उनके अध्यापक यहाँ सिखाने आते थे। विश्वविद्यालय अनुदान आयोग के फार्मों में यह पूछा जाता था कि आप विदेशी उपाधिधारी हैं या नहीं, विदेश में आपका कुछ प्रकाशित हुआ है या नहीं, और जो विदेश से उपाधि-प्राप्त होते थे उन्हें आँख मूँदकर वरीयता दी जाती थी। मुझे एक उदाहरण पता है कि कैसे एक व्यक्ति इंग्लैण्ड की एक पत्रिका में प्रकाशित एक लेख के बल पर विश्वविद्यालय में लेक्चरर से रीडर और रीडर से प्रोफेसर तक हो गया। ऐसा वह किसी जोड़-तोड़ से बना हो, यह बात नहीं थी, वह केवल अपने उस महान् लेख के बल पर ही बना था। दर्शन के क्षेत्र में कम-से-कम 1975-80 तक इन यूरोप-शिक्षितों का बोलबाला ही नहीं, एकछत्र राज्य जैसा था, अन्य शास्त्रों में तो भारत के अपने विचार, अपनी दृष्टि के लिए स्वतन्त्रता के बाद कभी कोई स्थान रहा ही नहीं। दर्शन के क्षेत्र में इस पूरे काल में कुछ लोग विश्वविद्यालय क्षेत्र में भी प्राचीन भारतीय दर्शन से जुड़े रहे, विशेषत: दक्षिण भारत में। स्वतन्त्रता के बाद इनमें कुछ कमी आई, किन्तु इधर उनकी प्रतिष्ठा बढ़ी है और अब तो यूरोपीय दर्शन के वैतालिक भी प्राचीन भारतीय दर्शन से जुड़ना अपनी प्रामाणिकता के लिए आवश्यक मानने लगे हैं। किन्तु दुर्भाग्यवश दर्शन के क्षेत्र में दार्शनिक लगभग एक भी नहीं उभरा है, अन्य क्षेत्रों में तो फिर बात ही क्या है?

स्थिति यह है कि ये लोग ही हमारे दार्शनिक, समाजशास्त्री, राजनीतिशास्त्री आदि समझे जाते हैं। यहाँ एक उद्धरण देना स्थाने होगा जो एक शीर्षस्थ दार्शनिक माने जाने वाले लेखक के निबन्ध-संग्रह की भूमिका लिखते हुए एक-दूसरे शीर्षस्थ माने जाने वाले दार्शनिक का लिखा हुआ है। ये दार्शनिक जे.एन. मोहन्ती और जे.एल. मेहता हैं। डॉ. मोहन्ती लिखते हैं—"1950वें दशक के भारत में जे.एल. मेहता तथा मैं सम्भवत: एकमात्र ऐसे दार्शनिक थे जो समकालीन जर्मन दर्शन से सम्बन्धित थे। डॉ. मेहता हाइडेगर का अध्ययन कर रहे थे और मैं हुस्सर्ल का।" अब, इनसे कोई पूछे कि तब आप दार्शनिक कैसे हुए? दार्शनिक तो हाइडेगर और हुस्सर्ल ही हुए, आप तो उनके अध्येता और प्रस्तोता ही हुए! किन्तु हमारे देश में अंग्रेज़ी राज्य की स्थापना के बाद से ऐसे ही दार्शनिक रह गए हैं—श्री अरविन्द को अपवाद स्वरूप छोड़कर—और स्वतन्त्रता के बाद तो इनकी पराधीनता और अधिक बढ़ी है। अवश्य अन्य शास्त्रों से भिन्न, दर्शनशास्त्र में पराश्रयता का एक दूसरा रूप भी है—प्राचीन भारतीय दर्शन पर पराश्रयता का, किन्तु है यह पराश्रयता ही। 1976-77 में 'समकालीन भारतीय दर्शन' नामक तीन संग्रह अंग्रेज़ी में प्रकाशित हुए थे जिन पर टिप्पणी करते हुए मैंने लिखा था कि इनके लेखक भारतीय नागरिक तो अवश्य हैं किन्तु भारतीय दार्शनिक कैसे हैं? कोई दर्शन 'भारतीय' तो 'भारत का तत्त्व' उसमें होने से ही होगा। यही बात महात्मा गाँधी ने 1910 में 'हिन्द स्वराज' पुस्तिका में भारतीय बुद्धिजीवियों को सामान्य रूप से लक्षित करते हुए कही थी। उन्होंने इन्हें 'भूरे साहिब' की संज्ञा देते हुए लिखा था कि भारत का शासन गोरे साहिबों से भूरे साहिबों के हाथ में आ जाने से भारत स्वतन्त्र नहीं कहलाएगा, क्योंकि वह कोई भारत का स्वकीय तन्त्र नहीं होगा। उसके 38 वर्ष बाद भारत ऐसा ही स्वतन्त्र हुआ। पं. नेहरू ने स्वयं अपने को भारत का अन्तिम अंग्रेज़ी शासक कहा था, जो सच था। उन्होंने भारतीय स्वतन्त्रता की उद्घोषणा करते हुए जो भाषण लाल किले से दिया था जिसमें उन्होंने भारत की भावी नियति की बात की थी, वह अंग्रेज़ी में दिया गया था जबकि उसी समय के लगभग गाँधी जी को किसी ने अंग्रेज़ी में पत्र लिखा था तो उन्होंने अपनी प्रार्थना-सभा में उसका उल्लेख पराधीन

मानसिकता का द्योतक कहकर किया था। पर हमारी नियति तो यह पराधीनता ही होने जा रही थी। अभी कुछ ही वर्ष पहले भारतीयता की दुहाई देने वाले दल के अध्यक्ष श्री लालकृष्ण अड़वानी ने किसी प्रसंग में बताया कि उन्होंने पिछले दिनों कौन-सी पुस्तकें पढ़ीं। वे सब यूरोपीय लेखकों की अंग्रेज़ी में लिखी पुस्तकें ही थीं। यही दूसरे सबका भी हाल है। यदि हिन्दी के साहित्यिक लेखकों से भी आप पूछें कि इन दिनों कौन-सी पुस्तकें पढ़ रहे हैं तो वे जिन पुस्तकों का नाम लेंगे उनमें अधिकांश यूरोपीयों के अंग्रेज़ी में अनूदित उपन्यास या उत्तर आधुनिकतावादी यूरोपीय लेखकों की पुस्तकें ही होंगी। यह हमारी मानसिकता का द्योतक है। किन्तु दर्शन या अन्य शास्त्रों में तो आपकी बाध्यता भी है कि आप अपनी भाषाओं की किन्हीं पुस्तकों के नाम बता भी नहीं सकते। इन विषयों में हमारे कोई विचारक हैं ही नहीं। इसका कारण क्या है और इस अवरोध को तोड़ा कैसे जा सकता है?

सम्भवत: किसी जाति में सृजनात्मकता होने या नहीं होने का कारण निश्चित और स्पष्ट रूप से नहीं बताया जा सकता, जैसे व्यक्तियों में नहीं बताया जा सकता। जिस समय कबीर, तुलसी और सूर हमारे यहाँ हुए वह राजनैतिक, सामाजिक रूप में हमारी पराजय और क्षय का युग था, किन्तु इनकी तुलना के व्यक्ति और कवि हमारे यहाँ शताब्दियों पहले और बाद में कहीं दिखाई नहीं देते। उसके बाद, अर्थात् अंग्रज़ों से पराजय के बाद, साहित्यिक, आध्यात्मिक और राजनैतिक क्षेत्रों में रवीन्द्रनाथ, शरच्चन्द्र, सुब्रह्मण्य भारती, प्रसाद, निराला तथा प्रेमचन्द आदि एक ओर और रामकृष्ण परमहंस, रमण महर्षि, विवेकानन्द, दयानन्द, अरविन्द आदि दूसरी ओर, तथा आध्यात्कि और राजनीति दोनों को व्याप्त कर उनका अतिक्रमण करते हुए महात्मा गाँधी तीसरी ओर ऐसी सृजनात्मक प्रतिभाएँ इस देश में दृष्टिगोचर होती हैं जिन पर कोई भी जाति गर्व से अपना सिर हिमालय के उच्चतम शिखर के भी ऊपर उठा सकती है। धर्म और अध्यात्म के क्षेत्र में और भी बहुत-सी सृजनात्मक प्रतिभाएँ आज तक निरन्तर प्रकट होती देखी जा सकती हैं। किन्तु इस जाति ने इस काल में भी किसी शास्त्र में कोई साधारण कोटि का भी सृजनात्मक चिन्तक क्यों उत्पन्न नहीं किया, यह आश्चर्य की बात है। किन्तु स्वतन्त्रता के बाद इसकी सम्भावना भी क्रमश: समाप्त होती जा रही है, जिसका सूत्रपात स्वतन्त्रता के पहले हो गया था। द्रष्टव्य है कि ऊपर हमने जो नाम गिनाए हैं वे सब भारत की मनोभूमि से जुड़े हुए थे। इस मनोभूमि से उन्हें वे सब उर्वरक सहज उपलब्ध थे जो बीज के स्वस्थ होने पर उसके स्वस्थ पल्लवन और भरपूर फलन को सम्भव करते हैं। महात्मा कबीर तो अपढ़ ही थे, किन्तु उनकी कविता का बौद्धिक स्तर बड़े-से बड़े शिक्षित के लिए भी स्पृहणीय है। सूर की कविता अपने कलात्मक वैभव में अद्वितीय है जबकि वे भी अपढ़ ही थे। महात्मा गाँधी अपने माहात्म्य को वह सब भुलाकर प्राप्त कर पाये जो शिक्षा ने उन्हें दिया था। इस उर्वरक से हमें राजनैतिक स्वतन्त्रता के बाद की स्वयं अर्जित मानसिक परतन्त्रता ने वंचित कर दिया है। कठिनाई यह है कि आज इस परिस्थिति से निकल पाने की कोई सम्भावना और उपाय भी दिखाई नहीं देता है। आज हमारी शिक्षा कार्पोरेशनों, होटलों और काल-सेन्टरों में आजीविका अर्जन की साधन मात्र के रूप में रह गई है, अन्तर्राष्ट्रीय बाज़ार के विक्रेता और क्रेता होना, यही हमारे लिए एक पुरुषार्थ रह गया है और यह अब हमारी ही स्थिति नहीं, सारी मानव-जाति ही आज इसमें सहभागी है।

हम यहाँ भारतीयता की बात कर रहे हैं किन्तु हमारे बच्चे अंग्रेज़ी-माध्यम विद्यालयों में पढ़ रहे हैं, और हमारे पास दूसरा कोई उपाय नहीं है। भारतीयता की दुहाई देने वाली राजस्थान सरकार अपने विद्यालयों को अंग्रेज़ी-माध्यम विद्यालय बनाने की तैयारी कर रही है, यही कुछ दूसरे प्रान्तों में भी हो रहा है। महाविद्यालयों में अंग्रेज़ी बोलना सिखाने के उपक्रम हो रहे हैं, 'बुद्धं शरणं गच्छामि' पर्यटन-विभाग के विज्ञापन के मन्त्र के रूप में प्रयुक्त हो रहा है, 'योग', 'कृष्ण' और 'राम' तक 'योगा', 'रामा' और 'कृष्णा' हो गए हैं। यह हमारी आज की परिस्थिति है। ऐसे में विचार तो क्या, साहित्य और संगीत में भी भारतीयता के लुप्त हो जाने की सम्भावनाएँ बन रही हैं। इस परिस्थिति में हमारे देश से निकलने वाली पत्रिकाओं और उनके सम्पादकों का दायित्व बढ़ जाता है। उन्हें परिस्थिति से लड़ना होगा। परन्तु विडम्बना यह है कि सम्पादक भी तो इसी परिस्थिति और परिवेश में रह रहे

हैं। मैंने सम्पादक के रूप में कुछ करना चाहा और क्रमश: 'दार्शनिक' तथा 'उन्मीलन' पत्रिकाओं का इसी उद्देश्य से आरम्भ किया था। किन्तु इसके लिए लेखक कहाँ से आते? तब सौभाग्य से मुकुंद जी मेरे साथ सम्मिलित हुए और बाद में अम्बिकादत्त जी, जो भारतीय दर्शन के सुलझे और समर्पित विद्वान् हैं। हम एक से दो हुए, किन्तु पत्रिका दो से नहीं बनती, तब भी नहीं यदि सम्पादक लेखक भी हो जाएँ। पाश्चात्य दर्शन विषयक लेख हमने अपनी परिधि से बाहर रखे, किन्तु पुराने भारतीय दार्शनिकों के विचारों के विवरण भी कोई 'हिन्द स्वराज' के द्योतक नहीं कहे जा सकते। उन्हें आधार बनाकर ही चाहे, किन्तु कुछ अपनी बात तो हो! किन्तु अब तक किसी ने इस तरह देखा ही नहीं था। सो, इस कठिनाई का हम साम्मुख्य कर रहे हैं।